Standardzulassungen für Fertigarzneimittel

Text und Kommentar

Herausgegeben von
Prof. Dr. Rainer Braun, Kronberg/Ts.

unter Mitarbeit von
Prof. Dr. Peter Surmann, Berlin
Dr. Ralf Wendt, Berlin
Prof. Dr. Max Wichtl, Marburg
Prof. Dr. Jochen Ziegenmeyer, Berlin

Mit 16. Ergänzungslieferung

Stand: Dezember 2004

Band 1

Deutscher Apotheker Verlag Stuttgart
Govi-Verlag GmbH Frankfurt

Ein Markenzeichen kann warenzeichenrechtlich geschützt sein, auch wenn ein Hinweis auf etwa bestehende Schutzrechte fehlt.

Bibliografische Information Der Deutschen Bibliothek
Die Deutsche Bibliothek verzeichnet diese Publikation in der Deutschen Nationalbibliografie; detaillierte bibliografische Daten sind im Internet unter http://dnb.ddb.de abrufbar.

Jede Verwertung des Werkes außerhalb der Grenzen des Urheberrechtsgesetzes ist unzulässig und strafbar. Dies gilt insbesondere für Übersetzung, Nachdruck, Mikroverfilmung oder vergleichbare Verfahren sowie für die Speicherung in Datenverarbeitungsanlagen.

ISBN 3-7692-3642-4 (16. Erg.-Lfg.)
ISBN 3-7692-3643-2 (Grundwerk einschl. 16. Erg.-Lfg.)

© 2005 Deutscher Apotheker Verlag, Birkenwaldstraße 44, 70191 Stuttgart
Printed in Germany
Satz und Druck: Kösel, Krugzell

Vorwort zur 16. Ergänzungslieferung

Bei der 16. Ergänzungslieferung handelt es sich um die zehnte Verordnung zur Änderung der Verordnung über Standardzulassungen von Arzneimitteln. Die Änderungsverordnung enthält nicht nur 18 neue Standardzulassungsmonographien, sondern es wurden auch die bestehenden Monographien einer gründlichen Anpassung an den heutigen Erkenntnisstand unterzogen.

Dabei wurden 32 Monographien für Humanarzneimittel sowie 2 Monographien für Tierarzneimittel ganz gestrichen, da sie nicht mehr den heutigen Anforderungen an ein sinnvolles Nutzen-Risiko-Verhältnis entsprechen.

Weiterhin wurden 76 Monographien völlig neu gefasst und schließlich in 42 Monographien partielle Änderungen vorgenommen, die aufgrund neuer Monographien im Arzneibuch erforderlich wurden.

Kronberg/Ts., Dezember 2004   R. Braun

Inhaltsverzeichnis

Vorwort zur 16. Ergänzungslieferung III
Vorwort zum Grundwerk V
Inhaltsverzeichnis VII

A. Verordnungen über Standardzulassungen

Verordnung über Standardzulassungen, 1982 . . . . A 1

Erste Verordnung zur Änderung der Verordnung
über Standardzulassungen, 1985 . . . . A 3

Zweite Verordnung zur Änderung der Verordnung
über Standardzulassungen, 1986 . . . . A 7

Dritte Verordnung zur Änderung der Verordnung
über Standardzulassungen, 1987 . . . . A 9

Vierte Verordnung zur Änderung der Verordnung
über Standardzulassungen, 1988 . . . . A 10

Fünfte Verordnung zur Änderung der Verordnung
über Standardzulassungen, 1993 . . . . A 11

Sechste Verordnung zur Änderung der Verordnung
über Standardzulassungen, 1993 . . . . A 12/1

Siebte Verordnung zur Änderung der Verordnung
über Standardzulassungen, 1996 . . . . A 12/3

Achte Verordnung zur Änderung der Verordnung
über Standardzulassungen, 2000 . . . . A 12/5

Neunte Verordnung zur Änderung der Verordnung
über Standardzulassungen, 2003 . . . . A 12/7

Zehnte Verordnung zur Änderung der Verordnung
über Standardzulassungen von Arzneimitteln . . . . A 12/9

Standardzulassungen zur Anwendungen bei Menschen
(alphabetisches Gesamtverzeichnis) . . . . A 13

Standardzulassungen zur Anwendungen bei Tieren
(alphabetisches Gesamtverzeichnis) . . . . A 23

Allgemeine Bestimmungen mit Erläuterungen . . . . A 25

Allgemeine Methoden mit Erläuterungen . . . . A 35

Monographien mit Kommentaren
Standardzulassungen zur Anwendung bei Tieren

B. Kommentar

Allgemeine Erläuterungen		B 1
1	**Allgemeiner Teil**	B 1
1.1	Einleitung	B 1
1.2	Arzneimittelauswahl und Verordnungsweg	B 3
2	**Monographieaufbau**	B 8
2.1	Pharmazeutischer Monographieteil	B 8
2.2	Kennzeichnung	B 12
2.3	Packungsbeilage	B 17
2.4	Fachinformation	B 20
3	**Erläuterungen zur Herstellung von Standardzulassungen**	B 21
3.1	Allgemeine Einführung und Erläuterung der verschiedenen Monographieformen	B 21
3.2	Spezielle Erläuterungen zu einzelnen Darreichungsformen	B 25
3.2.1	Tabletten und Dragees	B 25
3.2.2	Kapseln	B 26
3.2.3	Dermatika	B 26
3.2.4	Parenteralia	B 27
3.2.5	PflanzlicheArzneimittel	B 43

B I. Praktische Hinweise für die Nutzung von Standardzulassungen

1	Betriebsinterne Dokumentation für die Herstellung von standardzugelassenen Arzneimitteln in der Apotheke	B I 1
1.1	Muster für Herstellungs- und Prüfkontrolle	B I 5
	Beispiel: Ethanolhaltige Iod-Lösung	
	Beispiel: Diphenhydraminhydrochlorid-Kapseln 25 mg	

C. Materialien

1	Amtliche Begründung zum § 36 AMG	C 1
2	Bericht des Bundestagsausschusses Jugend, Familie und Gesundheit zum AMG	C 1
3	Entschließung des Bundesrates	C 2
4	Leitsätze des BMJFG zum Erlas der Rechtsverordnung über Standardzulassungen vom 1. September 1976	C 2
5	Aus dem Bericht der Bundesregierung vom 12. Februar 1982 über Erfahrungen mit dem Arzneimittelgesetz	C 5

6	Amtliche Begründung zur Verordnung über Standardzulassungen	C 6
7	Beschluß des Bundesrates vom 26. November 1982 zur Verordnung über Standardzulassungen	C 7
8	Schreiben des Bundesverbandes der Pharmazeutischen Industrie vom 21. September 1982 und Antwort des BMJFG vom 1. Oktober 1982	C 8
9	Stellungnahme des Bundesfachverbandes der Heilmittelindustrie zum Entwurf vom 26. Juli 1982 und Antwort des BMJFG vom 1. Oktober 1982	C 12

Veröffentlichungen in der Fachpresse

1	H.G. Wolters „Standardzulassungen sind vernünftig", Dtsch. Apoth. Ztg. **116**, 410 (1976)	C 14
2	R. Braun „Monographieentwürfe für Standardzulassungen. Sinn und Zweck", Dtsch. Apoth. Ztg. **121**, 1595 (1981) .	C 16
3	O. May, „Standardzulassungen – wem nützen sie eigentlich?" Dtsch. Apoth. Ztg. **122**, 2232 (1982)	C 19
4	R. Braun „Standardzulassungen – wem nützen sie eigentlich?" Dtsch. Apoth. Ztg. **122**, 2605 (1982)	C 29
5	H. Kassebaum, „Standardzulassungen – wem nützen sie und wie sind sie zu nutzen?" Dtsch. Apoth. Ztg. **122**, 2603 (1982)	C 36
6	H.H. Schmidt-Felzmann, „Die rechtlichen Grundlagen der Selbstherstellung von Arzneimitteln in der Apotheke", Dtsch. Apoth. Ztg. **123**, 1441 (1983)	C 43

C I. Sammlung relevanter Gesetze, Verordnungen, Richtlinien und Empfehlungen für den Verkehr mit Arzneimitteln .... C I 1

1	Allgemeines	C I 2
2	Ausgangsstoffe	C I 50
3	Herstellung und Kontrolle des Fertigarzneimittels	C I 56
4	Behältnisse und Haltbarkeit	C I 58
5	Kennzeichnung und Packungsbeilage	C I 60

A.
Verordnung über Standardzulassungen

Zehnte Verordnung zur Änderung der Verordnung über Standardzulassungen von Arzneimitteln

vom 6. Dezember 2004 (BGBl. I Nr. 67 vom 15. Dezember 2004)

Auf Grund des § 36 Abs. 1 und 3 des Arzneimittelgesetzes in der Fassung der Bekanntmachung vom 11. Dezember 1998 (BGBl. I S. 3586), von denen Absatz 3 zuletzt durch Artikel 1 des Gesetzes vom 30. Juli 2004 (BGBl. I S. 2031) geändert worden ist, verordnet das Bundesministerium für Gesundheit und Soziale Sicherung im Einvernehmen mit dem Bundesministerium für Wirschaft und Arbeit und dem Bundesministerium für Verbraucherschutz, Ernährung und Landwirtschaft nach Anhörung des Sachverständigen-Ausschusses für Standardzulassungen:

Artikel 1

Die Verordnung über Standardzulassungen von Arzneimitteln vom 3. Dezember 1982 (BGBl. I S. 1601), zuletzt geändert durch Artikel 2 der Verordnung vom 19. Dezember 2003 (BGBl. I S. 2826), wird wie folgt geändert:

1. § 2 wird wie folgt gefasst:

    „§ 2

    Arzneimittel, die sich vor dem 16. Dezember 2004 im Verkehr befanden und den Vorschriften der Verordnung über Standardzulassungen von Arzneimitteln in der bis zum 16. Dezember 2004 geltenden Fassung entsprechen, dürfen vom pharmazeutischen Unternehmer noch bis zum 1. Januar 2006 in Verkehr gebracht werden."

2. In Teil I, 1. Abschnitt der Anlage wird die Übersicht wie folgt geändert:

    a) Die Monographien der laufenden Nummern

29	Ammoniumbituminosulfonat-Salbe 5 Prozent	Zul.-Nr.: 5699.99.99
30	Ammoniumbituminosulfonat-Salbe 10 Prozent	Zul.-Nr.: 5699.98.99
70	Besenginsterkraut	Zul.-Nr.: 1439.99.99
72	Brennnesselkraut	Zul.-Nr.: 8599.99.99
91	Färberginsterkraut	Zul.-Nr.: 1489.99.99
102	Goldrutenkraut	Zul.-Nr.: 1599.99.99
110	Huflattichblätter	Zul.-Nr.: 1039.99.99
115	Kaliumphosphat-Lösung	Zul.-Nr.: 4199.99.99
125	Lithiumcarbonat-Tabletten 150 mg	Zul.-Nr.: 3299.99.99

126	Lithiumcarbonat-Tabletten 450 mg	Zul.-Nr.: 3299.98.99
167	Schwarze-Johannisbeerblätter	Zul.-Nr.: 1669.99.99
179	Trometamol-Natriumchlorid-Kaliumchlorid-Lösung	Zul.-Nr.: 4799.99.99
188	Acetat-Hämodialyse-Konzentrate	Zul.-Nr.: 1739.99.99
189	Saure Bicarbonat-Hämodialyse-Konzentrate	Zul.-Nr.: 1749.99.99
190	Basische Bicarbonat-Hämodialyse-Konzentrate	Zul.-Nr.: 1759.99.99
192	Glucose-Lösung 10 Prozent mit Elektrolyten	Zul.-Nr.: 1779.99.99
193	Glucose-Lösung 5 Prozent – Natriumchlorid-Lösung 0,9 Prozent, 3+1	Zul.-Nr.: 1789.99.99
194	Glucose-Lösung 5 Prozent – Natriumchlorid-Lösung 0,9 Prozent, 1+3	Zul.-Nr.: 1789.98.99
195	Glucose-Lösung 5 Prozent – Natriumchlorid-Lösung 0,9 Prozent, 1+1	Zul.-Nr.: 1789.97.99
196	Glucose-Lösung 5 Prozent – Ringer-Lösung, 3+1	Zul.-Nr.: 1809.99.99
197	Glucose-Lösung 5 Prozent – Ringer-Lösung, 1+3	Zul.-Nr.: 1809.98.99
198	Glucose-Lösung 5 Prozent – Ringer-Lösung, 1+1	Zul.-Nr.: 1809.97.99
199	Glucose-Lösung 5 Prozent – Ringer-Lactat-Lösung, 3+1	Zul.-Nr.: 1819.99.99
200	Glucose-Lösung 5 Prozent – Ringer-Lactat-Lösung, 1+3	Zul.-Nr.: 1819.98.99
201	Glucose-Lösung 5 Prozent – Ringer-Lactat-Lösung, 1+1	Zul.-Nr.: 1819.97.99
208	(2-Hydroxyethyl)-salicylat – Benzylnicotinat-Salbe	Zul.-Nr.: 1869.99.99
238	Bromhexinhydrochlorid-Injektionslösung 2,0 mg/ml	Zul.-Nr.: 2079.99.99
239	Bromhexinhydrochlorid-Lösung 0,2 Prozent	Zul.-Nr.: 2079.99.98
240	Bromhexinhydrochlorid-Tabletten 8 mg	Zul.-Nr.: 2079.98.97
	Bromhexinhydrochlorid-Tabletten 16 mg	Zul.-Nr.: 2079.97.97
253	Natriumhydrogencarbonat für die Hämodialyse	Zul.-Nr.: 4399.99.99
261	Calciumchlorid-Lösung 12,9 %	Zul.-Nr.: 1769.98.99
264	Kaliumchlorid-Lösung 26,1 %	Zul.-Nr.: 6999.96.99

werden gestrichen.

b) Nach der laufenden Nummer 273 werden folgende Nummern 274 bis 288 angefügt:

„274	Ambroxolhydrochlorid-Saft 0,3 %	2309.99.98
275	Ambroxolhydrochlorid-Tabletten 30 mg	2309.99.97
276	Ambroxolhydrochlorid-Tropfen 1,5 %	2309.99.96
277	Brennnesselblätter	2479.99.99

278	Bupivacainhydrochlorid-Lösung 0,5 %	2089.98.99
278	Bupivacainhydrochlorid-Lösung 0,75 %	2089.97.99
279	Glucose-Lösung 12 % mit Elektrolyten	2489.99.99
280	Glucose-Lösung 5 % + Natriumchlorid 0,45 %	2509.99.99
281	Glucose-Lösung 5 % + Natriumchlorid 0,9 %	2509.98.99
282	Glucose-Toleranztest	2519.99.99
283	Lidocainhydrochlorid-Lösung 0,5 %	2599.99.99
283	Lidocainhydrochlorid-Lösung 1 %	2599.98.99
283	Lidocainhydrochlorid-Lösung 2 %	2599.97.99
284	Mepivacainhydrochlorid-Lösung 0,5 %	2179.99.99
285	Natriumchlorid-Trägerlösung	1299.95.99
286	Ringer-Lösung mit Glucose 5 %	2539.99.99
287	Ringer-Lactat-Lösung mit Glucose 5 %	2549.99.99
288	Wasser für Injektionszwecke	2559.99.99".

3. Teil I, 2. Abschnitt der Anlage wird wie folgt geändert:

a) Die Monographien mit den laufenden Nummern

29	Ammoniumbituminosulfonat-Salbe 5 Prozent	Zul.-Nr.: 5699.99.99
30	Ammoniumbituminosulfonat-Salbe 10 Prozent	Zul.-Nr.: 5699.98.99
70	Besenginsterkraut	Zul.-Nr.: 1439.99.99
72	Brennnesselkraut	Zul.-Nr.: 8599.99.99
91	Färberginsterkraut	Zul.-Nr.: 1489.99.99
102	Riesengoldrutenkraut	Zul.-Nr.: 1599.99.99
110	Huflattichblätter	Zul.-Nr.: 1039.99.99
115	Klaiumphosphat-Lösung	Zul.-Nr.: 4199.99.99
125	Lithiumcarbonat-Tabletten 150 mg	Zul.-Nr.: 3299.99.99
126	Lithiumcarbonat-Tabletten 450 mg	Zul.-Nr.: 3299.98.99
167	Schwarze-Johannisbeerblätter	Zul.-Nr.: 1669.99.99
179	Trometamol-Natriumchlorid-Kaliumchlorid-Lösung	Zul.-Nr.: 4799.99.99
188	Acetat-Hämodialyse-Konzentrate	Zul.-Nr.: 1739.99.99
189	Saure Bicarbonat-Hämodialyse-Konzentrate	Zul.-Nr.: 1749.99.99
190	Basische Bicarbonat-Hämodialyse-Konzentrate	Zul.-Nr.: 1759.99.99
192	Glucose-Lösung 10 Prozent mit Elektrolyten	Zul.-Nr.: 1779.99.99
193	Glucose-Lösung 5 Prozent – Natriumchlorid-Lösung 0,9 Prozent, 3+1	Zul.-Nr.: 1789.99.99

194	Glucose-Lösung 5 Prozent – Natriumchlorid-Lösung 0,9 Prozent, 1+3	Zul.-Nr.: 1789.98.99
195	Glucose-Lösung 5 Prozent – Natriumchlorid-Lösung 0,9 Prozent, 1+1	Zul.-Nr.: 1789.97.99
196	Glucose-Lösung 5 Prozent – Ringer-Lösung, 3+1	Zul.-Nr.: 1809.99.99
197	Glucose-Lösung 5 Prozent – Ringer-Lösung, 1+3	Zul.-Nr.: 1809.98.99
198	Glucose-Lösung 5 Prozent – Ringer-Lösung, 1+1	Zul.-Nr.: 1809.97.99
199	Glucose-Lösung 5 Prozent – Ringer-Lactat-Lösung, 3+1	Zul.-Nr.: 1819.99.99
200	Glucose-Lösung 5 Prozent – Ringer-Lactat-Lösung, 1+3	Zul.-Nr.: 1819.98.99
201	Glucose-Lösung 5 Prozent – Ringer-Lactat-Lösung, 1+1	Zul.-Nr.: 1819.97.99
208	(2-Hydroxyethyl)-salicylat – Benzylnicotinat-Salbe	Zul.-Nr.: 1869.99.99
238	Bromhexinhydrochlorid-Injektionslösung 2,0 mg/ml	Zul.-Nr.: 2079.99.99
239	Bromhexinhydrochlorid-Lösung 0,2 Prozent	Zul.-Nr.: 2079.99.98
240	Bromhexinhydrochlorid-Tabletten 8 mg	Zul.-Nr.: 2079.98.97
	Bromhexinhydrochlorid-Tabletten 16 mg	Zul.-Nr.: 2079.97.97
253	Natriumhydrogencarbonat für die Hämodialyse	Zul.-Nr.: 4399.99.99
261	Calciumchlorid-Lösung 12,9 %	Zul.-Nr.: 1769.98.99
264	Kaliumchlorid-Lösung 26,1%	Zul.-Nr.: 6999.96.99

werden gestrichen.

b) Die Monographien mit den laufenden Nummern 1, 2, 10, 11, 12, 13, 14, 16, 20, 21, 22, 24, 25, 26, 27, 31, 32, 33, 34, 35, 44, 60, 61, 63, 67, 68, 73, 85, 87, 89, 98, 99, 103, 104, 105, 106, 107, 108, 109, 114, 121, 123, 127, 128, 131, 132, 133, 136, 140, 154, 155, 158, 159, 160, 161, 162, 165, 166, 172, 178, 183, 184, 191, 202, 203, 204, 205, 206, 207, 211, 243, 246, 247, 248, 260 und 265 werden wie folgt neu gefasst:*)

c) Nach der laufenden Nummer 273 werden folgende Monographien eingefügt:*)

4 Die Monographie des Teils I, 2. Abschnitt, laufende Nummern 28 der Anlage wird wie folgt geändert:

a) In Ziffer 3 „Zusammensetzung" wird die Angabe „ml" durch die Angabe „g" ersetzt.

b) Ziffer 5 wird wie folgt gefasst:

„5 Inprozess-Kontrollen

Überprüfung:

– der relativen Dichte (AB. 2.25): 1,010 bis 1,012,

---

*) Die Änderungen nach Artikel 1 Nr. 3 Buchstabe b und c dieser Verordnung werden als Anlageband zu dieser Ausgabe des Bundesgesetzblatts ausgegeben. Innerhalb des Abonnements werden Anlagebände auf Anforderung gemäß den Bezugsbedingungen des Verlags übersandt. Außerhalb des Abonnements erfolgt die Lieferung gegen Kostenerstattung.

– des pH-Wertes (AB. 2.23): 2.2 bis 2.4".

c) Ziffer 7 „Behältnisse" wird wie folgt gefasst:

„7 Behältnisse

Braunglasflasche mit Schraubkappe mit Druckausgleichsventil."

5. In der Monographie des Teils I, 2. Abschnitt, laufende Nummer 50 der Anlage wird in den Ziffern 6.1 „Stoff- oder Indikationsgruppe" und 6.2 „Anwendungsgebiete" die Angabe „Muskel- und Nervenschmerzen" jeweils durch die Angabe „Muskelschmerzen und nervenschmerzähnliche Beschwerden" ersetzt.

6. In der Monographie des Teils I, 2. Abschnitt, laufende Nummer 51 der Anlage wird in Ziffer 3 „Zusammensetzung und Herstellungsvorschrift" und Ziffer 4 „Eigenschaften und Prüfungen" die Angabe „1986" jeweils durch die Worte „in der jeweils gültigen Fassung" ersetzt.

7. In der Monographie des Teils I, 2. Abschnitt, laufende Nummer 53 der Anlage wird in Ziffer 3.1.1 „Tannin-Eiweiß" die Angabe „1986" durch die Angabe „in der jeweils gültigen Fassung" ersetzt.

8. In der Monographie des Teils I, 2. Abschnitt, laufende Nummer 57 der Anlage wird Ziffer 5.1 „Anwendungsgebiete" wie folgt gefasst:

„5.1 Anwendungsgebiete

Zur Unterstützung der Wundheilung, auch bei nässenden oder juckenden Wunden, Schrunden; Verwendung als Decksalbe."

9. Die Monographie des Teils I, 2. Abschnitt, laufende Nummer 58 der Anlage wird wie folgt geändert:

a) In Ziffer 6.8 „Nebenwirkungen" werden der fünfte und sechste Absatz gestrichen.

b) In Ziffer 7.5 „Nebenwirkungen" werden der vierte und fünfte Absatz gestrichen.

10. Die Monographie des Teils I, 2. Abschnitt, laufende Nummer 59 der Anlage wird wie folgt geändert:

a) In Ziffer 6.8 „Nebenwirkungen" werden der fünfte und sechste Absatz gestrichen.

b) In Ziffer 7.5 „Nebenwirkungen" werden der vierte und fünfte Absatz gestrichen.

11. In der Monographie des Teils I, 2. Abschnitt, laufende Nummer 114 der Anlage wird in Ziffer 6.1.1 „Kaliumhydroxid" die Angabe „1986" durch die Angabe „in der jeweils gültigen Fassung" ersetzt.

12. Die Monographie des Teils I, 2. Abschnitt, laufende Nummer 121 der Anlage wird wie folgt geändert:

a) Ziffer 3 „Eigenschaften und Prüfungen" wird wie folgt gefasst:

„3 Eigenschaften und Prüfungen

Haltbarkeit:

Die Haltbarkeit in den Behältnissen nach 4 beträgt 2 Jahre."

b) Ziffer 5 „Haltbarkeit" wird gestrichen.

13. Die Monographie des Teils I, 2. Abschnitt, laufende Nummer 149 der Anlage wird wie folgt geändert:

   a) In Ziffer 6.1 „Anwendungsgebiete" wird der „Hinweis" wie folgt gefasst:

   „Hinweis:

   Phenobarbital ist nicht wirksam bei Absencen sowie zur Prophylaxe und Therapie von Fieberkrämpfen."

   b) In Ziffer 6.3 „Nebenwirkungen" wird vor dem Hinweis der folgende Absatz eingefügt:

   „Beim Einsatz von Phenobarbital zum Schutz vor generalisierenden tonisch-klonischen Anfällen bei Absencen kann es zu einer Zunahme der Absencen kommen."

14. Die Monographie des Teils I, 2. Abschnitt, laufende Nummer 150 der Anlage wird wie folgt geändert:

   a) In Ziffer 6.1 „Anwendungsgebiete" wird der „Hinweis" wie folgt gefasst:

   „Hinweis:

   Phenobarbital ist nicht wirksam bei Absencen sowie zur Prophylaxe und Therapie von Fieberkrämpfen."

   b) In Ziffer 6.3 „Nebenwirkungen" wird vor dem Hinweis der folgende Absatz eingefügt;

   „Beim Einsatz der Phenobarbital zum Schutz vor generalisierenden tonisch-klonischen Anfällen bei Absencen kann es zu einer Zunahme der Absencen kommen."

15. Die Monographie des Teils I, 2. Abschnitt, laufende Nummer 151 der Anlage wird wie folgt geändert:

   a) In Ziffer 6.1 „Anwendungsgebiete" wird der „Hinweis" wie folgt gefasst:

   „Hinweis:

   Phenobarbital ist nicht wirksam bei Absencen sowie zur Prophylaxe und Therapie von Fieberkrämpfen."

   b) In Ziffer 6.3 „Nebenwirkungen" wird vor dem Hinweis der folgende Absatz eingefügt:

   „Beim Einsatz von Phenobarbital zum Schutz vor generalisierenden tonisch-klonischen Anfällen bei Absencen kann es zu einer Zunahme der Absencen kommen."

16. Die Monographie des Teils I, 2. Abschnitt, laufende Nummer 152 der Anlage wird wie folgt geändert:

   a) In Ziffer 6.1 „Anwendungsgebiete" wird der „Hinweis" wie folgt gefasst:

   „Hinweis:

   Phenobarbital ist nicht wirksam bei Absencen sowie zur Prophylaxe und Therapie von Fieberkrämpfen."

   b) In Ziffer 6.3 „Nebenwirkungen" wird vor dem Hinweis der folgende Absatz eingefügt:

   „Beim Einsatz von Phenobarbital zum Schutz vor generalisierenden tonisch-klonischen Anfällen bei Absencen kann es zu einer Zunahme der Absencen kommen."

17. Die Monographie des Teils I, 2. Abschnitt, laufende Nummer 161 der Anlage wird wie folgt geändert:

   a) Ziffer 3 „Eigenschaften und Prüfungen" wird wie folgt gefasst:

   „3   Eigenschaften und Prüfungen

   Haltbarkeit:

   Der ätherische Ölgehalt der Droge nimmt in den Behältnissen nach 4 um etwa 0,1 Prozent absolut pro Jahr ab. Die Dauer der Haltbarkeit errechnet sich somit aus der Differenz des zum Zeitpunkt der Abpackung bestimmten Ölgehalts und dem vorgeschriebenen Mindestgehalt."

   b) Ziffer 5 „Haltbarkeit" wird gestrichen.

18. In den Monographien des Teils I, 2. Abschnitt, laufende Nummern 183 und 184 der Anlage werden jeweils die Ziffern 6.1 „Ausgangsstoffe" und 6.1.1 „Xylitol" gestrichen.

19. Die Monographie des Teils I, 2. Abschnitt, laufende Nummer 215 der Anlage wird wie folgt geändert:

   a) Die Ziffern 5.1 „Ausgangsstoffe", 5.1.1 „Queckenwurzelstock", 5.1.2 „Riesengoldrutenkraut" und 5.1.3 „Hauhechelwurzel" werden gestrichen.

   b) Ziffer 5.2.2 „Prüfung auf Identität" wird wie folgt geändert:

   aa)   Der Abschnitt „Hauhechelwurzel" wird wie folgt gefasst:

   „Hauhechelwurzel

   entsprechend Prüfung auf Identität gemäß AB."

   bb)   Der Abschnitt „Queckenwurzelstock" wird wie folgt gefasst:

   „Queckenwurzelstock

   entsprechend Prüfung auf Identität gemäß AB."

   cc)   Der Abschnitt „Riesengoldrutenkraut" wird wie folgt gefasst:

   „Riesengoldrutenkraut

   entsprechend Prüfung auf Identität gemäß AB."

20. Die Monographie des Teils 1, 2. Abschnitt, laufende Nummer 216 der Anlage wird wie folgt geändert:

   a) Ziffer 5.1 „Ausgangsstoff" wird gestrichen.

   b) Ziffer 5.2.2 „Prüfung auf Identität" wird wie folgt geändert:

   aa) Der Abschnitt „Anis" wird wie folgt gefasst:

   „Anis

   entsprechend Prüfung auf Identität gemäß AB."

   bb) Der Abschnitt „Eibischblätter" wird wie folgt gefasst:

   „Eibischblätter

   entsprechend Prüfung auf Identität gemäß AB."

   cc) Der Abschnitt „Eibischwurzel" wird wie folgt gefasst:

   „Eibischwurzel

   entsprechend Prüfung auf Identität gemäß AB."

21. Die Monographie des Teils I, 2. Abschnitt, laufende Nummer 217 der Anlage wird wie folgt geändert:

   a) Ziffer 5.1.2 „Mädesüßblüten" wird wie folgt gefasst:

   „5.1.2 Mädesüßblüten

   Die Droge muß der Monographie „Mädesüßblüten" des Deutschen Arzneimittel-Codex (DAC) in der jeweils gültigen Fassung entsprechen."

   b) In Ziffer 5.2.2 „Prüfung auf Identität" wird der Abschnitt „Mädesüßblüten" wie folgt gefasst:

   „Mädesüßblüten

   entsprechend Prüfung auf Identität gemäß DAC."

22. Die Monographie des Teils I, 2. Abschnitt, laufende Nummer 218 der Anlage wird wie folgt geändert:

   a) In Ziffer 5.1.1 „Löwenzahn" wird die Angabe „1986" durch die Angabe „in der jeweils gültigen Fassung" ersetzt.

   b) Ziffer 5.2.2 „Prüfung auf Identität" wird wie folgt geändert:

   aa) Der Abschnitt „Löwenzahn" wird wie folgt gefasst:

   „Löwenzahn

   entsprechend Prüfung auf Identität gemäß DAC."

   bb) Der Abschnitt „Pfefferminzblätter" wird wie folgt gefasst;

   „Pfefferminzblätter

   entsprechend Prüfung auf Identität gemäß AB."

23. In der Monographie des Teils I, 2. Abschnitt, laufende Nummer 219 der Anlage wird in Ziffer 5.2.2 „Prüfung auf Identität" der Abschnitt „Eibischwurzel" wie folgt gefasst:

    „Eibischwurzel

    entsprechend Prüfung auf Identität gemäß AB."

24. In der Monographie des Teils I, 2. Abschnitt, laufende Nummer 220 der Anlage wird in Ziffer 5.2.2 „Prüfung auf Identität" der Abschnitt „Enzianwurzel" wie folgt gefasst:

    „Einzianwurzel

    entsprechend Prüfung auf Identität gemäß AB."

25. In der Monographie des Teils I, 2. Abschnitt, laufende Nummer 221 der Anlage wird in Ziffer 5.1.2 „Prüfung auf Identität" der Abschnitt „Pfefferminzblätter" wie folgt gefasst:

    „Pfefferminzblätter

    entsprechend Prüfung auf Identität gemäß AB."

26. Die Monographie des Teils I, 2. Abschnitt, laufende Nummer 223 der Anlage wird wie folgt geändert:

    a) In Ziffer 3 „Zusammensetzung" wird die Angabe „Pommeranzenblüten" durch die Angabe „Bitterorangenblüten" ersetzt.

    b) Ziffer 5.1 „Ausgangsstoffe" wird gestrichen.

    c) Ziffer 5.2.2 „Prüfung auf Identität" wird wie folgt geändert:

        aa) Der Abschnitt „Lavendelblüten" wird wie folgt gefasst:

        „Lavendelblüten

        entsprechend Prüfung auf Identität gemäß AB."

        bb) Der Abschnitt Passionsblumenkraut" wird wie folgt gefasst:

        »Passionsblumenkraut

        entsprechend Prüfung auf Identität gemäß AB."

        cc) Der Abschnitt „Pfefferminzblätter" wird wie folgt gefasst:

        „Pfefferminzblätter

        entsprechend auf Identität gemäß AB."

27. Die Monographie des Teils I, 2. Abschnitt, laufende Nummer 227 der Anlage wird wie folgt geändert:

    a) In Ziffer 3 „Zusammensetzung" werden in der fünften Zeile der Tabelle die Wörter „Goldrutenkraut oder" gestrichen.

    b) Ziffer 5.1.1 „Samenfreie Gartenbohnenhülsen" wird wie folgt gefasst:

        „5.1.1 Samenfreie Gartenbohnenhülsen

        Die Droge muss der Monographie „Bohnenhülsen" des Deutschen Arzneimittel-Codex (DAC) in der jeweils gültigen Fassung entsprechen."

c) Die Ziffern 5.1.2 „Goldrutenkraut", 5.1.3 „Riesengoldrutenkraut", 5.1.4 „Hauhechel", 5.1.5 „Queckenwurzelstock" und 5.1.8 „Ringelblumenblüten" werden gestrichen.

d) Ziffer 5.1.6 „Brennnesselkraut" wird wie folgt gefasst:

„5.1.6 Brennnesselkraut

Die Droge muss der Monographie „Brennnesselkraut" des Deutschen Arzneimittel-Codex (DAC) in der jeweils gültigen Fassung entsprechen."

e) Ziffer 5.1.7 „Kornblumenblüten" wird wie folgt gefasst:

„5.1.7 Kornblumenblüten

Die Droge muss der Monographie „Kornblumenblüten" des Deutschen Arzneimittel-Codex (DAC) in der jeweils gültigen Fassung entsprechen."

f) Ziffer 5.1.9 „Rotes Sandelholz" wird wie folgt gefasst:

„5.1.9 Rotes Sandelholz

Die Droge muss der Monographie „Rotes Sandelholz" des Deutschen Arzneimittel-Codex (DAC) in der jeweils gültigen Fassung entsprechen."

g) Ziffer 5.2.2 „Prüfung auf Identität" wird wie folgt geändert:

aa) Der Abschnitt „Samenfreie Gartenbohnenhülsen" wird wie folgt gefasst;

„Samenfreie Gartenbohnenhülsen

entsprechend Prüfung auf Identität gemäß DAC."

bb) Der Abschnitt „Goldrutenkraut" wird gestrichen.

cc) Der Abschnitt „Hauhechelwurzel" wird wie folgt gefasst:

„Hauhechelwurzel

entsprechend Prüfung auf Identität gemäß AB."

dd) Der Abschnitt „Queckenwurzelstock" wird wie folgt gefasst:

„Queckenwurzelstock

entsprechend Prüfung auf Identität gemäß AB."

ee) Der Abschnitt „Riesengoldrutenkraut" wird wie folgt gefasst:

„Riesengoldrutenkraut

entsprechend Prüfung auf Identität gemäß AB."

ff) Der Abschnitt „Schachtelhalmkraut" wird wie folgt gefasst:

„Schachtelhalmkraut

entsprechend Prüfung auf Identität gemäß AB."

28. Die Monographie des Teils I, 2. Abschnitt, laufende Nummer 228 der Anlage wird wie folgt geändert:

a) Die Ziffern 5.1.1 „Eibischblätter" und 5.1.5 „Malvenblüten" werden gestrichen.

b) Ziffer 5.1.2 „Kornblumenblüten" wird wie folgt gefasst:

„5.1.2 Kornblumenblüten

Die Droge muss der Monographie „Kornblumenblüten" des Deutschen Arzneimittel-Codex (DAC) in der jeweils gültigen Fassung entsprechen."

c) Ziffer 5.1.4 „Malvenblätter" wird wie folgt gefasst:

„5.1.4 Malvenblätter

Die Droge muss der Monographie „Malvenblätter" des Deutschen Arzneimittel-Codex (DAC) in der jeweils gültigen Fassung entsprechen."

d) Ziffer 5.1.7 „Schlüsselblumenblüten" wird wie folgt gefasst:

„5.1.7 Schlüsselblumenblüten

Die Droge muss der Monographie „Schlüsselblumenblüten" des Deutschen Arzneimittel-Codex (DAC) in der jeweils gültigen Fassung entsprechen."

e) Ziffer 5.1.8 „Stiefmütterchenkraut" wird wie folgt gefasst:

„5.1.8 Stiefmütterchenkraut

Die Droge muss der Monographie „Stiefmütterchenkraut" des Deutschen Arzneimittel-Codex (DAC) in der jeweils gültigen Fassung entsprechen."

f) Ziffer 5.2.2 „Prüfung auf Identität" wird wie folgt geändert:

aa) Der Abschnitt „Anis" wird wie folgt gefasst:

„Anis

entsprechend Prüfung auf Identität gemäß AB."

bb) Der Abschnitt „Thymian" wird wie folgt gefasst:

„Thymian

entsprechend Prüfung auf Identität gemäß AB."

29. Die Monographie des Teils I, 2. Abschnitt, laufende Nummer 229 der Anlage wird wie folgt geändert:

a) Ziffer 5.1.2 „Mädesüßblüten" wird wie folgt gefasst:

„5.1.2 Mädesüßblüten

Die Droge muss der Monographie „Mädesüßblüten" des Deutschen Arzneimittel-Codex (DAC) in der jeweils gültigen Fassung entsprechen."

b) Ziffer 5.1.4 „Brombeerblätter" wird wie folgt gefasst:

„5.1.4 Brombeerblätter

Die Droge muss der Monographie „Brombeerblätter" des Deutschen Arzneimittel-Codex (DAC) in der jeweils gültigen Fassung entsprechen."

c) Die Ziffern 5.1.5 „Malvenblüten" und 5.1.7 „Ringelblumenblüten" werden gestrichen.

d) Ziffer 5.1.8 „Schwarze Johannisbeerblätter" wird wie folgt gefasst:

„5.1.8 Schwarze Johannisbeerblätter

Die Droge muss der Monographie „Schwarze Johannisbeerblätter" des Deutschen Arzneimittel-Codex (DAC) in der jeweils gültigen Fassung entsprechen."

e) Ziffer 5.2.2 „Prüfung auf Identität" wird wie folgt geändert:

    aa)   Der Abschnitt „Mädesüßblüten" wird wie folgt gefasst:

                „Mädesüßblüten

                entsprechend Prüfung auf Identität gemäß DAC."

    bb)   Der Abschnitt „Weidenrinde" wird wie folgt gefasst:

                „Weidenrinde

                entsprechend Prüfung auf Identität gemäß AB."

30. Die Monographie des Teils I, 2. Abschnitt, laufende Nummer 234 der Anlage wird wie folgt geändert:

    a) Ziffer 5.1.1 „Löwenzahn" wird wie folgt gefasst:

       „5.1.1 Löwenzahn

           Die Droge muss der Monographie „Löwenzahn" des Deutschen Arzneimittel-Codex (DAC) in der jeweils gültigen Fassung entsprechen."

    b) Ziffer 5.1.3 „Kornblumenblüten" wird wie folgt gefasst:

       „5.1.3 Kornblumenblüten

           Die Droge muss der Monographie „Kornblumenblüten" des Deutschen Arzneimittel-Codex (DAC) in der jeweils gültigen Fassung entsprechen."

    c) Ziffer 5.1.4 „Ringelblumenblüten" wird gestrichen.

    d) Ziffer 5.2.2 „Prüfung auf Identität" wird wie folgt geändert:

       aa)   Der Abschnitt „Löwenzahn" wird wie folgt gefasst:

                  „Löwenzahn

                  entsprechend Prüfung auf Identität gemäß DAC."

       bb)   Der Abschnitt Pfefferminzblätter wird wie folgt gefasst:

                  „Pfefferminzblätter

                  entsprechend Prüfung auf Identität gemäß AB."

31. Die Monographie des Teils I, 2. Abschnitt, laufende Nummer 235 der Anlage wird wie folgt geändert:

    a) In den Ziffern 3 „Zusammensetzung", 5.2.2 „Prüfung auf Identität" und 5.2.4 „Haltbarkeit" wird die Angabe „Pommeranzenschale" jeweils durch die Angabe „Bitterorangenschale" ersetzt.

    b) In Ziffer 3 „Zusammensetzung" wird die Angabe „Pommeranzenblüten" durch die Angabe „Bitterorangenblüten" ersetzt.

    c) Ziffer 5.1.2 „Löwenzahn" wird wie folgt gefasst:

       „5.1.2 Löwenzahn

           Die Droge muss der Monographie „Löwenzahn" des Deutschen Arzneimittel-Codex (DAC) in der jeweils gültigen Fassung entsprechen."

d) Ziffer 5.1.4 „Basilikumkraut" wird wie folgt gefasst:

   5.1.4 „Basilikumkraut

   Die Droge muss der Monographie „Basilikumkraut" des Deutschen Arzneimittel-Codex (DAC) in der jeweils gültigen Fassung entsprechen."

e) Ziffer 5.1.5 „Brombeerblätter" wird wie folgt gefasst:

   „5.1.5 Brombeerblätter

   Die Droge muss der Monographie „Brombeerblätter" des Deutschen Arzneimittel-Codex (DAC) in der jeweils gültigen Fassung entsprechen."

f) Ziffer 5.1.7 „Kornblumenblüten" wird wie folgt gefasst:

   „5.1.7 Kornblumenblüten

   Die Droge muss der Monographie „Kornblumenblüten" des Deutschen Arzneimittel-Codex (DAC) in der jeweils gültigen Fassung entsprechen."

g) Die Ziffern 5.1.8 „Pommeranzenblüten", 5.1.9 „Ringelblumenblüten" und 5.1.10 „Rosmarinblätter" werden gestrichen.

h) Ziffer 5.2.2 „Prüfung auf Identität wird wie folgt geändert:

   aa) Der Abschnitt „Enzianwurzel" wird wie folgt gefasst:

   „Enzianwurzel

   entsprechend Prüfung auf Identität gemäß AB."

   bb) Der Abschnitt „Löwenzahn" wird wie folgt gefasst:

   „Löwenzahn

   entsprechend Prüfung auf Identität gemäß DAC."

32. Die Monographie des Teils I, 2. Abschnitt, laufende Nummer 236 der Anlage wird wie folgt geändert:

   a) Ziffer 5.1.4 „Kornblumenblüten" wird wie folgt gefasst:

   „5.1.4 Kornblumenblüten

   Die Droge muss der Monographie „Kornblumenblüten" des Deutschen Arzneimittel-Codex (DAC) in der jeweils gültigen Fassung entsprechen."

   b) Die Ziffern 5.1.5 „Malvenblüten" und 5.1.6 „Ringelblumenblüten" werden gestrichen.

   c) Ziffer 5.2.2 „Prüfung auf Identität" wird wie folgt geändert:

   aa) Der Abschnitt „Anis" wird wie folgt gefasst:

   „Anis

   entsprechend Prüfung auf Identität gemäß AB."

   bb) Der Abschnitt „Pfefferminzblätter" wird wie folgt gefasst:

   „Pfefferminzblätter

   entsprechend Prüfung auf Identität gemäß AB."

33. Die Monographie des Teils I, 2. Abschnitt, laufende Nummer 237 der Anlage wird wie folgt geändert:

   a) In Ziffer 6.8 „Nebenwirkungen" werden der fünfte und sechste Absatz gestrichen.

   b) In Ziffer 7.5 „Nebenwirkungen" werden der vierte und fünfte Absatz gestrichen.

34. Die Monographie des Teils I, 2. Abschnitt, laufende Nummer 241 der Anlage wird wie folgt geändert:

   a) In Ziffer 3 „Zusammensetzung" und in Ziffer 4 „Herstellungsvorschrift" wird die Angabe „Poly(O-carboxymethyl)stärke, Natriumsalz" jeweils ersetzt durch die Angabe „Carboxymethylstärke-Natrium (Typ A)".

   b) Ziffer 6.1.4 „Poly(O-carboxymethyl)stärke, Natriumsalz" wird gestrichen.

35. In der Monographie des Teils I, 2. Abschnitt, laufende Nummer 249 der Anlage wird Ziffer 5.1 „Ausgangsstoffe" gestrichen.

36. In der Monographie des Teils I, 2. Abschnitt, laufende Nummer 251 der Anlage wird Ziffer 3 „Haltbarkeit" wie folgt gefasst:

   „3 Haltbarkeit

   Die Haltbarkeit in den Behältnissen nach 4 beträgt 3 Jahre."

37. In der Monographie des Teils I, 2. Abschnitt, laufende Nummer 252 der Anlage wird Ziffer 6.1 „Aussehen, Eigenschaften" wie folgt gefasst:

   „6.1 Aussehen, Eigenschaften

   Klare, von Schwebestoffen praktisch freie, farblose bis schwach gelbliche, isotonische Lösung ohne wahrnehmbaren Geruch; pH-Wert zwischen 4,5 und 6.0."

38. Die Monographie des Teils I, 2. Abschnitt, laufende Nummer 256 der Anlage wird wie folgt geändert:

   a) In Ziffer 3 „Zusammensetzung" und in Ziffer 4 „Herstellungsvorschrift" wird die Angabe „Poly(O-carboxymethyl)stärke, Natriumsalz" jeweils ersetzt durch die Angabe „Carboxymethylstärke-Natrium (Typ A)".

   b) Ziffer 6.1.1 „Poly(O-carboxymethyl)stärke, Natriumsalz" wird gestrichen.

39. In der Monographie des Teils I, 2. Abschnitt, laufende Nummer 257 der Anlage wird Ziffer 3.1 „Ausgangsstoff" gestrichen.

40. In der Monographie des Teils I, 2. Abschnitt, laufende Nummer 259 der Anlage wird Ziffer 3.1 „Qualitätsvorschrift" gestrichen.

41. Die Monographie des Teils I, 2. Abschnitt, laufende Nummer 262 der Anlage wird wie folgt geändert:

   a) Ziffer 3.1 „Qualitätsvorschrift" wird wie folgt gefasst:

„3.1 Qualitätsvorschrift

Die Droge muss der Monographie „Curcumawurzelstock" des Deutschen Arzneimittel-Codex (DAC) in der jeweils gültigen Fassung entsprechen."

b) In Ziffer 6.5 „Dosierungsanleitung und Art der Anwendung" wird die Angabe „12" ersetzt durch die Angabe „½".

42. In der Monographie des Teils I, 2. Abschnitt, laufende Nummer 266 der Anlage wird in den Ziffern 6.1 „Stoff- oder Indikationsgruppe" und 6.2 „Anwendungsgebiete" die Angabe „Muskel- und Nervenschmerzen" jeweils ersetzt durch die Angabe „Muskelschmerzen und nervenschmerzähnliche Beschwerden."

43. In der Monographie des Teils I, 2. Abschnitt, laufende Nummer 267 der Anlage wird in Ziffer 3.1 „Qualitätsvorschrift" die Angabe „1986" durch die Angabe „in der jeweils gültigen Fassung" ersetzt.

44. In der Monographie des Teils I, 2. Abschnitt, laufende Nummer 271 der Anlage wird in Ziffer 3.1 „Qualitätsvorschrift" die Angabe „1986" durch die Angabe „in der jeweils gültigen Fassung" ersetzt.

45. In der Monographie des Teils I, 2. Abschnitt, laufende Nummer 272 der Anlage wird in Ziffer 3.1 „Qualitätsvorschrift" die Angabe „1986" durch die Angabe „in der jeweils gültigen Fassung" ersetzt.

46. Die Monographie des Teils I, 2. Abschnitt, laufende Nummer 273 der Anlage wird wie folgt geändert:

a) Ziffer 6.1 „Ausgangsstoffe" wird gestrichen.

b) In Ziffer 10.9 „Dosierung mit Einzel- und Tagesgaben" wird nach den Worten „bis zu 3 mal" das Wort „täglich" eingefügt.

47. In Teil II, 1. Abschnitt der Anlage werden die laufenden Nummern

12 Kaliumpermanganat
  ad us. vet.   Zul.-Nr.: 2269.99.99

13 Malachitgrün ad us.vet   Zul.-Nr.: 2279.99.99

gestrichen.

48. In Teil II, 2. Abschnitt der Anlage werden die Monographien mit den laufenden Nummern

12 Kaliumpermanganat
  ad us. vet.   Zul.-Nr.: 2269.99.99

13 Malachitgrün
  ad us. vet.   Zul.-Nr.: 2279.99.99

gestrichen.

49. In der Monographie des Teils II, 2. Abschnitt, laufende Nummer 9 der Anlage wird Ziffer 3.1 „Calciumhydroxid" gestrichen.

50. In Teil III der Anlage werden in der Allgemeinen Bestimmung Nr. 2 dem ersten Absatz folgende Sätze angefügt:

„Der pharmazeutische Unternehmer sorgt im Rahmen eines Konfirmitätsverfahrens für den Nachweis, dass die Reinheit eines Ausgangsstoffes durch die dafür in Frage kommenden Vorschriften des Arzneibuches in geeigneter Weise kontrolliert werden kann. Dabei müssen Ausgangsstoffe tierischer Herkunft die sie betreffenden Anforderungen des Arzneibuches an „Produkte mit dem Risiko von Erregern der spongiformen Enzephalopathie tierischen Ursprungs" sowie die aktuellen Anforderungen der geltenden Richtlinien der Europäischen Union und der Bekanntmachungen der zuständigen Behörden erfüllen."

Artikel 2

Diese Verordnung tritt am Tag nach der Verkündung in Kraft.

Der Bundesrat hat zugestimmt.

Bonn, den 6. Dezember 2004

Die Bundesministerin für Gesundheit und Soziale Sicherung

Ulla Schmidt

Standardzulassungen zur Anwendung bei Menschen

Bezeichnung	Zulassungs-nummer	An-zeige-pflicht	Kommentar[1]
Acetylsalicylsäure-Kapseln 500 mg	1899.99.98	+	+ u. Kom. Ph. Eur.
Acetylsalicylsäure-Tabletten 100 mg	1899.98.99	+	+ u. Kom. Ph. Eur.
Acetylsalicylsäure-Tabletten 500 mg	1899.99.99	+	+ u. Kom. Ph. Eur.
Alexandriner-Sennesfrüchte	1259.99.99	+	+ s. Kom. Ph. Eur.
Algeldrat-Tabletten 500 mg	2199.99.99	–	+ u. Kom. Ph. Eur.
Ambroxolhydrochlorid-Kapseln 30 mg	2309.99.99	+	+ u. Kom. DAB
Ambroxolhydrochlorid-Saft 0,3%	2309.99.98	+	–
Ambroxolhydrochlorid-Tabletten 30 mg	2309.99.97	+	–
Ambroxolhydrochlorid-Tropfen 1,5%	2309.99.96	+	–
Ammoniumbituminosulfonat-Salbe 20 Prozent	5699.97.99	+	+ u. Kom. Ph. Eur.
Ammoniumbituminosulfonat-Salbe 30 Prozent	5699.96.99	+	+ u. Kom. Ph. Eur.
Ammoniumbituminosulfonat-Salbe 40 Prozent	5699.95.99	+	+ u. Kom. Ph. Eur.
Ammoniumbituminosulfonat-Salbe 50 Prozent	5699.94.99	+	+ u. Kom. Ph. Eur.
Angelikawurzel	1419.99.99	–	s. Kom. DAB
Anis	8099.99.99	–	s. Kom. Ph. Eur.
1 M-Argininhydrochlorid-Lösung	3899.99.99	+	+ u. Kom. Ph. Eur.
Arnikablüten	8199.99.99	–	s. Kom. Ph. Eur.
Arnikatinktur	5799.99.99	–	s. Kom. DAB
Ascorbinsäure	2299.98.98	–	+ u. Kom. Ph. Eur.
Ascorbinsäure-Tabletten 100 mg	2299.99.99	–	+
Atropinsulfat-Augentropfen 1 Prozent	5899.99.97	+	+
Atropinsulfat-Augentropfen 2 Prozent	5899.98.97	+	+
Atropinsulfat-Lösung 0,25 mg/ml	5899.99.98	+	+
Atropinsulfat-Lösung 0,5 mg/ml	5899.98.98	+	+
Atropinsulfat-Lösung 1,0 mg/ml	5899.97.98	+	+
Atropinsulfat-Lösung 2,0 mg/ml	5899.96.98	+	+
Atropinsulfat-Lösung 50,0 mg/10 ml	5899.95.98	+	+
Atropinsulfat-Lösung 100,0 mg/10 ml	5899.94.98	+	+
Atropinsulfat-Tabletten 0,5 mg	5899.99.99	+	+

[1] + heißt: Spezieller Kommentar vorhanden
– heißt: Kommentar wird nachgeliefert

Bezeichnung	Zulassungs-nummer	An-zeige-pflicht	Kommentar[1])
Bärentraubenblätter	8299.99.99	–	s. Kom. Ph. Eur.
Baldriantinktur	6099.99.99	–	+ u. Kom. DAB
Baldrianwurzel	6199.99.99	–	s. Kom. Ph. Eur.
Beruhigungstee I	1949.99.99	–	+
Beruhigungstee II	1949.98.99	–	+
Beruhigungstee III	1949.97.99	–	+
Beruhigungstee IV	1949.96.99	–	+
Beruhigungstee V	1949.95.99	–	+
Beruhigungstee VI	1949.94.99	–	+
Beruhigungstee VII	1949.93.99	–	+
Beruhigungstee VIII	1949.92.99	–	+
Birkenblätter	8399.99.99	–	s. Kom. DAB
Bisacodyl-Dragées 5 mg	2499.99.99	+	+
Bisacodyl-Suppositorien 10 mg	2499.98.98	+	+
Bisacodyl-Tabletten 5 mg	2499.99.97	+	+
Blasen- und Nierentee I	1959.99.99	–	+
Blasen- und Nierentee II	1959.98.99	–	+
Blasen- und Nierentee III	1959.97.99	–	+
Blasen- und Nierentee IV	1959.96.99	–	+
Blasen- und Nierentee V	1959.95.99	–	+
Blasen- und Nierentee VI	1959.94.99	–	+
Blasen- und Nierentee VII	1959.93.99	–	+
Bockshornsamen	2319.99.99	–	s. Kom. Ph. Eur.
Boldoblätter	2329.99.99	–	+
Brennnesselblätter	2479.99.99	–	–
Brombeerblätter	1449.99.99	–	+
Brusttee	1969.99.99	–	–
Bupivacainhydrochlorid-Lösung 0,25%	2089.99.99	+	+
Bupivacainhydrochlorid-Lösung 0,5%	2089.98.99	+	–
Bupivacainhydrochlorid-Lösung 0,75%	2089.97.99	+	–
0,5 M-Calciumchlorid-Lösung	1769.99.99	+	+
Campherspiritus	6299.99.99	–	s. Kom. DAB

[1]) + heißt: Spezieller Kommentar vorhanden
– heißt: Kommentar wird nachgeliefert

A 15

Bezeichnung	Zulassungs-nummer	Anzeigepflicht	Kommentar[1])
Cascararinde	8699.99.99	+	Kom. Ph. Eur.
Chinarinde	1459.99.99	–	s. Kom. Ph. Eur.
Chinatinktur, Zusammengesetzte	8799.99.99	+	+ u. Kom. DAB
Codeinphosphat-Kapseln 30 mg	2599.99.99	+	+
Codeinphosphat-Kapseln 50 mg	2599.98.99	+	+
Codeinphosphat-Tabletten 30 mg	2599.99.98	+	+
Codeinphosphat-Tabletten 50 mg	2599.98.98	+	+
Curcumawurzelstock	2339.99.99	–	+
Dimenhydrinat-Kapseln 50 mg	1879.99.99	+	+
Dimenhydrinat-Tabletten 50 mg	1879.99.98	+	+
Dimeticon-Kapseln 100 mg	6399.99.99	+	+ u. Kom. Ph. Eur.
Dimeticon-Tabletten 80 mg	6399.98.98	+	+ u. Kom. Ph. Eur.
Diphenhydraminhydrochlorid-Kapseln 25 mg	2799.99.99	+	+ u. Kom. Ph. Eur.
Diphenhydraminhydrochlorid-Kapseln 50 mg	2799.98.99	+	+ u. Kom. Ph. Eur.
Diphenhydraminhydrochlorid-Tabletten 25 mg	2799.99.98	+	+ u. Kom. Ph. Eur.
Diphenhydraminhydrochlorid-Tabletten 50 mg	2799.98.98	+	+ u. Kom. Ph. Eur.
Distickstoffmonoxid für medizinische Zwecke	2349.99.99	+	+
Eibischblätter	1469.99.99	–	+
Eibischwurzel	8899.99.99	–	s. Kom. Ph. Eur.
Eichenrinde	9099.99.99	–	+
Enzianwurzel	9199.99.99	–	s. Kom. Ph. Eur.
Erdrauchkraut	1479.99.99	–	+ u. Kom. DAB
Erkältungstee I	1979.99.99	–	–
Erkältungstee II	1979.98.99	–	+
Erkältungstee III	1979.97.99	–	+
Erkältungstee IV	1979.96.99	–	+
Erkältungstee V	1979.95.99	–	+
Ethacridinlactat-Lösung 0,05 Prozent	6499.98.97	+	+

[1]) + heißt: Spezieller Kommentar vorhanden
– heißt: Kommentar wird nachgeliefert

Standardzulassungen 2005 · 16. Erg.-Lfg. Stand: Dezember 2004

Bezeichnung	Zulassungs-nummer	Anzeige-pflicht	Kommentar[1]
Ethacridinlactat-Lösung 0,1 Prozent	6499.97.97	+	+
Ethanol-Wasser-Gemisch 70 Prozent (V/V)	1999.99.99	–	+
Ethanol-Wasser-Gemisch 80 Prozent (V/V)	1999.98.99	–	+
Ethanol 70 Prozent (V/V), vergällt mit Butan-2-on	2109.99.99	–	+
Ethanol 80 Prozent (V/V), vergällt mit Butan-2-on	2109.98.99	–	+
Ethanolhaltige Iod-Lösung	5999.99.99	–	s. Kom. DAB
Etilefrinhydrochlorid-Kapseln 5 mg	2899.99.99	+	+ u. Kom. Ph. Eur.
Etilefrinhydrochlorid-Kapseln 25 mg	2899.98.99	+	+ u. Kom. Ph. Eur.
Etilefrinhydrochlorid-Tabletten 5 mg	2899.99.98	+	+ u. Kom. Ph. Eur.
Etilefrinhydrochlorid-Tabletten 25 mg	2899.98.98	+	+ u. Kom. Ph. Eur.
Eucalyptusblätter	9299.99.99	–	s. Kom. Ph. Eur.
Eucalyptusöl	6599.99.99	–	s. Kom. Ph. Eur.
Faulbaumrinde	9399.99.99	+	s. Kom. Ph. Eur.
Fenchel, Bitterer	5199.99.99	–	s. Kom. Ph. Eur.
Flohsamen	1509.99.99	–	s. Kom. Ph. Eur.
Folsäure-Tabletten 5 mg	1909.99.99	+	+
Franzbranntwein	5299.99.99	–	+
Franzbranntwein mit ätherischem Öl	5399.99.99	+	+
Frauenmantelkraut	9499.99.99	–	s. Kom. Ph. Eur.
Gänsefingerkraut	9599.99.99	–	+
Gallentee I	1989.99.99	–	+
Gallentee II	1989.98.99	–	+
Gartenbohnenhülsen, Samenfreie	8499.99.99	–	+
Glucose-Lösung 5 Prozent	4999.99.99	+	+
Glucose-Lösung 10 Prozent	4999.98.99	+	+
Glucose-Lösung 20 Prozent	4999.97.99	+	+
Glucose-Lösung 40 Prozent	4999.96.99	+	+
Glucose-Lösung 50 Prozent	4999.95.99	+	+
Glucose-Elektrolyt-Mischung	2119.99.99	+	+
Glucose-Lösung 12% mit Elektrolyten	2489.99.99	+	–
Glucose-Lösung 5% + Natriumchlorid 0,45%	2509.99.99	+	–

[1] + heißt: Spezieller Kommentar vorhanden
– heißt: Kommentar wird nachgeliefert

Bezeichnung	Zulassungs-nummer	An-zeige-pflicht	Kommentar[1])
Glucose-Lösung 5% + Natriumchlorid 0,9%	2509.98.99	+	–
Glucose-Toleranztest	2519.99.99	+	–
Glycerol-Suppositorien 0,75–1,0 g	3099.99.99	+	+
Glycerol-Suppositorien 1,5–2,0 g	3099.98.99	+	+
Glycerol-Zäpfchen für Säuglinge 0,25 bis 0,75 g	3099.97.99	+	+
Hamamelisblätter	9699.99.99	–	s. Kom. Ph. Eur.
Hamamelisrinde	9799.99.99	–	+
Hauhechelwurzel	9899.99.99	–	+
Heidelbeeren	1009.99.99	–	+
Hirtentäschelkraut	1539.99.99	–	+
Holunderblüten	1019.99.99	–	+ u. Kom. Ph. Eur.
Hopfenzapfen	1029.99.99	–	s. Kom. Ph. Eur.
Hustentee	2009.99.99	–	+
Husten- und Bronchialtee I	2039.94.99	–	+
Husten- und Bronchialtee II	2039.93.99	–	+
Ibuprofen-Filmtabletten 200 mg	2129.99.99	+	+
Ibuprofen-Filmtabletten 400 mg	2129.98.99	+	+
Indische Flohsamen	1549.99.99	–	+ u. Kom. Ph. Eur.
Indometacin-Kapseln 50 mg	2139.99.99	+	+
Indometacin-Tabletten 50 mg	2139.99.98	+	+
Isländisches Moos	1049.99.99	–	s. Kom. Ph. Eur.
Johanniskraut	1059.99.99	–	+ u. Kom. Ph. Eur.
Kaliumchlorid-Lösung 0,1 M	6999.98.99	+	– u. Kom. Ph. Eur.
Kaliumchlorid-Lösung 0,5 M	6999.97.99	+	– u. Kom. Ph. Eur.
1 M-Kaliumchlorid-Lösung	6999.99.99	+	– s. Kom. Ph. Eur.
1 M-Kaliumlactat-Lösung	4099.99.99	+	– s. Kom. DAB
Kamillenblüten	7999.99.99	–	s. Kom. Ph. Eur.
Kiefernnadelöl	2159.99.99	–	s. Kom. DAB
Kohle-Tabletten 250 mg	3199.99.99	–	+
Koriander	1079.99.99	–	s. Kom. Ph. Eur.
Kreuzdornbeeren	1089.99.99	–	+ u. Kom. DAB

---

[1]) + heißt: Spezieller Kommentar vorhanden
– heißt: Kommentar wird nachgeliefert

Bezeichnung	Zulassungs-nummer	An-zeige-pflicht	Kommentar[1])
Kümmel	1109.99.99	–	s. Kom. Ph. Eur.
Kürbissamen	1559.99.99	–	s. Kom. DAB
Lactose	8999.99.99	–	s. Kom. DAB
Lavendelblüten	1119.99.99	–	+
Lebertran	5499.99.99	+	s. Kom. Ph. Eur.
Leinsamen	1099.99.99	–	+ u. Kom. Ph. Eur.
Lidocainhydrochlorid-Lösung 0,5%	2529.99.99	+	–
Lidocainhydrochlorid-Lösung 1%	2529.98.99	+	–
Lidocainhydrochlorid-Lösung 2%	2529.97.99	+	–
Liebstöckelwurzel	1569.99.99	–	s. Kom. Ph. Eur.
Lindenblüten	1129.99.99	–	s. Kom. Ph. Eur.
Löwenzahn	1139.99.99	–	+
Mädesüßblüten	1609.99.99	–	+
Magentee I	2019.99.99	–	+
Magentee II	2019.98.99	–	+
Magentee III	2019.97.99	–	+
Magentee IV	2019.96.99	–	+
Magentee V	2019.95.99	–	+
Magentee VI	2019.94.99	–	+
Magen- und Darmtee I	2029.99.99	–	+
Magen- und Darmtee II	2029.98.99	–	+
Magen- und Darmtee III	2029.97.99	–	+
Magen- und Darmtee IV	2029.96.99	–	+
Magen- und Darmtee V	2029.95.99	–	+
Magen- und Darmtee VI	2029.94.99	–	+
Magen- und Darmtee VII	2029.93.99	–	+
Magen- und Darmtee VIII	2029.92.99	–	+
Magen- und Darmtee IX	2029.91.99	–	+
Magen- und Darmtee X	2029.90.99	–	+
Magen- und Darmtee XI	2029.89.99	–	+
Magen- und Darmtee XII	2029.88.99	–	+
Magnesiumoxid, Schweres	5599.99.99	–	s. Kom. Ph. Eur.

[1]) + heißt: Spezieller Kommentar vorhanden
  – heißt: Kommentar wird nachgeliefert

A 19

Bezeichnung	Zulassungs-nummer	An-zeige-pflicht	Kommentar[1])
Magnesiumsulfat 7 H$_2$O	1199.99.99	–	s. Kom. Ph. Eur.
Magnesiumtrisilikat-Tabletten 500 mg	3399.99.99	–	+
Malvenblätter	1579.99.99	–	+
Mannitol-Lösung 10 Prozent	4299.99.99	+	s. Kom. Ph. Eur.
Mannitol-Lösung 20 Prozent	4299.98.99	+	s. Kom. Ph. Eur.
Mariendistelfrüchte	1589.99.99	–	s. Kom. DAB
Melissenblätter	1149.99.99	–	s. Kom. Ph. Eur.
Mepivacainhydrochlorid-Lösung 0,5%	2179.99.99	+	–
Mepivacainhydrochlorid-Lösung 1%	2179.98.99	+	+ u. Kom. Ph. Eur.
Metronidazol-Infusionslösung 0,5 Prozent	2189.99.99	+	+ u. Kom. Ph. Eur.
Minzöl	2369.99.99	–	s. Kom. DAB
Myrrhentinktur	6699.99.99	–	+ s. Kom. DAB
Natriumchlorid-Lösung 5,85%	1299.98.99	+	–
Natriumchlorid-Lösung 10 Prozent	1299.97.99	+	–
Natriumchlorid-Lösung 20 Prozent	1299.96.99	+	–
Natriumchlorid-Lösung, Isotonische	1299.99.99	+	–
Natriumchlorid-Trägerlösung	1299.95.99	+	–
Natriumhydrogencarbonat-Lösung 1,4 Prozent	4399.99.99	+	+
Natriumhydrogencarbonat-Lösung 4,2 Prozent	4399.98.99	+	+
Natriumhydrogencarbonat-Lösung 8,4 Prozent	4399.97.99	+	+
1 M-Natriumlactat-Lösung	4499.99.99	+	+
Natriumsulfat-Dekahydrat	1369.99.99	–	s. Kom. Ph. Eur.
Neomycinsulfat-Kapseln 500 mg	2209.99.99	+	+
Odermennigkraut	2379.99.99	–	+
Orthosiphonblätter	1159.99.99	–	s. Kom. Ph. Eur.
Paracetamol-Kapseln 500 mg	3599.99.99	+	+
Paracetamol-Tabletten 500 mg	3599.99.98	+	+
Paracetamol-Zäpfchen 125 mg	3599.98.97	+	+
Paracetamol-Zäpfchen 250 mg	3599.97.97	+	+
Paracetamol-Zäpfchen 500 mg	3599.99.97	+	+
Paracetamol-Zäpfchen 1 g	3599.96.97	+	+
Passionsblumenkraut	1619.99.99	–	s. Kom. Ph. Eur.

[1]) + heißt: Spezieller Kommentar vorhanden
 – heißt: Kommentar wird nachgeliefert

A 20

Bezeichnung	Zulassungs-nummer	An-zeige-pflicht	Kommentar[1])
Pfefferminzblätter	1499.99.99	–	s. Kom. Ph. Eur.
Pfefferminzöl	7099.99.99	–	s. Kom. Ph. Eur.
Phenobarbital-Tabletten 15 mg	3699.99.99	+	+
Phenobarbital-Tabletten 100 mg	3699.98.99	+	+
Phenobarbital-Tabletten 300 mg	3699.97.99	+	+
Phenobarbital-Natrium Ampullen 219 mg	4599.99.99	+	+
Pomeranzenschalen	1629.99.99	–	s. Kom. DAB
Primelwurzel	2389.99.99	–	s. Kom. Ph. Eur.
2-Propanol-Wasser-Gemische 60 Prozent (V/V)	1599.99.99	–	+ u. Kom. Ph. Eur.
2-Propanol-Wasser-Gemische 70 Prozent (V/V)	1599.98.99	–	+ u. Kom. Ph. Eur.
2-Propanol-Wasser-Gemische 80 Prozent (V/V)	1599.97.99	–	+ u. Kom. Ph. Eur.
2-Propanol-Einreibung, Zusammengesetzte	2149.99.99	+	+ u. Kom. Ph. Eur.
Pyridoxinhydrochlorid-Tabletten 40 mg	1919.99.99	+	+
Queckenwurzelstock	1169.99.99	–	+ u. Kom. Ph. Eur.
Ratanhiatinktur	7199.99.99	–	+ u. Kom. Ph. Eur.
Ratanhiawurzel	1179.99.99	–	s. Kom. Ph. Eur.
Rhabarberwurzel	1189.99.99	+	+ u. Kom. Ph. Eur.
Riboflavin-Tabletten 10 mg	1929.99.99	+	+
Riesengoldrutenkraut	1639.99.99	–	+ u. Kom. DAB
Ringelblumenblüten	1209.99.99	–	+ u. Kom. Ph. Eur.
Ringer-Lösung	1829.99.99	+	+
Ringer-Acetat-Lösung	1839.99.99	+	+
Ringer-Lactat-Lösung nach Hartmann	1849.99.99	+	+
Ringer-Lösung mit Glucose 5%	2539.99.99	+	–
Ringer-Lactat-Lösung mit Glucose 5%	2549.99.99	+	–
Ringer-Lactat-Lösung	4899.99.99	+	+
Rizinusöl, Raffiniertes	1699.99.99	–	s. Kom. DAB
Rosmarinblätter	1219.99.99	–	+
Ruhrkrautblüten	1649.99.99	–	+
Salbeiblätter	1229.99.99	–	s. Kom. Ph. Eur.
Salicylcollodium	7299.99.99	–	+
Salicyl-Vaselin 1 Prozent	2219.99.99	–	+

[1]) + heißt: Spezieller Kommentar vorhanden
  – heißt: Kommentar wird nachgeliefert

A 21

Bezeichnung	Zulassungsnummer	Anzeigepflicht	Kommentar[1])
Salicyl-Vaselin 2 Prozent	2219.98.99	–	+
Salicyl-Vaselin 5 Prozent	2219.97.99	–	+
Salicyl-Vaselin 10 Prozent	2219.96.99	–	+
Sauerstoff für medizinische Zwecke	2409.99.99	–	–
Schachtelhalmkraut	1239.99.99	–	s. Kom. DAB
Schafgarbenkraut	1249.99.99	–	s. Kom. Ph. Eur.
Schlüsselblumenblüten	1659.99.99	–	+
Sennesblätter	7399.99.99	+	+ u. Kom. Ph. Eur.
Spitzwegerichkraut	1289.99.99	–	+ s. Kom. DAB
Sternanis	2419.99.99	–	s. Kom. Ph. Eur.
Stiefmütterchenkraut	1679.99.99	–	+
Süßholzwurzel	1309.99.99	–	s. Kom. Ph. Eur.
Tannin-Eiweiß-Tabletten 500 mg	7499.99.99	–	+
Tausendgüldenkraut	1319.99.99	–	s. Kom. Ph. Eur.
Thiaminnitrat-Tabletten 100 mg	2229.99.99	+	+
Thymian	1329.99.99	–	s. Kom. Ph. Eur.
Tinnevelly-Sennesfrüchte	1269.99.99	+	+ s. Kom. Ph. Eur.
Tormentillwurzelstock	1689.99.99	–	s. Kom. Ph. Eur.
3 M-Trometamol-Lösung	4699.99.99	+	+
Wacholderbeeren	1369.99.99	–	+ u. Kom. DAB
Walnussblätter	2429.99.99	–	+
Wasser für Injektionszwecke	2559.99.99	+	–
Wasserstoffperoxid-Lösung 3 Prozent	1799.99.99	–	s. Kom. Ph. Eur.
Weißdornblätter mit Blüten	1349.99.99	–	s. Kom. Ph. Eur.
Wermutkraut	1339.99.99	–	s. Kom. Ph. Eur.
Wollblumen	2449.99.99	–	+
Xylitol-Lösung 5 Prozent	5099.99.99	+	+ u. Kom. Ph. Eur.
Xylitol-Lösung 10 Prozent	5099.98.99	+	+ u. Kom. Ph. Eur.
Xylometazolinhydrochlorid-Lösung 0,1%	2459.98.99	+	+ u. Kom. Ph. Eur.
Zimtrinde	1709.99.99	–	s. Kom. Ph. Eur.
Zinköl	7599.99.99	+	+
Zinkpaste, Weiche	7699.99.99	+	s. Kom. DAB

[1]) + heißt: Spezieller Kommentar vorhanden
– heißt: Kommentar wird nachgeliefert

A 22

Bezeichnung	Zulassungs-nummer	An-zeige-pflicht	Kommentar[1)
Zinkpaste	7799.99.99	+	s. Kom. DAB
Zinksalbe	7899.99.99	–	s. Kom. DAB

---

[1]) + heißt: Spezieller Kommentar vorhanden
– heißt: Kommentar wird nachgeliefert

Standardzulassungen zur Anwendung bei Tieren

Bezeichnung	Zulassungs-nummer	Anzeige-pflicht	Kommentar[1])
Ameisensäure 60% ad us. vet.	2469.99.99	+	–
Calciumhydroxid (Löschkalk) ad us. vet.	2239.99.99	+	–
Calciumoxid (Branntkalk) ad us. vet.	2249.99.99	+	–
Ethanol 70 Prozent (V/V) ad us. vet.	1379.99.99	–	–
Ethanol 80 Prozent (V/V) ad us. vet.	1389.99.99	–	–
Formaldehyd-Lösung 36 Prozent (m/m) ad us. vet.	2259.99.99	+	–
Fructose-Lösung 10 Prozent ad us. vet.	2059.99.99	+	–
Glucose-Lösung 5 Prozent ad us. vet.	2069.99.99	+	–
Glucose-Lösung 10 Prozent ad us. vet.	2069.98.99	+	–
Glucose-Lösung 20 Prozent ad us. vet.	2069.97.99	+	–
Glucose-Lösung 40 Prozent ad us. vet.	2069.96.99	+	–
Iod-Lösung, Ethanolhaltige ad us. vet.	2359.99.99	–	–
Milchsäure 15% ad us. vet.	2569.99.99	–	–
Natriumchlorid ad us. vet.	2289.99.99	+	–
Natriumchlorid-Lösung, Isotonische ad us. vet.	1409.99.99	+	–

[1]) + heißt: Spezieller Kommentar vorhanden
 – heißt: Kommentar wird nachgeliefert

Allgemeine Bestimmungen

Die Nutzung einer Standardzulassung setzt einige Bedingungen voraus, die nicht arzneimittelspezifisch in einer Monographie erfaßt werden können, sondern von übergeordneter Bedeutung sind. Sie werden daher in getrennter Form zusammengefaßt und sollen einer einheitlichen Nutzung der Standardzulassungen dienen. Die Allgemeinen Bedingungen werden vorläufig lose hintereinander aufgezählt, so wie sie erforderlich werden.

1. Auf der Packungsbeilage sind weitere Angaben im Sinne von §11 Abs. 5 Satz 2 des Arzneimittelgesetzes nicht zulässig.

Im Gegensatz zur Einzelzulassung sind auf der Packungsbeilage keine weiteren Angaben als die in der Monographie gemachten zulässig, da diese Angaben nicht durch das Bundesgesundheitsamt überprüfbar sind. Jedoch dürfen gemäß § 36 Abs. 1 AMG weitere Gegenanzeigen, Nebenwirkungen und Wechselwirkungen vom pharmazeutischen Unternehmer in eigener Verantwortung angegeben werden.

Außerdem kann der pharmazeutische Unternehmer gemäß § 36 Abs. 2 AMG auch eine Bezeichnung eigener Wahl benutzen, ohne die gleichzeitige Angabe der Bezeichnung der Standardzulassungsmonographie.

Bei der Wahl einer freien Bezeichnung ist darauf zu achten, daß es nicht zur Irreführung im Sinne von § 8 Abs. 1 Nr. 2 AMG kommt; d.h. unabhängig von eventuellen Verwechslungsmöglichkeiten dürfen nach ihrem Wortlaut keine unzutreffenden Vorstellungen über die Qualität, Unbedenklichkeit, therapeutische Wirksamkeit oder sonstige erhebliche Merkmale des betreffenden Präparats wie Zusammensetzung oder Anwendungsart ausgelöst werden.

2. Soweit diese Verordnung keine Bestimmungen über die Zusammensetzung des Arzneimittels sowie die Qualität des Arzneimittels und seiner Ausgangsstoffe enthält, gelten die Bestimmungen des Arzneibuches.

   Der pharmazeutische Unternehmer sorgt im Rahmen eines Konformitätsverfahrens für den Nachweis, daß die Reinheit eines Ausgangsstoffes durch die dafür in Frage kommenden Vorschriften des Arzneibuches in geeigneter Weise kontrolliert werden kann. Dabei müssen Ausgangsstoffe tierischer Herkunft die sie betreffenden Anforderungen des Arzneibuches an ‚Produkte mit dem Risiko von Erregern der spongiformen Enzephalopathie tierischen Ursprungs' sowie die aktuellen Anforderungen der geltenden Richtlinien der Europäischen Union und der Bekanntmachungen der zuständigen Behörden erfüllen.

   Soweit für bei der Prüfung von Ausgangsstoffen und Fertigarzneimitteln verwendete Reagenzien, Maßlösungen und Methoden keine näheren Angaben gemacht werden, sind die Reagenzien, Maßlösungen und Methoden des Arzneibuches zu verwenden.

   Wenn die Zusammensetzung des Arzneimittels in dieser Verordnung oder im Arzneibuch nicht abschließend angegeben ist, können Hilfsstoffe verwendet werden, soweit sie zur Herstellung der Darreichungsform erforderlich sind.

   Soweit die Qualität der Hilfsstoffe nicht im Arzneibuch festgelegt ist, muß sie den Anforderungen des Arzneibuches eines der Mitgliedsstaaten der Europäischen Gemeinschaften entsprechen. Ist sie dort nicht bestimmt, muß die Verwendung des Stoffes als Hilfsstoff in der pharmazeutischen Wissenschaft und Praxis allgemein bekannt und seine Qualität in der Art der Monographien des Arzneibuches beschrieben sein und den dort beschriebenen Anforderungen entsprechen. Farbstoffe dürfen nur verwendet werden, wenn sie den Anforderungen der Arzneimittelfarbstoffverordnung vom 25. August 1982 (BGBl. I S. 1237) in der jeweils geltenden Fassung entsprechen.

Die entsprechenden Angaben in den Monographien tragen den Hinweis „R" bzw. „AB".

Diese Bestimmung löst die Allgemeine Bestimmung Nr. 2 in der Verordnung über Standardzulassungen vom 3. Dezember 1982 ab. Dadurch soll besonders hervorgehoben werden, daß die Bestimmungen des Arzneibuches (AB.; Ph.Eur. und DAB) zu beachten sind, auch wenn in den Monographien nicht besonders darauf hingewiesen wird. Auf diese Regelung wurde zwar bereits in der Amtlichen Begründung zur Verordnung über Standardzulassungen vom 3. Dezember 1982 hingewiesen (s. Teil C Nr. 6), sie wurde aber, wie viele Rückfragen gezeigt haben, nicht allgemein verstanden. Durch Formulierung als Allgemeine Bestimmung wird diese Forderung Teil der Verordnung über Standardzulassung. Diese Bestimmung steht in Einklang mit der Forderung des § 55 AMG.

Weiterhin regelt diese Bestimmung die Anforderungen an die Qualität von Hilfsstoffen, deren Verwendung im Ermessen des pharmazeutischen Herstellers liegt. Durch diese Regelung soll der Einsatz von noch nicht allgemein in der pharmazeutischen Wissenschaft und Praxis bekannten Hilfsstoffe ausgeschlossen werden. Nur Hilfsstoffe, die monographisch in der Art des Arzneibuches in anerkannten zitierbaren Werken beschrieben sind, dürfen bei der Herstellung von Standardzulassungen Verwendung finden. Diese Regelung lehnt sich an die Gepflogenheiten im Einzelzulassungsverfahren an.

Über diese allgemeine Forderung hinaus sind jedoch einige wichtige Forderungen zu beachten.

Zu Aromastoffen: Die Qualität von Aromastoffen ist in der „Bekanntmachung zum Zulassungsverfahren für Stoffe zur Aromatisierung bzw. Parfümierung von Arzneimitteln" (Bundesanzeiger Nr. 33 vom 16. Februar 1996) geregelt. Dies betrifft insbesondere die Identitätsprüfung und die Gehaltsbestimmung der Einzelbestandteile der Aromen. Die Anfertigung eines Gaschromatogramms mit Identifizierung der Hauptpeaks ist zu empfehlen.

Zu Farbstoffen: Die Anforderungen an Farbstoffen werden durch die Arzneimittelfarbstoffverordnung vom 25. August 1982 (Bundesgesetzblatt I S. 1237) geregelt. In den meisten Fällen werden jedoch nicht die puren Farbstoffe, sondern Farbstoffverreibungen oder Farblacke verwendet. Bei diesen Farbzubereitungen muß der Gehalt an reinem Farbstoff sowie die Art der Verschnitt- bzw. Trägerstoffe dokumentiert werden. Beim Fertigarzneimittel muß ein Identitätsnachweis für den Farbstoff geführt werden.

Zu Konservierungsmitteln: Die Verwendung von Konservierungsmitteln als nicht wirksamer Bestandteil kann zum Teil ratsam sein, z.B. bei O/W-Salbengrundlagen. In diesen Fällen ist ein Identitätsnachweis für das Konservierungsmittel im Fertigarzneimittel in die Dokumentation aufzunehmen. Außerdem ist ein oberer Grenzwert festzulegen sowie eine Methode zu seiner Bestimmung, wobei eine halbquantitative Methode ausreichend ist.

Monographien mit Kommentaren

Monographien

mit Kommentaren

Eine Gesamtübersicht über die derzeit gültigen Monographien befindet sich auf Seite A 13. Dort sind auch Hinweise auf die Kommentare zum Arzneibuch gegeben.

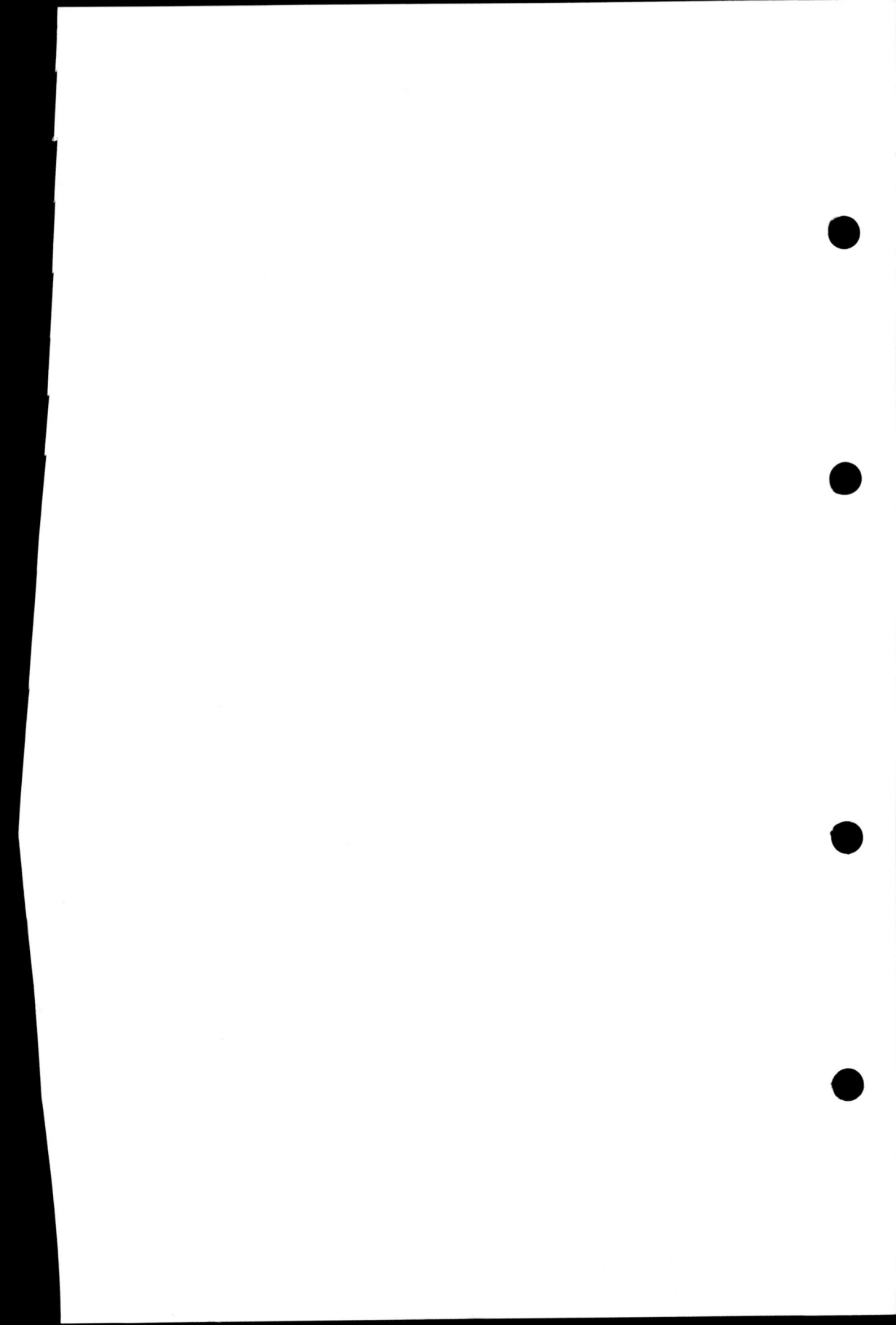

Acetylsalicylsäure-Kapseln 500 mg

1 Bezeichnung des Fertigarzneimittels

Acetylsalicylsäure-Kapseln 500 mg

2 Darreichungsform

Kapseln

3 Eigenschaften und Prüfungen

3.1 Aussehen, Eigenschaften

Hartgelatine-Steckkapseln, an deren Außenseite kein Pulver anhaften darf.

3.2 Wirkstofffreisetzung (AB. V.5.4)

Innerhalb von 30 min müssen mindestens 80 Prozent der pro Kapsel deklarierten Menge Acetylsalicylsäure aufgelöst sein.

Prüfflüssigkeit: 500 ml 0,05 M-Acetatpuffer*)

Apparatur: Drehkörbchen

Umdrehungsgeschwindigkeit: 100 U/min

3.3 Prüfung auf Reinheit

Salicylsäure: höchstens 0,75 Prozent.

3.4 Gehalt

Zum Zeitpunkt der Produktfreigabe: 95,0 bis 105,0 Prozent der pro Kapsel deklarierten Menge Acetylsalicylsäure.

Für die Haltbarkeitsdauer: mindestens 90,0 Prozent der pro Kapsel deklarierten Menge Acetylsalicylsäure.

3.5 Haltbarkeit

Die Haltbarkeit in den Behältnissen nach 4 beträgt mindestens 1 Jahr.

4 Behältnisse

Behältnisse aus Braunglas oder Verbundpackstoffen als kindergesicherte Verpackung nach DIN 55 559.

---

*) 2,99 g Natriumacetat R und 1,66 ml wasserfreie Essigsäure R werden in Wasser zu 1 000 ml gelöst. Der pH-Wert des Puffers beträgt 4,5 ± 0,05.

5 Kennzeichnung
Nach § 10 AMG, insbesondere:

5.1 Zulassungsnummer
1899.99.98

5.2 Art der Anwendung
Zum Einnehmen mit reichlich Flüssigkeit.

5.3 Hinweise
Apothekenpflichtig.
Dicht verschlossen lagern.

6 Packungsbeilage
Nach § 11 AMG, insbesondere:

6.1 Stoff- oder Indikationsgruppe
Schmerzstillendes und fiebersenkendes Arzneimittel aus der Gruppe der entzündungshemmenden Substanzen.

6.2 Anwendungsgebiete
– Leichte bis mäßig starke Schmerzen
– Fieber.

Hinweise:
Acetylsalicylsäure-Kapseln 500 mg sollen jedoch bei Kindern und Jugendlichen mit fieberhaften Erkrankungen wegen des möglichen Auftretens eines Reye-Syndroms nur auf ärztliche Anweisung und nur dann eingenommen werden, wenn andere Maßnahmen nicht wirken (s.a. unter „Was ist bei Kindern und älteren Patienten zu berücksichtigen?").

Acetylsalicylsäure-Kapseln 500 mg sollen längere Zeit oder in höheren Dosen nicht ohne Befragen des Arztes oder Zahnarztes eingenommen werden.

6.3 Gegenanzeigen
Wann dürfen Sie Acetylsalicylsäure-Kapseln 500 mg nicht einnehmen?
Sie dürfen Acetylsalicylsäure-Kapseln 500 mg nicht einnehmen bei
– bekannter Überempfindlichkeit gegen den Wirkstoff Acetylsalicylsäure und gegen Salicylate, einer Gruppe von Stoffen, die der Acetylsalicylsäure verwandt sind
– Magen- und Darmgeschwüren
– krankhaft erhöhter Blutungsneigung.

Wann dürfen Sie Acetylsalicylsäure-Kapseln 500 mg erst nach Rücksprache mit Ihrem Arzt einnehmen?
Im folgenden wird beschrieben, wann Sie Acetylsalicylsäure-Kapseln 500 mg nur unter bestimmten Bedingungen und nur mit besonderer Vorsicht einnehmen dürfen. Befragen Sie hierzu bitte Ihren Arzt. Dies gilt auch, wenn diese Angaben bei Ihnen früher einmal zutrafen.

Sie sollten Acetylsalicylsäure-Kapseln 500 mg nur mit besonderer Vorsicht (d.h. in größeren Einnahmeabständen oder in verminderter Dosis) und unter ärztlicher Kontrolle einnehmen bei

- Überempfindlichkeit gegen andere Schmerz-, Entzündungs- oder Rheumamittel oder bei Bestehen anderer Allergien (siehe auch Abschnitt über Vorsichtsmaßnahmen)
- gleichzeitiger Behandlung mit gerinnungshemmenden Arzneimitteln (z.B. Cumarinderivate, Heparin (mit Ausnahme niedrig dosierter Heparin-Behandlung))
- Asthma bronchiale
- chronischen oder wiederkehrenden Magen- oder Zwölffingerdarmbeschwerden
- vorgeschädigter Niere
- schweren Leberfunktionsstörungen.

Was müssen Sie in der Schwangerschaft beachten?

Wird während einer längeren Einnahme von Acetylsalicylsäure-Kapseln 500 mg eine Schwangerschaft festgestellt, so ist der Arzt zu benachrichtigen. Im ersten und zweiten Schwangerschaftsdrittel sollten Acetylsalicylsäure-Kapseln 500 mg nur nach Rücksprache mit dem Arzt eingenommen werden. In den letzten drei Monaten der Schwangerschaft darf Acetylsalicylsäure wegen eines erhöhten Risikos von Komplikationen für Mutter und Kind bei der Geburt nicht eingenommen werden.

Was müssen Sie in der Stillzeit beachten?

Der Wirkstoff Acetylsalicylsäure und seine Abbauprodukte gehen in geringen Mengen in die Muttermilch über. Da nachteilige Folgen für den Säugling bisher nicht bekannt geworden sind, wird bei kurzfristiger Einnahme der empfohlenen Dosis bei Schmerzen oder Fieber eine Unterbrechung des Stillens in der Regel nicht erforderlich sein. Sollte im Einzelfall eine längere Einnahme bzw. Einnahme höherer Dosen (mehr als 6 Kapseln/Tag, die 3 g Acetylsalicylsäure/Tag entsprechen) verordnet worden sein, sollte jedoch ein frühzeitiges Abstillen erwogen werden.

Was ist bei Kindern zu berücksichtigen?

Acetylsalicylsäure-Kapseln 500 mg sollen jedoch bei Kindern und Jugendlichen mit fieberhaften Erkrankungen nur auf ärztliche Anweisung und nur dann eingenommen werden, wenn andere Maßnahmen nicht wirken. Sollte es bei diesen Erkrankungen zu lang anhaltendem Erbrechen kommen, so kann dies ein Zeichen des Reye-Syndroms, einer sehr seltenen, aber lebensbedrohlichen Krankheit sein, die unbedingt sofortiger ärztlicher Behandlung bedarf.

6.4 Vorsichtsmaßnahmen für die Einnahme und Warnhinweise

Welche Vorsichtsmaßnahmen müssen beachtet werden?

Patienten, die an Asthma, Heuschnupfen, Nasenschleimhautschwellungen (Nasenpolypen) oder chronischen Atemwegsinfektionen (besonders gekoppelt mit heuschnupfenartigen Erscheinungen) leiden, und Patienten mit Überempfindlichkeit gegen Schmerz- und Rheumamittel aller Art sind bei Einnahme von Acetylsalicylsäure-Kapseln 500 mg durch Asthmaanfälle gefährdet (sogenannte Analgetika-Intoleranz/Analgetika-Asthma). Sie sollten vor Einnahme den Arzt befragen. Das gleiche gilt für Patienten, die auch gegen andere Stoffe überempfindlich (allergisch) reagieren, wie z.B. mit Hautreaktionen, Juckreiz oder Nesselfieber.

Bei Einnahme von Acetylsalicylsäure-Kapseln 500 mg vor operativen Eingriffen ist der Arzt oder Zahnarzt zu befragen bzw. zu informieren.

Was müssen Sie im Straßenverkehr sowie bei der Arbeit mit Maschinen und bei Arbeiten ohne sicheren Halt beachten?

Es sind keine besonderen Vorsichtsmaßnahmen erforderlich.

Worauf müssen Sie noch achten?

Bei längerem hochdosierten, nicht bestimmungsgemäßem Gebrauch von Schmerzmitteln können Kopfschmerzen auftreten, die nicht durch erhöhte Dosen des Arzneimittels behandelt werden dürfen.

Ganz allgemein kann die gewohnheitsmäßige Einnahme von Schmerzmitteln, insbesondere bei Kombination mehrerer schmerzstillender Wirkstoffe, zur dauerhaften Nierenschädigung mit dem Risiko eines Nierenversagens (Analgetika-Nephropathie) führen.

6.5 Wechselwirkungen mit anderen Mitteln

Welche anderen Arzneimittel beeinflussen die Wirkung von Acetylsalicylsäure-Kapseln 500 mg und was müssen Sie beachten, wenn Sie zusätzlich andere Arzneimittel anwenden?

Beachten Sie bitte, daß diese Angaben auch für vor kurzem angewandte Arzneimittel gelten können.

Verstärkt werden
- die Wirkung gerinnungshemmender Arzneimittel (z.B. Cumarinderivate und Heparin)
- das Risiko einer Magen-Darm-Blutung bei gleichzeitiger Behandlung mit Medikamenten, die Cortison oder cortisonähnliche Substanzen enthalten, oder bei gleichzeitigem Alkoholkonsum
- die Wirkung von bestimmten blutzuckersenkenden Arzneimitteln (Sulfonylharnstoffen)
- die gewünschten und unerwünschten Wirkungen von Methotrexat
- die Blutspiegel von Digoxin, Barbituraten sowie Lithium
- die gewünschten und unerwünschten Wirkungen einer bestimmten Gruppe von Schmerz- und Rheumamitteln (nichtsteroidale Analgetika/Antiphlogistika)
- die Wirkung von bestimmten Antibiotika (Sulfonamide und Sulfonamid-Kombinationen (z.B. Sulfamethoxazol/Trimethoprim))
- die Wirkung von Triiodthyronin, einem Medikament gegen Schilddrüsenunterfunktion.

Acetylsalicylsäure-Kapseln 500 mg vermindern die Wirkungen von
- bestimmten Medikamenten, die eine vermehrte Harnausscheidung bewirken (sogenannte Aldosteronantagonisten und Schleifendiuretika)

– blutdrucksenkenden Arzneimitteln

– harnsäureausscheidenden Gichtmitteln (z. B. Probenecid, Sulfinpyrazon).

Acetylsalicylsäure-Kapseln 500 mg sollten daher nicht zusammen mit einem der o. g. Stoffe angewendet werden, ohne daß der Arzt ausdrücklich die Anweisung gegeben hat.

Welche Genußmittel, Speisen und Getränke sollten Sie meiden?

Während der Einnahme von Acetylsalicylsäure-Kapseln 500 mg sollte Alkoholgenuß möglichst vermieden werden.

6.6 Dosierungsanleitung, Art und Dauer der Anwendung

Die folgenden Angaben gelten, soweit Ihnen Ihr Arzt Acetylsalicylsäure-Kapseln 500 mg nicht anders verordnet hat. Bitte halten Sie sich an die Einnahmevorschriften, da Acetylsalicylsäure-Kapseln 500 mg sonst nicht richtig wirken können.

Wieviel und wie oft sollten Sie Acetylsalicylsäure-Kapseln 500 mg einnehmen?

Alter:	Einzeldosis:
12 bis 14 Jahre	1 Kapsel
Jugendliche und Erwachsene	1 bis 2 Kapseln

Die Einzeldosis kann, falls erforderlich, in Abständen von 4 bis 8 Stunden bis zu 3mal täglich eingenommen werden.

Hinweis:

Bei Patienten mit Leber- oder Nierenfunktionsstörungen muß die Dosis vermindert bzw. das Einnahmeintervall verlängert werden.

Wie und wann sollten Sie Acetylsalicylsäure-Kapseln 500 mg einnehmen?

Nehmen Sie Acetylsalicylsäure-Kapseln 500 mg unzerkaut mit reichlich Flüssigkeit und nicht auf nüchternen Magen ein.

Wie lange sollten Sie Acetylsalicylsäure-Kapseln 500 mg einnehmen?

Nehmen Sie Acetylsalicylsäure-Kapseln 500 mg gegen Schmerzen oder Fieber ohne ärztlichen oder zahnärztlichen Rat nicht länger als 3 bis 4 Tage ein.

6.7 Einnahmefehler und Überdosierungen

Was ist zu tun, wenn Acetylsalicylsäure-Kapseln 500 mg in zu großen Mengen eingenommen wurden (beabsichtigte oder versehentliche Überdosierung)?

Schwindel und Ohrenklingen können, insbesondere bei Kindern und älteren Patienten, Zeichen einer ernsthaften Vergiftung sein.

Bei Verdacht auf eine Überdosierung mit Acetylsalicylsäure-Kapseln 500 mg benachrichtigen Sie bitte Ihren Arzt. Dieser kann entsprechend der Schwere einer Vergiftung über die gegebenenfalls erforderlichen Maßnahmen entscheiden.

6 Acetylsalicylsäure-Kapseln 500 mg

6.8 Nebenwirkungen

Welche Nebenwirkungen können bei Einnahme von Acetylsalicylsäure-Kapseln 500 mg auftreten?

Häufige Nebenwirkungen sind Magen-Darm-Beschwerden wie Magenschmerzen und geringfügige Blutverluste aus dem Magen-Darm-Bereich (Mikroblutungen).

Gelegentlich treten Übelkeit, Erbrechen, Durchfälle auf.

Selten kommt es zu Magenblutungen und Magengeschwüren sowie, vor allem bei Asthmatikern, zu Überempfindlichkeitsreaktionen (Anfälle von Atemnot, Hautreaktionen).

In Einzelfällen wurden Leber- und Nierenfunktionsstörungen, Verminderung der Blutzuckerwerte (Hypoglykämie) sowie besonders schwere Hautausschläge (bis hin zu Erythema exsudativum multiforme) beschrieben.

Acetylsalicylsäure vermindert in niedriger Dosierung die Harnsäureausscheidung. Bei hierfür gefährdeten Patienten kann dies unter Umständen einen Gichtanfall auslösen.

Bei längerdauernder oder chronischer Einnahme können zentralnervöse Störungen wie Kopfschmerzen, Schwindel, Erbrechen, Ohrensausen, Sehstörungen oder Somnolenz sowie Blutarmut durch Eisenmangel (Eisenmangelanämie) auftreten.

In seltenen Fällen kann nach längerer Einnahme von Acetylsalicylsäure-Kapseln 500 mg eine Blutarmut durch verborgene Magen-Darm-Blutverluste auftreten.

Wenn Sie Nebenwirkungen bei sich beobachten, die nicht in dieser Packungsbeilage aufgeführt sind, teilen Sie diese bitte Ihrem Arzt oder Apotheker mit.

Welche Gegenmaßnahmen sind bei Nebenwirkungen zu ergreifen?

Sollten Sie die oben genannten Nebenwirkungen bei sich beobachten, sollen Acetylsalicylsäure-Kapseln 500 mg nicht nochmals eingenommen werden. Benachrichtigen Sie Ihren Arzt, damit er über den Schweregrad und gegebenenfalls erforderliche weitere Maßnahmen entscheiden kann.

Bei den ersten Anzeichen einer Überempfindlichkeitsreaktion dürfen Acetylsalicylsäure-Kapseln 500 mg nicht nochmals eingenommen werden.

Bei Auftreten von schwarzem Stuhl (Teerstuhl, Zeichen einer schweren Magenblutung) ist sofort der Arzt zu benachrichtigen.

6.9 Hinweis

Dicht verschlossen aufbewahren.

7 Fachinformation

Nach § 11a AMG, insbesondere:

7.1 Verschreibungsstatus/Apothekenpflicht

Apothekenpflichtig.

7.2 Stoff- oder Indikationsgruppe

Analgetikum/Antiphlogistikum.

7.3 Anwendungsgebiete

Leichte bis mäßig starke Schmerzen; Fieber.

Hinweise:

Acetylsalicylsäure-Kapseln 500 mg sollen jedoch bei Kindern und Jugendlichen mit fieberhaften Erkrankungen wegen des möglichen Auftretens eines Reye-Syndroms nur auf ärztliche Anweisung und nur dann angewendet werden, wenn andere Maßnahmen nicht wirken.

Acetylsalicylsäure-Kapseln 500 mg sollen längere Zeit oder in höheren Dosen nicht ohne Befragen des Arztes angewendet werden.

7.4 Gegenanzeigen

Acetylsalicylsäure-Kapseln 500 mg dürfen nicht angewendet werden

– bei Magen- und Darmgeschwüren
– bei krankhaft erhöhter Blutungsneigung
– bei Überempfindlichkeit gegenüber Acetylsalicylsäure und anderen Salicylaten
– in den letzten drei Monaten der Schwangerschaft.

Acetylsalicylsäure-Kapseln 500 mg sollen in der Regel nicht oder nur unter ärztlicher Kontrolle angewendet werden

– bei gleichzeitiger Therapie mit gerinnungshemmenden Arzneimitteln (z. B. Cumarinderivate, Heparin – mit Ausnahme niedrig dosierter Heparin-Therapie)
– bei Asthma bronchiale
– bei Überempfindlichkeit gegen andere Entzündungshemmer/Antirheumatika oder andere allergene Stoffe
– bei chronischen oder wiederkehrenden Magen- oder Zwölffingerdarmbeschwerden
– bei vorgeschädigter Niere
– bei schweren Leberfunktionsstörungen
– in den ersten sechs Monaten der Schwangerschaft.

Hinweise:

Patienten, die an Asthma, Heuschnupfen, Nasenschleimhautschwellungen (Nasenpolypen) oder chronischen Atemwegsinfektionen (besonders gekoppelt mit heuschnupfenartigen Erscheinungen) leiden und Patienten mit Überempfindlichkeit gegen Schmerz- und Rheumamittel aller Art sind bei Anwendung von Acetylsalicylsäure-Kapseln 500 mg durch Asthmaanfälle gefährdet (sog. Analgetika-Intoleranz/Analgetika-Asthma). Sie sollten vor Anwendung den Arzt befragen. Das gleiche gilt für Patienten, die auch auf andere Stoffe mit Hautreaktionen, Juckreiz oder Nesselfieber allergisch reagieren.

Acetylsalicylsäure soll bei Kindern und Jugendlichen mit fieberhaften Erkrankungen nur auf ärztliche Anweisung und nur dann angewendet werden, wenn andere Maßnahmen nicht wirken. Sollte es bei diesen Erkrankungen zu lang anhaltendem Erbrechen kommen, so kann dies ein Zeichen des Reye-Syndroms, einer sehr seltenen, aber unter Umständen lebensbedrohlichen Krankheit sein, die unbedingt sofortiger ärztlicher Behandlung bedarf.

Anwendung in der Schwangerschaft und Stillzeit:

Da der Einfluß einer Prostaglandinsynthesehemmung auf die Schwangerschaft ungeklärt ist, sollte Acetylsalicylsäure im 1. und 2. Trimenon nicht eingenommen werden. Eine Einnahme im letzten Trimenon ist kontraindiziert.

Bei längerer Einnahme höherer Dosen sollte abgestillt werden (siehe auch 7.12.2 „Reproduktionstoxizität").

7.5 Nebenwirkungen

Häufige Nebenwirkungen sind Magen-Darm-Beschwerden wie Magenschmerzen, Mikroblutungen.

Gelegentlich treten Übelkeit, Erbrechen, Durchfälle auf.

Selten kommt es zu Magenblutungen und Magengeschwüren sowie, vor allem bei Asthmatikern, zu Überempfindlichkeitsreaktionen (Anfälle von Atemnot, Hautreaktionen).

In Einzelfällen wurden Leber- und Nierenfunktionsstörungen, Hypoglykämie sowie besonders schwere Hautausschläge (bis hin zu Erythema exsudativum multiforme) beschrieben.

Zentralnervöse Störungen wie Kopfschmerzen, Schwindel, Erbrechen, Ohrensausen, Sehstörungen oder Somnolenz sowie Eisenmangelanämie können bei längerdauernder oder chronischer Anwendung auftreten.

Zu Störungen des Säuren-Basen-Haushaltes sowie zur Natrium- und Wasserretention kann es bei Anwendung hoher Dosen und bei entsprechender Disposition kommen.

Hinweise:

Bei häufiger und längerer Anwendung kann es in seltenen Fällen zu Magengeschwüren und zu schweren Magenblutungen kommen. Bei Auftreten von schwarzem Stuhl (Teerstuhl) ist sofort der Arzt zu benachrichtigen.

In seltenen Fällen kann nach längerer Anwendung von Acetylsalicylsäure eine Blutarmut durch verborgene Magen-Darm-Blutverluste auftreten.

Schwindel und Ohrenklingen können, insbesondere bei Kindern und älteren Patienten, Symptome einer Überdosierung sein. In diesen Fällen ist der Arzt zu benachrichtigen.

Bei Überschreitung der empfohlenen Dosierung können die Leberwerte (Transaminasen) ansteigen. Deshalb ist die regelmäßige Kontrolle der Transaminasen, insbesondere bei Kindern, erforderlich.

Acetylsalicylsäure vermindert in niedriger Dosierung die Harnsäureausscheidung. Bei hierfür gefährdeten Patienten kann dies unter Umständen einen Gichtanfall auslösen.

Acetylsalicylsäure soll bei Kindern und Jugendlichen mit fieberhaften Erkrankungen nur auf ärztliche Anweisung und nur dann angewendet werden, wenn andere Maßnahmen nicht wirken. Sollte es bei diesen Erkrankungen zu lang anhaltendem Erbrechen kommen, so kann dies ein Zeichen des Reye-Syndroms, einer sehr seltenen, aber unter Umständen lebensbedrohlichen Krankheit sein, die unbedingt sofortiger ärztlicher Behandlung bedarf.

Bei chronischer Einnahme von Acetylsalicylsäure können Kopfschmerzen auftreten, die zu erneuter Einnahme und damit wiederum zum Unterhalten der Kopfschmerzen führen können.

Ganz allgemein kann die langfristige Einnahme von Schmerzmitteln, insbesondere bei Kombination mehrerer schmerzstillender Wirkstoffe, zur dauerhaften Nierenschädigung mit dem Risiko eines Nierenversagens (Analgetika-Nephropathie) führen.

7.6 Wechselwirkungen mit anderen Mitteln

Erhöht werden

- die Wirkung von Antikoagulanzien, z.B. Cumarinderivaten und Heparin
- das Risiko einer Magen-Darm-Blutung bei gleichzeitiger Behandlung mit Kortikoiden oder bei gleichzeitigem Alkoholkonsum
- die Plasmakonzentration von Digoxin oder Barbituraten sowie Lithium
- die Wirkung und unerwünschten Wirkungen aller nichtsteroidaler Rheumamittel
- die Wirkung von oralen Antidiabetika (Sulfonylharnstoffen)
- die Wirkung und die unerwünschten Wirkungen von Methotrexat
- die Wirkung von chemotherapeutisch wirksamen Sulfonamiden inklusive Cotrimoxazol
- die Wirkung von Triiodthyronin.

Vermindert werden die Wirkungen von

- Spironolacton und Canrenoat
- Schleifendiuretika (z.B. Furosemid)
- Urikosurika (z.B. Probenecid, Sulfinpyrazon)
- Antihypertonika.

Acetylsalicylsäure soll daher nicht zusammen mit einem der o.g. Stoffe angewendet werden, ohne daß der Arzt ausdrücklich die Anweisung gegeben hat.

Hinweis:

In Fällen, in denen eine Dosierung von mehr als 3 g Acetylsalicylsäure pro Tag bei Erwachsenen bzw. eine Überschreitung der entsprechenden Dosis bei Kindern vorgesehen ist, ist zu berücksichtigen, daß einige Antacida die erwünschten hohen, kontinuierlichen Salicylat-Blutspiegel beeinträchtigen können.

7.7 Warnhinweise

Keine.

7.8 Wichtigste Inkompatibilitäten
Keine bekannt.

7.9 Dosierung mit Einzel- und Tagesgaben
Es wird wie folgt eingenommen:

Alter:	Einzeldosis:
12 bis 14 Jahre	1 Kapsel
Jugendliche und Erwachsene	1 bis 2 Kapseln

Die Einzeldosis kann, falls erforderlich, in Abständen von 4 bis 8 Stunden bis zu 3mal täglich eingenommen werden.

Hinweis:
Bei Patienten mit Leber- oder Nierenfunktionsstörungen muß die Dosis vermindert bzw. das Einnahmeintervall verlängert werden.

7.10 Art und Dauer der Anwendung
Die Einnahme erfolgt mit reichlich Flüssigkeit und nicht auf nüchternen Magen.

Acetylsalicylsäure-Kapseln 500 mg sollen ohne ärztlichen oder zahnärztlichen Rat nur wenige Tage und nicht in erhöhter Dosis angewendet werden.

7.11 Notfallmaßnahmen, Symptome, Gegenmittel
Im Vordergrund einer akuten Acetylsalicylsäure-Vergiftung steht eine schwere Störung des Säuren-Basen-Gleichgewichtes. Bereits im therapeutischen Dosisbereich kommt es zu einer respiratorischen Alkalose infolge gesteigerter Atmung. Sie wird durch eine erhöhte renale Ausscheidung von Bicarbonat kompensiert, so daß der pH-Wert des Blutes normal ist. Bei toxischen Dosen reicht diese Kompensation nicht mehr aus und der pH-Wert sowie die Bicarbonatkonzentration im Blut sinken ab. Der P_{CO_2}-Wert des Plasmas kann zeitweilig normal sein. Es liegt scheinbar das Bild einer metabolischen Azidose vor. Tatsächlich aber handelt es sich um eine Kombination von respiratorischer und metabolischer Azidose. Die Ursachen hierfür sind: Einschränkung der Atmung durch toxische Dosen, Anhäufung von Säure, zum Teil durch verminderte renale Ausscheidung (Schwefel- und Phosphorsäure sowie Salicylsäure, Milchsäure, Acetessigsäure u.a.) infolge einer Störung des Kohlenhydrat-Stoffwechsels. Hinzu tritt eine Störung des Elektrolythaushaltes. Es kommt zu größeren Kaliumverlusten.

Die Symptome bei leichteren Graden einer akuten Vergiftung (200 bis 400 µg/ml) sind: Hyperventilation, Ohrensausen, Übelkeit, Erbrechen, Beeinträchtigung von Sehen und Hören, Kopfschmerzen, Schwindel, Verwirrtheitszustände. Bei schweren Vergiftungen (über 400 µl/ml) können Delirien, Tremor, Atemnot, Schweißausbrüche, Exsikkose, Hyperthermie und Koma auftreten. Bei Intoxikationen mit letalem Ausgang tritt der Tod in der Regel durch Versagen der Atemfunktion ein.

Bei der Behandlung stehen – von den allgemeinen Maßnahmen (z.B. vorsichtige Magenspülung) abgesehen – Maßnahmen im Vordergrund, die der Beschleunigung der Ausscheidung und der Normalisierung des Säuren-Basen- und Elektrolythaushaltes dienen. Neben Infusionslösungen mit Natriumhydrogencarbonat und Kaliumchlorid werden auch Diuretika verabfolgt.

Die Reaktion des Harns soll basisch sein, damit der Ionisationsgrad der Salicylate zu- und damit die Rückdiffusionsrate in den Tubuli abnimmt. Eine Kontrolle der Blutwerte (pH, P_{CO_2}, Bicarbonat, Kalium u.a.) ist sehr zu empfehlen. In schweren Fällen kann eine Hämodialyse notwendig sein.

7.12 Pharmakologische und toxikologische Eigenschaften und Angaben über die Pharmakokinetik und Bioverfügbarkeit, soweit diese Angaben für die therapeutische Verwendung erforderlich sind

7.12.1 Pharmakologische Eigenschaften

Acetylsalicylsäure und Salicylsäure wirken analgetisch, antipyretisch und antiphlogistisch. Zusätzlich zeigt Acetylsalicylsäure eine stark hemmende Wirkung auf die Thrombozytenaggregation.

7.12.2 Toxikologische Eigenschaften

Akute Toxizität:

Eine akute Vergiftung mit tödlichem Ausgang kann beim erwachsenen Menschen ab einer einmaligen Dosis von 10 g, bei Kindern von 3 g Acetylsalicylsäure eintreten. Der Tod tritt in der Regel durch Versagen der Atemfunktion ein (siehe auch 7.11).

Chronische Toxizität/Subchronische Toxizität:

Acetylsalicylsäure und der Metabolit Salicylsäure wirken aufgrund ihres Wirkungsmechanismus und auch lokal gewebsschädigend und schleimhautreizend. Schon bei therapeutischer Dosierung können Ulcera und Blutungen im Magen-Darm-Trakt entstehen. Bei chronischer Anwendung kann es daher zur Anämie (Eisenmangelanämie) kommen.

Liegen Ulcera im Magen-Darm-Trakt vor, besteht wegen der durch Acetylsalicylsäure verringerten Gerinnungsfähigkeit des Blutes die Gefahr bedrohlicher Blutungen. Außer diesen unerwünschten Wirkungen zeigten sich in Tierstudien nach akutem und chronischem Einsatz hoher Dosen Nierenschäden.

Mutagenes und tumorerzeugendes Potential:

Acetylsalicylsäure wurde ausführlich in vitro und in vivo bezüglich mutagener Wirkungen untersucht. Die Gesamtheit der Befunde ergibt keine relevanten Verdachtsmomente für eine mutagene Wirkung.

Langzeitstudien mit Acetylsalicylsäure an Maus und Ratte ergaben keine Hinweise auf ein eigenständiges tumorerzeugendes Potential von Acetylsalicylsäure.

Reproduktionstoxikologie:

Salicylate haben in Tierversuchen an mehreren Tierspezies teratogene Wirkungen gezeigt. Implantationsstörungen, embryo- und fetotoxische Wirkungen sowie Störungen der Lernfähigkeit bei Nachkommen nach pränataler Exposition sind beschrieben worden.

Eindeutige epidemiologische Befunde für ein erhöhtes Fehlbildungsrisiko liegen für den Menschen nicht vor. Die Einnahme von Salicylaten im 1. Trimenon der Schwangerschaft ist in verschiedenen epidemiologischen Studien mit einem erhöhten Fehlbildungsrisiko (Gaumenspalten, Herzmißbildungen) in Zusammenhang gebracht worden. Dieses Risiko erscheint jedoch bei normalen therapeutischen Dosen gering zu sein, da eine prospektive Studie mit ca. 32 000 exponierten Mutter-Kind-Paaren keine Assoziation mit einer erhöhten Fehlbildungsrate ergab. Im letzten Trimenon der Schwangerschaft kann die Einnahme von Salicylaten zu einer Verlängerung der Gestationsdauer und zu Wehenhemmung führen. Bei Mutter und Kind ist eine gesteigerte Blutungsneigung beobachtet worden.

Bei Einnahme von Acetylsalicylsäure kurz vor der Geburt kann es insbesondere bei Frühgeborenen zu intrakranialen Blutungen kommen. Ein vorzeitiger Verschluß des Ductus arteriosus beim Feten ist möglich.

Salicylate und ihre Abbauprodukte gehen in geringen Mengen in die Muttermilch über. Da nachteilige Wirkungen auf den Säugling bisher nicht bekannt geworden sind, wird bei kurzfristiger Anwendung der empfohlenen Dosis eine Unterbrechung des Stillens normalerweise nicht erforderlich sein. Bei längerer Einnahme höherer Dosen sollte abgestillt werden.

7.12.3 Pharmakokinetik

Acetylsalicylsäure wird vor, während und nach der Resorption in ihren aktiven Hauptmetaboliten Salicylsäure umgewandelt. Die Metaboliten werden überwiegend über die Niere ausgeschieden.

Hauptmetaboliten der Acetylsalicylsäure sind neben der Salicylsäure das Glycinkonjugat der Salicylsäure (Salicylursäure), das Ether- und das Esterglukuronid der Salicylsäure (Salicylphenolglukuronid und Salicylacetylglukuronid) sowie die durch Oxidation von Salicylsäure entstehende Gentisinsäure und deren Glycinkonjugat.

Die Resorption von Acetylsalicylsäure und Salicylsäure erfolgt schnell und vollständig. Maximale Plasmaspiegel werden nach 10 bis 20 Minuten (Acetylsalicylsäure) bzw. 0,3 bis 2 Stunden (Gesamtsalicylat) erreicht. Die rektale Resorption ist langsamer und unvollständig. Die Eliminationshalbwertzeit von Acetylsalicylsäure beträgt nur einige Minuten, die Eliminationshalbwertzeit der Salicylsäure beträgt nach Einnahme einer Dosis von 0,5 g Acetylsalicylsäure 2 Stunden, nach Applikation von 1 g 4 Stunden, nach Einnahme einer Einzeldosis von 5 g verlängert sie sich auf 20 Stunden.

Die Plasmaeiweißbindung beim Menschen ist konzentrationsabhängig; Werte von 49 % bis über 70 % (Acetylsalicylsäure) bzw. 66 % bis 98 % (Salicylsäure) wurden gefunden. In der Muttermilch, im Liquor und in der Synovialflüssigkeit wird Salicylsäure nach Einnahme von Acetylsalicylsäure nachgewiesen. Die Substanz ist plazentagängig.

7.13 Sonstige Hinweise

Schwangerschaft und Stillzeit: siehe Hinweis unter Gegenanzeigen und Reproduktionstoxikologie.

7.14 Besondere Lager- und Aufbewahrungshinweise

Dicht verschlossen aufbewahren.

Monographien-Kommentar

Acetylsalicylsäure-Kapseln 500 mg

3 Eigenschaften und Prüfungen

3.2 Wirkstofffreisetzung

Der vorgeschriebene Puffer mit einem pH-Wert von 4,5 löst die Acetylsalicylsäure (pKa 3,49 [1]) unter weitgehender Salzbildung (ca. 90 %). Die Hydrolyse verläuft hier relativ langsam [2], so daß man bei Einsatz der einfachen und schnell durchführbaren UV-photometrischen Bestimmungsmethode nicht unbedingt bei ca. 265 nm am isosbestischen Punkt von Acetylsalicylsäure und Salicylsäure wie in USP 1995 (Aspirin Capsules) messen muß. Eine mögliche Arbeitsvorschrift ist im folgenden gegeben; sie ist dann einsetzbar, wenn die verwendete Gelatine oder andere Begleitstoffe bei 275 nm nicht merklich absorbieren.

Es werden 10,0 ml Probelösung (wenn nötig filtriert) mit dem zur Auflösung verwendeten Acetatpuffer (gegebenenfalls unter Nachwaschen des Filters) auf 100,0 ml aufgefüllt. Die Absorption dieser Lösung wird in 1 cm Küvetten gegen Acetatpuffer bei 275 nm gemessen (A_u). 25 mg Standardsubstanz genau gewogen (Masse m_s) werden in 250,0 ml Acetatpuffer gelöst. die Absorption dieser Standardlösung wird gegen Acetatpuffer in 1 cm Küvetten bei 275 nm gemessen (A_s). Der freigesetzte prozentuale Anteil der deklarierten Acetylsalicylsäuremenge errechnet sich zu

$$Q = 4\, m_s \frac{A_u}{A_s} \% \quad \left(\text{Anforderung: } Q \geq 3{,}2\, m_s \frac{A_u}{A_s}\right)$$

Die Selektivität der Messung kann ev. erhöht werden durch Auswahl einer anderen Wellenlänge; besonders einfach ist dies bei Einsatz eines Diodenarray Photometers. Von störenden Hilfsstoffen kann die Acetylsalicylsäure durch mehrmalige Extraktion mit Chloroform abgetrennt werden.

Alternative Bestimmungsmethoden sind die Fluorimetrie [2,9], die Gaschromatographie [3], die Dünnschichtchromatographie und vor allem die Hochdruckflüssigchromatographie [5, 7, 9].

3.3 Prüfung auf Reinheit

Die Prüfung kann nach Ph. Eur. erfolgen; anstelle der dort verwendeten Probelösung wird die Mischung aus 3 ml Ethanol 96 % R und 2 ml der Lösung von 500 mg Acetylsalicylsäure – Inhalt einer Kapsel – in 150 ml Ethanol 96 % R eingesetzt.

Die Vorschrift der USP 1995, die eine Säulenchromatographie beinhaltet, ist demgegenüber aufwendiger. Alternativ einsetzbar sind die Derivativspektroskopie [8] und vor allem die HPLC an Umkehrphasen, die nicht nur die Erfassung von Salicylsäure sondern auch die der anderen üblichen Verunreinigungen wie Acetylsalicylsäureanhydrid und Acetylsalicyloylsalicylsäure gestattet; dabei kann

Monographien-Kommentar

2

gleichzeitig die Gehaltsbestimmung der Acetylsalicylsäure durchgeführt werden [2, 3, 5–7].

3.4 Gehalt

Zur Gehaltsbestimmung des Kapselinhaltes kann das einfache titrimetrische Verfahren des Ph. Eur. eingesetzt werden – Deprotonierung und Hydrolyse der Acetylsalicylsäure zu Salicylat und Acetat durch überschüssige Base und deren selektive Rücktitration (die Anionen werden nicht protoniert) mit Säure gegen Phenolphthalein-, wenn keine basischen, sauren oder estergruppenhaltige ethanollösliche Hilfsstoffe zur Formulierung verwendet wurden; die mangelnde Selektivität – die Hydrolyseprodukte Salicylsäure und Essigsäure werden stöchiometrisch miterfaßt – ist kein Mangel, da der Salicylsäuregehalt begrenzt ist (Prüfung auf Reinheit). Weiterhin sind nutzbar photometrische Verfahren incl. Derivativspektroskopie [USP 1995 (Aspirin Capsules), 9] und vor allem chromatographische Methoden [USP 1995 (Aspirin Tablets), 5, 7, 9].

3.5 Haltbarkeit

Acetylsalicylsäure kann bei Lagerung hydrolisieren; deshalb ist das Vorhandensein von freier Salicylsäure und Essigsäure ein Indikator für die Zersetzung. Dies ist olfaktorisch (Essigsäure) und/oder – besser objektivierbar – mit chemischen oder physikalisch-chemischen Methoden überprüfbar; mit selektiven insbesondere chromatographischen Verfahren ist die Salicylsäure bestimmbar [2–5, 8, 10]. Die selektive Bestimmung des intakten Arzneistoffs Acetylsalicylsäure mit chromatographischen Methoden [5, 7, 9] bestätigt die Haltbarkeit unabhängig von der Art der Zersetzung.

[1] F. v. Bruchhausen, S. Ebel, A. W. Frahm, E. Hackenthal (Hrsg.), Hagers Handbuch der Pharmazeutischen Praxis Bd. 7 S. 554, 5. Aufl., Springer Verlag Heidelberg 1993.
[2] K. W. Street jr., G. H. Schenk, J Pharm Sci 1981, 70: 641.
[3] Y. K. Tam, D. S. L. Au, F. S. Abbot, J Chromatogr 1979, 174: 239.
[4] S. Ebel, G. Herold, Chromatographia 1975, 8: 569.
[5] R. D. Kirchhoefer, J Pharm Sci 1980, 69: 1188.
[6] V. Y. Taguchi, L. M. Cotton, C. H. Yates, J. F. Millar, J Pharm Sci 1981, 70: 64.
[7] R. N. Bevitt, J. R. Mather, D. C. Sharman, Analyst 1984, 109: 1327.
[8] Y. C. Liu, Anal Abstr 1994, 56: 10G45.
[9] S. Torrado, R. Cadorniga, J Pharm Biomed Anal 1994, 12: 383.
[10] C. A. Kelly, J Pharm Sci 1970, 59: 1053.

P. Surmann

Monographien-Kommentar

Acetylsalicylsäure-Kapseln 500 mg

4 **Behältnisse**

Gemäß einer Auflage nach § 28 Arzneimittelgesetz [1] dürfen Acetylsalicylsäure-Kapseln 500 mg nur in kindergesicherter Verpackung, die der DIN-Norm 55559 entspricht, in den Verkehr gebracht werden. Dazu zählen

- Durchdrückpackungen (Blisterpackungen) mit Einzeldosisabpackungen unter ausschließlicher Verwendung von undurchsichtigem oder dunkel eingefärbtem Material oder
- Siegelstreifenverpackung mit Einzeldosispackungen unter ausschließlicher Verwendung von undurchsichtigem oder dunkel eingefärbtem Material oder
- Behältnisse mit Sicherheitsverschlüssen (sog. Trick- oder Patentverschlüssen), die das Öffnen durch Kinder erschweren.

Das Bundesgesundheitsamt hat in der Vergangenheit in zahlreichen Bekanntmachungen die Verpackungsarten benannt, die nach seiner Auffassung dem Stand der Technik den Anforderungen der DIN-Norm 55559 entsprechen. Für eine Gesamtaufstellung aller diesbezüglichen Bekanntmachungen siehe unter C.I.4

[1] Anordnung einer Auflage nach § 28 Arzneimittelgesetz vom 18. April 1979 (BAnz. Nr. 81 vom 28. April 1979).

R. Braun

Acetylsalicylsäure-Tabletten 100 mg

1   Bezeichnung des Fertigarzneimittels

Acetylsalicylsäure-Tabletten 100 mg

2   Darreichungsform

Tabletten

3   Eigenschaften und Prüfungen

3.1   Aussehen, Eigenschaften

Weiße, nichtüberzogene, ungepufferte Tabletten mit Bruchkerbe, die nur schwach nach Essigsäure riechen dürfen.

3.2   Wirkstofffreisetzung (AB. V.5.4)

Innerhalb von 30 min müssen mindestens 80 Prozent der pro Tablette deklarierten Menge Acetylsalicylsäure aufgelöst sein.
Prüfflüssigkeit: 500 ml 0,05 M-Acetatpuffer*)
Apparatur: Drehkörbchen
Umdrehungsgeschwindigkeit: 50 U/min

3.3   Prüfung auf Reinheit

Salicylsäure: höchstens 0,3 Prozent.

3.4   Gehalt

Zum Zeitpunkt der Produktfreigabe: 95,0 bis 105,0 Prozent der pro Tablette deklarierten Menge Acetylsalicylsäure.
Für die Haltbarkeitsdauer: mindestens 90,0 Prozent der pro Tablette deklarierten Menge Acetylsalicylsäure.

3.5   Haltbarkeit

Die Haltbarkeit in den Behältnissen nach 4 beträgt mindestens 1 Jahr.

4   Behältnisse

Behältnisse aus Braunglas oder Verbundpackstoffen als kindergesicherte Verpackung nach DIN 55 559.

---

*) 2,99 g Natriumacetat R und 1,66 ml wasserfreie Essigsäure R werden in Wasser zu 1 000 ml gelöst. Der pH-Wert des Puffers beträgt 4,5 ± 0,05.

2 Acetylsalicylsäure-Tabletten 100 mg

5 Kennzeichnung

Nach § 10 AMG, insbesondere:

5.1 Zulassungsnummer

1899.98.99

5.2 Art der Anwendung

Zum Einnehmen mit reichlich Flüssigkeit.

5.3 Hinweise

Apothekenpflichtig.

Dicht verschlossen lagern.

6 Packungsbeilage

Nach § 11 AMG, insbesondere:

6.1 Stoff- oder Indikationsgruppe

Schmerzstillendes und fiebersenkendes Arzneimittel aus der Gruppe der entzündungshemmenden Substanzen.

6.2 Anwendungsgebiete

– Leichte bis mäßig starke Schmerzen
– Fieber.

Hinweise:

Acetylsalicylsäure-Tabletten 100 mg sollen jedoch bei Kindern und Jugendlichen mit fieberhaften Erkrankungen wegen des möglichen Auftretens eines Reye-Syndroms nur auf ärztliche Anweisung und nur dann eingenommen werden, wenn andere Maßnahmen nicht wirken (s.a. unter „Was ist bei Kindern und älteren Patienten zu berücksichtigen?").

Acetylsalicylsäure-Tabletten 100 mg sollen längere Zeit oder in höheren Dosen nicht ohne Befragen des Arztes oder Zahnarztes eingenommen werden.

6.3 Gegenanzeigen

Wann dürfen Sie Acetylsalicylsäure-Tabletten 100 mg nicht einnehmen?

Sie dürfen Acetylsalicylsäure-Tabletten 100 mg nicht einnehmen bei

– bekannter Überempfindlichkeit gegen den Wirkstoff Acetylsalicylsäure und gegen Salicylate, einer Gruppe von Stoffen, die der Acetylsalicylsäure verwandt sind
– Magen- und Darmgeschwüren
– krankhaft erhöhter Blutungsneigung.

Wann dürfen Sie Acetylsalicylsäure-Tabletten 100 mg erst nach Rücksprache mit Ihrem Arzt einnehmen?

Im folgenden wird beschrieben, wann Sie Acetylsalicylsäure-Tabletten 100 mg nur unter bestimmten Bedingungen und nur mit besonderer Vorsicht einnehmen dürfen. Befragen Sie hierzu bitte Ihren Arzt. Dies gilt auch, wenn diese Angaben bei Ihnen früher einmal zutrafen.

Sie sollten Acetylsalicylsäure-Tabletten 100 mg nur mit besonderer Vorsicht (d.h. in größeren Einnahmeabständen oder in verminderter Dosis) und unter ärztlicher Kontrolle einnehmen bei
- Überempfindlichkeit gegen andere Schmerz-, Entzündungs- oder Rheumamittel oder bei Bestehen anderer Allergien (siehe auch Abschnitt über Vorsichtsmaßnahmen)
- gleichzeitiger Behandlung mit gerinnungshemmenden Arzneimitteln (z.B. Cumarinderivate, Heparin (mit Ausnahme niedrig dosierter Heparin-Behandlung))
- Asthma bronchiale
- chronischen oder wiederkehrenden Magen- oder Zwölffingerdarmbeschwerden
- vorgeschädigter Niere
- schweren Leberfunktionsstörungen.

Was müssen Sie in der Schwangerschaft beachten?

Wird während einer längeren Einnahme von Acetylsalicylsäure-Tabletten 100 mg eine Schwangerschaft festgestellt, so ist der Arzt zu benachrichtigen. Im ersten und zweiten Schwangerschaftsdrittel sollten Acetylsalicylsäure-Tabletten 100 mg nur nach Rücksprache mit dem Arzt eingenommen werden. In den letzten drei Monaten der Schwangerschaft darf Acetylsalicylsäure wegen eines erhöhten Risikos von Komplikationen für Mutter und Kind bei der Geburt nicht eingenommen werden.

Was müssen Sie in der Stillzeit beachten?

Der Wirkstoff Acetylsalicylsäure und seine Abbauprodukte gehen in geringen Mengen in die Muttermilch über. Da nachteilige Folgen für den Säugling bisher nicht bekannt geworden sind, wird bei kurzfristiger Einnahme der empfohlenen Dosis bei Schmerzen oder Fieber eine Unterbrechung des Stillens in der Regel nicht erforderlich sein. Sollte im Einzelfall eine längere Einnahme bzw. Einnahme höherer Dosen (mehr als 3 g Acetylsalicylsäure/Tag) verordnet worden sein, sollte jedoch ein frühzeitiges Abstillen erwogen werden.

Was ist bei Kindern zu berücksichtigen?

Acetylsalicylsäure-Tabletten 100 mg sollen jedoch bei Kindern und Jugendlichen mit fieberhaften Erkrankungen nur auf ärztliche Anweisung und nur dann eingenommen werden, wenn andere Maßnahmen nicht wirken. Sollte es bei diesen Erkrankungen zu lang anhaltendem Erbrechen kommen, so kann dies ein Zeichen des Reye-Syndroms, einer sehr seltenen, aber lebensbedrohlichen Krankheit sein, die unbedingt sofortiger ärztlicher Behandlung bedarf.

6.4 Vorsichtsmaßnahmen für die Einnahme und Warnhinweise

Welche Vorsichtsmaßnahmen müssen beachtet werden?

Patienten, die an Asthma, Heuschnupfen, Nasenschleimhautschwellungen (Nasenpolypen) oder chronischen Atemwegsinfektionen (besonders gekoppelt mit heuschnupfenartigen Erscheinungen) leiden, und Patienten mit Überempfindlichkeit gegen Schmerz- und Rheumamittel aller Art sind bei Einnahme von Acetylsalicylsäure-Tabletten 100 mg durch Asthmaanfälle gefährdet (sogenannte Analgetika-Intoleranz/Analgetika-Asthma). Sie sollten vor Einnahme den Arzt befragen. Das gleiche gilt für Patienten, die auch gegen andere Stoffe überempfindlich (allergisch) reagieren, wie z.B. mit Hautreaktionen, Juckreiz oder Nesselfieber.

Bei Einnahme von Acetylsalicylsäure-Tabletten 100 mg vor operativen Eingriffen ist der Arzt oder Zahnarzt zu befragen bzw. zu informieren.

Was müssen Sie im Straßenverkehr sowie bei der Arbeit mit Maschinen und bei Arbeiten ohne sicheren Halt beachten?

Es sind keine besonderen Vorsichtsmaßnahmen erforderlich.

Worauf müssen Sie noch achten?

Bei längerem hochdosierten, nicht bestimmungsgemäßem Gebrauch von Schmerzmitteln können Kopfschmerzen auftreten, die nicht durch erhöhte Dosen des Arzneimittels behandelt werden dürfen.

Ganz allgemein kann die gewohnheitsmäßige Einnahme von Schmerzmitteln, insbesondere bei Kombination mehrerer schmerzstillender Wirkstoffe, zur dauerhaften Nierenschädigung mit dem Risiko eines Nierenversagens (Analgetika-Nephropathie) führen.

6.5 Wechselwirkungen mit anderen Mitteln

Welche anderen Arzneimittel beeinflussen die Wirkung von Acetylsalicylsäure-Tabletten 100 mg und was müssen Sie beachten, wenn Sie zusätzlich andere Arzneimittel anwenden?

Beachten Sie bitte, daß diese Angaben auch für vor kurzem angewandte Arzneimittel gelten können.

Verstärkt werden

- die Wirkung gerinnungshemmender Arzneimittel (z.B. Cumarinderivate und Heparin)
- das Risiko einer Magen-Darm-Blutung bei gleichzeitiger Behandlung mit Medikamenten, die Cortison oder cortisonähnliche Substanzen enthalten, oder bei gleichzeitigem Alkoholkonsum
- die Wirkung von bestimmten blutzuckersenkenden Arzneimitteln (Sulfonylharnstoffen)
- die gewünschten und unerwünschten Wirkungen von Methotrexat
- die Blutspiegel von Digoxin, Barbituraten sowie Lithium
- die gewünschten und unerwünschten Wirkungen einer bestimmten Gruppe von Schmerz- und Rheumamitteln (nichtsteroidale Analgetika/Antiphlogistika)
- die Wirkung von bestimmten Antibiotika (Sulfonamide und Sulfonamid-Kombinationen (z.B. Sulfamethoxazol/Trimethoprim))
- die Wirkung von Triiodthyronin, einem Medikament gegen Schilddrüsenunterfunktion.

Acetylsalicylsäure-Tabletten 100 mg vermindern die Wirkungen von
- bestimmten Medikamenten, die eine vermehrte Harnausscheidung bewirken (sogenannte Aldosteronantagonisten und Schleifendiuretika)
- blutdrucksenkenden Arzneimitteln
- harnsäureausscheidenden Gichtmitteln (z. B. Probenecid, Sulfinpyrazon).

Acetylsalicylsäure-Tabletten 100 mg sollten daher nicht zusammen mit einem der o. g. Stoffe angewendet werden, ohne daß der Arzt ausdrücklich die Anweisung gegeben hat.

Welche Genußmittel, Speisen und Getränke sollten Sie meiden?
Während der Einnahme von Acetylsalicylsäure-Tabletten 100 mg sollte Alkoholgenuß möglichst vermieden werden.

6.6 Dosierungsanleitung, Art und Dauer der Anwendung

Die folgenden Angaben gelten, soweit Ihnen Ihr Arzt Acetylsalicylsäure-Tabletten 100 mg nicht anders verordnet hat. Bitte halten Sie sich an die Einnahmevorschriften, da Acetylsalicylsäure-Tabletten 100 mg sonst nicht richtig wirken können.

Wieviel und wie oft sollten Sie Acetylsalicylsäure-Tabletten 100 mg einnehmen?

Alter:	Einzeldosis:
1/2 bis 1 Jahr	1/2 bis 1 Tablette
1 bis 3 Jahre	1 Tablette
4 bis 6 Jahre	2 Tabletten

Die Einzeldosis kann, falls erforderlich, in Abständen von 4 bis 8 Stunden bis zu 3mal täglich eingenommen werden.

Für ältere Kinder werden Darreichungsformen mit höherem Wirkstoffgehalt empfohlen.

Hinweis:
Bei Patienten mit Leber- oder Nierenfunktionsstörungen muß die Dosis vermindert bzw. das Einnahmeintervall verlängert werden.

Wie und wann sollten Sie Acetylsalicylsäure-Tabletten 100 mg einnehmen?
Nehmen Sie Acetylsalicylsäure-Tabletten 100 mg unzerkaut mit reichlich Flüssigkeit und nicht auf nüchternen Magen ein.

Wie lange sollen Sie Acetylsalicylsäure-Tabletten 100 mg einnehmen?
Nehmen Sie Acetylsalicylsäure-Tabletten 100 mg gegen Schmerzen oder Fieber ohne ärztlichen oder zahnärztlichen Rat nicht länger als 3 bis 4 Tage ein.

6.7 Einnahmefehler und Überdosierungen

Was ist zu tun, wenn Acetylsalicylsäure-Tabletten 100 mg in zu großen Mengen eingenommen wurden (beabsichtigte oder versehentliche Überdosierung)?
Schwindel und Ohrenklingen können, insbesondere bei Kindern und älteren Patienten, Zeichen einer ernsthaften Vergiftung sein.

Bei Verdacht auf eine Überdosierung mit Acetylsalicylsäure-Tabletten 100 mg benachrichtigen Sie bitte Ihren Arzt. Dieser kann entsprechend der Schwere einer Vergiftung die gegebenenfalls erforderlichen Maßnahmen entscheiden.

6 Acetylsalicylsäure-Tabletten 100 mg

6.8 Nebenwirkungen

Welche Nebenwirkungen können bei Einnahme von Acetylsalicylsäure-Tabletten 100 mg auftreten?

Häufige Nebenwirkungen sind Magen-Darm-Beschwerden wie Magenschmerzen und geringfügige Blutverluste aus dem Magen-Darm-Bereich (Mikroblutungen).

Gelegentlich treten Übelkeit, Erbrechen, Durchfälle auf.

Selten kommt es zu Magenblutungen und Magengeschwüren sowie, vor allem bei Asthmatikern, zu Überempfindlichkeitsreaktionen (Anfälle von Atemnot, Hautreaktionen).

In Einzelfällen wurden Leber- und Nierenfunktionsstörungen, Verminderung der Blutzuckerwerte (Hypoglykämie) sowie besonders schwere Hautausschläge (bis hin zu Erythema exsudativum multiforme) beschrieben.

Acetylsalicylsäure vermindert in niedriger Dosierung die Harnsäureausscheidung. Bei hierfür gefährdeten Patienten kann dies unter Umständen einen Gichtanfall auslösen.

Bei längerdauernder oder chronischer Einnahme können zentralnervöse Störungen wie Kopfschmerzen, Schwindel, Erbrechen, Ohrensausen, Sehstörungen oder Somnolenz sowie Blutarmut durch Eisenmangel (Eisenmangelanämie) auftreten.

In seltenen Fällen kann nach längerer Einnahme von Acetylsalicylsäure-Tabletten 100 mg eine Blutarmut durch verborgene Magen-Darm-Blutverluste auftreten.

Wenn Sie Nebenwirkungen bei sich beobachten, die nicht in dieser Packungsbeilage aufgeführt sind, teilen Sie diese bitte Ihrem Arzt oder Apotheker mit.

Welche Gegenmaßnahmen sind bei Nebenwirkungen zu ergreifen?

Sollten Sie die oben genannten Nebenwirkungen bei sich beobachten, sollen Acetylsalicylsäure-Tabletten 100 mg nicht nochmals eingenommen werden. Benachrichtigen Sie Ihren Arzt, damit er über den Schweregrad und gegebenenfalls erforderliche weitere Maßnahmen entscheiden kann.

Bei den ersten Anzeichen einer Überempfindlichkeitsreaktion dürfen Acetylsalicylsäure-Tabletten 100 mg nicht nochmals eingenommen werden.

Bei Auftreten von schwarzem Stuhl (Teerstuhl, Zeichen einer schweren Magenblutung) ist sofort der Arzt zu benachrichtigen.

6.9 Hinweis

Dicht verschlossen aufbewahren.

7 Fachinformation

Nach § 11 a AMG, insbesondere:

7.1 Verschreibungsstatus/Apothekenpflicht

Apothekenpflichtig.

7.2 Stoff- oder Indikationsgruppe

Analgetikum/Antiphlogistikum.

7.3 Anwendungsgebiete

Leichte bis mäßig starke Schmerzen; Fieber.

Hinweise:

Acetylsalicylsäure-Tabletten 100 mg sollen jedoch bei Kindern und Jugendlichen mit fieberhaften Erkrankungen wegen des möglichen Auftretens eines Reye-Syndroms nur auf ärztliche Anweisung und nur dann angewendet werden, wenn andere Maßnahmen nicht wirken.

Acetylsalicylsäure-Tabletten 100 mg sollen längere Zeit oder in höheren Dosen nicht ohne Befragen des Arztes angewendet werden.

7.4 Gegenanzeigen

Acetylsalicylsäure-Tabletten 100 mg dürfen nicht angewendet werden

– bei Magen- und Darmgeschwüren

– bei krankhaft erhöhter Blutungsneigung

– bei Überempfindlichkeit gegenüber Acetylsalicylsäure und anderen Salicylaten

– in den letzten drei Monaten der Schwangerschaft.

Acetylsalicylsäure-Tabletten 100 mg sollen in der Regel nicht oder nur unter ärztlicher Kontrolle angewendet werden

– bei gleichzeitiger Therapie mit gerinnungshemmenden Arzneimitteln (z. B. Cumarinderivate, Heparin – mit Ausnahme niedrig dosierter Heparin-Therapie)

– bei Asthma bronchiale

– bei Überempfindlichkeit gegen andere Entzündungshemmer/Antirheumatika oder andere allergene Stoffe

– bei chronischen oder wiederkehrenden Magen- oder Zwölffingerdarmbeschwerden

– bei vorgeschädigter Niere

– bei schweren Leberfunktionsstörungen

– in den ersten sechs Monaten der Schwangerschaft.

Hinweise:

Patienten, die an Asthma, Heuschnupfen, Nasenschleimhautschwellungen (Nasenpolypen) oder chronischen Atemwegsinfektionen (besonders gekoppelt mit heuschnupfenartigen Erscheinungen) leiden und Patienten mit Überempfindlichkeit gegen Schmerz- und Rheumamittel aller Art sind bei Anwendung von Acetylsalicylsäure-Tabletten 100 mg durch Asthmaanfälle gefährdet (sog. Analgetika-Intoleranz/Analgetika-Asthma). Sie sollten vor Anwendung den Arzt befragen. Das gleiche gilt für Patienten, die auch auf andere Stoffe mit Hautreaktionen, Juckreiz oder Nesselfieber allergisch reagieren.

Acetylsalicylsäure soll bei Kindern und Jugendlichen mit fieberhaften Erkrankungen nur auf ärztliche Anweisung und nur dann angewendet werden, wenn andere Maßnahmen nicht wirken. Sollte es bei diesen Erkrankungen zu lang anhaltendem Erbrechen kommen, so kann dies ein Zeichen des Reye-Syndroms, einer sehr seltenen, aber unter Umständen lebensbedrohlichen Krankheit sein, die unbedingt sofortiger ärztlicher Behandlung bedarf.

Anwendung in der Schwangerschaft und Stillzeit;

Da der Einfluß einer Prostaglandinsynthesehemmung auf die Schwangerschaft ungeklärt ist, sollte Acetylsalicylsäure im 1. und 2. Trimenon nicht eingenommen werden. Eine Einnahme im letzten Trimenon ist kontraindiziert.

Bei längerer Einnahme höherer Dosen sollte abgestillt werden (siehe auch 7.12.2 „Reproduktionstoxizität").

7.5 Nebenwirkungen

Häufige Nebenwirkungen sind Magen-Darm-Beschwerden wie Magenschmerzen, Mikroblutungen.

Gelegentlich treten Übelkeit, Erbrechen, Durchfälle auf.

Selten kommt es zu Magenblutungen und Magengeschwüren sowie, vor allem bei Asthmatikern, zu Überempfindlichkeitsreaktionen (Anfälle von Atemnot, Hautreaktionen).

In Einzelfällen wurden Leber- und Nierenfunktionsstörungen, Hypoglykämie sowie besonders schwere Hautausschläge (bis hin zu Erythema exsudativum multiforme) beschrieben.

Zentralnervöse Störungen wie Kopfschmerzen, Schwindel, Erbrechen, Ohrensausen, Sehstörungen oder Somnolenz sowie Eisenmangelanämie können bei längerdauernder oder chronischer Anwendung auftreten.

Zu Störungen des Säure-Basen-Haushaltes sowie zur Natrium- und Wasserretention kann es bei Anwendung hoher Dosen und bei entsprechender Disposition kommen.

Hinweise:

Bei häufiger und längerer Anwendung kann es in selten Fällen zu Magengeschwüren und zu schweren Magenblutungen kommen. Bei Auftreten von schwarzem Stuhl (Teerstuhl) ist sofort der Arzt zu benachrichtigen.

In seltenen Fällen kann nach längerer Anwendung von Acetylsalicylsäure eine Blutarmut durch verborgene Magen-Darm-Blutverluste auftreten.

Schwindel und Ohrenklingen können, insbesondere bei Kindern und älteren Patienten, Symptome einer Überdosierung sein. In diesen Fällen ist der Arzt zu benachrichtigen.

Bei Überschreitung der empfohlenen Dosierung können die Leberwerte (Transaminasen) ansteigen. Deshalb ist die regelmäßige Kontrolle der Transaminasen, insbesondere bei Kindern, erforderlich.

Acetylsalicylsäure vermindert in niedriger Dosierung die Harnsäureausscheidung. Bei hierfür gefährdeten Patienten kann dies unter Umständen einen Gichtanfall auslösen.

Acetylsalicylsäure soll bei Kindern und Jugendlichen mit fieberhaften Erkrankungen nur auf ärztliche Anweisung und nur dann angewendet werden, wenn andere Maßnahmen nicht wirken. Sollte es bei diesen Erkrankungen zu lang anhaltendem Erbrechen kommen, so kann dies ein Zeichen des Reye-Syndroms, einer sehr seltenen, aber unter Umständen lebensbedrohlichen Krankheit sein, die unbedingt sofortiger ärztlicher Behandlung bedarf.

Bei chronischer Einnahme von Acetylsalicylsäure können Kopfschmerzen auftreten, die zu erneuter Einnahme und damit wiederum zum Unterhalten der Kopfschmerzen führen können.

Ganz allgemein kann die langfristige Einnahme von Schmerzmitteln, insbesondere bei Kombination mehrerer schmerzstillender Wirkstoffe, zur dauerhaften Nierenschädigung mit dem Risiko eines Nierenversagens (Analgetika-Nephropathie) führen.

7.6 Wechselwirkungen mit anderen Mitteln

Erhöht werden
- die Wirkung gerinnungshemmender Arzneimittel, z.B. Cumarinderivate und Heparin
- das Risiko einer Magen-Darm-Blutung bei gleichzeitiger Behandlung mit Kortikoiden oder bei gleichzeitigem Alkoholkonsum
- die Plasmakonzentration von Digoxin oder Barbituraten sowie Lithium
- die Wirkung und unerwünschten Wirkungen aller nichtsteroidaler Rheumamittel
- die Wirkung von blutzuckersenkenden Arzneimitteln (Sulfonylharnstoffen)
- die Wirkung und die unerwünschten Wirkungen von Methotrexat
- die Wirkung von chemotherapeutisch wirksamen Sulfonamiden inklusive Cotrimoxazol
- die Wirkung von Triiodthyronin.

Vermindert werden die Wirkungen von
- Spironolacton und Canrenoat
- Schleifendiuretika (z.B. Furosemid)
- Urikosurika (z.B. Probenecid, Sulfinpyrazon)
- Antihypertonika.

Acetylsalicylsäure soll daher nicht zusammen mit einem der o. g. Stoffe angewendet werden, ohne daß der Arzt ausdrücklich die Anweisung gegeben hat.

10 Acetylsalicylsäure-Tabletten 100 mg

Hinweis:

In Fällen, in denen eine Dosierung von mehr als 3 g Acetylsalicylsäure pro Tag bei Erwachsenen bzw. eine Überschreitung der entsprechenden Dosis bei Kindern vorgesehen ist, ist zu berücksichtigen, daß einige Antacida die erwünschten hohen, kontinuierlichen Salicylat-Blutspiegel beeinträchtigen können.

7.7 Warnhinweise

Keine.

7.8 Wichtigste Inkompatibilitäten

Keine bekannt.

7.9 Dosierung mit Einzel- und Tagesgaben

Es wird wie folgt eingenommen:

Alter:	Einzeldosis:
½ bis 1 Jahr	½ bis 1 Tablette
1 bis 3 Jahre	1 Tablette
4 bis 6 Jahre	2 Tabletten

Die Einzeldosis kann, falls erforderlich, in Abständen von 4 bis 8 Stunden bis zu 3mal täglich eingenommen werden.

Für ältere Kinder wird die Anwendung von Darreichungsformen mit höherem Wirkstoffgehalt empfohlen.

Hinweis:

Bei Patienten mit Leber- oder Nierenfunktionsstörungen muß die Dosis vermindert bzw. das Einnahmeintervall verlängert werden.

7.10 Art und Dauer der Anwendung

Die Einnahme erfolgt mit reichlich Flüssigkeit und nicht auf nüchternen Magen.

Acetylsalicylsäure-Tabletten 100 mg sollen ohne ärztlichen oder zahnärztlichen Rat nur wenige Tage und nicht in erhöhter Dosis angewendet werden.

7.11 Notfallmaßnahmen, Symptome, Gegenmittel

Im Vordergrund einer akuten Acetylsalicylsäure-Vergiftung steht eine schwere Störung des Säuren-Basen-Gleichgewichtes. Bereits im therapeutischen Dosisbereich kommt es zu einer respiratorischen Alkalose infolge gesteigerter Atmung. Sie wird durch eine erhöhte renale Ausscheidung von Bicarbonat kompensiert, so daß der pH-Wert des Blutes normal ist. Bei toxischen Dosen reicht diese Kompensation nicht mehr aus und der pH-Wert sowie die Bicarbonatkonzentration im Blut sinken ab. Der P_{CO_2}-Wert des Plasmas kann zeitweilig normal sein. Es liegt scheinbar das Bild einer metabolischen Azidose vor. Tatsächlich aber handelt es sich um eine Kombination von respiratorischer und metabolischer Azidose. Die Ursachen hierfür sind: Einschränkung der Atmung durch toxische Dosen, Anhäufung von Säure, zum Teil durch verminderte renale Ausscheidung (Schwefel- und Phosphorsäure sowie Salicylsäure, Milchsäure, Acetessigsäure u.a.) infolge einer Störung des Kohlenhydrat-Stoffwechsels. Hinzu tritt eine Störung des Elektrolythaushaltes. Es kommt zu größeren Kaliumverlusten.

Die Symptome bei leichteren Graden einer akuten Vergiftung (200 bis 400 µg/ml) sind: Hyperventilation, Ohrensausen, Übelkeit, Erbrechen, Beeinträchtigung von Sehen und Hören, Kopfschmerzen, Schwindel, Verwirrtheitszustände. Bei schweren Vergiftungen (über 400 µl/ml) können Delirien, Tremor, Atemnot, Schweißausbrüche, Exsikkose, Hyperthermie und Koma auftreten. Bei Intoxikationen mit letalem Ausgang tritt der Tod in der Regel durch Versagen der Atemfunktion ein.

Bei der Behandlung stehen – von den allgemeinen Maßnahmen (z.B. vorsichtige Magenspülung) abgesehen – Maßnahmen im Vordergrund, die der Beschleunigung der Ausscheidung und der Normalisierung des Säuren-Basen- und Elektrolythaushaltes dienen. Neben Infusionslösungen mit Natriumhydrogencarbonat und Kaliumchlorid werden auch Diuretika verabfolgt.

Die Reaktion des Harns soll basisch sein, damit der Ionisationsgrad der Salicylate zu- und damit die Rückdiffusionsrate in den Tubuli abnimmt. Eine Kontrolle der Blutwerte (pH, P_{CO_2}, Bicarbonat, Kalium u.a.) ist sehr zu empfehlen. In schweren Fällen kann eine Hämodialyse notwendig sein.

7.12 Pharmakologische und toxikologische Eigenschaften und Angaben über die Pharmakokinetik und Bioverfügbarkeit, soweit diese Angaben für die therapeutische Verwendung erforderlich sind

7.12.1 Pharmakologische Eigenschaften

Acetylsalicylsäure und Salicylsäure wirken analgetisch, antipyretisch und antiphlogistisch. Zusätzlich zeigt Acetylsalicylsäure eine stark hemmende Wirkung auf die Thrombozytenaggregation.

7.12.2 Toxikologische Eigenschaften

Akute Toxizität:

Eine akute Vergiftung mit tödlichem Ausgang kann beim erwachsenen Menschen ab einer einmaligen Dosis von 10 g, bei Kindern von 3 g Acetylsalicylsäure eintreten. Der Tod tritt in der Regel durch Versagen der Atemfunktion ein (siehe auch 7.11).

Chronische Toxizität/Subchronische Toxizität:

Acetylsalicylsäure und der Metabolit Salicylsäure wirken aufgrund ihres Wirkungsmechanismus und auch lokal gewebsschädigend und schleimhautreizend. Schon bei therapeutischer Dosierung können Ulcera und Blutungen im Magen-Darm-Trakt entstehen. Bei chronischer Anwendung kann es daher zur Anämie (Eisenmangelanämie) kommen.

Liegen Ulcera im Magen-Darm-Trakt vor, besteht wegen der durch Acetylsalicylsäure verringerten Gerinnungsfähigkeit des Blutes die Gefahr bedrohlicher Blutungen. Außer diesen unerwünschten Wirkungen zeigen sich in Tierstudien nach akutem und chronischem Einsatz hoher Dosen Nierenschäden.

Mutagenes und tumorerzeugendes Potential:

Acetylsalicylsäure wurde ausführlich in vitro und in vivo bezüglich mutagener Wirkungen untersucht. Die Gesamtheit der Befunde ergibt keine relevanten Verdachtsmomente für eine mutagene Wirkung.

Langzeitstudien mit Acetylsalicylsäure an Maus und Ratte ergaben keine Hinweise auf ein eigenständiges tumorerzeugendes Potential von Acetylsalicylsäure.

Reproduktionstoxikologie:

Salicylate haben in Tierversuchen an mehreren Tierspezies teratogene Wirkungen gezeigt. Implantationsstörungen, embryo- und fetotoxische Wirkungen sowie Störungen der Lernfähigkeit bei Nachkommen nach pränataler Exposition sind beschrieben worden.

Eindeutige epidemiologische Befunde für ein erhöhtes Fehlbildungsrisiko liegen für den Menschen nicht vor. Die Einnahme von Salicylaten im 1. Trimenon der Schwangerschaft ist in verschiedenen epidemiologischen Studien mit einem erhöhten Fehlbildungsrisiko (Gaumenspalten, Herzmißbildungen) in Zusammenhang gebracht worden. Dieses Risiko erscheint jedoch bei normalen therapeutischen Dosen gering zu sein, da eine prospektive Studie mit ca. 32 000 exponierten Mutter-Kind-Paaren keine Assoziation mit einer erhöhten Fehlbildungsrate ergab. Im letzten Trimenon der Schwangerschaft kann die Einnahme von Salicylaten zu einer Verlängerung der Gestationsdauer und zu Wehenhemmung führen. Bei Mutter und Kind ist eine gesteigerte Blutungsneigung beobachtet worden.

Bei Einnahme von Acetylsalicylsäure kurz vor der Geburt kann es insbesondere bei Frühgeborenen zu intrakranialen Blutungen kommen. Ein vorzeitiger Verschluß des Ductus arteriosus beim Feten ist möglich.

Salicylate und ihre Abbauprodukte gehen in geringen Mengen in die Muttermilch über. Da nachteilige Wirkungen auf den Säugling bisher nicht bekannt geworden sind, wird bei kurzfristiger Anwendung der empfohlenen Dosis eine Unterbrechung des Stillens normalerweise nicht erforderlich sein. Bei längerer Einnahme höherer Dosen sollte abgestillt werden.

7.12.3 Pharmakokinetik

Acetylsalicylsäure wird vor, während und nach der Resorption in ihren aktiven Hauptmetaboliten Salicylsäure umgewandelt. Die Metaboliten werden überwiegend über die Niere ausgeschieden.

Hauptmetaboliten der Acetylsalicylsäure sind neben der Salicylsäure das Glycinkonjugat der Salicylsäure (Salicylursäure), das Ether- und das Esterglukuronid der Salicylsäure (Salicylphenolglukuronid und Salicylacetylglukuronid) sowie die durch Oxidation von Salicylsäure entstehende Gentisinsäure und deren Glycinkonjugat.

Die Resorption von Acetylsalicylsäure und Salicylsäure erfolgt schnell und vollständig. Maximale Plasmaspiegel werden nach 10 bis 20 Minuten (Acetylsalicylsäure) bzw. 0,3 bis 2 Stunden (Gesamtsalicylat) erreicht. Die rektale Resorption ist langsamer und unvollständig. Die Eliminationshalbwertszeit von

Acetylsalicylsäure beträgt nur einige Minuten, die Eliminationshalbwertszeit der Salicylsäure beträgt nach Einnahme einer Dosis von 0,5 g Acetylsalicylsäure 2 Stunden, nach Applikation von 1 g 4 Stunden, nach Einnahme einer Einzeldosis von 5 g verlängert sie sich auf 20 Stunden.

Die Plasmaeiweißbindung beim Menschen ist konzentrationsabhängig; Werte von 49 % bis über 70 % (Acetylsalicylsäure) bzw. 66 % bis 98 % (Salicylsäure) wurden gefunden. In der Muttermilch, im Liquor und in der Synovialflüssigkeit wird Salicylsäure nach Einnahme von Acetylsalicylsäure nachgewiesen. Die Substanz ist plazentagängig.

7.13 Sonstige Hinweise

Schwangerschaft und Stillzeit: siehe Hinweis unter Gegenanzeigen und Reproduktionstoxikologie.

7.14 Besondere Lager- und Aufbewahrungshinweise

Dicht verschlossen aufbewahren.

Monographien-Kommentar

Acetylsalicylsäure-Tabletten 100 mg

4 **Behältnisse**

Gemäß einer Auflage nach § 28 Arzneimittelgesetz [1] dürfen Acetylsalicylsäure-Tabletten 100 mg nur in kindergesicherter Verpackung, die der DIN-Norm 55 559 entspricht, in den Verkehr gebracht werden. Dazu zählen

- Durchdrückpackungen (Blisterpackungen) mit Einzeldosisabpackungen unter ausschließlicher Verwendung von undurchsichtigem oder dunkel eingefärbtem Material oder
- Siegelstreifenverpackung mit Einzeldosispackungen unter ausschließlicher Verwendung von undurchsichtigem oder dunkel eingefärbtem Material oder
- Behältnisse mit Sicherheitsverschlüssen (sog. Trick- oder Patentverschlüssen), die das Öffnen durch Kinder erschweren.

Das Bundesgesundheitsamt hat in der Vergangenheit in zahlreichen Bekanntmachungen die Verpackungsarten benannt, die nach seiner Auffassung dem Stand der Technik den Anforderungen der DIN-Norm 55 559 entsprechen. Für eine Gesamtaufstellung aller diesbezüglichen Bekanntmachungen siehe unter C.I.4.

[1] Anordnung einer Auflage nach § 28 Arzneimittelgesetz vom 18. April 1979 (BAnz. Nr. 81 vom 28. April 1979).

R. Braun

Acetylsalicylsäure-Tabletten 500 mg

1 Bezeichnung des Fertigarzneimittels

Acetylsalicylsäure-Tabletten 500 mg

2 Darreichungsform

Tabletten

3 Eigenschaften und Prüfungen

3.1 Aussehen, Eigenschaften

Weiße, nichtüberzogene, ungepufferte Tabletten mit Bruchkerbe, die nur schwach nach Essigsäure riechen dürfen.

3.2 Wirkstofffreisetzung (AB. V.5.4)

Innerhalb von 30 min müssen mindestens 80 Prozent der pro Tablette deklarierten Menge Acetylsalicylsäure aufgelöst sein.

Prüfflüssigkeit: 500 ml 0,05 M-Acetatpuffer*)
Apparatur: Drehkörbchen
Umdrehungsgeschwindigkeit: 50 U/min

3.3 Prüfung auf Reinheit

Salicylsäure: höchstens 0,3 Prozent.

3.4 Gehalt

Zum Zeitpunkt der Produktfreigabe: 95,0 bis 105,0 Prozent der pro Tablette deklarierten Menge Acetylsalicylsäure.

Für die Haltbarkeitsdauer: mindestens 90,0 Prozent der pro Tablette deklarierten Menge Acetylsalicylsäure.

3.5 Haltbarkeit

Die Haltbarkeit in den Behältnissen nach 4 beträgt mindestens 1 Jahr.

4 Behältnisse

Behältnisse aus Braunglas oder Verbundpackstoffen als kindergesicherte Verpackung nach DIN 55 559.

---

*) 2,99 g Natriumacetat R und 1,66 ml wasserfreie Essigsäure R werden in Wasser zu 1 000 ml gelöst. Der pH-Wert des Puffers beträgt 4,5 ± 0,05.

5 Kennzeichnung

Nach § 10 AMG, insbesondere:

5.1 Zulassungsnummer

1899.99.99

5.2 Art der Anwendung

Zum Einnehmen mit reichlich Flüssigkeit.

5.3 Hinweise

Apothekenpflichtig.
Dicht verschlossen lagern.

6 Packungsbeilage

Nach § 11 AMG, insbesondere:

6.1 Stoff- oder Indikationsgruppe

Schmerzstillendes und fiebersenkendes Arzneimittel aus der Gruppe der entzündungshemmenden Substanzen.

6.2 Anwendungsgebiete

- Leichte bis mäßig starke Schmerzen
- Fieber.

Hinweise:

Acetylsalicylsäure-Tabletten 500 mg sollen jedoch bei Kindern und Jugendlichen mit fieberhaften Erkrankungen wegen des möglichen Auftretens eines Reye-Syndroms nur auf ärztliche Anweisung und nur dann eingenommen werden, wenn andere Maßnahmen nicht wirken (s.a. unter „Was ist bei Kindern und älteren Patienten zu berücksichtigen?").

Acetylsalicylsäure-Tabletten 500 mg sollen längere Zeit oder in höheren Dosen nicht ohne Befragen des Arztes oder Zahnarztes eingenommen werden.

6.3 Gegenanzeigen

Wann dürfen Sie Acetylsalicylsäure-Tabletten 500 mg nicht einnehmen?

Sie dürfen Acetylsalicylsäure-Tabletten 500 mg nicht einnehmen bei

- bekannter Überempfindlichkeit gegen den Wirkstoff Acetylsalicylsäure und gegen Salicylate, einer Gruppe von Stoffen, die der Acetylsalicylsäure verwandt sind
- Magen- und Darmgeschwüren
- krankhaft erhöhter Blutungsneigung.

Wann dürfen Sie Acetylsalicylsäure-Tabletten 500 mg erst nach Rücksprache mit Ihrem Arzt einnehmen?

Im folgenden wird beschrieben, wann Sie Acetylsalicylsäure-Tabletten 500 mg nur unter bestimmten Bedingungen und nur mit besonderer Vorsicht einnehmen dürfen. Befragen Sie hierzu bitte Ihren Arzt. Dies gilt auch, wenn diese Angaben bei Ihnen früher einmal zutrafen.

Sie sollten Acetylsalicylsäure-Tabletten 500 mg nur mit besonderer Vorsicht (d.h. in größeren Einnahmeabständen oder in verminderter Dosis) und unter ärztlicher Kontrolle einnehmen bei

– Überempfindlichkeit gegen andere Schmerz-, Entzündungs- oder Rheumamittel oder bei Bestehen anderer Allergien (siehe auch Abschnitt über Vorsichtsmaßnahmen)

– gleichzeitiger Behandlung mit gerinnungshemmenden Arzneimitteln (z.B. Cumarinderivate, Heparin (mit Ausnahme niedrig dosierter Heparin-Behandlung))

– Asthma bronchiale

– chronischen oder wiederkehrenden Magen- oder Zwölffingerdarmbeschwerden

– vorgeschädigter Niere

– schweren Leberfunktionsstörungen.

Was müssen Sie in der Schwangerschaft beachten?

Wird während einer längeren Einnahme von Acetylsalicylsäure-Tabletten 500 mg eine Schwangerschaft festgestellt, so ist der Arzt zu benachrichtigen. Im ersten und zweiten Schwangerschaftsdrittel sollten Acetylsalicylsäure-Tabletten 500 mg nur nach Rücksprache mit dem Arzt eingenommen werden. In den letzten drei Monaten der Schwangerschaft darf Acetylsalicylsäure wegen eines erhöhten Risikos von Komplikationen für Mutter und Kind bei der Geburt nicht eingenommen werden.

Was müssen Sie in der Stillzeit beachten?

Der Wirkstoff Acetylsalicylsäure und seine Abbauprodukte gehen in geringen Mengen in die Muttermilch über. Da nachteilige Folgen für den Säugling bisher nicht bekannt geworden sind, wird bei kurzfristiger Einnahme der empfohlenen Dosis bei Schmerzen oder Fieber eine Unterbrechung des Stillens in der Regel nicht erforderlich sein. Sollte im Einzelfall eine längere Einnahme bzw. Einnahme höherer Dosen (mehr als 6 Tabletten/Tag, die 3 g Acetylsalicylsäure/Tag entsprechen) verordnet worden sein, sollte jedoch ein frühzeitiges Abstillen erwogen werden.

Was ist bei Kindern zu berücksichtigen?

Acetylsalicylsäure-Tabletten 500 mg sollen jedoch bei Kindern und Jugendlichen mit fieberhaften Erkrankungen nur auf ärztliche Anweisung und nur dann eingenommen werden, wenn andere Maßnahmen nicht wirken. Sollte es bei diesen Erkrankungen zu lang anhaltendem Erbrechen kommen, so kann dies ein Zeichen des Reye-Syndroms, einer sehr seltenen, aber lebensbedrohlichen Krankheit sein, die unbedingt sofortiger ärztlicher Behandlung bedarf.

6.4 Vorsichtsmaßnahmen für die Einnahme und Warnhinweise

Welche Vorsichtsmaßnahmen müssen beachtet werden?

Patienten, die an Asthma, Heuschnupfen, Nasenschleimhautschwellungen (Nasenpolypen) oder chronischen Atemwegsinfektionen (besonders gekoppelt mit heuschnupfenartigen Erscheinungen) leiden, und Patienten mit Überempfindlichkeit gegen Schmerz- und Rheumamittel aller Art sind bei Einnahme von Acetylsalicylsäure-Tabletten 500 mg durch Asthmaanfälle gefährdet (sogenannte Analgetika-Intoleranz/Analgetika-Asthma). Sie sollten vor Einnahme den Arzt befragen. Das gleiche gilt für Patienten, die auch gegen andere Stoffe überempfindlich (allergisch) reagieren, wie z.B. mit Hautreaktionen, Juckreiz oder Nesselfieber.

Bei Einnahme von Acetylsalicylsäure-Tabletten 500 mg vor operativen Eingriffen ist der Arzt oder Zahnarzt zu befragen bzw. zu informieren.

Was müssen Sie im Straßenverkehr sowie bei der Arbeit mit Maschinen und bei Arbeiten ohne sicheren Halt beachten?

Es sind keine besonderen Vorsichtsmaßnahmen erforderlich.

Worauf müssen Sie noch achten?

Bei längerem hochdosierten, nicht bestimmungsgemäßem Gebrauch von Schmerzmitteln können Kopfschmerzen auftreten, die nicht durch erhöhte Dosen des Arzneimittels behandelt werden dürfen.

Ganz allgemein kann die gewohnheitsmäßige Einnahme von Schmerzmitteln, insbesondere bei Kombination mehrerer schmerzstillender Wirkstoffe, zur dauerhaften Nierenschädigung mit dem Risiko eines Nierenversagens (Analgetika-Nephropathie) führen.

6.5 Wechselwirkungen mit anderen Mitteln

Welche anderen Arzneimittel beeinflussen die Wirkung von Acetylsalicylsäure-Tabletten 500 mg und was müssen Sie beachten, wenn Sie zusätzlich andere Arzneimittel anwenden?

Beachten Sie bitte, daß diese Angaben auch für vor kurzem angewandte Arzneimittel gelten können.

Verstärkt werden
- die Wirkung gerinnungshemmender Arzneimittel (z.B. Cumarinderivate und Heparin)
- das Risiko einer Magen-Darm-Blutung bei gleichzeitiger Behandlung mit Medikamenten, die Cortison oder cortisonähnliche Substanzen enthalten, oder bei gleichzeitigem Alkoholkonsum
- die Wirkung von bestimmten blutzuckersenkenden Arzneimitteln (Sulfonylharnstoffen)
- die gewünschten und unerwünschten Wirkungen von Methotrexat
- die Blutspiegel von Digoxin, Barbituraten sowie Lithium
- die gewünschten und unerwünschten Wirkungen einer bestimmten Gruppe von Schmerz- und Rheumamitteln (nichtsteroidale Analgetika/Antiphlogistika)
- die Wirkung von bestimmten Antibiotika (Sulfonamide und Sulfonamid-Kombinationen (z.B. Sulfamethoxazol/Trimethoprim))
- die Wirkung von Triiodthyronin, einem Medikament gegen Schilddrüsenunterfunktion.

Acetylsalicylsäure-Tabletten 500 mg vermindern die Wirkung von
- bestimmten Medikamenten, die eine vermehrte Harnausscheidung bewirken (sogenannte Aldosteronantagonisten und Schleifendiuretika)
- blutdrucksenkenden Arzneimitteln
- harnsäureausscheidenden Gichtmitteln (z. B. Probenecid, Sulfinpyrazon).

Acetylsalicylsäure-Tabletten 500 mg sollten daher nicht zusammen mit einem der o. g. Stoffe angewendet werden, ohne daß der Arzt ausdrücklich die Anweisung gegeben hat.

Welche Genußmittel, Speisen und Getränke sollten Sie meiden?

Während der Einnahme von Acetylsalicylsäure-Tabletten 500 mg sollte Alkoholgenuß möglichst vermieden werden.

6.6 Dosierungsanleitung, Art und Dauer der Anwendung

Die folgenden Angaben gelten, soweit Ihnen Ihr Arzt Acetylsalicylsäure-Tabletten 500 mg nicht anders verordnet hat. Bitte halten Sie sich an die Einnahmevorschriften, da Acetylsalicylsäure-Tabletten 500 mg sonst nicht richtig wirken können.

Alter:	Einzeldosis:
6 bis 14 Jahre	1/2 bis 1 Tablette
Jugendliche und Erwachsene	1 bis 2 Tabletten

Wieviel und wie oft sollten Sie Acetylsalicylsäure-Tabletten 500 mg einnehmen?

Die Einzeldosis kann, falls erforderlich, in Abständen von 4 bis 8 Stunden bis zu 3mal täglich eingenommen werden.

Hinweis:

Bei Patienten mit Leber- oder Nierenfunktionsstörungen muß die Dosis vermindert bzw. das Einnahmeintervall verlängert werden.

Wie und wann sollten Sie Acetylsalicylsäure-Tabletten 500 mg einnehmen?

Nehmen sie Acetylsalicylsäure-Tabletten 500 mg unzerkaut mit reichlich Flüssigkeit und nicht auf nüchternen Magen ein.

Wie lange sollten Sie Acetylsalicylsäure-Tabletten 500 mg einnehmen?

Nehmen Sie Acetylsalicylsäure-Tabletten 500 mg gegen Schmerzen oder Fieber ohne ärztlichen oder zahnärztlichen Rat nicht länger als 3 bis 4 Tage ein.

6.7 Einnahmefehler und Überdosierungen

Was ist zu tun, wenn Acetylsalicylsäure-Tabletten 500 mg in zu großen Mengen eingenommen wurden (beabsichtigte oder versehentliche Überdosierung)?

Schwindel und Ohrenklingen können, insbesondere bei Kindern und älteren Patienten, Zeichen einer ernsthaften Vergiftung sein.

Bei Verdacht auf eine Überdosierung mit Acetylsalicylsäure-Tabletten 500 mg benachrichtigen Sie bitte Ihren Arzt. Dieser kann entsprechend der Schwere einer Vergiftung über die gegebenenfalls erforderlichen Maßnahmen entscheiden.

6.8 Nebenwirkungen

Welche Nebenwirkungen können bei Einnahme von Acetylsalicylsäure-Tabletten 500 mg auftreten?

Häufige Nebenwirkungen sind Magen-Darm-Beschwerden wie Magenschmerzen und geringfügige Blutverluste aus dem Magen-Darm-Bereich (Mikroblutungen).

Gelegentlich treten Übelkeit, Erbrechen, Durchfälle auf.

Selten kommt es zu Magenblutungen und Magengeschwüren sowie, vor allem bei Asthmatikern, zu Überempfindlichkeitsreaktionen (Anfälle von Atemnot, Hautreaktionen).

In Einzelfällen wurden Leber- und Nierenfunktionsstörungen, Verminderung der Blutzuckerwerte (Hypoglykämie) sowie besonders schwere Hautausschläge (bis hin zu Erythema exsudativum multiforme) beschrieben.

Acetylsalicylsäure vermindert in niedriger Dosierung die Harnsäureausscheidung. Bei hierfür gefährdeten Patienten kann dies unter Umständen einen Gichtanfall auslösen.

Bei längerdauernder oder chronischer Einnahme können zentralnervöse Störungen wie Kopfschmerzen, Schwindel, Erbrechen, Ohrensausen, Sehstörungen oder Somnolenz sowie Blutarmut durch Eisenmangel (Eisenmangelanämie) auftreten.

In seltenen Fällen kann nach längerer Einnahme von Acetylsalicylsäure-Tabletten 500 mg eine Blutarmut durch verborgene Magen-Darm-Blutverluste auftreten.

Wenn Sie Nebenwirkungen bei sich beobachten, die nicht in dieser Packungsbeilage aufgeführt sind, teilen Sie diese bitte Ihrem Arzt oder Apotheker mit.

Welche Gegenmaßnahmen sind bei Nebenwirkungen zu ergreifen?

Sollten Sie die oben genannten Nebenwirkungen bei sich beobachten, sollten Acetylsalicylsäure-Tabletten 500 mg nicht nochmals eingenommen werden. Benachrichtigen Sie Ihren Arzt, damit er über den Schweregrad und gegebenenfalls erforderliche weitere Maßnahmen entscheiden kann.

Bei den ersten Anzeichen einer Überempfindlichkeitsreaktion dürfen Acetylsalicylsäure-Tabletten 500 mg nicht nochmals eingenommen werden.

Bei Auftreten von schwarzem Stuhl (Teerstuhl, Zeichen einer schweren Magenblutung) ist sofort der Arzt zu benachrichtigen.

6.9 Hinweis

Dicht verschlossen aufbewahren.

7 Fachinformation

Nach § 11 a AMG, insbesondere:

7.1 Verschreibungsstatus/Apothekenpflicht
Apothekenpflichtig.

7.2 Stoff- oder Indikationsgruppe
Analgetikum/Antiphlogistikum.

7.3 Anwendungsgebiete
Leichte bis mäßig starke Schmerzen; Fieber.

Hinweise:

Acetylsalicylsäure-Tabletten 500 mg sollen jedoch bei Kindern und Jugendlichen mit fieberhaften Erkrankungen wegen des möglichen Auftretens eines Reye-Syndroms nur auf ärztliche Anweisung und nur dann angewendet werden, wenn andere Maßnahmen nicht wirken.

Acetylsalicylsäure-Tabletten 500 mg sollen längere Zeit oder in höheren Dosen nicht ohne Befragen des Arztes angewendet werden.

7.4 Gegenanzeigen
Acetylsalicylsäure-Tabletten 500 mg dürfen nicht angewendet werden
- bei Magen- und Darmgeschwüren
- bei krankhaft erhöhter Blutungsneigung
- bei Überempfindlichkeit gegenüber Acetylsalicylsäure und anderen Salicylaten
- in den letzten drei Monaten der Schwangerschaft.

Acetylsalicylsäure-Tabletten 500 mg sollen in der Regel nicht oder nur unter ärztlicher Kontrolle angewendet werden
- bei gleichzeitiger Therapie mit gerinnungshemmenden Arzneimitteln (z. B. Cumarinderivate, Heparin – mit Ausnahme niedrig dosierter Heparin-Therapie)
- bei Asthma bronchiale
- bei Überempfindlichkeit gegen andere Entzündungshemmer/Antirheumatika oder andere allergene Stoffe
- bei chronischen oder wiederkehrenden Magen- oder Zwölffingerdarmbeschwerden
- bei vorgeschädigter Niere
- bei schweren Leberfunktionsstörungen
- in den ersten sechs Monaten der Schwangerschaft.

Hinweise:

Patienten, die an Asthma, Heuschnupfen, Nasenschleimhautschwellungen (Nasenpolypen) oder chronischen Atemwegsinfektionen (besonders gekoppelt mit heuschnupfenartigen Erscheinungen) leiden und Patienten mit Überempfindlichkeit gegen Schmerz- und Rheumamittel aller Art sind bei Anwendung von Acetylsalicylsäure-Tabletten 500 mg durch Asthmaanfälle gefährdet (sog. Analgetika-Intoleranz/Analgetika-Asthma). Sie sollten vor Anwendung den Arzt befragen. Das gleiche gilt für Patienten, die auch auf andere Stoffe mit Hautreaktionen, Juckreiz oder Nesselfieber allergisch reagieren.

Acetylsalicylsäure soll bei Kindern und Jugendlichen mit fieberhaften Erkrankungen nur auf ärztliche Anweisung und nur dann angewendet werden, wenn andere Maßnahmen nicht wirken. Sollte es bei diesen Erkrankungen zu lang anhaltendem Erbrechen kommen, so kann dies ein Zeichen des Reye-Syndroms einer sehr seltenen, aber unter Umständen lebensbedrohlichen Krankheit sein, die unbedingt sofortiger ärztlicher Behandlung bedarf.

Anwendung in der Schwangerschaft und Stillzeit:

Da der Einfluß einer Prostaglandinsynthesehemmung auf die Schwangerschaft ungeklärt ist, sollte Acetylsalicylsäure im 1. und 2. Trimenon nicht eingenommen werden. Eine Einnahme im letzten Trimenon ist kontraindiziert.

Bei längerer Einnahme höherer Dosen sollte abgestillt werden (siehe auch 7.12.2 „Reproduktionstoxizität").

7.5   Nebenwirkungen

Häufige Nebenwirkungen sind Magen-Darm-Beschwerden wie Magenschmerzen, Mikroblutungen.

Gelegentlich treten Übelkeit, Erbrechen, Durchfälle auf.

Selten kommt es zu Magenblutungen und Magengeschwüren sowie, vor allem bei Asthmatikern, zu Überempfindlichkeitsreaktionen (Anfälle von Atemnot, Hautreaktionen).

In Einzelfällen wurden Leber- und Nierenfunktionsstörungen, Hypoglykämie sowie besonders schwere Hautausschläge (bis hin zu Erythema exsudativum multiforme) beschrieben.

Zentralnervöse Störungen wie Kopfschmerzen, Schwindel, Erbrechen, Ohrensausen, Sehstörungen oder Somnolenz sowie Eisenmangelanämie können bei längerdauernder oder chronischer Anwendung auftreten.

Zu Störungen des Säuren-Basen-Haushaltes sowie zur Natrium- und Wasserretention kann es bei Anwendung hoher Dosen und bei entsprechender Disposition kommen.

Hinweise:

Bei häufiger und längerer Anwendung kann es in seltenen Fällen zu Magengeschwüren und zu schweren Magenblutungen kommen. Bei Auftreten von schwarzem Stuhl (Teerstuhl) ist sofort der Arzt zu benachrichtigen.

In seltenen Fällen kann nach längerer Anwendung von Acetylsalicylsäure eine Blutarmut durch verborgene Magen-Darm-Blutverluste auftreten.

Schwindel und Ohrenklingen können, insbesondere bei Kindern und älteren Patienten, Symptome einer Überdosierung sein. In diesen Fällen ist der Arzt zu benachrichtigen.

Bei Überschreitung der empfohlenen Dosierung können die Leberwerte (Transaminasen) ansteigen. Deshalb ist die regelmäßige Kontrolle der Transaminasen, insbesondere bei Kindern, erforderlich.

Acetylsalicylsäure vermindert in niedriger Dosierung die Harnsäureausscheidung. Bei hierfür gefährdeten Patienten kann dies unter Umständen einen Gichtanfall auslösen.

Acetylsalicylsäure soll bei Kindern und Jugendlichen mit fieberhaften Erkrankungen nur auf ärztliche Anweisung und nur dann angewendet werden, wenn andere Maßnahmen nicht wirken. Sollte es bei diesen Erkrankungen zu lang anhaltendem Erbrechen kommen, so kann dies ein Zeichen des Reye-Syndroms, einer sehr seltenen, aber unter Umständen lebensbedrohlichen Krankheit sein, die unbedingt sofortiger ärztlicher Behandlung bedarf.

Bei chronischer Einnahme von Acetylsalicylsäure können Kopfschmerzen auftreten, die zu erneuter Einnahme und damit wiederum zum Unterhalten der Kopfschmerzen führen können.

Ganz allgemein kann die langfristige Einnahme von Schmerzmitteln, insbesondere bei Kombination mehrerer schmerzstillender Wirkstoffe, zur dauerhaften Nierenschädigung mit dem Risiko eines Nierenversagens (Analgetika-Nephropathie) führen.

7.6 Wechselwirkungen mit anderen Mitteln

Erhöht werden
- die Wirkung Antikoagulanzien, z.B. Cumarinderivate und Heparin
- das Risiko einer Magen-Darm-Blutung bei gleichzeitiger Behandlung mit Kortikoiden oder bei gleichzeitigem Alkoholkonsum
- die Plasmakonzentration von Digoxin oder Barbituraten sowie Lithium
- die Wirkung und unerwünschten Wirkungen aller nichtsteroidaler Rheumamittel
- die Wirkung von oralen Antidiabetika (Sulfonylharnstoffen)
- die Wirkung und die unerwünschten Wirkungen von Methotrexat
- die Wirkung von chemotherapeutisch wirksamen Sulfonamiden inklusive Cotrimoxazol
- die Wirkung von Triiodthyronin.

Vermindert werden die Wirkungen von
- Spironolacton und Canrenoat
- Schleifendiuretika (z.B. Furosemid)
- Urikosurika (z.B. Probenecid, Sulfinpyrazon)
- Antihypertonika.

Acetylsalicylsäure soll daher nicht zusammen mit einem der o. g. Stoffe angewendet werden, ohne daß der Arzt ausdrücklich die Anweisung gegeben hat.

Hinweis:

In Fällen, in denen eine Dosierung von mehr als 3 g Acetylsalicylsäure pro Tag bei Erwachsenen bzw. eine Überschreitung der entsprechenden Dosis bei Kindern vorgesehen ist, ist zu berücksichtigen, daß einige Antacida die erwünschten hohen, kontinuierlichen Salicylat-Blutspiegel beeinträchtigen können.

7.7 Warnhinweise

Keine.

7.8 Wichtigste Inkompatibilitäten

Keine bekannt.

7.9 Dosierung mit Einzel- und Tagesgaben

Es wird wie folgt eingenommen:

Alter:	Einzeldosis:
6 bis 14 Jahre	½ bis 1 Tablette
Jugendliche und Erwachsene	1 bis 2 Tabletten

Die Einzeldosis kann, falls erforderlich, in Abständen von 4 bis 8 Stunden bis zu 3mal täglich eingenommen werden.

Hinweis:

Bei Patienten mit Leber- oder Nierenfunktionsstörungen muß die Dosis vermindert bzw. das Einnahmeintervall verlängert werden.

7.10 Art und Dauer der Anwendung

Die Einnahme erfolgt mit reichlich Flüssigkeit und nicht auf nüchternen Magen.

Acetylsalicylsäure-Tabletten 500 mg sollen ohne ärztlichen oder zahnärztlichen Rat nur wenige Tage und nicht in erhöhter Dosis angewendet werden.

7.11 Notfallmaßnahmen, Symptome, Gegenmittel

Im Vordergrund einer akuten Acetylsalicylsäure-Vergiftung steht eine schwere Störung des Säuren-Basen-Gleichgewichtes. Bereits im therapeutischen Dosisbereich kommt es zu einer respiratorischen Alkalose infolge gesteigerter Atmung. Sie wird durch eine erhöhte renale Ausscheidung von Bicarbonat kompensiert, so daß der pH-Wert des Blutes normal ist. Bei toxischen Dosen reicht diese Kompensation nicht mehr aus und der pH-Wert sowie die Bicarbonatkonzentration im Blut sinken ab. Der P_{CO_2}-Wert des Plasmas kann zeitweilig normal sein. Es liegt scheinbar das Bild einer metabolischen Azidose vor. Tatsächlich aber handelt es sich um eine Kombination von respiratorischer und metabolischer Azidose. Die Ursachen hierfür sind: Einschränkung der Atmung durch toxische Dosen, Anhäufung von Säure, zum Teil durch verminderte renale Ausscheidung (Schwefel- und Phosphorsäure sowie Salicylsäure, Milchsäure, Acetessigsäure u.a.) infolge einer Störung des Kohlenhydrat-Stoffwechsels. Hinzu tritt eine Störung des Elektrolythaushaltes. Es kommt zu größeren Kaliumverlusten.

Die Symptome bei leichteren Graden einer akuten Vergiftung (200 bis 400 µg/ml) sind: Hyperventilation, Ohrensausen, Übelkeit, Erbrechen, Beeinträchtigung von Sehen und Hören, Kopfschmerzen, Schwindel, Verwirrtheitszustände. Bei schweren Vergiftungen (über 400 µl/ml) können Delirien, Tremor, Atemnot, Schweißausbrüche, Exsikkose, Hyperthermie und Koma auftreten. Bei Intoxikationen mit letalem Ausgang tritt der Tod in der Regel durch Versagen der Atemfunktion ein.

Bei der Behandlung stehen — von den allgemeinen Maßnahmen (z.B. vorsichtige Magenspülung) abgesehen – Maßnahmen im Vordergrund, die der Beschleunigung der Ausscheidung und der Normalisierung des Säuren-Basen- und Elektrolythaushaltes dienen. Neben Infusionslösungen mit Natriumhydrogencarbonat und Kaliumchlorid werden auch Diuretika verabfolgt.

Die Reaktion des Harns soll basisch sein, damit der Ionisationsgrad der Salicylate zu- und damit die Rückdiffusionsrate in den Tubuli abnimmt. Eine Kontrolle der Blutwerte (pH, P_{CO2}, Bicarbonat, Kalium u.a.) ist sehr zu empfehlen. In schweren Fällen kann eine Hämodialyse notwendig sein.

7.12 Pharmakologische und toxikologische Eigenschaften und Angaben über die Pharmakokinetik und Bioverfügbarkeit, soweit diese Angaben für die therapeutische Verwendung erforderlich sind

7.12.1 Pharmakologische Eigenschaften

Acetylsalicylsäure und Salicylsäure wirken analgetisch, antipyretisch und antiphlogistisch. Zusätzlich zeigt Acetylsalicylsäure eine stark hemmende Wirkung auf die Thrombozytenaggregation.

7.12.2 Toxikologische Eigenschaften

Akute Toxizität:

Eine akute Vergiftung mit tödlichem Ausgang kann beim erwachsenen Menschen ab einer einmaligen Dosis von 10 g, bei Kindern von 3 g Acetylsalicylsäure eintreten. Der Tod tritt in der Regel durch Versagen der Atemfunktion ein (siehe auch 7.11).

Chronische Toxizität/Subchronische Toxizität:

Acetylsalicylsäure und der Metabolit Salicylsäure wirken aufgrund ihres Wirkungsmechanismus und auch lokal gewebsschädigend und schleimhautreizend. Schon bei therapeutischer Dosierung können Ulcera und Blutungen im Magen-Darm-Trakt entstehen. Bei chronischer Anwendung kann es daher zur Anämie (Eisenmangelanämie) kommen.

Liegen Ulcera im Magen-Darm-Trakt vor, besteht wegen der durch Acetylsalicylsäure verringerten Gerinnungsfähigkeit des Blutes die Gefahr bedrohlicher Blutungen. Außer diesen unerwünschten Wirkungen zeigten sich in Tierstudien nach akutem und chronischem Einsatz hoher Dosen Nierenschäden.

Mutagenes und tumorerzeugendes Potential:

Acetylsalicylsäure wurde ausführlich in vitro und in vivo bezüglich mutagener Wirkungen untersucht. Die Gesamtheit der Befunde ergibt keine relevanten Verdachtsmomente für eine mutagene Wirkung.

Langzeitstudien mit Acetylsalicylsäure an Maus und Ratte ergaben keine Hinweise auf ein eigenständiges tumorerzeugendes Potential von Acetylsalicylsäure.

Reproduktionstoxikologie:

Salicylate haben in Tierversuchen an mehreren Tierspezies teratogene Wirkungen gezeigt. Implantationsstörungen, embryo- und fetotoxische Wirkungen sowie Störungen der Lernfähigkeit bei Nachkommen nach pränataler Exposition sind beschrieben worden.

Eindeutige epidemiologische Befunde für ein erhöhtes Fehlbildungsrisiko liegen für den Menschen nicht vor. Die Einnahme von Salicylaten im 1. Trimenon der Schwangerschaft ist in verschiedenen epidemiologischen Studien mit einem erhöhten Fehlbildungsrisiko (Gaumenspalten, Herzmißbildungen) in Zusammenhang gebracht worden. Dieses Risiko erscheint jedoch bei normalen therapeutischen Dosen gering zu sein, da eine prospektive Studie mit ca. 32 000 exponierten Mutter-Kind-Paaren keine Assoziation mit einer erhöhten Fehlbildungsrate ergab. Im letzten Trimenon der Schwangerschaft kann die Einnahme von Salicylaten zu einer Verlängerung der Gestationsdauer und zu Wehenhemmung führen. Bei Mutter und Kind ist eine gesteigerte Blutungsneigung beobachtet worden.

Bei Einnahme von Acetylsalicylsäure kurz vor der Geburt kann es insbesondere bei Frühgeborenen zu intrakranialen Blutungen kommen. Ein vorzeitiger Verschluß des Ductus arteriosus beim Feten ist möglich.

Salicylate und ihre Abbauprodukte gehen in geringen Mengen in die Muttermilch über. Da nachteilige Wirkungen auf den Säugling bisher nicht bekannt geworden sind, wird bei kurzfristiger Anwendung der empfohlenen Dosis eine Unterbrechung des Stillens normalerweise nicht erforderlich sein. Bei längerer Einnahme höherer Dosen sollte abgestillt werden.

7.12.3 Pharmakokinetik

Acetylsalicylsäure wird vor, während und nach der Resorption in ihren aktiven Hauptmetaboliten Salicylsäure umgewandelt. Die Metaboliten werden überwiegend über die Niere ausgeschieden.

Hauptmetaboliten der Acetylsalicylsäure sind neben der Salicylsäure das Glycinkonjugat der Salicylsäure (Salicylursäure), das Ether- und das Esterglukuronid der Salicylsäure (Salicylphenolglukuronid und Salicylacetylglukuronid) sowie die durch Oxidation von Salicylsäure entstehende Gentisinsäure und deren Glycinkonjugat.

Die Resorption von Acetylsalicylsäure und Salicylsäure erfolgt schnell und vollständig. Maximale Plasmaspiegel werden nach 10 bis 20 Minuten (Acetylsalicylsäure) bzw. 0,3 bis 2 Stunden (Gesamtsalicylat) erreicht. Die rektale Resorption ist langsamer und unvollständig. Die Eliminationshalbwertszeit von

Acetylsalicylsäure beträgt nur einige Minuten, die Eliminationshalbwertszeit der Salicylsäure beträgt nach Einnahme einer Dosis von 0,5 g Acetylsalicylsäure 2 Stunden, nach Applikation von 1 g 4 Stunden, nach Einnahme einer Einzeldosis von 5 g verlängert sie sich auf 20 Stunden.

Die Plasmaeiweißbindung beim Menschen ist konzentrationsabhängig; Werte von 49 % bis über 70 % (Acetylsalicylsäure) bzw. 66 % bis 98 % (Salicylsäure) wurden gefunden. In der Muttermilch, im Liquor und in der Synovialflüssigkeit wird Salicylsäure nach Einnahme von Acetylsalicylsäure nachgewiesen. Die Substanz ist plazentagängig.

7.13 Sonstige Hinweise

Schwangerschaft und Stillzeit: siehe Hinweis unter Gegenanzeigen und Reproduktionstoxikologie.

7.14 Besondere Lager- und Aufbewahrungshinweise

Dicht verschlossen aufbewahren.

Monographien-Kommentar

Acetylsalicylsäure-Tabletten 500 mg

Siehe Kommentar zu Acetylsalicylsäure-Kapseln 500 mg.

P. Surmann

Monographien-Kommentar

Acetylsalicylsäure-Tabletten 500 mg

Anmerkungen zur Rezeptur und Herstellung des Fertigarzneimittels.

Acetylsalicylsäure kommt je nach Herstellungsverfahren und Hersteller in mehreren Kristallmodifikationen sowie verschiedenen Kristallgrößen und Kornverteilungen mit zum Teil sehr unterschiedlichen Lösungsgeschwindigkeiten vor [1, 2, 6].

Auf dem Markt sind zur Zeit vier verschiedene Kristallformen erhältlich, wie eine Marktrecherche zeigte [2].

1. Flache Prismen – Monokline Kristalle, Gravis Typ – [3], mit zum Teil rauher Oberfläche. Hersteller: Firma Bayer*)
2. Kubische bis quaderförmige Kristalle mit glatter Oberfläche. Hersteller: Chemische Fabrik Aubing.
3. Nadelförmige Kristalle. Hersteller: Firma Monsanto.
4. Diverse Mischformen. Hersteller: Firma Dow Chemicals.

Diese unterschiedlichen Kristallformen werden durch fraktionierte Siebung weiter in mehrere Siebfraktionen verschiedener Korngrößen aufgeschnitten. So liefert z. B. die Firma Aubing [2] ASS-Kristalle in vier verschiedenen Bandbreiten sowie zwei gemahlene ASS-Pulver und ein ASS-Granulat. Die verschiedenen Konfrontationen der Kristalle sowie die Pulver und das Granulat unterscheiden sich vor allem in ihren unterschiedlichen Auflösungsgeschwindigkeiten, aber auch in den Schüttvolumina. Überraschenderweise sind die Schüttvolumina der verschiedenen kristallinen Kornfraktionen sehr ähnlich.

Tabellarische Zusammenstellung verschiedener Siebfraktionen, Pulvertypen und Granulat von Acetylsalicylsäure mit Auflösungsgeschwindigkeit und Schüttvolumen [2]:

Typen	Korngröße in mm	Auflösungs-geschwindig-keit[1] t in Min.	Mittelwert t/2 in Min.	Schüttvolumen in ml/g [4]
krist. 500/800	0,5 – 0,8	2 – 18	ca. 10	1,30
krist. 300/800	0,3 – 0,8	1,7 – 18	ca. 8	1,39
feinkrist. 300/500	0,3 – 0,5	1,7 – 6,6	ca. 6	1,28
feinkrist. 100/300	0,1 – 0,3	0,8 – 4,2	ca. 2	1,38
pulv.	95 % 0,2	keine Angabe	keine Angabe	2,45
pulv. subt.	95 % 0,1	keine Angabe	keine Angabe	2,85
Granulat ohne Hilfsstoffzusatz	0,01 – 1,0 in linearer Kornverteilung	90 % in weniger als 3 Min.	nicht lineare Auflösungskurve	1,56

[1]) Die Werte wurden den Auflösungskurven des Herstellers [2] entnommen.

*) Anmerkung: Die Firma Bayer hat den Vertrieb von ASS-Substanz zur Zeit eingestellt.

Monographien-Kommentar

2

Bestimmung der Auflösungsgeschwindigkeit gemäß Herstellerangabe [2]: Blattrührermethode 100 U/Min. in künstlichem Magensaft USP XXI [5].

Nicht nur unterschiedliche Korngrößen, sondern auch Verunreinigungen z. B. mit Acetylsäureanhydrid können zu unterschiedlichen Auflösungsgeschwindigkeiten führen [6].

Acetylsalicylsäure ist eine einbasige Säure mit einem pKa-Wert von etwa 3,5 [6]. Sie unterliegt bei Feuchtigkeit und erhöhter Temperatur leicht einer säuren- und basenkatalysierten Esterhydrolyse [1, 7, 8], die durch Tenside noch gefördert wird [9].

In wäßriger Lösung liegt das Stabilitätsoptimum bei pH 2,3. Zwischen pH 4 und pH 8 ist die Zersetzung pH unabhängig. Oberhalb pH 8 nimmt sie mit steigendem pH-Wert rasch zu [10, 11].

In festen Arzneiformulierungen ist die Acetylsalicylsäure inkompatibel mit Acetanilid, Aminophenazon, Phenazon, Eisensalzen, Phenobarbital-Natrium, Chininsalzen, freien Säuren, Alkalihydroxyden, Alkalicarbonat und Alkalistearaten, die gerne als Gleit- und Schmiermittel in der Tablettenherstellung eingesetzt werden [1, 3, 7, 12].

Das in der Tablettierung viel verwendete Gleit- und Schmiermittel Magnesiumstearat bewirkt von allen Alkalistearaten bei Acetylsalicylsäure die höchsten Zersetzungsraten, verbunden mit einer Schmelzpunktdepression [13].

Die Qualitätsanforderungen an Acetylsalicylsäure-Tabletten, die als anerkannter Standard bei Untersuchungen von Handelspräparaten immer wieder zitiert werden [14, 15, 16], sind in der USP XXI [5] einschließlich aller Bestimmungsmethoden genau beschrieben. Die USP stellt strengere Anforderungen an die Acetylsalicylsäure-Tabletten als die Standardzulassung sowohl bezüglich Reinheit, d. h. tolerierbare Menge an freier Salicylsäure höchstens 0,2 %, als auch an die Auflösungsgeschwindigkeit. Die Prüfbedingungen bei gleicher Methode sind schärfer gefaßt. Mindestens 80 % des Wirkstoffgehaltes müssen nach 30 Minuten in 500 und nicht 800 ml Prüfmedium gelöst sein bei einer Umdrehungsgeschwindigkeit von nur 50 U/Min. Inwieweit diese schärferen Forderungen im Vergleich zur Standardzulassung in vivo relevant sind, kann nur durch vergleichende In-vivo-Studien beantwortet werden.

Verschiedene vergleichende Untersuchungen über Acetylsalicylsäure-Tabletten des Marktes zeigen, daß es sehr große Qualitätsunterschiede bezüglich Auflösungsgeschwindigkeit und Reinheit, d. h. Verunreinigung z. B. durch freie und gebundene Salicylsäure auf Grund von mangelnder galenischer Stabilität nicht nur von Hersteller zu Hersteller, sondern zum Teil auch von Charge zu Charge der einzelnen Hersteller gibt [14–17]. Die Forderungen der USP XXI und der Standardzulassung wurden nicht immer gehalten.

Für eine stabile Tablettenrezeptur mit stets in allen Parametern gleichbleibender Qualität und reproduzierbaren Herstellungsverfahren ist nach gegenwärtigem Erkenntnisstand eine Direkttablettierung zu empfehlen [24]. Freifließende Ausgangsstoffe, Wirkstoff wie Hilfsstoffe sind in physikalisch genormten Qualitäten, die für eine Direkttablettierung relevant sind, in großer Auswahl zu haben. Für eine reproduzierbare Direkttablettierung müssen die Ausgangsstoffe der Rezeptur in Kornform, Korngröße und Kornverteilung spezifiziert sein. Von einzelnen Herstellern werden auch Acetylsalicylsäure-Granulate als sog. Preformulationssteps angeboten, die nur noch mit 10–20 % Füllstoff, z. B. Maisstärke, vermischt selbst auf Hochleistungsmaschinen problemlos zu Tabletten mit guter Härte, Abriebfestigkeit und schneller Auflösungs-

Acetylsalicylsäure-Tabletten 500 mg

geschwindigkeit verpreßbar sein sollen. Diese Granulate enthalten meist keine Hilfsstoffe und haben nach Herstellerangaben nur eine begrenzte Haltbarkeit.

Für die kristallinen Acetylsalicylsäure-Typen eignen sich als Tablettenfüll, -binde und -sprengmittel Stärke, insbesondere Maisstärke, modifizierte Stärke und Cellulosen, nicht aber Milchzucker, wie eigene Kompatibilitätsprüfungen gezeigt haben. Es konnten in gestreßten wie ungestreßten Acetylsalicylsäure-Lactose-Mischungen erhöhte Mengen an freier Acetylsalicylsäure im Vergleich zu reiner Acetylsalicylsäure nachgewiesen werden.

Acetylsalicylsäure-Tabletten lassen sich zur Verminderung der durch Feuchtigkeit und Temperatur bedingten Zersetzung durch Zusatz von etwa 1 % Citronen-, Wein- oder Stearinsäure stabilisieren, wobei die Stearinsäure zusätzlich als Schmiermittel dienen kann [18].

Einige publizierte direkttablettierbare Rezepturen sind nachfolgend tabellarisch zusammengestellt. Sie sind als unverbindliche Rahmenrezepturempfehlungen zu werten, die jeder Anwender in eigener Verantwortung hinsichtlich ihrer Realisierbarkeit überprüfen muß.

	1 [18, 20]	2 [18]	3 [19]	4 [20]	5 [20]	6 [21]
Acetylsalicylsäure			500 mg		77,7 %	
Acetylsalicylsäure USP, krist., 20 mesh				80 %		
Acetylsalicylsäure USP, krist., 40 mesh	80 %	80 %				80 %
Mikrokristalline Cellulose (Avicel pH 101)	12 %	10 %				12 %
Kartoffelstärke						7 %
Kartoffelstärke getrocknet			50 mg			
Maisstärke	8 %	5,95 %				
Pregelatinized Starch USP XXI (STA-RX 1500)				20 %	16,9 %	
Stearinsäure		0,75 %			1,1 %	1 %
Siliciumdioxid, hochdispers (Aerosil 200)					0,6 %	
Coffein *)		3,3 %			3,7 %	

*) Coffein darf bei Acetylsalicylsäure-Tabletten 500 mg nach Standardzulassung nicht verwendet werden und ist in den Rezepturen entweder ersatzlos zu streichen oder durch inerte Füllstoffe wie mikrokristalline Cellulose, Maisstärke oder STA-RX 1500 zu ersetzen.

Monographien-Kommentar

4

Die unerwünschten Nebenwirkungen der Acetylsalicylsäure auf den Magen-Darmtrakt lassen sich nicht durch galenische Manipulationen, wie Verlagerung der Resorption in den oberen Dünndarm oder durch eine Mikroverkapselung der Acetylsalicylsäure mit Ethylcellulose mindern [1].

Die Mikroverkapselung mit Ethylcellulose bewirkt eine gewisse Retardierung der Resorption und einen gewissen Schutz der Substanz vor Zersetzung [22, 23].

Mit den feinkristallinen Acetylsalicylsäure-Typen ist in den aufgeführten Rezepturvorschlägen die geforderte Auflösegeschwindigkeit der Acetylsalicylsäure im Endprodukt zu erwarten. Dennoch muß die Auflösegeschwindigkeit bei jeder Tablettencharge geprüft werden.

[1] Arzneistoff-Profile, Govi-Verlag GmbH 1. Erg.-Lieferung (1982).

[2] Mitteilung mit Anlagen, Chemische Fabrik Aubing GmbH, D-6800 Mannheim vom 19. 11. 1987.

[3] Bayer Pharma – Chemikalien: „Acetylsalicylsäure" Prospekt Nr.: d –/43167/5 a.

[4] E. Norden-Ehlert, nicht publizierte Untersuchungen (1988).

[5] USP XXI (1985).

[6] DAB 9, 9. Ausgabe mit wissenschaftlichen Erläuterungen, Band 2 (1986).

[7] Martindale, The Extra Pharmakopeia **28,** 235 (1982).

[8] Merck – Index, 10. Ausgabe, p. 123 (1983).

[9] R. K. Chang, C. W. Witworth, Drug Dev. Ind. Pharm. **10,** 515 (1984).

[10] J. Blanch, A. Finch, Am. J. Pharm. Educ. **35,** 191 (1971).

[11] K. Thoma: Praktische Übungen „Arzneimittelstabilität", p. 18, 8. Internationale Fortbildungswoche der Bundesapothekerkammer – Davos 1978, Govi-Verlag, Frankfurt 1978.

[12] V. Hrivnak, M. Sarsunova et al. Zbl. Pharm. Pharmakother. Labor, **120,** 146 (1981).

[13] P. V. Mroso, A. L. W. Po, W. J. Irwin, J. Pharm. Sci. **71,** 1096 (1982).

[14] H. Blume, Pharm. Ztg. **134,** 24 (1989).

[15] H. Blume, M. Siewert, Pharm. Ztg. **131,** 2953 (1986).

16] M. Siewert, H. Blume, Pharm. Ztg. Wiss. **133/1.,** 21 (1988).

[17] D. Steinbach, S. L. Ali, Pharm. Ztg. **124,** 1922 (1979).

[18] H. A. Liebermann, L. Lachmann, Pharmaceutical Dosage Forms: Tablets. Vol. 1 p. 168, Marcel Dekker Inc. New York, Basel (1980).

[19] Formularien der Nederlandse Apothekers: F 13 12/1968.

[20] APV-Fortbildungskurs: Scriptum „Direkttablettierung" November 1971.

[21] Lehmann und Voss & Co., Hamburg 36: Information, PK-1 4011.

[22] G. Vetter, W. Mehnert, K. H. Frömming, Acta Pharm. Technol. **27,** 109 (1981).

[23] J. Putter, Dtsch. Apoth. Ztg. **119,** 800 (1979).

[24] P. J. Jarosz, El. Parott, J. Pharm. Sci. **71,** 607 (1982).

E. Norden-Ehlert

Alexandriner-Sennesfrüchte

1 **Bezeichnung des Fertigarzneimittels**

Alexandriner-Sennesfrüchte

2 **Darreichungsform**

Tee

3 **Eigenschaften und Prüfungen**

Haltbarkeit

Die Haltbarkeit in den Behältnissen nach 4 beträgt 3 Jahre.

4 **Behältnisse**

Nichtgeklebte und nicht heißgesiegelte Filterbeutel aus Koch- und Heißfilterpapier, mit einem Baumwollfaden für ein Kleinetikett versehen und einer Klammer aus kupferfreier Aluminiumlegierung verschlossen; Papierumbeutel.

Die Packungsgrößen sind entsprechend den Angaben zur Dosierungsanleitung und zur Dauer der Anwendung therapiegerecht festzulegen.

5 **Kennzeichnung**

Nach § 10 AMG, insbesondere:

5.1 Zulassungsnummer

1259.99.99

5.2 Art der Anwendung

Zum Trinken nach Bereitung eines Teeaufgusses.

5.3 Hinweise

Apothekenpflichtig.

Vor Licht und Feuchtigkeit geschützt lagern.

6 **Packungsbeilage**

Nach § 11 AMG, insbesondere:

6.1 Stoff- oder Indikationsgruppe

Pflanzliches stimulierendes Abführmittel.

6.2 Anwendungsgebiete

Zur kurzfristigen Anwendung bei Verstopfung (Obstipation).

2 Alexandriner-Sennesfrüchte

6.3 Gegenanzeigen

<u>Wann dürfen Sie Alexandriner-Sennesfrüchtetee nicht trinken?</u>

Teeaufgüsse aus Alexandriner-Sennesfrüchten dürfen bei Darmverschluß, akutentzündlichen Erkrankungen des Darmes, z. B. bei Morbus Crohn, Colitis ulcerosa oder Blinddarmentzündung, bei Bauchschmerzen unbekannter Ursache sowie bei schwerem Flüssigkeitsmangel im Körper mit Wasser- und Salzverlusten nicht getrunken werden.

<u>Was müssen Sie in der Schwangerschaft und Stillzeit beachten?</u>

Teeaufgüsse aus Alexandriner-Sennesfrüchten dürfen wegen unzureichender toxikologischer Untersuchungen in der Schwangerschaft und Stillzeit nicht getrunken werden.

<u>Was ist bei Kindern und älteren Menschen zu berücksichtigen?</u>

Kinder unter 10 Jahren dürfen Teeaufgüsse aus Alexandriner-Senesfrüchten nicht trinken.

6.4 Vorsichtsmaßnahmen für die Anwendung und Warnhinweise

<u>Welche Vorsichtsmaßnahmen müssen beachtet werden?</u>

Eine über die kurzdauernde Anwendung hinausgehende Einnahme stimulierender Abführmittel kann zu einer Verstärkung der Darmträgheit führen.

Alexandriner-Sennesfrüchte sollten nur dann eingesetzt werden, wenn die Verstopfung durch eine Ernährungsumstellung oder durch Quellstoffpräparate nicht zu beheben ist.

Hinweis:

Bei inkontinenten Erwachsenen sollte beim Trinken von Teeaufgüssen aus Alexandriner-Sennesfrüchten ein längerer Hautkontakt mit dem Kot durch Wechseln der Vorlage vermieden werden.

6.5 Wechselwirkungen mit anderen Mitteln

<u>Welche anderen Arzneimittel beeinflussen die Wirkung von Alexandriner-Sennesfrüchten?</u>

Bei andauerndem Gebrauch oder bei Mißbrauch ist durch Kaliummangel eine Verstärkung der Wirkung bestimmter, den Herzmuskel stärkender Arzneimittel (Herzglykoside) sowie eine Beeinflussung der Wirkung von Mitteln gegen Herzrhythmusstörungen möglich. Die Kaliumverluste können durch gleichzeitige Anwendung von bestimmten Arzneimitteln, die die Harnausscheidung steigern (Saluretika), von Cortison und cortisonähnlichen Substanzen (Nebennierenrindensteroide) oder Süßholzwurzel verstärkt werden.

Beachten Sie bitte, daß diese Angaben auch für vor kurzem angewandte Arzneimittel gelten können.

6.6 Dosierungsanleitung, Art und Dauer der Anwendung

Die folgenden Angaben gelten, soweit Ihnen Ihr Arzt Alexandriner-Sennesfrüchte nicht anders verordnet hat. Bitte halten Sie sich an die Anwendungsvorschriften, da die Teeaufgüsse aus Alexandriner-Sennesfrüchten sonst nicht richtig wirken können!

Wieviel von Alexandriner-Sennesfrüchtetee und wie oft sollten Sie Alexandriner-Sennesfrüchtetee trinken?

Erwachsene und Kinder ab 10 Jahren trinken 1mal täglich 1 Tasse des wie folgt bereiteten Teeaufgusses?

0,5 g Alexandriner-Sennesfrüchte in einem Aufgußbeutel mit siedendem Wasser (ca. 150 ml) übergießen und 10 bis 15 Minuten ziehen lassen.

Die individuell richtige Dosierung ist die geringste, die erforderlich ist, um einen weich geformten Stuhl zu erhalten. Dazu kann gegebenenfalls 1/2 Tasse Teeaufguß bereits ausreichen.

Wann sollten Sie Alexandriner-Sennesfrüchtetee trinken?

Sie sollten den Teeaufguß möglichst abends vor dem Schlafengehen trinken. Die Wirkung tritt normalerweise nach 8–12 Stunden ein.

Wie lange sollten Sie Alexandriner-Sennesfrüchtetee anwenden?

Das stimulierende Abführmittel Alexandriner-Sennesfrüchtetee darf ohne ärztlichen Rat nicht über einen längeren Zeitraum (mehr als 1–2 Wochen) angewendet werden.

6.7 Überdosierung und andere Anwendungsfehler

Was ist zu tun, wenn Alexandriner-Sennesfrüchtetee in zu großen Mengen getrunken wurde?

Bei versehentlicher oder beabsichtigter Überdosierung können schmerzhafte Darmkrämpfe und schwere Durchfälle mit Folge von Wasser- und Salzverlusten sowie eventuell starke Magen-Darm-Beschwerden auftreten. Bei Überdosierung benachrichtigen Sie bitte umgehend einen Arzt. Er wird entscheiden, welche Gegenmaßnahmen (z. B. Zuführung von Flüssigkeit und Salzen) gegebenenfalls erforderlich sind.

Was müssen Sie beachten, wenn Sie zuwenig Alexandriner-Sennesfrüchtetee getrunken oder eine Anwendung vergessen haben?

Holen Sie die vergessene Anwendung nicht nach, sondern führen Sie in einem solchen Fall die Anwendung wie ursprünglich vorgesehen fort.

6.8 Nebenwirkungen

Welche Nebenwirkungen können nach der Anwendung von Alexandriner-Sennesfrüchtetee auftreten?

In Einzelfällen können krampfartige Magen-Darm-Beschwerden auftreten. In diesen Fällen ist eine Dosisreduktion erforderlich.

Durch Abbauprodukte kann es zu einer intensiven Gelbfärbung oder rotbraunen Verfärbung des Harns kommen, die aber vorübergehend und harmlos ist.

Bei andauerndem Gebrauch oder Mißbrauch können auftreten:

– erhöhter Verlust von Wasser und Salzen (Elektrolytverluste), insbesondere Kaliumverluste. Der Kaliumverlust kann zu Störungen der Herzfunktion und zu Muskelschwäche führen, insbesondere bei gleichzeitiger Einnahme von

Herzglykosiden (den Herzmuskel stärkende Arzneimittel), Saluretika (harntreibende Arzneimittel) und Cortison und cortisonähnlichen Substanzen (Nebennierenrindensteroide).
- Ausscheidung von Eiweiß und roten Blutkörperchen im Harn.
- Pigmenteinlagerung in die Darmschleimhaut (Pseudomelanosis coli). Diese Einlagerung ist harmlos und bildet sich normalerweise nach dem Absetzen von Sennesfrüchtetee zurück.

Wenn Sie Nebenwirkungen bei sich beobachten, die nicht in dieser Packungsbeilage aufgeführt sind, teilen Sie diese bitte Ihrem Arzt oder Apotheker mit.

6.9 Hinweis

Vor Licht und Feuchtigkeit geschützt aufbewahren.

7 Fachinformation

Nach § 11a AMG, insbesondere:

7.1 Verschreibungsstatus/Apothekenpflicht

Apothekenpflichtig.

7.2 Stoff- oder Indikationsgruppe

Pflanzliches stimulierendes Laxans.

7.3 Anwendungsgebiete

Zur kurzfristigen Anwendung bei Obstipation.

7.4 Gegenanzeigen

Ileus, akut-entzündliche Erkrankungen des Darmes, wie z. B. Morbus Crohn, Colitis ulcerosa, Appendizitis; abdominale Schmerzen unbekannter Ursache; schwere Dehydratation mit Wasser- und Elektrolytverlusten;

Kinder unter 10 Jahren;

Schwangerschaft und Stillzeit.

7.5 Nebenwirkungen

In Einzelfällen krampfartige Magen-Darm-Beschwerden, insbesondere bei Patienten mit Colon irritabile. In diesen Fällen ist eine Dosisreduktion erforderlich. Gelb- oder Rotbraunverfärbung des Harns (pH-abhängig) durch Metaboliten. Diese Verfärbung ist nicht klinisch signifikant.

Bei chronischem Gebrauch/Mißbrauch:

- Elektrolytverluste, insbesondere von Kalium. Der Kaliumverlust kann zu Störungen der Herzfunktion und zu Muskelschwäche führen, insbesondere bei gleichzeitiger Einnahme von Herzglykosiden, Saluretika und Nebennierenrindensteroiden.
- Albuminurie und Hämaturie.

– Pigmenteinlagerung in die Darmschleimhaut (Pseudomelanosis coli). Diese ist harmlos und bildet sich nach Absetzen der Droge normalerweise zurück.

7.6 Wechselwirkungen mit anderen Mitteln

Bei chronischem Gebrauch oder Mißbrauch ist durch Kaliummangel eine Verstärkung der Wirkung von Herzglykosiden sowie eine Beeinflussung der Wirkung von Antiarrhythmika möglich. Kaliumverluste können durch Kombination mit Saluretika, Nebennierenrindensteroiden und Süßholzwurzel verstärkt werden.

7.7 Warnhinweise

Eine über die kurzdauernde Anwendung hinausragende Einnahme stimulierender Abführmittel kann zu einer Verstärkung der Darmträgheit führen.

Zubereitungen aus Alexandriner-Sennesfrüchten sollten nur dann eingesetzt werden, wenn die Verstopfung durch eine Ernährungsumstellung oder durch Quellstoffpräparate nicht zu beheben ist.

Hinweis:

Bei inkontinenten Erwachsenen sollte beim Trinken von Teeaufgüssen aus Alexandriner-Sennesfrüchten ein längerer Hautkontakt mit dem Kot durch Wechseln der Vorlage vermieden werden.

7.8 Wichtigste Inkompatibilitäten

Keine bekannt.

7.9 Dosierung

Die maximale tägliche Aufnahme darf nicht mehr als 30 mg Hydroxyanthracenderivate betragen.

Diese Dosierung wird mit einer Tasse eines Teeaufgusses aus 0,5 g Alexandriner-Sennesfrüchten erreicht.

Die individuell richtige Dosierung ist diejenige, die erforderlich ist, um einen weich geformten Stuhl zu erhalten. Dazu kann gegebenenfalls 1/2 Tasse Teeaufguß bereits ausreichen.

7.10 Art und Dauer der Anwendung

Zum Trinken nach Bereitung eines Teeaufgusses. Der Teeaufguß soll abends vor dem Schlafengehen getrunken werden.

Stimulierende Abführmittel dürfen ohne ärztlichen Rat nicht über einen längeren Zeitraum (mehr als 1–2 Wochen) eingenommen werden.

7.11 Notfallmaßnahmen, Symptome, Gegenmittel

Symptome der Intoxikation:

Durchfall mit übermäßigen Wasser- und Elektrolytverlusten (insbesondere Kaliumverluste).

Notfallmaßnahmen:

Elektrolyt- und flüssigkeitsbilanzierende Maßnahmen.

6 Alexandriner-Sennesfrüchte

7.12 Pharmakologische und toxikologische Eigenschaften und Angaben über die Pharmakokinetik und Bioverfügbarkeit, soweit diese Angaben für die therapeutische Verwendung erforderlich sind.

7.12.1 Pharmakologische Eigenschaften

1,8-Dihydroxyanthracen-Derivate haben einen laxierenden Effekt. Es sind zwei unterschiedliche Wirkmechanismen anzunehmen:

1. Beeinflussung der Kolonmotilität (Stimulierung der propulsiven und Hemmung der stationären Kontraktionen); daraus resultiert eine beschleunigte Darmpassage sowie die Verminderung der Flüssigkeitsresorption.
2. Beeinflussung von Sekretionsprozessen (Stimulierung der Schleim- und aktiven Chloridsekretion); daraus resultiert eine erhöhte Flüssigkeitssekretion.

Die Defäkation setzt nach etwa 8–12 Stunden ein.

7.12.2 Toxikologische Eigenschaften

Die vorliegenden Daten beziehen sich überwiegend auf Zubereitungen aus Sennesfrüchten mit einem Gehalt von 1,4–3,5% Anthranoiden, die rechnerisch 0,9–2,3% potentiellem Rhein, 0,05–0,15% pot. Aloe-Emodin und 0,001–0,006% pot. Emodin entsprechen bzw. auf die Reinsubstanzen, z. B. Rhein oder die Sennoside A und B. Die akute Toxizität des so spezifizierten Extraktes wie auch die von Sennosiden war nach oraler Gabe bei Ratten und Mäusen gering. Drogenzubereitungen weisen, vermutlich auf Grund des Gehaltes an Aglykonen, eine höhere Allgemeintoxizität als die reinen Glykoside auf.

Sennoside zeigten keine spezifische Toxizität bei Hunden nach Dosen bis zu 500 mg/kg Körpermasse über 4 Wochen und bei Ratten bis zu 100 mg/kg Körpermasse über 6 Monate.

Ratten und Kaninchen zeigten nach oraler Gabe von Sennosiden keine embryo- oder fetotoxischen Reaktionen; weiterhin waren die postnatale Entwicklung der Jungtiere, das Verhalten der Muttertiere sowie die Fertilität männlicher und weiblicher Ratten unbeeinflußt. Entsprechende Daten zu Drogenzubereitungen liegen nicht vor.

Ein Sennesextrakt sowie Aloe-Emodin und Emodin waren in vitro mutagen; die Sennoside A und B sowie Rhein dagegen negativ.

In-vivo-Untersuchungen zur Mutagenität eines Sennesextraktes, zu Aloe-Emodin und Emodin verliefen negativ.

Untersuchungen zur Kanzerogenität liegen mit einer angereicherten Sennosidfraktion vor, die ca. 40,8% Anthranoide, davon 35% Sennoside, entsprechend ca. 25,2% potentiellem Rhein, 2,3% pot. Aloe-Emodin, 0,007% pot. Emodin sowie 142 ppm freies Aloe-Emodin und 9 ppm freies Emodin, enthielt.

In dieser Studie an Ratten über 2 Jahre mit Dosen bis zu 25 mg/kg Körpermasse p. o. wurde keine substanzbedingte Häufung von Tumoren beobachtet.

7.12.3 Pharmakokinetik

Systematische Untersuchungen zur Kinetik von Zubereitungen aus Alexandriner-Sennesfrüchten fehlen. In der Droge vorhandene Aglykone werden bereits im oberen Dünndarm resorbiert. Die β-glykosidisch gebundenen Glykoside (Sennoside) werden weder im oberen Magen-Darm-Trakt resorbiert noch durch menschliche Verdauungsenzyme gespalten. Erst im Dickdarm werden sie durch bakterielle Enzyme zu dem aktiven Metaboliten Rheinanthron umgewandelt.

Die systemische Verfügbarkeit von Rheinanthron ist sehr gering. Tierexperimentell zeigte radioaktiv markiertes Rheinanthron, das direkt in das Zäkum appliziert wurde, eine Resorption < 10%. Rheinanthron kann zu Rhein und Sennidinen oxidiert werden, die im Blut als Glucuronide und Sulfate nachgewiesen werden können.

Nach oraler Gabe von Sennosiden werden 3–6% der Metaboliten mit dem Urin und geringe Mengen mit der Galle ausgeschieden. Ca. 90% der Sennoside werden als polymere Verbindungen (Polychinone) mit den Fäzes ausgeschieden, zusammen mit 2–6% unveränderten Sennosiden, Sennidinen, Rheinanthron und Rhein.

In pharmakokinetischen Studien am Menschen wurden nach der Gabe von Sennesfrüchtepulver (20 mg Sennoside) über 7 Tage p. o. max. 100 ng Rhein/ml Blut nachgewiesen. Eine Akkumulation von Rhein wurde nicht beobachtet.

Aktive Metaboliten, wie Rhein, gehen in geringen Mengen in die Muttermilch über. Eine laxierende Wirkung bei gestillten Säuglingen wurde nicht beobachtet. Tierexperimentell ist die Plazentagängigkeit von Rhein äußerst gering.

7.13 Sonstige Hinweise

Keine.

7.14 Besondere Lager- und Aufbewahrungshinweise

Vor Licht und Feuchtigkeit geschützt aufbewahren.

Algeldrat-Tabletten 500 mg

1 **Bezeichnung des Fertigarzneimittels**

Algeldrat-Tabletten 500 mg

2 **Darreichungsform**

Kautabletten

3 **Eigenschaften und Prüfungen**

3.1 Ausgangsstoffe

Algeldrat:

Es ist eine Substanz zu verwenden, die ein Säurebindungsvermögen von mindestens 25 mmol Säure pro Gramm aufweist.

3.2 Fertigarzneimittel

3.2.1 Aussehen, Eigenschaften

Weiße, nicht überzogene Tabletten, mit Zusatz von Aromastoffen.

3.2.2 Zerfallszeit (AB. 2.9.1): maximal 10 Minuten

Prüfmedium: Künstlicher Magensaft R.

3.2.3 Säurebindungsvermögen: mindestens 12,5 mmol Säure pro Tablette.

3.2.4 Gehalt

95,0 bis 105,0 Prozent der pro Tablette deklarierten Menge an Algeldrat, entsprechend 223,3 bis 315,0 mg Al_2O_3.

Ist aus der Stabilitätsprüfung zur Ermittlung der Haltbarkeitsdauer des Arzneimittels eine niedrigere untere Toleranzgrenze abzuleiten, darf diese 90,0 Prozent nicht unterschreiten.

3.2.5 Haltbarkeit

Die Haltbarkeit in den Behältnissen nach 4 beträgt mindestens 1 Jahr.

4 **Behältnisse**

Dicht schließende Behältnisse aus Verbundpackstoffen.

Material: Aluminiumfolie von 0,02 mm Dicke mit ca. 6 g/m² Heißsiegellack auf PVC-Basis sowie opake Hart-PVC-Tiefziehfolie von 0,2 mm Dicke, einseitig beschichtet mit 40 g/m² PVDC.

5 **Kennzeichnung**

Nach § 10 AMG, insbesondere:

5.1 Zulassungsnummer
2199.99.99

5.2 Art der Anwendung
Zum Einnehmen nach Zerkauen.

5.3 Hinweise
Nicht über 25 °C lagern.

6 Packungsbeilage
Nach § 11 AMG, insbesondere:

6.1 Stoff- oder Indikationsgruppe/Wirkungsweise
Arzneimittel zur Neutralisation der Magensäure (Antazidum) und zur Bindung von Phosphat im Darm.

6.2 Anwendungsgebiete
Zur symptomatischen Therapie (Behandlung von Krankheitsanzeichen) bei Sodbrennen und säurebedingten Magenbeschwerden.

Zur Verminderung der Aufnahme von Phosphat aus dem Darm bei Patienten mit eingeschränkter Nierenfunktion und erhöhten Serumphosphatspiegeln.

6.3 Gegenanzeigen

<u>Wann dürfen Sie Algeldrat-Tabletten 500 mg erst nach Rücksprache mit Ihrem Arzt einnehmen?</u>

Im Folgenden wird beschrieben, wann Sie Algeldrat-Tabletten 500 mg nur unter bestimmten Bedingungen und nur mit besonderer Vorsicht einnehmen dürfen. Befragen Sie hierzu bitte Ihren Arzt. Dies gilt auch, wenn diese Angaben bei Ihnen früher einmal zutrafen.

Sie dürfen Algeldrat-Tabletten 500 mg erst nach Rücksprache mit Ihrem Arzt einnehmen bei:

– zu geringem Phosphatgehalt des Blutes (Hypophosphatämie)

– Stuhlverstopfung

– Verengungen des Dickdarms (Dickdarmstenosen).

Säuglinge dürfen Algeldrat-Tabletten 500 mg nur nach ärztlicher Anweisung erhalten.

Bei eingeschränkter Nierenfunktion (Kreatininclearance kleiner als 30 ml/min) sollten Algeldrat-Tabletten 500 mg nur zur Vermeidung der Phosphatresorption gegeben werden.

<u>Was müssen Sie in der Schwangerschaft und Stillzeit beachten?</u>

Algeldrat-Tabletten 500 mg dürfen in der Schwangerschaft nicht eingenommen werden, da hierfür keine Erfahrungen beim Menschen vorliegen und Tierversuche mit Aluminiumverbindungen schädliche Auswirkungen auf die Nachkommen zeigten.

In der Stillzeit sollten Algeldrat-Tabletten 500 mg nicht eingenommen werden, da Aluminium in die Muttermilch übergeht.

6.4   Vorsichtsmaßnahmen für die Anwendung und Warnhinweise

Welche Vorsichtsmaßnahmen müssen beachtet werden?

Bei langfristigem Gebrauch von Algeldrat-Tabletten 500 mg sind regelmäßige Kontrollen der Aluminiumblutspiegel erforderlich. Dabei sollten 40 µg/l nicht überschritten werden.

Bei Patienten mit eingeschränkter Nierenfunktion sollten auch bei kurzfristigem Gebrauch von Algeldrat-Tabletten 500 mg der Aluminiumblutspiegel bestimmt werden. Darüber hinaus sind bei diesen Patienten in regelmäßigen Abständen (etwa halbjährlich) nervenärztliche Untersuchungen (einschließlich Messung der Hirnströme) sowie eventuell Untersuchungen der Knochen sinnvoll, um möglichst frühzeitig eine Aluminiumvergiftung zu erkennen.

6.5   Wechselwirkungen mit anderen Mitteln

Welche anderen Arzneimittel werden in ihrer Wirkung durch Algeldrat-Tabletten 500 mg beeinflusst?

Die Resorption (Aufnahme im Darm) von Tetrazyklinen und den Chinolonderivaten Ciprofloxacin, Norfloxacin und Ofloxacin ist vermindert. Die Minderung kann bis zu 90 % betragen und ist Folge der Bildung nichtresorbierbarer Aluminiumverbindungen (Chelate). Die Resorption anderer Arzneistoffe kann ebenfalls vermindert, aber auch erhöht sein, was normalerweise nicht bedeutsam ist.

Es sollte aber aus Sicherheitsgründen stets zwischen der Einnahme von Algeldrat-Tabletten 500 mg und der Einnahme anderer Arzneimittel ein Abstand von 1 bis 2 Stunden gewahrt bleiben.

Welche Genussmittel, Speisen und Getränke sollten Sie meiden?

Die gleichzeitige Einnahme säurehaltiger Getränke (Obstsäfte, Wein etc.) erhöht die unerwünschte Aufnahme von Aluminium im Darm. Deshalb sollte zwischen der Einnahme von Algeldrat-Tabletten 500 mg und der Einnahme der Getränke ebenfalls ein Abstand von 1 bis 2 Stunden eingehalten werden.

6.6   Dosierungsanleitung, Art und Dauer der Anwendung

Die folgenden Angaben gelten, soweit Ihnen Ihr Arzt Algeldrat-Tabletten 500 mg nicht anders verordnet hat. Bitte halten Sie sich an die Anwendungsvorschriften, da Algeldrat-Tabletten sonst nicht richtig wirken können!

Wie viele und wie oft sollten Sie von den Algeldrat-Tabletten 500 mg einnehmen?

Zur Behandlung der Beschwerden bei Sodbrennen und säurebedingten Magenbeschwerden werden bei Bedarf 2 Tabletten bis zu 7-mal täglich eingenommen.

Zur Verminderung der Aufnahme von Phosphat im Darm bei Patienten mit eingeschränkter Nierenfunktion werden Algeldrat-Tabletten 500 mg in Abhängigkeit vom Phosphat-Blutgehalt angewendet:

– bei phosphatarmer Ernährung werden 3- bis 4-mal täglich als Einzeldosis bis zu 6 Tabletten eingenommen (entsprechend täglich bis zu 12 g Algeldrat).

– bei Nichteinhaltung einer phosphatarmen Ernährung kann diese Arzneimenge auch heraufgesetzt werden.

<u>Wie und wann sollten Sie Algeldrat-Tabletten 500 mg einnehmen?</u>

Die Tabletten werden gut zerkaut mit ausreichend Flüssigkeit eingenommen.

Bei säurebedingten Beschwerden sollte die Einnahme 1 bis 2 Stunden nach den Mahlzeiten und zur Nacht erfolgen.

Zur Verminderung der Aufnahme von Phosphat werden Algeldrat-Tabletten 500 mg 10 bis 20 Minuten vor den Mahlzeiten eingenommen.

<u>Wie lange sollten Sie Algeldrat-Tabletten 500 mg einnehmen?</u>

Wenn Algedrat-Tabletten 500 mg zur Verminderung der Aufnahme von Phosphat im Darm genommen werden, ist die Einnahmedauer bei guter Verträglichkeit nicht begrenzt.

Wenn Algeldrat-Tabletten 500 mg zur Behandlung der Krankheitsanzeichen bei Sodbrennen und säurebedingten Magenbeschwerden eingenommen werden, ist dagegen spätestens nach 2 Wochen Einnahme eine Krankheitsabklärung durch Ihren behandelnden Arzt erforderlich!

6.7 Hinweise für den Fall der Überdosierung

<u>Was ist zu tun, wenn Algeldrat-Tabletten 500 mg in zu großen Mengen eingenommen wurden (beabsichtigte oder versehentliche Überdosierung)?</u>

Es kann zu Stuhlverstopfung kommen, wobei u. U. die Anwendung von Abführmitteln erforderlich sein kann. Sprechen Sie hierüber bitte mit Ihrem behandelnden Arzt.

6.8 Nebenwirkungen

<u>Welche Nebenwirkungen können bei der Anwendung von Algeldrat-Tabletten 500 mg auftreten?</u>

Besonders bei Einnahme hoher Arzneimengen kann es zu Stuhlverstopfung kommen. In Einzelfällen sind bei lang dauernder Anwendung Darmverschlüsse beobachtet worden.

Bei eingeschränkter Nierenfunktion und bei langfristiger Einnahme hoher Arzneimengen kann es zur Aluminiumeinlagerung, vor allem in das Nerven- und Knochengewebe und zur Phosphatverarmung des Körpers kommen.

Wenn Sie Nebenwirkungen bei sich beobachten, die nicht in dieser Packungsbeilage aufgeführt sind, teilen Sie diese bitte Ihrem Arzt oder Apotheker mit.

<u>Welche Gegenmaßnahmen sind bei Nebenwirkungen zu ergreifen?</u>

Bei Nebenwirkungen sprechen Sie bitte mit Ihrem behandelnden Arzt über entsprechende Gegenmaßnahmen.

6.9 Hinweis

Algeldrat-Tabletten 500 mg nicht über 25 °C aufbewahren.

Aluminiumhydroxid-Tabletten 500 mg

3 Eigenschaften und Prüfungen

3.2 Fertigarzneimittel

3.2.2 Gehalt

Die Bestimmung in Tabletten kann wie bei der Reinsubstanz erfolgen. Eventuell vorhandene Magnesium- oder Calciumionen aus Magnesiumstearat bzw. Calciumarachinat werden nicht miterfaßt.

3.2.3 Haltbarkeit

Es empfiehlt sich die Untersuchung des Säurebindungsvermögens, da amorphes Aluminiumhydroxid durch Alterung in eine teils kristalline Modifikation übergehen kann, die nur noch schwer säurelöslich ist.

P. Surmann

Monographien-Kommentar

Aluminiumhydroxid-Tabletten 500 mg

Anmerkungen zur Rezeptur und Herstellung des Fertigarzneimittels.

Aluminiumhydroxid-Tabletten sind in der BP 80 und der USP XXI beschrieben [1, 2].

Die USP XXI fordert die Verwendung von getrocknetem Aluminiumhydroxidgel, das durch Fällen von Aluminiumsulfat oder Natriumhydrogencarbonat hergestellt wird. Richtigerweise müßte das Aluminiumhydroxid als Aluminiumhydroxidcarbonat bezeichnet werden [4].

Für getrocknetes Aluminiumhydroxidgel fordert die USP XXI einen Gehalt von 50,0 bis 57,5 Prozent Aluminiumoxid (Al_2O_3) in Form von hydrierten Oxiden. Die Substanz kann somit wechselnde Mengen an basischem Aluminiumcarbonat und -hydrogencarbonat enthalten [1].

Für alle Antazidazubereitungen sind in der USP XXI gesonderte Prüfungen, die „Antacid Effectiveness" vorgeschrieben [1]. Der „Preliminary-Test" verlangt, daß unter definierten Bedingungen 10 ml 0,5 M-Salzsäure den pH-Wert einer Antazidum-Zubereitung auf höchstens pH 3,5 absenken dürfen. In einem weiteren Test wird das Säurebindungsvermögen bestimmt [1].

Die BP 80 knüpft an eine vorgegebene Formulierung von:

Alumiumhydroxid, getrocknet	500 mg
Lactose	150 mg
Saccharose	150 mg
Stärke	200 mg
Pfefferminzöl	0,0004 ml

die Forderung nach einem Säurebindungsvermögen von mindestens 115 ml 0,1 M-Salzsäure pro Tablette [2].

Diese Forderungen der USP XXI und der BP 80 sollte auch das Fertigarzneimittel der Standardzulassung erfüllen.

Bei der Bestimmung der pH-Neutralisation in dem „Preliminary-Test" wird die alkalische Stoff- bzw. Rezeptureigenschaft erfaßt, die nur wenig durch physikalische Manipulation zu beeinflussen ist [19, 6].

Das Säurebindungsvermögen dagegen ist durch die Herstellungsbedingung der Ausgangsstoffe, wie die verschiedenen Aluminiumhydroxidsorten gleicher Reinheit zeigen, steuerbar. Dies ist möglich, in dem das Herstellverfahren so gesteuert wird, daß es zur Ausbildung bestimmter physikalischer Eigenschaften kommt, wie z. B.: großer spezifischer Oberfläche, Porosität und Teilchengrößen $< 10\ \mu$ [20, 21, 4].

Das Säurebindungsvermögen einer galenischen Formulierung wird noch zusätzlich durch die Arzneiform und das Herstellverfahren bestimmt. So haben naßgefällte und nicht getrocknete Aluminiumhydroxidgele, zu oralen Suspensionen verarbeitet, ein höheres Säurebindungsvermögen und sind reaktiver als aus Aluminiumhydroxidgel-Pulvern hergestellte Tabletten [5, 7, 15]. Es bedarf großer Anstrengungen und Mühen,

Monographien-Kommentar

wenn Antazida-Tabletten und Antazida-Suspensionen mit gleichem Wirkstoffgehalt gleiche Reaktivität und gleiches Säurebindungsvermögen haben sollen [8, 14, 11].

Für die Herstellung von Aluminiumhydroxid-Tabletten 500 mg nach der Standardzulassung ist zunächst die Wahl des physikalisch geeigneten Ausgangsstoffes in bezug auf die Herstellmöglichkeiten qualitätsbestimmend.

So bietet die Firma Giulini (Ludwigshafen) allein 11 verschiedene Sorten von Aluminiumhydroxidgel-Pulvern an, von denen 6 bzw. unter Berücksichtigung von Hilfsstoffzuschlägen 9 Typen die Forderung der Standardzulassung an den Ausgangsstoff erfüllen dürften [3].

Nach Firmenbroschüren können für die Herstellung von Tabletten nach Standardzulassung zwei Sorten empfohlen werden:

1. **Alugel A 215:** [21]

    Diese Type ist durch hohe antazide Reaktionsgeschwindigkeit, Säurebindungsvermögen und gute Alterungsbeständigkeit gekennzeichnet.

    Al_2O_3-Gehalt: 50,0 bis 57,5 Prozent
    Säurebindungsvermögen nach USP XXI: $>$ 30 mequ/g.

    Dieses Präparat ist aber wegen seiner Voluminosität — kugelige „Gel"-Teilchen von 3 bis 5 x 10^{-5} cm Durchmesser sind zu größeren lockeren Agglomerationsverbänden zusammengelagert — und seiner großen Oberfläche ohne Verdichtung und Agglomeration, d. h. ohne Granulierung nicht zu Tabletten zu verarbeiten. Bei der Feuchtgranulierung verlieren die Aluminiumhydroxidgel-Pulver durch das Wiederbefeuchten und Trocknen etwas von ihrer hohen Reaktivität und ihrem Säurebindungsvermögen [5]. Eine Alternative ist das zeitraubende und kostenintensive Brikettierverfahren.

2. **Alugel A 230:** [3]

    Eine granulierte Spezialtype mit rieselfähiger Körnung. Dieses Produkt ist allein oder im Gemisch mit üblichen Hilfsstoffen für eine Kau- oder Lutschtablette direkt tablettierfähig. In der Praxis findet sie jedoch weniger Verwendung als die Type Alugel A 215.

    Al_2O_3-Gehalt: 50,0 bis 57,5 Prozent
    Säurebindungsvermögen nach USP XX: $>$ 250 ml/g,
    im Durchschnitt: 305 ml/g.

Bei der Rezepturerstellung ist das Alterungsproblem mit zu berücksichtigen. Die Alterungserscheinungen, die zu einer Reduzierung der antaziden Reaktivität führen, beruhen auf einer Polymerisation zu größeren Partikeln und sind besonders stark bei carbonatfreien Aluminiumhydroxiden ausgeprägt [9, 12, 13]. Durch Kombination mit Polyhydroxiverbindungen wie z. B. Sorbit, Mannit, Mono- und Disacchariden, Hydroxipropylcellulose oder Polyethylenglykolen kann die Polymerisationsneigung zurückgedrängt werden [4, 13, 16]. Diese Alterungserscheinungen mit ihren reduzierten antaziden Reaktivitäten können kaum mit dem Säurekapazitätstest der USP XXI/BP 80 erfaßt werden, wohl aber mit der pH-Stat-Methode bzw. mit dem Reaktivitätstest nach Sjögren [4, 19, 20]:

Monographien-Kommentar

Aluminiumhydroxid-Tabletten 500 mg

50 ml destilliertes Wasser werden durch Zugabe von Salzsäure auf pH 3,0 eingestellt und mittels Thermostaten auf 37 °C gehalten. Zu diesem angesäuerten Wasser gibt man eine Substanzmenge, welche 50 mg Al_2O_3 equivalent ist. Sofort wird jetzt mit der Zugabe von 0,1 M-Salzsäure begonnen, wobei die Zugabe so einzurichten ist, daß der pH-Wert exakt auf 3,0 konstant gehalten wird. Die bei diesem konstanten pH-Wert nach 5, 10 und 30 Minuten verbrauchten Säuremengen werden abgelesen und auf 1 g Substanz umgerechnet.

Für diesen Reaktivitätstest wird vorteilhafterweise eine pH-Stat-Vorrichtung benutzt, welche den gewünschten pH-Wert automatisch konstant hält.

So empfehlen sich für eine Kau- oder Lutschtablette, je nach Herstellverfahren folgende Hilfsstoffe [4, 10, 18]:

Sorbit oder Mannit in hohen Anteilen
+ geringe Mengen Maisstärke und/oder mikrofeine Cellulosen oder Hydroxipropylmethylcellulose
+ Aluminiumstearat oder Magnesiumstearat bis 2 % als Schmiermittel
+ Talkum bis 2 % als Gleitmittel
+ ggf. bis 2 % Aerosil zur Regulierung der Fließfähigkeit
+ Aromastoffe.

Hinsichtlich der Aromatisierung von Kau- und Lutschtabletten wird auf die Standardzulassung Magnesiumtrisilikat-Tabletten 500 mg verwiesen [20].

[1] USP XXI, (1985).
[2] BP 80, Band 1 und 2, (1980).
[3] Katalog „Feinchemikalien", Giulini Chemie GmbH, Ludwigshafen, Ausgabe JD 1,5 M 9.78 Dr. Schz., Dr. U. Sc.
[4] K. Schanz, Fa. Giulini: „Physikalisch chemische Eigenschaften von Antazida-Rohstoffen" – Referat anläßlich eines APV-Seminars am 5. 4. 1982.
[5] P. Colombo, A La Manna/Pavia, Farmaco Ed. Prat. **32,** 560, (1977).
[6] Syed Laik Ali, Pharmaz. Ztg. **127,** 1482 (1982).
[7] NVJ. Torres, JP. Martinez, EM. Tamayo, Cien. Ind. Farm. **2,** 372 (1983).
[8] J. Pawlaczyk, A. Lutka, Z. Kokot/Poznan, Pharmazie **39,** 334 (1984).
[9] Bayer, G. Dondi, Ml. Binda et al., Pharm. Acta Helv. **58,** 259 (1983).
[10] P. C. Schmidt, E. Haug, Pharm. Ind. **47,** 221 (1985).
[11] Heumann, V. Graetzel, J. Graetz et al., Pharm. Ind. **46,** 944 (1984).
[12] C. J. Serna, J. C. Lyons et al., J. Pharm. Sci., **72,** 769 (1983).
[13] D. N. Shah, J. L. White, S. L. Hem: J. Pharm. Sci. **70,** 1101 (1981).
[14] A. Singh, H. C. Mital, Pharm. Acta. Helv. **52,** 319 (1977).
[15] P. P. Catellani, F. Ronchini et al., Farmaco Ed. Prat. **40,** 225 (1985).
[16] N. J. Kerkhof, J. L. White, S. L. Hem, J. Pharm. Sci. **64,** 940 (1975).
[17] S. L. Nail, J. L. White, S. L. Hem, J. Pharm. Sci. **65** 1391 (1976).
[18] S. L. Nail, J. L. White, S. L. Hem, J. Pharm. Sci. **65,** 1195 (1976).
[19] S. L. Nail, J. L. White, S. L. Hem, J. Pharm. Sci. **65,** 1255 (1976).

Monographien-Kommentar

[20] Standardzulassung Magnesiumtrisilikat-Tabletten 500 mg, Anmerkungen zur Rezeptur und Herstellung des Fertigarzneimittels.

[21] Giulini Chemie „Antacid Compounds", p. 8, Giulini Chemie GmbH, GB PC, Ludwigshafen/Rhein (Aug. 1986).

E. Norden-Ehlert

Ambroxolhydrochlorid-Kapseln 30 mg

1 **Bezeichnung des Fertigarzneimittels**

Ambroxolhydrochlorid-Kapseln 30 mg

2 **Darreichungsform**

Kapseln

3 **Eigenschaften und Prüfungen**

3.1 Fertigarzneimittel

3.1.1 Aussehen, Eigenschaften

Hartgelatinesteckkapseln, an deren Außenseiten kein Pulver anhaften darf.

3.1.2 Gehalt

Zum Zeitpunkt der Produktfreigabe: 95,0 bis 105,0 Prozent der pro Kapsel deklarierten Menge Ambroxolhydrochlorid.

Für die Haltbarkeitsdauer: mindestens 90,0 Prozent der deklarierten Menge Ambroxolhydrochlorid.

3.1.3 Haltbarkeit

Die Haltbarkeit in den Behältnissen nach 4 beträgt mindestens 1 Jahr.

4 **Behältnisse**

Dichtschließende Behältnisse aus

– Braunglas, mit Verschlüssen aus Polyethylen oder Polypropylen

– Tiefziehfolie

Material: Aluminiumfolie von 0,02 mm Dicke mit ca. 6 g/m^2 Heißsiegellack auf PVC-Basis sowie opake Hart-PVC-Tiefziehfolie von 0,2 mm Dicke, einseitig beschichtet mit 40 g/m^2 PVDC.

5 **Kennzeichnung**

Nach § 10 AMG, insbesondere:

2 Ambroxolhydrochlorid-Kapseln 30 mg

5.1 Zulassungsnummer

2309.99.99

5.2 Art der Anwendung

Zum Einnehmen.

5.3 Hinweise

Apothekenpflichtig.

Vor Licht und Feuchtigkeit geschützt lagern.

6 Packungsbeilage

Nach § 11 AMG, insbesondere:

6.1 Stoff- oder Indikationsgruppe

Mittel zur Behandlung von Atemwegserkrankungen.

6.2 Anwendungsgebiete

Zur Anwendung bei Erkrankungen der Luftwege, die mit starker Sekretion eines hyperviskosen (zähen) Schleims einhergehen:

Akute und chronische Formen der Atemwegserkrankungen, vor allem akute und chronische Bronchitis, Bronchiektasie (Erweiterung der Bronchialäste), asthmoide Bronchitis, Asthma bronchiale, Bronchiolitis (Entzündung der kleinen Bronchialwege), Mukoviszidose (angeborene Stoffwechselstörung mit gleichzeitiger Störung der schleimproduzierenden Zellen des Bronchialtrakts).

6.3 Gegenanzeigen

Das Arzneimittel sollte nicht gegeben werden bei Überempfindlichkeit gegen Ambroxol.

Bei gestörter Bronchomotorik und größeren Sekretmengen (z.B. beim seltenen malignen Ziliensyndrom) sollten Ambroxolhydrochlorid-Kapseln 30 mg wegen eines möglichen Sekretstaus nur mit Vorsicht verwendet werden.

Anwendung in Schwangerschaft und Stillzeit:

Ambroxolhydrochlorid-Kapseln 30 mg sollten während der Schwangerschaft, insbesondere während des ersten Drittels, und der Stillzeit nur nach sorgfältiger Nutzen-Risiko-Abwägung eingesetzt werden, da bisher keine ausreichenden Erfahrungen über den Einsatz am Menschen vorliegen.

6.4 Wechselwirkungen mit anderen Mitteln

Bei kombinierter Anwendung von Ambroxol mit Antitussiva (hustenstillende Mittel) kann aufgrund des eingeschränkten Hustenreflexes ein gefährlicher Sekretstau entstehen, so daß die Indikation zu dieser Kombinationsbehandlung besonders sorgfältig gestellt werden sollte.

Ferner ist über eine verstärkte Penetration der Antibiotika Amoxicillin, Cefuroxim und Erythromycin in das Bronchialsekret berichtet worden, wenn diese zusammen mit Ambroxol verabreicht wurden. Diese Wechselwirkung wird beim Doxycyclin bereits therapeutisch genutzt.

Ambroxolhydrochlorid-Kapseln 30 mg

Über Wechselwirkungen von Ambroxol mit anderen Mitteln, die zur Basisbehandlung des bronchitischen Syndroms gehören (Bronchospasmolytika, Methylxanthine, Kortikosteroide), ist nichts bekannt.

6.5 Dosierungsanleitung, Art und Dauer der Anwendung

Soweit nicht anders verordnet, werden für Ambroxolhydrochlorid-Kapseln 30 mg folgende Dosierungen empfohlen:

Kinder ab 12 Jahren und Erwachsene:

Während der ersten 2 bis 3 Tage wird 3mal täglich 1 Kapsel, danach 2mal täglich 1 Kapsel eingenommen.

Ambroxolhydrochlorid-Kapseln 30 mg sind für Kinder unter 12 Jahren wegen des zu hohen Wirkstoffgehaltes nicht geeignet.

Hinweis:

Bei schwerer Niereninsuffizienz (Einschränkung der Nierenfunktion) sollte die Erhaltungsdosis entsprechend vermindert oder das Dosierungsintervall verlängert werden.

Art und Dauer der Anwendung:

Die Kapseln werden nach den Mahlzeiten mit Flüssigkeit (z.B. Wasser, Saft oder Tee) eingenommen.

Über die Dauer der Anwendung sollte vom behandelnden Arzt je nach Indikation und Krankheitsverlauf individuell entschieden werden.

Hinweis:

Die schleimlösende Wirkung von Ambroxol wird durch Flüssigkeitszufuhr unterstützt.

6.6 Hinweise für den Fall der Überdosierung

Symptome der akuten Überdosierung sind nach der Einnahme meist durch lokale Reizwirkung bedingt und bestehen in Übelkeit, Erbrechen, Durchfall, Halskratzen sowie Magen- und Bauchschmerzen.

Bei extremer Überdosierung ist als erste Maßnahme Erbrechen auszulösen und eventuell Flüssigkeit (Milch, Tee) zu trinken. Falls die Arzneimitteleinnahme nicht länger als 1 bis 2 Stunden zurückliegt, kann eine Magenspülung sinnvoll sein.

6.7 Nebenwirkungen

In seltenen Fällen können Magen-Darm-Beschwerden (z.B. Übelkeit und Bauchschmerzen) sowie allergische Reaktionen (z.B. Hautausschlag, Gesichtsschwellungen, Atemnot, Temperaturanstieg mit Schüttelfrost) auftreten. Ferner wurde von Patienten nach Gabe von Ambroxol in seltenen Fällen über Trockenheit des Mundes und der Luftwege, Sialorrhöe (vermehrter Speichelfluß), Rhinorrhöe (vermehrte Sekretion der Nase), Obstipation (Verstopfung) und Dysurie (erschwertes Wasserlassen) geklagt.

In einem Fall wurde über das Auftreten eines anaphylaktischen (allergischen) Schocks berichtet, weiterhin liegt ein Einzelfallbericht einer allergischen Kontaktdermatitis (Hautentzündung) vor.

6.8 Hinweis

Vor Licht und Feuchtigkeit geschützt aufbewahren.

7 Fachinformation

Nach § 11 a AMG, insbesondere:

7.1 Verschreibungsstatus/Apothekenpflicht

Apothekenpflichtig.

7.2 Stoff- oder Indikationsgruppe

Broncho-Sekretolytikum.

7.3 Anwendungsgebiete

Zur Anwendung bei Erkrankungen der Luftwege, die mit starker Sekretion eines hyperviskosen Schleims einhergehen:

Akute und chronische Formen der Atemwegserkrankungen, vor allem akute und chronische Bronchitis, Bronchiektasie, asthmoide Bronchitis, Asthma bronchiale, Bronchiolitis, Mukoviszidose.

7.4 Gegenanzeigen

Das Arzneimittel sollte nicht gegeben werden bei Überempfindlichkeit gegen Ambroxol.

Bei gestörter Bronchomotorik und größeren Sekretmengen (z.B. beim seltenen malignen Ziliensyndrom) sollten Ambroxolhydrochlorid-Kapseln 30 mg wegen eines möglichen Sekretstaus nur mit Vorsicht verwendet werden.

Anwendung in Schwangerschaft und Stillzeit:

Ambroxolhydrochlorid-Kapseln 30 mg sollten während der Schwangerschaft, insbesondere während des ersten Drittels, und der Stillzeit nur nach sorgfältiger Nutzen-Risiko-Abwägung eingesetzt werden, da bisher keine ausreichenden Erfahrungen über den Einsatz am Menschen vorliegen.

7.5 Nebenwirkungen

In seltenen Fällen können Magen-Darm-Beschwerden (z.B. Übelkeit und Bauchschmerzen) sowie allergische Reaktionen (z.B. Hautausschlag, Gesichtsschwellungen, Atemnot, Temperaturanstieg mit Schüttelfrost) auftreten. Ferner wurde von Patienten nach Gabe von Ambroxol in seltenen Fällen über Trockenheit des Mundes und der Luftwege, Sialorrhöe, Rhinorrhöe, Obstipation und Dysurie geklagt.

In einem Fall wurde über das Auftreten eines anaphylaktischen Schocks berichtet, weiterhin liegt ein Einzelfallbericht einer allergischen Kontaktdermatitis vor.

7.6 Wechselwirkungen mit anderen Mitteln

Bei kombinierter Anwendung von Ambroxol mit Antitussiva kann aufgrund des eingeschränkten Hustenreflexes ein gefährlicher Sekretstau entstehen, so daß die Indikation zu dieser Kombinationsbehandlung besonders sorgfältig gestellt werden sollte.

Ferner ist über eine verstärkte Penetration der Antibiotika Amoxicillin, Cefuroxim und Erythromycin in das Bronchialsekret berichtet worden, wenn diese zusammen mit Ambroxol verabreicht wurden. Diese Interaktion wird beim Doxycyclin bereits therapeutisch genutzt.

Über Wechselwirkungen von Ambroxol mit anderen Mitteln, die zur Basismedikation des bronchitischen Syndroms gehören (Bronchospasmolytika, Methylxanthine, Kortikosteroide), ist bisher nichts bekannt.

7.7 Warnhinweise

Siehe „Gegenanzeigen".

7.8 Wichtigste Inkompatibilitäten

Keine bekannt.

7.9 Dosierung mit Einzel- und Tagesgaben

Für Ambroxolhydrochlorid-Kapseln 30 mg werden folgende Dosierungen empfohlen:

Kinder ab 12 Jahren und Erwachsene:

Während der ersten 2 bis 3 Tage wird 3mal täglich 1 Kapsel, danach 2mal täglich 1 Kapsel eingenommen.

Ambroxolhydrochlorid-Kapseln 30 mg sind für Kinder unter 12 Jahren wegen des zu hohen Wirkstoffgehaltes nicht geeignet.

Hinweis:

Bei schwerer Niereninsuffizienz sollte die Erhaltungsdosis entsprechend vermindert oder das Dosierungsintervall verlängert werden.

7.10 Art und Dauer der Anwendung

Die Kapseln werden nach den Mahlzeiten mit Flüssigkeit (z.B. Wasser, Saft oder Tee) eingenommen.

Über die Dauer der Anwendung sollte je nach Indikation und Krankheitsverlauf individuell entschieden werden.

Hinweis:

Die schleimlösende Wirkung von Ambroxol wird durch Flüssigkeitszufuhr unterstützt.

7.11 Notfallmaßnahmen, Symptome und Gegenmittel

Symptome der Intoxikation:

Ambroxol wurde bei parenteraler Gabe bis zu einer Dosierung von 15 mg/kg/Tag gut vertragen. Dennoch können Überdosierungen von Ambroxol vor allem bei gutschmeckenden Hustensäften vorkommen.

Symptome der akuten Überdosierung sind nach peroraler Gabe meist durch lokale Reizwirkung bedingt und bestehen in Nausea, Erbrechen, Diarrhöe, Halskratzen sowie Magen- und Bauchschmerzen. Systemische Nebenwirkungen (Blutdrucksenkungen) treten nur selten auf, da infolge des Erbrechens und der Diarrhöe nur geringe Mengen von Ambroxol resorbiert werden.

Therapie von Intoxikationen:

Bei extremer Überdosierung als erste Maßnahme Erbrechen auslösen und eventuell Flüssigkeit (Milch, Tee) trinken lassen. Falls die Arzneimitteleinnahme nicht länger als 1 bis 2 Stunden zurückliegt, können Magenspülungen sinnvoll sein. Ferner können Kreislaufüberwachung und ggf. symptomatische Therapiemaßnahmen angezeigt sein.

Aufgrund der hohen Proteinbindung und des großen Verteilungsvolumens sowie der langsamen Rückverteilung aus Geweben ins Blut ist keine wesentliche Elimination von Ambroxol durch Dialyse oder forcierte Diurese zu erwarten.

7.12 Pharmakologische und toxikologische Eigenschaften, Pharmakokinetik, Bioverfügbarkeit, soweit diese Angaben für die therapeutische Verwendung erforderlich sind

7.12.1 Pharmakologische Eigenschaften

Ambroxol ist ein aktiver N-Desmethyl-Metabolit des Bromhexins. Obgleich sein Wirkungsmechanismus noch nicht vollständig aufgeklärt ist, wurden jedoch sekretolytische und sekretomotorische Effekte in verschiedenen Untersuchungen gefunden. So soll durch Ambroxol die Produktion eines Tracheobronchialsekrets geringerer Viskosität stimuliert werden, wobei die Viskositätsminderung über eine Verringerung der Quervernetzung saurer Mucopolysaccharide bewirkt werden soll. Ein weiterer expektorationsfördernder Mechanismus soll in einer Verbesserung des mukoziliären Transports aufgrund einer Anregung der Zilienmotilität begründet sein.

Darüber hinaus wurde eine Steigerung der Synthese und Sekretion von Surfactant („Surfactant-Aktivierung") nach Ambroxol-Gabe berichtet, ferner wurden Hinweise für eine Erhöhung der Permeabilität der Gefäß-Bronchialschranke gefunden.

7.12.2 Toxikologische Eigenschaften

Akute Toxizität:

Untersuchungen zur akuten Toxizität am Tier haben keine besondere Empfindlichkeit ergeben. Siehe auch Punkt 7.11 „Notfallmaßnahmen, Symptome und Gegenmittel".

Chronische Toxizität:

Untersuchungen zur chronischen Toxizität an zwei Tierspezies zeigten keine substanzbedingten Veränderungen.

Tumorerzeugendes und mutagenes Potential:

Langzeituntersuchungen am Tier ergaben keine Hinweise auf ein tumorerzeugendes Potential von Ambroxol.

Bisherige Untersuchungen von Ambroxol auf Mutagenität verliefen negativ; ausführliche Prüfungen wurden jedoch bislang nicht vorgenommen.

Reproduktionstoxizität:

Embryotoxizitätsuntersuchungen an Ratte und Kaninchen haben bis zu einer Dosis von 3 g/kg bzw. 200 mg/kg/Tag keine Hinweise auf ein teratogenes Potential ergeben. Die peri- und postnatale Entwicklung von Ratten war erst oberhalb einer Dosis von 500 mg/kg/Tag beeinträchtigt. Fertilitätsstörungen wurden bei Ratten bis zu einer Dosis von 1,5 g/kg/Tag nicht beobachtet.

Ambroxol überwindet die Plazentaschranke und geht in die Muttermilch über. Mit der Anwendung während der Schwangerschaft und Stillzeit liegen bisher keine ausreichenden Erfahrungen vor.

7.12.3 Pharmakokinetik

Ambroxol wird beim Menschen nach oraler Gabe rasch und nahezu vollständig resorbiert. Es unterliegt einem hepatischen „First-pass"-Metabolismus, durch den etwa 20 bis 30 % der applizierten Dosis eliminiert werden (absolute Bioverfügbarkeit von Ambroxol: 70 bis 80 %). Pharmakokinetische Studien mit einer 30 mg-Einzeldosis von Ambroxol ergaben, daß im Mittel nach ca. 2 Stunden eine maximale Plasmakonzentration von 88,8 ng/ml erreicht wird. Die Plasmaproteinbindung beträgt etwa 75 %. Aufgrund der hepatischen Biotransformation entstehen die pharmakologisch inaktive Dibromanthranilsäure sowie Glucuronid-Konjugate der Muttersubstanz.

Nach oraler Gabe von Ambroxol wurde eine renale Clearance von 53 ml/min ermittelt, nach i.v.-Injektion betrugen die Daten für das Verteilungsvolumen 1,52 l/kg sowie für die gesamte Plasmaclearance 565 ml/min. Die Plasmahalbwertszeit beträgt 7 bis 12 Stunden, wobei die Elimination biphasisch erfolgt. Dabei wurde die Eliminationshalbwertszeit für die alpha-Phase mit 1,3 Stunden und für die beta-Phase mit 8,8 Stunden bestimmt. Ambroxol wird nur zu ca. 5 % unverändert renal eliminiert, während etwa 90 % der Dosis in Form der gut wasserlöslichen Metaboliten ausgeschieden werden.

Bei schweren Lebererkrankungen ist eine Verringerung der Clearance nicht auszuschließen, bei schweren Nierenfunktionsstörungen ist die Eliminationshalbwertszeit für Ambroxol verlängert.

Durchschnittlich tritt die Wirkung bei oraler Verabreichung nach 30 Minuten ein und hält je nach Höhe der Einzeldosis 6 bis 12 Stunden an.

Ambroxol ist liquor- und plazentagängig und tritt in die Muttermilch über.

7.13 Sonstige Hinweise

Keine.

7.14 Besondere Lager- und Aufbewahrungshinweise

Vor Licht und Feuchtigkeit geschützt aufbewahren.

Monographien-Kommentar

Ambroxolhydrochlorid-Kapseln 30 mg

Ambroxolhydrochlorid liegt als weißes bis schwach gelbliches, kristallines Pulver vor. Ein Teil der schwach bitter schmeckenden Substanz löst sich in 60 Teilen Wasser [1].

Als Hülle werden Hartgelatinekapseln eingesetzt. Ihr Hauptbestandteil setzt sich aus einer Mischung von Gelatine Typ A und Typ B zusammen. Daneben enthält das Wandmaterial Zuschläge von Farbstoffen und Opafizierungsmittel wie Titandioxid und Eisenpigmente. Die Färbung kann u.a. zur Produktidentifizierung und als Lichtschutz dienen. Die Opafizierung darüber hinaus auch zur Verbesserung der Verarbeitungseigenschaften von Hartgelatinekapseln: Opake Kapseln laden sich weniger stark auf als transparente und sind deshalb maschinengängiger, insbesondere beim Einfädeln und beim Verschließvorgang [2]. Zusätzlich kann im Wandmaterial Natriumdodecylsulfat vorhanden sein, das im Rahmen der Kapselfertigung der Gelatinelösung zugesetzt worden ist, um die Oberflächenspannung bei der Verarbeitung der Lösung zu senken. Das Arzneibuch empfiehlt die Verwendung weißopak eingefärbter Kapseln.

Leerkapseln weisen eine Wandstärke von 110–150 µm und einen Wassergehalt von 10–12 % auf. Sie werden in der Regel in Kartons mit antistatischen PE-Innenbeuteln geliefert. Originalverpackt sind sie bei Temperaturen zwischen 15 und 25 °C und 35–65 % rel. Luftfeuchte (r. F.) gut zu lagern. In unverpacktem Zustand beginnen Hartgelatinekapseln ab 40–50 % r. F. allmählich Feuchtigkeit zu absorbieren. Eine Klimatisierung des Arbeitsbereiches, in dem die Kapselfüllung vorgenommen werden soll, ist daher vorzusehen.

Der Aufwand zur Entwicklung der Kapselrezeptur hält sich in den Grenzen, da zur Formulierung des Füllgutes prinzipiell die gleichen Hilfsstoffe eingesetzt werden können wie zur Entwicklung der schnell-freisetzenden Tablettenform. Zu berücksichtigen sind allerdings die durch das zur Verfügung stehende Dosier- und Abfüllsystem vorgegebenen Rahmenbedingungen: Je nachdem, ob das Füllgut unmittelbar in die Kapselunterteile eingerieselt bzw. eingestrichen wird (direkte Abfüllmethode) oder außerhalb der Kapselunterteile in speziellen Dosiereinheiten komprimiert und als Formling in die Kapselunterteile abgefüllt wird (indirekte Abfüllmethode), sind die verfahrenstechnisch bedingten Ansprüche an die Materialeigenschaften des Füllgutes verschieden und erfordern entsprechende Anpassungen. Dies trifft besonders zu in Hinblick auf das Fließverhalten, die Masseeinheitlichkeit und die Ausstoßkräfte beim Verkapselungsprozeß.

Die Hilfsstoffauswahl zur Formulierung von Ambroxolhydrochlorid-Kapseln 50 mg beschränkt sich im allgemeinen auf Füllstoffe und Gleitmittel. Für die rezepturgemäße Herstellung empfiehlt das Arzneibuch eine Mischung von 99,5 Teilen Mannitol und 0,5 Teilen hochdispersem Siliciumdioxid als Füllmittel. Statt Mannitol eignen sich als Füllstoffe ebenso Lactose verschiedener Korngrößen, Mais-, Kartoffelstärke, Cellulose, mikrokristalline Cellulose, evtl. auch einige anorganische Salze wie Dicalciumphosphat. Bedacht werden muß ihr unterschiedlicher Einfluß auf die für den Füllprozeß bedeutsamen Parameter Pulverbettdichte, Kompressibilität und Komprimierbarkeit, wobei unter Kompressibilität die Fähigkeit eines Pulvers verstanden wird, unter Druck sein Volumen zu reduzieren und unter Komprimierbarkeit, unter Druck ein ausreichend festes Komprimat einzunehmen. So hat beispielsweise mikrokristalline Cellulose im Vergleich zu Lactose verschiedener Korngrößen eine deutlich kleinere Pulverdichte, jedoch eine wesentlich größere Kompressibilität und Komprimierbarkeit. Andererseits sind die Füllmengen-

Monographien-Kommentar

schwankungen bei Verwendung von mikrokristalliner Cellulose größer als mit einer Mischung von Lactose 100+200 mesh [3].

Handelt es sich um rieselfähige Füllgüter, hängt die Dosiergenauigkeit bei der Abfüllung in starkem Maße von den Fließeigenschaften der Materie ab. Zu deren Prüfung sind eine Vielzahl von Versuchsanordnungen vorgeschlagen worden [3, 4]. Hauptsächlich verwendet werden Meßverfahren zur Bestimmung des Böschungswinkels, des Abrutschwinkels und der Fließgeschwindigkeit. Letztere kann nach der im Arzneibuch unter Ziffer V.5.5.5 beschriebenen Methode ermittelt werden: Mit ihr wird unter definierten Bedingungen anhand genormter Auslauftrichter für eine vorgegebene Schüttgutmenge die Auslaufzeit gemessen. Für die Neigung des Böschungswinkels sind vor allem Kräfte der interpartikulären Gleitreibung maßgebend, für die Ausbildung des Abrutschwinkels hingegen die der interpartikulären Haftreibung. Beide Methoden charakterisieren unterschiedliche Füllguteigenschaften und sind darüber hinaus nicht genormt.

Will man Vergleiche anstellen, können diese allenfalls mit solchen Werten erfolgen, die unter identischen Bedingungen erzielt wurden.

Ist das Fließverhalten zu verbessern, bieten sich u. a. Granulierungsverfahren an, mit deren Hilfe sich sphärische Kornformen mit möglichst glatten Oberflächen aufbauen lassen. Granulate aus Wirk- und Hilfsstoffen verringern zudem die Gefahr einer potentiellen Entmischung und weisen in Zusammenhang mit spezifischen Abfüllverfahren eine bessere Komprimierbarkeit auf. Die zur Granulierung erforderlichen Bindemittel können in der Granulierflüssigkeit gelöst oder der inneren Phase trocken zugemischt werden. Wird die Substanz trocken verarbeitet, muß sie in dem der Mischung anschließend als Granulierflüssigkeit zugefügten Medium unverzüglich löslich oder zumindest rasch quellbar sein. Als Granulierflüssigkeit wird in der Regel Wasser herangezogen.

Stärke stellt eine multifunktionelle Substanz dar, die sowohl Bindemittelfunktionen als auch zerfallsbeschleunigende Eigenschaften aufweist. Als Bindemittel wird sie in Form eines 8–25%igen Kleisters verwendet. Anstelle von Stärke kann auch Polyvidon (Abk.: PVP, Povidone, im Handel z.B. als Kollidon® etc.) in Form einer 1–10%igen wäßrigen Lösung oder 1–15%ig als Trockenbindemittel angewendet werden. Zur Granulierung gut geeignet sind PVP-Sorten mit Molmassen zwischen 25000–40000 g mol^{-1} (**K**ollidon® 25, K 30). Wird niedermolekulares Polyvidon (z.B. K 25) mit einem hochmolekularen PVP (K 90) verschnitten, sollen sich mit dieser Mischung, die Granulat-und Kerneigenschaften optimieren lassen [6]. Bei Einsatz von Polyvidon ist daran zu denken, daß bei längerer Lagerung des Fertigarzneimittels die Zerfallszeit ansteigen kann.

Weitere Verbesserungsmaßnahmen ergeben sich durch Gleitmittelzusätze. Hierzu zählt hochdisperses Siliciumdioxid, ein ausgesprochenes Fließregulierungsmittel, das in Konzentrationen von 0,1–0,5% durch Reduktion der interpartikulären Haft-und Gleitreibung den Füllgutfluß fördert. Erfolgt die Abfüllung mit Hilfe halb- oder vollautomatisch arbeitender Maschinen, kommen noch Metallseifen wie Magnesiumstearat, höhere Fettsäuren wie Stearinsäure, gelegentlich auch Talkum hinzu. Sie üben dort ähnliche Funktionen aus wie bei entsprechenden Tablettierungsvorgängen, in dem sie als Schmiermittel bei der Kapselfüllung die Ausstoßkräfte reduzieren und ein Kleben der Formlinge an den Dosierstiften unterbinden.

Am meisten verwendet wird Magnesiumstearat. Die physikochemischen und Gleitmittel-Eigenschaften dieser Substanz können von Hersteller zu Hersteller, teilweise auch von Charge zu Charge in erheblichem Umfang schwanken, so daß im Rahmen der Qualitätskontrolle auf die exakte Einhaltung der vorgegebenen Spezifikationen zu achten ist.

Ambroxolhydrochlorid-Kapseln 30 mg

Als lipophile Verbindung kann Magnesiumstearat bei zu hoher Konzentration die Auflösungsgeschwindigkeit von Ambroxolhydrochlorid aus den Kapseln verlangsamen. Ziel der Rezepturentwicklung ist es daher, mit einem Minimum an Schmiermittel ein Optimum an Wirkung zu erreichen. Dieser Schritt muß erneut validiert werden, wenn ein anderes Abfüllsystem zum Einsatz kommt [5]. Magnesiumstearat wird üblicherweise in Konzentrationen bis 1 % verwendet. Optimale Mengen können wesentlich tiefer liegen und Anteile von 0,2 % und weniger an der Gesamtmasse haben.

Die zur Schmierung erforderliche Einsatzmenge von Stearinsäure übersteigt die von Magnesiumstearat oft um ein Mehrfaches. Deutliche Minderungen der Ausstoßkraft treten in der Regel erst bei einem Stearinsäureanteil von 2 % auf. Gelegentlich beobachtet man in Gegenwart von Stearinsäure große Kapselmassenschwankungen. Sie sind meist auf den Befund zurückzuführen, daß durch die Fettsäure zwar die Reibungskräfte reduziert werden, der Formling selber jedoch am Dosierstift kleben bleibt. Stearinsäure erweist sich somit als ein Gleitmittel mit akzeptabler Schmierwirkung jedoch mäßigen Formtrenneigenschaften.

Nur wenig wirksam ist Talkum. Selbst in Konzentrationen von 5 % wird die Ausstoßkraft geringfügiger reduziert als durch Schmiermittel mit deutlich niedrigeren Konzentrationen. Positive Effekte können bei Zusatz von Talkum erzielt werden, wenn der Magnesiumstearatanteil nicht ausreicht. Ist genügend Stearat vorhanden, zeigt Talkum eine antagonistische Wirkung und reduziert die Schmierwirkung von Magnesiumstearat [6].

Der pro Kapsel erforderliche Gesamtanteil an Hilfsstoffen ergibt sich unter Berücksichtigung des Mischverhaltens des Füllgutes aus dem Fassungsvermögen der geeigneten Kapselgröße, vermindert um das Volumen, das von der Wirkstoffeinzeldosis/Kapsel eingenommen wird. Die geeignete Kapselgröße kann näherungsweise bei Vorlage weitgehend homogener, rieselfähiger Füllmasse und Kenntnis ihres Schüttvolumens bzw. der Schüttdichte errechnet oder aus Nomogrammen abgelesen werden [4]. Die optimale Füllmenge/Kapsel (Sollfüllmasse) muß hingegen experimentell bestimmt werden. Hierzu stehen verschiedene Methoden zur Verfügung [7, 8, 9].

Unabhängig vom Maschinentyp umfaßt der Verkapselungsprozeß folgende Arbeitsschritte: Ordnen und Einsetzen der Kapselhüllen, Öffnen der Leerkapseln, Dosierung des Füllgutes in die Kapselunterteile, Aufsetzen der Kapseloberteile und Verschließen, Auswerfen der gefüllten und verschlossenen Kapseln. Das jeweilige Abfüllverfahren richtet sich nach der Art und den Eigenschaften des Füllgutes, den Anforderungen an die Masseeinheitlichkeit und der Ansatzmenge.

Im Apothekenbetrieb, für die Herstellung von Versuchschargen im Entwicklungsstadium, zum Abfüllen kleinerer Produktionschargen eignen sich handbetriebene Kapselfüllgeräte. Methodisch geht man so vor, daß zunächst auf Basis der zuvor experimentell bestimmten Sollfüllmasse die entsprechend errechnete Menge Füllgut abgewogen und dann in die vorgesehenen Kapselunterteile gleichmäßig eingestrichen wird. Läßt sich gegebenenfalls der überstehende Rest der abgewogenen Füllmasse unter leichtem Druck gleichmäßig auf die Kapseln verteilen, gelingt es, gute Massetoleranzen einzuhalten. Anzumerken ist, daß dieses Einstreichverfahren keine Teilfüllung der Kapseln erlaubt, da das gesamte Kapselunterteil als „Dosierkammer" fungiert. Demzufolge ist eine komplette Füllung erforderlich, die nötigenfalls durch Füllstoffzusatz erreicht werden muß. Weiterführende Informationen zu Abfüllgeräten, die im Industriemaßstab eingesetzt werden, und solchen für pulverförmige Massen mit schlechten Fließeigenschaften finden sich in nachstehenden Publikationen [3, 4, 9, 10, 11].

Monographien-Kommentar

4

Das Arzneibuch schreibt unter Ziffer V.5.2.1 für Kapseln mit mehr als 2 mg oder mehr als 2% Wirkstoff die Prüfung der Gleichförmigkeit der Masse vor. Es empfiehlt sich jedoch, nach Ziffer V.5.2.2 vorzugehen und bei Ambroxolhydrochlorid-Kapseln 30 mg die Prüfung B auf „Gleichförmigkeit des Gehaltes einzeldosierter Arzneiformen" durchzuführen, um sicher zu stellen, daß signifikante Gehaltsstreuungen, die über das vertretbare Maß hinausgehen und durch inhomogene Verteilung des Wirkstoffes innerhalb des Füllgutes oder nachträglich durch Entmischung während des Abfüllprozesses zustande gekommen sein könnten, weitgehend vermieden worden sind. Wird die Gehaltskonformität ermittelt, kann die Prüfung nach V.5.2.1 entfallen.

Ambroxolhydrochlorid-Kapseln 30 mg müssen der Prüfung „Zerfallszeit von Tabletten und Kapseln" (Ziffer V.5.1.1) entsprechen. Prüfflüssigkeit ist Wasser. Die Prüfung ist bestanden, wenn alle 6 eingesetzten Kapseln binnen 30 Minuten zerfallen sind. Das Arzneibuch läßt in begründeten Fällen anstelle von Wasser 0,1 N-Salzsäure oder künstlichen Magensaft R als Prüfmedium zu. Begründet könnte u. U. der Einsatz des künstlichen Magensaftes dann sein, wenn es sich um gealterte Hartgelatinehüllen handelt, die nur in Gegenwart der pepsinhaltigen Flüssigkeit innerhalb des vorgeschriebenen Zeitrahmens zerfallen.

Ambroxolhydrochlorid-Kapseln 30 mg sind eine schnell-freisetzende Zubereitung und werden nach dem derzeitigen Stand der pharmazeutischen Wissenschaften als ein Arzneimittel mit „unproblematischer" Bioverfügbarkeit bewertet. Unter bestimmten Voraussetzungen kann daher auf eine vergleichende Bioverfügbarkeitsstudie verzichtet werden. Vor allem dann, wenn eine ordnungsgemäße pharmazeutische Qualität mit ausreichend dokumentierten in-vitro-Freisetzungseigenschaften vorhanden ist [12].

[1] Püschmann, S., Engelhorn, R.: Arzneim.-Forsch. **28**, 889 (1978).

[2] Cole, E. T.: Leerkapseln, Kap. 8.2.1.1, 319. In: Sucker, H., Fuchs, P., Speiser, P.: Pharmazeutische Technologie, Georg Thieme Verlag, Stuttgart, New York, 1991.

[3] Pfeifer, W.: Entwicklung von Hartgelatinekapseln, 320. In: Sucker, H., Fuchs, P., Speiser, P.: Pharmazeutische Technologie, Georg Thieme Verlag, Stuttgart, New York, 1991.

[4] Hofer, U.: Trockene Füllgüter, 83. In: Fahrig, W., Hofer, U.: Die Kapsel. Wiss. Verlagsgesellschaft mbH, Stuttgart, 1983.

[5] Ullah, J., Wiley, G. J., Agharkar, S. N.: Drug.Dev.Ind.Pharmacy **18**, 895 (1992).

[6] Hauer, B., Mosimann, P., Posanski, U., Rahm, H., Siegrist, H. R., Skinner, F., Stahl, P. H., Vollmy, C., Züger, O.: Feste orale und perorale Arzneiformen, Kap. 8.1, 244. In: Sucker, H., Fuchs, P., Speiser, P.: Pharmazeutische Technologie, Georg Thieme Verlag, Stuttgart, New York, 1991.

[7] Führer, C.: Die Kapsel als moderne Arzneiform in Offizin und Industrie, Kap. II, 21. In: Fahrig, W., Hofer, U.: Die Kapsel. Wiss. Verlagsgesellschaft mbH, Stuttgart, 1983.

[8] Angaben zur Herstellung von Hartgelatine-Steckkapseln, 21, DAC Anlage G, 7. Ergänzung, 1995. In: Deutscher Arzneimittel-Codex Neues Rezeptur-Formularium, Bd. 1, Govi-Verlag Pharmazeutischer Verlag, Frankfurt a. M., Deutscher-Apotheker-Verlag mbH, Stuttgart, 1986.

[9] Herzfeldt, C.-D.: Kapseln, Kap. 4.9, 802. In: Nürnberg, E., Surmann, P.: Hagers Handbuch der pharmazeutischen Praxis, Bd. 2, Springer-Verlag, Berlin. Heidelberg, New York, 1991.

[10] Van Hostetler, B., Bellard, J. Q.: Hard Capsules, 374. In: Lachman, L., Lieberman, H. A., Kanig, J. L.: The Theory and Practice of Industrial Pharmacy, Lea & Febiger, Philadelphia, 1986.

[11] Kapseln, Kap. 14.6, 324. In: Bauer, K. H., Frömming, K.-H., Führer, C.: Pharmazeutische Technologie, Georg Thieme Verlag, Stuttgart, New York, 1993.

[12] Ambroxol, 6. Ergänzungslieferung, 1996. In: Blume, H., Mutschler, E.: Bioäquivalenz, Govi-Verlag, Frankfurt a. M., 1989.

J. Ziegenmeyer

Monographien-Kommentar

Ambroxolhydrochlorid-Kapseln 30 mg

3.1 Ausgangsstoff

Der Gehalt muß nach DAC 1986 zwischen 99 und 101 % liegen; zur Gehaltsbestimmung wird die Kationensäure (protoniertes sek. Amin, pKa = 8,5 [2]) in Ethanol 70 % alkalimetrisch mit NaOH 0,1 M bei potentiometrischer Endpunktanzeige titriert. Zur Identität von Ambroxol kann das IR-Spektrum verwendet werden, Chlorid wird durch die Fällung mit Silbernitrat nachgewiesen; als alternative Methoden nennt DAC die Kombination von Schmelztemperatur, Dünnschichtchromatographie und Nachweis organisch gebundenen Broms. Die Schmelztemperatur ist mit 236 bis 241 °C unter Zersetzung angegeben, lt. Merck Index beträgt sie 233 bis 234,5 °C; Die Prüfung mittels Dünnschichtchromatographie erfolgt unter Verwendung von Referenzsubstanz, wobei nicht nur über den gleichen Rf-Wert, sondern auch über die Intensität der mit Ehrlichs Reagenz (p-Dimethylaminobenzaldehyd) entstehenden Färbung ausgewertet wird; damit wird die primäre aromatische Aminogruppe nachgewiesen:

Aus dem Aromaten des Ambroxol wird mit Chloramin-T in schwefelsaurer Lösung oxidativ Brom abgespalten, das als Br_2 und/oder BrCl durch seine braune Farbe in Dichlormethan nachgewiesen wird.

Die Reinheitsprüfung erfolgt nach DAC 1986 mittels HPLC an Umkehrphasenkieselgel (Rp 18); zur Validierung der Trennleistung wird eine Auflösung von > 1,5 zwischen Tramadol und Ambroxol gefordert.

Monographien-Kommentar

2

3.2 Fertigarzneimittel

3.2.2 Gehalt

Zur Gehaltsbestimmung kann die Methode des DAC 1986, die acidimetrische Titration der Kationensäure in Ethanol bei potentiometrischer Indikation eingesetzt werden; übliche Hilfsstoffe stören nicht oder sind erkennbar an der abweichenden Titrationskurve (weitere Wendepunkte).

Alternativ ist die UV-Photometrie nutzbar: In 0,1 M HCl beträgt die spezifische Absorption 72 (molarer Absorptionskoeffizient 3000) am Absorptionsmaximum bei ca. 307 nm [1 und DAC 1986], d.h. eine Lösung von 10 mg Substanz in 100 ml 0,1 M HCl weist eine Absorption von 0,72 auf.

Die in der Literatur [1] genannte Bestimmung der Base Chlorid im nichtwäßrigen Milieu ist wegen der Verwendung des umweltbelastenden Quecksilberchlorids nicht zu empfehlen; zudem stören hier nahezu alle Anionen.

Die HPLC, wie sie im DAC 1986 bei der Reinheitsprobe beschrieben ist, kann genutzt werden, der Aufwand ist allerdings nur gerechtfertigt und dann auch lohnenswert bei größeren Analysenserien und bei den Haltbarkeitsprüfungen, da hierbei hohe Selektivität hinsichtlich möglicher Zersetzungsprodukte gefordert ist. Die in [3] genutzte HPLC Methode ist wegen der vorgeschalteten Derivatisierung mit Formaldehyd (Cyclisierung zum Tetrahydrochinazolin) und der daraus resultierenden besseren Extrahierbarkeit angebracht, wenn aus sehr komplexer Matrix heraus analysiert werden muß (Plasma, Urin); für die Untersuchung eines Fertigarzneimittels ist ein solcher Aufwand nicht gerechtfertigt.

3.2.3 Haltbarkeit

Zur Überprüfung der Haltbarkeit sind selektive Verfahren nötig, zur Quantifizierung eignet sich am besten die HPLC wie sie z.B. im DAC 1986 beschrieben ist.

[1] F. v. Bruchhausen, S. Ebel, A.W. Frahm, E. Hackenthal (Hrsg.), Hagers Handbuch der Pharmazeutischen Praxis Bd. 7, S. 157, 5. Aufl., Springer Verlag Heidelberg 1993.
[2] J. McAinsh, J Clin Pharm 1978, 6:115.
[3] H. Vergin et al., Arzneim Forsch 1985, 35:1591.

P. Surmann

Ambroxolhydrochlorid-Saft 0,3 %

1 Bezeichnung des Fertigarzneimittels

Ambroxolhydrochlorid-Saft 0,3 %

2 Darreichungsform

Lösung

3 Zusammensetzung

Arzneilich wirksamer Bestandteil:

Ambroxolhydrochlorid	0,3 g

Sonstiger wirksamer Bestandteil:

Benzoesäure	0,125 g

Weitere Bestandteile:

Sorbitol-Lösung 70 % (kristallisierend)	50,0 g
Glycerol 85 %	10,0 g
Natriumcyclamat	0,8 g
Wasserfreie Citronensäure	0,5 g
Natriumhydroxid-Lösung 8,5 % zur Einstellung auf pH-Wert 3,5	q. s.
Gereinigtes Wasser	zu 100,0 ml

4 Herstellungsvorschrift

Die für die Herstellung einer Charge erforderlichen Mengen Sorbitol-Lösung 70 % und Glycerol 85 % werden mit etwa einem Drittel der benötigten Menge Wasser gemischt und die Mischung unter Rühren kurz aufgekocht. In der heißen Lösung werden dann die erforderlichen Mengen Benzoesäure, wasserfreie Citronensäure und Ambroxolhydrochlorid gelöst. Nach dem Abkühlen der Lösung auf ca. 30 bis 40 °C wird die erforderliche Menge Natriumcyclamat gelöst und der größte Teil des noch fehlenden Wassers zugegeben. Durch Zugabe von Natriumhydroxid-Lösung 8,5 % wird der pH-Wert auf 3,5 eingestellt. Abschließend wird die Lösung mit dem restlichen Wasser auf das erforderliche Volumen bzw. die erforderliche Masse gebracht und dann in die vorgesehenen Behältnisse abgefüllt.

5 Inprozess-Kontrollen

Überprüfung

– der relativen Dichte (AB. 2.2.5): 1,148 bis 1,150

sowie

– des pH-Wertes (AB. 2.2.3): 3,4 bis 3,6.

2 Ambroxolhydrochlorid-Saft 0,3 %

6 Eigenschaften und Prüfungen

6.1 Aussehen, Eigenschaften

Klare (AB. 2.2.1), farblose bis höchstens schwach gelbstichige Lösung; pH-Wert (AB. 2.2.3) zwischen 3,4 und 3,7; relative Dichte (AB. 2.2.5) zwischen 1,147 bis 1,150.

6.2 Prüfung auf Identität

1. Die Prüfung erfolgt mit Hilfe der Dünnschichtchromatographie (AB. 2.2.27) unter Verwendung einer Schicht von Kieselgel GF_{254} R.

Untersuchungslösung: Ambroxolhydrochlorid-Saft 0,3 % wird zu gleichen Teilen mit Methanol R verdünnt.

Referenzlösung: 15 mg eines als Standard geeigneten Ambroxolhydrochlorids, 6,25 mg einer als Standard geeigneten Benzoesäure sowie 2,5 g Sorbitol-Lösung 70 % (kristallisierend) und 0,5 g Glycerol 85 % werden in Methanol R zu 10 ml gelöst.

Auf die Platte werden getrennt 10 µl jeder Lösung aufgetragen. Die Chromatographie erfolgt mit einer Mischung von 82 Volumteilen 1-Butanol R, 6 Volumteilen Essigsäure 98 % R und 12 Volumteilen Wasser über eine Laufstrecke von 15 cm. Nach dem Trocknen der Platte an der Luft erfolgt die Auswertung im ultravioletten Licht bei 254 nm. Das Chromatogramm der Untersuchungslösung zeigt u. a. Flecke, die in Bezug auf Lage und Intensität annähernd den Flecken des Ambroxolhydrochlorids und der Benzoesäure im Chromatogramm der Referenzlösung entsprechen.

2. 5 ml Ambrocolhydrochlorid-Saft 0,3 % geben die Identitätsreaktion a) auf Chlorid (AB. 2.3.1).

6.3 Gehalt

95,0 bis 105,0 Prozent der deklarierten Menge an Ambroxolhydrochlorid sowie höchstens 110,0 Prozent und mindestens eine Menge an Benzoesäure, die ausreicht, die Anforderungen an die „Prüfung auf ausreichende antimikrobielle Konservierung" (AB. 5.1.3) zu erfüllen.

Die Bestimmung erfolgt mit Hilfe der Flüssigkeitschromatographie (AB. 2.2.29).

Untersuchungslösung: 2,0 g Ambroxolhydrochlorid-Saft 0,3 % werden in Wasser zu 50,0 ml gelöst.

Referenzlösung a: 6,0 mg eines als Standard geeigneten Ambroxolhydrochlorids sowie 2,0 mg einer als Standard geeigneten Benzoesäure werden zunächst mit 1 ml Acetonitril R versetzt und nach ca. zweiminütigem Umschwenken mit Wasser zu 50,0 ml gelöst.

Referenzlösung b: 5,0 mg eines als Standard geeigneten Ambroxolhydrochlorids werden in 0,2 ml Methanol R gelöst, mit 0,04 ml einer Mischung von 1,0 ml Formaldehyd-Lösung R und 99 ml Wasser versetzt und 5 Minuten lang auf 60 ·C erwärmt. Die Lösung wird im Stickstoffstrom zur Trockne eingedampft, der Rückstand wird in Wasser zu 20,0 ml gelöst.

Die Chromatographie kann durchgeführt werden mit:

- einer Säule aus rostfreiem Stahl von 0,125 m Länge und 4,6 mm innerem Durchmesser, gepackt mit cyanopropylsilyliertem Kieselgel zur Chromatographie R (5 µm)
- einer Lösung von 0,34 % Tetrabutylammoniumhydrogensulfat R und 0,68 % Kaliumdihydrogenphosphat R in Wasser, die mit festem Natriummonohydrogenphosphat R auf einen pH-Wert von 3,5 eingestellt wird, als Eluent A und Actonitril als Eluent B als mobiler Phase bei einer Durchflussrate von 1 ml je Minute. Das Eluentenverhältnis wird für die ersten 2 Minuten konstant bei 0 % Eluent B und dann während der folgenden 9 Minuten stufenlos auf 20 % Eluent B verändert
- einem Spektrofotometer mit Wellenlängenschaltung oder einem Dioden-Array-Detektor mit multipler Wellenlängenaufzeichnung als Detektor bei einer Wellenlänge von 246 nm für Ambroxol und die Referenzlösung b sowie 230 nm für Benzoesäure.

Die Säule wird mit der mobilen Phase mit 20 % Eluent B bei einer Durchflussrate von 1 ml je Minute etwa 30 Minuten äquilibriert und vor jeder neuen Injektion mindestens 5 Minuten mit der mobilen Phase in der Ausgangszusammensetzung gespült. 20 µl Referenzlösung b werden eingespritzt. Die Prüfung darf nur ausgewertet werden, wenn im Chromatogramm 2 Hauptpeaks auftreten, deren Auflösung mindestens 6,0 beträgt.

Je 20 µl Untersuchungslösung und Referenzlösung a werden jeweils 3-mal getrennt eingespritzt. Die drei Flächenwerte jedes Peaks dieser Lösungen werden gemittelt. Aus den Mittelwerten wird der Gehalt an Ambroxolhydrochlorid und Benzoesäure nach der Methode des externen Standards berechnet.

$$\text{mg Ambroxolhydrochlorid pro ml Saft} = \frac{F_U \times E_R \times \rho}{E_U \times F_R}$$

F_U = Fläche des Ambroxolpeaks im Chromatogramm der Untersuchungslösung

F_R = Fläche des Ambroxolpeaks im Chromatogramm der Referenzlösung a

E_U = Einwaage an Ambroxolhydrochlorid-Saft 0,3 % für die Untersuchungslösung in g

E_R = Einwaage an Standard Ambroxolhydrochlorid für die Referenzlösung a in mg

ρ = relative Dichte von Ambroxolhydrochlorid-Saft 0,3 %

$$\text{mg Bezoesäure pro ml Saft} = \frac{F_U \times E_R \times \rho}{E_U \times F_R}$$

F_U = Fläche des Bezoesäurepeaks im Chromatogramm der Untersuchungslösung

F_R = Fläche des Bezoesäurepeaks im Chromatogramm der Referenzlösung a

E_U = Einwaage an Ambroxolhydrochlorid-Saft 0,3 % für die Untersuchungslösung in g

E_R = Einwaage an Standard Benzoesäure für die Referenzlösung a in mg

ρ = relative Dichte von Ambroxolhydrochlorid-Saft 0,3 %

6.4 Haltbarkeit

Die Haltbarkeit in den Behältnissen nach 7 beträgt 3 Jahre.

7 Behältnisse

Braunglas-Gewindeflaschen mit Schraubkappen aus Polypropylen und Gießringen aus Polyethylen sowie Messlöffeln mit einer Einteilung von 2,5 und 5 ml, die eine CE-Kennzeichnung gemäß Medizinproduktegesetz tragen.

8 Kennzeichnung

Nach § 10 AMG, insbesondere:

8.1 Zulassungsnummer

2309.99.98

8.2 Art der Anwendung

Zum Einnehmen.

8.3 Hinweise

Apothekenpflichtig.
Vor Licht geschützt lagern.

9 Packungsbeilage

Nach § 11 AMG, insbesondere:

9.1 Stoff- oder Indikationsgruppe

Arzneimittel zur Schleimlösung bei Atemwegserkrankungen mit zähem Schleim (Expektorans).

9.2 Anwendungsgebiete

Zur schleimlösenden Therapie bei akuten und chronischen Erkrankungen der Bronchien und der Lunge mit zähem Schleim.

Ambroxolhydrochlorid-Saft 0,3 % darf bei Kindern unter 2 Jahren nur unter ärztlicher Kontrolle angewendet werden.

9.3 Gegenanzeigen

<u>Wann dürfen Sie Ambroxolhydrochlorid-Saft 0,3 % nicht anwenden?</u>

Sie dürfen Ambroxolhydrochlorid-Saft 0,3 % nicht anwenden bei bekannter Überempfindlichkeit gegen Ambroxolhydrochlorid, den Wirkstoff von Ambroxolhydrochlorid-Saft 0,3 %, oder einen der sonstigen Bestandteile.

Hinweis:
Dieses Arzneimittel ist ungeeignet für Personen mit Fructose-Unverträglichkeit (hereditäre Fructoseintoleranz).

<u>Wann dürfen Sie Ambroxolhydrochlorid-Saft 0,3 % erst nach Rücksprache mit Ihrem Arzt anwenden?</u>

Im Folgenden wird beschrieben, wann Sie Ambroxolhydrochlorid-Saft 0,3 % nur unter bestimmten Bedingungen und nur mit besonderer Vorsicht anwenden dürfen. Befragen Sie hierzu bitte Ihren Arzt. Dies gilt auch, wenn diese Angaben bei Ihnen früher einmal zutrafen.

Wenn Sie an einer eingeschränkten Nierenfunktion oder einer schweren Lebererkrankung leiden, darf Ambroxolhydrochlorid-Saft 0,3 % nur mit besonderer Vorsicht (d.h. in größeren Einnahmeabständen oder in verminderter Dosis) angewendet werden.

Bei einigen seltenen Erkrankungen der Bronchien, die mit übermäßiger Sekretansammlung einhergehen (z.B. malignes Ziliensyndrom) sollte Ambroxolhydrochlorid-Saft 0,3 % wegen eines möglichen Sekretstaus nur mit besonderer Vorsicht, d.h. unter ärztlicher Kontrolle, angewendet werden.

<u>Was müssen Sie in der Schwangerschaft und Stillzeit beachten?</u>

Ambroxolhydrochlorid-Saft 0,3 % sollte während der Schwangerschaft, insbesondere während des ersten Drittels, und der Stillzeit nur nach sorgfältiger Nutzen-Risiko-Abwägung eingesetzt werden, da bisher keine ausreichenden Erfahrungen über den Einsatz am Menschen vorliegen.

9.4 Vorsichtsmaßnahmen für die Anwendung und Warnhinweise

<u>Was müssen Sie im Straßenverkehr sowie bei der Arbeit mit Maschinen und bei Arbeiten ohne sicheren Halt beachten?</u>

Es sind keine Besonderheiten zu beachten.

9.5 Wechselwirkungen mit anderen Mitteln

<u>Welche anderen Arzneimittel beeinflussen die Wirkung von Ambroxolhydrochlorid-Saft 0,3 %?</u>

Beachten Sie bitte, dass diese Angaben auch für vor kurzem angewandte Arzneimittel gelten können.

Bei kombinierter Anwendung von Ambroxolhydrochlorid-Saft 0,3 % und hustenstillenden Mitteln (Antitussiva) kann aufgrund des eingeschränkten Hustenreflexes ein gefährlicher Sekretstau entstehen, sodass die Indikation zu dieser Kombinationsbehandlung besonders sorgfältig gestellt werden sollte.

<u>Welche anderen Mittel werden von Ambroxolhydrochlorid-Saft 0,3 % beeinflusst?</u>

Die gleichzeitige Einnahme von Ambroxolhydrochlorid-Saft 0,3 % und antibakteriell wirksamen Substanzen (Amoxicillin, Cefuroxim, Erythromycin, Doxycyclin) kann zu einem verbesserten Übertritt der Antibiotika in das Lungengewebe führen.

9.6 Dosierungsanleitung, Art und Dauer der Anwendung

Die folgenden Angaben gelten, soweit Ihnen Ihr Arzt Ambroxolhydrochlorid-Saft 0,3 % nicht anders verordnet hat. Bitte halten Sie sich an die Anwendungsvorschriften, da Ambroxolhydrochlorid-Saft 0,3 % sonst nicht richtig wirken kann.

<u>Wie viel und wie oft sollten Sie Ambroxolhydrochlorid-Saft 0,3 % einnehmen?</u>

Kinder bis zu 2 Jahren:

Es wird 2-mal täglich je $^1/_2$ Messlöffel voll mit 2,5 ml Saft eingenommen (= 15 mg Ambroxolhydrochlorid/Tag).

Kinder von 2 bis 5 Jahren:

Es wird 3-mal täglich je $^{1}/_{2}$ Messlöffel voll mit 2,5 ml Saft eingenommen (= 22,5 mg Ambroxolhydrochlorid/Tag).

Kinder von 6 bis 12 Jahren:

Es wird 2- bis 3-mal täglich je 1 Messlöffel voll mit 5 ml Saft eingenommen (= 30–40 mg Ambroxolhydrochlorid/Tag).

Kinder ab 12 Jahren und Erwachsene:

Normalerweise werden während der ersten 2–3 Tage 3-mal täglich je 2 Messlöffel mit 5 ml Saft (= 90 mg Ambroxolhydrochlorid/Tag), danach 2-mal täglich je 2 Messlöffel voll mit 5 ml Saft (= 60 mg Ambroxolhydrochlorid/Tag) eingenommen.

Hinweise:

Wenn Sie an einer eingeschränkten Nierenfunktion oder einer schweren Lebererkrankung leiden, müssen die Einnahmeabstände von Ambroxolhydrochlorid-Saft 0,3 % vergrößert oder die Dosis vermindert werden. Dieses Arzneimittel enthält in 1 ml 0,35 g Sorbitol. Bei Beachtung der Dosierungsanleitung werden bei jeder Anwendung pro Messlöffel (5 ml) 1,75 g Sorbitol (ca. 0,15 Broteinheiten) zugeführt.

Wie und wann sollten Sie Ambroxolhydrochlorid-Saft 0,3 % einnehmen?

Der Saft wird nach den Mahlzeiten mit Hilfe des beigefügten Messlöffels eingenommen.

Hinweis:

Die schleimlösende Wirkung von Ambroxolhydrochlorid-Saft 0,3 % wird durch Flüssigkeitszufuhr verbessert.

Wie lange sollten Sie Ambroxolhydrochlorid-Saft 0,3 % anwenden?

Die Dauer der Anwendung richtet sich nach Art und Schwere der Erkrankung und sollte vom behandelnden Arzt entschieden werden.

Neben Sie Ambroxolhydrochlorid-Saft 0,3 % ohne ärztlichen Rat nicht länger als 4–5 Tage lang ein.

9.7 Überdosierung und andere Anwendungsfehler

Was ist zu tun, wenn Ambroxolhydrochlorid-Saft 0,3 % in großen Mengen angewendet wurde (beabsichtigte oder versehentliche Überdosierung)?

Vergiftungserscheinungen sind bei Überdosierung von Ambroxolhydrochlorid nicht beobachtet worden. Es ist über kurzzeitige Unruhe und Durchfall berichtet worden.

Bei versehentlicher oder beabsichtigter extremer Überdosierung können vermehrte Speichelsekretion, Würgereiz, Erbrechen und Blutdruckabfall auftreten.

Setzen Sie sich mit einem Arzt in Verbindung. Akutmaßnahmen, wie Auslösen von Erbrechen und Magenspülung, sind nicht generell angezeigt und nur bei extremer Überdosierung zu erwägen. Empfohlen wird eine Therapie entsprechend den auftretenden Erscheinungen der Überdosierung.

<u>Was müssen Sie beachten, wenn Sie zu wenig Ambroxolhydrochlorid-Saft 0,3 % eingenommen oder die Einnahme vergessen haben?</u>

Wenn Sie einmal vergessen haben, Ambroxolhydrochlorid-Saft 0,3 % einzunehmen oder zu wenig eingenommen haben, setzen Sie bitte beim nächsten Mal die Einnahme von Ambroxolhydrochlorid-Saft 0,3 %, wie in der Dosierungsanleitung beschrieben, fort.

<u>Was müssen Sie beachten, wenn Sie die Behandlung unterbrechen oder vorzeitig beenden wollen?</u>

Hier sind bei bestimmungsgemäßer Anwendung von Ambroxolhydrochlorid-Saft 0,3 % keine Besonderheiten zu beachten.

9.8 Nebenwirkungen

<u>Welche Nebenwirkungen können bei der Anwendung von Ambroxolhydrochlorid-Saft 0,3 % auftreten?</u>

In seltenen Fällen können folgende Nebenwirkungen auftreten:

Magen-Darm-Beschwerden (z. B. Übelkeit und Bauchschmerzen), Unverträglichkeitsreaktionen (allergische Reaktionen) an der Haut und Schleimhaut (z. B. Schwellung, Ausschlag, Rötung, Juckreiz), Atemnot, Gesichtsschwellung, Temperaturanstieg mit Schüttelfrost.

Auf Grund des Gehaltes an Sorbitol können bei Einnahme dieses Arzneimittels Magenbeschwerden (Magenverstimmung) und Durchfall auftreten.

Ferner können nach Gabe von Ambroxolhydrochlorid-Saft 0,3 % in seltenen Fällen Trockenheit des Mundes und der Atemwege, vermehrter Speichelfluss, vermehrte Sekretion der Nase, Darmträgheit und erschwertes Wasserlassen auftreten.

In Einzelfällen können plötzliche heftige Überempfindlichkeitsreaktionen, verbunden mit schweren Kreislaufstörungen, auftreten (anaphylaktischer Schock). In diesem Fall muss sofort ein Arzt zu Hilfe gerufen werden.

In einem Fall ist über das Auftreten einer allergischen Hautentzündung (Kontaktdermatitis) berichtet worden.

Wenn Sie Nebenwirkungen bei sich beobachten, die nicht in dieser Packungsbeilage aufgeführt sind oder die Ihnen schwerwiegend erscheinen, teilen Sie diese bitte Ihrem Arzt oder Apotheker mit.

<u>Welche Gegenmaßnahmen sind bei Nebenwirkungen zu ergreifen?</u>

Bei den ersten Anzeichen einer Überempfindlichkeitsreaktion darf Ambroxolhydrochlorid-Saft 0,3 % nicht nochmals eingenommen werden. Informieren Sie Ihren Arzt, damit der über den Schweregrad und gegebenenfalls erforderliche weitere Maßnahmen entscheiden kann.

9.9 Hinweis

Vor Licht geschützt aufbewahren.

10 Fachinformation

Nach § 11 a AMG, insbesondere:

10.1 Verschreibungsstatus/Apothekenpflicht

Apothekenpflichtig.

10.2 Stoff- oder Indikationsgruppe

Benzylamin-Derivat, Broncho-Sekretolytikum.

10.3 Anwendungsgebiete

Sekretolytische Therapie bei akuten und chronischen bronchopulmonalen Erkrankungen, die mit einer Störung von Schleimbildung und -transport einhergehen.

10.4 Gegenanzeigen

Das Arzneimittel darf nicht gegeben werden bei Überempfindlichkeit gegen Ambroxol. Es ist ungeeignet für Personen mit hereditärer Fructoseintoleranz.

Bei gestörter Bronchomotorik und größeren Sekretmengen (z. B. beim seltenen malignen Ziliensyndrom) sollte Ambroxolhydrochlorid-Saft 0,3 % wegen eines möglichen Sekretstaus nur mit Vorsicht verwendet werden.

Bei eingeschränkter Nierenfunktion oder einer schweren Lebererkrankung darf Ambroxolhydrochlorid-Saft 0,3 % nur mit besonderer Vorsicht (d. h. in größeren Einnahmeabständen oder in verminderter Dosis) angewendet werden.

Ambroxolhydrochlorid-Saft 0,3 % darf bei Kindern unter 2 Jahren nur unter ärztlicher Kontrolle angewendet werden.

Anwendung in Schwangerschaft und Stillzeit:

Ambroxolhydrochlorid-Saft 0,3 % sollte während der Schwangerschaft, insbesondere während des ersten Drittels, und in der Stillzeit nur nach sorgfältiger Nutzen-Risiko-Abwägung eingesetzt werden, da bisher keine ausreichenden Erfahrungen über den Einsatz am Menschen vorliegen.

10.5 Nebenwirkungen

In seltenen Fällen können Magen-Darm-Beschwerden (z. B. Übelkeit und Bauchschmerzen) sowie allergische Reaktionen (z. B. Hautausschlag, Gesichtsschwellungen, Atemnot, Temperaturanstieg mit Schüttelfrost) auftreten. Ferner wurde nach Gabe von Ambroxol in seltenen Fällen über Trockenheit des Mundes und der Atemwege, Sialorrhoe, Rhinorrhoe, Obstipation und Dysurie berichtet.

Auf Grund des Gehaltes an Sorbitol können bei Einnahme dieses Arzneimittels Magenbeschwerden und Durchfall auftreten.

In Einzelfällen wurde über das Auftreten eines anaphylaktischen Schocks berichtet, weiterhin liegt ein Einzelfallbericht einer allergischen Kontaktdermatitis vor.

10.6 Wechselwirkungen mit anderen Mitteln

Bei kombinierter Anwendung von Ambroxol mit Antitussiva kann aufgrund des eingeschränkten Hustenreflexes ein gefährlicher Sekretstau entstehen, sodass die Indikation zu dieser Kombinationsbehandlung besonders sorgfältig gestellt werden sollte.

Es ist über eine verstärkte Penetration der Antibiotika Amoxicillin, Cefuroxim und Erythromycin in das Bronchialsekret berichtet worden, wenn diese zusammen mit Ambroxol verabreicht wurden. Diese Interaktion wird beim Doxycyclin bereits therapeutisch genutzt.

10.7 Warnhinweise

Keine.

10.8 Wichtigste Inkompatibilitäten

Bisher keine bekannt.

10.9 Dosierung mit Einzel- und Tagesgaben

Für Ambroxolhydrochlorid-Saft 0,3 % werden folgende Dosierungen empfohlen:

Kinder bis zu 2 Jahren:

2-mal täglich je $1/2$ Messlöffel voll mit 2,5 ml Saft einnehmen (= 15 mg Ambroxolhydrochlorid/Tag).

Kinder von 2 bis 5 Jahren:

3-mal täglich je $1/2$ Messlöffel voll mit 2,5 ml Saft einnehmen (= 22,5 mg Ambroxolhydrochlorid/Tag).

Kinder von 6 bis 12 Jahren:

2- bis 3-mal täglich je 1 Messlöffel voll mit 5 ml Saft einnehmen (= 30–45 mg Ambroxolhydrochlorid/Tag).

Kinder ab 12 Jahren und Erwachsene:

Normalerweise werden während der ersten 2–3 Tage 3-mal täglich je 2 Messlöffel voll mit 5 ml Saft (= 90 mg Ambroxolhydrochlorid/Tag), danach 2-mal täglich je 2 Messlöffel voll mit 5 ml Saft (= 60 mg Ambroxolhydrochlorid/Tag), eingenommen.

Hinweise:

Bei eingeschränkter Nierenfunktion oder einer schweren Lebererkrankung müssen die Einnahmeabstände von Ambroxolhydrochlorid-Saft 0,3 % vergrößert oder die Dosis vermindert werden.

Dieses Arzneimittel enthält in 1 ml 0,35 g Sorbitol. Bei Beachtung der Dosierungsanleitung werden bei jeder Anwendung pro Messlöffel (5 ml) 1,75 g Sorbitol (ca. 0,15 Broteinheiten) zugeführt.

10.10 Art und Dauer der Anwendung

Der Saft wird nach den Mahlzeiten mit Hilfe des beigefügten Messlöffels eingenommen.

Über die Dauer der Anwendung sollte je nach Indikation und Krankheitsverlauf individuell entschieden werden.

Ohne ärztlichen Rat sollte Ambroxolhydrochlorid-Saft 0,3 % nicht länger als 4–5 Tage eingenommen werden.

Hinweis:

Die schleimlösende Wirkung von Ambroxol wird durch Flüssigkeitszufuhr unterstützt.

10.11 Notfallmaßnahmen, Symptome und Gegenmittel

Symptome einer Überdosierung:

Intoxikationen sind bei Überdosierung von Ambroxol nicht beobachtet worden. Es ist über kurzzeitige Unruhe und Durchfall berichtet worden.

Ambroxol wurde bei parenteraler Gabe bis zu einer Dosierung von 15 mg/kg/Tag und bei oraler Gabe bis zu 25 mg/kg/Tag gut vertragen.

In Analogie zu vorklinischen Untersuchungen können bei extremer Überdosierung vermehrte Speichelsekretion, Würgereiz, Erbrechen und Blutdruckabfall auftreten.

Therapiemaßnahmen bei Überdosierung:

Akutmaßnahmen, wie Auslösen von Erbrechen und Magenspülung, sind nicht generell angezeigt und nur bei extremer Überdosierung zu erwägen. Empfohlen wird eine symptomatische Therapie.

10.12 Pharmakologische und toxikologische Eigenschaften, Pharmakokinetik, Bioverfügbarkeit, soweit diese Angaben für die therapeutische Verwendung erforderlich sind

10.12.1 Pharmakologische Eigenschaften

Ambroxol ist ein aktiver N-Desmethyl-Metabolit des Bromhexins. Obgleich sein Wirkungsmechanismus noch nicht vollständig aufgeklärt ist, wurden jedoch sekretolytische und sekretomotorische Effekte in verschiedenen Untersuchungen gefunden. Im Tierversuch steigert es den Anteil des serösen Bronchialsekretes. Durch die Verminderung der Viskosität und die Aktivierung des Flimmerepithels soll der Abtransport des Schleimes gefördert werden.

Darüber hinaus wurde eine Steigerung der Synthese und Sekretion von Surfactant („Surfactant-Aktivierung") nach Ambroxol-Gabe berichtet, ferner wurden Hinweise für eine Erhöhung der Permeabilität der Gefäß-Bronchialschranke gefunden.

Durchschnittlich tritt die Wirkung bei oraler Verabreichung nach 30 Minuten ein und hält je nach Höhe der Einzeldosis 6–12 Stunden an.

10.12.2 Toxikologische Eigenschaften

Akute Toxizität:

Untersuchungen zur akuten Toxizität am Tier haben keine besondere Empfindlichkeit ergeben. Da die LD_{50} für Ambroxol bei der Ratte 13,5 g/kg Körpermasse beträgt, kann man auch für den Menschen auf eine sehr geringe Toxizität schließen. Siehe auch Punkt 10.11 „Notfallmaßnahmen, Symptome und Gegenmittel".

Chronische Toxizität/Subchronische Toxizität:

Untersuchungen zur chronischen Toxizität an zwei Tierspezies zeigten keine substanzbedingten Veränderungen.

Tumorerzeugendes und mutagenes Potenzial:

Langzeituntersuchungen am Tier ergaben keine Hinweise auf ein tumorerzeugendes Potenzial von Ambroxol.

Ambroxol wurde bisher keiner ausführlichen Mutagenitätsprüfung unterzogen; Anhaltspunkte über mutagene Wirkungen liegen dennoch nicht vor.

Reproduktionstoxizität:

Embryotoxizitätsuntersuchungen an Ratte bzw. Kaninchen haben bis zu einer Dosis von 3 g/kg/Tag bzw. 200 mg/kg/Tag keine Hinweise auf ein teratogenes Potenzial ergeben. Die peri- und postnatale Entwicklung von Ratten war erst oberhalb einer Dosis von 500 mg/kg/Tag beeinträchtigt. Fertilitätsstörungen wurden bei Ratten bis zu einer Dosis von 1,5 g/kg/Tag nicht beobachtet.

Ambroxol überwindet die Plazentaschranke und geht beim Tier in die Muttermilch über. Mit der Anwendung beim Menschen bis zur 28. Schwangerschaftswoche und während der Stillzeit liegen bisher keine Erfahrungen vor.

10.12.3 Pharmakokinetik

Ambroxol wird beim Menschen nach oraler Gabe rasch und nahezu vollständig resorbiert. T_{max} nach oraler Gabe beträgt 1–3 Stunden. Die absolute Bioverfügbarkeit von Ambroxol ist bei oraler Gabe durch einen First-pass-Metabolismus um ca. $1/3$ vermindert. Es entstehen dabei nierengängige Metaboliten (z. B. Dibromanthranilsäure, Glukuronide). Die Bindung an Plasmaproteine beträgt ca. 85 % (80–90 %). Die terminale Halbwertszeit im Plasma liegt bei 7–12 Stunden. Die Plasmahalbwertszeit der Summe aus Ambroxol und seiner Metaboliten beträgt ca. 22 Stunden.

Die Ausscheidung erfolgt zu 90 % renal in Form der in der Leber gebildeten Metaboliten. Weniger als 10 % der renalen Ausscheidung ist dem unveränderten Ambroxol zuzuordnen.

Aufgrund der hohen Proteinbindung und des hohen Verteilungsvolumens sowie der langsamen Rückverteilung aus Gewebe ins Blut ist keine wesentliche Elimination von Ambroxol durch Dialyse oder forcierte Diurese zu erwarten. Bei schweren Lebererkrankungen wird die Clearance von Ambroxol um 20–40 % verringert. Bei schwerer Nierenfunktionsstörung ist die Eliminationshalbwertszeit für die Metaboliten von Ambroxol verlängert.

Ambroxol ist liquor- und plazentagängig und tritt in die Muttermilch über.

10.12 Sonstige Hinweise

Keine.

10.13 Besondere Lager- und Aufbewahrungshinweise

Vor Licht geschützt aufbewahren.

Ambroxolhydrochlorid-Tabletten 30 mg

1 **Bezeichnung des Fertigarzneimittels**

Ambroxolhydrochlorid-Tabletten 30 mg

2 **Darreichungsform**

Tabletten

3 **Zusammensetzung**

Wirksamer Bestandteil:

Ambroxolhydrochlorid	30,0 mg

Sonstige Bestandteile:

Lactose 1 H_2O	132,0 mg
Maisstärke	66,0 mg
Hochdisperses Siliciumdioxid	1,0 mg
Magnesiumstearat	1,0 mg

4 **Herstellungsvorschrift**

Die für die Herstellung einer Charge benötigten Ausgangsstoffe werden gesiebt. Ambroxolhydrochlorid, Maisstärke und Lactose 1 H_2O werden bis zur Homogenität gemischt. Anschließend werden zunächst hochdisperses Siliciumdioxid und dann Magnesiumstearat untergemischt. Die fertige Pressmasse wird zu Tabletten mit einer Masse von 230 mg verpresst. Die Tabletten werden in die vorgesehenen Behältnisse abgefüllt.

Hinweis:

Pressmasse und Bulkware sind vor Licht geschützt zu lagern.

5 **Inprozess-Kontrollen**

Überprüfung

– der Tablettenmasse: 230 mg ± 17,25 mg

sowie

– des Tablettenabriebs: höchstens 0,25 % (25 U/min; 4 Minuten).

6 **Eigenschaften und Prüfungen**

6.1 Aussehen, Eigenschaften

Weiße, nichtüberzogene Tabletten mit Bruchkerbe.

6.2 Gleichförmigkeit der Masse der Tablettenhälften (AB. 2.9.5)

Höchstzulässige Abweichung von der Durchschnittsmasse: 7,5 %.

6.3 Wirkstofffreisetzung (AB. 2.9.3)

Innerhalb von 15 Minuten müssen mindestens 75 Prozent der pro Tablette deklarierten Menge Ambroxolhydrochlorid freigesetzt sein.

Prüfflüssigkeit: 900 ml 0,1 N-Salzsäure; 37 ± 0,5 °C

Apparatur: Blattrührer

Umdrehungsgeschwindigkeit: 50 U/min

Die Bestimmung des gelösten Ambroxolhydrochlorids erfolgt mit Hilfe der UV-Vis-Spektroskopie (AB. 2.2.25) im Absorptionsmaximum bei etwa 313 nm gegen die Prüfflüssigkeit als Kompensationsflüssigkeit. Die Auswertung erfolgt mit Hilfe einer Referenzlösung aus einem als Standard geeigneten Ambroxolhydrochlorid in der Prüfflüssigkeit.

Die Forderung ist erfüllt, wenn:

– jede von 6 geprüften Tabletten mindestens 80 Prozent der pro Tablette deklarierten Menge an Ambroxolhydrochlorid freisetzt (Stufe 1)

oder

– der sich aus 12 geprüften Tabletten (die 6 Tabletten aus Stufe 1 + 6 weitere Tabletten) ergebende Mittelwert der freigesetzten Menge an Ambroxolhydrochlorid mindestens 75 Prozent der pro Tablette deklarierten Menge beträgt und gleichzeitig keine der geprüften Tabletten weniger als 60 Prozent der deklarierten Menge freisetzt (Stufe 2).

6.4 Prüfsubstanz

20 Tabletten werden gewogen und gründlich zerrieben.

6.5 Prüfung auf Identität

1. Die Prüfung erfolgt mit Hilfe der Dünnschichtchromatographie (AB. 2.2.27) unter Verwendung einer Schicht von Kieselgel GF$_{254}$ R.

    Untersuchungslösung: Eine etwa 30 mg Ambroxolhydrochlorid entsprechende Menge Prüfsubstanz wird unter Rühren etwa 10 Minuten lang mit 10 ml Methanol R extrahiert. Die Lösung wird filtriert.

    Referenzlösung: 3 mg eines als Standard geeigneten Ambroxolhydrochlorids pro 1 ml Methanol R.

    Auf die Platte werden getrennt 10 µl jeder Lösung aufgetragen. Die Chromatographie erfolgt mit einer Mischung von 70 Volumteilen Hexan R, 20 Volumteilen Ethylacetat R, 10 Volumteilen 1-Propanol R und 1 Volumteil konzentrierter Ammoniak-Lösung R 1 über eine Laufstrecke von 15 cm. Nach dem Trocknen der Platte an der Luft erfolgt die Auswertung im ultravioletten Licht bei 254 nm. Das Chromatogramm der Untersuchungslösung zeigt einen Fleck, der in Bezug auf Lage und Intensität der Fluoreszenzlösung annähernd dem Fleck im Chromatogramm der Referenzlösung entspricht.

2. Eine etwa 30 mg Ambroxolhydrochlorid entsprechende Menge Prüfsubstanz wird unter Rühren etwa 10 Minuten lang mit 10 ml Wasser extrahiert. Die Lösung wird filtriert. 5 ml des Filtrats geben die Identitätsreaktion a) auf Chlorid (AB. 2.3.1).

6.6 Gehalt

95,0 bis 105,0 Prozent der deklarierten Menge an Ambroxolhydrochlorid.

Die Bestimmung erfolgt mit Hilfe der Flüssigkeitschromatographie (AB. 2.2.29).

Untersuchungslösung: 100,0 mg Prüfsubstanz werden mit 4 ml Acetonitril R versetzt und 1 Minute lang im Ultraschallbad behandelt. Die Mischung wird anschließend mit 80 ml Wasser versetzt, 10 Minuten lang im Ultraschallbad behandelt und mit Wasser zu 100,0 ml verdünnt. Der Ansatz wird durch ein Filter aus regenerierter Cellulose filtriert. Das klare Filtrat wird verwendet.

Referenzlösung a: 6,0 mg eines als Standard geeigneten Ambroxolhydrochlorids werden in Wasser zu 50,0 ml gelöst.

Referenzlösung b: 5,0 mg eines als Standard geeigneten Ambroxolhydrochlorids werden in 0,2 ml Methanol R gelöst, mit 0,04 ml einer Mischung von 1,0 ml Formaldehyd-Lösung R und 99 ml Wasser versetzt und 5 Minuten lang auf 60 °C erwärmt. Die Lösung wird im Stickstoffstrom zur Trockne eingedampft, der Rückstand wird in Wasser zu 20,0 ml gelöst.

Die Chromatographie kann durchgeführt werden mit:
- einer Säule aus rostfreiem Stahl von 0,125 m Länge und 4,6 mm innerem Durchmesser, gepackt mit cyanopropylsilyliertem Kieselgel zur Chromatographie R (5 µm)
- einer Mischung von 975 Volumteilen einer Lösung von 0,34 % Tetrabutylammoniumhydrogensulfat R und 0,68 % Kaliumdihydrogenphosphat R in Wasser, die mit festem Natriummonohydrogenphosphat R auf einen pH-Wert von 3,5 eingestellt wird, und 25 Volumteilen Acetonitril R als mobiler Phase bei einer Durchflussrate von 1 ml je Minute
- einem Spektrofotometer als Detektor bei einer Wellenlänge von 246 nm.

Die Säule wird mit der mobilen Phase bei einer Durchflussrate von 1 ml je Minuten etwa 30 Minuten äquilibriert.

20 µl Referenzlösung b werden eingespritzt. Die Prüfung darf nur ausgewertet werden, wenn im Chromatogramm 2 Hauptpeaks auftreten, deren Auflösung mindestens 4,0 beträgt.

Je 20 µl Untersuchungslösung und Referenzlösung a werden jeweils 3-mal getrennt eingespritzt. Die drei Flächenwerte jedes Peaks dieser Lösungen werden gemittelt. Aus den Mittelwerten wird der Gehalt an Ambroxolhydrochlorid nach der Methode des externen Standards berechnet.

$$\text{mg Ambroxolhydrochlorid pro Tablette} = \frac{F_U \times 2 \times E_R \times \textit{mittl. Masse}}{E_U \times Fr}$$

F_U = Fläche des Ambroxolpeaks im Chromatogramm der Untersuchungslösung

F_R = Fläche des Ambroxolpeaks im Chromatogramm der Referenzlösung a

E_U = Einwaage an Prüfsubstanz für die Untersuchungslösung in mg

E_R = Einwaage an Standard für die Referenzlösung a in mg

mittlere Masse = Tablettendurchschnittsmasse aus der Prüfung auf Gleichförmigkeit der Masse.

4   Ambroxolhydrochlorid-Tabletten 30 mg

6.7 Haltbarkeit

Die Haltbarkeit in den Behältnissen nach 7 beträgt 2 Jahre.

7 **Behältnisse**

Dicht schließende Behältnisse aus Verbundpackstoffen. Material: Aluminiumfolie von 0,02 mm Dicke mit ca. 6 g/m^2 Heißsiegellack auf PVC-Basis sowie opake Hart-PVC-Tiefziehfolie von 0,2 mm Dicke, einseitig beschichtet mit 40 g/m^2 PVDC.

8 **Kennzeichnung**

Nach § 10 AMG, insbesondere:

8.1 Zulassungsnummer

2309.99.97

8.2 Art der Anwendung

Zum Einnehmen.

8.3 Hinweise

Apothekenpflichtig.

Vor Licht und Feuchtigkeit geschützt lagern.

9 **Packungsbeilage**

Nach § 11 AMG, insbesondere:

9.1 Stoff- oder Indikationsgruppe

Arzneimittel zur Schleimlösung bei Atemwegserkrankungen mit zähem Schleim (Expektorans).

9.2 Anwendungsgebiete

Zur schleimlösenden Therapie bei akuten und chronischen Erkrankungen der Bronchien und der Lunge mit zähem Schleim.

Ambroxolhydrochlorid-Tabletten 30 mg dürfen bei Kindern unter 2 Jahren nur unter ärztlicher Kontrolle angewendet werden.

9.3 Gegenanzeigen

<u>Wann dürfen Sie Ambroxolhydrochlorid-Tabletten 30 mg nicht anwenden?</u>

Sie dürfen Ambroxolhydrochlorid-Tabletten 30 mg nicht anwenden bei bekannter Überempfindlichkeit gegen Ambroxolhydrochlorid, den Wirkstoff von Ambroxolhydrochlorid-Tabletten 30 mg, oder einen der sonstigen Bestandteile.

<u>Wann dürfen Sie Ambroxolhydrochlorid-Tabletten 30 mg erst nach Rücksprache mit Ihrem Arzt anwenden?</u>

Im Folgenden wird beschrieben, wann Sie Ambroxolhydrochlorid-Tabletten 30 mg nur unter bestimmten Bedingungen und nur mit besonderer Vorsicht anwenden dürfen. Befragen Sie hierzu bitte Ihren Arzt. Dies gilt auch, wenn diese Angaben bei Ihnen früher einmal zutrafen.

Wenn Sie an einer eingeschränkten Nierenfunktion oder einer schweren Lebererkrankung leiden, dürfen Ambroxolhydrochlorid-Tabletten 30 mg nur mit besonderer Vorsicht (d. h. in größeren Einnahmeabständen oder in verminderter Dosis) angewendet werden.

Bei einigen seltenen Erkrankungen der Bronchien, die mit übermäßiger Sekretansammlung einhergehen (z. B. malignes Ziliensyndrom), sollten Ambroxolhydrochlorid-Tabletten 30 mg wegen eines möglichen Sekretstaus nur mit besonderer Vorsicht, d. h. unter ärztlicher Kontrolle, angewendet werden.

<u>Was müssen Sie in der Schwangerschaft und Stillzeit beachten?</u>

Ambroxolhydrochlorid-Tabletten 30 mg sollten während der Schwangerschaft, insbesondere während des ersten Drittels, und der Stillzeit nur nach sorgfältiger Nutzen-Risiko-Abwägung eingesetzt werden, da bisher keine ausreichenden Erfahrungen über den Einsatz am Menschen vorliegen.

<u>Was ist bei Kindern zu berücksichtigen?</u>

Ambroxolhydrochlorid-Tabletten 30 mg sind aufgrund des hohen Wirkstoffgehalts nicht geeignet für Kinder unter 6 Jahren. Hierfür stehen Arzneimittel in Form von Saft mit geringerem Wirkstoffgehalt zur Verfügung.

9.4 Vorsichtsmaßnahmen für die Anwendung und Warnhinweise

<u>Was müssen Sie im Straßenverkehr sowie bei der Arbeit mit Maschinen und bei Arbeiten ohne sicheren Halt beachten?</u>

Es sind keine Besonderheiten zu beachten.

9.5 Wechselwirkungen mit anderen Mitteln

<u>Welche anderen Arzneimittel beeinflussen die Wirkung von Ambroxolhydrochlorid-Tabletten 30 mg?</u>

Beachten Sie bitte, dass diese Angaben auch für vor kurzem angewandte Arzneimittel gelten können.

Bei kombinierter Anwendung von Ambroxolhydrochlorid-Tabletten 30 mg und hustenstillenden Mitteln (Antitussiva) kann aufgrund des eingeschränkten Hustenreflexes ein gefährlicher Sekretstau entstehen, sodass die Indikation zu dieser Kombinationsbehandlung besonders sorgfältig gestellt werden sollte.

<u>Welche anderen Mittel werden von Ambroxolhydrochlorid-Tabletten 30 mg beeinflusst?</u>

Die gleichzeitige Einnahme von Ambroxolhydrochlorid-Tabletten 30 mg und antibakteriell wirksamen Substanzen (Amoxicillin, Cefuroxim, Erythromycin, Doxycyclin) kann zu einem verbesserten Übertritt der Antibiotika in das Lungengewebe führen.

9.6 Dosierungsanleitung, Art und Dauer der Anwendung

Die folgenden Angaben gelten, soweit Ihnen Ihr Arzt Ambroxolhydrochlorid-Tabletten 30 mg nicht anders verordnet hat. Bitte halten Sie sich an die Anwendungsvorschriften, da Ambroxolhydrochlorid-Tabletten 30 mg sonst nicht richtig wirken können.

Wie viel und wie oft sollten Sie Ambroxolhydrochlorid-Tabletten 30 mg einnehmen?

Kinder von 6 bis 12 Jahren:

Es werden 2- bis 3-mal täglich je $1/2$ Tablette mit je 15 mg Ambroxolhydrochlorid eingenommen (= 30–45 mg Ambroxolhydrochlorid/Tag).

Kinder ab 12 Jahren und Erwachsene:

Normalerweise werden während der ersten 2–3 Tage 3-mal täglich je 1 Tablette zu 30 mg Ambroxolhydrochlorid (= 60–90 mg Ambroxolhydrochlorid/Tag), danach 2-mal täglich je 1 Tablette zu 30 mg Ambroxolhydrochlorid (= 60 mg Ambroxolhydrochlorid/Tag) eingenommen.

Hinweis:

Wenn Sie an einer eingeschränkten Nierenfunktion oder einer schweren Lebererkrankung leiden, müssen die Einnahmeabstände von Ambroxolhydrochlorid-Tabletten 30 mg vergrößert oder die Dosis vermindert werden.

Wie und wann sollten Sie Ambroxolhydrochlorid-Tabletten 30 mg einnehmen?

Die Tabletten werden nach den Mahlzeiten unzerkaut mit reichlich Flüssigkeit (z. B. Wasser, Tee oder Saft) eingenommen.

Hinweis:

Die schleimlösende Wirkung von Ambroxolhydrochlorid-Tabletten 30 mg wird durch Flüssigkeitszufuhr verbessert.

Wie lange sollten Sie Ambroxolhydrochlorid-Tabletten 30 mg anwenden?

Die Dauer der Anwendung richtet sich nach Art und Schwere der Erkrankung und sollte vom behandelnden Arzt entschieden werden.

Nehmen Sie Ambroxolhydrochlorid-Tabletten 30 mg ohne ärztlichen Rat nicht länger als 4–5 Tage lang ein.

9.7 Überdosierung und andere Anwendungsfehler

Was ist zu tun, wenn Ambroxolhydrochlorid-Tabletten 30 mg in großen Mengen angewendet wurde (beabsichtigte oder versehentliche Überdosierung)?

Vergiftungserscheinungen sind bei Überdosierung von Ambroxolhydrochlorid nicht beobachtet worden. Es ist über kurzzeitige Unruhe und Durchfall berichtet worden.

Bei versehentlicher oder beabsichtigter extremer Überdosierung können vermehrte Speichelsekretion, Würgereiz, Erbrechen und Blutdruckabfall auftreten.

Setzen Sie sich mit einem Arzt in Verbindung. Akutmaßnahmen, wie Auslösen von Erbrechen und Magenspülung, sind nicht generell angezeigt und nur bei extremer Überdosierung zu erwägen. Empfohlen wird eine Therapie entsprechend den auftretenden Erscheinungen der Überdosierung.

Was müssen Sie beachten, wenn Sie zu wenig Ambroxolhydrochlorid-Tabletten 30 mg eingenommen oder die Einnahme vergessen haben?

Wenn Sie einmal vergessen haben, Ambroxolhydrochlorid-Tabletten 30 mg einzunehmen oder zu wenig eingenommen haben, setzen Sie bitte beim nächsten

Mal die Einnahme von Ambroxolhydrochlorid-Tabletten 30 mg, wie in der Dosierungsanleitung beschrieben, fort.

Was müssen Sie beachten, wenn Sie die Behandlung unterbrechen oder vorzeitig beenden wollen?

Hier sind bei bestimmungsgemäßer Anwendung von Ambroxolhydrochlorid-Tabletten 30 mg keine Besonderheiten zu beachten.

9.8 Nebenwirkungen

Welche Nebenwirkungen können bei der Anwendung von Ambroxolhydrochlorid-Tabletten 30 mg auftreten?

In seltenen Fällen können folgende Nebenwirkungen auftreten:

Magen-Darm-Beschwerden (z. B. Übelkeit und Bauchschmerzen), Unverträglichkeitsreaktionen (allergische Reaktionen) an der Haut und Schleimhaut (z. B. Schwellung, Ausschlag, Rötung, Juckreiz), Atemnot, Gesichtsschwellung, Temperaturanstieg mit Schüttelfrost.

Ferner können nach Gabe von Ambroxolhydrochlorid-Tabletten 30 mg in seltenen Fällen Trockenheit des Mundes und der Atemwege, vermehrter Speichelfluss, vermehrte Sekretion der Nase, Darmträgheit und erschwertes Wasserlassen auftreten.

In Einzelfällen können plötzliche heftige Überempfindlichkeitsreaktionen, verbunden mit schweren Kreislaufstörungen, auftreten (anaphylaktischer Schock). In diesem Fall muss sofort ein Arzt zu Hilfe gerufen werden.

In einem Fall ist über das Auftreten einer allergischen Hautentzündung (Kontaktdermatitis) berichtet worden.

Wenn Sie Nebenwirkungen bei sich beobachten, die nicht in dieser Packungsbeilage aufgeführt sind oder die Ihnen schwerwiegend erscheinen, teilen Sie diese bitte Ihrem Arzt oder Apotheker mit.

Welche Gegenmaßnahmen sind bei Nebenwirkungen zu ergreifen?

Bei den ersten Anzeichen einer Überempfindlichkeitsreaktion dürfen Ambroxolhydrochlorid-Tabletten 30 mg nicht nochmals eingenommen werden. Informieren Sie Ihren Arzt, damit der über den Schweregrad und gegebenenfalls erforderliche weitere Maßnahmen entscheiden kann.

9.9 Hinweis

Vor Licht geschützt aufbewahren.

10 **Fachinformation**

Nach § 11 a AMG, insbesondere:

10.1 Verschreibungsstatus/Apothekenpflicht

Apothekenpflichtig.

10.2 Stoff- oder Indikationsgruppe

Benzylamin-Derivat, Broncho-Sekretolytikum.

10.3 Anwendungsgebiete

Sekretolytische Therapie bei akuten und chronischen bronchopulmonalen Erkrankungen, die mit Störung von Schleimbildung und -transport einhergehen.

10.4 Gegenanzeigen

Das Arzneimittel darf nicht gegeben werden bei Überempfindlichkeit gegen Ambroxol.

Bei gestörter Bronchomotorik und größeren Sekretmengen (z. B. beim seltenen malignen Ziliensyndrom) sollten Ambroxolhydrochlorid-Tabletten 30 mg wegen eines möglichen Sekretstaus nur mit Vorsicht verwendet werden.

Bei eingeschränkter Nierenfunktion oder einer schweren Lebererkrankung dürfen Ambroxolhydrochlorid-Tabletten 30 mg nur mit besonderer Vorsicht (d. h. in größeren Einnahmeabständen oder in verminderter Dosis) angewendet werden. Ambroxolhydrochlorid-Tabletten 30 mg dürfen bei Kindern unter 2 Jahren nur unter ärztlicher Kontrolle angewendet werden.

Anwendung in Schwangerschaft und Stillzeit:

Ambroxolhydrochlorid-Tabletten 30 mg sollten während der Schwangerschaft, insbesondere während des ersten Drittels, und in der Stillzeit nur nach sorgfältiger Nutzen-Risiko-Abwägung eingesetzt werden, da bisher keine ausreichenden Erfahrungen über den Einsatz am Menschen vorliegen.

10.5 Nebenwirkungen

In seltenen Fällen können Magen-Darm-Beschwerden (z. B. Übelkeit und Bauchschmerzen) sowie allergische Reaktionen (z. B. Hautausschlag, Gesichtsschwellungen, Atemnot, Temperaturanstieg mit Schüttelfrost) auftreten. Ferner wurde nach Gabe von Ambroxol in seltenen Fällen über Trockenheit des Mundes und der Atemwege, Sialorrhoe, Rhinorrhoe, Obstipation und Dysurie berichtet.

In Einzelfällen wurde über das Auftreten eines anaphylaktischen Schocks berichtet, weiterhin liegt ein Einzelfallbericht einer allergischen Kontaktdermatitis vor.

10.6 Wechselwirkungen mit anderen Mitteln

Bei kombinierter Anwendung von Ambroxol mit Antitussiva kann aufgrund des eingeschränkten Hustenreflexes ein gefährlicher Sekretstau entstehen, sodass die Indikation zu dieser Kombinationsbehandlung besonders sorgfältig gestellt werden sollte.

Es ist über eine verstärkte Penetration der Antibiotika Amoxicillin, Cefuroxim und Erythromycin in das Bronchialsekret berichtet worden, wenn diese zusammen mit Ambroxol verabreicht wurden. Diese Interaktion wird beim Doxycyclin bereits therapeutisch genutzt.

10.7 Warnhinweise

Keine.

10.8 Wichtigste Inkompatibilitäten

Bisher keine bekannt.

10.9 Dosierung mit Einzel- und Tagesgaben

Für Ambroxolhydrochlorid-Tabletten 30 mg werden folgende Dosierungen empfohlen:

Kinder von 6 bis 12 Jahren:

2- bis 3-mal täglich je $1/2$ Tablette mit je 15 mg Ambroxolhydrochlorid einnehmen (= 30–45 mg Ambroxolhydrochlorid/Tag).

Kinder ab 12 Jahren und Erwachsene:

Normalerweise werden während der ersten 2–3 Tage 3-mal täglich je 1 Tablette (= 60–90 mg Ambroxolhydrochlorid/Tag), danach 2-mal täglich je 1 Tablette mit je 30 mg Ambroxolhydrochlorid (= 60 mg Ambroxolhydrochlorid/Tag) eingenommen.

Hinweis:

Bei eingeschränkter Nierenfunktion oder einer schweren Lebererkrankung müssen die Einnahmeabstände von Ambroxolhydrochlorid-Tabletten 30 mg vergrößert oder die Dosis vermindert werden.

10.10 Art und Dauer der Anwendung

Die Tabletten werden nach den Mahlzeiten unzerkaut mit reichlich Flüssigkeit (z. B. Wasser, Tee oder Saft) eingenommen.

Über die Dauer der Anwendung sollte je nach Indikation und Krankheitsverlauf individuell entschieden werden.

Ohne ärztlichen Rat sollten Ambroxolhydrochlorid-Tabletten 30 mg nicht länger als 4–5 Tage eingenommen werden.

Hinweis:

Die schleimlösende Wirkung von Ambroxol wird durch Flüssigkeitszufuhr unterstützt.

10.11 Notfallmaßnahmen, Symptome und Gegenmittel

Symptome einer Überdosierung:

Intoxikationen sind bei Überdosierung von Ambroxol nicht beobachtet worden. Es ist über kurzzeitige Unruhe und Durchfall berichtet worden.

Ambroxol wurde bei parenteraler Gabe bis zu einer Dosierung von 15 mg/kg/Tag und bei oraler Gabe bis zu 25 mg/kg/Tag gut vertragen.

In Analogie zu vorklinischen Untersuchungen können bei extremer Überdosierung vermehrte Speichelsekretion, Würgereiz, Erbrechen und Blutdruckabfall auftreten.

Therapiemaßnahmen bei Überdosierung:

Akutmaßnahmen, wie Auslösen von Erbrechen und Magenspülung, sind nicht generell angezeigt und nur bei extremer Überdosierung zu erwägen. Empfohlen wird eine symptomatische Therapie.

10.12 Pharmakologische und toxikologische Eigenschaften, Pharmakokinetik, Bioverfügbarkeit, soweit diese Angaben für die therapeutische Verwendung erforderlich sind

10.12.1 Pharmakologische Eigenschaften

Ambroxol ist ein aktiver N-Desmethyl-Metabolit des Bromhexins. Obgleich sein Wirkungsmechanismus noch nicht vollständig aufgeklärt ist, wurden jedoch sekretolytische und sekretomotorische Effekte in verschiedenen Untersuchungen gefunden. Im Tierversuch steigert es den Anteil des serösen Bronchialsekretes. Durch die Verminderung der Viskosität und die Aktivierung des Flimmerepithels soll der Abtransport des Schleims gefördert werden.

Darüber hinaus wurde eine Steigerung der Synthese und Sekretion von Surfactant („Surfactant-Aktivierung") nach Ambroxol-Gabe berichtet, ferner wurden Hinweise für eine Erhöhung der Permeabilität der Gefäß-Bronchialschranke gefunden.

Durchschnittlich tritt die Wirkung bei oraler Verabreichung nach 30 Minuten ein und hält je nach Höhe der Einzeldosis 6–12 Stunden an.

10.12.2 Toxikologische Eigenschaften

Akute Toxizität:

Untersuchungen zur akuten Toxizität am Tier haben keine besondere Empfindlichkeit ergeben. Da die LD_{50} für Ambrosol bei der Ratte 13,5 g/kg Körpermasse beträgt, kann man auch für den Menschen auf eine sehr geringe Toxizität schließen. Siehe auch Punkt 10.11 „Notfallmaßnahmen, Symptome und Gegenmittel".

Chronische Toxizität/Subchronische Toxizität:

Untersuchungen zur chronischen Toxizität an zwei Tierspezies zeigten keine substanzbedingten Veränderungen.

Tumorerzeugendes und mutagenes Potenzial:

Langzeituntersuchungen am Tier ergaben keine Hinweise auf ein tumorerzeugendes Potenzial von Ambroxol.

Ambroxol wurde bisher keiner ausführlichen Mutagenitätsprüfung unterzogen; Anhaltspunkte über mutagene Wirkungen liegen dennoch nicht vor.

Reproduktionstoxizität:

Embryotoxizitätsuntersuchungen an Ratte bzw. Kaninchen haben bis zu einer Dosis von 3 g/kg/Tag bzw. 200 mg/kg/Tag keine Hinweise auf ein teratogenes Potenzial ergeben. Die peri- und postnatale Entwicklung von Ratten war erst oberhalb einer Dosis von 500 mg/kg/Tag beeinträchtigt. Fertilitätsstörungen wurden bei Ratten bis zu einer Dosis von 1,5 g/kg/Tag nicht beobachtet.

Ambroxol überwindet die Plazentaschranke und geht beim Tier in die Muttermilch über. Mit der Anwendung beim Menschen bis zur 28. Schwangerschaftswoche und während der Stillzeit liegen bisher keine Erfahrungen vor.

10.12.3 Pharmakokinetik

Ambroxol wird beim Menschen nach oraler Gabe rasch und nahezu vollständig resorbiert. T_{max} nach oraler Gabe beträgt 1–3 Stunden. Die absolute Bioverfügbarkeit von Ambroxol ist bei oraler Gabe durch einen First-pass-Metabolismus um ca. $^1/_3$ vermindert. Es entstehen dabei nierengängige Metaboliten (z. B. Dibromanthranilsäure, Glukuronide). Die Bindung an Plasmaproteine beträgt ca. 85 % (80–90 %). Die terminale Halbwertszeit im Plasma liegt bei 7–12 Stunden. Die Plasmahalbwertszeit der Summe aus Ambroxol und seiner Metaboliten beträgt ca. 22 Stunden.

Die Ausscheidung erfolgt zu 90 % renal in Form der in der Leber gebildeten Metaboliten. Weniger als 10 % der renalen Ausscheidung ist dem unveränderten Ambroxol zuzuordnen.

Aufgrund der hohen Proteinbindung und des hohen Verteilungsvolumens sowie der langsamen Rückverteilung aus Gewebe ins Blut ist keine wesentliche Elimination von Ambroxol durch Dialyse oder forcierte Diurese zu erwarten. Bei schweren Lebererkrankungen wird die Clearance von Ambroxol um 20–40 % verringert. Bei schwerer Nierenfunktionsstörung ist die Eliminationshalbwertszeit für die Metaboliten von Ambroxol verlängert. Ambroxol ist liquor- und plazentagängig und tritt in die Muttermilch über.

10.12 Sonstige Hinweise

Keine.

10.13 Besondere Lager- und Aufbewahrungshinweise

Vor Licht und Feuchtigkeit geschützt aufbewahren.

Ambroxolhydrochlorid-Tropfen 1,5 %

1 **Bezeichnung des Fertigarzneimittels**

Ambroxolhydrochlorid-Tropfen 1,5 %

2 **Darreichungsform**

Lösung

3 **Zusammensetzung**

Arzneilich wirksamer Bestandteil:

Ambroxolhydrochlorid	1,5 g

Sonstiger wirksamer Bestandteil:

Benzoesäure	0,125 g

Weitere Bestandteile:

Sorbitol-Lösung 70 % (kristallisierend)	30,0 g
Glycerol 85 %	10,0 g
Wasserfreie Citronensäure	0,5 g
Natriumcyclamat	0,12 g
Natriumhydroxid-Lösung 8,5 % zur Einstellung auf pH-Wert 3,5	q. s.
Gereinigtes Wasser	zu 100,0 ml

4 **Herstellungsvorschrift**

Die für die Herstellung einer Charge erforderlichen Mengen Sorbitol-Lösung 70 % und Glycerol 85 % werden mit etwa einem Drittel der benötigten Menge Wasser gemischt und die Mischung unter Rühren kurz aufgekocht. In der heißen Lösung werden dann die erforderlichen Mengen Benzoesäure, wasserfreie Citronensäure und Ambroxolhydrochlorid gelöst. Nach dem Abkühlen der Lösung auf ca. 30 bis 40 °C wird die erforderliche Menge Natriumcyclamat gelöst und der größte Teil des noch fehlenden Wassers zugegeben. Durch Zugabe von Natriumhydroxid-Lösung 8,5 % wird der pH-Wert auf 3,5 eingestellt. Abschließend wird die Lösung mit dem restlichen Wasser auf das erforderliche Volumen bzw. die erforderliche Masse gebracht und dann in die vorgesehenen Behältnisse abgefüllt.

5 **Inprozess-Kontrollen**

Überprüfung

– der relativen Dichte (AB. 2.2.5): 1,100 bis 1,105

sowie

– des pH-Wertes (AB. 2.2.3): 3,4 bis 3,6.

6 Eigenschaften und Prüfungen

6.1 Aussehen, Eigenschaften

Klare (AB. 2.2.1), farblose bis höchstens schwach gelbstichige Lösung; pH-Wert (AB. 2.2.3) zwischen 3,4 und 3,7; relative Dichte (AB. 2.2.5) zwischen 1,100 bis 1,110.

6.2 Prüfung auf Identität

1. Die Prüfung erfolgt mit Hilfe der Dünnschichtchromatographie (AB. 2.2.27) unter Verwendung einer Schicht von Kieselgel GF_{254} R.

   Untersuchungslösung: Ambroxolhydrochlorid-Tropfen 1,5 % werden zu gleichen Teilen mit Methanol R verdünnt.

   Referenzlösung: 75 mg eines als Standard geeigneten Ambroxolhydrochlorids, 6,25 mg einer als Standard geeigneten Benzoesäure sowie 1,5 g Sorbitol-Lösung 70 % (kristallisierend) und 0,5 g Glycerol 85 % werden in Methanol R zu 10 ml gelöst.

   Auf die Platte werden getrennt 10 µl jeder Lösung aufgetragen. Die Chromatographie erfolgt mit einer Mischung von 82 Volumteilen 1-Butanol R, 6 Volumteilen Essigsäure 98 % R und 12 Volumteilen Wasser über eine Laufstrecke von 15 cm. Nach dem Trocknen der Platte an der Luft erfolgt die Auswertung im ultravioletten Licht bei 254 nm. Das Chromatogramm der Untersuchungslösung zeigt u. a. Flecke, die in Bezug auf Lage und Intensität annähernd den Flecken des Ambroxolhydrochlorids und der Benzoesäure im Chromatogramm der Referenzlösung entsprechen.

2. 5 ml Ambroxolhydrochlorid-Tropfen 1,5 % geben die Identitätsreaktion a) auf Chlorid (AB. 2.3.1).

6.3 Gehalt

95,0 bis 105,0 Prozent der deklarierten Menge an Ambroxolhydrochlorid sowie höchstens 110,0 Prozent und mindestens eine Menge an Benzoesäure, die ausreicht, die Anforderungen an die „Prüfung auf ausreichende antimikrobielle Konservierung" (AB. 5.1.3) zu erfüllen.

Die Bestimmung erfolgt mit Hilfe der Flüssigkeitschromatographie (AB. 2.2.29).

Untersuchungslösung: 1,50 g Ambroxolhydrochlorid-Tropfen 1,5 % werden in Wasser zu 50,0 ml gelöst.

Referenzlösung a: 20,0 mg eines als Standard geeigneten Ambroxolhydrochlorids sowie 2,0 mg einer als Standard geeigneten Benzoesäure werden zunächst mit 1 ml Acetonitril R versetzt und nach ca. zweiminütigem Umschwenken mit Wasser zu 50,0 ml gelöst.

Referenzlösung b: 5,0 mg eines als Standard geeigneten Ambroxolhydrochlorids werden in 0,2 ml Methanol R gelöst, mit 0,04 ml einer Mischung von 1,0 ml Formaldehyd-Lösung R und 99 ml Wasser versetzt und 5 Minuten lang auf 60 °C erwärmt. Die Lösung wird im Stickstoffstrom zur Trockne eingedampft, der Rückstand wird in Wasser zu 20,0 ml gelöst.

Die Chromatographie kann durchgeführt werden mit:

- einer Säule aus rostfreiem Stahl von 0,125 m Länge und 4,6 mm innerem Durchmesser, gepackt mit cyanopropylsilyliertem Kieselgel zur Chromatographie R (5 µm)
- einer Lösung von 0,34 % Tetrabutylammoniumhydrogensulfat R und 0,68 % Kaliumdihydrogenphosphat R in Wasser, die mit festem Natriummonohydrogenphosphat R auf einen pH-Wert von 3,5 eingestellt wird, als Eluent A und Acetonitril als Eluent B als mobiler Phase bei einer Durchflussrate von 1 ml je Minute. Das Eluentenverhältnis wird für die ersten 2 Minuten konstant bei 0 % Eluent B und dann während der folgenden 9 Minuten stufenlos auf 20 % Eluent B verändert
- einem Spektrofotometer mit Wellenlängenschaltung oder einem Dioden-Array-Detektor mit multipler Wellenlängenaufzeichnung als Detektor bei einer Wellenlänge von 310 nm für Ambroxol und 230 nm für Benzoesäure bzw. 246 nm für die Referenzlösung b.

Die Säule wird mit der mobilen Phase mit 20 % Eluent B bei einer Durchflussrate von 1 ml je Minute etwa 30 Minuten äquilibriert und vor jeder neuen Injektion mindestens 5 Minuten mit der mobilen Phase in der Ausgangszusammensetzung gespült. 20 µl Referenzlösung b werden eingespritzt. Die Prüfung darf nur ausgewertet werden, wenn im Chromatogramm 2 Hauptpeaks auftreten, deren Auflösung mindestens 6,0 beträgt.

Je 20 µl Untersuchungslösung und Referenzlösung a werden jeweils 3-mal getrennt eingespritzt. Die drei Flächenwerte jedes Peaks dieser Lösungen werden gemittelt. Aus den Mittelwerten wird der Gehalt an Ambroxolhydrochlorid und Benzoesäure nach der Methode des externen Standards berechnet.

$$\text{mg Ambroxolhydrochlorid pro ml Tropfen} = \frac{F_U \times E_R \times \rho}{E_U \times F_R}$$

F_U = Fläche des Ambroxolpeaks im Chromatogramm der Untersuchungslösung

F_R = Fläche des Ambroxolpeaks im Chromatogramm der Referenzlösung a

E_U = Einwaage an Ambroxolhydrochlorid-Tropfen 1,5 % für die Untersuchungslösung in g

E_R = Einwaage an Standard Ambroxolhydrochlorid für die Referenzlösung a in mg

ρ = relative Dichte von Ambroxolhydrochlorid-Tropfen 1,5 %

$$\text{mg Benzoesäure pro ml Tropfen} = \frac{F_U \times E_R \times \rho}{E_U \times F_R}$$

F_U = Fläche des Benzoesäurepeaks im Chromatogramm der Untersuchungslösung

F_R = Fläche des Benzoesäurepeaks im Chromatogramm der Referenzlösung a

E_U = Einwaage an Ambroxolhydrochlorid-Tropfen 1,5 % für die Untersuchungslösung in g

E_R = Einwaage an Standard Benzoesäure für die Referenzlösung a in mg

ρ = relative Dichte von Ambroxolhydrochlorid-Tropfen 1,5 %

6.4 Haltbarkeit

Die Haltbarkeit in den Behältnissen nach 7 beträgt 3 Jahre.

7 **Behältnisse**

Braunglas-Gewindeflaschen mit Schraubkappen aus Polypropylen und Senkrechttropfern aus Polyethylen sowie Messgefäßen mit einer Einteilung von 0,5, 1 und 2 ml, die eine CE-Kennzeichnung gemäß Medizinproduktegesetz tragen.

8 **Kennzeichnung**

Nach § 10 AMG, insbesondere:

8.1 Zulassungsnummer

2309.99.96

8.2 Art der Anwendung

Zum Einnehmen.

8.3 Hinweise

Apothekenpflichtig.

Vor Licht geschützt lagern.

9 **Packungsbeilage**

Nach § 11 AMG, insbesondere:

9.1 Stoff- oder Indikationsgruppe

Arzneimittel zur Schleimlösung bei Atemwegserkrankungen mit zähem Schleim (Expektorans).

9.2 Anwendungsgebiete

Zur schleimlösenden Therapie bei akuten und chronischen Erkrankungen der Bronchien und der Lunge mit zähem Schleim.

Ambroxolhydrochlorid-Tropfen 1,5 % dürfen bei Kindern unter 2 Jahren nur unter ärztlicher Kontrolle angewendet werden.

9.3 Gegenanzeigen

<u>Wann dürfen Sie Ambroxolhydrochlorid-Tropfen 1,5 % nicht anwenden?</u>

Sie dürfen Ambroxolhydrochlorid-Tropfen 1,5 % nicht anwenden bei bekannter Überempfindlichkeit gegen Ambroxolhydrochlorid, den Wirkstoff von Ambroxolhydrochlorid-Tropfen 1,5 %, oder einen der sonstigen Bestandteile.

<u>Wann dürfen Sie Ambroxolhydrochlorid-Tropfen 1,5 % erst nach Rücksprache mit Ihrem Arzt anwenden?</u>

Im Folgenden wird beschrieben, wann Sie Ambroxolhydrochlorid-Tropfen 1,5 % nur unter bestimmten Bedingungen und nur mit besonderer Vorsicht anwenden dürfen. Befragen Sie hierzu bitte Ihren Arzt. Dies gilt auch, wenn diese Angaben bei Ihnen früher einmal zutrafen.

Wenn Sie an einer eingeschränkten Nierenfunktion oder einer schweren Lebererkrankung leiden, dürfen Ambroxolhydrochlorid-Tropfen 1,5 % nur mit besonderer Vorsicht (d. h. in größeren Einnahmeabständen oder in verminderter Dosis) angewendet werden.

Bei einigen seltenen Erkrankungen der Bronchien, die mit übermäßiger Sekretansammlung einhergehen (z. B. malignes Ziliensyndrom), sollten Ambroxolhydrochlorid-Tropfen 1,5 % wegen eines möglichen Sekretstaus nur mit besonderer Vorsicht, d. h. unter ärztlicher Kontrolle, angewendet werden.

<u>Was müssen Sie in der Schwangerschaft und Stillzeit beachten?</u>

Ambroxolhydrochlorid-Tropfen 1,5 % sollten während der Schwangerschaft, insbesondere während des ersten Drittels, und der Stillzeit nur nach sorgfältiger Nutzen-Risiko-Abwägung eingesetzt werden, da bisher keine ausreichenden Erfahrungen über den Einsatz am Menschen vorliegen.

9.4 Vorsichtsmaßnahmen für die Anwendung und Warnhinweise

<u>Was müssen Sie im Straßenverkehr sowie bei der Arbeit mit Maschinen und bei Arbeiten ohne sicheren Halt beachten?</u>

Es sind keine Besonderheiten zu beachten.

9.5 Wechselwirkungen mit anderen Mitteln

<u>Welche anderen Arzneimittel beeinflussen die Wirkung von Ambroxolhydrochlorid-Tropfen 1,5 %?</u>

Beachten Sie bitte, dass diese Angaben auch für vor kurzem angewandte Arzneimittel gelten können.

Bei kombinierter Anwendung von Ambroxolhydrochlorid-Tropfen 1,5 % und hustenstillenden Mitteln (Antitussiva) kann aufgrund des eingeschränkten Hustenreflexes ein gefährlicher Sekretstau entstehen, sodass die Indikation zu dieser Kombinationsbehandlung besonders sorgfältig gestellt werden sollte.

<u>Welche anderen Mittel werden von Ambroxolhydrochlorid-Tropfen 1,5 % beeinflusst?</u>

Die gleichzeitige Einnahme von Ambroxolhydrochlorid-Tropfen 1,5 % und antibakteriell wirksamen Substanzen (Amoxicillin, Cefuroxim, Erythromycin, Doxycyclin) kann zu einem verbesserten Übertritt der Antibiotika in das Lungengewebe führen.

9.6 Dosierungsanleitung, Art und Dauer der Anwendung

Die folgenden Angaben gelten, soweit Ihnen Ihr Arzt Ambroxolhydrochlorid-Tropfen 1,5 % nicht anders verordnet hat. Bitte halten Sie sich an die Anwendungsvorschriften, da Ambroxolhydrochlorid-Tropfen 1,5 % sonst nicht richtig wirken können.

<u>Wie viel und wie oft sollten Sie Ambroxolhydrochlorid-Tropfen 1,5 % einnehmen?</u>

Kinder bis zu 2 Jahren:

Es werden 2-mal täglich je $^1/_2$ ml Lösung, entsprechend ... Tropfen, eingenommen (= 15 mg Ambroxolhydrochlorid/Tag).

Kinder von 2 bis 5 Jahren:
Es werden 3-mal täglich je $^1/_2$ ml Lösung, entsprechend … Tropfen, eingenommen (= 22,5 mg Ambroxolhydrochlorid/Tag).

Kinder von 6 bis 12 Jahren:
Es werden 2- bis 3-mal täglich je 1 ml Lösung, entsprechend … Tropfen, eingenommen (= 30–45 mg Ambroxolhydrochlorid/Tag).

Kinder ab 12 Jahren und Erwachsene:
Normalerweise werden während der ersten 2–3 Tage 3-mal täglich je 2 ml Lösung, entsprechend … Tropfen (= 90 mg Ambroxolhydrochlorid/Tag), danach 2-mal täglich je 2 ml Lösung, entsprechend … Tropfen (= 60 mg Ambroxolhydrochlorid/Tag) eingenommen.

Hinweise:
Wenn Sie an einer eingeschränkten Nierenfunktion oder einer schweren Lebererkrankung leiden, müssen die Einnahmeabstände von Ambroxolhydrochlorid-Tropfen 1,5 % vergrößert oder die Dosis vermindert werden.

Dieses Arzneimittel enthält in 1 ml 0,21 g Sorbitol. Bei Beachtung der Dosierungsanleitung werden bei jeder Anwendung pro Milliliter ca. 0,02 Broteinheiten zugeführt.

<u>Wie und wann sollten Sie Ambroxolhydrochlorid-Tropfen 1,5 % einnehmen?</u>
Ambroxolhydrochlorid-Tropfen 1,5 % werden mit Hilfe des beigefügten Messgefäßes nach den Mahlzeiten in Flüssigkeit (z. B. Wasser, Tee oder Saft) verdünnt eingenommen.

Hinweis:
Die schleimlösende Wirkung von Ambroxolhydrochlorid-Tropfen 1,5 % wird durch Flüssigkeitszufuhr verbessert.

<u>Wie lange sollten Sie Ambroxolhydrochlorid-Tropfen 1,5 % anwenden?</u>
Die Dauer der Anwendung richtet sich nach Art und Schwere der Erkrankung und sollte vom behandelnden Arzt entschieden werden.

Nehmen Sie Ambroxolhydrochlorid-Tropfen 1,5 % ohne ärztlichen Rat nicht länger als 4–5 Tage ein.

9.7 Überdosierung und andere Anwendungsfehler

<u>Was ist zu tun, wenn Ambroxolhydrochlorid-Tropfen 1,5 % in großen Mengen angewendet wurde (beabsichtigte oder versehentliche Überdosierung)?</u>
Vergiftungserscheinungen sind bei Überdosierung von Ambroxolhydrochlorid nicht beobachtet worden. Es ist über kurzzeitige Unruhe und Durchfall berichtet worden.

Bei versehentlicher oder beabsichtigter extremer Überdosierung können vermehrte Speichelsekretion, Würgereiz, Erbrechen und Blutdruckabfall auftreten.

Setzen Sie sich mit einem Arzt in Verbindung. Akutmaßnahmen, wie Auslösen von Erbrechen und Magenspülung, sind nicht generell angezeigt und nur bei extremer Überdosierung zu erwägen. Empfohlen wird eine Therapie entsprechend den auftretenden Erscheinungen der Überdosierung.

Was müssen Sie beachten, wenn Sie zu wenig Ambroxolhydrochlorid-Tropfen 1,5 % eingenommen oder die Einnahme vergessen haben?

Wenn Sie einmal vergessen haben, Ambroxolhydrochlorid-Tropfen 1,5 % einzunehmen oder zu wenig eingenommen haben, setzen Sie bitte beim nächsten Mal die Einnahme von Ambroxolhydrochlorid-Tropfen 1,5 %, wie in der Dosierungsanleitung beschrieben, fort.

Was müssen Sie beachten, wenn Sie die Behandlung unterbrechen oder vorzeitig beenden wollen?

Hier sind bei bestimmungsgemäßer Anwendung von Ambroxolhydrochlorid-Tropfen 1,5 % keine Besonderheiten zu beachten.

9.8 Nebenwirkungen

Welche Nebenwirkungen können bei der Anwendung von Ambroxolhydrochlorid-Tropfen 1,5 % auftreten?

In seltenen Fällen können folgende Nebenwirkungen auftreten:

Magen-Darm-Beschwerden (z. B. Übelkeit und Bauchschmerzen), Unverträglichkeitsreaktionen (allergische Reaktionen) an der Haut und Schleimhaut (z. B. Schwellung, Ausschlag, Rötung, Juckreiz), Atemnot, Gesichtsschwellung, Temperaturanstieg mit Schüttelfrost.

Ferner können nach Gabe von Ambroxolhydrochlorid-Tropfen 1,5 % in seltenen Fällen Trockenheit des Mundes und der Atemwege, vermehrter Speichelfluss, vermehrte Sekretion der Nase, Darmträgheit und erschwertes Wasserlassen auftreten.

In Einzelfällen können plötzliche heftige Überempfindlichkeitsreaktionen, verbunden mit schweren Kreislaufstörungen, auftreten (anaphylaktischer Schock). In diesem Fall muss sofort ein Arzt zu Hilfe gerufen werden.

In einem Fall ist über das Auftreten einer allergischen Hautentzündung (Kontaktdermatitis) berichtet worden.

Wenn Sie Nebenwirkungen bei sich beobachten, die nicht in dieser Packungsbeilage aufgeführt sind oder die Ihnen schwerwiegend erscheinen, teilen Sie diese bitte Ihrem Arzt oder Apotheker mit.

Welche Gegenmaßnahmen sind bei Nebenwirkungen zu ergreifen?

Bei den ersten Anzeichen einer Überempfindlichkeitsreaktion dürfen Ambroxolhydrochlorid-Tropfen 1,5 % nicht nochmals eingenommen werden. Informieren Sie Ihren Arzt, damit dieser über den Schweregrad und gegebenenfalls erforderliche weitere Maßnahmen entscheiden kann.

9.9 Hinweis

Vor Licht geschützt aufbewahren.

10 Fachinformation

Nach § 11a AMG, insbesondere:

10.1 Verschreibungsstatus/Apothekenpflicht

Apothekenpflichtig.

10.2 Stoff- oder Indikationsgruppe

Benzylamin-Derivat, Broncho-Sekretolytikum.

10.3 Anwendungsgebiete

Sekretolytische Therapie bei akuten und chronischen bronchopulmonalen Erkrankungen, die mit einer Störung von Schleimbildung und -transport einhergehen.

10.4 Gegenanzeigen

Das Arzneimittel darf nicht gegeben werden bei Überempfindlichkeit gegen Ambroxol.

Bei gestörter Bronchomotorik und größeren Sekretmengen (z. B. beim seltenen malignen Ziliensyndrom) sollten Ambroxolhydrochlorid-Tropfen 1,5 % wegen eines möglichen Sekretstaus nur mit Vorsicht verwendet werden.

Bei eingeschränkter Nierenfunktion oder einer schweren Lebererkrankung dürfen Ambroxolhydrochlorid-Tropfen 1,5 % nur mit besonderer Vorsicht (d. h. in größeren Einnahmeabständen oder in verminderter Dosis) angewendet werden.

Ambroxolhydrochlorid-Tropfen 1,5 % dürfen bei Kindern unter 2 Jahren nur unter ärztlicher Kontrolle angewendet werden.

Anwendung in Schwangerschaft und Stillzeit:

Ambroxolhydrochlorid-Tropfen 1,5 % sollten während der Schwangerschaft, insbesondere während des ersten Drittels, und in der Stillzeit nur nach sorgfältiger Nutzen-Risiko-Abwägung eingesetzt werden, da bisher keine ausreichenden Erfahrungen über den Einsatz am Menschen vorliegen.

10.5 Nebenwirkungen

In seltenen Fällen können Magen-Darm-Beschwerden (z. B. Übelkeit und Bauchschmerzen) sowie allergische Reaktionen (z. B. Hautausschlag, Gesichtsschwellungen, Atemnot, Temperaturanstieg mit Schüttelfrost) auftreten. Ferner wurde nach Gabe von Ambroxol in seltenen Fällen über Trockenheit des Mundes und der Atemwege, Sialorrhoe, Rhinorrhoe, Obstipation und Dysurie berichtet.

In Einzelfällen wurde über das Auftreten eines anaphylaktischen Schocks berichtet, weiterhin liegt ein Einzelfallbericht einer allergischen Kontaktdermatitis vor.

10.6 Wechselwirkungen mit anderen Mitteln

Bei kombinierter Anwendung von Ambroxol mit Antitussiva kann aufgrund des eingeschränkten Hustenreflexes ein gefährlicher Sekretstau entstehen, sodass die Indikation zu dieser Kombinationsbehandlung besonders sorgfältig gestellt werden sollte.

Es ist über eine verstärkte Penetration der Antibiotika Amoxicillin, Cefuroxim und Erythromycin in das Bronchialsekret berichtet worden, wenn diese zusammen mit Ambroxol verabreicht wurden. Diese Interaktion wird beim Doxycyclin bereits therapeutisch genutzt.

10.7 Warnhinweise

Keine.

10.8 Wichtigste Inkompatibilitäten

Bisher keine bekannt.

10.9 Dosierung mit Einzel- und Tagesgaben

Für Ambroxolhydrochlorid-Tropfen 1,5 % werden folgende Dosierungen empfohlen:

Kinder bis zu 2 Jahren:

2-mal täglich je $^1/_2$ ml Lösung, entsprechend ... Tropfen, einnehmen (= 15 mg Ambroxolhydrochlorid/Tag).

Kinder von 2 bis 5 Jahren:

3-mal täglich je $^1/_2$ ml Lösung, entsprechend ... Tropfen, einnehmen (= 22,5 mg Ambroxolhydrochlorid/Tag).

Kinder von 6 bis 12 Jahren:

2- bis 3-mal täglich je 1 ml Lösung, entsprechend ... Tropfen, einnehmen (= 30–45 mg Ambroxolhydrochlorid/Tag).

Kinder ab 12 Jahren und Erwachsene:

Normalerweise werden während der ersten 2–3 Tage 3-mal täglich je 2 ml Lösung, entsprechend ... Tropfen (= 90 mg Ambroxolhydrochlorid/Tag), danach 2-mal täglich je 2 ml Lösung, entsprechend ... Tropfen, eingenommen (= 60 mg Ambroxolhydrochlorid/Tag).

Hinweise:

Bei eingeschränkter Nierenfunktion oder einer schweren Lebererkrankung müssen die Einnahmeabstände von Ambroxolhydrochlorid-Tropfen 1,5 % vergrößert oder die Dosis vermindert werden.

Dieses Arzneimittel enthält in 1 ml 0,21 g Sorbitol. Bei Beachtung der Dosierungsanleitung werden bei jeder Anwendung pro Milliliter ca. 0,02 Broteinheiten zugeführt.

10.10 Art und Dauer der Anwendung

Die Tropfen werden mit Hilfe des beigefügten Messgefäßes nach den Mahlzeiten in Flüssigkeit (z. B. Wasser, Tee oder Saft) verdünnt eingenommen.

Übe die Dauer der Anwendung sollte je nach Indikation und Krankheitsverlauf individuell entschieden werden.

Ohne ärztlichen Rat sollten Ambroxolhydrochlorid-Tropfen 1,5 % nicht länger als 4–5 Tage eingenommen werden.

Hinweis:

Die schleimlösende Wirkung von Ambroxol wird durch Flüssigkeitszufuhr unterstützt.

10.11 Notfallmaßnahmen, Symptome und Gegenmittel

Symptome einer Überdosierung:

Intoxikationen sind bei Überdosierung von Ambroxol nicht beobachtet worden. Es ist über kurzzeitige Unruhe und Durchfall berichtet worden.

Ambroxol wurde bei parenteraler Gabe bis zu einer Dosierung von 15 mg/kg/Tag und bei oraler Gabe bis zu 25 mg/kg/Tag gut vertragen.

In Analogie zu vorklinischen Untersuchungen können bei extremer Überdosierung vermehrte Speichelsekretion, Würgereiz, Erbrechen und Blutdruckabfall auftreten.

Therapiemaßnahmen bei Überdosierung:

Akutmaßnahmen, wie Auslösen von Erbrechen und Magenspülung, sind nicht generell angezeigt und nur bei extremer Überdosierung zu erwägen. Empfohlen wird eine symptomatische Therapie.

10.12 Pharmakologische und toxikologische Eigenschaften, Pharmakokinetik, Bioverfügbarkeit, soweit diese Angaben für die therapeutische Verwendung erforderlich ist

10.12.1 Pharmakologische Eigenschaften

Ambroxol ist ein aktiver N-Desmethyl-Metabolit des Bromhexins. Obgleich sein Wirkungsmechanismus noch nicht vollständig aufgeklärt ist, wurden jedoch sekretolytische und sekretomotorische Effekte in verschiedenen Untersuchungen gefunden. Im Tierversuch steigert es den Anteil des serösen Bronchialsekretes. Durch die Verminderung der Viskosität und die Aktivierung des Flimmerepithels soll der Abtransport des Schleimes gefördert werden.

Darüber hinaus wurde eine Steigerung der Synthese und Sekretion von Surfactant („Surfactant-Aktivierung") nach Ambroxol-Gabe berichtet, ferner wurden Hinweise für eine Erhöhung der Permeabilität der Gefäß-Bronchialschranke gefunden.

Durchschnittlich tritt die Wirkung bei oraler Verabreichung nach 30 Minuten ein und hält je nach Höhe der Einzeldosis 6–12 Stunden an.

10.12.2 Toxikologische Eigenschaften

Akute Toxizität:

Untersuchungen zur akuten Toxizität am Tier haben keine besondere Empfindlichkeit ergeben. Da die LD_{50} für Ambroxol bei der Ratte 13,5 g/kg Körpermasse beträgt, kann man auch für den Menschen auf eine sehr geringe Toxizität schließen. Siehe auch Punkt 10.11 „Notfallmaßnahmen, Symptome und Gegenmittel".

Chronische Toxizität/Subchronische Toxizität:

Untersuchungen zur chronischen Toxizität an zwei Tierspezies zeigten keine substanzbedingten Veränderungen.

Tumorerzeugendes und mutagenes Potenzial:

Langzeituntersuchungen am Tier ergaben keine Hinweise auf ein tumorerzeugendes Potenzial von Ambroxol.

Ambroxol wurde bisher keiner ausführlichen Mutagenitätsprüfung unterzogen; Anhaltspunkte über mutagene Wirkungen liegen dennoch nicht vor.

Reproduktionstoxizität:

Embryotoxizitätsuntersuchungen an Ratte bzw. Kaninchen haben bis zu einer Dosis von 3 g/kg/Tag bzw. 200 mg/kg/Tag keine Hinweise auf ein teratogenes Potenzial ergeben. Die peri- und postnatale Entwicklung von Ratten war erst oberhalb einer Dosis von 500 mg/kg/Tag beeinträchtigt. Fertilitätsstörungen wurden bei Ratten bis zu einer Dosis von 1,5 g/kg/Tag nicht beobachtet.

Ambroxol überwindet die Plazentaschranke und geht beim Tier in die Muttermilch über. Mit der Anwendung beim Menschen bis zur 28. Schwangerschaftswoche und während der Stillzeit liegen bisher keine Erfahrungen vor.

10.12.3 Pharmakokinetik

Ambroxol wird beim Menschen nach oraler Gabe rasch und nahezu vollständig resorbiert. T_{max} nach oraler Gabe beträgt 1–3 Stunden. Die absolute Bioverfügbarkeit von Ambroxol ist bei oraler Gabe durch einen First-pass-Metabolismus um ca. $1/3$ vermindert. Es entstehen dabei nierengängige Metaboliten (z. B. Dibromanthranilsäure, Glukuronide). Die Bindung an Plasmaproteine beträgt ca. 85 % (80–90 %). Die terminale Halbwertszeit im Plasma liegt bei 7–12 Stunden. Die Plasmahalbwertszeit der Summe aus Ambroxol und seiner Metaboliten beträgt ca. 22 Stunden.

Die Ausscheidung erfolgt zu 90 % renal in Form der in der Leber gebildeten Metaboliten. Weniger als 10 % der renalen Ausscheidung ist dem unveränderten Ambroxol zuzuordnen.

Aufgrund der hohen Proteinbindung und des hohen Verteilungsvolumens sowie der langsamen Rückverteilung aus Gewebe ins Blut ist keine wesentliche Elimination von Ambroxol durch Dialyse oder forcierte Diurese zu erwarten.

Bei schweren Lebererkrankungen wird die Clearance von Ambroxol um 20–40 % verringert. Bei schwerer Nierenfunktionsstörung ist die Eliminationshalbwertszeit für die Metaboliten von Ambroxol verlängert. Ambroxol ist liquor- und plazentagängig und tritt in die Muttermilch über.

10.13 Sonstige Hinweise

Keine.

10.14 Besondere Lager- und Aufbewahrungshinweise

Vor Licht geschützt aufbewahren.

Ammoniumbituminosulfonat-Salben 20 bis 50 %

1 **Bezeichnung des Fertigarzneimittels**

Ammoniumbituminosulfonat-Salbe[1)]

2 **Darreichungsform**

Salbe

3 **Zusammensetzung**

Wirkstoffkonzentration Bestandteile	20 %	30 %	40 %	50 %
Wirksamer Bestandteil: Ammoniumbituminosulfonat	20,0 g	30,0 g	40,0 g	50,0 g
Sonstige Bestandteile: Wollwachsalkoholsalbe	72,0 g	63,0 g	54,0 g	45,0 g
Gereinigtes Wasser	8,0 g	7,0 g	6,0 g	5,0 g

4 **Herstellungsvorschrift**

Ammoniumbituminosulfonat wird unter Erwärmen auf etwa 60 °C mit dem auf gleiche Temperatur abgekühlten, frisch aufgekochten gereinigten Wasser gemischt und unter intensivem Rühren in die auf etwa 60 °C erwärmte Wollwachsalkoholsalbe eingearbeitet. Die Salbe wird bis zum halbfesten Zustand gerührt, um eine Phasentrennung zu vermeiden. Dabei soll so wenig Luft wie möglich eingearbeitet werden. Die fertige Salbe wird in die vorgesehenen Behältnisse abgefüllt.

5 **Eigenschaften und Prüfungen**

5.1 Aussehen, Eigenschaften

Charakteristisch riechende Salbe, die in dicker Schicht schwarz und in dünner Schicht braun aussieht.

5.2 Prüfung auf Identität

Angefeuchtetes rotes Lackmuspapier wird durch Dämpfe blau gefärbt, die entstehen, wenn 1 g Salbe mit 2 ml Natriumhydroxid-Lösung 8,5 % R erwärmt wird.

[1)] Die Bezeichnung der Salbe setzt sich aus den Worten „Ammoniumbituminosulfonat-Salbe", den arabischen Ziffern, die der jeweiligen Wirkstoffkonzentration zugeordnet sind und dem Zeichen „%" zusammen (z. B. „Ammoniumbituminosulfonat-Salbe 20 %").

5.3 Gehalt

95,0 bis 105,0 Prozent der deklarierten Menge an Ammoniumbituminosulfonat, ermittelt durch Bestimmung des Gesamtammoniakgehaltes der Salbe, der auf den Gesamtammoniakgehalt der eingesetzten Charge Ammoniumbituminosulfonat bezogen wird.

Bestimmung:

Eine ca. 1 g Ammoniumbituminosulfonat entsprechende Menge Salbe, genau gewogen, wird unter Rühren in 20 ml Wasser von 70 °C suspendiert und in einen Schütteltrichter übergeführt. Es wird zweimal mit jeweils 20 ml warmen Wasser nachgespült. Nach dem Abkühlen auf Zimmertemperatur wird vorsichtig unter Vermeidung von Emulsionsbildung mit 40 ml Petroläther R ausgeschüttelt. Die organische Phase wird abgetrennt und die wässrige Phase erneut mit 30 ml Petroläther R ausgeschüttelt.

Die vereinigten organischen Phasen werden zweimal mit jeweils 30 ml Wasser ausgeschüttelt und alle wässrigen Phasen vereint.

Die gesamte wässrige Phase wird erneut mit 30 ml Petroläther R ausgeschüttelt, mit Natriumchlorid-Lösung R zu 250,0 ml aufgefüllt, umgeschüttelt und filtriert, wobei die ersten 20 ml Filtrat verworfen werden. 100,0 ml des klaren Filtrats werden mit 25 ml Formaldehyd-Lösung R versetzt, die zuvor gegen Phenolphthalein-Lösung R 1 neutralisiert wurden. Die Mischung wird mit Natriumhydroxid-Lösung (0,05 mol $\cdot$ l^{-1}) bis zur schwachen Rosafärbung titriert.

1 ml Natriumhydroxid-Lösung (0,05 mol $\cdot$ l^{-1}) entspricht 0,8515 mg NH$_3$.

5.4 Haltbarkeit

Die Haltbarkeit in den Behältnissen nach 6 beträgt 3 Jahre.

6 **Behältnisse**

Salbendosen aus Polypropylen oder Aluminiumtuben mit Innenschutzlack.

7 **Kennzeichnung**

Nach § 10 AMG, insbesondere:

7.1 Zulassungsnummern

Ammoniumbituminosulfonat-Salbe 20 %: 5699.97.99

Ammoniumbituminosulfonat-Salbe 30 %: 5699.96.99

Ammoniumbituminosulfonat-Salbe 40 %: 5699.95.99

Ammoniumbituminosulfonat-Salbe 50 %: 5699.94.99

7.2 Art der Abwendung

Zum Auftragen auf die Haut.

7.3 Hinweise

Apothekenpflichtig.

Vor Temperaturen über 30 °C geschützt lagern.

8 **Packungsbeilage**

Nach § 11 AMG, insbesondere:

8.1 Stoff- oder Indikationsgruppe

Mittel zur Behandlung entzündlicher Hautkrankheiten.

8.2 Anwendungsgebiete

Furunkel, eiternde einschmelzende Prozesse.

8.3 Gegenanzeigen

Überempfindlichkeit gegen Ammoniumbituminosulfonat und andere sulfonierte Schieferölprodukte.

Anwendung in der Schwangerschaft und Stillzeit:

Da kein ausreichendes wissenschaftliches Erkenntnismaterial zur Resorption bei äußerlicher Anwendung am Menschen vorliegt, soll Ammoniumbituminosulfonat-Salbe während der Schwangerschaft und Stillzeit nicht angewendet werden.

8.4 Vorsichtsmaßnahmen für die Anwendung

Keine.

8.5 Wechselwirkungen mit anderen Mitteln

Ammoniumbituminosulfonat kann die Löslichkeit anderer Wirkstoffe verbessern und dadurch deren Aufnahme in die Haut verstärken. Durch Zusatz von Säuren und Salzen in höheren Konzentrationen können Ausfällungen auftreten.

8.6 Dosierungsanleitung und Art der Anwendung

Ammoniumbituminosulfonat-Salbe wird in dicker Schicht auf die Haut aufgetragen. Die behandelte Fläche wird mit einem Verband abgedeckt. Ein Verbandwechsel erfolgt täglich oder jeden zweiten Tag.

Die Anwendungsdauer sollte maximal 3–5 Tage betragen.

8.7 Hinweise für den Fall der Überdosierung

Keine.

8.8 Nebenwirkungen

In seltenen Fällen treten bei Anwendung von Ammoniumbituminosulfonat-Salbe Reizungen der Haut mit heftigem Jucken, Brennen und Rötung auf. Bei höher konzentrierten Präparaten sind leichte Irritationen üblich, aber nur in seltenen Fällen so stark ausgeprägt, dass die Behandlung abgesetzt werden muss. In seltenen Fällen tritt eine Kontaktallergie auf.

8.9 Hinweis

Vor Temperaturen über 30 °C geschützt aufbewahren.

4   Ammoniumbituminosulfonat-Salben 20 bis 50 %

9 **Fachinformation**

Nach § 11 a AMG, insbesondere:

9.1 Verschreibungsstatus/Apothekenpflicht

Apothekenpflichtig.

9.2 Stoff- oder Indikationsgruppe

Topisches Antiphlogistikum.

9.3 Anwendungsgebiete

Zur „Reifung" von Furunkeln und abszedierenden einschmelzenden Prozessen.

9.4 Gegenanzeigen

Überempfindlichkeit gegen Ammoniumbituminosulfonat und andere sulfonierte Schieferölprodukte.

Anwendung in der Schwangerschaft und Stillzeit:

Da kein ausreichendes wissenschaftliches Erkenntnismaterial zur Resorption bei äußerlicher Anwendung am Menschen vorliegt, soll Ammoniumbituminosulfonat-Salbe während der Schwangerschaft und Stillzeit nicht angewendet werden.

9.5 Nebenwirkungen

In seltenen Fällen treten bei Anwendung von Ammoniumbituminosulfonat-Salbe Reizungen der Haut mit heftigem Jucken, Brennen und Rötung auf. Bei höher konzentrierten Präparaten sind leichte Irritationen üblich, aber nur in seltenen Fällen so stark ausgeprägt, dass die Behandlung abgesetzt werden muss. In seltenen Fällen tritt eine Kontaktallergie auf.

9.6 Wechselwirkungen mit anderen Mitteln

Ammoniumbituminosulfonat kann die Löslichkeit anderer Wirkstoffe verbessern und dadurch deren Aufnahme in die Haut verstärken. Durch Zusatz von Säuren und Salzen in höheren Konzentrationen können Ausfällungen auftreten.

9.7 Dosierungsanleitung und Art und Dauer der Anwendung

Ammoniumbituminosulfonat-Salbe wird in dicker Schicht auf die Haut aufgetragen. Die behandelte Fläche wird mit einem Verband abgedeckt. Ein Verbandswechsel erfolgt täglich oder jeden zweiten Tag.

Die Anwendungsdauer sollte maximal 3–5 Tage betragen.

9.8 Pharmakologische und toxikologische Eigenschaften, Pharmakokinetik, Bioverfügbarkeit, soweit diese Angaben für die therapeutische Verwendung erforderlich sind.

9.8.1 Pharmakologische Eigenschaften

Ammoniumbituminosulfonat wirkt schwach antibakteriell und schwach antiphlogistisch. Durch die einsetzende Okklusion und den Wärmestau wird die „Reifung" des entzündlichen Prozesses – z. B. beim Furunkel – beschleunigt.

Ammoniumbituminosulfonat weist weiterhin resorptionsverstärkende sowie phagozytosefördernde und keratoplastische Eigenschaften auf. Es induziert eine Neutrophilenakkumulation und hemmt die durch chemotaktische Faktoren induzierte Migration. Auch verschiedene Funktionen der Entzündungszellen (Enzymfreisetzung, Radikalproduktion) werden gehemmt. Eine Verminderung der Leukotrien-B4-Freisetzung von polymorphkernigen Leukozyten ist nachgewiesen.

9.8.2 Toxikologische Eigenschaften

Bei einer oral an Ratten verabfolgten Dosierung von 7900 mg/kg Körpermasse wurden Intoxikationserscheinungen beobachtet, bestehend aus Sedierung, gefolgt von Ataxie (10 000 mg/kg Körpermasse). Die LD_{50} konnte bei Ratten nach oraler Gabe nicht ermittelt werden. Sie liegt wahrscheinlich über 10 g/kg Körpermasse.

Nach einmaliger dermaler Applikation von Ammoniumbituminosulfonat traten bis zur höchsten geprüften Dosis von 21 500 mg/kg Körpermasse keine Unverträglichkeitsreaktionen auf. Die Ratten erhielten das Testpräparat einmalig 24 Stunden lang auf die geschorene intakte Rückenhaut (5 × 6 cm, ca. $\frac{1}{10}$ der Körperoberfläche). Die Dosierungen betrugen 17 800 und 21 500 mg/kg Körpermasse. Andere Untersuchungen zur dermalen Toxizität wurden am Kaninchen mit verschiedenen Konzentrationen durchgeführt. Danach besitzt Ammoniumbituminosulfonat leicht irritierende Eigenschaften im niedrigen Konzentrationsbereich und korrosive Eigenschaften bei unverdünnter Anwendung.

Wissenschaftliches Erkenntnismaterial zur subkutanen und chronischen Toxizität liegt für diese Substanz nicht vor. Angaben zur Toxizität bei rektaler und vaginaler Gabe fehlen. Zu Fragen der Mutagenität und Kanzerogenität liegen ebenfalls keine Daten vor. Prüfungen auf sensibilisierende und fotosensibilisierende Eigenschaften wurden zwar mit Natriumbituminosulfonat, hell durchgeführt, für Ammoniumbituminosulfonat fehlen entsprechende Angaben.

9.8.3 Pharmakokinetik

Untersuchungen zur Pharmakokinetik beim Menschen liegen für Ammoniumbituminosulfonat bisher nicht vor. Um Informationen über die quantitativen Verhältnisse bei epidermaler Applikation von ^{35}S-markiertem Ammoniumbituminosulfonat zu gewinnen, wurden Untersuchungen an Miniaturschweinen durchgeführt.

Im Blut der Versuchstiere lagen bereits 15 Minuten nach Applikationsbeginn die Werte über dem Nullwert. Während einer 24-stündigen Anwendung wurden zwischen 7 und 12 Stunden maximale Werte festgestellt, die danach trotz fortgesetzter Applikation weiter abfielen. Die Versuchsschweine nahmen über die Haut 1–3 % der aufgetragenen Radioaktivität auf. Davon wurden innerhalb von 240 Stunden im Mittel 88,2 % mit Harn und Faeces ausgeschieden.

9.9 Sonstige Hinweise

Anwendung in der Schwangerschaft und Stillzeit:

Siehe unter 9.4 „Gegenanzeigen".

9.10 Besondere Lager- und Aufbewahrungshinweise

Vor Temperaturen über 30 °C geschützt lagern.

Monographien-Kommentar

Ammoniumbituminosulfonat-Salbe 5 Prozent

5. **Eigenschaften und Prüfungen**

5.2 Nachweis der Ammoniumionen mittels der basischen Eigenschaften des durch Deprotonierung mit NaOH freigesetzten Ammoniaks.

5.3 Gehalt

Durch Ausschütteln mit Petrolether wird die lipophile Salbengrundlage entfernt. Der NaCl-Zusatz klärt die wässrige Lösung. Die Ammoniumionen werden mittels Formoltitration bestimmt:

Die sehr schwache Säure NH_4^+ (pK_a = 9.38) wird durch Reaktion mit Formaldehyd in stärkere Säuren überführt.

$$4\,NH_4^+ + 6\,CH_2O \rightleftarrows (CH_2)_6N_4H^+ + 3\,H_3O^+ + 3\,H_2O$$

Neben Hydroniumionen (starke Säure) entstehen Hexamethylentetraammoniumionen (pK_a = 4,6), die sich mit NaOH gegen Phenolphthalein scharf titrieren lassen. Die Berechnungsangabe bezieht sich auf die titrierte Lösung. Diese beträgt aber nur 40 % des Gesamtvolumens, so daß sich die Masse NH_3 in der Salbeneinwaage ergibt zu

$$m(NH_3) = 2{,}5 \cdot 0{,}8515 \cdot V_R \text{ (in ml) mg}$$

V_R = verbrauchtes Volumen NaOH (c^{eq} = 0,05 mol·l^{-1}) in ml.

Der Arzneistoffgehalt w der Salbe ist unter Einbezug des Gesamtammoniakgehaltes des eingesetzten Ammoniumbituminosulfonat w_R (%) bei der Salbeneinwaage E in g und der bestimmten Ammoniakmasse m (NH_3) in mg

$$w\% \text{ (Arzneistoffgehalt in der Salbe)} = \frac{10 \cdot m(NH_3)}{w_R(\%) \cdot E} = \frac{25 \cdot 0{,}8515 \cdot V_R \text{ (in ml)}}{w_R(\%) \cdot E \text{ (in g)}}$$

P. Surmann

Monographien-Kommentar

Ammoniumbituminosulfonat-Salbe 5 bis 50 Prozent

Anmerkungen zur Rezeptur und Herstellung des Fertigarzneimittels.

Ammoniumbituminosulfonat ist eine zähe, teerartige, in dünner Schicht braune, in dicker Schicht schwarze Flüssigkeit mit hoher Viskosität und Dichte. Die Substanz hat einen charakteristischen Geruch und ist mit Wasser, Glycerol, Fetten und Vaselin mischbar, wobei mit Wasser teilweise kolloidale Lösungen entstehen [1]. Nicht mischbar ist Ammoniumbituminosulfonat mit flüssigem Paraffin und erstarrenden Ölen [2]. Als bearbeitetes Naturprodukt kann Ammoniumbituminosulfonat unterschiedliche Dichten aufweisen.

Nach den Standardzulassungs-Monographien soll als Salbengrundlage eine Wollwachsalkoholsalbe mit 10 Prozent Wasser verwendet werden. Da aber im Arzneibuch (DAB) nur Wollwachsalkoholsalbe und wasserhaltige Wollwachsalkoholsalbe mit 50 Prozent Wasser aufgeführt sind, müßte formal die Zusammensetzung der Salben folgendermaßen lauten:

Ammoniumbituminosulfonat-Salbe	5 %	10 %	20 %	30 %	40 %	50 %
Ammoniumbituminosulfonat	5 g	10 g	20 g	30 g	40 g	50 g
Gereinigtes Wasser	9,5 g	9,0 g	8,0 g	7,0 g	6,0 g	5,0 g
Wollwachsalkoholsalbe	85,5 g	81,0 g	72,0 g	63,0 g	54,0 g	45,0 g

Diese Rezepturen haben den Nachteil, daß dort, wo aus technologischen Gründen die größere Wassermenge zur Erniedrigung der Viskosität und der Dichte des Ammoniumbituminosulfonats wünschenswert wäre, die geringste Wassermenge zur Verfügung steht.

Es verbietet sich aber ein hoher Wasserzusatz, da sonst die Emulsion bricht, besonders bei den hochprozentigen Ammoniumbituminsulfonat-Salben.

Die BP 80 läßt Ammoniumbituminosulfonat-Salbe 10 Prozent nur mit Wollfett und gelber Vaseline zu gleichen Teilen herstellen [3].

Zum Ausgleich unterschiedlicher Konsistenzen der Wollwachsalkoholsalben können nach DAB 12 Teile weiße Vaseline durch dickflüssiges Paraffin ersetzt werden [6]. Bei diesem Austausch muß die galenische Stabilität insbesondere der 50prozentigen Ammoniumbituminosulfonat-Salbe überprüft werden.

Bei der Herstellung ist zu beachten, daß Wollwachsalkohole der Autoxidation unterliegen, die sich in einer Zunahme der Säure- und Verseifungszahl bemerkbar macht und eine Abnahme des Emulgiervermögens zur Folge hat [6]. Das Arzneibuch gestattet den Zusatz geeigneter Antioxidantien, wie z. B. Tocopherol oder Butylhydroxanisol.

Monographien-Kommentar

2

Bei der Herstellung der verschiedenen Ammoniumbituminosulfonat-Salben sind unter anderem zwei Probleme zu beachten:

- die unterschiedlichen Dichten des Ammoniumbituminosulfonates und der Salbengrundlage, sowie
- die hohe Viskosität des Ammoniumbituminosulfonates.

Daraus ergibt sich das Produktionsverfahren, das aber seinerseits abhängig ist von der maschinellen Ausrüstung und der Ansatzgröße. Es müssen geeignete und ausreichend dimensionierte Misch- und Rühraggregate in beheiz- und kühlbaren Chargenmischern vorhanden sein (z.B. mit Anker- oder Planetenrührwerken) [4]. Ideal ist bei größeren Ansätzen eine Anlage, die eine Entlüftung der Salbe durch Anlegen eines Vakuums gestattet, da in die Salbe keine Luft eingearbeitet werden darf.

Für die Herstellung der Salben empfiehlt es sich, die Ausgangsstoffe

Wollwachsalkohole, Cetylstearylalkohol, weiße Vaseline und ggf. dickflüssiges Paraffin

bei maximal 60 °C aufzuschmelzen.

Das Ammoniumbituminosulfonat wird unter Erwärmen auf ca. 60 °C mit dem gereinigten Wasser gemischt und dann unter intensiven Rühren in die Fettschmelze eingearbeitet. Die Salbe muß bis zum halbfesten Zustand gerührt werden, da sich sonst zwei Phasen bilden können. Dabei darf keine Luft eingearbeitet werden. Ggf. ist die Salbe zur Entfernung der Luft über einen Walzenstuhl zu geben [5].

Als Inprozeßkontrolle empfiehlt es sich, die Salbe auf einem Objektträger fein auszustreichen und unter dem Mikroskop zu betrachten. Unter dem Mikroskop muß ein annähernd homogenes Verteilungsbild ohne Luftblasen erkennbar sein.

Wegen ihrer hohen Viskosität empfiehlt es sich, die Salbe leicht erwärmt abzufüllen. Bei der Abfüllung in Salbenkruken ist sicherzustellen, daß keine Verdunstung des in der Salbe enthaltenen Wassers erfolgen kann.

Im Rahmen der Haltbarkeitsprüfung ist u.a. die Überprüfung der Säure- und Verseifungszahl erforderlich.

[1] DAB 8 mit Kommentar (1978).
[2] Martindale: The Extra Pharmacopeia **28**, 496 (1982).
[3] BP 80 Band II, p. 700 (1980).
[4] Asche, Essig, Schmidt, Technologie von Salben, Suspensionen, Emulsionen, APV-Paperback Band 10, 122 u. 137, Wissenschaftliche Verlagsgesellschaft mbH, Stuttgart (1984).
[5] H. Köhler, APV-Informationsdienst Nr. 1/2, **28** (1960).
[6] DAB 8 mit Kommentar, p. 910 (1978).

E. Norden-Ehlert

Angelikawurzel

1 **Bezeichnung des Fertigarzneimittels**

Angelikawurzel

2 **Darreichungsform**

Tee

3 **Eigenschaften und Prüfungen**

Haltbarkeit:

Der Gehalt an ätherischem Öl in Angelikawurzeln nimmt in den Behältnissen nach 4 um etwa 0,05 bis 0,1 Prozent absolut pro Jahr ab. Die Dauer der Haltbarkeit errechnet sich somit aus der Differenz des zum Zeitpunkt der Abpackung bestimmten Gehaltes an ätherischem Öl und dem durch das Arzneibuch vorgeschriebenen Mindestgehalt.

4 **Behältnisse**

Geklebte Blockbodenbeutel bzw. Seitenfaltenbeutel aus einseitig glattem, gebleichtem Natronkraftpapier 50 g/m^2, gefüttert mit gebleichtem Pergamyn 40 g/m^2.

5 **Kennzeichnung**

Nach § 10 AMG, insbesondere:

5.1 Zulassungsnummer

1419.99.99

5.2 Art der Anwendung

Zum Trinken nach Bereitung eines Teeaufgusses.

5.3 Hinweis

Vor Licht und Feuchtigkeit geschützt lagern.

6 **Packungsbeilage**

Nach § 11 AMG, insbesondere:

6.1 Stoff- oder Indikationsgruppe

Pflanzliches Arzneimittel bei Verdauungsbeschwerden.

Pflanzliches Arzneimittel zur Appetitanregung.

6.2 Anwendungsgebiete

Appetitlosigkeit; Verdauungsbeschwerden wie leichte, krampfartige Beschwerden im Magen-Darm-Bereich, Blähungen und Völlegefühl.

2 Angelikawurzel

Hinweis:

Bei Beschwerden, die länger als 1 Woche andauern oder periodisch wiederkehren, sollte der Arzt aufgesucht werden.

6.3 Gegenanzeigen

Zur Anwendung von Angelikawurzel in Schwangerschaft und Stillzeit sowie bei Kindern unter 12 Jahren liegen keine ausreichenden Untersuchungen vor. Teeaufgüsse aus Angelikawurzel dürfen daher von diesem Personenkreis nicht getrunken werden.

6.4 Wechselwirkungen mit anderen Mitteln

Keine bekannt.

6.5 Dosierungsanleitung und Art der Anwendung

Soweit nicht anders verordnet, wird 3-mal täglich zur Appetitanregung jeweils eine halbe Stunde vor den Mahlzeiten, bei Verdauungsbeschwerden nach den Mahlzeiten eine Tasse des wie folgt bereiteten Teeaufgusses getrunken:

1 Teelöffel voll (ca. 1,5 g) Angelikawurzel oder die entsprechende Menge in einem oder mehreren Aufgussbeutel(n) wird mit siedendem Wasser (ca. 150 ml) übergossen und nach etwa 10 bis 15 Minuten gegebenenfalls durch ein Teesieb gegeben.

6.6 Nebenwirkungen

Die in Angelikawurzel enthaltenen Furocumarine machen die Haut lichtempfindlicher und können im Zusammenhang mit UV-Bestrahlung zu Hautentzündungen führen. Für die Dauer der Anwendung von Angelikawurzel oder deren Zubereitungen sollte daher auf längere Sonnenbäder und intensive UV-Bestrahlung verzichtet werden.

6.7 Hinweis

Vor Licht und Feuchtigkeit geschützt aufbewahren.

Anis

1 Bezeichnung des Fertigarzneimittels

Anis

2 Darreichungsform

Tee

3 Eigenschaften und Prüfungen

Haltbarkeit:

Der Gehalt an ätherischem Öl im Anis nimmt in den Behältnissen nach 4 etwa um 0,2 Prozent absolut pro Jahr ab. Die Dauer der Haltbarkeit errechnet sich somit aus der Differenz des zum Zeitpunkt der Abpackung bestimmten Gehaltes an ätherischem Öl und dem durch das Arzneibuch vorgeschriebenen Mindestgehalt.

4 Behältnisse

Geklebte Blockbodenbeutel bzw. Seitenfaltenbeutel aus einseitig glattem, gebleichtem Natronkraftpapier 50 g/m^2, gefüttert mit gebleichtem Pergamyn 40 g/m^2.

5 Kennzeichnung

Nach § 10 AMG, insbesondere:

5.1 Zulassungsnummer

8099.99.99

5.2 Art der Anwendung

Zum Trinken nach Bereitung eines Teeaufgusses.

5.3 Hinweis

Vor Licht und Feuchtigkeit geschützt lagern.

6 Packungsbeilage

Nach § 11 AMG, insbesondere:

6.1 Stoff- oder Indikationsgruppe

Pflanzliches Magen-Darm-Mittel/Mittel zur Behandlung von Atemwegserkrankungen.

6.2 Anwendungsgebiete

Verdauungsbeschwerden, besonders mit leichten Krämpfen im Magen-Darm-Bereich; Katarrhe der Luftwege.

6.3 Gegenanzeigen

Allergie gegen Anis und Anethol.

6.4 Wechselwirkungen mit anderen Mitteln

Keine bekannt.

6.5 Dosierungsanleitung und Art der Anwendung

Soweit nicht anders verordnet, wird 2mal täglich eine Tasse des wie folgt bereiteten Teeaufgusses getrunken:

½ Teelöffel voll (ca. 1,5 g) kurz vor Gebrauch zerstoßener Anis oder die zerkleinerte entsprechende Menge in einem oder mehreren Aufgußbeutel(n) wird mit siedendem Wasser (ca. 150 ml) übergossen und nach etwa 10 bis 15 Minuten gegebenenfalls durch ein Teesieb gegeben.

6.6 Dauer der Anwendung

Bei akuten Beschwerden, die länger als eine Woche anhalten oder periodisch wiederkehren, wird die Rücksprache mit einem Arzt empfohlen.

6.7 Nebenwirkungen

Gelegentlich allergische Reaktionen der Haut, der Atemwege und des Magen-Darm-Traktes.

6.8 Hinweis

Vor Licht und Feuchtigkeit geschützt aufbewahren.

1 M-Argininhydrochlorid-Lösung

1	**Bezeichnung des Fertigarzneimittels**	

1 M-Argininhydrochlorid-Lösung

2 **Darreichungsform**

Infusionslösungskonzentrat

3 **Zusammensetzung**

Wirksamer Bestandteil:

Argininhydrochlorid   210,7 g

Sonstiger Bestandteil:

Wasser für Injektionszwecke   zu 1000,0 ml

Molare Konzentration:

1 ml enthält: 1 mmol Arginin-H$^+$

1 mmol Cl$^-$

4 **Herstellungsvorschrift**

Die für die Herstellung einer Charge benötigte Menge Argininhydrochlorid wird in Wasser für Injektionszwecke gelöst. Die Lösung wird auf das erforderliche Volumen bzw. auf die erforderliche Masse aufgefüllt und durch ein Membranfilter von 0,2 µm nomineller Porengröße, falls erforderlich mit vorgeschaltetem Tiefenfilter, in die vorgesehenen Behältnisse filtriert. Die Sterilisation der abgefüllten Lösung erfolgt 15 Minuten lang bei 121 °C mit gesättigtem Wasserdampf.

5 **Inprozess-Kontrollen**

Überprüfung

– der relativen Dichte (AB. 2.2.5): 1,064 bis 1,073

oder

– des Brechungsindexes (AB. 2.2.6): 1,373 bis 1,376

sowie

– des pH-Wertes (AB. 2.2.3): 5,0 bis 6,5.

6 **Eigenschaften und Prüfungen**

6.1 Aussehen, Eigenschaften

Klare, von Schwebestoffen praktisch freie, farblose bis höchstens schwach gelbliche Lösung ohne wahrnehmbaren Geruch; pH-Wert (AB. 2.2.3) zwischen 5,0 und 6,5.

6.2 Prüfung auf Identität

1. Zu 1 ml der Lösung werden 2 ml einer 0,02 %igen Lösung von Hydroxychinolin R in Natriumhydroxid-Lösung 8,5 % R und 1 ml einer 0,1 %igen Lösung von N-Bromsuccinimid zugesetzt. Es entsteht eine rote Färbung.
2. Die Lösung entspricht der Identitätsreaktion a) auf Chlorid (AB. 2.3.1).

6.3 Prüfung auf Reinheit

Prüfung auf Bakterien-Endotoxine (AB. 2.6.14):

Die Endotoxinkonzentration darf höchstens 2,1 I.E./ml betragen.

6.4 Gehalt

95,0 bis 105,0 Prozent der deklarierten Menge an Argininhydrochlorid.

Bestimmung:

Die Bestimmung erfolgt mit Hilfe der UV-VIS-Spektroskopie (AB. 2.2.25).

Untersuchungslösung: 50,0 µl der Lösung werden mit Wasser zu 250,0 ml verdünnt.

Referenzlösung: 42,14 µg eines als Standard geeigneten Argininhydrochlorids pro 1,0 ml Wasser.

Kompensationsflüssigkeit: Wasser.

2,0 ml von Untersuchungs- und Referenzlösung werden mit 2 ml einer 0,3 %igen Lösung von Kaliumiodid R versetzt. Die Lösungen werden 15 Minuten lang stehen gelassen und dann jeweils mit 6 ml Farb-Reagenz[1] versetzt. Nach 15 Minuten werden jeweils 2 ml Natriumhypochlorit-Lösung (0,19 %ig) zugegeben. Nach weiteren 15 Minuten werden die Absorptionen von Untersuchungs- und Referenzlösung im Maximum bei etwa 520 nm gegen die Kompensationsflüssigkeit gemessen.

Die Berechnung des Arginingehaltes erfolgt unter Bezug auf die bekannte Konzentration und Absorption in der Referenzlösung.

6.5 Haltbarkeit

Die Haltbarkeit in den Behältnissen nach 7 beträgt 3 Jahre.

7 Behältnisse

Glasbehältnisse nach AB. 3.2.1, ggf. verschlossen mit Gummistopfen nach AB. 3.2.9.

8 Kennzeichnung

Nach § 10 AMG, insbesondere:

8.1 Zulassungsnummer

3899.99.99

---

[1] Farb-Reagenz: 28,0 g Kaliumhydroxid R und 2,0 g Kaliumnatriumtartrat R werden in Wasser zu 100 ml gelöst. Die Lösung wird gekühlt und in der angegebenen Reihenfolge mit 100 mg 2,4-Dichlor-1-naphthol, 180 ml Ethanol 96 % R und 20 ml Natriumhypochlorit-Lösung (0,475 %ig) versetzt. Nach dem Durchmischen wird die Lösung vor Gebrauch 1 h lang bei Raumtemperatur stehen gelassen. Das Farb-Reagenz kann in gut verschlossenen Behältnissen für 2 Monate im Kühlschrank aufbewahrt werden.

8.2 Art der Anwendung

Zur intravenösen Infusion nach Zusatz zu Infusionslösungen.

8.3 Hinweise

Apothekenpflichtig.

Nur klare Lösungen in unversehrten Behältnissen verwenden.

Nicht unverdünnt anwenden.

Theoretische Osmolarität: 2000 mOsm/l.

ph-Wert: 5,0 bis 6,5.

Molare Konzentration:

1 ml enthält: 1 mmol Arginin-H^+

1 mmol Cl^-

9 Packungsbeilage

Nach § 11 AMG, insbesondere:

9.1 Stoff- oder Indikationsgruppe

Lösung zur Korrektur des Säuren-Basen-Haushalts.

1 ml enthält: 1 mmol Arginin-H^+

1 mmol Cl^-

9.2 Anwendungsgebiete

Schwere metabolische Alkalosen;

in der Pädiatrie bei erhöhter Konzentration von Ammoniak im Blut (Hyperammonämie) durch schwere angeborene metabolische Defekte.

9.3 Gegenanzeigen

Absolute Gegenanzeigen:

– Azidosen

– erhöhter Kaliumgehalt des Blutes (Hyperkaliämie).

Relative Gegenanzeigen:

– Aminosäurenstoffwechselstörungen

– Niereninsuffizienz.

Verwendung in der Schwangerschaft und Stillzeit:

Gegen eine Anwendung in der Schwangerschaft und Stillzeit bestehen bei entsprechender Indikation keine Bedenken.

9.4 Vorsichtsmaßnahmen für die Anwendung

Eine paravenöse Infusion der Lösung kann Nekrosen zur Folge haben.

Kontrollen des Serumionogramms und des Säuren-Basen-Haushalts sind erforderlich.

Eine hypokalämische, metabolische Alkalose erfordert die gleichzeitige Zufuhr von Kalium.

Bei gleichzeitiger Hypochlorämie ist die Substitution des Chloriddefizits erforderlich.

Bei Diabetikern ist die Kontrolle der Blut-Glucose-Konzentration erforderlich.

Um Störungen im Aminosäurenstoffwechsel zu vermeiden, ist die angegebene Dosierung einzuhalten.

9.5 Wechselwirkungen mit anderen Mitteln

Wechselwirkungen sind bisher nicht bekannt.

Die Lösung reagiert schwach sauer. Das sollte beim Mischen mit anderen Medikamenten beachtet werden.

9.6 Warnhinweise

Keine.

9.7 Dosierungsanleitung und Art der Anwendung

Die Dosierung richtet sich nach dem Ausmaß der Störung des Säuren-Basen-Status. Als Richtwert für die zu verabreichende Menge gilt:

Basenüberschuss (+ BE) × kg Körpermasse × 0,3 = mmol Argininhydrochlorid.

Es wird empfohlen, zunächst die Hälfte der so berechneten Menge Argininhydrochlorid zu verabreichen, um nach einer erneuten Kontrolle des Säuren-Basen-Status (Blutgasanalyse) ggf. eine Korrektur der ursprünglich berechneten Menge durchführen zu können.

Maximale Infusionsgeschwindigkeit:

ca. 1,0 mmol Argininhydrochlorid/kg Körpermasse/Stunde.

Maximale Tagesdosis:

entsprechend dem Korrekturbedarf bis zu 1 mmol Argininhydrochlorid/kg Körpermasse/Tag.

Das Konzentrat darf nicht unverdünnt, sondern nur als Zusatz zu Infusionslösungen verwendet werden.

9.8 Hinweise für den Fall der Überdosierung

Überdosierung kann zu Azidose, Aminosäurenimbalancen und Elektrolytstörungen führen.

Therapie:

Unterbrechung der Zufuhr der Lösung und eine entsprechende negative Bilanzierung.

9.9 Nebenwirkungen

Die Verabreichung größerer Mengen Argininhydrochlorid kann zu Aminosäurenimbalancen und Unverträglichkeitsreaktionen (z. B. Übelkeit und Erbrechen) führen. Bei Diabetikern kann die Verabreichung von Argininhydrochlorid zur Erhöhung der Blut-Glucose-Konzentration führen.

10 Fachinformation

Nach § 11a AMG, insbesondere:

10.1 Verschreibungsstatus/Apothekenpflicht

Apothekenpflichtig.

10.2 Stoff- oder Indikationsgruppe

Lösung zur Korrektur des Säuren-Basen-Haushalts.

1 ml enthält: 1 mmol Arginin-H$^+$

1 mmol Cl$^-$

10.3 Anwendungsgebiete

Schwere metabolische Alkalosen;

in der Pädiatrie bei Hyperammonämie durch schwere angeborene metabolische Defekte.

10.4 Gegenanzeigen

Absolute Kontraindikationen:

– Azidosen

– Hyperkaliämie.

Relative Kontraindikationen:

– Aminosäurenstoffwechselstörungen

– Niereninsuffizienz.

10.5 Nebenwirkungen

Die Applikation größerer Mengen Argininhydrochlorid kann zu Aminosäurenimbalancen und Unverträglichkeitsreaktionen (z.B. Übelkeit und Erbrechen) führen.

Bei Diabetikern kann die Applikation von Argininhydrochlorid zur Erhöhung der Blut-Glucose-Konzentration führen.

10.6 Wechselwirkungen mit anderen Mitteln

Wechselwirkungen sind bisher nicht bekannt.

10.7 Warnhinweise

Keine.

10.8 Wichtigste Inkompatibilitäten

Die Lösung reagiert schwach sauer. Das sollte beim Mischen mit anderen Medikamenten beachtet werden.

10.9 Dosierung mit Einzel- und Tagesgaben

Die Dosierung richtet sich nach dem Ausmaß der Störung des Säuren-Basen-Status. Als Richtwert für die zu applizierende Menge gilt:

Basenüberschuss (+ BE) $\times$ kg Körpermasse $\times$ 0,3 = Argininhydrochlorid.

Es wird empfohlen, zunächst die Hälfte der so berechneten Menge Argininhydrochlorid zu applizieren, um nach einer erneuten Kontrolle des Säuren-Basen-Status (Blutgasanalyse) ggf. eine Korrektur der ursprünglich berechneten Menge durchführen zu können.

Maximale Infusionsgeschwindigkeit:

ca. 1,0 mmol Argininhydrochlorid/kg Körpermasse/Stunde.

Maximale Tagesdosis:

entsprechend dem Korrekturbedarf bis zu 1 mmol Argininhydrochlorid/kg Körpermasse/Tag.

10.10 Art der Anwendung

Das Konzentrat darf nicht unverdünnt, sondern nur als Zusatz zu Infusionslösungen verwendet werden.

10.11 Notfallmaßnahmen, Symptome und Gegenmittel

Symptome der Überdosierung:

– Azidose

– Aminosäurenimbalancen

– Elektrolytstörungen.

Therapie bei Überdosierung:

– Unterbrechung der Zufuhr

– eine entsprechende negative Bilanzierung.

10.12 Pharmakologische und toxikologische Eigenschaften, Pharmakokinetik, Bioverfügbarkeit, soweit diese Angaben für die therapeutische Verwendung erforderlich sind.

L-Argininhydrochlorid ist das Monohydrochloridsalz der Aminosäuren Arginin und dient als Salzsäure-Precursor bei der Behandlung von Alkalosen. Nach Verstoffwechselung der Aminosäure steht Chlorwasserstoff zur Neutralisation von Hydrogencarbonat zur Verfügung. Die Wirkung erstreckt sich überwiegend auf den intrazellulären Flüssigkeitsraum. Arginin wird in der Leber zu Ornithin und Harnstoff abgebaut.

10.13 Sonstige Hinweise

Gegen eine Anwendung in der Schwangerschaft und Stillzeit bestehen bei entsprechender Indikation keine Bedenken.

Eine paravenöse Infusion der Lösung kann Nekrosen zur Folge haben.

Kontrollen des Serumionogramms und des Säuren-Basen-Haushalts sind erforderlich.

Eine hypokaliämische, metabolische Alkalose erfordert die gleichzeitige Zufuhr von Kalium.

Bei gleichzeitiger Hypochlorämie ist die Substitution des Chloriddefizits erforderlich.

Bei Diabetikern ist die Kontrolle der Blut-Glucose-Konzentration erforderlich.

Um Störungen im Aminosäurenstoffwechsel zu vermeiden, ist die angegebene Dosierung einzuhalten.

10.14 Besondere Lager- und Aufbewahrungshinweise

Keine.

Monographien-Kommentar

1-M-L-Argininhydrochlorid-Lösung

5 Inprozeß – Kontrollen

Der pH-Wert der Argininhydrochlorid-Lösung sollte bei etwa 6 liegen (pKa der Guanidiniumgruppe ca. 12,5); ein zu niedriger pH-Wert zeigt überschüssige Säure an (pKa der Ammoniumgruppe ca. 9), ein zu hoher pH-Wert deutet auf eine Verunreinigung mit Arginin Base.

6 Eigenschaften und Prüfungen

6.1.1 entfällt

6.2 Fertigarzneimittel

6.2.2 Prüfung auf Identität

L-Arginin: Die hier beschriebene Sakaguchi-Reaktion [1] ist eine Modifikation, die anstelle des sonst gebräuchlichen Natriumhypochlorit **(Arginin-HCl der Ph. Eur.)** als Oxidationsmittel bzw. Halogenierungsmittel N-Bromsuccinimid und als phenolische Komponente 8-Hydroxychinolin verwendet.

6.2.3 Prüfung auf Reinheit

Außer der Prüfung auf Pyrogene ist in der Monographie keine weitere Kontrolle vorgesehen. Da beim Sterilisationsprozeß jedoch eine Teilzersetzung erfolgen könnte, insbesondere wenn Sauerstoff nicht ausgeschlossen ist, wäre eine Kontrolle wünschenswert; die DC Untersuchung nach Ph. Eur. könnte die Beobachtung einer klaren farblosen Flüssigkeit (6.2.1 Aussehen und Eigenschaften) stützen.

6.2.4 Gehalt

Die vorliegende Gehaltsbestimmung basiert auf der Sakaguchi Reaktion [1, 2], die selektiv alkylierte Guanidinderivate erfaßt. Das Verfahren erfordert wegen der hohen Empfindlichkeit zwei Verdünnungsschritte, was zu Lasten der Präzision geht. Nachteilig ist sicher auch der hohe Zeitbedarf.

Andere Bestimmungsmethoden:
Die direkte acidimetrische Titration ist wegen des relativ hohen pKa-Wertes der α-Ammoniumgruppe (ca. 9) nicht möglich, jedoch nach Zusatz von Formaldehyd (Formoltitration, Durchführung analog Ph. Eur „Ammoniumchlorid"). Nach Chromatographie an basischen Ionenaustauschern ist die acidimetrische Titration der freien Argininbase gegen Methylrot möglich [3]. Die Bildung von Arginin-Kupfer-Komplexen läßt sich für eine komplexometrische [4] und jodometrische [5] Gehaltsbestimmung nutzen. Die potentiometrische Bestimmung von Arginin mit Kupfer-Elektroden bedient sich ebenfalls der komplexierenden Eigenschaften

Monographien-Kommentar

des Substrats. Diese Verfahren haben den Vorteil, daß die Lösung unverdünnt untersucht werden kann.

Spezifisch arbeiten die Methoden, die Enzyme verwenden. Während bei [7] die Elektrode zur potentiometrische Messung selbst herzustellen ist, kann man bei [9, 10] käufliche ionensensitive Elektroden verwenden und bei [8] die Gehaltsbestimmung photometrisch über NAD^+/NADH vornehmen. Selektiv kann auch eine polarimetrische Bestimmung bei kleinen Wellenlängen (z. B. 224 nm) durchgeführt werden [11, 12].

[1] Vejdelek/Kakác, Farbreaktionen in der Spektrophotometrischen Analyse organischer Verbindungen, Bd. I, S. 543, 1969 und Erg. Bd. I, S 89, 539, 1973, VEB G. Fischer Verlag Jena.

[2] Kakác/Vejdelek, Handbuch der Kolorimetrie, Bd. III, G. Fischer Verlag Jena 1966.

[3] M. Falk, D. Lösche, Pharmazie 1978, 33: 610.

[4] A. Libicki, L. Wunsch, Coll Czech Chem Commun 1961, 26: 2663.

[5] W. A. Schroeder, L. M. Kay, R. S. Mills, Anal Chem 1959, 22: 760.

[6] P. W. Alexander, C. Maltra, Anal Chem 1981, 53: 1590.

[7] T. A. Neubecker, G. A. Rechnitz, Anal Lett 1972, 5: 653.

[8] G. Gaede, M. M. Grieshaber, Anal Biochem 1975, 66: 393.

[9] S. L. Tong, G. A. Rechnitz, Anal Lett 1976, 9: 1.

[10] M. Mascini, G. Palleschi, Ann Chim 1979, 69: 249.

[11] U. Avico, R. Guaitolini, P. Zuccaro, Boll Chim Farm 1977, 116: 341.

[12] J. P. Jennings, W. Klyne, P. M. Scopes, J Chem Soc 1965: 294.

P. Surmann

Arnikablüten

1 Bezeichnung des Fertigarzneimittels

Arnikablüten

2 Darreichungsform

Tee

3 Eigenschaften und Prüfungen

Haltbarkeit:

Die Haltbarkeit in den Behältnissen nach 4 beträgt 3 Jahre.

4 Behältnisse

Geklebte Blockbodenbeutel bzw. Seitenfaltenbeutel aus einseitig glattem, gebleichtem Natronkraftpapier 50 g/m^2, gefüttert mit gebleichtem Pergamyn 40 g/m^2.

5 Kennzeichnung

Nach § 10 AMG, insbesondere:

5.1 Zulassungsnummer

8199.99.99

5.2 Art der Anwendung

Für Umschläge nach Bereitung eines Aufgusses.

5.3 Hinweis

Vor Licht und Feuchtigkeit geschützt lagern.

6 Packungsbeilage

Nach § 11 AMG, insbesondere:

6.1 Stoff- oder Indikationsgruppe

Pflanzliches Mittel bei Muskel- und Nervenschmerzen/Mittel gegen Krampfaderbeschwerden / Mittel bei örtlichen Entzündungen.

6.2 Anwendungsgebiete

Zur äußerlichen Anwendung bei Verletzungs- und Unfallfolgen, z.B. bei Blutergüssen, Verstauchungen, Prellungen, Quetschungen, Ödemen infolge eines

2 Arnikablüten

Knochenbruchs, bei rheumatischen Muskel- und Gelenkbeschwerden. Furunkulose und Entzündungen als Folge von Insektenstichen. Oberflächliche Venenentzündungen.

6.3 Gegenanzeigen

Bekannte Überempfindlichkeit gegenüber Korbblütlern, wie z.B. Arnika, Kamille, Ringelblumen, Schafgarbe.

6.4 Wechselwirkungen mit anderen Mitteln

Keine bekannt.

6.5 Dosierungsanleitung und Art der Anwendung

Soweit nicht anders verordnet, werden mehrmals täglich mit einem Aufguß Umschläge bereitet. Der Aufguß wird wie folgt hergestellt:

Etwa 4 Teelöffel voll (ca. 2 g) Arnikablüten oder die entsprechende Menge in einem oder mehreren Aufgußbeutel(n) werden mit siedendem Wasser (ca. 100 ml) übergossen und nach etwa 10 bis 15 Minuten gegebenenfalls durch ein Teesieb gegeben.

6.6 Nebenwirkungen

Längere Anwendung an geschädigter Haut, z.B. bei Verletzungen oder Unterschenkelgeschwüren, ruft häufig Hautentzündungen mit Schwellungen und/oder Bläschenbildung hervor. Ferner können bei längerer Anwendung Ekzeme auftreten. Bei hoher Konzentration im Aufguß sind auch primär toxisch bedingte Hautreaktionen mit Bläschenbildung bis zum Absterben von Gewebeteilen möglich.

6.7 Hinweise

Nicht zur innerlichen Anwendung.

Vor Licht und Feuchtigkeit geschützt aufbewahren.

Monographien-Kommentar

Arnikablüten

Entgegen der häufig auch empfohlenen Möglichkeiten der internen Anwendung des Teeaufgusses bei Durchblutungsstörungen am Herzen und im Hirn enthält die Monographie nur Angaben zur äußerlichen Anwendung, da die orale Anwendung oft mit schweren Nebenwirkungen einhergeht. Dies steht auch im Einklang mit der Aufbereitung nach § 25 Abs. 7 AMG [1].

[1]   BAnz. S. 13327 vom 5. Dezember 1984.

R. Braun

Arnikatinktur

1	**Bezeichnung des Fertigarzneimittels**	

Arnikatinktur

2 **Darreichungsform**

Tinktur

3 **Eigenschaften und Prüfungen**

Haltbarkeit:

Die Haltbarkeit in den Behältnissen nach 4 beträgt 3 Jahre.

4 **Behältnisse**

Braunglasflaschen mit Verschlusskappen und Konusdichtungen aus Polyethylen.

5 **Kennzeichnung**

Nach § 10 AMG, insbesondere:

5.1 Zulassungsnummer

5799.99.99

5.2 Art der Anwendung

Zur Bereitung von Umschlägen und zu Spülungen nach Verdünnen mit Wasser.

5.3 Arzneilich wirksame Bestandteile

Tinktur aus Arnikablüten (1:10 [Verhältnis Droge zu Auszugsmittel])

Auszugsmittel: Ethanol 70 % (V/V)

5.4 Hinweise

Enthält 66 Vol.-% Alkohol.

Dicht verschlossen, vor Licht geschützt lagern.

Nicht zum Einnehmen!

6 **Packungsbeilage**

Nach § 11 AMG, insbesondere:

6.1 Tinktur aus Arnikablüten (1:10 [Verhältnis Droge zu Auszugsmittel])

Auszugsmittel: Ethanol 70 % (V/V)

6.2 Stoff- oder Indikationsgruppe

Pflanzliches Arzneimittel zur äußerlichen Behandlung stumpfer Verletzungen und von Muskel- oder Gelenkschmerzen.

6.3 Anwendungsgebiete

Zur äußerlichen Anwendung bei Verletzungs- und Unfallfolgen, z. B. bei Blutergüssen, Verstauchungen, Prellungen, Quetschungen, Ödemen infolge eines Knochenbruchs, bei rheumatischen Muskel- und Gelenkbeschwerden; Furunkulose und Entzündungen als Folge von Insektenstichen; oberflächliche Venenentzündungen.

Hinweise:

Nicht zum Einnehmen!

Bei länger als 1 bis 2 Wochen anhaltenden, bei unklaren oder bei neu auftretenden Beschwerden sollte ein Arzt aufgesucht werden.

6.4 Gegenanzeigen

Überempfindlichkeit gegen Arnika und andere Korbblütler z. B. Kamille, Ringelblumen, Schafgarbe.

Zur Anwendung von Arnikatinktur in Schwangerschaft und Stillzeit sowie bei Kindern unter 12 Jahren liegen keine ausreichenden Untersuchungen vor. Arnikatinktur darf daher von diesem Personenkreis nicht angewendet werden.

6.5 Vorsichtsmaßnahmen für die Anwendung und Warnhinweise

Arnikatinktur nur äußerlich anwenden!

Das Arzneimittel darf nicht in die Augen, auf Schleimhäute oder in offene Wunden gebracht werden.

6.6 Wechselwirkungen mit anderen Mitteln

Keine bekannt.

6.7 Warnhinweise

Aufgrund des Gehaltes an Alkohol kann häufige Anwendung des Arzneimittels auf der Haut Reizungen oder Entzündungen und Hauttrockenheit verursachen.

6.8 Dosierungsanleitung und Art der Anwendung

Soweit nicht anders verordnet, wird Arnikatinktur zur Bereitung von Umschlägen mit Wasser 3- bis 10fach verdünnt.

6.9 Hinweise für den Fall von Anwendungsfehlern

Wenn das Arzneimittel <u>entgegen der Anwendungsvorschrift</u> eingenommen wird, kann es zu Brennen und Kratzen im Mund und Rachen, zu Übelkeit, Erbrechen und Durchfall kommen. Bei schweren Vergiftungen kann es außerdem zu Fieber oder Untertemperatur, zu Nasenbluten und Blutungen im Magen-Darm-Bereich sowie zu Krampfanfällen, zu Störungen des Herzrhythmus, zu Atemlähmung und zum Kreislaufkollaps kommen.

Bereits die Einnahme von 5 bis 7 Esslöffeln voll (70 ml) Arnikatinktur kann zu Vergiftungen führen; in diesen Fällen sollte ein Arzt aufgesucht werden.

6.10 Nebenwirkungen

Längere Anwendung an geschädigter Haut, z.B. bei Verletzungen oder Unterschenkelgeschwüren, ruft häufig Hautentzündungen mit Schwellungen und/oder Bläschenbildung hervor. Ferner können bei längerer Anwendung Ekzeme auftreten.

Beim Auftreten von Nebenwirkungen ist die Behandlung sofort abzubrechen, die betroffenen Stellen sind gründlich mit Wasser abzuspülen, anschließend ist ein Arzt aufzusuchen.

6.11 Hinweis

Dicht verschlossen, vor Licht geschützt aufbewahren.

Monographien-Kommentar

Arnikatinktur

Entgegen der häufig genannten Möglichkeiten der Einnahme (20 bis 30 Tropfen bis 3 mal täglich), die volksmedizinisch und hier und da geübt wird, enthält diese Monographie – zu Recht – nur Angaben zur äußerlichen Anwendung; die orale Anwendung gilt als toxikologisch nicht unbedenklich.

M. Wichtl

Ascorbinsäure

1 **Bezeichnung des Fertigarzneimittels**
Ascorbinsäure

2 **Darreichungsform**
Pulver

3 **Behältnisse**
Dosen aus Polypropylen.
Meßgefäße zum Abmessen der vorgeschriebenen Substanzmenge.

4 **Kennzeichnung**
Nach § 10 AMG, insbesondere:
4.1 Zulassungsnummer
2299.98.98
4.2 Art der Anwendung
Zum Einnehmen in Wasser.
4.3 Hinweis
Vor Feuchtigkeit geschützt und nicht über 25 °C lagern.

5 **Packungsbeilage**
Nach § 11 AMG, insbesondere:
5.1 Anwendungsgebiete
Therapie und vorbeugende Behandlung von klinischen Vitamin-C-Mangelzuständen, die ernährungsmäßig nicht behoben werden können: z. B. Skorbut, Moeller-Barlow-Krankheit, Präskorbut.

Eine durch Nachweis gesicherte erniedrigte Ascorbinsäurekonzentration im Blutplasma kann auftreten bei: Fehl- und Mangelernährung, parenteraler Ernährung, schweren Infektionskrankheiten, schweren Verletzungen, Hämodialyse.

Vermehrung von Methämoglobin im Blut im Kindesalter; seltene angeborene Stoffwechselstörungen.

5.2 Wechselwirkungen mit anderen Mitteln
Bei gleichzeitiger Einnahme von eisenhaltigen Arzneimitteln kann die Wirkung von Ascorbinsäure vermindert werden.

2 Ascorbinsäure

5.3 Dosierungsanleitung und Art der Anwendung

Soweit nicht anders verordnet, werden zur Vorbeugung 50 bis 200 mg und zur Therapie 200 bis 1 000 mg pro Tag mit Hilfe des beiliegenden Meßgefäßes dosiert und in etwas Wasser gelöst eingenommen.

5.4 Dauer der Anwendung

Ascorbinsäure sollte nur solange eingenommen werden, wie ein erhöhter Ascorbinsäurebedarf besteht.

5.5 Hinweis

Vor Feuchtigkeit geschützt und nicht über 25 °C aufbewahren.

Monographien-Kommentar

Ascorbinsäure

Siehe Kommentar zu Ascorbinsäure-Tabletten 100 mg.   P. Surmann

Ascorbinsäure-Tabletten 100 mg

1 **Bezeichnung des Fertigarzneimittels**

Ascorbinsäure-Tabletten 100 mg

2 **Darreichungsform**

Tabletten

3 **Eigenschaften und Prüfungen**

3.1 Aussehen, Eigenschaften

Weiße, nichtüberzogene Tabletten.

3.2 Gehalt

95,0 bis 105,0 Prozent der pro Tablette deklarierten Menge Ascorbinsäure.

3.3 Haltbarkeit

Die Haltbarkeit in den Behältnissen nach 4 beträgt mindestens ein Jahr.

4 **Behältnisse**

Dichtschließende Behältnisse aus Braunglas.

5 **Kennzeichnung**

Nach § 10 AMG, insbesondere:

5.1 Zulassungsnummer

2299.99.99

5.2 Art der Anwendung

Zum Lutschen, Kauen und Einnehmen

5.3 Hinweis

Vor Feuchtigkeit geschützt und nicht über 25 °C lagern.

6 **Packungsbeilage**

Nach § 11 AMG, insbesondere:

6.1 Anwendungsgebiete

Alle Formen des Ascorbinsäuremangels, wie z. B. bei starker körperlicher Belastung, während der Schwangerschaft und Stillzeit, bei Erkältungs- und Infektionskrankheiten sowie länger andauernden Resorptionsstörungen bei Magen- und Darmerkrankungen.

6.2 Gegenanzeigen

Bei Beachtung der Dosierungsanleitung nicht bekannt.

6.3 Nebenwirkungen

Bei Beachtung der Dosierungsanleitung nicht bekannt.

6.4 Wechselwirkungen mit anderen Mitteln

Bei gleichzeitiger Einnahme von eisenhaltigen Arzneimitteln kann die Wirkung von Ascorbinsäure-Tabletten vermindert werden.

6.5 Dosierungsanleitung und Art der Anwendung

Soweit nicht anders verordnet, genügen zur Vorbeugung von Ascorbinsäure-mangelzuständen täglich 1 bis 2 Tabletten; zu Behandlungsbeginn sollten 3- bis 4mal täglich 2 bis 3 Tabletten gelutscht, gekaut oder mit Wasser eingenommen werden.

Hinweis:

Ascorbinsäure-Tabletten 100 mg sollten nur solange eingenommen werden, wie ein erhöhter Ascorbinsäure-Bedarf besteht.

6.6 Hinweis

Vor Feuchtigkeit geschützt und nicht über 25 °C aufbewahren.

Monographien-Kommentar

Ascorbinsäure-Tabletten 100 mg

3.2 Gehalt

Der Gehalt läßt sich DAB folgend iodometrisch bestimmen. Anstelle von Stärke kann hierbei Methopromazin als Indikator verwendet werden [1]. Neben anderen oxidimetrischen Verfahren [2 bis 5] läßt sich die Ascorbinsäure auch kolorimetrisch [6 bis 8], polarographisch [9, 10], potentiometrisch [11], enzymatisch [10, 12] und mittels HPLC [10, 13 bis 15] bestimmen. Bezüglich des Zersetzungsproduktes Dehydroascorbinsäure sind alle aufgeführten Verfahren für unzersetzte Ascorbinsäure selektiv. Bei den oxidimetrischen und kolorimetrischen Methoden können Antioxidantien miterfaßt werden, Kohlenhydrate stören nicht.

3.3 Haltbarkeit

Zur Bestimmung der Haltbarkeit eignen sich alle unter 3.2 aufgeführten Methoden. Besonders aussagekräftig ist die Überprüfung mittels HPLC, da hierbei die Zersetzungsprodukte getrennt erfaßt werden können.

[1] H. Puzanowska-Tarasiewicz, N. Omieljaniuk, A. Kojlo; Acta Pol. Pharm. **37**, 315 (1980); Anal. Abstr. **41**, 239 (2E42) (1981).

[2] H. S. Gowda, S. Gutumurthy; Anal. Chim. Acta **131**, 315 (1981).

[3] N. Rukmini, V. S. N. P. Kavitha, K. D. Vijaya; Talanta **28**, 332 (1981).

[4] J. Tillmanns; Z. Unters. Lebensmittel **54**, 33 (1927).

[5] D. Tonelli, R. Budini, S. Girotti; Ann. Chim. (Rome) **70**, 111 (1980).

[6] V. K. S. Shukla, C. K. Kokate, K. C. Srivastava; Mikrochem. J. **24**, 124 (1979).

[7] N. Arakawa, K. Tsutsumi, N. Samceda, T. Kurata, C. Inagaki; Agric. Biol. Chem. **45**, 1289 (1981).

[8] M. Okamura; Clin. Chim. Acta **115**, 393 (1981).

[9] P. Branca; Boll. Chim. Unione Ital. Lab. Prov., Parte Sci. **6**, 143 (1980); Anal. Abstr. **41**, 735 (5F12) (1981).

[10] S. L. Ali, D. Steinbach; Pharm. Ztg. **125**, 1585 (1980).

[11] K. Matsumoto, K. Yamada, Y. Osajima; Anal. Chem. **53**, 1974 (1981).

[12] G. Henninger; Alimenta **20**, 12 (1981); Anal. Abstr. **42**, 532 (1982).

[13] R. C. Rose, D. L. Nahrwold; Anal. Biochem. **114**, 140 (1981).

[14] J. W. Finley, E. Duang; J. Chromatogr. **207**, 449 (1981).

[15] H. Rueckemann; Z. Lebensm. Unters. Forsch. **171**, 357 (1980).

P. Surmann

Monographien-Kommentar

Ascorbinsäure-Tabletten 100 mg

Anmerkungen zur Rezeptur und Herstellung des Fertigarzneimittels.

Ascorbinsäure kommt in Form farbloser Kristalle oder als weißes bis sehr schwach gelbes, kristallines Pulver vor [1]. Im trockenen Zustand ist die Substanz unter Licht- und Feuchtigkeitsausschluß weitgehend stabil. Kühl, in gut verschlossenen Packungen (ungeöffnete Originalpackungen des Herstellers) ist die Substanz mindestens 12 Monate haltbar [2]. Bei längerer Lagerung tritt im allgemeinen eine leicht gelbliche, unter sehr ungünstigen Lagerungsbedingungen sogar eine bräunliche Verfärbung ein, womit oft ein leicht brenzliger Geruch verbunden ist [1].

In wäßriger Lösung erfolgt oxidativer Abbau sowohl durch Sauerstoff wie durch Einwirkungen von Schwermetallionen, z. B. Eisen und Kupfer, wobei das Maximum der Zersetzung bei pH 4 und das Minimum im pH-Bereich 5,5 bis 6,5 liegt [2].

In der Tablettierung gilt Ascorbinsäure als schwierig zu verarbeitende Substanz, sowohl wegen ihrer schlechten Verpreßbarkeit und Sprödigkeit, die unabhängig von Korngrößen sind [7, 9], als auch wegen ihrer leichten katalytischen Oxidation auch im festen Zustand durch Schwermetalle [3].

Das hat frühzeitig zu Bemühungen der Industrie geführt, diese technologischen Schwierigkeiten zu eliminieren, in dem sie zum einen die chemische Stabilität der Ascorbinsäure durch Überziehen mit inerten Hilfsstoffen verbesserte, zum anderen über einen sog. „pre-granulation-step" unter Einsatz von Bindemitteln eine möglichst hochprozentige direkt kompromierbare Vorstufe herstellte [7].

So stehen für die Herstellung von stabilen Ascorbinsäure-Tabletten und -Kapseln mehrere vorbehandelte Ascorbinsäuretypen zur Verfügung wie z. B.:

— Ascorbinsäure, überzogen mit Stearylalkohol (Ascorbinsäuregehalt: mindestens 96 Prozent) [10]

— Ascorbinsäure, überzogen mit Ethylcellulose (Ascorbinsäuregehalt: mindestens 97,5 Prozent) [11]

— Ascorbinsäure, überzogen mit Siliconharz (Ascorbinsäuregehalt: mindestens 96 Prozent) [12]

> Dieses Produkt weist gegenüber den zuvor genannten folgende Vorzüge auf:
>
> größere chemische Stabilität, größere mechanische Stabilität, neutraler Geschmack, verbesserte Rieselfähigkeit, geringerer Bedarf an Bindemitteln, verlangsamte Wirkstoff-Freisetzung [3].

— Ascorbinsäure, direkt verpreßbares Granulat (Ascorbinsäuregehalt: mindestens 90 Prozent) [13]

> Zur Herstellung des Granulates werden Dextrin und Mannit verwendet. Das Granulat kann mit den üblichen Ascorbinsäure kompatiblen Hilfsstoffen zu Tabletten verpreßt werden.

Die überzogenen Ascorbinsäuretypen werden bevorzugt bei Lutsch- und Kautabletten eingesetzt, die Zucker enthalten, um schnelle Gelbfärbung und Fleckenbildung zu vermeiden.

Monographien-Kommentar

2

Für zuckerfreie Ascorbinsäure-Tabletten stehen eine Reihe von Spezialsorten kristalliner Ascorbinsäuren zur Verfügung. Sie unterscheiden sich in ihren Korngrößenspektren sowie durch besonders gute Rieselfähigkeit und gleichmäßige Körnung [2].

Die Standardzulassung Ascorbinsäure-Tabletten 100 mg läßt offen, ob zuckerhaltige Kau- oder Lutschtabletten oder zuckerfreie Tabletten hergestellt werden. Brausetabletten kommen aufgrund der Dosierung von 100 mg Ascorbinsäure kaum in Betracht. Brausetabletten enthalten üblicherweise 1000 mg Ascorbinsäure [5].

Bei der Herstellung von haltbaren Ascorbinsäure-Tabletten, die nicht zur Verfärbung neigen, müssen einige grundsätzliche Fakten beachtet werden [3]:

— Während des gesamten Herstellungsganges ist die Berührung der Ascorbinsäure mit eisen- und kupferhaltigen Geräten unbedingt zu vermeiden. Somit kommen nur Gefäße aus Edelstahl, Nickel, Glas oder Kunststoff in Betracht. Auch die Stempel und Matrizen der Preßwerkzeuge sollten aus Edelstahl bestehen. Die Stempeloberflächen sollten mit Chrom, Bronze oder Kunststoffeinlagen aus Resopal®, Hostalit®, Vulkolan® vergütet sein [5], zumindest aber teflonisiert oder silikonisiert sein.

— Die für die Tablettierung benötigten Hilfsstoffe müssen frei von Schwermetallspuren sein. Das trifft insbesondere für Talkum zu, das nur in Verbindung mit überzogener Ascorbinsäure eingesetzt werden sollte.

— Als Bindemittel sollten neutrale oder schwach sauer reagierende Substanzen verwendet werden.

— Glucose und Saccharose sollten als Füllstoff nur eingesetzt werden, wenn überzogene Ascorbinsäure verarbeitet wird, da sonst Verfärbungen auftreten können.

— Besondere Beachtung muß der Feuchtigkeitsgehalt des Granulates finden. Er sollte unter zwei Prozent liegen und darf zu keiner Zeit durch Feuchtigkeitsaufnahme erhöht werden.

— Während der Herstellung sind Gummihandschuhe zu tragen (wie es bei GMP-gerechter Arbeitsweise üblich ist), da schon die Transpiration der Hände Veranlassung zur späteren Gelbfärbung der Tabletten sein kann.

— Die Tablettierung sollte in einem staubfreien, trockenen, gleichmäßig temperierten, lichtgeschützten, am besten im vollklimatisierten Raum erfolgen.

— Bei der Tablettierung ist ein zu hoher Preßdruck zu vermeiden, da sonst verzögerter Zerfall, schlechte Löslichkeit und Verfärbungen der Tabletten auftreten können.

Aufgrund der genannten Substanzeigenschaften und der speziell für die Direkttablettierung entwickelten Hilfsstoffe und Ascorbinsäuretypen bietet sich eine Direkttablettierung für Ascorbinsäure-Tabletten 100 mg nach der Standardzulassung an.

Welche der jeweiligen Spezialtypen sich am besten eignet, hängt vom Einzelfall ab, d. h. von der Rezeptur und Tablettenmaschine. Die Preßbedingungen können von Fall zu Fall sehr unterschiedlich sein, wie z. B.:

    Excenterpressen,
    Rundläuferpressen (Langsamläufer, Schnelläufer),
    Rundläuferpesse mit oder ohne Vordruck,
    Matrizen mit oder ohne Vorweite sowie
    Tablettierung mit oder ohne Rührflügelfüllschuh.

Monographien-Kommentar

Ascorbinsäure-Tabletten 100 mg

Durch Vorversuche muß die für die vorhandenen Arbeitsbedingungen geeignete Ascorbinsäure ermittelt werden.

Die folgenden 6 tabellarisch zusammengestellten, direkttablettierbaren Rezepturen können als unverbindliche Rahmenrezeptur-Empfehlungen gewertet werden, die jeder Anweder in eigener Verantwortung überprüfen muß.

Soweit nicht schon so angegeben, wurden die in den Rezepturen angeführten Mengen auf Prozentteile umgerechnet.

Zusammensetzung	1 [8,9]	2 [8]	3 [3]	4 [3]	5 [14]	6 [14]
Ascorbinsäure, fein kristallin oder fein granuliert	40 %	60 %				
Ascorbinsäure, krist.			75 %	33 %	17,8 %	
Ascorbinsäure, Pulver						42,4 %
Sta – RX 1500 (mechanisch behandelte Maisstärke)	57,5 %	17,5 %				
Stearinsäure	2 %	2 %				
Aerosil®	0,5 %	0,5 %	2 %	2 %		0,2 %
Avicel® pH 101		20 %	10 %	10 %		28,3 %
Karion Instant (Sorbit Merck)			10 %	20 %		
Tablettierhilfsmittel K „Merck"			2 %	4 %		
Magnesiumstearat			1 %	1 %		
Saccharose, feinkrist. oder Instant-Zucker				30 %		
Kollidon® 90					0,6 %	
Polyaethylenglykol 6000					1 %	2 %
Dextrose					80,6 %	
Saccharose, gemahlen						13 %
Saccharose, kristallin						8 %
Kollidon® VA 64						2,4 %
Cyclamat-Natrium						2,4 %
Saccharin-Natrium						0,1 %
Orangenaroma – Erdbeeraroma (2 + 1)						1,2 %
	100 %	100 %	100 %	100 %	100 %	100 %

Nach Arbeiten von Schmidt [7] ist Sorbit ein besonders geeignetes und häufig gebrauchtes Füll- und Bindemittel für die Direkttablettierung von Ascorbinsäure-

Monographien-Kommentar

4

Lutsch- und Kautabletten, insbesondere auch unter dem Gesichtspunkt der Kariesprophylaxe. Auf dem Markt sind zwei in ihrem technologischen Verhalten bei der Tablettierung sehr unterschiedliche Typen:

- Type A, Sorbitol, Karion® Instant zur Herstellung von zuckerfreien Komprimaten. Hersteller: E. Merck, Darmstadt [15, 16].

  Die Herstellung erfolgt durch Sprühtrocknung einer 70 %igen Sorbitollösung und anschließendem Instantisieren zu einem direkttablettierbaren Granulat. Die Aufnahmekapazität dieser Ware für Ascorbinsäure beträgt 70 Prozent, d. h. daß 30 Teile Sorbitol Type A mit 70 Teilen Ascorbinsäure und 0,3 bis 0,5 Teilen Magnesiumstearat zu Tabletten verpreßt werden können. Sorbitol Type A ist ein agglomeriertes Produkt mit rauher Oberfläche [4, 7].

- Type B, Sorbitol Pulver, Tablettierqualität — Hersteller: Roquettes Fréres SA, Lestrem, Frankreich [7].

  Die Herstellung geht von geschmolzenem Sorbit aus, in das feinste Sorbitteilchen als Kristallkeime eingestreut werden. Die Aufnahmekapazität dieser Ware für Ascorbinsäure beträgt 30 Prozent, d. h. daß 30 Teile Ascorbinsäure mit 70 Teilen Sorbitol Type B und 03, bis 0,5 Prozent Magnesiumstearat zu Tabletten verpreßt werden können.

  Sorbitol Type B besteht aus mehr oder weniger regelmäßigen Partikeln mit glatter Oberfläche [4, 7].

[1] Ph. Eur. Band I mit Kommentar (1978).
[2] E. Merck, Darmstadt, Vitamin C Produktbeschreibungen 500069; 500074; 500078; 501462; 501463; 501465.
[3] E. Merck, Darmstadt, Vitamin C für Pharmazeutische Erzeugnisse 10 / 1263 / 2. 5 / 883 − 23.
[4] P. C. Schmidt, Acta Pharm. Technol. **30**, 302 (1984).
[5] W. Stammberger, Acta Pharm. Technol. **21**, 177 (1975).
[6] N. Kitamovi et al., Manuf. Chem. Aerosol News **50**, 54 (1979).
[7] P. C. Schmidt, Pharm. Techn. **7**, 65 (1983).
[8] APV, Direkttablettierung, Arbeitsunterlage für den Lehrgang über Direkttablettierung (1971).
[9] H. A. Liebermann, L. Lachmann, Pharmaceutical Dosage Forms: Tablets, Volume 1, p. 167, Marcel Dekker, Inc. New York, Basel (1980).
[10] E. Merck, Darmstadt, Vitamin C, Produktbeschreibung 501457 10 16317 i / 1.5. / 1085 − 11 b.
[12] E. Merck, Darmstadt, Vitamin C, Produktbeschreibung 501487 10 / 16317 k / 1.5. / 1085 − 11 c.
[13] E. Merck, Darmstadt, Vitamin C, Produktbeschreibung 500094 21 / 1877 e.
[14] BASF-Feinchemikalien, Rezepturvorschläge: Vitamine in Tabletten und Lösungen, MEF 048 d / 814, Juni 1985.
[15] E. Merck, Darmstadt, Technische Information 3140 Karion® Instant (Sorbit DAB 8, NF, E 420), Zur Herstellung von zuckerfreien Komprimaten.
[16] E. Merck, Darmstadt, Technische Information 3140 Sorbit Instant DAB 8, NF, E 420. Herstellung von zuckerfreien Tabletten 6613 Dr. Vogel − wk 14. 2. 83.

E. Norden-Ehlert

Atropinsulfat-Lösungen 0,025% bis 1%

1 Bezeichnung des Fertigarzneimittels

Atropinsulfat-Lösung [1)]

2 Darreichungsform

Injektionslösung

3 Zusammensetzung

Wirkstoff-konzentration Bestandteile (in Gramm)	0,025%	0,05%	0,1%	0,2%	0,5%	1%
Arzneilich wirksamer Bestandteil: Atropinsulfat	0,0257	0,0513	0,1027	0,2053	0,5133	1,0266
Sonstige Bestandteile: Natriumchlorid	0,89 g	0,89 g	0,89 g	0,87 g	0,83 g	0,78 g
Salzsäure 10% zum Einstellen des pH-Wertes Wasser für Injektionszwecke	\multicolumn{6}{c}{q.s. jeweils zu 100,0 ml}					

[1)] Die Bezeichnung der Lösung setzt sich aus den Worten „Atropinsulfat-Lösung", den arabischen Ziffern, die der jeweiligen Wirkstoffkonzentration zugeordnet sind und dem Zeichen „%" zusammen (z. B. „Atropinsulfat-Lösung 0,025%").

4 Herstellungsvorschrift

Die für die Herstellung einer Charge benötigten Mengen Atropinsulfat und Natriumchlorid werden in Wasser für Injektionszwecke gelöst. Der pH-Wert der Lösung wird mit Salzsäure 10% auf 3,0 bis 3,2 eingestellt, anschließend wird mit Wasser auf das erforderliche Volumen bzw. auf die erforderliche Masse aufgefüllt.

Die Lösung wird durch ein Membranfilter von 0,2 µm nomineller Porengröße, falls erforderlich mit vorgeschaltetem Tiefenfilter, in die vorgesehenen Behältnisse filtriert. Die Sterilisation der abgefüllten Lösung erfolgt 15 min lang bei 121 °C mit gesättigtem Wasserdampf.

5 Inprozess-Kontrollen

Überprüfung des pH-Wertes (AB.2.2.3) vor der Sterilisation: 3,0 bis 3,2.

6 Eigenschaften und Prüfungen

6.1 Aussehen, Eigenschaften

Klare, von Schwebestoffen praktisch freie, farblose Lösung ohne wahrnehmbaren Geruch; pH-Wert (AB.2.2.3) zwischen 2,8 und 4,5.

6.2 Prüfung auf Identität

1. Die Prüfung erfolgt mit Hilfe der Dünnschichtchromatographie (AB.2.2.27) unter Verwendung einer Schicht von Kieselgel G R.

   Untersuchungslösung: Ein 5 mg Atropinsulfat enthaltendes Volumen Injektionslösung wird zur Trockne eingeengt. Der Rückstand wird mit 1 ml Methanol R extrahiert. Die nach dem Absetzen resultierende überstehende Flüssigkeit wird verwendet.

   Referenzlösung: 50 mg eines als Standard geeigneten Atropinsulfats werden in Methanol R zu 10 ml gelöst.

   Auf die Platte werden getrennt 5 µl jeder Lösung aufgetragen. Die Chromatographie erfolgt mit einer Mischung von 90 Volumteilen Aceton R, 7 Volumteilen Wasser R und 3 Volumteilen konzentrierter Ammoniak-Lösung R über eine Laufstrecke von 10 cm. Nach dem Trocknen an der Luft wird die Platte 20 min lang bei 105 °C erhitzt und nach dem Abkühlen mit verdünntem Dragendorffs Reagenz R angesprüht. Das Chromatogramm der Untersuchungslösung zeigt einen Hauptfleck, der in bezug auf Lage und Intensität annähernd dem Fleck im Chromatogramm der Referenzlösung entspricht.

2. Ein ca. 45 mg Atopinsulfat enthaltendes Volumen Injektionslösung wird auf dem Wasserbad zu 5 ml eingedampft. Die Lösung gibt die Identitätsreaktion a) auf Sulfat (AB.2.3.1).

6.3 Prüfung auf Reinheit

6.3.1 Prüfung auf Zersetzungsprodukte

Die Prüfung erfolgt mit Hilfe der Flüssigchromatographie (AB.2.2.29) wie bei Punkt 6.4, Gehaltsbestimmung, beschrieben. Das bei der Gehaltsbestimmung erhaltene Chromatogramm der Untersuchungslösung wird ausgewertet. Hierbei darf keine Peakfläche, mit Ausnahme der des Hauptpeaks, größer sein als die Fläche des Hauptpeaks im Chromatogramm der Referenzlösung c) (1,0%); die Summe aller Peakflächen, mit Ausnahme der des Hauptpeaks, darf nicht größer sein als das 2,5fache der Fläche des Hauptpeaks im Chromatogramm der Referenzlösung c) (2,5%).

6.3.2 Prüfung auf Bakterien-Endotoxine (AB.2.6.14):

Die Endotoxinkonzentration darf höchstens betragen:

Atropinsulfat-Lösung 0,025%: 13,9 I.E/ml
Atropinsulfat-Lösung 0,05%: 27,8 I.E./ml
Atropinsulfat-Lösung 0,1%: 55,6 I.E./ml
Atropinsulfat-Lösung 0,2%: 111,6 I.E./ml
Atropinsulfat-Lösung 0,5%: 278 I.E./ml
Atropinsulfat-Lösung 1%: 556 I.E./ml

6.4 Gehalt

93,0 bis 107,5 Prozent der deklarierten Menge an Atropinsulfat.

Bestimmung:
Die Bestimmung erfolgt mit Hilfe der Flüssigchromatographie (AB.2.2.29).

Untersuchungslösung: Ein 2,0 mg Atropinsulfat enthaltendes Volumen Injektionslösung wird mit Wasser R zu 25,0 ml verdünnt.

Referenzlösung a: 40,0 mg eines als Standard geeigneten Atropinsulfats werden in Wasser R zu 100,0 ml gelöst.

Referenzlösung b: 1,25 mg 4-Hydroxybenzoesäure R werden in Wasser zu 100,0 ml gelöst. 1,0 ml dieser Lösung wird mit 4,0 ml Referenzlösung a) gemischt.

Referenzlösung c: 0,2 ml Referenzlösung a) werden mit der mobilen Phase zu 100,0 ml verdünnt.

Die Chromatographie kann durchgeführt werden mit

– einer Säule aus rostfreiem Stahl von 0,125 m Länge und 3,9 mm innerem Durchmesser, gepackt mit octadecylsilyliertem Kieselgel zur Chromatographie R (5 µm).

– folgender mobiler Phase bei einer Durchflussrate von 1 ml je min: 5,1 g Tetrabutylammoniumhydrogensulfat R und 50 ml Acetonitril R werden in Acetat-Pufferlösung pH 4,6 R zu 1000,0 ml gelöst. Die Lösung wird mit Natriumhydroxid-Lösung R auf den pH-Wert 5,5 ± 0,1 eingestellt.

– einem Spektrometer als Detektor bei einer Wellenlänge von 254 nm.

Von der Untersuchungslösung und den Referenzlösungen werden jeweils 20 µl eingespritzt. Die Prüfung darf nur ausgewertet werden, wenn bei der Referenzlösung a) die relative Standardabweichung der Peakfläche bei wiederholter Einspritzung höchstens 1,5% beträgt und wenn bei der Referenzlösung b) die Retentionszeit für 4-Hydroxybenzoesäure etwa das 1,6fache von der für Atropin sowie die Auflösung zwischen den Peaks von 4-Hydroxybenzoesäure und Atropin mindestens 1,5 beträgt.

Der Gehalt an Atropinsulfat in den Injektionslösungen wird durch Bezug auf den Atropinsulfat-Standard berechnet.

7 Behältnisse

Braunglasampullen aus Neutralglas nach AB.3.2.1.

8 Kennzeichnung

Nach § 10 AMG, insbesondere:

8.1 Zulassungsnummern

Atropinsulfat-Lösung 0,025%:	5899.99.98
Atropinsulfat-Lösung 0,05%:	5899.98.98
Atropinsulfat-Lösung 0,1%:	5899.97.98
Atropinsulfat-Lösung 0,2%:	5899.96.98
Atropinsulfat-Lösung 0,5%:	5899.95.98
Atropinsulfat-Lösung 1%:	5899.94.98

8.2 Art der Anwendung

Atropinsulfat-Lösung 0,025%, 0,05%, 0,1% und 0,2%: zur subcutanen, intramuskulären oder intravenösen Injektion.

Atropinsulfat-Lösung 0,5% und 1%: zur intravenösen Injektion und Infusion. Anwendung ausschließlich als Antidot bei Vergiftungen mit Insektiziden der Organophosphat- und Carbamatgruppe unter ständiger ärztlicher Kontrolle.

8.3 Hinweise

Verschreibungspflichtig.

Nur klare Lösungen in unversehrten Behältnissen verwenden. Nach Anbruch sofort verwenden. Restbestände verwerfen.

9 Packungsbeilage

Nach § 11 AMG, insbesondere:

9.1 Stoff- oder Indikationsgruppe

Parasympatholytikum, Antidot

9.2 Anwendungsgebiete

9.2.1 Atropinsulfat-Lösung 0,025%

Zur medikamentösen Narkosevorbereitung; Kurzzeittherapie von akut aufgetretenen bradykarden Herzrhythmusstörungen.

Hinweis:

Bei der Therapie von Herzrhythmusstörungen darf Atropin nur unter ständiger Überwachung des EKG und der vitalen Parameter angewendet werden.

9.2.2 Atropinsulfat-Lösung 0,05% bis 0,2%

Zur medikamentösen Narkosevorbereitung; Kurzzeittherapie von akut aufgetretenen bradykarden Herzrhythmusstörungen;

Gegenmittel (Antidot) zur Behandlung von Vergiftungen mit Parasympathomimetika.

Hinweis:

Bei der Therapie von Herzrhythmusstörungen darf Atropin nur unter ständiger Überwachung des EKG und der vitalen Parameter angewendet werden.

9.2.3 Atropinsulfat-Lösung 0,5% und 1%

Gegenmittel (Antidot) zur Behandlung von Vergiftungen mit Parasympathomimetika.

9.3 Gegenanzeigen

9.3.1 Atropinsulfat-Lösung 0,025% bis 0,2%

Wann darf Atropinsulfat-Lösung ...[2) nicht angewendet werden?

Atropinsulfat-Lösung ...[2) darf nicht angewendet werden bei:

- Engwinkelglaukom
- Tachykardie bei Herzinsuffizienz und Thyreotoxikose
- tachykarden Herzrhythmusstörungen
- Verengungen der Herzkranzgefäße (Koronarstenose)
- mechanischen Verschlüssen des Magen-Darm-Traktes
- paralytischem Darmverschluss
- Vorliegen von krankhaft erweiterten Dickdarmabschnitten (Megakolon)
- obstruktiven Harnwegserkrankungen
- bestehender Vergrößerung der Vorsteherdrüse (Prostatahypertrophie) mit Restharnbildung
- Myasthenia gravis
- akutem Lungenödem
- durch eine Schwangerschaft bedingten Krankheitszuständen (Schwangerschaftstoxikose)
- bekannter Überempfindlichkeit gegenüber Atropin und anderen Anticholinergika

Was muss in der Schwangerschaft und Stillzeit beachtet werden?

Atropinsulfat ist plazentagängig und tritt in geringen Mengen in die Muttermilch über.

Eine Anwendung von Atropinsulfat in der Schwangerschaft sollte nur bei strengster Nutzen-Risiko-Abwägung erfolgen, da es beim Ungeborenen zu einer Mas-

---

[2) Hier ist vom pharmazeutischen Unternehmer die jeweils zutreffende Wirkstoffkonzentration einzusetzen.

kierung von Bradykardien durch atropininduzierte Tachykardien kommen kann.

Atropinsulfat darf nicht unter der Geburt und bei einem Kaiserschnitt angewendet werden, da es zu Herzrhythmusstörungen (insbesondere Tachykardien) bei der Mutter und beim Kind kommen kann.

Da Atropinsulfat in die Muttermilch übergeht, sollte bei Anwendung von Atropinsulfat abgestillt werden.

Was ist bei Kindern und älteren Menschen zu berücksichtigen?

Säuglinge und Kleinkinder bis zum zweiten Lebensjahr sowie Erwachsene über 65 Jahre sind besonders empfindlich gegenüber den toxischen Effekten von Atropinsulfat, ebenso Patienten mit Mongolismus (Down-Syndrom). Eine besonders vorsichtige Dosierung ist daher in diesen Fällen geboten.

Atropinsulfat hemmt die Schweißsekretion und beeinträchtigt dadurch die Fähigkeit zur Temperaturregulation. Bei fiebernden Patienten, insbesondere bei Kindern und bei hoher Lufttemperatur ist bei der Anwendung besondere Vorsicht geboten, da es rascher zu einer Überhitzung und zum Wärmestau (Hyperthermie) kommen kann.

Hinweis:

Bei bestimmungsgemäßen Gebrauch von Atropinsulfat-Lösung ...[3] als Gegenmittel (Antidot) bei Vergiftungen mit direkten oder indirekten Parasympathomimetika gelten die o.g. Gegenanzeigen als relative Gegenanzeigen, da in diesen Fällen eine Atropin-Therapie als lebensrettend angesehen werden muss.

9.3.2 Atropinsulfat-Lösung 0,5% und 1%

Hinweis:

Absolute Gegenanzeigen entfallen bei bestimmungsgemäßen Gebrauch, da bei Vergiftungen mit direkten oder indirekten Parasymapathomimetika eine Atropin-Therapie als lebensrettend angesehen werden muss.

Relative Gegenanzeigen sind:

– Engwinkelglaukom

– Tachykardie bei Herzinsuffizienz und Thyreotoxikose

– tachykarde Herzrhythmusstörungen

– Verengungen der Herzkranzgefäße (Koronarstenose)

– mechanische Verschlüsse des Magen-Darm-Traktes

– paralytischer Darmverschluss

– Vorliegen von krankhaft erweiterten Dickdarmabschnitten (Megakolon)

– obstruktive Harnwegserkrankungen

– bestehende Vergrößerung der Vorsteherdrüse (Prostataadenom) mit Restharnbildung

---

[3] Hier ist vom pharmazeutischen Unternehmer die jeweils zutreffende Wirkstoffkonzentration einzusetzen.

- Myasthenia gravis
- akutes Lungenödem
- Schwangerschaft und Stillzeit
- bekannte Überempfindlichkeit gegenüber Atropin und anderen Anticholinergika.

Was muss in der Schwangerschaft und Stillzeit beachtet werden?

Atropinsulfat ist plazentagängig und tritt in geringen Mengen in die Muttermilch über.

Eine Anwendung von Atropinsulfat in der Schwangerschaft darf nur bei strengster Nutzen-Risiko-Abwägung erfolgen, da es beim Ungeborenen zu einer Maskierung von Bradykardien durch atropininduzierte Tachykardien kommen kann.

Was ist bei Kindern und älteren Menschen zu berücksichtigen?

Säuglinge und Kleinkinder bis zum zweiten Lebensjahr sowie Erwachsene über 65 Jahre sind besonders empfindlich gegenüber den toxischen Effekten von Atropinsulfat, ebenso Patienten mit Mongolismus (Down-Syndrom). Eine besonders vorsichtige Dosierung ist daher in diesen Fällen geboten.

Atropinsulfat hemmt die Schweißsekretion und beeinträchtigt dadurch die Fähigkeit zur Temperaturregulation. Bei fiebernden Patienten, insbesondere bei Kindern und bei hoher Lufttemperatur ist bei der Anwendung besondere Vorsicht geboten, da es rascher zu einer Überhitzung und zum Wärmestau (Hyperthermie) kommen kann.

9.4 Vorsichtsmaßnahmen für die Anwendung und Warnhinweise

Welche Vorsichtsmaßnahmen müssen beachtet werden?

Bei Patienten mit frischem Herzinfarkt können unter der Gabe von Atropinsulfat tachykarde Herzrhythmusstörungen bis zum Kammerflimmern auftreten.

Bei Patienten mit Herzmuskelschwäche (Herzinsuffizienz), Mitralklappenstenose, hohem Blutdruck (Hypertonie) und Überfunktion der Schilddrüse (Hyperthyreose) ist Atropinsulfat vorsichtig zu dosieren, da Tachykardien vermieden werden sollten.

(siehe auch Abschnitt „Was ist bei Kindern und älteren Menschen zu berücksichtigen?")

Was müssen Sie im Straßenverkehr sowie bei der Arbeit mit Maschinen und bei Arbeiten ohne sicheren Halt beachten?

Dieses Arzneimittel kann auch bei bestimmungsgemäßem Gebrauch die Sehleistung und das Reaktionsvermögen so weit verändern, dass die Fähigkeit zur aktiven Teilnahme am Straßenverkehr, das Bedienen von Maschinen oder das Arbeiten ohne sicheren Halt beeinträchtigt werden.

9.5 Wechselwirkungen mit anderen Mitteln

Welche anderen Arzneimittel beeinflussen die Wirkung von Atropinsulfat-Lösung ...[4]?

---

[4]) Hier ist vom pharmazeutischen Unternehmer die jeweils zutreffende Wirkstoffkonzentration einzusetzen.

Die anticholinergen Effekte folgender Pharmaka können bei gleichzeitiger Anwendung von Atropinsulfat verstärkt werden:

- Antihistaminika
- Neuroleptika (Phenothiazine, Butyrophenone)
- trizyklische und tetrazyklische Antidepressiva
- Pethidin
- Methylphenidat
- Antiparkinsonmittel mit Ausnahme der Dopaminrezeptor-Agonisten
- Antiarrhythmika wie Chinidin, Procainamid und Disopyramid
- Dopamin-Antagonisten wie Metoclopramid.

Wie beeinflusst Atropinsulfat-Lösung ...[5] die Wirkung bei anderen Arzneimitteln?

Die gleichzeitige Anwendung von Cisaprid und Atropin führt zu einer vollständigen Aufhebung der Wirkung von Cisaprid.

Infolge der durch Atropin verminderten Darmbeweglichkeit (Darmmotilität) werden gleichzeitig verabreichtes Digoxin und Nitrofurantoin verstärkt, Phenothiazine und Levodopa vermindert resorbiert.

Beachten Sie bitte, dass diese Angaben auch für vor kurzem angewandte Arzneimittel gelten können.

9.6 Dosierungsanleitung und Art der Anwendung

Wie und wann sollte Atropinsulfat-Lösung ...[5] angewendet werden?

9.6.1 Atropinsulfat-Lösung 0,025% bis 0,2%

Medikamentöse Narkosevorbereitung:

<u>Erwachsene</u> erhalten 3 bis 5 Minuten vor Narkosebeginn intravenös 0,01 mg Atropinsulfat pro kg Körpermasse verarbreicht. Die gleiche Dosis kann 30 bis 60 Minuten vor Narkosebeginn intramuskulär oder subkutan injiziert werden.

<u>Kinder</u> erhalten 3 bis 5 Minuten vor Narkosebeginn intravenös 0,01 mg Atropinsulfat pro kg Körpermasse bis zu einer Höchstdosis von 0,5 mg verabreicht. Bei intramuskulärer Anwendung werden 30 bis 60 Minuten vor Narkosebeginn 0,02 mg Atropinsulfat pro kg Körpermasse bis zu einer Höchstdosis von 0,5 mg injiziert.

Bradykarde Herzrhythmusstörungen:

<u>Erwachsene</u> erhalten intravenös oder intramuskulär 0,5 bis 1,5 mg Atropinsulfat alle 4 bis 6 Stunden injiziert, entsprechend ... bis ...[6] ml aus einer Ampulle Atropinsulfat-Lösung... [6].

<u>Kinder</u> erhalten intravenös 0,01 mg Atropinsulfat pro kg Körpermasse (Minimaldosis 0,1 mg, Höchstdosis 0,5 mg) injiziert.

Die Dosis kann maximal 2mal nach 10 bis 15 Minuten wiederholt werden.

---

[5] Hier ist vom pharmazeutischen Unternehmer die jeweils zutreffende Wirkstoffkonzentration einzusetzen.
[6] Hier ist vom pharmazeutischen Unternehmer die jeweils zutreffende Wirkstoffkonzentration bzw. die darauf beruhende jeweilige Volumenangabe einzusetzen.

Atropinsulfat-Lösungen 0,025% bis 1%   9

9.6.2 Atropinsulfat-Lösung 0,05% bis 1%

Gegenmittel (Antidot) bei Vergiftung mit direkten und indirekten Parasympathomimetika:

– *Alkylphosphat-Vergiftung*

Bei Vergiftungen mit phosphororganischen Cholinesterasehemmstoffen:

<u>Erwachsene</u> erhalten initial je nach Schweregrad bis zum Rückgang der Bronchialsekretion intravenös 2 bis 5 mg Atropinsulfat alle 10 bis 15 Minuten, entsprechend ... bis ... [6] ml aus einer Ampulle Atropinsulfat-Lösung ... [6].

In Einzelfällen können bis zu 50 mg Atropinsulfat verabreicht werden.

Als Erhaltungsdosis werden intravenös 0,5 bis 1 mg Atropinsulfat alle 1 bis 4 Stunden injiziert, entsprechend ... bis ... [6] ml aus einer Ampulle Atropinsulfat-Lösung ... [6].

<u>Kinder</u> erhalten initial 0,5 bis 2 mg Atropinsulfat intravenös injiziert, entsprechend ... bis ... [6] ml aus einer Ampulle Atropinsulfat-Lösung ... [6].

Erhaltungsdosis entsprechend der klinischen Symptomatik.

Zusätzlich zur Atropinisierung erfolgt die Gabe von Reaktivatoren der Acetylcholin-Esterase (Obidoximchlorid)!

Bei oraler Vergiftung erfolgt eine Magenspülung und die Gabe von medizinischer Kohle.

– *Carbamat-Vergiftung/Muscarin-Vergiftung*

Bei oralen Vergiftungen mit direkt wirkenden m-Cholinozeptor-Agonisten wie bei Risspilzen (Innocybe-Arten), Trichterlingen (Clitocybe-Arten) bzw. bei Vergiftungen mit Insektiziden und Herbiziden vom Carbamat-Typ (Cholinesterasehemmstoffe):

Erwachsene erhalten intial 1 bis 2 mg Atropinsulfat intravenös oder intramuskulär injiziert, entsprechend ... bis ... [7] ml aus einer Ampulle Atropinsulfat-Lösung ... [7].

Ggf. erfolgt die Dosierung wie bei der Alkylphosphatvergiftung.

<u>Kinder</u> erhalten entsprechend der klinischen Symptomatik intravenös 0,02 bis 0,05 mg Atropinsulfat pro kg Körpermasse injiziert.

Zusätzlich erfolgt eine Magenspülung und die Gabe von medizinischer Kohle.

Überdosierung von Neostigmin und Pyridostigmin (indirekt wirkende m-Cholinozeptor-Agonisten) bei Myasthenia gravis.

Nach Intubation werden 1 bis 2 mg Atropinsulfat intravenös injiziert, entsprechend ... bis ... [7] ml aus einer Ampulle Atropinsulfat-Lösung ...[7].

---

[6]) Hier ist vom pharmazeutischen Unternehmer die jeweils zutreffende Wirkstoffkonzentration bzw. die darauf beruhende jeweilige Volumenangabe einzusetzen.
[7]) Hier ist vom pharmazeutischen Unternehmer die jeweils zutreffende Wirkstoffkonzentration bzw. die darauf beruhende jeweilige Volumenangabe einzusetzen.

10 Atropinsulfat-Lösungen 0,025% bis 1%

9.7 Überdosierung und andere Anwendungsfehler

Symptome einer Überdosierung

Bei Überdosierung oder Vergiftung sind die typischen Symptome weite Pupillen (Lichtscheuheit), Akkommodationsstörungen (Weitsichtigkeit), Mundtrockenheit, Durstgefühl und Schluckbeschwerden, Schwindel, Übelkeit, Erbrechen, Luftnot, scharlachrote heiße trockene Haut, Überwärmung, Herzklopfen und Herzrasen (Tachykardie) und erhöhter Blutdruck. Daneben kommt es infolge einer Darm- und Blasenlähmung zu Stuhl- und Harnverhaltung.

Eine starke Überhitzung bzw. Wärmestauung (Hyperthermie) kann bei Säuglingen und Kleinkindern schon bei therapeutischer Dosierung auftreten und erklärt sich durch die Hemmung der Schweißsekretion und damit der Beeinträchtigung der Temperaturregulation.

Weitere Symptome sind gekennzeichnet durch motorische Unruhe, Erregungszustände, Krämpfe, Verwirrheitszustände (Desorientierung) und Sinnestäuschungen (Halluzinationen). Psychosen unter dem Bild einer Schizophrenie bzw. eines Alkoholdeliriums können auftreten. Die zentrale Erregung geht schließlich über in eine starke Schläfrigkeit (Somnolenz), Koma und Atemlähmung.

Was ist zu tun, wenn Atropinsulfat-Lösung ... [8] in zu großen Mengen angewendet wurde (beabsichtigte oder versehentliche Überdosierung)?

Neben Allgemeinmaßnahmen (z.B. physikalische Maßnahmen bei Hyperthermie) müssen unter intensivmedizinischen Bedingungen die vitalen Parameter überwacht und ggf. korrigiert werden.

Medikamentöse Therapie bei einer Überdosierung:

<u>Erwachsene</u> erhalten als Gegenmittel (Antidot) 1 bis 2 mg Physostigmin langsam intravenös injiziert (ggf. Wiederholung in stündlichem Abstand).

Bei Krämpfen werden 10 bis 20 mg Diazepam intravenös verabreicht.

<u>Kinder</u> erhalten als Gegenmittel (Antidot) 0,5 mg Physostigmin langsam intravenös oder intramuskulär injiziert (ggf. Wiederholung in stündlichem Abstand).

Bei Krämpfen werden initial 1 bis 2 mg Diazepam intravenös verabreicht.

9.8 Nebenwirkungen

Sehr häufig:	**Häufig:**
Bei mehr als 1 von 10 Behandelten	Bei mehr als 1 von 100 Behandelten
Gelegentlich:	**Selten:**
Bei mehr als 1 von 1000 Behandelten	Bei mehr als 1 von 10 000 Behandelten
Sehr selten:	
Bei 1 oder weniger als 1 von 10 000 Behandelten, einschließlich Einzelfälle	

---

[8]) Hier ist vom pharmazeutischen Unternehmer die jeweils zutreffende Wirkstoffkonzentration einzusetzen.

Welche Nebenwirkungen können bei der Anwendung von Atropinsulfat-Lösung ... [9] auftreten?

Die Nebenwirkungen von Atropinsulfat sind dosisabhängig.

In Dosen von ca. 0,5 mg bewirkt Atropinsulfat eine schwache Verlangsamung der Schlagfolge des Herzens (Bradykardie) sowie eine schwache Mundtrockenheit.

Dosen von 1 bis 2 mg führen regelmäßig zu Mundtrockenheit, Abnahme der Schweißsekretion (Hauttrockenheit), Herzrasen (Tachykardie), Sehstörungen infolge starker Pupillenerweiterung (Mydriasis) und Störung der Akkommodation.

Bei höherer Dosierung oder besonderer Empfindlichkeit gegenüber Atropinsulfat können diese Symptome verstärkt sein. Es können Herzrhythmusstörungen (supraventrikuläre und ventrikuläre Arrhythmien, Verkürzung der AV-Überleitung), Muskelschwäche und muskuläre Koordinationsstörungen, Blasenentleerungsstörungen, Störungen der Darmperistaltik, Schluckstörungen und bei Rückfluss von Magenflüssigkeit in die Speiseröhre (gastroösophagealer Reflux) auftreten. Es kann zu Sprachstörungen, Unruhe- und Erregungszuständen, Verwirrtheitszuständen, Sinnestäuschungen (Halluzinationen), Krämpfen, Delir und zu komatösen Zuständen kommen (siehe auch Abschnitt „Überdosierung und andere Anwendungsfehler – Symptome einer Überdosierung").

Eine akute Erhöhung des Augeninnendruckes (akutes Glaukom) kann durch Atropinsulfat ausgelöst werden.

Sehr selten wurden Angina-Pectoris-Beschwerden und eine starke Erhöhung des Blutdruckes bis hin zur hypertensiven Krise beobachtet.

Bei länger dauernder Behandlung kann sich eine Entzündung der Ohrspeicheldrüse (Parotitis) als Folge der Speichelsekretionshemmung entwickeln.

Überempfindlichkeitsreaktionen können in Form von Bindehautentzündung (Konjunktivitis), Juckreiz und Hautausschlägen (Exantheme, Erytheme, Urtikaria, periokulare Dermatitis) auftreten; sehr selten wurde ein anaphylaktischer Schock ausgelöst.

Bei Patienten mit Mongolismus (Down-Syndrom) können schon bei niedrigen Dosen eine starke Pupillenerweiterung (Mydriasis) und eine ausgeprägte Tachykardie auftreten.

Wenn Sie Nebenwirkungen bei sich beobachten, die nicht in dieser Packungsbeilage aufgeführt sind, teilen Sie diese bitte Ihrem Arzt oder Apotheker mit.

Welche Gegenmaßnahmen sind bei Nebenwirkungen zu ergreifen?

Siehe Abschnitt „Überdosierung und andere Anwendungsfehler".

10 Fachinformationen

Nach § 11 a AMG, insbesondere:

10.1 Verschreibungsstatus/Apothekenpflicht

Verschreibungspflichtig.

---

[9]) Hier ist vom pharmazeutischen Unternehmer die jeweils zutreffende Wirkstoffkonzentration einzusetzen.

12 Atropinsulfat-Lösungen 0,025% bis 1%

10.2 Stoff- oder Indikationsgruppe

Parasympatholytikum; Antidot.

10.3 Anwendungsgebiete

10.3.1 Atropinsulfat-Lösung 0,025%

Narkoseprämedikation; Kurzzeittherapie von akut aufgetretenen bradykarden Herzrhythmusstörungen.

Hinweis:

Bei der Therapie von Herzrhythmusstörungen darf Atropin nur unter ständiger Überwachung des EKG und der vitalen Parameter angewendet werden.

10.3.2 Atropinsulfat-Lösung 0,05% bis 0,2%

Narkoseprämedikation; Kurzzeittherapie von akut aufgetretenen bradykarden Herzrhythmusstörungen;

Antidot bei Vergiftungen mit Parasympathomimetika.

Hinweis:

Bei der Therapie von Herzrhytmusstörungen darf Atropin nur unter ständiger Überwachung des EKG und der vitalen Parameter angewendet werden.

10.3.3 Atropinsulfat-Lösung 0,5% und 1%

Antidot bei Vergiftungen mit Parasympathomimetika.

10.4 Gegenanzeigen

10.4.1 Atropinsulfat-Lösung 0,025% bis 0,2%

Atropinsulfat darf nicht angewendet werden bei:

– Engwinkelglaukom

– Tachykardie bei Herzinsuffizienz und Thyreotoxikose

– tachykarden Herzrhythmusstörungen

– Koronarstenose

– mechanischen Verschlüssen des Magen-Darm-Traktes

– paralytischem Ileus

– Vorliegen von krankhaft erweiterten Dickdarmabschnitten (Megakolon)

– obstruktiven Harnwegserkrankungen

– bestehender Prostatahypertrophie mit Restharnbildung

– Myasthenia gravis

– akutem Lungenödem

– Schwangerschaftstoxikose

– bekannter Überempfindlichkeit gegenüber Atropin und anderen Anticholinergika.

Anwendung in der Schwangerschaft und Stillzeit:

Atropinsulfat ist plazentagängig und tritt in geringen Mengen in die Muttermilch über.

Eine Anwendung von Atropinsulfat-Lösung ...[10] in der Schwangerschaft sollte nur bei strengster Nutzen-Risiko-Abwägung erfolgen, da es beim Ungeborenen zu einer Maskierung von Bradykardien durch atropininduzierte Tachykardien kommen kann.

Die Anwendung von Atropinsulfat unter der Geburt und bei einer Sectio caesarea ist kontraindiziert, da es zu Herzrhythmusstörungen (insbesondere Tachykardien) bei der Mutter und beim Kind kommen kann. Es besteht die Gefahr, dass es zu Beeinträchtigungen des autonomen Nervensystems beim Feten kommen kann und somit die Anpassung des Neugeborenen nach der Geburt beeinflusst wird.

Da Atropinsulfat in die Muttermilch übergeht, sollte bei der Anwendung von Atropinsulfat-Lösung ...[10] abgestillt werden.

Hinweis:

Bei bestimmungsgemäßem Gebrauch von Atropinsulfat-Lösung ...[10] als Antidot bei Vergiftungen mit direkten oder indirekten Parasympathomimetika gelten die o. g. Gegenanzeigen als relative Kontraindikationen, da in diesen Fällen eine Atropin-Therapie als lebensrettend angesehen werden muss.

10.4.2 Atropinsulfat-Lösung 0,5% und 1%

Hinweis:

Absolute Kontraindikationen entfallen bei bestimmungsgemäßem Gebrauch, da bei Vergiftungen mit direkten oder indirekten Parasympathomimetika eine Atropin-Therapie als lebensrettend angesehen werden muss.

Relative Kontraindikationen sind:

- Engwinkelglaukom
- Tachykardie bei Herzinsuffizenz und Thyreotoxikose
- tachykarde Herzrhythmusstörung
- Koronarstenose
- mechanische Verschlüsse des Magen-Darm-Traktes
- paralytischer Ileus
- Vorliegen von krankhaft erweiterten Dickdarmabschnitten (Megakolon)
- obstruktive Harnwegserkrankungen
- bestehende Prostatahypertrophie mit Restharnbildung
- Myasthenia gravis
- akutes Lungenödem
- Schwangerschaft und Stillzeit
- bekannte Überempfindlichkeit gegenüber Atropin und anderen Anticholinergika.

---

[10]) Hier ist vom pharmazeutischen Unternehmer die jeweils zutreffende Wirkstoffkonzentration einzusetzen.

14 Atropinsulfat-Lösungen 0,025% bis 1%

Anwendung in der Schwangerschaft und Stillzeit:

Atropinsulfat ist plazentagängig und tritt in geringen Mengen in die Muttermilch über.

Eine Anwendung von Atropinsulfat-Lösung ...[11)] in der Schwangerschaft darf nur bei strengster Nutzen-Risiko-Abwägung erfolgen, da es beim Feten zu einer Maskierung von Bradykardien durch atropininduzierte Tachykardien kommen kann.

10.5 Nebenwirkungen

Die Nebenwirkungen von Atropinsulfat sind dosisabhängig.

In Dosen von ca. 0,5 mg bewirkt Atropinsulfat eine schwache Bradykardie sowie schwache Mundtrockenheit.

Dosen von 1 bis 2 mg führen regelmäßig zu Mundtrockenheit, Abnahme der Schweißsektretion (Hauttrockenheit), Tachykardie, Sehstörungen infolge Mydriasis und Störung der Akkomodation.

Bei höherer Dosierung oder besonderer Empfindlichkeit können diese Symptome verstärkt sein. Es können supraventrikuläre und ventrikuläre Arrhythmien, Verkürzung der AV-Überleitung, Muskelschwäche und muskuläre Koordinationsstörungen, Miktionsstörungen, Störungen der Darmperistaltik, Schluckstörungen und gastroösophagealer Reflux auftreten. Es kann zu Sprachstörungen, Unruhe- und Erregungszuständen, Halluzinationen, Verwirrtheitszuständen, Krämpfen, Delirien und zu komatösen Zuständen kommen.

Ein Glaukomanfall kann durch Atropin ausgelöst werden.

Sehr selten wurden Angina-Pectoris-Beschwerden und eine starke Erhöhung des Blutdruckes bis hin zur hypertensiven Krise beobachtet.

Bei länger dauernder Behandlung kann sich eine Parotitis als Folge der Speichelsekretionshemmung entwickeln.

Bei Patienten mit Down-Syndrom können schon bei niedrigen Dosen eine starke Mydriasis und ausgeprägte Tachykardie auftreten.

Überempfindlichkeitsreaktionen können in Form von Konjunktivitis, periokularer Dermatitis, Pruritus, Exanthemen, Erythemen, Urtikaria auftreten; sehr selten wurde ein anaphylaktischer Schock ausgelöst.

(Siehe auch Abschnitt „Notfallmaßnahmen – Symptome einer Überdosierung")

Hinweis:

Dieses Arzneimittel kann auch bei bestimmungsgemäßem Gebrauch die Sehleistung und das Reaktionsvermögen so weit herabsetzen, dass die Fähigkeit zur aktiven Teilnahme am Straßenverkehr, das Bedienen von Maschinen oder das Arbeiten ohne sicheren Halt beeinträchtigt werden. Dies gilt im verstärkten Maß im Zusammenwirken mit Alkohol.

10.6 Wechselwirkungen mit anderen Mitteln

Die anticholinergen Effekte folgender Pharmaka können bei gleichzeitiger Anwendung von Atropinsulfat verstärkt werden:

[11)] Hier ist vom pharmazeutischen Unternehmer die jeweils zutreffende Wirkstoffkonzentration einzusetzen.

- Antihistaminika
- Neuroleptika (Phenothiazine, Butyrophenone)
- trizyklische und tetrazyklische Antidepressiva
- Pethidin
- Methylphenidat
- Antiparkinsonmittel mit Ausnahme der Dopaminrezeptor-Agonisten
- Antiarrhythmika wie Chinidin, Procainamid und Disopyramid
- Dopamin-Antagonisten wie Metoclopramid.

Die gleichzeitige Anwendung von Cisaprid und Atropin führt zu einer vollständigen Aufhebung der Wirkung von Cisaprid.

Infolge der durch Atropin verminderten Darmmotilität werden gleichzeitig verabreichtes Digoxin und Nitrofurantoin verstärkt, Phenothiazine und Levodopa vermindert resorbiert.

10.7 Warnhinweise

Säuglinge und Kleinkinder bis zum zweiten Lebensjahr sowie Erwachsene über 65 Jahren sind besonders empfindlich gegenüber den toxischen Effekten von Atropinsulfat, ebenso Patienten mit Down-Syndrom. Eine besonders vorsichtige Dosierung ist daher in diesen Fällen geboten.

Atropin hemmt die Schweißsekretion und beeinträchtigt dadurch die Fähigkeit zur Temperaturregulation.

Bei fiebernden Patienten, insbesondere bei Kindern und bei hoher Lufttemperatur ist bei der Anwendung von Atropinsulfat besondere Vorsicht geboten, da es rascher zu einer Hyperthermie kommen kann.

Bei Patienten mit frischem Herzinfarkt können unter der Gabe von Atropinsulfat tachykarde Herzrhythmusstörungen bis zum Kammerflimmern auftreten.

Bei Patienten mit Herzinsuffizienz, Mitralklappenstenose, Hypertonie und Hyperthyreose ist Atropinsulfat vorsichtig zu dosieren, da Tachykardien vermieden werden sollten.

10.8 Wichtigste Inkompatibilitäten

Als inkompatibel hat sich Atropin-Injektionslösung bei Zumischung von folgenden Arzneistoffen erwiesen: Methohexital, Noradrenalin, Pentobarbital.

Atropinsulfat ist inkompatibel mit alkalischen Lösungen.

10.9 Dosierung mit Einzel- und Tagesgaben

10.9.1 Atropinsulfat-Lösung 0,025% bis 0,2%

Narkoseprämedikation:

<u>Erwachsene</u> erhalten 3 bis 5 Minuten vor Narkosebeginn intravenös 0,01 mg Atropinsulfat pro kg Körpermasse.

Die gleiche Dosis kann 30 bis 60 Minuten vor Narkosebeginn intramuskulär oder subkutan verabreicht werden.

Kinder erhalten 3 bis 5 Minuten vor Narkosebeginn intravenös 0,01 mg Atropinsulfat pro kg Körpermasse (Höchstdosis 0,5 mg).

Bei intramuskulärer Anwendung werden 30 bis 60 Minuten vor Narkosebeginn 0,02 mg Atropinsulfat pro kg Körpermasse (Höchstdosis 0,5 mg) verabreicht.

Bradykarde Herzrhythmusstörungen:

Erwachsene erhalten intravenös oder intramuskulär 0,5 bis 1,5 mg Atropinsulfat alle 4 bis 6 Stunden injiziert.

Kinder erhalten intravenös 0,01 mg Atropinsulfat pro kg Körpermasse (Minimaldosis 0,1 mg, Höchstdosis 0,5 mg) injiziert.

Die Dosis kann maximal 2mal nach 10 bis 15 Minuten wiederholt werden.

10.9.2 Atropinsulfat-Lösung 0,05 % bis 1 %

Antidot bei Vergiftung mit direkten und indirekten Parasympathomimetika:

– *Alkylphosphat-Vergiftung*

Bei Vergiftungen mit phosphororganischen Cholinesterasehemmstoffen:

Erwachsene erhalten initial je nach Schweregrad bis zum Rückgang der Bronchialsekretion intravenös 2 bis 5 mg Atropinsulfat alle 10 bis 15 Minuten injiziert.

In Einzelfällen können bis zu 50 mg Atropinsulfat verabreicht werden.

Als Erhaltungsdosis werden intravenös 0,5 bis 1 mg Atropinsulfat alle 1 bis 4 Stunden injiziert.

Kinder erhalten initial 0,5 bis 2 mg Atropinsulfat intravenös injiziert.

Erhaltungsdosis entsprechend der klinischen Symptomatik.

Zusätzlich zur Atropinisierung erfolgt die Gabe von Reaktivatoren der Acetylcholin-Esterase (Obidoximchlorid)!

Bei oraler Vergiftung erfolgen eine Magenspülung und die Gabe von medizinischer Kohle.

– *Carbamat-Vergiftung/Muscarin-Vergiftung*

Bei oraler Vergiftung mit direkt wirkenden m-Cholinozeptor-Agonisten wie bei Rißpilzen (Innocybe-Arten), Trichterlingen (Clitocybe-Arten) bzw. bei Vergiftungen mit Insektiziden und Herbiziden vom Carbamat-Typ (Cholinesterasehemmstoffen):

Erwachsene erhalten initial 1 bis 2 mg Atropinsulfat intravenös oder intramuskulär injiziert.

Ggf. erfolgt die Dosierung wie bei der Alkylphosphatvergiftung.

Kinder erhalten entsprechend der klinischen Symptomatik intravenös 0,02 bis 0,05 mg Atropinsulfat pro kg Körpermasse injiziert.

Zusätzlich erfolgt eine Magenspülung und die Gabe von medizinischer Kohle.

Überdosierung von Neostigmin und Pyridostigmin (indirekt wirkende m-Cholinozeptor-Agonisten) bei Myasthenia gravis.

Nach Intubation werden 1 bis 2 mg Atropinsulfat intravenös injiziert.

10.10 Art und Dauer der Anwendung

10.10.1 Atropinsulfat-Lösung 0,025 % bis 0,2 %

Zur subkutanen/intramuskulären/intravenösen Injektion.

Die Behandlung erfolgt unter ständiger ärztlicher Kontrolle.

10.10.2 Atropinsulfat-Lösung 0,5 % und 0,1 %;

Zur intravenösen Injektion.

Die Anwendung erfolgt ausschließlich als Antidot bei Vergiftungen mit direkten und indirekten Parasympathomimetika (z. B. Alkylphosphate, Carbamate, Muscarin) unter ständiger ärztlicher Kontrolle.

10.11 Notfallmaßnahmen, Symptome und Gegenmittel

Symptome einer Überdosierung:

Typische Symptome einer Überdosierung oder Vergiftung sind:

Unscharfes Sehen und Lichtscheu infolge Mydriasis und Akkomodationslähmung, Mundtrockenheit, Durstgefühl und Schluckbeschwerden, Schwindel, Übelkeit, Erbrechen, Dyspnoe, scharlachrote heiße trockene Haut, Hyperthermie, Herzklopfen, Tachykardie, erhöhter Blutdruck, Darmatonie (Ileus), Harndrang mit gleichzeitiger erschwerter Miktion (Blasenatonie).

Eine Hyperthermie durch Hemmung der Schweißsekretion und zentrale Störung der Wärmeregulation kann bei Säuglingen und Kleinkindern schon bei therapeutischer Dosierung auftreten.

Zentrale Symptome sind gekennzeichnet durch motorische Unruhen, Erregungszustände, Krämpfe, Desorientierung, Halluzinationen und Psychosen, ähnlich dem Bild der Schizophrenie bzw. eines Alkoholdeliriums. Die zentrale Erregung geht über in Somnolenz, Koma und Atemlähmung.

Therapiemaßnahmen bei Überdosierung:

Neben Allgemeinmaßnahmen (z.B. physikalische Maßnahmen bei Hyperthermie) müssen unter intensivmedizinischen Bedingungen die vitalen Parameter überwacht und ggf. korrigiert werden.

<u>Erwachsene</u> erhalten als Antidot 1 bis 2 mg Physostigmin langsam intravenös injiziert (ggf. Wiederholung in stündlichem Abstand).

Bei Krämpfen werden 10 bis 20 mg Diazepam intravenös verabreicht.

<u>Kinder</u> erhalten als Antidot 0,5 mg Physostigmin langsam intravenös oder intramuskulär injiziert (ggf. Wiederholung in stündlichem Abstand).

Bei Krämpfen werden initial 1 bis 2 mg Diazepam intravenös verabreicht.

10.12 Pharmakologische und toxikologische Eigenschaften, Pharmakokinetik, Bioverfügbarkeit, soweit diese Angaben für die therapeutische Verwendung erforderlich sind.

10.12.1 Pharmakologische Eigenschaften

Atropin ist das Razemat aus D- und L-Hyoscyamin.

L-Hyoscyamin kommt in verschiedenen Nachtschattengewächsen wie z.B. der Tollkirsche (Atropa belladonna) vor und razemisiert bei der Aufbereitung zu Atropin. Für die periphere parasympatholytische Wirkung ist hauptsächlich L-Hyoscyamin verantwortlich, da D-Hyoscyamin 10–20mal weniger wirksam ist.

Atropin wirkt als kompetitiver Antagonist an muscarinischen m-Cholinozeptoren.

Erst in sehr hoher Dosierung wird auch die Erregungsübertragung an Ganglien und an der neuromuskulären Endplatte, vermittelt über nikotinische n-Cholinozeptoren, gehemmt.

Die wichtigsten pharmakologischen Effekte sind Tachykardie und eine verkürzte AV-Überleitung durch Hemmung der negativ chronotropen und dromotropen Wirkung des Acetylcholins am Herzen, eine Hemmung der Speichelsekretion, der Motorik und des Tonus des Magen-Darm-Traktes, eine Hemmung der Schleimsekretion und des Tonus der Bronchien, eine Hemmung des Harnblasentonus sowie am Auge eine Mydriasis und Akkomodationslähmung.

10.12.2 Toxikologische Eigenschaften

    a) Akute Toxizität

        siehe auch Abschnitt „Notfallmaßnahmen, Symptome und Gegenmittel"

        Die letale Dosis beträgt beim Erwachsenen etwa 100 mg, bei Kindern 10 mg Atropin.

        Todesfälle bei Kindern wurden jedoch schon nach 2 mg Atropin beobachtet.

    b) Chronische Toxizität/Subchronische Toxizität

        Im Tierexperiment (Ratte) bewirkte die chronische intraperitoneale Gabe von 80 mg Atropinsulfat/kg Körpermasse eine verminderte Gewichtszunahme der Versuchstiere sowie degenerative Veränderungen der Leber. An den Nieren wurden Hydronephrosen und massive parenchymale Degenerationen festgestellt.

    c) Mutagenes und tumorerzeugendes Potential

        Es liegen keine Hinweise auf mutagene oder tumorerzeugende Wirkungen vor.

    d) Reproduktionstoxizität

        Beobachtungen bei 400 Mutter-Kind-Paaren, die während des ersten Trimenons der Schwangerschaft mit Atropin behandelt wurden, ergaben keine Hinweise auf ein embryotoxisches Potential.

        Im Tierexperiment (Maus) führte die subkutane Applikation von 50 mg Atropinsulfat/kg Körpermasse zu embryonalen Skelettmissbildungen.

10.12.3 Pharmakokinetik

Atropinsulfat wird nach subkutaner und intramuskulärer Applikation rasch und vollständig resorbiert. Maximale Plasmaspiegel werden bei intramuskulärer Gabe nach ca. 30 Minuten erreicht. Nach intravenöser Applikation fällt der Plasmaspiegel innerhalb der ersten 10 Minuten sehr schnell ab. Die Verteilung nach parenteraler Gabe erfolgt sehr schnell, das Verteilungsvolumen beträgt 1,7 bis 4 l/kg. Die Plasmaeiweißbildung variiert interindividuell und mit dem Lebensalter sehr stark von 2 bis 40%.

Atropinsulfat ist plazentagängig und tritt in in geringen Mengen in die Muttermilch über.

Die Elimination ist biphasisch mit Plasmahalbwertszeiten von 2–3 Stunden bzw. 12–38 Stunden und erfolgt hauptsächlich renal. Etwa 50% werden unverändert ausgeschieden, ein Teil wird in der Leber metabolisiert (Spaltung des Esters, Demethylierung und Glukuronidierung).

Atropinsulfat ist nicht dialysierbar.

10.13 Sonstige Hinweise

Keine.

Monographien-Kommentar

Atropinsulfat-Lösung 0,25 mg/ml

6.1 Aussehen und Eigenschaften

Die Isotonie der Lösung kann durch Messung ihrer Gefrierpunktserniedrigung gegenüber reinem Wasser geprüft werden: Die Gefrierpunktserniedrigung muß 0,52 °C betragen. Zur Methodik der Bestimmung der Tonizität siehe [1].

6.2.1 Prüfung auf Identität

Die hier beschriebene Vitali-Reaktion in der Modifizierung nach Morin ist spezifisch für Tropasäureester [2]. Sie erfaßt auch Scopolamin und Homatropin.

6.3 Gehalt

Die beschriebene gaschromatographische Bestimmung von Atropin nach seiner Derivatisierung erfolgt nach BP 73 Add. 78 (Atropin Eye Drops).

Lösung I, bereitet aus Standardsubstanzen, dient als Referenz zur Auswertung für die Lösung III. Lösung II dient als Kontrolle, ob bei der gaschromatographischen Trennung kein Nebenbestandteil der Untersuchungslösung die gleiche Retentionszeit hat wie der interne Standard.

Die Vorschrift verzichtet auf genaue Voluminaangaben. Es ist jedoch nötig, das Volumen der 0,05prozentigen Atropinsulfatstandardlösung und der 0,25prozentigen Homatropinhydrobromidlösung genau abzumessen (5,0 ml und 1,0 ml), d.h. mit geeichten Vollpipetten zu nehmen.

Die 0,05prozentige Lösung des Atropinsulfatstandards, deren Konzentration genau definiert sein muß, wird so hergestellt, daß 50 mg Atropinsulfat genau gewogen (Masse m_s) in einem Meßkolben zu 100,0 ml in Wasser gelöst werden. Der Atropinsulfat-Gehalt (genauer: die Atropinsulfat-Konzentration ϱ^*) der Lösung ergibt sich zu ϱ^* (Atropinsulfat) = $0,005 \cdot \frac{A_u}{A_s} \cdot m_s$ (in mg/ml).

Dabei bedeuten A_u das Verhältnis der Flächen des Atropin- und Homatropin-Peak bei der Lösung III, A_s dasselbe Flächenverhältnis bei der Lösung I.

Alternative Bestimmungsmethoden siehe Kommentar zu Atropinsulfat-Tabletten 0,5 mg.

Die gaschromatographische Bestimmungsmethode für Atropinsulfat hat den Vorteil hoher Selektivität. Die Bildung des toxischen Apoatropins ist zwar trotz des Erhitzens der Injektionslösung bei der Sterilisation höchst unwahrscheinlich wegen des pH-Wertes der Lösung, jedoch könnte teilweise Hydrolyse der Esterfunktion eingetreten sein. Dies ist bei der Wahl von alternativen Methoden zu berücksichtigen.

[1] Codex-Probe 15, Bestimmung der Tonizität von Infusions- und Injektionslösungen sowie von Augentropfen, Deutscher Arzneimittel-Codex (DAC), 1979.
[2] Ph. Eur. I/II, Kommentar S. 548.

P. Surmann

Atropinsulfat-Lösung 0,5 mg/ml

Siehe Kommentar zu Atropinsulfat-Lösung 0,25 mg/ml.

6.3 Zur Herstellung der Lösung III wird die Injektionslösung direkt verarbeitet, da sie der geforderten Konzentration von 2,5 mg/5ml entspricht. Aus der Bestimmung ergibt sich die Konzentration ϱ^* der Injektionslösung an Atropinsulfat zu

$$\varrho^* \text{ (Atropinsulfat)} = 0{,}01 \cdot \frac{A_u}{A_s} \cdot m_s.$$

P. Surmann

Atropinsulfat-Augentropfen 1 Prozent

1 **Bezeichnung des Fertigarzneimittels**

Atropinsulfat-Augentropfen 1 Prozent

2 **Darreichungsform**

Augentropfen

3 **Zusammensetzung**

Atropinsulfat 1 H_2O	1,00 g
Borsäure	1,61 g
2-(Ethylmercuriothio)benzoesäure, Natriumsalz (Thiomersal)	2 mg
Wasser für Injektionszwecke	zu 100,0 ml

4 **Herstellungvorschrift**

Die für die Herstellung einer Charge benötigten Mengen Atropinsulfat, Borsäure und Thiomersal werden in Wasser für Injektionszwecke gelöst und auf das erforderliche Volumen bzw. auf das erforderliche Gewicht aufgefüllt. Die Lösung wird unter aseptischen Bedingungen durch ein Membranfilter mit einem Porendurchmesser von ca. 0,22 µm, falls erforderlich mit vorgeschaltetem Tiefenfilter, in die vorgesehenen sterilen Behältnisse filtriert.

5 **Inprozeß-Kontrollen**

Überprüfung

– der relativen Dichte (AB.): 0,999 bis 1,019 oder

– des Brechungsindexes (AB.): 1,334 bis 1,338 sowie

– des pH-Wertes der unverdünnten Lösung (AB.): 4,0 bis 5,5.

6 **Eigenschaften und Prüfungen**

6.1 Ausgangsstoffe

6.1.1 2-(Ethylmercuriothio)benzoesäure, Natriumsalz (Thiomersal)

$C_9H_9HgNaO_2S$ M_r 404,8

Die Substanz enthält mindestens 97,0 und höchstens 101,0 Prozent $C_9H_9HgNaO_2S$ (404,8), entsprechend mindestens 48,07 und höchstens 50,05 Prozent Hg (200,6), berechnet auf die getrocknete Substanz.

Eigenschaften

Cremefarbenes, leichtes, kristallines oder mikrokristallines Pulver; schwacher, eigentümlicher Geruch. Die Substanz schmilzt im Bereich von 225 bis 245 °C unter Zersetzung, Kapillarmethode nach AB.

Sie ist sehr leicht löslich in Wasser, leicht löslich in Ethanol, praktisch unlöslich in Ether und Toluol.

Prüflösung: 2,50 g Substanz werden in Wasser zu 50,0 ml gelöst.

Prüfung auf Identität

Die Substanz gibt die Identitätsreaktion a) auf Natrium (AB.).

50 mg Substanz werden mit 1 ml Schwefelsäure unter tropfenweisem Zusatz von Wasserstoffperoxid-Lösung (30 % m/m) zum Sieden erhitzt, bis die Mischung farblos ist. Die erkaltete Lösung wird vorsichtig in 2 ml Wasser gegossen. 3 Tropfen dieser Lösung werden auf ein blankes Kupferblech gegeben. Nach kurzer Zeit bildet sich ein grauer Belag, der beim Reiben mit Filtrierpapier silberglänzend wird und beim Erhitzen des Blechs über freier Flamme verschwindet.

10 mg Substanz werden in einem Glühröhrchen mit etwa 100 mg Natrium 30 s lang zum Glühen erhitzt. Das heiße Glühröhrchen wird in ein kleines Becherglas mit 10 ml Wasser gebracht. Nach dem Zerspringen des Glühröhrchens und nach Beendigung der Reaktion wird die Lösung filtriert. Das Filtrat gibt mit 0,2 ml einer 2,5prozentigen, wäßrigen Lösung von Natriumpentacyanonitrosylferrat(II) eine rotviolette Färbung.

10 ml Prüflösung werden mit 3 ml verdünnter Salzsäure versetzt. Der Niederschlag wird abfiltriert, mit wenig Wasser neutral gewaschen und aus Ethanol 70 % umkristallisiert. Die bei 80 °C getrockneten Kristalle haben einen Schmelzpunkt zwischen 108 und 113 °C, Kapillarmethode AB.

Prüfung auf Reinheit

Aussehen der Lösung: Die Prüflösung muß klar (AB., Methode B) und darf nicht stärker gefärbt sein als die Farbvergleichslösung B_6 (AB., Methode II).

Alkalisch oder sauer reagierende Verunreinigungen.
2,00 ml Prüflösung müssen nach Zusatz von 0,10 ml Bromthymolblau-Lösung [1]) gelb oder grün gefärbt sein und anschließend durch 0,10 ml 0,02 N-Natriumhydroxid-Lösung blau gefärbt werden.

Quecksilber(II)-Ionen: höchstens 0,75 Prozent.
1,00 ml Prüflösung wird mit Wasser zu 10,0 ml verdünnt. 2,00 ml dieser Lösung werden mit 5,0 ml Wasser, 0,5 ml 1 N-Schwefelsäure und 1,00 ml Kaliumiodid-Lösung versetzt und 2mal mit je 20 ml Chloroform ausgeschüttelt. Die Chloroformphasen werden abgetrennt und verworfen. Die wäßrige Phase wird nach Zusatz von 10,0 ml 0,25 M-Natriummonohydro-

---

[1]) 50 mg Bromthymolblau werden in 4 ml 0,02 N-Natriumhydroxid-Lösung und 20 ml Ethanol gelöst. Die Lösung wird mit Wasser zu 100 ml verdünnt.

genphosphat-Lösung mit Wasser zu 25,0 ml verdünnt (Untersuchungslösung).

3,00 ml Quecksilber(II)-chlorid-Lösung [2]) werden mit 5,0 ml Wasser, 0,50 ml 1 N-Schwefelsäure und 1,00 ml Kaliumiodid-Lösung versetzt. Nach dem Umschütteln werden 10,0 ml 0,25 M-Natriummonohydrogenphosphat-Lösung zugesetzt, die Lösung wird anschließend mit Wasser zu 25,0 ml ergänzt (Referenzlösung).

5,0 ml Dithizon-Lösung I [3]) werden mit 5,0 ml Referenzlösung 2 min lang geschüttelt. 5,0 ml Dithizon-Lösung I werden anteilsweise mit der Untersuchungslösung versetzt und jeweils eine min lang geschüttelt. Es müssen mindestens 5,0 ml Untersuchungslösung zugesetzt werden, bis die Chloroformschicht der Untersuchungslösung die gleiche Färbung erreicht wie die Chloroformschicht der Referenzlösung.

Etherlösliche Verunreinigungen: höchstens 0,8 Prozent.
0,50 g Substanz werden mit 20,0 ml Ether 10 min lang geschüttelt und filtriert. Der Rückstand wird erneut mit 5,0 ml Ether geschüttelt und filtriert. Die vereinigten Filtrate werden zur Trockne eingedampft, der Rückstand wird bei 100 °C bis zum konstanten Gewicht getrocknet.

Verhalten gegen Schwefelsäure

80 mg Substanz werden in 2,00 ml Schwefelsäure gelöst. Die Lösung darf nach 5 min nicht stärker gefärbt sein als die Farbstandard-Lösung GG (AB., Methode I).

Trocknungsverlust (AB.): höchstens 0,5 Prozent, mit 1,000 g Substanz durch Trocknen im Trockenschrank bei 100 bis 105 °C bestimmt.

Gehaltsbestimmung

0,500 g Substanz werden in einem Kjeldahlkolben mit 5 ml Schwefelsäure nach tropfenweisem Zusatz von Wasserstoffperoxid-Lösung (30 % m/m) so lange zum Sieden erhitzt, bis die Lösung farblos ist. Nach dem Erkalten wird die Mischung vorsichtig mit 50 ml Wasser verdünnt und tropfenweise Kaliumpermanganat-Lösung bis zur bleibenden Rosafärbung zugesetzt. Nach dem Abkühlen auf mindestens 15 °C wird mit wenig Eisen(II)-sulfat entfärbt und nach Zusatz von 5,0 ml Ammoniumeisen(III)-sulfat-Lösung mit 0,1 N-Ammoniumthiocyanat-Lösung bis zur bräunlichroten Färbung titriert.

1 ml 0,1 N-Ammoniumthiocyanat-Lösung entspricht 10,03 mg Hg^{2+} bzw. 20,24 mg $C_9H_9HgNaO_2S$.

6.2   Fertigarzneimittel

---

[2] 8,50 ml einer 0,1prozentigen, wäßrigen Lösung von Quecksilber(II)-chlorid werden mit Wasser zu 250,0 ml verdünnt. 1 ml entspricht 25 µg Hg^{2+}.
Bei Bedarf frisch herstellen.

[3] 1,00 ml Dithizon-Lösung wird mit Chloroform zu 50,0 ml verdünnt.
Bei Bedarf frisch herstellen.

4 Atropinsulfat-Augentropfen 1 Prozent

6.2.1 Aussehen, Eigenschaften

Atropinsulfat-Augentropfen 1 Prozent sind eine klare, von Schwebestoffen praktisch freie, farblose, sterile Lösung ohne wahrnehmbaren Geruch. Die Lösung ist isotonisch und hat einen pH-Wert zwischen 4,0 und 5,5.

6.2.2 Prüfung auf Identität

Atropinsulfat

0,1 ml Atropinsulfat-Augentropfen 1 Prozent wird zur Trockne eingedampft. Der Rückstand wird mit 0,2 ml rauchender Salpetersäure befeuchtet und erneut eingedampft. Der erkaltete, gelbliche Rückstand wird in 2 ml Aceton gelöst. Auf Zusatz von 0,2 ml ethanolischer 0,5 N-Kaliumhydroxid-Lösung entsteht eine Violettfärbung.

1 ml Atropinsulfat-Augentropfen 1 Prozent gibt die Identitätsreaktion auf Sulfat (AB.).

Dünnschichtchromatographie (AB.): Die Prüfung erfolgt unter Verwendung einer Schicht von Kieselgel G.

Untersuchungslösung: 1 ml Atropinsulfat-Augentropfen 1 Prozent wird mit 1 ml Methanol verdünnt.

Referenzlösung: 25 mg eines als Standard geeigneten Atropinsulfats werden in einer Mischung aus 2,5 ml Wasser und 2,5 ml Methanol gelöst.

Auf die Platte werden getrennt 5 µl jeder Lösung aufgetragen. Die Chromatographie erfolgt mit einer Mischung aus 3 Volumteilen Wasser, 4 Volumteilen Ammoniak-Lösung 26 % und 93 Volumteilen Methanol über eine Laufstrecke von 15 cm. Nach dem Trocknen im Trockenschrank bei 110 °C (bis zum Verschwinden des Ammoniakgeruchs) wird die Platte mit verdünntem Dragendorffs-Reagenz sowie nach erneutem Trocknen an der Luft mit Natriumnitrit-Lösung besprüht. Der Hauptfleck im Chromatogramm der Untersuchungslösung entspricht in bezug auf Farbe, Größe und Rf-Wert (Lage) dem mit der Referenzlösung erhaltenen Hauptfleck.

Thiomersal

1 ml Atropinsulfat-Augentropfen 1 Prozent wird in einem Scheidetrichter mit Wasser zu 10 ml verdünnt und nach Zusatz von 1,5 ml Schwefelsäure 10 % und 0,5 ml Dithizon-Lösung I [3]) kräftig geschüttelt. Der Zusatz von jeweils 0,5 ml Dithizon-Lösung I wird so oft wiederholt, bis die Chloroformphase nach dem Schütteln schwach grün gefärbt bleibt. Durch Zugabe von einigen Tropfen Atropinsulfat-Augentropfen 1 Prozent und erneutes Schütteln wird die Grünfärbung wieder zum Verschwinden gebracht. Man überführt die Chloroformphase in einen zweiten Scheidetrichter, fügt 5 ml Kaliumiodid-Reversionslösung [4]) hinzu und schüttelt 2 min lang. Die nunmehr grün

---

[3]) 1,00 ml Dithizon-Lösung wird mit Chloroform zu 50,0 ml verdünnt.
Bei Bedarf frisch herstellen.

[4]) 2,00 g Kaliumhydrogenphthalat und 6,00 g Kaliumiodid werden in Wasser zu 100,0 ml gelöst.
Bei Bedarf frisch herstellen.

gefärbte Chloroformschicht wird abgetrennt und mit 5 ml Ammoniak-Lösung 10 % geschüttelt. Das Chloroform färbt sich gelb, während die Wasserphase farblos bleibt.

6.2.3 Gehalt

95,0 bis 105,0 Prozent der deklarierten Mengen Atropinsulfat und 80,0 bis 105,0 Prozent der deklarierten Menge Thiomersal.

Bestimmungen

Atropinsulfat

3,00 ml Atropinsulfat-Augentropfen 1 Prozent (= a ml) werden mit Wasser zu 20 ml verdünnt und nach Zusatz von 75 ml Chloroform, 10 ml Acetat-Pufferlösung pH 2,8 [5]) und 5 ml Dimethylgelb-Oracetblau-Lösung [6]) unter kräftigem Schütteln mit 0,01 M-Natriumdioctylsulfosuccinat-Lösung [7]) titriert, bis die Farbe der Chloroformphase von Grün nach Rötlichgrau umschlägt (= V_a ml).

Unter gleichen Bedingungen wird eine Bestimmung mit 30,0 mg Atropinsulfat (= b mg) durchgeführt (Verbrauch = V_b ml). Bei beiden Bestimmungen ist auf den gleichen Farbumschlag in der Chloroformphase zu titrieren. Der Gehalt an Atropinsulfat wird nach folgender Formel berechnet:

$$\frac{b \times V_a}{a \times V_b \times 10} = \text{Prozent } C_{34}H_{46}N_2O_6 \cdot H_2SO_4 \cdot H_2O$$

Thiomersal

Untersuchungslösung: Atropinsulfat-Augentropfen 1 Prozent.

Referenzlösung: 20,0 mg eines als Standard geeigneten Thiomersals werden in Wasser zu 100,0 ml gelöst. 5,0 ml dieser Lösung werden mit Wasser auf 50,0 ml verdünnt.

2,0 ml der Untersuchungs- bzw. der Referenzlösung werden in einem Scheidetrichter mit 8 ml 1N-Schwefelsäure und 10 ml Dithizon-Lösung I [8]) versetzt und 3 min lang kräftig geschüttelt. Die abgetrennte Chloroformphase wird in einem zweiten Scheidetrichter mit einer Mischung aus 5 ml Ammoniak-Lösung 10 % und 5 ml Wasser ausgeschüttelt. Anschließend überführt man die Chloroformphase in einen dritten Scheidetrichter, fügt 10 ml Schwefelsäure 10 % hinzu und schüttelt nochmals aus. Die Chloroform-

---

[5]) 0,550 g Natriumacetat werden in 80 ml Wasser gelöst und nach Zusatz von 15,5 ml wasserfreier Essigsäure mit Wasser zu 100,0 ml verdünnt.
Der pH-Wert der Pufferlösung muß 2,6 bis 3,0 betragen.

[6]) 10,0 mg Dimethylgelb und 10,0 mg Oracetblau B werden in 300,0 ml Chloroform gelöst.

[7]) 4,50 g Natriumdioctylsulfosuccinat werden in 15,0 ml Ethanol gelöst, mit 250 ml warmen Wasser verdünnt und unter öfterem Umschütteln bis zum Entstehen einer klaren Lösung auf dem Wasserbad erwärmt. Nach dem Erkalten wird mit Wasser zu 1 000,0 ml verdünnt.

[8]) 1,00 ml Dithizon-Lösung wird mit Chloroform zu 50,0 ml verdünnt.
Bei Bedarf frisch herstellen.

schicht wird in einem mit Schliffstopfen verschlossenen Zentrifugenglas 3 min lang zentrifugiert. Zur Herstellung einer Kompensationslösung werden anstelle der Untersuchungslösung 2,0 ml Wasser, wie beschrieben, behandelt.

Die Absorption der klaren Lösung wird sofort im Absorptionsmaximum bei etwa 475 nm gegen die Kompensationslösung gemessen.

Der Gehalt an Thiomersal wird nach folgender Formel berechnet:

$$\text{mg Thiomersal pro 100 ml} = \frac{A_U \times e_R \times 200}{A_R \times V_U}$$

A_U = gemessene Absorption der Untersuchungslösung

A_R = gemessene Absorption der Referenzlösung

V_U = Volumen der Untersuchungslösung (ml)

e_R = Einwaage an Thiomersal (g) zur Herstellung der Referenzlösung

6.2.4 Haltbarkeit

Die Haltbarkeit in den Behältnissen nach 7 beträgt drei Jahre.

7 Behältnisse

Dichtschließende, sterile Augentropfen-Flaschen aus Braunglas mit sterilen Tropfern aus Brombutylkautschuk, Verschlußring und Schutzkappe aus Polypropylen.

8 Kennzeichnung

Nach § 10 AMG, insbesondere:

8.1 Zulassungsnummer

5899.99.97

8.2 Art der Anwendung

Zum Einträufeln in die Augen.

8.3 Hinweise

Verschreibungspflichtig.

Nach Anbruch darf der Inhalt höchstens einen Monat lang verwendet werden.

9 Packungsbeilage

Nach § 11 AMG, insbesondere:

9.1 Anwendungsgebiete

Zur Pupillenerweiterung für die Refraktometrie; Atropinkur bei Schielkindern; zur Lösung von Akkommodationsspasmen bei Hyperopie (Weitsichtigkeit); Entzündungen der Hornhaut (Keratitis), Lederhaut (Skleritis), Regenbogenhaut (Iritis) sowie von Iris und Ziliarkörper (Iridocyclitis); nach Entfernung der Regenbogenhaut (Iridektomie).

9.2 Gegenanzeigen

Engwinkelglaukom, Allergie gegen Thiomersal.

9.3 Nebenwirkungen

Glaukomauslösung; Akkommodationsstörungen.

Hinweis:
Mögliche systemische Wirkung beachten wie Mundtrockenheit und Abnahme der Schweißdrüsensekretion.

9.4 Wechselwirkungen mit anderen Mitteln

Die Wirkung von Atropin wird durch pilocarpin- oder physostigminhaltige Arzneimittel abgeschwächt oder aufgehoben.

9.5 Dosierungsanleitung und Art der Anwendung

Soweit nicht anders verordnet, 3mal täglich 1 bis 2 Tropfen in den Bindehautsack träufeln.

9.6 Warnhinweise

Die Weitstellung der Pupille beginnt nach 10 Minuten und erreicht nach 30 Minuten ihren Maximalwert. Dieser Zustand dauert 2 Tage an und kehrt erst nach 6 bis 7 Tagen zur Norm zurück.

Dieses Arzneimittel beeinflußt auch bei bestimmungsgemäßem Gebrauch die Sehleistung, wodurch die Teilnahme am Straßenverkehr oder das Bedienen von Maschinen beeinträchtigt werden kann.

9.7 Hinweis

Nach Anbruch darf der Inhalt höchstens einen Monat lang verwendet werden.

Atropinsulfat-Augentropfen 2 Prozent

1 Bezeichnung des Fertigarzneimittels

Atropinsulfat-Augentropfen 2 Prozent

2 Darreichungsform

Augentropfen

3 Zusammensetzung

Atropinsulfat 1 H_2O	2,00 g
Borsäure	1,36 g
2-(Ethylmercuriothio)benzoesäure, Natriumsalz (Thiomersal)	2 mg
Wasser für Injektionszwecke	zu 100,0 ml

4 Herstellungsvorschrift

Die für die Herstellung einer Charge benötigten Mengen Atropinsulfat, Borsäure und Thiomersal werden in Wasser für Injektionszwecke gelöst und auf das erforderliche Volumen bzw. auf das erforderliche Gewicht aufgefüllt. Die Lösung wird unter aseptischen Bedingungen durch ein Membranfilter mit einem Porendurchmesser von ca. 0,22 µm, falls erforderlich mit vorgeschaltetem Tiefenfilter, in die vorgesehenen sterilen Behältnisse filtriert.

5 Inprozeß-Kontrollen

Überprüfung

– der relativen Dichte (AB.): 1,001 bis 1,020 oder

– des Brechungsindexes (AB.): 1,336 bis 1,340 sowie

– des pH-Wertes der unverdünnten Lösung (AB.): 4,0 bis 5,5.

6 Eigenschaften und Prüfungen

6.1 Ausgangsstoffe

6.1.1 2-(Ethylmercuriothio)benzoesäure, Natriumsalz (Thiomersal)

$C_9H_9HgNaO_2S$ M_r 404,8

Die Substanz enthält mindestens 97,0 und höchstens 101,0 Prozent $C_9H_9HgNaO_2S$ (404,8), entsprechend mindestens 48,07 und höchstens 50,05 Prozent Hg (200,6), berechnet auf die getrocknete Substanz.

2 Atropinsulfat-Augentropfen 2 Prozent

Eigenschaften

Cremefarbenes, leichtes, kristallines oder mikrokristallines Pulver; schwacher, eigentümlicher Geruch. Die Substanz schmilzt im Bereich von 225 bis 245 °C unter Zersetzung, Kapillarmethode nach AB.

Sie ist sehr leicht löslich in Wasser, leicht löslich in Ethanol, praktisch unlöslich in Ether und Toluol.

Prüflösung: 2,50 g Substanz werden in Wasser zu 50,0 ml gelöst.

Prüfung auf Identität

Die Substanz gibt die Identitätsreaktion a) auf Natrium (AB.).

50 mg Substanz werden mit 1 ml Schwefelsäure unter tropfenweisem Zusatz von Wasserstoffperoxid-Lösung (30 % m/m) zum Sieden erhitzt, bis die Mischung farblos ist. Die erkaltete Lösung wird vorsichtig in 2 ml Wasser gegossen. 3 Tropfen dieser Lösung werden auf ein blankes Kupferblech gegeben. Nach kurzer Zeit bildet sich ein grauer Belag, der beim Reiben mit Filtrierpapier silberglänzend wird und beim Erhitzen des Blechs über freier Flamme verschwindet.

10 mg Substanz werden in einem Glühröhrchen mit etwa 100 mg Natrium 30 s lang zum Glühen erhitzt. Das heiße Glühröhrchen wird in ein kleines Becherglas mit 10 ml Wasser gebracht. Nach dem Zerspringen des Glühröhrchens und nach Beendigung der Reaktion wird die Lösung filtriert. Das Filtrat gibt mit 0,2 ml einer 2,5prozentigen, wäßrigen Lösung von Natriumpentacyanonitrosylferrat(II) eine rotviolette Färbung.

10 ml Prüflösung werden mit 3 ml verdünnter Salzsäure versetzt. Der Niederschlag wird abfiltriert, mit wenig Wasser neutral gewaschen und aus Ethanol 70 % umkristallisiert. Die bei 80 °C getrockneten Kristalle haben einen Schmelzpunkt zwischen 108 und 113 °C, Kapillarmethode AB.

Prüfung auf Reinheit

Aussehen der Lösung: Die Prüflösung muß klar (AB., Methode B) und darf nicht stärker gefärbt sein als die Farbvergleichslösung B_6 (AB., Methode II).

Alkalisch oder sauer reagierende Verunreinigungen

2,00 ml Prüflösung müssen nach Zusatz von 0,10 ml Bromthymolblau-Lösung [1]) gelb oder grün gefärbt sein und anschließend durch 0,10 ml 0,02 N-Natriumhydroxid-Lösung blau gefärbt werden.

Quecksilber(II)-Ionen: höchstens 0,75 Prozent.
1,00 ml Prüflösung wird mit Wasser zu 10,0 ml verdünnt. 2,00 ml dieser Lösung werden mit 5,0 ml Wasser, 0,5 ml 1 N-Schwefelsäure und 1,00 ml Kaliumiodid-Lösung versetzt und 2mal mit je 20 ml Chloroform ausgeschüttelt. Die Chloroformphasen werden abgetrennt und verworfen. Die wäßrige

---

[1]) 50 mg Bromthymolblau werden in 4 ml 0,02 N-Natriumhydroxid-Lösung und 20 ml Ethanol gelöst. Die Lösung wird mit Wasser zu 100 ml verdünnt.

Phase wird nach Zusatz von 10,0 ml 0,25 M-Natriummonohydrogenphosphat-Lösung mit Wasser zu 25,0 ml verdünnt (Untersuchungslösung).

3,00 ml Quecksilber(II)-chlorid-Lösung [2]) werden mit 5,0 ml Wasser, 0,50 ml 1 N-Schwefelsäure und 1,00 ml Kaliumiodid-Lösung versetzt. Nach dem Umschütteln werden 10,0 ml 0,25 M-Natriummonohydrogenphosphat-Lösung zugesetzt, die Lösung wird anschließend mit Wasser zu 25,0 ml ergänzt (Referenzlösung).

5,0 ml Dithizon-Lösung I [3]) werden mit 5,0 ml Referenzlösung 2 min lang geschüttelt. 5,0 ml Dithizon-Lösung I werden anteilsweise mit der Untersuchungslösung versetzt und jeweils 1 min lang geschüttelt. Es müssen mindestens 5,0 ml Untersuchungslösung zugesetzt werden, bis die Chloroformschicht der Untersuchungslösung die gleiche Färbung erreicht wie die Chloroformschicht der Referenzlösung.

Etherlösliche Verunreinigungen: höchstens 0,8 Prozent.
0,50 g Substanz werden mit 20,0 ml Ether 10 min lang geschüttelt und filtriert. Der Rückstand wird erneut mit 5,0 ml Ether geschüttelt und filtriert. Die vereinigten Filtrate werden zur Trockne eingedampft, der Rückstand wird bei 100 °C bis zum konstanten Gewicht getrocknet.

Verhalten gegen Schwefelsäure

80 mg Substanz werden in 2,00 ml Schwefelsäure gelöst. Die Lösung darf nach 5 min nicht stärker gefärbt sein als die Farbstandard-Lösung GG (AB., Methode I).

Trocknungsverlust (AB.): höchstens 0,5 Prozent, mit 1,000 g Substanz durch Trocknen im Trockenschrank bei 100 bis 105 °C bestimmt.

Gehaltsbestimmung

0,500 g Substanz werden in einem Kjeldahlkolben mit 5 ml Schwefelsäure nach tropfenweisem Zusatz von Wasserstoffperoxid-Lösung (30 % m/m) so lange zum Sieden erhitzt, bis die Lösung farblos ist. Nach dem Erkalten wird die Mischung vorsichtig mit 50 ml Wasser verdünnt und tropfenweise Kaliumpermanganat-Lösung bis zur bleibenden Rosafärbung zugesetzt. Nach dem Abkühlen auf mindestens 15 °C wird mit wenig Eisen(II)-sulfat entfärbt und nach Zusatz von 5,0 ml Ammoniumeisen(III)-sulfat-Lösung mit 0,1 N-Ammoniumthiocyanat-Lösung bis zur bräunlichroten Färbung titriert.

1 ml 0,1 N-Ammoniumthiocyanat-Lösung entspricht 10,03 mg Hg^{2+} bzw. 20,24 mg $C_9H_9HgNaO_2S$.

---

[2]) 8,50 ml einer 0,1prozentigen, wäßrigen Lösung von Quecksilber(II)-chlorid werden mit Wasser zu 250,0 ml verdünnt. 1 ml entspricht 25 µg Hg^{2+}.
Bei Bedarf frisch herstellen.

[3]) 1,00 ml Dithizon-Lösung wird mit Chloroform zu 50,0 ml verdünnt.
Bei Bedarf frisch herstellen.

6.2 Fertigarzneimittel

6.2.1 Aussehen, Eigenschaften

Atropinsulfat-Augentropfen 2 Prozent sind eine klare, von Schwebestoffen praktisch freie, farblose, sterile Lösung ohne wahrnehmbaren Geruch. Die Lösung ist isotonisch und hat einen pH-Wert zwischen 4,0 und 5,5.

6.2.2 Prüfung auf Identität

Atropinsulfat

0,1 ml Atropinsulfat-Augentropfen 2 Prozent wird zur Trockne eingedampft. Der Rückstand wird mit 0,2 ml rauchender Salpetersäure befeuchtet und erneut eingedampft. Der erkaltete, gelbliche Rückstand wird in 2 ml Aceton gelöst. Auf Zusatz von 0,2 ml ethanolischer 0,5 N-Kaliumhydroxid-Lösung entsteht eine Violettfärbung.

1 ml Atropinsulfat-Augentropfen 2 Prozent gibt die Identitätsreaktion auf Sulfat (AB.).

Dünnschichtchromatographie (AB.): Die Prüfung erfolgt unter Verwendung einer Schicht von Kieselgel G.

Untersuchungslösung: 3 ml Atropinsulfat-Augentropfen 2 Prozent wird mit 1 ml Methanol verdünnt.

Referenzlösung: 25 mg eines als Standard geeigneten Atropinsulfats werden in einer Mischung aus 2,5 ml Wasser und 2,5 ml Methanol gelöst.

Auf die Platte werden getrennt 5 µl jeder Lösung aufgetragen. Die Chromatographie erfolgt mit einer Mischung aus 3 Volumteilen Wasser, 4 Volumteilen Ammoniak-Lösung 26 % und 93 Volumteilen Methanol über eine Laufstrecke von 15 cm. Nach dem Trocknen im Trockenschrank bei 110 °C (bis zum Verschwinden des Ammoniakgeruchs) wird die Platte mit verdünntem Dragendorffs-Reagenz sowie nach erneutem Trocknen an der Luft mit Natriumnitrit-Lösung besprüht. Der Hauptfleck im Chromatogramm der Untersuchungslösung entspricht in bezug auf Farbe, Größe und Rf-Wert (Lage) dem mit der Referenzlösung enthaltenen Hauptfleck.

Thiomersal

1 ml Atropinsulfat-Augentropfen 2 Prozent wird in einem Scheidetrichter mit Wasser zu 10 ml verdünnt und nach Zusatz von 1,5 ml Schwefelsäure 10 % und 0,5 ml Dithizon-Lösung I [3]) kräftig geschüttelt. Der Zusatz von jeweils 0,5 ml Dithizon-Lösung I wird so oft wiederholt, bis die Chloroformphase nach dem Schütteln schwach grün gefärbt bleibt. Durch Zugabe von einigen Tropfen Atropinsulfat-Augentropfen 2 Prozent und erneutes Schütteln wird die Grünfärbung wieder zum Verschwinden gebracht. Man überführt die Chloroformphase in einen zweiten Scheidetrichter, fügt 5 ml Kaliumiodid-Reversionslösung [4]) hinzu und schüttelt 2 min lang. Die nunmehr grün

---

[3]) 1,00 ml Dithizon-Lösung wird mit Chloroform zu 50,0 ml verdünnt.
Bei Bedarf frisch herstellen.
[4]) 2,00 g Kaliumhydrogenphthalat und 6,00 g Kaliumiodid werden in Wasser zu 100,0 ml gelöst.
Bei Bedarf frisch herstellen.

gefärbte Chloroformschicht wird abgetrennt und mit 5 ml Ammoniak-Lösung 10 % geschüttelt. Das Chloroform färbt sich gelb, während die Wasserphase farblos bleibt.

6.2.3 Gehalt

95,0 bis 105,0 Prozent der deklarierten Mengen Atropinsulfat und 80,0 bis 105,0 Prozent der deklarierten Menge Thiomersal.

Bestimmungen

Atropinsulfat

2,00 ml Atropinsulfat-Augentropfen 2 Prozent (= a ml) werden mit Wasser zu 20 ml verdünnt und nach Zusatz von 75 ml Chloroform, 10 ml Acetat-Pufferlösung pH 2,8 [5]) und 5 ml Dimethylgelb-Oracetblau-Lösung [6]) unter kräftigem Schütteln mit 0,01 M-Natriumdioctylsulfosuccinat-Lösung [7]) titriert, bis die Farbe der Chloroformphase von Grün nach Rötlichgrau umschlägt (= V_a ml).

Unter gleichen Bedingungen wird eine Bestimmung mit 40,0 mg Atropinsulfat (= b mg) durchgeführt (Verbrauch = V_b ml). Bei beiden Bestimmungen ist auf den gleichen Farbumschlag in der Chloroformphase zu titrieren. Der Gehalt an Atropinsulfat wird nach folgender Formel berechnet:

$$\frac{b \times V_a}{a \times V_b \times 10} = \text{Prozent } C_{34}H_{46}N_2O_6 \cdot H_2SO_4 \cdot H_2O$$

Thiomersal

Untersuchungslösung: Atropinsulfat-Augentropfen 2 Prozent.

Referenzlösung: 20,0 mg eines als Standard geeigneten Thiomersals werden in Wasser zu 100,0 ml gelöst. 5,0 ml dieser Lösung werden mit Wasser auf 50,0 ml verdünnt.

2,0 ml der Untersuchungs- bzw. der Referenzlösung werden in einem Scheidetrichter mit 8 ml 1N-Schwefelsäure und 10 ml Dithizon-Lösung I [8]) versetzt und 3 min lang kräftig geschüttelt. Die abgetrennte Chloroformphase wird in einem zweiten Scheidetrichter rnit einer Mischung aus 5 ml Ammoniak-Lösung 10 % und 5 ml Wasser ausgeschüttelt. Anschließend überführt man die Chloroformphase in einen dritten Scheidetrichter, fügt 10 ml Schwefelsäure 10 % hinzu und schüttelt nochmals aus. Die Chloroformschicht wird in einem mit Schliffstopfen verschlossenen Zentrifugenglas 3 min lang zentrifugiert. Zur Herstellung einer Kompensationslösung werden

---

[5]) 0,550 g Natriumacetat werden in 80 ml Wasser gelöst und nach Zusatz von 15,5 ml wasserfreier Essigsäure mit Wasser zu 100,0 ml verdünnt.
Der pH-Wert der Pufferlösung muß 2,6 bis 3,0 betragen.

[6]) 10,0 mg Dimethylgelb und 10,0 mg Oracetblau B werden in 300,0 ml Chloroform gelöst.

[7]) 4,50 g Natriumdioctylsulfosuccinat werden in 15,0 ml Ethanol gelöst, mit 250 ml warmem Wasser verdünnt und unter öfterem Umschütteln bis zum Entstehen einer klaren Lösung auf dem Wasserbad erwärmt. Nach dem Erkalten wird mit Wasser zu 1 000,0 ml verdünnt.

[8]) 1,00 ml Dithizon-Lösung wird mit Chloroform zu 50,0 ml verdünnt.
Bei Bedarf frisch herstellen.

anstelle der Untersuchungslösung 2,0 ml Wasser, wie beschrieben, behandelt.

Die Absorption der klaren Lösung wird sofort im Absorptionsmaximum bei 475 nm in einer Schichtdicke von 1,000 cm gegen die Kompensationslösung gemessen.

Der Gehalt an Thiomersal wird nach folgender Formel berechnet:

$$\text{mg Thiomersal pro 100 ml} = \frac{A_U \times e_R \times 200}{A_R \times V_U}$$

A_U = gemessene Absorption der Untersuchungslösung
A_R = gemessene Absorption der Referenzlösung
V_U = Volumen der Untersuchungslösung (ml)
e_R = Einwaage an Thiomersal (g) zur Herstellung der Referenzlösung

6.2.4 Haltbarkeit

Die Haltbarkeit in den Behältnissen nach 7 beträgt drei Jahre.

7 Behältnisse

Dichtschließende, sterile Augentropfen-Flaschen aus Braunglas mit sterilen Tropfern aus Brombutylkautschuk, Verschlußring und Schutzkappe aus Polypropylen.

8 Kennzeichnung

Nach § 10 AMG, insbesondere:

8.1 Zulassungsnummer

5899.98.97

8.2 Art der Anwendung

Zum Einträufeln in die Augen.

8.3 Hinweise

Verschreibungspflichtig.

Nach Anbruch darf der Inhalt höchstens einen Monat lang verwendet werden.

9 Packungsbeilage

Nach § 11 AMG, insbesondere:

9.1 Anwendungsgebiete

Zur Pupillenerweiterung für die Refraktometrie; Atropinkur bei Schielkindern; zur Lösung von Akkommodationsspasmen bei Hyperopie (Weitsichtigkeit); Entzündungen der Hornhaut (Keratitis), Lederhaut (Skleritis), Regenbogenhaut (Iritis) sowie von Iris und Ziliarkörper (Iridocyclitis); nach Entfernung der Regenbogenhaut (Iridektomie).

9.2 Gegenanzeigen

Engwinkelglaukom, Allergie gegen Thiomersal.

9.3 Nebenwirkungen

Glaukomauslösung; Akkommodationsstörungen.

Hinweis:

Mögliche systemische Wirkung beachten wie Mundtrockenheit und Abnahme der Schweißdrüsensekretion.

9.4 Wechselwirkungen mit anderen Mitteln

Die Wirkung von Atropin wird durch pilocarpin- oder physostigminhaltige Arzneimittel abgeschwächt oder aufgehoben.

9.5 Dosierungsanleitung und Art der Anwendung

Soweit nicht anders verordnet, 3mal täglich 1 Tropfen in den Bindehautsack träufeln.

9.6 Warnhinweise

Die Weitstellung der Pupille beginnt nach 10 Minuten und erreicht nach 30 Minuten ihren Maximalwert. Dieser Zustand dauert 2 Tage an und kehrt erst nach 6 bis 7 Tagen zur Norm zurück.

Dieses Arzneimittel beeinflußt auch bei bestimmungsgemäßem Gebrauch die Sehleistung, wodurch die Teilnahme am Straßenverkehr oder das Bedienen von Maschinen beeinträchtigt werden kann.

9.7 Hinweis

Nach Anbruch darf der Inhalt höchstens einen Monat lang verwendet werden.

Monographien-Kommentar

Atropinsulfat-Augentropfen 1 und 2 Prozent

Anmerkungen zur Rezeptur und Herstellung des Fertigarzneimittels.

Die Rezeptur von Atropinsulfat-Augentropfen 1 und 2 Prozent der Standardzulassung bauen auf die Vorschrift Atropinsulfat-Augentropfen des Deutschen Arzneimittel-Codex (DAC) auf [1]. Als wirksame Bestandteile enthalten die beiden Augentropfenrezepturen Atropinsulfat und Thiomersal als Konservierungsmittel.

Hinsichtlich der Substanzeigenschaften, der Stabilität und möglicher Zersetzungsprodukte von Atropinsulfat wird auf die Standardzulassungsmonographie Atropinsulfat-Tabletten 0,5 mg verwiesen [2]. In wäßriger Lösung hat Atropinsulfat sein Stabilitätsoptimum bei pH 4,0 bis 4,5 [3, 4].

Thiomersal ist eine verhältnismäßig instabile Substanz. Sie ist licht- und hitzeempfindlich. Die geringste Lichtempfindlichkeit liegt bei pH 5,0 bis 7,0 und die optimale Hitzebeständigkeit bei pH 6,0 bis 7,0 [5]. Thiomersal ist inkompatibel mit Silbernitrat, Säuren, sauer reagierenden Stoffen, Schwermetallsalzen, Phenyl-Quecksilberverbindungen, quarternären Ammoniumverbindungen, Halogenidionen und Borsäure-Natriumacetatpuffer. Cu (II)-, Fe (III)- oder Zn (II)-Ionen beschleunigen die thermische Zersetzung [5, 10]. Trotz seiner bekannten Instabilität wird Thiomersal häufig wegen fehlender allergischer Nebenwirkungen als Konservierungsmittel für Augentropfen eingesetzt, zumal die Zersetzungsprodukte wie Ethylquecksilbersalze ebenfalls konservieren.

Die vorliegenden Rezepturen der Standardzulassung Atropinsulfat-Augentropfen 1 und 2 Prozent sind ein Kompromiß zwischen optimaler Stabilität der wirksamen Bestandteile und der Verträglichkeit der Lösung am Auge. Die Tränenflüssigkeit mit ihren drei Puffersystemen hat einen durchschnittlichen pH-Wert von 7,4. Der schmerzlose Toleranzbereich für Augentropfen liegt bei pH 7,0 bis 9,0. Augentropfen unter pH 5,8 verursachen Reizungen am Auge [6]. Da auf eine Isohydrie der Augentropfen wegen der Hydrolyse und anschließenden Dimerisierung des Atropinsulfates verzichtet werden muß, kann nur eine Euhydrie eine bestmögliche Annäherung an den physiologischen pH-Bereich erreichen. Dies geschieht mit der Borsäure, die gleichzeitig zur Isotonisierung dient.

Augentropfen müssen gemäß Ph. Eur. [7] steril sein. Diese Forderung wird in der Standardzulassungsmonographie nicht wiederholt und es wird auch nicht die Prüfung auf Sterilität gesondert aufgeführt, da dies bereits durch das Arzneibuch vorgeschrieben ist. In der Herstellungsvorschrift wird nur das Verfahren der Sterilisation, aseptische Sterilfiltration und Abfüllung unter aseptischen Bedingungen in sterile Behältnisse genannt. Es ist heute Stand der Technik, daß die gesamte Herstellung unter aseptischen Bedingungen, d.h. in Laminar-Flow-Kabinen oder in reinen Räumen zur erfolgen hat. In diesem Zusammenhang sei auf die PIC-Richtlinie für die Herstellung von sterilen Produkten [8] verwiesen.

In der Herstellungsvorschrift wird für die Sterilfiltration nur der Porendurchmesser des Filters als qualitätsbestimmender Faktor für die Sterilität vorgeschrieben, nicht aber das Filtermaterial. Dieses kann der Hersteller frei wählen, wobei zu beachten ist,

Monographien-Kommentar

daß weder Atropinsulfat noch Thiomersal vom Filtermaterial adsorbiert werden. Von Cellulosenitratfiltern ist bekannt, daß sie einige Adsorptionseffekte zeigen [11]. Es sind pH-abhängige Adsorptionen von Lidocain und Stadacain bekannt. Von Benzalkoniumchlorid können zwischen 9 und 17 Prozent adsorbiert werden. Der Grad der Adsorption ist abhängig von den zusätzlich in der Lösung vorhandenen Substanzen [9].

Celluloseacetatfilter gelten als relativ innert [9, 11] und können für die Filtration der Atropinsulfat-Augentropfen nach der Standardzulassung empfohlen werden.

[1] Deutscher Arzneimittel-Codex 1986, A – 175; 1. Lieferung 1986 mit unveränderten Teilen des DAC 1979.

[2] Standardzulassung Atropinsulfat-Tabletten 0,5 mg; Anmerkungen zur Rezeptur und Herstellung des Fertigarzneimittels.

[3] K. Thoma, Praktische Übungen „Arzneimittelstabilität", p. 22, Pharm. Fortbildungswoche der Bundesapothekerkammer, Davos 1978, Govi-Verlag, Frankfurt (1978).

[4] Th. Jira, R. Pohloudek-Fabini, Pharmazie **37**, 649 (1982).

[5] R. Dolder, F. S. Skinner, Ophthalmika, p. 311. Wissenschafl. Verlagsges. m.b.H., Stuttgart 1983.

[6] [5] p. 363.

[7] Ph. Eur.

[8] Standardzulassungen, Kommentar B 26 (25. 2. 1985).

[9] R. Dolder, F. S. Skinner, Ophthalmika, p. 505, Wissenschaftl. Verlagsges. m.b.H., Stuttgart (1983).

[10] E. Lüdtke, H. Darsow, R. Pohloudek-Fabini, Pharmazie **32**, 99 (1977).

[11] Satorius, Laborfiltration, Mikrobiologie, Elektrophorese, p. 5, Katalog FKd. 1284 Z, Satorius GmbH, Göttingen (BRD).

E. Norden-Ehlert

Atropinsulfat-Lösung 50 mg/10 ml

1 **Bezeichnung des Fertigarzneimittels**

Atropinsulfat-Lösung 50 mg/10 ml

2 **Darreichungsform**

Injektionslösung

3 **Zusammensetzung**

Atropinsulfat	5,00 g
Natriumchlorid	8,3 g
Salzsäure (7prozentig) zum Einstellen des pH-Wertes	
Wasser für Injektionszwecke	zu 1 000,0 ml

4 **Herstellungsvorschrift**

Die für die Herstellung einer Charge benötigten Mengen Atropinsulfat und Natriumchlorid werden in Wasser für Injektionszwecke gelöst. Der pH-Wert der Lösung wird mit Salzsäure (7prozentig) auf 3,0 bis 3,2 eingestellt, anschließend wird mit Wasser auf das erforderliche Volumen bzw. auf das erforderliche Gewicht aufgefüllt.

Die Lösung wird mit oder ohne vorgeschaltetem Tiefenfilter durch ein Membranfilter mit einem Porendurchmesser von ca. 0,22 μm in die vorgesehenen Behältnisse filtriert. Die Sterilisation der abgefüllten Lösung erfolgt durch Hitzesterilisation in gespanntem, gesättigtem Wasserdampf bei 121 °C (AB.).

5 **Inprozeß-Kontrollen**

Überprüfung des pH-Wertes der unverdünnten Lösung: 2,8 bis 3,5.

6 **Eigenschaften und Prüfungen**

6.1 Aussehen, Eigenschaften

Atropinsulfat-Lösung 50 mg/10 ml ist eine klare von Schwebestoffen praktisch freie, farblose, isotonische Injektionslösung ohne wahrnehmbaren Geruch. Sie hat einen pH-Wert zwischen 2,8 und 3,5.

6.2 Prüfung auf Identität

1. 0,2 ml der Lösung werden zur Trockne eingedampft und mit 0,5 ml Salpetersäure (95prozentig, *m/m*) befeuchtet. Es wird erneut zur Trockne eingedampft, der gelbliche Rückstand in 5 ml Aceton gelöst und 0,2 ml ethano-

lische Kaliumhydroxid-Lösung (3prozentig, AB.) zugesetzt. Die Lösung muß sich violett färben.

2. Die Lösung gibt die Identitätsreaktion auf Sulfat (AB.).

6.3 Gehalt

92,5 bis 107,5 Prozent der deklarierten Menge Atropinsulfat.

Die Gehaltsbestimmung erfolgt gaschromatographisch.

Bestimmung:

Für die Herstellung der Lösung I werden zu 5,0 ml einer 0,05prozentigen Lösung eines Atropinsulfats, das als Standardsubstanz geeignet ist, 1,0 ml einer 0,25prozentigen methanolischen Lösung eines Homatropinhydrobromids, das als Standardsubstanz geeignet ist, gegeben. Es wird mit 1 ml Ammoniaklösung (10prozentig) versetzt und 2mal mit je 10 ml Chloroform extrahiert. Die vereinigten Extrakte werden mit 1 g wasserfreiem Natriumsulfat geschüttelt, filtriert und zur Trockne gebracht. Der Rückstand wird in 2 ml Dichlormethan gelöst. Zu 1,0 ml dieser Lösung werden 0,2 ml einer Mischung aus 4 Volumteilen N,O-Bis(trimethylsilyl)acetamid und 1 Volumteil Trimethylchlorsilan gegeben, gemischt und 30 min lang stehengelassen.

Die Lösung II wird wie die Lösung III hergestellt, jedoch ohne Zugabe des inneren Standards Homatropinhydrobromid.

Zur Herstellung der Lösung III wird die Atropinsulfat-Lösung in der Art verdünnt, daß 2,5 mg Atropinsulfat in 5,0 ml enthalten sind. Es wird 1,0 ml der Homatropinhydrobromid-Lösung zugesetzt und 2mal mit je 10 ml Chloroform extrahiert. Das Chloroform wird verworfen. Zur Lösung III wird 1 ml Ammoniaklösung (10prozentig) gegeben und weiter verfahren wie für die Lösung I beschrieben.

Bedingungen für die Gaschromatographie:

Säule: 4 mm innerer Durchmesser, Länge 1,5 m.

Säulenfüllung: 3 Prozent *(m/m)* Silikonöl OV 17 auf mit Säure gewaschenem silanisierten Kieselgur (80 bis 100 mesh).

Ofentemperatur: 220 °C

Trägergas: Stickstoff

Detektion: Flammenionisationsdetektor

Der Atropinsulfat-Gehalt der Lösung wird unter Bezug auf den bekannten Gehalt des Atropinsulfat-Standards berechnet.

7 **Behältnisse**

Ampullen

8 **Kennzeichnung**

Nach § 10 AMG, insbesondere:

8.1 Zulassungsnummer

5899.95.98

8.2 Art der Anwendung

Lösung zur intravenösen Injektion und Infusion.

☠ Anwendung ausschließlich als Antidot bei Vergiftungen mit Insektiziden der Organophosphatgruppe unter ständiger ärztlicher Kontrolle. ☠

8.3 Hinweis

Verschreibungspflichtig

9 **Packungsbeilage**

Nach § 11 AMG, insbesondere:

9.1 Anwendungsgebiete

Antidot bei Vergiftungen mit Insektiziden der Organophosphatgruppe.

9.2 Gegenanzeigen

Entfallen bei bestimmungsgemäßen Gebrauch, da bei Organophosphat-Vergiftungen eine Atropintherapie als lebensrettend angesehen werden muß.

9.3 Nebenwirkungen

Irrtümlich oder falsche Anwendung von Atropinsulfat 50 mg/10 ml führen zu Vergiftungserscheinungen mit folgender Symptomatologie:

Pulsbeschleunigung, Pupillenerweiterung (Tachykardie, Mydriasis und Lichtempfindlichkeit); heiße, trockene gerötete Haut und Mundtrockenheit; Störungen der Bewegungskoordination (Ataxie); Ruhelosigkeit und Erregung; Sinnestäuschungen (Halluzinationen), Delirium und Bewußtlosigkeit (Koma); abfallender Blutdruck nach eventuell initial kurzer Steigerung; Harnverhaltung.

9.4 Dosierungsanleitung und Art der Anwendung

Soweit nicht anders verordnet, werden zur Einleitung der Behandlung jeweils 2 bis 5 mg Atropinsulfat in Abständen von etwa 10 Minuten intravenös injiziert, bis die Vergiftungssymptome verschwinden. Dies zeigt sich deutlich in einer Unterdrückung des Speichelflusses und der Bronchialsekretion. Weniger eindeutige Kriterien sind die Aufhebung der Pupillenverengung (Miosis) und Normalisierung der Pulsfrequenz. Der Initialbehandlung schließt sich eine Dauerinfusion an, bei der etwa die halbe Initialdosis pro Stunde möglichst unter Einsatz einer Dauerinfusionspumpe infundiert wird (z. B. Initialdosis = 50 mg Atropinsulfat, Dauerinfusion = 25 mg/Stunde). Die Dosis/Zeit-Infusionsrate muß fortlaufend anhand der aufgezeigten Behandlungskriterien kontrolliert und korrigiert werden.

Hinweise:

Bei versehentlicher Atropinsulfatüberdosierung wird empfohlen, 1 bis 4 mg Physostigmin langsam intravenös zu spritzen. Die Dosis muß eventuell mehrfach im Abstand von 1 bis 2 Stunden wiederholt werden. Auch Pilocarpin, 5 bis 10 mg, s. c. injiziert, wirkt als Antidot.

Künstliche Beamtmung kann notwendig werden.

9.5 Dauer der Anwendung

Nach Verschwinden der Vergiftungserscheinungen noch mindestens 48 Stunden bis zu mehreren Tagen, d. h. bis die Vergiftungserscheinungen nach Absetzen der Therapie nicht erneut auftreten.

Atropinsulfat-Lösung 50 mg/10 ml

Siehe Kommentar zu Atropinsulfat-Lösung 0,25 mg/ml.

6.3 Zur Herstellung der Lösung III werden 5,0 ml der Injektionslösung in einem 50,0 ml Meßkolben bis zur Marke mit Wasser aufgefüllt. 5,0 ml dieser Lösung werden wie in der Vorschrift angegeben weiterverarbeitet.

Die Konzentration ϱ^* der Injektionslösung an Atropinsulfat ergibt sich zu

$$\varrho^* = 0{,}1 \cdot \frac{A_u}{A_s} \cdot m_s.$$

P. Surmann

Atropinsulfat-Lösung 100 mg/10 ml

1 Bezeichnung des Fertigarzneimittels

Atropinsulfat-Lösung 100 mg/10 ml

2 Darreichungsform

Injektionslösung

3 Zusammensetzung

Atropinsulfat	10,00 g
Natriumchlorid	7,8 g
Salzsäure (7prozentig) zum Einstellen des pH-Wertes	
Wasser für Injektionszwecke	zu 1 000,0 ml.

4 Herstellungsvorschrift

Die für die Herstellung einer Charge benötigten Mengen Atropinsulfat und Natriumchlorid werden in Wasser für Injektionszwecke gelöst. Der pH-Wert der Lösung wird mit Salzsäure (7prozentig) auf 3,0 bis 3,2 eingestellt, anschließend wird mit Wasser auf das erforderliche Volumen bzw. auf das erforderliche Gewicht aufgefüllt.

Die Lösung wird mit oder ohne vorgeschaltetem Tiefenfilter durch ein Membranfilter mit einem Porendurchmesser von ca. 0,22 μm in die vorgesehenen Behältnisse filtriert. Die Sterilisation der abgefüllten Lösung erfolgt durch Hitzesterilisation in gespanntem, gesättigtem Wasserdampf bei 121 °C (AB.).

5 Inprozeß-Kontrollen

Überprüfung des pH-Wertes der unverdünnten Lösung: 2,8 bis 3,5.

6 Eigenschaften und Prüfungen

6.1 Aussehen, Eigenschaften

Atropinsulfat-Lösung 100 mg/10 ml ist eine klare von Schwebestoffen praktisch freie, farblose, isotonische Injektionslösung ohne wahrnehmbaren Geruch. Sie hat einen pH-Wert zwischen 2,8 und 3,5.

6.2 Prüfung auf Identität

1. 0,2 ml der Lösung werden zur Trockne eingedampft und mit 0,5 ml Salpetersäure (95prozentig, *m/m*) befeuchtet. Es wird erneut zur Trockne eingedampft, der gelbliche Rückstand in 5 ml Aceton gelöst und 0,2 ml ethano-

lische Kaliumhydroxid-Lösung (3prozentig, AB.) zugesetzt. Die Lösung muß sich violett färben.

2. Die Lösung gibt die Identitätsreaktion auf Sulfat (AB.).

6.3 Gehalt

92,5 bis 107,5 Prozent der deklarierten Menge Atropinsulfat.

Die Gehaltbestimmung erfolgt gaschromatographisch.

Bestimmung:

Für die Herstellung der Lösung I werden zu 5,0 ml einer 0,05prozentigen Lösung eines Atropinsulfats, das als Standardsubstanz geeignet ist, 1,0 ml einer 0,25prozentigen methanolischen Lösung eines Homatropinhydrobromids, das als Standardsubstanz geeignet ist, gegeben. Es wird mit 1 ml Ammoniaklösung (10prozentig) versetzt und 2mal mit je 10 ml Chloroform extrahiert. Die vereinigten Extrakte werden mit 1 g wasserfreiem Natriumsulfat geschüttelt, filtriert und zur Trockne gebracht. Der Rückstand wird in 2 ml Dichlormethan gelöst. Zu 1,0 ml dieser Lösung werden 0,2 ml einer Mischung aus 4 Volumteilen N,O-Bis(trimethylsilyl)acetamid und 1 Volumteil Trimethylchlorsilan gegeben, gemischt und 30 min lang stehengelassen.

Die Lösung II wird wie die Lösung III hergestellt, jedoch ohne Zugabe des inneren Standards Homatropinhydrobromid.

Zur Herstellung der Lösung III wird die Atropinsulfat-Lösung in der Art verdünnt, daß 2,5 mg Atropinsulfat in 5,0 ml enthalten sind. Es wird 1,0 ml der Homatropinhydrobromid-Lösung zugesetzt und 2mal mit je 10 ml Chloroform extrahiert. Das Chloroform wird verworfen. Zur Lösung III wird 1 ml Ammoniaklösung (10prozentig) gegeben und weiter verfahren wie für die Lösung I beschrieben.

Bedingungen für die Gaschromatographie:

Säule: 4 mm innerer Durchmesser, Länge 1,5 m.

Säulenfüllung: 3 Prozent *(m/m)* Silikonöl OV 17 auf mit Säure gewaschenem silanisierten Kieselgur (80 bis 100 mesh).

Ofentemperatur: 220 °C

Trägergas: Stickstoff

Detektion: Flammenionisationsdetektor

Der Atropinsulfat-Gehalt der Lösung wird unter Bezug auf den bekannten Gehalt des Atropinsulfat-Standards berechnet.

7 Behältnisse

Ampullen

8 Kennzeichnung

Nach § 10 AMG, insbesondere:

8.1 Zulassungsnummer

5899.94.98

8.2 Art der Anwendung

Lösung zur intravenösen Injektion und Infusion.

☠ Anwendung ausschließlich als Antidot bei Vergiftungen mit Insektiziden der Organophosphatgruppe unter ständiger ärztlicher Kontrolle. ☠

8.3 Hinweis

Verschreibungspflichtig

9 Packungsbeilage

Nach § 11 AMG, insbesondere:

9.1 Anwendungsgebiete

Antidot bei Vergiftungen mit Insektiziden der Organophosphatgruppe.

9.2 Gegenanzeigen

Entfallen bei bestimmungsgemäßem Gebrauch, da bei Organophosphat-Vergiftungen eine Atropintherapie als lebensrettend angesehen werden muß.

9.3 Nebenwirkungen

Irrtümlich oder falsche Anwendung von Atropinsulfat 100 mg/10 ml führen zu Vergiftungserscheinungen mit folgender Symptomatologie:

Pulsbeschleunigung, Pupillenerweiterung (Tachykardie, Mydriasis und Lichtempfindlichkeit); heiße, trockene gerötete Haut und Mundtrockenheit; Störungen der Bewegungskoordination (Ataxie); Ruhelosigkeit und Erregung; Sinnestäuschungen (Halluzinationen), Delirium und Bewußtlosigkeit (Koma); abfallender Blutdruck nach eventuell initial kurzer Steigerung; Harnverhaltung.

9.4 Dosierungsanleitung und Art der Anwendung

Soweit nicht anders verordnet, werden zur Einleitung der Behandlung jeweils 2 bis 5 mg Atropinsulfat in Abständen von etwa 10 Minuten intravenös injiziert, bis die Vergiftungssymptome verschwinden. Dies zeigt sich deutlich in einer Unterdrückung des Speichelflusses und der Bronchialsekretion. Weniger eindeutige Kriterien sind die Aufhebung der Pupillenverengung (Miosis) und Normalisierung der Pulsfrequenz. Der Initialbehandlung schließt sich eine Dauerinfusion an, bei der etwa die halbe Initialdosis pro Stunde möglichst unter Einsatz einer Dauerinfusionspumpe infundiert wird (z. B. Initialdosis = 50 mg Atropinsulfat, Dauerinfusion = 25 mg/Stunde). Die Dosis/Zeit-Infusionsrate muß fortlaufend anhand der aufgezeigten Behandlungskriterien kontrolliert und korrigiert werden.

Hinweise:

Bei versehentlicher Atropinsulfatüberdosierung wird empfohlen, 1 bis 4 mg Physostigmin langsam intravenös zu spritzen. Die Dosis muß eventuell mehrfach im Abstand von 1 bis 2 Stunden wiederholt werden. Auch Pilocarpin, 5 bis 10 mg, s. c. injiziert, wirkt als Antidot.

Künstliche Beatmung kann notwendig werden.

9.5 Dauer der Anwendung

Nach Verschwinden der Vergiftungserscheinungen noch mindestens 48 Stunden bis zu mehreren Tagen, d. h. bis die Vergiftungserscheinungen nach Absetzen der Therapie nicht erneut auftreten.

Monographien-Kommentar

Atropinsulfat-Lösung 100 mg/10 ml

Siehe Kommentar zu Atropinsulfat-Lösung 0,25 mg/ml.

6.3   Zur Herstellung der Lösung III werden 5,0 ml der Injektionslösung in einem 100,0 ml Meßkolben mit Wasser bis zur Marke aufgefüllt. 5,0 ml dieser Lösung werden wie in der Vorschrift angegeben weiterverarbeitet.

Die Konzentration ϱ^* der Injektionslösung an Atropinsulfat ergibt sich zu

$$\varrho^* \text{(Atropinsulfat)} = 0{,}2 \cdot \frac{A_u}{A_s} \cdot m_s.$$

P. Surmann

Atropinsulfat-Tabletten 0,5 mg

1 **Bezeichnung des Fertigarzneimittels**
Atropinsulfat-Tabletten 0,5 mg

2 **Darreichungsform**
Tabletten

3 **Eigenschaften und Prüfungen**

3.1 Aussehen, Eigenschaften
Kleine, weiße bis fast weiße, nichtüberzogene Tabletten.

3.2 Gleichförmigkeit des Gehaltes
Die Tabletten müssen der Prüfung auf Gleichförmigkeit des Gehaltes einzeln dosierter Arzneiformen entsprechen.

3.3 Gehalt
90,0 bis 110,0 Prozent der pro Tablette deklarierten Menge Atropinsulfat.

3.4 Haltbarkeit
Die Haltbarkeit in den Behältnissen nach Nr. 4 beträgt mindestens 1 Jahr.

4 **Behältnisse**
Behältnisse aus Glas oder Streifenpackungen.

5 **Kennzeichnung**
Nach § 10 AMG, insbesondere:

5.1 Zulassungsnummer
5899.99.99

5.2 Art der Anwendung
Zum Einnehmen

5.3 Hinweis
Verschreibungspflichtig

6 **Packungsbeilage**
Nach § 11 AMG, insbesondere:

6.1 Anwendungsgebiete

Bei Spasmen (Koliken) im Magen-Darm-Bereich sowie der Gallen- und Harnwege; Hemmung der Sekretion des Magens und der Bauchspeicheldrüse.

6.2 Gegenanzeigen

Atropinsulfat darf nicht angewendet werden bei: akutem Glaukom, bei bestehender Vergrößerung der Vorsteherdrüse (Prostataadenom) mit Restharnbildung, mechanischen Verschlüssen im Bereich des Magen-Darm-Kanals, beschleunigter unregelmäßiger Herztätigkeit (Tachyarrhythmie) sowie bei Vorliegen von krankhaft erweiterten Dickdarmabschnitten (Megacolon).

6.3 Nebenwirkungen

In Abhängigkeit von der Dosierung und der individuellen Empfindlichkeit können nach Atropinsulfat Mundtrockenheit, Abnahme der Schweißsekretion, Akkommodationsstörungen (Sehstörungen), Steigerung der Herzfrequenz (Tachykardie) und Beschwerden beim Harnlassen (Miktionsbeschwerden) auftreten.

Hinweise:

Durch Akkommodationsstörungen kann die Verkehrssicherheit gefährdet sein.

Vorsicht bei frischem Herzinfarkt.

6.4 Wechselwirkungen mit anderen Mitteln

Atropinsulfat darf nicht zusammen mit Adrenalin oder Noradrenalin verabreicht werden. Bei gleichzeitiger Gabe von anticholinergisch wirksamen Mitteln (z. B. Amantidin, Chinin, trizyklischen Antidepressiva) kann deren Wirkung durch Atropinsulfat verstärkt werden.

6.5 Dosierungsanleitung und Art der Anwendung

Soweit nicht anders verordnet, nehmen Erwachsene bis zu 3mal täglich 1 bis 2 Tabletten ein. Die höchste Einzeldosis soll 2 Tabletten und die höchste Tagesdosis 6 Tabletten nicht überschreiten. Bei Kleinkindern (2 bis 5 Jahre) beträgt die höchste Einzeldosis ½ Tablette und bei Schulkindern (6 bis 14 Jahre) 1 Tablette.

Hinweise:

Bei versehentlicher Atropinsulfatüberdosierung wird empfohlen, 1 bis 4 mg Physostigmin langsam intravenös zu spritzen. Die Dosis muß eventuell mehrfach im Abstand von 1 bis 2 Stunden wiederholt werden. Auch Pilocarpin, 5 bis 10 mg s. c. appliziert, wirkt als Antidot.

Künstliche Beatmung kann notwendig werden.

6.6 Dauer der Anwendung

Entsprechend der Art und des Schweregrades der Erkrankung soll Atropinsulfat nur gemäß den Anweisungen des behandelnden Arztes angewendet werden.

Monographien-Kommentar

Atropinsulfat-Tabletten 0,5 mg

Anmerkungen zur Rezeptur und Herstellung des Fertigarzneimittels.

Atropinsulfat mit 1 Mol Kristallwasser besteht aus farblosen Kristallen oder weißem kristallinen Pulver, das sich in weniger als 1 Teil Wasser oder in etwa 5 Teilen Ethanol löst [1, 2]. Die Substanz ist im festen Zustand relativ stabil.

Untersuchungen von Atropinsulfat in Substanz mittels Differentialthermoanalyse zeigten, daß die sogenannten Reinsubstanzen bereits Zersetzungs- oder Begleitsubstanzen enthalten. Eindeutig konnten Apoatropin und Belladonnin als Zersetzungsprodukte identifiziert und durch dünnschichtchromatographische Untersuchungen verifiziert werden [4].

In wässriger Lösung wird Atropinsulfat säure- und basenkatalytisch zu Tropin und Tropasäure hydrolisiert [1, 3, 4]. Die Verseifungsgeschwindigkeit des Atropins hat bei pH 3 bis 4 ein Minimum. Das Stabilitätsoptimum wäßriger Lösungen liegt aber im pH-Bereich 4,0 bis 4,5, weil es zwischen pH 3 und 4 zur Dehydratisierung zu Apoatropin kommen kann. Im alkalischen Bereich ist die Stabilität gering [3, 4].

Für die Herstellung von Atropinsulfat-Tabletten 0,5 mg im Rahmen der Standardzulassung kommen zwei Methoden in Betracht:

    Direkttablettierung und
    Feuchtgranulierung.

Beide Methoden haben Vorteile. Die Wahl dürfte nach wirtschaftlichen und produktionsabhängigen Gesichtspunkten erfolgen [7].

Bei der Direkttablettierung tritt das Problem der gleichmäßigen Wirkstoffverteilung stärker in den Vordergrund. Deswegen empfiehlt es sich, zunächst eine Vormischung oder eine Verreibung von Atropinsulfat mit einem innerten Hilfsstoff wie Milchzucker im Verhältnis 1:10 herzustellen.

Als Rahmenrezeptur für eine Direkttablettierung für Atropinsulfat-Tabletten 0,5 mg nach der Standardzulassung kann in Anlehnung an [5] folgende Rezeptur für 1000 Tabletten zu 150 mg vorgeschlagen werden:

Atropinsulfat	0,5 g
Laktose [1]	118,5 g
Maisstärke	15,0 g
Mikrokristalline Cellulose [2]	15,0 g
Magnesiumstearat + Talkum (1 + 9)	1,0 g
	150 g

zu [1]: Sprühgetrocknete Lactose, De Meiery, Veghel (NL), Lactose DTG, Merck, Darmstadt (BRD), Lactose DIN 10, Meggle, Reitmehring (BRD).

zu [2]: Avicel® pH 101, Lehmann & Voss, Hamburg (BRD).

Monographien-Kommentar

Atropinsulfat wird mit Lactose oder mikrokristalliner Cellulose im Verhältnis 1:10 verrieben und mit den übrigen Bestandtteilen gemischt, wobei die Mischung Magnesiumstearat + Talkum zum Schluß untergemischt werden muß. Bei der Übertragung dieser Formulierung auf den Produktionsmaßstab sind vertiefte Prüfungen auf Gleichförmigkeit des Gehaltes der einzelnen Tabletten erforderlich.

Werden Atropinsulfat-Tabletten 0,5 mg über eine Feuchtgranulierung hergestellt, so löst man das niedrigdosierte Atropinsulfat für eine gleichmäßige Wirkstoffverteilung in der Granulierflüssigkeit und arbeitet diese in die Tablettenfüllstoffe ein.

Folgende Rahmenrezeptur wäre für 1000 Atropinsulfat-Tabletten 0,5 mg im Rahmen der Standardzulassung denkbar:

Atropinsulfat	0,5 g
Copolymerisat 1-Vinyl-pyrrolidin-2-on-vinylacetat (Kollidon® VA 64)	0,5 g
Lactose	75,0 – 80,0 g
Maisstärke	19,2 – 14,0 g
Hochdisperses Siliciumdioxid (Aerosil 200®)	0,5 g
Maisstärkegranulat (Korngröße ca. 0,2 mm)	4,0 g
Magnesiumstearat oder Stearinsäure	0,3 – 0,5 g
	100 g

Atropinsulfat und Kollidon VA 64 werden in etwa 10 ml 70 %igen Ethanol oder Wasser gelöst. Die Lactose/Maisstärke-Mischung wird damit gut durchfeuchtet. Nach der Feuchtgranulierung erfolgt die Trocknung des Granulates bei 45 bis 50 °C. Das getrocknete Granulat wird mit den Zuschlägen granulierte Maisstärke, Aerosil und Magnesiumstearat oder Stearinsäure vermischt, gesiebt und zu Tabletten mit 7 mm Durchmesser und 100 mg Gewicht verpreßt.

Diese Rahmenrezeptur ist als unverbindliche Empfehlung zu werten, die jeder Anwender in eigener Verantwortung hinsichtlich Realisierbarkeit überprüfen und ggf. variieren muß.

Eine weitere Rezepturalternative ist die Vorschrift für Atropinsulfat-Tabletten 1,0 mg aus dem Formularium der Niederländischen Apotheker [6]:

Rezeptur für 1000 Tabletten Atropinsulfat zu 1,0 mg:

Atropinsulfat [1]	1,0 g
Lactose-Granulat [2]	94,0 g
Getrocknete Kartoffelstärke	4,0 g
Magnesiumstearat	1,0 g
	100 g

zu [1]: Für Atropinsulfat-Tabletten 0,5 mg werden 0,5 g Atropinsulfat durch Lactose-Granulat ersetzt.

zu [2]: Lactose Granulat besteht aus 8 Teilen Lactose und 2 Teilen Kartoffelstärke, granuliert mit 5 %iger wäßriger Gelatinelösung.

Statt Kartoffelstärke wird heute wegen der besseren mikrobiellen Stabilität überwiegend Maisstärke verwendet.

Bei der Gelatinelösung ist auf mikrobielle Reinheit zu achten.

Atropinsulfat-Tabletten 0,5 mg

Atropinsulfat wird in 10 ml 70 %igen Ethanol gelöst und das Lactose-Granulat damit durchfeuchtet. Anschließend wird bei 30° bis 40 °C getrocknet. Danach werden die Kartoffel- bzw. Maisstärke und das Magnesiumstearat nacheinander zugemischt. Das fertig gemischte Granulat wird zu Tabletten von 100 mg Gewicht mit einem Durchmesser von 7 mm verpreßt.

Im Anbetracht der großen Toxizität des Atropinsulfats muß unbedingt auf staubfreies Arbeiten geachtet werden.

Bei dem Herstellungsvorgang ist eine Schutzmaske, zumindest aber Mundschutz, Schutzbrille und Handschuhe zu tragen, wie es bei GMP-gerechter Produktion selbstverständlich ist.

[1] Ph. Eur. mit Kommentar Band I (1978).
[2] Martindale, The Extra Pharmacopeia **28,** 289 (1982).
[3] K. Thoma: Praktische Übungen, „Arzneimittelstabilität p. **22,** 8. Internat. Pharm. Fortbildungswoche der Bundesapothekerkammer, Davos (1978), Govi-Verlag, Frankfurt, 1978.
[4] T. Jira, R. Pohladek-Fabini: Pharmazie **37,** 649 (1982).
[5] APV, Arbeitsunterlage für den Lehrgang über Direkttablettierung, **7,** (1972).
[6] Formularium der Nederlandse Apothekers F 20, (1978).
[7] H. A. Liebermann, L. Lachmann, Pharmaceutical Dosage Forms: Tablets, Vol. 1, **109,** Marcel Dekker, Inc. New York, Basel (1980).

E. Norden-Ehlert

Bärentraubenblätter

1 **Bezeichnung des Fertigarzneimittels**

Bärentraubenblätter

2 **Darreichungsform**

Tee

3 **Eigenschaften und Prüfungen**

Haltbarkeit:

Die Haltbarkeit in den Behältnissen nach 4 beträgt 3 Jahre.

4 **Behältnisse**

Geklebte Blockbodenbeutel bzw. Seitenfaltenbeutel aus einseitig glattem, gebleichtem Natronkraftpapier 50 g/m^2, gefüttert mit gebleichtem Pergamyn 40 g/m^2.

5 **Kennzeichnung**

Nach § 10 AMG, insbesondere:

5.1 Zulassungsnummer

8299.99.99

5.2 Art der Anwendung

Zum Trinken nach Bereitung eines Teeaufgusses oder Kaltauszuges.

5.3 Hinweise

Apothekenpflichtig.

Vor Licht und Feuchtigkeit geschützt lagern.

6 **Packungsbeilage**

Nach § 11 AMG, insbesondere:

6.1 Stoff- oder Indikationsgruppe

Pflanzliches Arzneimittel bei Harnwegserkrankungen.

6.2 Anwendungsgebiete

Entzündliche Erkrankungen der ableitenden Harnwege.

Hinweis:

Bei Blut im Urin, bei Fieber oder beim Anhalten der Beschwerden über 7 Tage hinaus ist ein Arzt aufzusuchen.

2 Bärentraubenblätter

6.3 Gegenanzeigen

Zur Anwendung von Bärentraubenblättern in Schwangerschaft und Stillzeit sowie bei Kindern unter 12 Jahren liegen keine ausreichenden Untersuchungen vor. Teeaufgüsse oder Kaltauszüge aus Bärentraubenblättern dürfen daher von diesem Personenkreis nicht getrunken werden.

6.4 Wechselwirkungen mit anderen Mitteln.

Keine bekannt.

6.5 Dosierungsanleitung und Art der Anwendung

Soweit nicht anders verordnet, wird bis zu 4-mal täglich eine Tasse des wie folgt bereiteten Teeaufgusses oder Kaltauszuges getrunken:

1 gehäufter Teelöffel voll (ca. 3 g) grob gepulverte Bärentraubenblätter oder die entsprechende Menge in einem oder mehreren Aufgussbeutel(n) wird entweder mit siedendem Wasser (ca. 150 ml) übergossen und nach etwa 10 bis 15 Minuten gegebenenfalls durch ein Teesieb gegeben oder mit kaltem Wasser (ca. 150 ml) angesetzt, mehrere Stunden unter gelegentlichem Umschwenken ziehen gelassen und nach kurzem Erhitzen zum Sieden gegebenenfalls durch ein Teesieb gegeben.

6.6 Hinweise für den Fall der Überdosierung.

Von Zubereitungen aus Bärentraubenblättern soll pro Tag nicht mehr getrunken werden als in der Dosierungsanleitung angegeben ist oder vom Arzt verordnet wurde. Falls versehentlich etwas mehr als vorgesehen getrunken wurde, hat dies im Allgemeinen keine nachteiligen Folgen.

Die Aufnahme von deutlich darüber hinausgehenden Mengen kann jedoch erhebliche Beschwerden (z. B. Magen-Darm-Beschwerden wie Übelkeit und Erbrechen, aber auch Blut im Urin und Leberschäden) hervorrufen. In diesem Fall sollte ein Arzt aufgesucht werden, auch wenn noch keine Beschwerden aufgetreten sind.

6.7 Dauer der Anwendung

Zubereitungen aus Bärentraubenblättern sollten ohne ärztlichen Rat nicht länger als jeweils 1 Woche und höchstens 5-mal jährlich eingenommen werden.

6.8 Nebenwirkungen

Bei magenempfindlichen Patienten können nach dem Trinken des Tees Übelkeit und Erbrechen auftreten.

6.9 Hinweis

Vor Licht und Feuchtigkeit geschützt aufbewahren.

7 Fachinformation

Nach § 11a AMG, insbesondere:

7.1 Verschreibungsstatus/Apothekenpflicht

Apothekenpflichtig.

7.2   Stoff- oder Indikationsgruppe

Pflanzliches Arzneimittel bei Harnwegserkrankungen.

7.3   Anwendungsgebiete

Entzündliche Erkrankungen der ableitenden Harnwege.

Hinweis:

In der Packungsbeilage wird der Patient darauf hingewiesen, dass er bei Blut im Urin, bei Fieber oder beim Anhalten der Beschwerden über 7 Tage hinaus einen Arzt aufsuchen soll.

7.4   Gegenanzeigen

Zur Anwendung von Bärentraubenblättern in Schwangerschaft und Stillzeit sowie bei Kindern unter 12 Jahren liegen keine ausreichenden Untersuchungen vor. Teeaufgüsse oder Kaltauszüge aus Bärentraubenblättern dürfen daher von diesem Personenkreis nicht getrunken werden.

7.5   Nebenwirkungen

Bei magenempfindlichen Patienten können nach dem Trinken des Tees Übelkeit und Erbrechen auftreten.

7.6   Wechselwirkungen mit anderen Mitteln

Keine bekannt.

7.7   Dosierungsanleitung und Art der Anwendung

Soweit nicht anders verordnet, wird bis zu 4-mal täglich eine Tasse des wie folgt bereiteten Teeaufgusses oder Kaltauszuges getrunken:

1 gehäufter Teelöffel voll (ca. 3 g) grob gepulverte Bärentraubenblätter oder die entsprechende Menge in einem oder mehreren Aufgussbeutel(n) wird entweder mit siedendem Wasser (ca. 150 ml) übergossen und nach etwa 10 bis 15 Minuten gegebenenfalls durch ein Teesieb gegeben oder mit kaltem Wasser (ca. 150 ml) angesetzt, mehrere Stunden unter gelegentlichem Umschwenken ziehen gelassen und nach kurzem Erhitzen zum Sieden, gegebenenfalls durch ein Teesieb, gegeben.

Zubereitungen aus Bärentraubenblättern sollten ohne ärztlichen Rat nicht länger als jeweils 1 Woche und höchstens 5-mal jährlich eingenommen werden.

7.8   Notfallmaßnahmen, Symptome der Intoxikation

Vergiftungen mit Zubereitungen aus Bärentraubenblättern sind nicht bekannt. In der Gebrauchsinformation wird der Patient auf Folgendes hingewiesen:

Von Zubereitungen aus Bärentraubenblättern soll pro Tag nicht mehr getrunken werden als in der Dosierungsanleitung angegeben ist oder vom Arzt verordnet wurde. Falls versehentlich etwas mehr als vorgesehen getrunken wurde, hat dies im Allgemeinen keine nachteiligen Folgen.

Die Aufnahme von deutlich darüber hinausgehenden Mengen kann jedoch erhebliche Beschwerden (z. B. Magen-Darm-Beschwerden wie Übelkeit und Erbrechen, aber auch Blut im Urin und Leberschäden) hervorrufen. In diesem Fall sollte ein Arzt aufgesucht werden, auch wenn noch keine Beschwerden aufgetreten sind.

7.9 Pharmakologische und toxikologische Eigenschaften, soweit für die therapeutische Verwendung erforderlich

Zubereitungen aus Bärentraubenblättern wirken in vitro antibakteriell gegen Proteus vulgaris, Escherichia coli, Ureaplasma urealyticum, Mycoplasma hominis, Staphylococcus aureus, Pseudomonas aeruginosa, Klebsiella pneumoniae, Enterococcus faecalis, Streptococcusstämme sowie gegen Candida albicans.

Die antibakterielle Wirkung wird mit dem aus Arbutin oder aus Arbutin-Ausscheidungsprodukten freigesetzten Aglykon Hydrochinon in Verbindung gebracht.

Bei der Freisetzung können enzymatische Aktivitäten von Harnwegsinfektionen hervorrufenden Mikroorganismen eine Rolle spielen.

Es gibt Hinweise, dass nach Einnahme von Bärentraubenblättertee (1-mal 3 g/150 ml) im Urin überwiegend Hydrochinonglukuronid neben geringen Mengen Hydrochinon auftritt.

Für Hydrochinon ergibt sich aus Tierexperimenten bei oraler Anwendung der Verdacht auf mutagene und schwach kanzerogene Wirkung.

Baldriantinktur

1 **Bezeichung des Fertigarzneimittels**

Baldriantinktur

2 **Darreichungsform**

Tinktur

3 **Eigenschaften und Prüfungen**

Haltbarkeit:

Die Haltbarkeit in den Behältnissen nach 4 beträgt 3 Jahre.

4 **Behältnisse**

Braunglasflaschen mit Verschlusskappen und Konusdichtungen aus Polyethylen.

5 **Kennzeichnung**

Nach § 10 AMG, insbesondere:

5.1 Zulassungsnummer

6099.99.99

5.2 Art der Anwendung

Zum Einnehmen.

5.3 Arzneilich wirksame Bestandteile

Tinktur aus Baldrianwurzel (1:5 [Verhältnis Droge zu Auszugsmittel])

Auszugsmittel: Ethanol 70 % (V/V)

5.4 Warnhinweis

Enthält 66 Vol.-% Alkohol.

Packungsbeilage beachten!

5.5 Hinweis

Dicht verschlossen, vor Licht geschützt lagern.

6 **Packungsbeilage**

Nach § 11 AMG, insbesondere:

6.1 Stoff- oder Indikationsgruppe

Pflanzliches Arzneimittel zur Beruhigung.

6.2 Anwendungsgebiete

Unruhezustände, nervös bedingte Einschlafstörungen.

2 Baldriantinktur

Hinweis:

Wenn die nervös bedingten Einschlafstörungen und/oder die Unruhezustände länger andauern, sollte wie bei allen unklaren Beschwerden ein Arzt aufgesucht werden.

6.3 Gegenanzeigen

Baldriantinktur ist von Alkoholkranken nicht anzuwenden.

Wegen des Alkoholgehaltes soll Baldriantinktur von Leberkranken, Epileptikern, Hirnkranken oder Hirngeschädigten nur nach Rücksprache mit einem Arzt angewendet werden.

6.4 Vorsichtsmaßnahmen für die Anwendung

Zur Anwendung von Baldriantinktur in der Schwangerschaft und Stillzeit sowie bei Kindern unter 12 Jahren liegen keine ausreichenden Untersuchungen vor. Baldriantinktur soll daher von diesem Personenkreis nicht angewendet werden.

6.5 Wechselwirkungen mit anderen Mitteln

Keine bekannt.

6.6 Warnhinweis

Dieses Arzneimittel enthält 66 Vol.-% Alkohol.

Bei Beachtung der Dosierungsanleitung werden bei jeder Einnahme bis zu 1,2 g Alkohol zugeführt. Ein gesundheitliches Risiko besteht u.a. bei Leberkranken, Alkoholkranken, Epileptikern, Hirnkranken oder Hirngeschädigten sowie für Schwangere und Kinder.

Die Wirkung anderer Arzneimittel kann beeinträchtigt oder verstärkt werden.

6.7 Dosierungsanleitung und Art der Anwendung

Soweit nicht anders verordnet, wird zur Beruhigung 2- bis 3-mal täglich $^1/_2$ Teelöffel voll (ca. 1,5 ml) und bei Schlafstörungen eine halbe Stunde vor dem Schlafengehen 1 Teelöffel voll (ca. 3 ml) Baldriantinktur, verdünnt mit etwas Wasser, eingenommen.

Bei nicht ausreichender Wirksamkeit bei Schlafstörungen kann zusätzlich 1 Teelöffel voll vor dem Abendessen eingenommen werden.

6.8 Hinweise für den Fall der Überdosierung

Die Einnahme von 10 g und mehr von Baldriantinktur kann – insbesondere bei Kleinkindern – zu einer Alkoholvergiftung führen; in diesem Fall besteht Lebensgefahr, weshalb unverzüglich ein Arzt aufzusuchen ist.

Bei Einnahme des gesamten Flascheninhaltes werden...g[1] Alkohol aufgenommen.

---

[1] Die Angabe ist vom pharmazeutischen Unternehmer entsprechend der Packungsgröße zu ergänzen.

6.9 Nebenwirkungen

Bei Einnahme von Baldriantinktur kann auch bei bestimmungsgemäßem Gebrauch das Reaktionsvermögen so weit verändert werden, dass die Fähigkeit zur aktiven Teilnahme am Straßenverkehr oder zum Bedienen von Maschinen beeinträchtigt wird. Dies gilt in verstärktem Maße im Zusammenwirken mit Alkohol.

6.10 Hinweis

Dicht verschlossen, vor Licht geschützt aufbewahren.

Monographien-Kommentar

Baldriantinktur

Gemäß der Arzneimittel-Warnhinweisverordnung (AMWarnV) vom 21. Dezember 1984 [1] müssen Arzneimittel, die Ethanol enthalten und zur inneren Anwendung bestimmt sind, einen besonderen Warnhinweis auf den Behältnissen, der äußeren Umhüllung und in der Packungsbeilage enthalten, wenn die Ethanolmenge in der maximalen Einzeldosis nach der Dosierungsanleitung mindestens 0,05 g beträgt. Der Umfang des Warnhinweises ist abhängig von der mit der maximalen Einzeldosis zugeführten Ethanolmenge.

Danach sind für Baldriantinktur folgende Warnhinweise aufzuführen:

4 **Kennzeichnung**

Auf der äußeren Umhüllung und dem Behältnis muß der Warnhinweis enthalten sein:

„Enthält 66,3 Vol.% Alkohol; Packungsbeilage beachten!"

5 **Packungsbeilage**[1])

In der Packungsbeilage muß folgender Warnhinweis enthalten sein:

„Dieses Arzneimittel enthält 66,3 Vol.% Alkohol. Bei Beachtung der Dosierungsanleitung werden bei jeder Einnahme (1 Teelöffel) bis zu 2,7 g Alkohol zugeführt. Ein gesundheitliches Risiko besteht u. a. bei Leberkranken, Alkoholkranken, Epileptikern, Hirngeschädigten, Schwangeren und Kindern. Die Wirkung anderer Arzneimittel kann beeinträchtigt oder verstärkt werden."

Dieser Warnhinweis sollte hinter Pkt. 5.3 „Gegenanzeigen" eingeführt werden.

[1] Bundesgesetzblatt 1985, I S. 22   R. Braun

---

[1]) Anmerkung: Die maximale Einzeldosis beträgt 1 Teelöffel entsprechend 5 ml Tinktur. Darin sind 2,62 g Alkohol enthalten. Somit muß der Warnhinweis für Arzneimittel, die pro Einzeldosis 0,5 bis 3,0 g Alkohol enthalten, in der Packungsbeilage aufgeführt sein.

Baldrianwurzel

1 **Bezeichnung des Fertigarzneimittels**

Baldrianwurzel

2 **Darreichungsform**

Tee

3 **Eigenschaften und Prüfungen**

Haltbarkeit:

Die Haltbarkeit in den Behältnissen nach 4 beträgt 3 Jahre.

4 **Behältnisse**

Geklebte Blockbodenbeutel bzw. Seitenfaltenbeutel aus einseitig glattem, gebleichtem Natronkraftpapier 50 g/m^2, gefüttert mit gebleichtem Pergamyn 40 g/m^2.

5 **Kennzeichnung**

Nach § 10 AMG, insbesondere:

5.1 Zulassungsnummer

6199.99.99

5.2 Art der Anwendung

Zum Trinken nach Bereitung eines Teeaufgusses und zur Bereitung von Bädern.

5.3 Hinweis

Vor Licht und Feuchtigkeit geschützt lagern.

6 **Packungsbeilage**

Nach § 11 AMG, insbesondere:

6.1 Stoff- oder Indikationsgruppe

Pflanzliches Beruhigungsmittel.

6.2 Anwendungsgebiete

Unruhezustände, nervös bedingte Einschlafstörungen.

2 Baldrianwurzel

6.3 Gegenanzeigen

Keine bekannt.

6.4 Wechselwirkungen mit anderen Mitteln

Keine bekannt.

6.5 Dosierungsanleitung und Art der Anwendung

Soweit nicht anders verordnet, wird ein- bis mehrmals täglich eine Tasse des wie folgt bereiteten Teeaufgusses getrunken oder einmal täglich ein Vollbad genommen:

1 Teelöffel voll (ca. 2,5 g) Baldrianwurzel oder die entsprechende Menge in einem oder mehreren Aufgußbeutel(n) wird mit siedendem Wasser (ca. 150 ml) übergossen und nach etwa 10 bis 15 Minuten gegebenenfalls durch ein Teesieb gegeben.

Zur äußerlichen Anwendung werden 100 g Baldrianwurzel für ein Vollbad eingesetzt.

6.6 Dauer der Anwendung

Bei akuten Beschwerden, die länger als eine Woche andauern oder periodisch wiederkehren, wird die Rücksprache mit einem Arzt empfohlen.

6.7 Nebenwirkungen

Keine bekannt.

6.8 Hinweis

Vor Licht und Feuchtigkeit geschützt aufbewahren.

Monographien-Kommentar

Baldrianwurzel

Siehe Kommentar Ph. Eur. III, 2. Auflage (1982), S. 835.

Bei der „Prüfung auf Identität" nach Ph. Eur. III muß es im vorletzten Satz richtig heißen „... mit 3 ml einer Mischung von gleichen Volumteilen Eisessig R und Salzsäure R 1 ..." (anstatt „Essigsäure R").

Ergänzend zu den im Kommentar zitierten Literaturstellen sei auf einige neuere Arbeiten hingewiesen, die sich mit einer sicheren Abgrenzung von Valeriana officinalis L.s.l. gegenüber anderen Valeriana-Arten (mexikanischer Baldrian, Valeriana edulis ssp. procera MEYER; indischer Baldrian, Valeriana wallichii D.C.) beschäftigten [1, 2]. Als für die offizielle Baldrianwurzel charakteristische Inhaltsstoffe, die in den anderen Valeriana-Arten fehlen (oder höchstens in Spuren vorkommen) gelten Valerensäure und Acetoxyvalerensäure, die man dünnschichtchromatographisch nachweisen kann [1].

Inzwischen liegen auch umfangreiche Untersuchungen vor, bei denen die verschiedenen morphologischen Grundtypen von Valeriana officinalis L.s.l. auf Valepotriatgehalt und -zusammensetzung [3] sowie Variation charakteristischer Komponenten des ätherischen Öles [4] hin geprüft wurden.

Zu 5.2. Es wäre zu empfehlen, bei der Teebereitung mindestens fein zerschnittene Droge zu verwenden.

[1] R. Hänsel und J. Schulz, Dtsch. Apoth. Ztg. **122,** 215 (1982).
[2] R. Hänsel, J. Schulz und E. Stahl, Arch. Pharm. **316,** 646 (1983).
[3] W. Titz, J. Jurenitsch, E. Fitzbauer-Busch, E. Wicho und W. Kubelka, Sci. pharm. **50,** 309 (1982).
[4] W. Titz, J. Jurenitsch, J. Gruber, I. Schabus, E. Titz und W. Kubelka, Sci. pharm. **51,** 63 (1983).

M. Wichtl

Basilikumkraut

1 **Bezeichnung des Fertigarzneimittels**

Basilikumkraut

2 **Darreichungsform**

Tee

3 **Eigenschaften und Prüfungen**

3.1 Ausgangsstoff

3.1.1 Basilikumkraut

Basilikumkraut besteht aus den zur Blütezeit gesammelten oberirdischen Teilen von Ocimum basilicum L. Der Gehalt an ätherischem Öl beträgt mindestens 0,4 Prozent (V/m).

3.2 Beschreibung

Basilikumkraut riecht angenehm aromatisch und schmeckt etwas salzig und würzig.

Die 30 bis 40 cm lange Ganzdroge besitzt vierkantige Stengel, die unten fast kahl, zur Spitze hin aber weichhaarig sind. Die bis 2 cm langen und etwa 12 mm breiten Blätter sind gegenständig, gestielt, eiförmig oder eiförmig-länglich, stumpf oder zugespitzt. Die Ränder sind gezähnt oder ganzrandig und behaart. Durch das kahle Blatt zieht ein Hauptnerv mit bogenläufigen Seitennerven. Die Blüten sind weiß, purpur oder auch mehrfarbig und stehen in achsenständigen Trugdolden an den oberen Teilen des Stengels oder an den Zweigspitzen. Der glockenförmige, zweilippige Kelch ist fünfzähnig, der obere Zahn ist flach, fast kreisförmig und sehr groß. Die zweilippige Blumenkrone besitzt eine vierspaltige Oberlippe und eine geteilte Unterlippe. Die Frucht enthält vier kleine eiförmige, braune bis schwarze, glatte Nüßchen.

Die gerebelte Droge ist gekennzeichnet durch verschieden große Blattstücke mit zum Teil gezähntem oder ganzrandigem Blattrand, durch kahle Stengelstücke, weiße, purpurne oder mehrfarbige kleine Blütenköpfchen und kleine braune bis schwarze, eiförmige, glatte Nüßchen.

Mikroskopische Merkmale: Auf beiden Seiten des Blattes befinden sich Spaltöffnungen. Die welligen Epidermiszellen sind auf den Laubblättern dünnwandig, am basalen Teil der Kelchinnenseite dickwandig, aber nicht verholzt. Sie enthalten dort häufig einen Oxalatkristall. Bräunliche Lamiaceendrüsenschuppen mit 8 Drüsenzellen kommen auf Laubblättern, Deckblättern, Kelch, Blumenkrone und den obersten Stengelteilen vor. Daneben finden sich kleine Köpfchenhaare mit einer kurzen Stielzelle und einem einzelligen Köpfchen oder einem durch eine vertikale Wand geteilten zweizelligen Köpfchen. Die zweizelligen Köpfchenhaare können auch als Lamiaceendrüsenschuppen mit zwei Drüsenzellen angesehen werden. Der Rand der fast kahlen Laubblätter trägt zwei- bis dreizellige, gekrümmte, derbwandige, warzige Haare mit einer großen keulenförmigen Basalzelle und einer spitzen Endzelle. Der Deckblattrand trägt statt dessen derbwandige, warzige Eckzahnhaare. Drei- bis sechszellige, gestrichelte, derbwandige Deckhaare, oft mit stumpf abgerundeter Endzelle, finden sich relativ zahlreich auf Kelch, Blumenkrone und Stengel, auf den Laubblättern nur spärlich. Kelch, Stengel und vor allem die Blumenkrone sind mit langen, dünnwandigen, oft kollabierten, drei- bis achtzelligen Gliederhaaren mit zugespitzter Endzelle besetzt. Die Deckhaare enthalten meist kleine Oxalatnädelchen im Zellumen unregelmäßig verteilt oder in kleinen Gruppen jeweils in der Nähe der Querwände. Für die Blüten sind die Pollen kennzeichnend. Sie unterscheiden sich von denen anderer Lamiaceen durch ihre Größe (über 50 µm) und durch die von einem Maschenwerk bedeckte Exine. In Pollage sind sie annähernd kreisförmig, in Seitenlage breit elliptisch. Die Faserzellen der Antherenwand enthalten je eine kleine Oxalatdruse.

3.3 Prüfung auf Identität

Chromatographie: Die Prüfung erfolgt dünnschichtchromatographisch auf Platten mit einer Schicht aus Kieselgel GF_{254}.

Untersuchungslösung: Die unter „Gehaltsbestimmung" erhaltene Lösung des ätherischen Öls in Xylol wird wasserfrei abgelassen. 0,5 ml dieser Lösung werden mit 10 ml Toluol versetzt.

Vergleichslösung a: 10 µl Eugenol werden in Toluol zu 10 ml gelöst.

Vergleichslösung b: 10 µl Linalool werden in Toluol zu 10 ml gelöst.

Zur Chromatographie werden getrennt jeweils 20 µl der Untersuchungslösung und der Vergleichslösungen a und b bandförmig (20 mm × 3 mm) aufgetragen.

Entwicklung und Nachweis: Mit einer Mischung von 90 Volumteilen Toluol und 10 Volumteilen Ethylacetat wird über eine Laufstrecke von 15 cm entwickelt. Nach vollständigem Entfernen des Fließmittels wird das Chromatogramm im UV-Licht bei 254 nm betrachtet.

Eugenol erscheint im Rf-Bereich um 0,5 als fluoreszenzlöschende Zone. Im Chromatogramm der Untersuchungslösung findet sich auf gleicher Höhe ebenfalls eine fluoreszenzlöschende Zone, die bisweilen schwach ausgeprägt ist. Weitere Zonen können im Rf-Bereich von 0,6 bis 0,7 erscheinen.

Anschließend wird die Schicht mit 10 ml (für eine Schicht von 20 cm × 20 cm) Anisaldehyd-Lösung besprüht und ca. 10 min lang bei 100 bis 110 °C bis zur deutlichen Farbentwicklung erhitzt.

Im UV-Licht bei 365 nm zeigt Eugenol eine gelbliche Fluoreszenz, im Chromatogramm der Untersuchungslösung findet sich eine entsprechende Zone.

Im Tageslicht erscheint Eugenol als braunviolette Zone, Linalool liegt als dunkelviolette Zone im Rf-Bereich um 0,4. Im Chromatogramm der Untersuchungslösung befinden sich auf Höhe der Vergleichssubstanzen ebenfalls violette Zonen. Zusätzlich erscheinen im Rf-Bereich von 0,5 bis 0,6, aufsteigend geordnet, eine graue und eine rosarote sowie direkt unterhalb der Laufmittelfront eine violette Zone. Weitere grau bis braun gefärbte Zonen können vorhanden sein.

3.4 Prüfung auf Reinheit

Fremde Bestandteile (AB.): Höchstens 2 Prozent.

Trocknungsverlust (AB.): Höchstens 10 Prozent, mit 1,000 g pulverisierter Droge (355) durch 2 h langes Trocknen im Trockenschrank bei 100 bis 105 °C bestimmt.

Asche (AB.): Höchstens 15,0 Prozent, mit 1,000 g pulverisierter Droge bestimmt.

3.5 Gehaltsbestimmung

Ätherisches Öl (AB.): Bestimmung mit 25,0 g Droge und 400 ml Wasser in einem 1000-ml-Rundkolben; Destillation 2 h lang bei 2 bis 3 ml pro min; 0,50 ml Xylol als Vorlage.

4 **Behältnisse**

Geklebte Blockbodenbeutel bzw. Seitenfaltenbeutel aus einseitig glattem, gebleichtem Natronkraftpapier 50 g/m^2, gefüttert mit gebleichtem Pergamyn 40 g/m^2.

5 **Haltbarkeit**

Die Haltbarkeit in den Behältnissen nach 4 beträgt zwei Jahre.

6 **Kennzeichnung**

Nach § 10 AMG, insbesondere:

6.1 Zulassungsnummer

1429.99.99

6.2 Art der Anwendung

Zur Bereitung eines Teeaufgusses.

6.3 Hinweis

Vor Licht und Feuchtigkeit geschützt lagern.

7 **Packungsbeilage**

Nach § 11 AMG, insbesondere:

7.1 Anwendungsgebiete

Zur Unterstützung bei der Behandlung von Völlegefühl und Blähungen.

4 Basilikumkraut

7.2 Dosierungsanleitung und Art der Anwendung

Zwei Teelöffel voll (ca. 4 g) Basilikumkraut werden mit heißem Wasser (ca. 150 ml) übergossen und nach 10 bis 15 Minuten durch ein Teesieb gegeben.

Soweit nicht anders verordnet, wird 2- bis 3mal täglich eine Tasse frisch bereiteter Teeaufguß zwischen den Mahlzeiten getrunken.

7.3 Hinweis

Vor Licht und Feuchtigkeit geschützt aufbewahren.

Monographien-Kommentar

Basilikumkraut

Stammpflanze:

Das Basilikum- oder Königskraut, Ocimum basilicum L. (Lamiaceae), ist ein in den Tropen und Subtropen verbreitet vorkommendes einjähriges Kraut, das vielfach zur Gewinnung der — u. a. auch als Gewürz verwendeten — Droge kultiviert wird. Es sind zahlreiche Varietäten bekannt, die sich in der Zusammensetzung des ätherischen Öles (und damit bereits im Geruch) stark unterscheiden.

Droge:

Diese stammt zumeist aus dem Anbau im Mittelmeergebiet und wird aus Marokko, Italien und Frankreich importiert.

Inhaltsstoffe:

Basilikumkraut enthält je nach Sorte und Herkunft 0,05 bis über 1 Prozent ätherisches Öl. Zumeist ist Linalool die Hauptkomponente (Anteil bis 75 Prozent), in einigen Chemotypen überwiegt das stets vorkommende Methylchavicol (= Estragol); weitere Monoterpene sowie kleine Anteile an Sequiterpenen und an Zimtsäureestern kommen vor. Die Droge enthält Gerbstoffe, Flavonoide sowie geringe Mengen an Kaffeesäure- und Cumarinderivaten [1].

3.3 Prüfung auf Identität:

Das bei der Gehaltsbestimmung erhaltene ätherische Öl wird mittels DC auf die Anwesenheit von Linalool (neben Eugenol als Referenzsubstanz verwendet) geprüft, ebenso wird Methylchavicol nachgewiesen (gleicher Rf-Wert wie Eugenol). Für die übrigen Substanzzonen kann vorläufig keine Zuordnung zu bestimmten Verbindungen erfolgen.

3.4 Prüfung auf Reinheit:

Da die Droge aus Kulturen stammt, kommen Verfälschungen kaum vor.

3.5 Gehaltsbestimmung:

Da das ätherische Öl als wertbestimmender Bestandteil gilt, ist ein Mindestgehalt von 0,4 Prozent vorgeschrieben. Dies ist für eine arzneilich verwendete Droge begründet, zumal im Handel Basilikumkraut mit wesentlich niedrigerem Ölgehalt in Umlauf ist.

[1] Th. Kartnig und B. Simon, Gartenbauwissenschaft **51**, 223 (1986).

M. Wichtl

Beruhigungstee I

1 Bezeichnung des Fertigarzneimittels

Beruhigungstee I

2 Darreichungsform

Tee

3 Zusammensetzung

Baldrianwurzel	40,0 g
Pomeranzenschale	10,0 g
Hopfenzapfen	20,0 g
Melissenblätter	15,0 g
Pfefferminzblätter	15,0 g

4 Herstellungsvorschrift

Die für die Herstellung einer Charge benötigten Mengen Baldrianwurzel, Hopfenzapfen, Melissenblätter, Pfefferminzblätter und Pomeranzenschale werden gemischt und anschließend in die vorgesehenen Behältnisse abgefüllt.

5 Eigenschaften und Prüfungen

5.1 Ausgangsstoffe

5.1.2 Pomeranzenschale

Der Gehalt an ätherischem Öl muß zum Zeitpunkt der Herstellung des Tees eine Mindesthaltbarkeit der Droge von einem Jahr gewährleisten, wobei davon auszugehen ist, daß der Gehalt an ätherischem Öl in den Behältnissen nach 6 absolut um etwa 0,2 Prozent pro Jahr abnimmt. Die Dauer der Haltbarkeit errechnet sich aus der Differenz des Gehaltes an ätherischem Öl zum Zeitpunkt der Herstellung und dem im Arzneibuch vorgeschriebenen Mindestgehalt.

2 Beruhigungstee I

5.2 Fertigarzneimittel

5.2.1 Aussehen, Eigenschaften

Beruhigungstee I ist ein charakteristisch durchdringend nach Valeriansäure und Menthol riechendes Teegemisch aus dünnen getrockneten und geschnittenen Blättern von grüner bis hell gelbgrüner und graugrüner Farbe. Die Mischung enthält gelblich bis rötlichbraune Stücke von Pomeranzenschale und beigefarbene bis hell graubraune Wurzelstücke.

5.2.2 Prüfung auf Identität

Die nach 5.2.3 makroskopisch einzeln verlesenen Bestandteile werden auf Identität geprüft.

Baldrianwurzel

entsprechend Prüfung auf Identität (AB.).

Hopfenzapfen

entsprechend Prüfung auf Identität (AB.).

Melissenblätter

entsprechend Prüfung auf Identität (AB.).

Pfefferminzblätter

entsprechend Prüfung mikroskopischer Merkmale (AB.).

Pomeranzenschale

entsprechend Prüfung auf Identität (AB.).

5.2.3 Gehalt

80,0 bis 120,0 Prozent der deklarierten Mengen an Baldrianwurzel, Hopfenzapfen, Melissenblättern, Pfefferminzblättern und Pomeranzenschale.

Bestimmung

Eine geeignete Menge Beruhigungstee I wird makroskopisch in die einzelnen Bestandteile verlesen und diese gewogen.

5.2.4 Haltbarkeit

Die Haltbarkeit in den Behältnissen nach 6 beträgt ein Jahr.

6 **Behältnisse**

Geklebte Blockbodenbeutel bzw. Seitenfaltenbeutel aus einseitig glattem, gebleichtem Natronkraftpapier 50 g/m^2, gefüttert mit gebleichtem Pergamyn 40 g/m^2.

7 **Kennzeichnung**

Nach § 10 AMG, insbesondere:

7.1 Zulassungsnummer

1949.99.99

7.2 Art der Anwendung

Zum Trinken nach Bereitung eines Teeaufgusses.

7.3 Hinweis

Vor Licht und Feuchtigkeit geschützt lagern.

8 **Packungsbeilage**

Nach § 11 AMG, insbesondere:

8.1 Anwendungsgebiete

Nervöse Erregungszustände, Einschlafstörungen.

8.2 Dosierungsanleitung und Art der Anwendung

1 Eßlöffel voll Tee wird mit siedendem Wasser (ca. 150 ml) übergossen, bedeckt etwa 10 bis 15 Minuten ziehen gelassen und dann durch ein Teesieb gegeben.

Soweit nicht anders verordnet, wird 2- bis 3mal täglich und vor dem Schlafengehen eine Tasse frisch bereiteter Tee getrunken.

8.3 Hinweis

Vor Licht und Feuchtigkeit geschützt aufbewahren.

Monographien-Kommentar

Beruhigungstee I

Kommentare zu den einzelnen Bestandteilen von Beruhigungstee I befinden sich gemäß nachfolgender Übersicht in:

Bestandteil	Kommentar
Baldrianwurzel	Komm. Ph. Eur. u. St. Zul.
Pomeranzenschale	Komm. DAB
Hopfenzapfen	Komm. Ph. Eur.
Melissenblätter	Komm. Ph. Eur.
Pfefferminzblätter	Komm. Ph. Eur.

M. Wichtl

Beruhigungstee II bis VIII

1 **Bezeichnung des Fertigarzneimittels**
Beruhigungstee[1)]

2 **Darreichungsform**
Tee

3 **Zusammensetzung**

A. Wirksame Bestandteile (in Masseprozenten

Bestand-teile \ Teenummer	II	III	IV	V	VI	VII	VIII
Baldrianwurzel	30,0 bis 40,0	30,0 bis 40,0		30,0 bis 40,0	30,0 bis 40,0	30,0 bis 40,0	15,0 bis 40,0
Hopfenzapfen	20,0 bis 30,0		25,0 bis 40,0	15,0 bis 30,0	15,0 bis 25,0		15,0 bis 25,0
Lavendelblüten		15,0 bis 25,0	20,0 bis 30,0				15,0 bis 25,0
Melissenblätter	20,0 bis 30,0	10,0 bis 20,0	20,0 bis 30,0	10,0 bis 20,0		15,0 bis 40,0	15,0 bis 25,0
Passionsblumen-kraut					10,0 bis 20,0	10,0 bis 20,0	
Pfefferminzblätter		10,0 bis 30,9		10,0 bis 30,0	10,0 bis 30,0	10,0 bis 30,0	

[1)] Die Bezeichnung des Tees setzt sich aus dem Wort „Beruhigungstee", und der römischen Ziffer zusammen, die der jeweiligen Zusammensetzung zugeordnet ist (z. B. „Beruhigungstee II").

B. Sonstige Bestandteile

Anis,
Bitterer Fenchel,
Hagebuttenschalen,
Kamillenblüten,
Kümmel,
Bitterorangenblüten
Ringelblumenblüten
Rosmarinblätter
Schafgarbenkraut,
Süßholzwurzel.

Die wirksamen Bestandteile nach A müssen insgesamt mindestens 70 Masseprozente der jeweiligen Teemischung ergeben. Die sonstigen Bestandteile müssen – sofern solche verwendet werden – aus der Gruppe B ausgewählt werden. Sie dürfen pro Bestandteil nicht mehr als 5 Masseprozente der jeweiligen Teemischung betragen.

4 Herstellungsvorschrift

Die für die Herstellung einer Charge benötigten Bestandteile werden gemischt und anschließend in die vorgesehenen Behältnisse abgefüllt.

5 Eigenschaften und Prüfungen

5.1 Ausgangsstoffe

5.1.1 Ringelblumenblüten

Die Droge muss der Monographie Nr. 159, Ringelblumenblüten, der Verordnung über Standardzulassungen entsprechen.

5.1.2 Rosmarinblätter

Die Droge muss der Monographie Rosmarinblätter, Rosmarini folium, des Deutschen Arzneimittel-Codex 1986 (DAC) entsprechen.

5.2 Fertigarzneimittel

5.2.1 Aussehen, Eigenschaften

Teemischung aus getrockneten und meist zerkleinerten Pflanzenteilen mit arteigenem Geruch.

5.2.2 Prüfung auf Identität

Die nach 5.2.3 makroskopisch einzeln verlesenen, wirksamen Bestandteile werden auf Identität geprüft.

Baldrianwurzel
entsprechend Prüfung auf Identität gemäß AB.

Hopfenzapfen
entsprechend Prüfung auf Identität gemäß AB.

Lavendelblüten
entsprechend Prüfung auf Identität gemäß AB.

Melissenblätter
entsprechend Prüfung auf Identität gemäß AB.

Passionsblumenkraut
entsprechend Prüfung auf Identität gemäß AB.

Pfefferminzblätter
entsprechend Prüfung auf Identität gemäß AB.

5.2.3 Gehalt

80 bis 120 Prozent der deklarierten Bestandteile.

Bestimmung

Eine geeignete Menge der Teemischung wird makroskopisch in die einzelnen Bestandteile verlesen. Die deklarierten Bestandteile werden gewogen.

5.2.4 Haltbarkeit

Die Haltbarkeit in den Behältnissen nach 6 beträgt für Beruhigungstee II drei Jahre, für Beruhigungstee III, IV, V, VI, VII und VIII zwei Jahre.

6 **Behältnisse**

Geklebte Blockbodenbeutel bzw. Seitenfaltenbeutel aus einseitig glattem, gebleichtem Natronkraftpapier 50 g/m^2, gefüttert mit gebleichtem Pergamyn 40 g/m^2.

7 **Kennzeichnung**

Nach § 10 AMG, insbesondere:

7.1 Zulassungsnummer

Beruhigungstee Nr.	Zulassungsnummer
II	1949.98.99
III	1949.97.99
IV	1949.96.99
V	1949.95.99
VI	1949.94.99
VII	1949.93.99
VIII	1949.92.99

7.2 Art der Anwendung

Zum Trinken nach Bereitung eines Teeaufgusses.

7.3 Hinweis

Vor Licht und Feuchtigkeit geschützt lagern.

8 **Packungsbeilage**

Nach § 11 AMG, insbesondere:

8.1 Anwendungsgebiete

Nervöse Erregungszustände, Einschlafstörungen.

8.2 Dosierungsanleitung und Art der Anwendung

1 Eßlöffel voll Tee wird mit siedendem Wasser (ca. 150 ml) übergossen, bedeckt etwa 10 bis 15 Minuten ziehengelassen und dann durch ein Teesieb gegeben.

Soweit nicht anders verordnet, wird 2- bis 3mal täglich und vor dem Schlafengehen eine Tasse frisch bereiteter Tee getrunken.

8.3 Hinweis

Vor Licht und Feuchtigkeit geschützt aufbewahren.

Monographien-Kommentar

Beruhigungstee II bis VIII

Pomeranzenblüten

Stammpflanze: Siehe unter Pomeranzenschale, KOMM. DAB Inhaltsstoffe: 0,2 bis 0,5% ätherisches Öl, das vorwiegend aus (–)-Linalool, Nerolidol, Linalylacetat und Geraniol besteht; als auffälliger und charakteristischer Bestandteil ist im ätherischen Öl zu etwa 1% Anthranilsäuremethylester enthalten. Die Droge enthält ferner Bitterstoffe und Flavonoide, besonders Hesperidin.

Prüfung auf Identität:

Das bei den Gehaltsbestimmungen enthaltene ästherische Öl wird mittels DC untersucht, wobei Geraniol und Anthranilsäuremethylester als Referenzsubstanz verwendet werden; letztere Verbindung ist bereits unter UV-Licht bei 365 nm als intensiv blau fluoreszierende Zone zu erkennen. Die übrigen charakteristischen Inhaltsstoffe, Linalool, Linalylacetat und Geraniol erscheinen nach Besprühen mit Anisaldehyd-Reagenz und Erhitzen als rot-violette Zonen.

Prüfung auf Reinheit:

Fremde Bestandteile: Verfälschungen kommen praktisch nicht vor. Es sind aber Drogenpartien mit geringem Gehalt an ästherischem Öl im Handel, so daß die Gehaltsbestimmung hier besonders zu beachten ist.

Kommentare zu den übrigen Bestandteilen von Beruhigungstee II bis VIII finden sich gemäß nachfolgender Übersicht in:

Bestandteil	Kommentar
A. Baldrianwurzel	Komm. Ph. Eur. u. St. Zul.
Hopfenzapfen	Komm. Ph. Eur.
Lavendelblüten	St. Zul.
Melissenblätter	Komm. Ph. Eur.
Passionsblumenkraut	Ph. Eur. u. St. Zul.
Pfefferminzblätter	Komm. Ph. Eur.
B. Anis	Komm. Ph. Eur. u. St. Zul.
Fenchel	Komm. Ph. Eur.
Hagebuttenschalen	Komm. DAB
Kamillenblüten	Komm. Ph. Eur. u. St. Zul.
Kümmel	Komm. Ph. Eur. 10
Ringelblumenblüten	Ph. Eur. u. St. Zul.
Rosmarinblätter	St. Zul.
Schafgarbenkraut	Ph. Eur. u. St. Zul.
Süßholzwurzel	Komm. Ph. Eur.

M. Wichtl

Monographien-Kommentar

Bicarbonat-Hämodialyse-Konzentrate

Anmerkungen zur Rezeptur und Herstellung des Fertigarzneimittels

Einleitung
S. auch Kommentar zu „Acetat-Hämodialyse-Konzentrate".

Mit der Entwicklung von effektiveren Großflächendialysatoren konnten die Dialysezeiten wesentlich reduziert werden. Dabei wurde jedoch häufig beobachtet, daß die Patienten das Acetat nicht mehr ausreichend schnell verstoffwechseln konnten. Insbesondere bei Patienten mit nicht optimaler Acetatverwertung traten Nebenwirkungen wie z. B. Herz-Kreislauf-Störungen, Krämpfe, Kopfschmerzen, Allergien sowie intra- und postdialytische Müdigkeit auf. Durch Umstellen der Patienten auf Bicarbonat-Hämodialyse konnten diese Nebenwirkungen fast immer vollständig vermieden werden, so daß heute keine Zweifel mehr bestehen, daß die akute Verträglichkeit einer Bicarbonat-Hämodialyse besser ist als die einer Acetat-Hämodialyse. Da die seinerzeit bestehenden technischen Probleme heute weitgehend gelöst und die bisher beobachteten Behandlungserfolge überzeugend sind, erlebte die Bicarbonat-Hämodialyse in der letzten Zeit eine berechtigte „Wiederentdeckung". Der dabei notwendige apparative Mehraufwand wird durch die therapeutischen Vorteile voll gerechtfertigt.

Die erwähnten technischen Schwierigkeiten konnten dadurch gelöst werden, daß die Elektrolyte nunmehr in zwei Teilkonzentrate aufgeteilt wurden: das Saure und das Basische Bicarbonat-Hämodialyse-Konzentrat. Zur Vermeidung gleichzeitiger hoher Konzentrationen an Calcium- und Bicarbonat-Ionen bei der Dialysatherstellung wird eine der Konzentratkomponenten mit Wasser geeigneter Qualität vorgemischt und dann das zweite Teilkonzentrat zugemischt. Im Gegensatz zu den Geräten für die Acetat-Hämodialyse, die mit einer Proportionierungseinheit auskommen, müssen Geräte für die Bicarbonat-Hämodialyse daher mit zwei Proportionierungseinheiten ausgerüstet sein.

Den technischen unterschiedlichen Proportionierungsverfahren der einzelnen Gerätehersteller entsprechend gibt es verschieden konzipierte, diesen Verfahren angepaßte Produktreihen für Basische und Saure Bicarbonat-Hämodialyse-Konzentrate.

Die heute verwendeten Hämodialysegeräte stellen nicht nur die gebrauchsfertige Dialysierlösung aus den entsprechenden Hämodialyse-Konzentraten her, sie halten darüber hinaus auch den erforderlichen extrakorporalen Kreislauf aufrecht. Beide Funktionen werden durch entsprechende Kontrollvorrichtungen überwacht (Abb. 1, 2).

Die Überwachung der Zusammensetzung der Dialysierlösung erfolgt wie bei der Acetatdialyse durch Messen der Leitfähigkeit. Dabei ist zu beachten, daß entsprechend der Zusammensetzung Na^+- und Cl^--Ionen die größten Beiträge zur Leitfähigkeit leisten, während die Ionen K^+, Ca^{2+} und Mg^{2+}, die in wesentlich geringeren Konzentrationen vorliegen, die Gesamtleitfähigkeit nur wenig beeinflussen. Es ist daher sinnvoll, die Konzentrationen dieser Ionen in der gebrauchsfertigen Lösung in regelmäßigen Abständen photometrisch zu überprüfen.

Monographien-Kommentar

2

Zusätzlich ist eine Überwachung der für die Bicarbonatdialyse charakteristischen Parameter pH, pCO$_2$ und aktuelle Bicarbonatkonzentration [HCO$_3^-$] erforderlich. Die Werte der Dialysierlösung sollen in folgenden Bereichen liegen:

- pH: ca. 7,35 – 7,50
- pCO$_2$: ca. 40 – 60 mmHG
- [HCO$_3^-$]: ca. 28 – 40 mmol/l

pH und PCO$_2$ werden in der Regel durch Messungen der Dialysierlösung mit einem Blutgasanalysator bestimmt. Die so erhaltenen Werte sind jedoch wegen der unterschiedlichen Verhältnisse im Blut und in der Dialysierlösung mit einem systematischen Fehler behaftet. Der Wert für Bicarbonat wird mittels der Henderson-Hasselbachschen Gleichung berechnet:

$$pH = pK_a + \log \frac{[Salz]}{[Saure]}$$

Es gilt dann:

$$[HCO_3^-]\left[\frac{mmol}{l}\right] = 0{,}03 \left[\frac{mmol}{l \cdot mmHg}\right] \cdot p_{CO_2}[mmHG] \cdot 10^{pH-6{,}1}$$

Steht kein Blutgasanalysator zur Verfügung, muß Bicarbonat durch Titration bestimmt werden, während der pH-Wert mit einer Glaselektrode gemessen wird. Diese Methode ist etwas aufwendiger als die Verwendung eines Blutgasanalysators, liefert dafür aber genauere Werte.

H. Bischoff

Monographien-Kommentar

Bicarbonat-Hämodialyse-Konzentrate

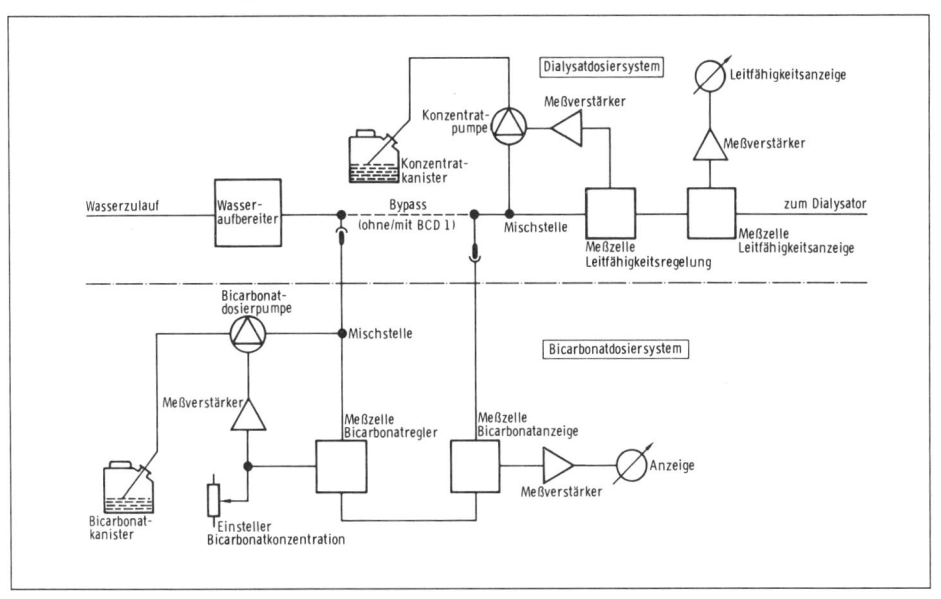

Abb. 1: Beispiel eines leitfähigkeitsgesteuerten Bicarbonatdosiersystems.
Blutreinigungsverfahren, Technik und Klinik, H.-E. Franz, Georg Thieme Verlag, Stuttgart, New York 1985.

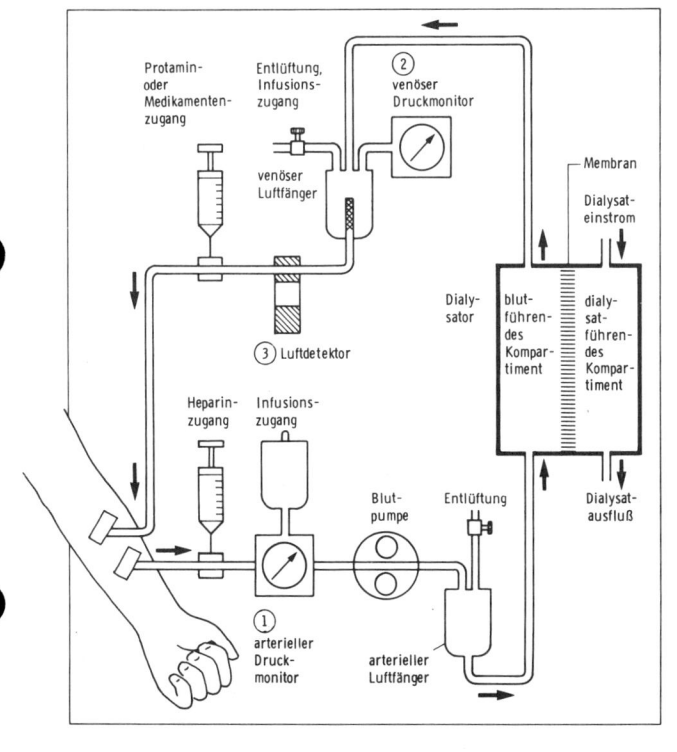

Abb. 2:
Schema des blutzuführenden Kompartiments einer künstlichen Niere mit Monitorisierung.
Dialysebehandlung, Ein Ratgeber für Patienten und Pflegepersonal, H.-E. Franz, Georg Thieme Verlag, Stuttgart, New York 1984.

Monographien-Kommentar

4

Galenik

Konzentrate für die Bicarbonat-Hämodialyse müssen wegen der Inkompatibilität zwischen Calcium und Carbonat stets aus zwei Teilkonzentraten bestehen, dem Sauren Bicarbonat-Hämodialyse-Konzentrat und dem Basischen Bicarbonat-Hämodialyse-Konzentrat. Es ist deshalb bei der Entwicklung dieser Produkte zwingend notwendig, die beiden Komponenten genau aufeinander abzustimmen. Die Trennung in zwei separate Monographien erfolgte aus formaljuristischen Gründen. Es erschien jedoch sinnvoll, wegen der galenischen und anwendungstechnischen Zusammengehörigkeit, die Lösungen in diesem Kommentar gemeinsam zu bearbeiten.

Bei den Bicarbonat-Hämodialyse-Konzentraten herrscht in bezug auf die Zusammensetzung eine ähnliche Vielfalt wie bei den Acetat-Hämodialyse-Konzentraten.

Die Aufteilung der Elektrolyte in den beiden Teillösungen folgt einem gewissen Schema. So werden alle variablen Komponenten (Kationen, Essigsäure) vornehmlich in die Saure Teilkonzentrate eingearbeitet, so daß in der Praxis einer Vielzahl dieser Produkte nur relativ wenige Basische Teilkonzentrate gegenüberstehen. Die sauren Lösungen sind daher als eine Art Grund-Konzentrat zu betrachten, dem die Basischen Lösungen zugeordnet werden (siehe hierzu auch Punkt 8 Kennzeichnung).

Basische Bicarbonat-Hämodialyse-Konzentrate werden in Abhängigkeit von der Arbeitsweise der verdünnenden Dialysemaschine unterteilt in kochsalzhaltige und kochsalzfreie Lösungen. Leitfähigkeitsgesteuerte Geräte benötigen eine natriumchloridhaltige Lösung, da die Leitfähigkeit von reiner Natriumhydrogencarbonatlösung verhältnismäßig niedrig ist und für eine präzise Dosierung nicht ausreicht. Üblich ist der Zusatz einer Natriumchlorid-Menge, die etwa 25 Prozent des Gesamt-Natriumchloridgehalts der beiden Teilkonzentrate beträgt. Volumengesteuerte Dialysemaschinen dosieren auch reine Natriumhydrogencarbonatlösungen (5 bis 8,4 prozentig).

Während bei den Acetat-Hämodialyse-Konzentraten neben der großen Zahl an unterschiedlichen Lösungen wenigstens der Konzentrationsfaktor praktisch standardisiert ist (35 : 1), gibt es bei der Bicarbonat-Hämodialyse, bedingt durch die unterschiedlichen Arbeitsweisen der Dialysemaschinen, auch noch eine Reihe von weiteren Konzentrationen. Häufig angewendet werden in der Bundesrepublik Deutschland z. B. die Faktoren 35, 36, 83 und 45. Es ist erforderlich, sich vor Entwicklung eines Konzentrat-Systems für die Bicarbonat-Hämodialyse genauestens mit der anfordernden Dialysestation und dem Maschinenhersteller abzustimmen.

Für jeden der o. g. Konzentrationsfaktoren ist in den Tabellen 1 bis 3 die Rezeptur für ein komplettes Bicarbonat-Hämodialyse-Konzentrat-System aufgeführt (s. Tab.).

Saure Bicarbonat-Hämodialyse-Konzentrate sind galenisch relativ problemlose Zubereitungen. Ihre Herstellung verursacht im allgemeinen keine Schwierigkeiten. Bei der Validierung des Produktionsprozesses sollte berücksichtigt werden, daß die Konzentration der abgabefertigen Konzentrate deutlich geringer ist als bei den Acetat-Hämodialyse-Konzentraten.

Monographien-Kommentar

Bicarbonat-Hämodialyse-Konzentrate

Tab. 1: Bicarbonat-Hämodialyse-Konzentrat: Konzentrationsfaktor 35; Rezeptur und Zusammensetzung

Bicarbonat-Hämodialyse-Konzentrat A; Konzentrationsfaktor: 35 (34 + 1)

Zusammensetzung	Saures Hämodialyse-Konzentrat (Teil-Konzentrat)			Basisches Hämodialyse-Konzentrat (Teil-Konzentrat): Natriumhydrogencarbonat-Lösung 8,4 %			Zusammensetzung der gebrauchsfertigen Dialyselösung		Bemerkungen:
	Einsatz	nach Verd. 1 + 34 (bezogen auf 1 l)		Einsatz	nach Verd. 1 + 34 (bezogen auf 1 l)		nach Verd. 1 + 34 (bezogen auf 1 l)		
		Kationen mmol/l	Anionen mmol/l		Kationen mmol/l	Anionen mmol/l	Kationen mmol/l	Anionen mmol/l	
Natriumchlorid	210,676 g	103,0	103,0				138,0	138,0	*) Hydrogencarbonatgehalt: Verringerung des theoretischen Werts (35 mmol/l) durch Neutralisation von 3 mmol/l Essigsäure auf 32 mmol/l
Kaliumchlorid	5,219 g	2,0	2,0				2,0	2,0	
Calciumchlorid 2 H$_2$O	9,005 g	1,75	3,5				1,75	3,5	
Magnesiumchlorid 6 H$_2$O	3,558 g	0,5	1,0				0,5	1,0	
Natriumhydrogencarbonat				84,00 g	35,0	35,0	35,0	32,0*)	
Eisessig	6,305 g		3,0					3,0	
Wasser ad	1000 ml			1000 ml					
Theoretische Osmolarität (mosm/l)								287,0	
Verdünnungsvorschrift	1 l Saures Hämodialyse-Konzentrat + 1,225 l Basisches Hämodialyse-Konzentrat ergeben mit 32,775 l Wasser 35 l Dialyselösung								

Monographien-Kommentar

Tab. 2: Bicarbonat-Hämodialyse-Konzentrat: Konzentrationsfaktor 36,83; Rezeptur und Zusammensetzung

Bicarbonat-Hämodialyse-Konzentrat B; Konzentrationsfaktor: 36,83 (1 + 35,83)

Zusammensetzung	Saures Hämodialyse-Konzentrat (Teil-Konzentrat)			Basisches Hämodialyse-Konzentrat (Teil-Konzentrat)			Zusammensetzung der gebrauchsfertigen Dialyselösung		Bemerkungen:
	Einsatz	nach Verd. 1 + 35,83 (bezogen auf 1 l)		Einsatz	nach Verd. 1 + 35,83 (bezogen auf 1,83 l)		nach Verd. 1 + 35,83 (1 + 1,83 + 34 l)		*) Hydrogencarbonat-gehalt: Verringerung des theoretischen Werts (39 mmol/l) durch Neutralisation von 4 mmol/l Essigsäure auf 35 mmol/l
		Kationen mmol/l	Anionen mmol/l		Kationen mmol/l	Anionen mmol/l	Kationen mmol/l	Anionen mmol/l	
Natriumchlorid	172,188 g	80,0	80,0	23,53 g	20,0	20,0	139,0	139,0	
Kaliumchlorid	5,492 g	2,0	2,0				2,0	2,0	
Calciumchlorid 2 H$_2$O	9,476 g	1,75	3,5				1,75	3,5	
Magnesiumchlorid 6 H$_2$O	3,744 g	0,5	1,0				0,5	1,0	
Natriumhydrogencarbonat				65,95 g	39,0	39,0	39,0	35,0*)	
Eisessig	8,847 g		4,0					4,0	
Wasser ad	1000 ml			1000 ml					
Theoretische Osmolarität (mosm/l)								289	
Verdünnungsvorschrift	1 l Saures Hämodialyse-Konzentrat + 1,83 l Basisches Hämodialyse-Konzentrat ergeben mit 34 l Wasser 36,83 l Dialyselösung								

Monographien-Kommentar

Bicarbonat-Hämodialyse-Konzentrate

Tab. 3: Bicarbonat-Hämodialyse-Konzentrat: Konzentrationsfaktor 45; Rezeptur und Zusammensetzung

Bicarbonat-Hämodialyse-Konzentrat C; Konzentrationsfaktor: 45 (1 + 44)

Zusammensetzung	Saures Hämodialyse-Konzentrat (Teil-Konzentrat)			Basisches Hämodialyse-Konzentrat (Teil-Konzentrat): Natriumhydrogencarbonat-Lösung 8,4 %			Zusammensetzung der gebrauchsfertigen Dialyselösung		Bemerkungen:
	Einsatz	nach Verd. 1 + 44 (bezogen auf 1 l)		Einsatz	nach Verd. 1 + 44 (bezogen auf 1,775 l)		nach Verd. 1 + 44 (1 + 1,775 + 42,225 l)		
		Kationen mmol/l	Anionen mmol/l		Kationen mmol/l	Anionen mmol/l	Kationen mmol/l	Anionen mmol/l	
Natriumchlorid	262,980 g	100,0	100,0				139,0	139,0	*) Hydrogencarbonatgehalt: Verringerung des theoretischen Werts (39 mmol/l) durch Neutralisation von 2 mmol/l Essigsäure auf 37 mmol/l
Kaliumchlorid	6,710 g	2,0	2,0				2,0	2,0	
Calciumchlorid 2 H$_2$O	9,924 g	1,5	3,0				1,5	3,0	
Magnesiumchlorid 6 H$_2$O	3,431 g	0,375	0,75				0,375	0,75	
Natriumhydrogencarbonat				84,00 g	39,0	39,0	39,0	37,0*)	
Eisessig	5,405 g		2,0					2,0	
Wasser ad	1000 ml			1000 ml					
Theoretische Osmolarität (mosm/l)								288	
Verdünnungsvorschrift							1 l Saures Hämodialyse-Konzentrat + 1,775 l Basisches Hämodialyse-Konzentrat ergeben mit 42,255 l Wasser 45 l Dialyselösung		

Monographien-Kommentar

8

Basische Bicarbonat-Hämodialyse-Konzentrate verursachen ebenfalls in galenischer Hinsicht praktisch keine Probleme. Zur Verhinderung von Ausfällungen erlaubt die Monographie den Zusatz von max. 0,01 Prozent Dinatrium-EDTA. Außerdem ist zur Einstellung des pH-Werts das Einleiten von Kohlendioxid gestattet. Alkalische Reaktion und niedriger Feststoffanteil machen die Lösungen anfällig für mikrobiologische Kontaminationen. Bei der Validierung des Herstellungsprozesses ist deshalb besonderer Augenmerk auf eine keimarme Fertigung zu richten. Außerdem ist bei der Entwicklung darauf zu achten, daß das Verschlußsystem dicht ist, da sonst Kohlendioxid entweichen kann, was zur Zersetzung der Lösung führt (Gleichgewicht HCO_3/CO_2).

4 **Herstellungsvorschrift**

Dialysemembranen bilden in Abhängigkeit von Polymertyp und Membranstruktur eine Barriere für Mikroorganismen und Pyrogene/Endotoxine. Eine sterile Herstellung von Bicarbonat-Hämodialyse-Konzentraten ist daher nicht zwingend erforderlich. Wegen der geringen Feststoffanteile und des alkalischen pH-Werts bei den Basischen Teilkonzentraten sollte die Herstellung streng GMP-gerecht und möglichst keimarm erfolgen. Stand der Technik ist die Prüfung jeder Charge auf Keim- und Pyrogen- bzw. Endotoxingehalt anhand repräsentativer Stichproben.

Verwägung

(siehe Kommentar Acetat-Hämodialyse-Konzentrate)

Ansatz

Für Bicarbonat-Hämodialyse-Konzentrate gilt praktisch das gleiche Herstellverfahren wie für Acetat-Hämodialyse-Konzentrate. Bei Basischen Teilkonzentraten, die Natriumhydrogencarbonat und Essigsäure enthalten, empfiehlt es sich, die Essigsäure in kleinen Portionen nach völliger Auflösung des Hydrogencarbonats hinzuzufügen.

Es ist ratsam, zumindestens die Basischen Teilkonzentrate steril zu filtrieren.

6.2.3 Entnehmbares Volumen

Analog Acetat-Hämodialyse-Konzentrate

6.2.5 Die Stabilität der Sauren Bicarbonat-Hämodialyse-Konzentrate ist gut. Im dicht verschlossenen Polyethylen-Kanister beträgt die Haltbarkeit nach sachgerechter Herstellung mindestens fünf Jahre.

Nach sachgerechter Herstellung beträgt die Haltbarkeit der Basischen Bicarbonat-Hämodialyse-Konzentrate im dicht geschlossenen Polyethylen-Kanister mindestens ein Jahr.

Monographien-Kommentar

Bicarbonat-Hämodialyse-Konzentrate

7 Behältnisse

Auch hier gilt das bei Acetat-Hämodialyse-Konzentraten Gesagte entsprechend.

Besonders geachtet werden sollte bei Basischen Teilkonzentraten auf einen wirklich dicht sitzenden Verschluß, um ein Entweichen von Kohlendioxid und damit eine Zersetzung der Lösung zu verhindern.

Trotz der technischen Schwierigkeiten sowohl beim Hersteller als auch beim Anwender erfolgt die Versorgung von Dialysezentren mit basischen Bicarbonat-Konzentraten zunehmend auch mit Großcontainern. Geeignete Werkstoffe für die Herstellung dieser Container sind Chromnickelstähle vom V4A-Typ. Bei der Auslegung der Armaturen sollte dabei besonderes Augenmerk auf die Möglichkeit einer effizienten Reinigung und Entkeimung gelegt werden. Zu Belüftungsfilter siehe Kommentar bei Acetat-Hämodialyse-Konzentrate.

Vor jedem Einsatz müssen die Behälter sorgfältig gereinigt und antimikrobiell behandelt werden. Es empfiehlt sich, die Container mit Dampf zu sterilisieren und das basische Teilkonzentrat bei der Befüllung steril zu filtrieren.

8 Kennzeichnung

8.1 Zusammensetzung

Zusätzlich zur Zusammensetzung des Fertigarzneimittels verlangt die Monographie Angaben über die Zusammensetzung der gebrauchsfertigen Bicarbonat-Hämodialyselösung in mmol/l. Diese Forderung allerdings beschränkt sich auf die Sauren Hämodialyse-Konzentrate, während bei den Basischen Teilkonzentraten auf die Packungsbeilage verwiesen wird. Die Gründe hierfür liegen in der schon oben (Galenik) erläuterten Rolle des Sauren Teilkonzentrats als Grund-Konzentrat, dem nur sehr wenige, in der Regel lediglich ein einziges Basisches Teilkonzentrat zugeordnet werden kann.

8.3 Art der Anwendung

Hier können, falls vorhanden, für Saure Bicarbonat-Hämodialyse-Konzentrate auch mehrere kompatible Basische Bicarbonat-Hämodialyse-Konzentrate angegeben werden.

Bezüglich der Gasanalyse siehe Ausführungen unter „Einleitung".

8.4 Hinweise

Basisches und Saures Bicarbonat-Hämodialyse-Konzentrat sollen erst unmittelbar vor Anwendung verdünnt werden, da die gebrauchsfertige Lösung wesentlich anfälliger gegen mikrobiologische Kontamination ist als die Konzentrate. Die Einhaltung dieser Forderung ist im allgemeinen schon dadurch gewährleistet, daß die Verdünnung praktisch ausschließlich in der Dialysemaschine während der Behandlung stattfindet. Wegen Zersetzungs- und Kontaminationsgefahr sollen angebrochene Einwegbehälter nicht wieder verwendet werden.

Die Dialysemaschinen enthalten auch immer mehr oder weniger genaue Einrichtungen zur Überwachung der Konzentration der Dialyselösungen.

Monographien-Kommentar

Es sollen nur klare Konzentrate verwendet werden, da Trübungen mit hoher Wahrscheinlichkeit auf eine Verkeimung hindeuten.

Aufgrund der geringen Löslichkeit von $NaHCO_3$ können Bicarbonat-Hämodialyse-Konzentrate bei niedriger Temperatur auskristallisieren. Die Gefahr besteht insbesondere bei der Natriumhydrogencarbonat-Lösung 8,4 Prozent, die bei Raumtemperatur praktisch gesättigt ist. Die Kristalle gehen zwar bei Zimmertemperatur wieder in Lösung, führen aber dann zu nicht erkennbaren Inhomogenitäten.

Farbkennzeichnung

Grundsätzlich ist damit zu rechnen, daß in den Dialysestationen Acetat- und Bicarbonat-Hämodialysen im gleichen Raum durchgeführt werden. Zur Vermeidung der dabei auftretenden Fehlermöglichkeiten:

– Verwendung des falschen Konzentrats (z.B. Acetat-Hämodialyse-Konzentrate statt Bicarbonat-Hämodialyse-Konzentrate),

– Vertauschen der Konzentrate am Gerät (z.B. Saures Bicarbonat-Hämodialyse-Konzentrat mit Basischem -Hämodialyse-Konzentrat) und

– Verwendung der falschen Rezeptur am Gerät

wurde im Rahmen einer DIN-Norm [1] eine Farbkennzeichnung der Packmittel durchgeführt. Danach sind Bicarbonat-Hämodialyse-Konzentrate und die dazugehörigen Anschlüsse und Leitungen mit zwei Grundfarben gekennzeichnet:

Saures Bicarbonat-Hämodialyse-Konzentrat   rot und
Basisches Bicarbonat-Hämodialyse-Konzentrat   blau.

Die Farbgebung entspricht den der Chemie bekannten Zuordnungen für Base (blau) und Säure (rot).

Acetat-Hämodialyse-Konzentrate und die dazugehörigen Anschlüsse und Leitungen sind weiß, naturfarben oder farblos zu kennzeichnen (Anschlüsse, die sowohl für Acetat-Hämodialyse-Konzentrate als auch für Saures Bicarbonat-Hämodialyse-Konzentrat verwendet werden, tragen die Kennzeichnung rot).

Die Farben können z.B. auf den Etiketten der Polyethylen-Kanister, an den Verschlüssen der Kanister, an den Endstücken der Anschlüsse, an den Verbindungsschläuchen oder an den Rohrleitungen der zentralen Konzentratversorgung angebracht werden. Wie in der Einleitung erwähnt, finden bei den Basischen Bicarbonat-Hämodialyse-Konzentraten kochsalzfreie und kochsalzhaltige Rezepturen Verwendung. Um hier Verwechslungen zu vermeiden, sind diese beiden Lösungstypen mit Zusatzfarben zu kennzeichnen, die auf den Konzentratbehältern anzubringen sind:

Natriumchloridfreie Basische Bicarbonat-Hämodialyse-Konzentrate
(reine Natriumhydrogencarbonat-Lösungen)
Zusatzfarbe   gelb.

Natriumchloridhaltige Basische Hämodialyse-Konzentrate
(Natriumhydrogencarbonat-Lösungen mit mehr als 10 Prozent Natriumchlorid [vom Feststoffanteil])
Zusatzfarbe   grün.

Monographien-Kommentar

Bicarbonat-Hämodialyse-Konzentrate

Die Zusatzfarbe soll in Form von zwei vertikalen Randstreifen auf die in Grundfarbe gehaltenen Etiketten aufgedruckt werden. Diese Randstreifen sollen etwa 25 Prozent Etikettenfläche decken.

Zur besseren Übersicht ist dieses Kennzeichnungssystem nochmals in Tabelle 4 dargestellt.

9. Packungsbeilage

9.1.2 Wasser für die Verdünnung

Die Monographie stellt ausdrücklich und zu Recht fest, daß Trinkwasser für die Bereitung von Bicarbonat-Hämodialyselösungen nicht geeignet ist. Es kommen also nur destilliertes Wasser (Wasser für Injektionszwecke) oder vollentsalztes Wasser (gereinigtes Wasser) in Frage.

Im übrigen gelten die unter Punkt 9.1.2 bei den Acetat-Hämodialyse-Konzentraten gemachten Ausführungen.

Tab. 4: Kennzeichnungssystem nach DIN 58352 Teil 4 (Norm-Vorlage Juli 1986).

Hämodialyse-Konzentrat-Typ	Hämodialyse-Teilkonzentrat-Typ	Rezeptur-Variante	Kennzeichnung Grundfarbe	Kennzeichnung Zusatzfarbe
Acetat-Hämodialyse-Konzentrate	–	–	weiß natur farblos	–
Bicarbonat-Hämodialyse-Konzentrate	Saures Bicarbonat-Hämodialyse-Konzentrat	–	rot	–
Bicarbonat-Hämodialyse-Konzentrate	Basisches Bicarbonat-Hämodialyse-Konzentrat	Reine Natriumhydrogencarbonat-Lösung	blau	gelb
Bicarbonat-Hämodialyse-Konzentrate	Basisches Bicarbonat-Hämodialyse-Konzentrat	Natriumhydrogencarbonat-Lösung mit mehr als 10% Natriumchlorid	blau	grün

[1] DIN 58352 Teil 4 Extrakorporaler Kreislauf, Hämodialyse, Farbkennzeichnung.

Ergänzende Literaturhinweise
siehe Acetat-Hämodialyse-Konzentrate.

E. Luppold

Birkenblätter

1	**Bezeichnung des Fertigarzneimittels**

Birkenblätter

2	**Darreichungsform**

Tee

3	**Eigenschaften und Prüfungen**

Haltbarkeit:

Die Haltbarkeit in den Behältnissen nach 4 beträgt 3 Jahre.

4	**Behältnisse**

Geklebte Blockbodenbeutel bzw. Seitenfaltenbeutel aus einseitig glattem, gebleichtem Natronkraftpapier 50 g/m², gefüttert mit gebleichtem Pergamyn 40 g/m².

5	**Kennzeichnung**

Nach § 10 AMG, insbesondere:

5.1 Zulassungsnummer

8399.99.99

5.2 Art der Anwendung

Zum Trinken nach Bereitung eines Teeaufgusses.

5.3 Hinweis

Vor Licht und Feuchtigkeit geschützt lagern.

6	**Packungsbeilage**

Nach § 11 AMG, insbesondere:

6.1 Stoff- oder Indikationsgruppe

Pflanzliches Mittel bei Harnwegserkrankungen.

6.2 Anwendungsgebiete

Zur Durchspülung der ableitenden Harnwege und bei Nierengrieß; zur unterstützenden Behandlung rheumatischer Beschwerden.

2 Birkenblätter

6.3 Gegenanzeigen

Keine bekannt.

Hinweis:

Bei Wasseransammlungen (Ödemen) infolge eingeschränkter Herz- oder Nierentätigkeit ist eine Durchspülungstherapie nicht angezeigt.

6.4 Wechselwirkungen mit anderen Mitteln

Keine bekannt.

6.5 Dosierungsanleitung und Art der Anwendung

Soweit nicht anders verordnet, wird mehrmals täglich eine Tasse des wie folgt bereiteten Teeaufgusses getrunken:

1 Eßlöffel voll (ca. 2 g) Birkenblätter oder die entsprechende Menge in einem oder mehreren Aufgußbeutel(n) wird mit siedendem Wasser (ca. 150 ml) übergossen und nach etwa 10 bis 15 Minuten gegebenenfalls durch ein Teesieb gegeben.

Auf zusätzliche reichliche Flüssigkeitszufuhr ist zu achten.

6.6 Dauer der Anwendung

Bei akuten Beschwerden, die länger als eine Woche andauern oder periodisch wiederkehren, wird die Rücksprache mit einem Arzt empfohlen.

6.7 Nebenwirkungen

Keine bekannt.

6.8 Hinweis

Vor Licht und Feuchtigkeit geschützt aufbewahren.

Bisacodyl-Dragées 5 mg

1 Bezeichnung des Fertigarzneimittels

Bisacodyl-Dragées 5 mg

2 Darreichungsform

Magensaftresistente Dragées

3 Eigenschaften und Prüfungen

3.2 Fertigarzneimittel

3.2.1 Aussehen, Eigenschaften

Weiße oder gefärbte, magensaftresistent überzogene Dragées.

3.2.2 Gehalt

95,0 bis 105,0 Prozent der pro Dragée deklarierten Menge Bisacodyl.

3.2.3 Haltbarkeit

Die Haltbarkeit in den Behältnissen nach 4 beträgt mindestens ein Jahr.

4 Behältnisse

Dichtschließende Behältnisse aus Braunglas oder Tiefziehfolie.

5 Kennzeichnung

Nach § 10 AMG, insbesondere:

5.1 Zulassungsnummer

2499.99.99

5.2 Art der Anwendung

Zum Einnehmen.

5.3 Hinweis

Apothekenpflichtig.

6 Packungsbeilage

Nach § 11 AMG, insbesondere:

6.1 Anwendungsgebiete

Zur kurzfristigen Anwendung bei Verstopfung sowie bei Erkrankungen, die einen erleichterten Stuhlgang erfordern.

6.2 Gegenanzeigen

Bisacodyl darf nicht angewendet werden bei Darmverschluß. Es sollte nicht angewendet werden bei akut-entzündlichen Erkrankungen des Magen-Darm-Traktes.

6.3 Nebenwirkungen

Nebenwirkungen sind bei kurzfristiger Einnahme selten.

Bei längerdauernder oder hochdosierter Anwendung kommt es häufig zum Verlust von Kalium und anderen Elektrolyten. Dies kann zu Störungen der Herzfunktion und zu Muskelschwäche führen, insbesondere bei gleichzeitiger Einnahme von harntreibenden Mitteln und Nebennierenrindenhormon. Die Empfindlichkeit gegenüber Herzglykosiden wird verstärkt.

6.4 Wechselwirkungen mit anderen Mitteln

Bisacodyl kann den Kaliumverlust durch andere Arzneimittel (z. B. harntreibende Mittel) verstärken.

6.5 Dosierungsanleitung und Art der Anwendung

Soweit nicht anders verordnet, nehmen Erwachsene und Kinder über sechs Jahre abends je nach Bedarf 1 bis 2 Dragées ein. Die Dosis sollte 0,3 mg Bisacodyl pro Kilogramm Körpermasse nicht überschreiten. Der Wirkungseintritt erfolgt nach 6 bis 10 Stunden.

6.6 Dauer der Anwendung

Eine längere Anwendung von Bisacodyl sollte nicht ohne ärztliche Anweisung erfolgen. Jede über eine kurzdauernde Anwendung hinausgehende Einnahme von Bisacodyl führt zu einer Verstärkung der Darmträgheit.

7 **Fachinformation**

Nach § 11 a AMG, insbesondere:

7.1 Verschreibungsstatus/Apothekenpflicht

Apothekenpflichtig.

7.2 Stoff- oder Indikationsgruppe

Bisacodyl ist ein Laxans aus der Gruppe der Triarylmethane.

7.3 Anwendungsgebiete

Zur kurzfristigen Anwendung bei Obstipation sowie bei Erkrankungen, die eine erleichterte Defäkation erfordern.

7.4 Gegenanzeigen

Bisacodyl darf nicht angewendet werden bei Ileus. Es sollte nicht angewendet werden bei akut-entzündlichen Erkrankungen des Magen-Darm-Traktes.

7.5 Nebenwirkungen

Nebenwirkungen sind bei kurzfristiger Einnahme selten. Bei rektaler Anwendung von Bisacodyl kommt es selten zu Schmerzen und Blutungen des Enddarmes.

Bei längerdauernder oder hochdosierter Anwendung kommt es häufig zum Verlust von Kalium und anderen Elektrolyten. Dies kann zu Störungen der Herzfunktion und zu Muskelschwäche führen, insbesondere bei gleichzeitiger Einnahme von Diuretika und Nebennierenrindensteroiden. Die Empfindlichkeit gegenüber Herzglykosiden wird verstärkt.

7.6 Wechselwirkungen mit anderen Mitteln

Bisacodyl kann den Kaliumverlust durch andere Arzneimittel (z. B. Diuretika) verstärken.

7.7 Wichtigste Inkompatibilitäten

Nicht bekannt.

7.8 Dosierung mit Einzel- und Tagesgaben

Soweit nicht anders verordnet, nehmen Erwachsene und Kinder über sechs Jahre abends je nach Bedarf 1 bis 2 Dragées ein. Die Dosis sollte 0,3 mg pro Kilogramm Körpermasse nicht überschreiten.

7.9 Art und Dauer der Anwendung

Bisacodyl-Dragées sind mit reichlich Flüssigkeit einzunehmen.

Die Anwendung von Bisacodyl sollte nur über eine kurze Zeit lang erfolgen, da jede längere Anwendung zu einer Verstärkung der Darmträgheit führt.

7.10 Notfallmaßnahmen, Symptome und Gegenmittel

Überdosierung führt zu Diarrhoe. Gegebenenfalls sind bilanzierende Maßnahmen zu erwägen. Ein Antidot ist nicht bekannt.

7.11 Pharmakologische und toxikologische Eigenschaften, Pharmakokinetik, Bioverfügbarkeit, soweit diese Angaben für die therapeutische Verwendung erforderlich sind

7.11.1 Pharmakologische Eigenschaften

Bisacodyl ist ein Laxans aus der Gruppe der Triarylmethane, das nach Metabolisierung die Resorption von Wasser hemmt und die Sekretion von Wasser und Elektrolyten steigert. Daraus ergeben sich eine Konsistenzverminderung und eine Volumenvermehrung des Stuhles sowie eine Anregung der Peristaltik.

7.11.2 Toxikologische Eigenschaften

Die akute und chronische Toxizität von Bisacodyl ist sehr gering und liegt bei verschiedenen Tierarten im Bereich von 4 bis 20 g/kg. Eine teratogene Wirkung konnte bei Ratten bei Dosierungen von 10 bis 5 mg/kg täglich nicht festgestellt werden. Experimentelle Untersuchungen zur Mutagenität und Kanzerogenität sind nicht bekannt.

7.11.3 Pharmakokinetik

Bisacodyl wird durch Enzyme der Dünndarmschleimhaut hydrolysiert, das entstehende Desacetylbisacodyl wird resorbiert und als Glukuronid biliär sezerniert. Durch bakterielle Spaltung entsteht im Kolon die Wirkform, das freie Diphenol. Der enterohepatische Kreislauf erklärt den gegenüber der oralen Anwendung schnelleren Wirkungseintritt der rektalen Darreichungsform.

Bisacodyl wird vorwiegend im Stuhl als Desacetylbisacodyl ausgeschieden, ein kleiner Teil wird als Glukuronid renal eliminiert.

Über Plasmaspiegel und Plasmaproteinbindung liegt kein Erkenntnismaterial vor.

7.12 Sonstige Hinweise

Schädliche Wirkungen von Bisacodyl bei der Anwendung während der Schwangerschaft und der Laktation sowie Auswirkungen auf Kraftfahrer und die Bedienung von Maschinen sind nicht bekannt.

Monographien-Kommentar

Bisacodyl-Dragees 5 mg und -Tabletten 5 mg

Anmerkungen zur Rezeptur und Herstellung des Fertigarzneimittels.

Bisacodyl1) ist ein weißes oder fast weißes, in verschiedenen Kristallformen vorkommendes Pulver [1], dessen Teilchengröße überwiegend 50 µm oder kleiner ist [2]. Die unterschiedlichen Kristallmodifikationen scheinen technologisch wie biopharmazeutisch von untergeordneter Bedeutung zu sein, da dazu in der Literatur keine besonderen Hinweise gefunden wurden.

Bisacodyl ist in Wasser praktisch unlöslich [1]. 1 Teil Substanz löst sich in etwa 15 Teilen Aceton, 100 bis 150 Teilen Ethanol und etwa 200 Teilen Ether. Die Substanz löst sich in Propylenglykol und Macrogol [3] sowie verdünnten Säuren [1]. Der pK_a-Wert beträgt 4,47 [4].

Außer im DAC 1986 ist Bisacodyl zum Teil mit Arzneizubereitungen in der USP XXI [5], BP 86 [6] und 2. AB.-DDR 1975 [7] beschrieben.

In der Reinsubstanz, wie in Bisacodyl-haltigen Zubereitungen, wurden die Hydrolyseprodukte Monodeacetylbisacodyl und Desacetylbisacodyl gefunden [3, 8, 9, 10]. Die Hydrolyse ist temperatur- und pH-abhängig.

Der DAC 1986 [1] und somit auch die Standardzulassung begrenzen diese Hydrolyseprodukte auf maximal 1 %. Diese Forderung sollte auch für das Fertigarzneimittel gelten.

In Abwesenheit von Wasser, z. B. in festen Arzneiformen, ist die Substanz als stabil zu bezeichnen [3]. Nach fünfjähriger Lagerung in einer wäßrigen Suspension bei 25 °C wurde eine Gehaltsabnahme von 9 % beobachtet [12].

In Anbetracht der Begrenzung des Trocknungsverlustes auf 0,5 % kann eine fünfjährige Haltbarkeitsempfehlung der Reinsubstanz bei sachgerechter Lagerung, d. h. vor Licht und Feuchtigkeit geschützt, als angemessen bezeichnet werden [13].

Beim Arbeiten mit Bisacodyl sollten zur Vermeidung von Reizungen der Augen, Schleimhäute und der Haut [14] Gesichtsmaske und Handschuhe getragen werden.

Die Herstellung von Bisacodyl-Kernen sowohl für magensaftresistente Filmtabletten, wie magensaftresistente Dragees ist unproblematisch. Wegen der geringen Dosierung von 5 mg Wirkstoff pro Kern empfiehlt sich eine Vermischung des Wirkstoffes mit einem indifferenten Tablettenfüllstoff wie Milchzucker oder Cellulose.

Auf Grund der niedrigen Wirkstoffdosierung bietet sich die zeit- und energiesparende Direkt-Tablettierung mit den zwar etwas teureren, physikalisch genau spezifizierten modernen Tablettierhilfsstoffen an. Aber auch eine Feuchtgranulierung ist möglich.

Für einen magensaftresistenten Überzug gibt es viele literaturbekannte Möglichkeiten [15].

---

1) Bisacodyl wurde inzwischen als Monographie in das Ph. Eur. aufgenommen. Es empfiehlt sich, die dort vorgegebene Spezifikation einzuhalten.

Monographien-Kommentar

2

Die Standardzulassung Bisacodyl-Dragees 5 mg mit magensaftresistentem Überzug dürfte wohl überwiegend für die Nachzulassung der auf dem Markt befindlichen fiktiv zugelassenen Präparate genutzt werden. Ein Dragee mit zusätzlichen magensaftresistentem Überzug dürfte in der Herstellung aufwendiger und kostenintensiver sein als eine Filmtablette.

[1] Deutscher Arzneimittel-Codex 1986, B – 090, 1. Lieferung 1986.
[2] USP XIX
[3] H. Hoffmann, Pharmazeutische Zeitung **28**, 1694 (1987).
[4] Mitteilung Dr. Karl Thomae GmbH, Biberach.
[5] USP XXI
[6] BP 86
[7] 2. AB. – DDR
[8] B. Salvesen, K. Songedal, R. B. Sund, Medd. Norsk. Farm. Selsk, **42**, 115 (1980).
[9] S. L. Ali, Fresen. Z. Analyt. Chem. **299**, 124 (1979).
[10] L. P. Valenti, C. A. Lan Cham, J. Assoc. Off. Anal. Chem. **68**, 529 (1985).
[11] G. B. Pharmaceutical Codex, 1979.
[12] W. Grimm, J. P. Hugger, I. Neugebauer, Pharm. Ind. **35**, 733 (1973).
[13] H. Wollmann, M. Patrunky, Zbl. Pharm. **121**, 857 (1982).
[14] Martindale, The Extra Pharmacopeia 28, Pharmaceutical Press, London 1982.
[15] E. Norden-Ehlert, Standardzulassung, Lithiumcarbonat-Tabletten 150 und 450 mg. – Anmerkungen zur Rezeptur und Herstellung des Fertigarzneimittels, Stand: 12. März 1986.

E. Norden-Ehlert

Monographien-Kommentar

Bisacodyl-Dragees 5 mg

3.2 Fertigarzneimittel

3.2.2 Gehalt

Sehr einfach in der Durchführung sind photometrische Verfahren. Sind zur Herstellung der Dragees keine Hilfsstoffe verwendet worden, die bei 263 nm absorbieren, kann nach folgender Vorschrift gearbeitet werden:

20 Dragees werden gewogen (Masse m_g) und fein gepulvert. Ein etwa 25 mg Bisadocyl entsprechender Anteil (Masse m_u) wird mit 100 ml 1M HCl 5 min lang kräftig geschüttelt oder 3 min im Ultraschall behandelt. Die Suspension wird durch eine Glasfritte (G 4) in einen 250 ml-Meßkolben filtriert, Gefäß und Fritte werden mit jeweils 30 ml 1 M HCl dreimal gewaschen. Mit 1 M HCl wird der Kolben bis zur Marke aufgefüllt. 20 ml dieser Lösung werden in einen 100 ml-Meßkolben pipettiert und mit Wasser bis zur Marke aufgefüllt. Die Absorption dieser Lösung wird gegen 0,2 M HCl am Absorptionsmaximum bei 263 nm gemessen (A_u). 25 mg Bisacodyl-Standard-Substanz genau gewogen (Masse m_s) werden in 250 ml 1 M HCl gelöst. 20 ml dieser Lösung werden im 100 ml-Meßkolben mit Wasser bis zur Marke aufgefüllt. Die Absorption dieser Lösung wird gegen 0,2 M HCl am Absorptionsmaximum bei 263 nm gemessen (A_u).

Die Masse Bisacodyl pro Dragee ergibt sich zu

$$m \text{ (Bisacodyl/Dragee)} = 0{,}05 \cdot \frac{m_g}{m_u} \cdot m_s \cdot \frac{A_u}{A_s}$$

Der Gehalt der Dragees an Bisacodyl, bezogen auf die deklarierte Menge, ist

$$w \text{ (Bisacodyl/Bisacodyl dekl.)} = \frac{m_g}{m_u} \cdot m_s \cdot \frac{A_u}{A_s} \%$$

Enthalten die Dragees Hilfsstoffe, die bei 263 nm absorbieren, kann die Photometrie nur nach entsprechender Probenvorbereitung eingesetzt werden. In den meisten Fällen ist ein Verfahren analog USP XXI einsetzbar:

20 Dragees werden gewogen (Masse m_g) und fein gepulvert. Ein etwa 25 mg entsprechender Anteil (Masse m_u) wird mit 20 ml Chloroform 15 min lang geschüttelt oder 5 min im Ultraschallbad behandelt. Die Suspension wird durch eine Glasfritte (G 4) filtriert, Gefäß und Fritte werden dreimal mit je 5 ml Chloroform nachgespült. Nach Zugabe von 75 ml Ether zur Chloroformlösung wird diese mit einer Mischung aus 30 ml Natriumhydroxid-Lösung 4 % und 10 ml gesättigter Natriumchloridlösung extrahiert. Die wäßrige Phase wird mit 20 ml Ether gewaschen und verworfen, die Etherphase mit der Chloroformlösung vereinigt. Diese wird nun dreimal mit je 75 ml 1 M HCl extrahiert. Die vereinigten sauren wäßrigen Extrakte werden in einem Meßkolben mit 1 M HCl zu 250 ml aufgefüllt. 20 ml dieser Lösung werden in einem 100 ml-Meßkolben mit Wasser bis zur Marke aufgefüllt und gegen 0,2 M HCl am Absorptions-

Monographien-Kommentar

maximum bei 263 nm photometriert (Absorption A_u). Die Herstellung der Standardlösung und die Berechnung erfolgen wie in der ersten Vorschrift.

Durch den Extraktionsschritt mit Natriumhydroxid werden die phenolischen Zersetzungsprodukte des Bisacodyl entfernt; insofern ist diese zweite Methode selektiv hinsichtlich intakten Bisacodyls und kann somit auch zur Bestimmung der Haltbarkeit (3.2.3) eingesetzt werden.

Anstelle der direkten UV-photometrischen Methode können auch kolorimetrische Verfahren oder die Polarographie eingesetzt werden [1]. Sie bieten jedoch hinsichtlich Einfachheit der Durchführung, Richtigkeit und Präzision der Ergebnisse nur selten Vorteile.

Die einfache acidimetrische Titration nach Ph. Eur. – die Protonierung des Pyridin-Stickstoffs im Bisacodyl in Eisessig mit Perchlorsäure – ist wenig selektiv und nur dann einsetzbar, wenn keine basischen Hilfsstoffe zur Herstellung der Dragees verwendet wurden; da fast alle Anionen und viele Hilfsstoffe [1] in Eisessig mit Perchlorsäure zumindest zum Teil protonierbar sind, ist die Methode selten brauchbar.

Eine echte Alternative zur photometrischen Bestimmung sind die hochleistungsflüssigchromatographischen Verfahren (HPLC) an normalen oder Umkehrphasen [2–4, USP 1995 (Bisacodyl Tablets)].

3.2.3 Haltbarkeit

Zur Bestimmung des intakten Wirkstoffes eignen sich die 2. Variante der UV-Photometrie aus 3.2.2 und die HPLC-Verfahren [2–4, USP 1995 (Bisacodyl Tablets)].

Einen Hinweis auf Zersetzung und deren Ausmaß kann auch die dünnschichtchromatographische Untersuchung nach der Monographie Bisacodyl der Ph. Eur. geben.

[1] P. Surmann, „Quantitative Analyse von Arzneistoffen und Arzneizubereitungen", Wissenschaftliche Verlagsgesellschaft, Stuttgart 1987.

[2] Syed Laik Ali, Fresenius' Z. Anal. Chem. 1979, 299: 124.

[3] B. Salvessen, K. Songedal, R. B. Sund, Medd. Nor. Farm. Selsk. 1980, 42: 115.

[4] H. J. Doorenbos, J. W. van Duijn, J. Nienhuis, H. M. Smits, C. A. Teijgeter, Pharm Weekbl 1983, 118: 305.

P. Surmann

Bisacodyl-Suppositorien 10 mg

1 **Bezeichnung des Fertigarzneimittels**

Bisacodyl-Suppositorien 10 mg

2 **Darreichungsform**

Suppositorien

3 **Eigenschaften und Prüfungen**

3.2 Fertigarzneimittel

3.2.1 Aussehen, Eigenschaften

Weiße bis schwach gelbliche, geruchlose Suppositorien, die keine Lufteinschlüsse enthalten dürfen.

3.2.2 Gehalt

95,0 bis 105,0 Prozent der pro Suppositorium deklarierten Menge Bisacodyl.

3.2.3 Haltbarkeit

Die Haltbarkeit in den Behältnissen nach 4 beträgt mindestens ein Jahr.

4 **Behältnisse**

Suppositorien einzeln in Aluminiumfolie verpackt oder in Streifenpackungen eingesiegelt.

5 **Kennzeichnung**

Nach § 10 AMG, insbesondere:

5.1 Zulassungsnummer

2499.98.98

5.2 Art der Anwendung
Zum Einführen in den Darm.

5.3 Hinweis
Apothekenpflichtig.

6 **Packungsbeilage**
Nach § 11 AMG, insbesondere:

6.1 Anwendungsgebiete
Zur kurzfristigen Anwendung bei Verstopfung sowie bei Erkrankungen, die einen erleichterten Stuhlgang erfordern.

6.2 Gegenanzeigen
Bisacodyl darf nicht angewendet werden bei Darmverschluß. Es sollte nicht angewendet werden bei akut-entzündlichen Erkrankungen des Magen-Darm-Traktes.

6.3 Nebenwirkungen
Nebenwirkungen sind bei kurzfristiger Anwendung selten. Vereinzelt kommt es zu Schmerzen und Blutungen des Enddarms.

Bei längerdauernder oder hochdosierter Anwendung kommt es häufig zum Verlust von Kalium und anderen Elektrolyten. Dies kann zu Störungen der Herzfunktion und zu Muskelschwäche führen, insbesondere bei gleichzeitiger Einnahme von harntreibenden Mitteln und Nebennierenrindenhormon. Die Empfindlichkeit gegenüber Herzglykosiden wird verstärkt.

6.4 Wechselwirkungen mit anderen Mitteln
Bisacodyl kann den Kaliumverlust durch andere Arzneimittel (z. B. harntreibende Mittel) verstärken.

6.5 Dosierungsanleitung und Art der Anwendung
Soweit nicht anders verordnet, wird zur raschen Darmentleerung bei Erwachsenen und Kindern über sechs Jahre ein Suppositorium in den Enddarm eingeführt. Der Wirkungseintritt erfolgt nach 10 bis 30 Minuten.

6.6 Dauer der Anwendung
Eine längere Anwendung von Bisacodyl sollte nicht ohne ärztliche Anweisung erfolgen. Jede über eine kurzdauernde Anwendung hinausgehende Aufnahme von Bisacodyl führt zu einer Verstärkung der Darmträgheit.

7 Fachinformation

Nach § 11a AMG, insbesondere:

7.1 Verschreibungsstatus/Apothekenpflicht

Apothekenpflichtig.

7.2 Stoff- oder Indikationsgruppe

Bisacodyl ist ein Laxans aus der Gruppe der Triarylmethane.

7.3 Anwendungsgebiete

Zur kurzfristigen Anwendung bei Obstipation sowie bei Erkrankungen, die eine erleichterte Defäkation erfordern.

7.4 Gegenanzeigen

Bisacodyl darf nicht angewendet werden bei Ileus. Es sollte nicht angewendet werden bei akut-entzündlichen Erkrankungen des Magen-Darm-Traktes.

7.5 Nebenwirkungen

Nebenwirkungen sind bei kurzfristiger Einnahme selten. Bei rektaler Anwendung von Bisacodyl kommt es selten zu Schmerzen und Blutungen des Enddarmes.

Bei längerdauernder oder hochdosierter Anwendung kommt es häufig zum Verlust von Kalium und anderen Elektrolyten. Dies kann zu Störungen der Herzfunktion und zu Muskelschwäche führen, insbesondere bei gleichzeitiger Einnahme von Diuretika und Nebennierenrindensteroiden. Die Empfindlichkeit gegenüber Herzglykosiden wird verstärkt.

7.6 Wechselwirkungen mit anderen Mitteln

Bisacodyl kann den Kaliumverlust durch andere Arzneimittel (z. B. Diuretika) verstärken.

7.7 Wichtigste Inkompatibilitäten

Nicht bekannt.

7.8 Dosierung mit Einzel- und Tagesgaben

Soweit nicht anders verordnet, wird zur raschen Darmentleerung bei Erwachsenen und Kindern über sechs Jahre ein Suppositorium in den Enddarm eingeführt. Die Dosis sollte 0,3 mg pro Kilogramm Körpermasse nicht überschreiten.

7.9 Art und Dauer der Anwendung

Bisacodyl-Suppositorien sind in den Enddarm einzuführen.

Die Anwendung von Bisacodyl sollte nur über eine kurze Zeit lang erfolgen, da jede längere Anwendung zu einer Verstärkung der Darmträgheit führt.

4 Bisacodyl-Suppositorien 10 mg

7.10 Notfallmaßnahmen, Symptome und Gegenmittel

Überdosierung führt zu Diarrhoe. Gegebenenfalls sind bilanzierende Maßnahmen zu erwägen. Ein Antidot ist nicht bekannt.

7.11 Pharmakologische und toxikologische Eigenschaften, Pharmakokinetik, Bioverfügbarkeit, soweit diese Angaben für die therapeutische Verwendung erforderlich sind

7.11.1 Pharmakologische Eigenschaften

Bisacodyl ist ein Laxans aus der Gruppe der Triarylmethane, das nach Metabolisierung die Resorption von Wasser hemmt und die Sekretion von Wasser und Elektrolyten steigert. Daraus ergeben sich eine Konsistenzverminderung und eine Volumenvermehrung des Stuhles sowie eine Anregung der Peristaltik.

7.11.2 Toxikologische Eigenschaften

Die akute und chronische Toxizität von Bisacodyl ist sehr gering und liegt bei verschiedenen Tierarten im Bereich von 4 bis 20 g/kg. Eine teratogene Wirkung konnte bei Ratten bei Dosierungen von 10 bis 5 mg/kg täglich nicht festgestellt werden. Experimentelle Untersuchungen zur Mutagenität und Kanzerogenität sind nicht bekannt.

7.11.3 Pharmakokinetik

Bisacodyl wird durch Enzyme der Dünndarmschleimhaut hydrolysiert, das entstehende Desacetylbisacodyl wird resorbiert und als Glukuronid biliär sezerniert. Durch bakterielle Spaltung entsteht im Kolon die Wirkform, das freie Diphenol. Der enterohepatische Kreislauf erklärt den gegenüber der oralen Anwendung schnelleren Wirkungseintritt der rektalen Darreichungsform.

Bisacodyl wird vorwiegend im Stuhl als Desacetylbisacodyl ausgeschieden, ein kleiner Teil wird als Glukuronid renal eliminiert.

Über Plasmaspiegel und Plasmaproteinbindung liegt kein Erkenntnismaterial vor.

7.12 Sonstige Hinweise

Schädliche Wirkungen von Bisacodyl bei der Anwendung während der Schwangerschaft und der Laktation sowie Auswirkungen auf Kraftfahrer und die Bedienung von Maschinen sind nicht bekannt.

Monographien-Kommentar

Bisacodyl-Suppositorien 10 mg

Anmerkungen zur Rezeptur und Herstellung des Fertigarzneimittels.

Die Substanzeigenschaft und Stabilität wurden bereits bei Bisacodyl-Tabletten und -Dragees 5 mg beschrieben [1].

Bisacodyl-Suppositorien werden vorwiegend im Gießverfahren mit synthetischen Fettsäureglyceriden, dem Adeps Solidus hergestellt. Die für die Verarbeitung wichtigsten Eigenschaften und Hinweise zum Adeps Solidus sind bei Paracetamol-Suppositorien beschrieben [2].

Bisacodyl beeinflußt praktisch nicht die Partialglyceride in ihren physiko-chemischen Eigenschaften, wie z. B. Ausbildung polymorpher Formen, Nachhärtung und Sprödigkeit, so daß die Auswahl des zu verarbeitenden Adeps Solidus bezüglich der OH-Zahl nach den Verarbeitungsmöglichkeiten erfolgen kann.

Bei der Herstellung der Suppositorien ist auf eine homogene Wirkstoffverteilung zu achten. Um hydrolytische Spaltungen zu vermeiden wird Bisacodyl nicht in Propylenglykol oder Macrogol gelöst verarbeitet, sondern fein suspendiert. Die Suspensionsstabilität kann durch Zusatz von hochdispersem Siliciumdioxid erhöht werden.

Die zu suspendierenden Bestandteile, insbesondere das Bisacodyl mit einer Teilchengröße von ca. 50 μm, werden mit der geschmolzenen Fettmasse oder z. B. gesättigten Triglyceriden angerieben und dann in die geschmolzene Fettmasse eingearbeitet und soweit möglich homogenisiert. Die fertige Suspension wird bei der für das Herstellungsverfahren optimalen Temperatur ausgegossen.

Das Formularium der Nederlandse Apothekers [3] läßt für Bisacodyl-Suppositorien 5 und 10 mg den Wirkstoff mit 100 mg Lactose (180) verreiben und diese dann homogen in die geschmolzene Adeps Solidus-Masse einarbeiten. Die Lactose-Verreibung nimmt ein Volumen von ca. 75 mg Adeps Solidus ein.

Die Haltbarkeit dieser Suppositorien beträgt bei Kühlschranklagerung (2° bis 8 °C) drei Jahre [3].

Bei der Verarbeitung von Bisacodyl empfiehlt es sich, wegen der Augen-, Schleimhaut- und Hautreizung Gesichtsmaske und Handschuhe zu tragen.

[1] E. Norden-Ehlert, Standardzulassung Bisacodyl-Dragees 5 mg und -Tabletten 5 mg. Anmerkungen zur Rezeptur und Herstellung des Fertigarzneimittels.

[2] Dito. Standardzulassung Paracetamol-Suppositorien 125 mg bis 1 g. Anmerkungen zur Rezeptur und Herstellung des Fertigarzneimittels.

[3] Formularium der Nederlandse Apothekers FNA 1987, H 24 und H 25.

E. Norden-Ehlert

Bisacodyl-Suppositorien 10 mg

Siehe Kommentar zu Bisacodyl-Dragees 5 mg.

3.2 Fertigarzneimittel

3.2.2 Gehalt

Die UV-photometrische Gehaltsbestimmung nach USP XXI ist fast immer einsetzbar. Lediglich, wenn Hilfsstoffe verarbeitet wurden, die wie Bisacodyl im alkalischen Milieu ungeladen und lipophil, im sauren pH-Bereich dagegen geladen und hydrophil sind und die bei 263 nm adsorbieren, muß man auf alternative Methoden ausweichen (siehe Kommentar zu Bisacodyl-Dragees 5 mg).

Zehn Suppositorien werden gewogen (Masse m_g) und auf dem Wasserbad geschmolzen. Ein 50 mg entsprechender Anteil wird gewogen (Masse m_a) und in 40 ml trockenem Ether durch Erwärmen auf dem Wasserbad zum Schmelzen gebracht. Nach Überführen in einen Scheidetrichter unter Zuhilfenahme von weiteren 25 ml Ether wird mit einer Mischung aus 15 ml NaOH-Lösung (4% in Wasser) und 5 ml NaCl-Lösung (gesättigt in Wasser) extrahiert. Die abgetrennte wäßrige Phase wird mit 10 ml Ether gewaschen. Die vereinigten Etherextrakte werden dreimal mit je 25 ml 1 N HCl ausgeschüttelt. Die salzsauren Auszüge werden in einem 250 ml-Meßkolben mit 1 N HCl bis zur Marke aufgefüllt. 10 ml dieser Lösung werden mit Wasser im Meßkolben zu 100 ml aufgefüllt. Am Absorptionsmaximum bei 263 nm wird in 1 cm-Küvetten gegen 0,1 N HCl photometriert (Absorption A_u).

20 mg Bisacodyl-Standard genau gewogen (Masse m_s) werden in 100 ml 1 N HCl gelöst. 10 ml dieser Lösung werden im 100 ml-Meßkolben mit Wasser bis zur Marke aufgefüllt und am Absorptionsmaximum bei 263 nm in 1 cm-Küvetten gegen 0,1 N HCl photometriert (Absorption A_s).

Die Masse Bisacodyl pro Suppositorium ergibt sich zu

$$m\,(\text{Bisacodyl/Suppositorium}) = 0{,}125 \cdot \frac{m_g}{m_a} \cdot m_s \cdot \frac{A_u}{A_s}$$

und der Gehalt, bezogen auf die deklarierte Menge, zu

$$w\,(\text{Bisacodyl/Bisacodyl dekl.}) = 1{,}25 \cdot \frac{m_g}{m_a} \cdot m_s \cdot \frac{A_u}{A_s}\ \%$$

P. Surmann

Bisacodyl-Tabletten 5 mg

1 Bezeichnung des Fertigarzneimittels
Bisacodyl-Tabletten 5 mg

2 Darreichungsform
Magensaftresistente Tabletten

3 Eigenschaften und Prüfungen

3.2 Fertigarzneimittel

3.2.1 Aussehen, Eigenschaften

Weiße, magensaftresistent überzogene Tabletten.

3.2.2 Gehalt

95,0 bis 105,0 Prozent der pro Tablette deklarierten Menge Bisacodyl.

3.2.3 Haltbarkeit

Die Haltbarkeit in den Behältnissen nach 4 beträgt mindestens ein Jahr.

4 Behältnisse
Dichtschließende Behältnisse aus Braunglas oder Tiefziehfolie.

5 Kennzeichnung
Nach § 10 AMG, insbesondere:

5.1 Zulassungsnummer

2499.99.97

5.2 Art der Anwendung
Zum Einnehmen.

5.3 Hinweis
Apothekenpflichtig.

6 Packungsbeilage
Nach § 11 AMG, insbesondere:

6.1 Anwendungsgebiete
Zur kurzfristigen Anwendung bei Verstopfung sowie bei Erkrankungen, die einen erleichterten Stuhlgang erfordern.

6.2 Gegenanzeigen
Bisacodyl darf nicht angewendet werden bei Darmverschluß. Es sollte nicht angewendet werden bei akut-entzündlichen Erkrankungen des Magen-Darm-Traktes.

6.3 Nebenwirkungen
Nebenwirkungen sind bei kurzfristiger Einnahme selten.

Bei längerdauernder oder hochdosierter Anwendung kommt es häufig zum Verlust von Kalium und anderen Elektrolyten. Dies kann zu Störungen der Herzfunktion und zu Muskelschwäche führen, insbesondere bei gleichzeitiger Einnahme von harntreibenden Mitteln und Nebennierenrindenhormon. Die Empfindlichkeit gegenüber Herzglykosiden wird verstärkt.

6.4 Wechselwirkungen mit anderen Mitteln
Bisacodyl kann den Kaliumverlust durch andere Arzneimittel (z. B. harntreibende Mittel) verstärken.

6.5 Dosierungsanleitung und Art der Anwendung
Soweit nicht anders verordnet, nehmen Erwachsene und Kinder über sechs Jahre abends je nach Bedarf 1 bis 2 Tabletten ein. Die Dosis sollte 0,3 mg Bisacodyl pro Kilogramm Körpermasse nicht überschreiten. Der Wirkungseintritt erfolgt nach 6 bis 10 Stunden.

6.6 Dauer der Anwendung
Eine längere Anwendung von Bisacodyl sollte nicht ohne ärztliche Anweisung erfolgen. Jede über eine kurzdauernde Anwendung hinausgehende Einnahme von Bisacodyl führt zu einer Verstärkung der Darmträgheit.

7 Fachinformation

Nach § 11 a AMG, insbesondere:

7.1 Verschreibungsstatus/Apothekenpflicht

Apothekenpflichtig.

7.2 Stoff- oder Indikationsgruppe

Bisacodyl ist ein Laxans aus der Gruppe der Triarylmethane.

7.3 Anwendungsgebiete

Zur kurzfristigen Anwendung bei Obstipation sowie bei Erkrankungen, die eine erleichterte Defäkation erfordern.

7.4 Gegenanzeigen

Bisacodyl darf nicht angewendet werden bei Ileus. Es sollte nicht angewendet werden bei akut-entzündlichen Erkrankungen des Magen-Darm-Traktes.

7.5 Nebenwirkungen

Nebenwirkungen sind bei kurzfristiger Einnahme selten. Bei rektaler Anwendung von Bisacodyl kommt es selten zu Schmerzen und Blutungen des Enddarmes.

Bei längerdauernder oder hochdosierter Anwendung kommt es häufig zum Verlust von Kalium und anderen Elektrolyten. Dies kann zu Störungen der Herzfunktion und zu Muskelschwäche führen, insbesondere bei gleichzeitiger Einnahme von Diuretika und Nebennierenrindensteroiden. Die Empfindlichkeit gegenüber Herzglykosiden wird verstärkt.

7.6 Wechselwirkungen mit anderen Mitteln

Bisacodyl kann den Kaliumverlust durch andere Arzneimittel (z. B. Diuretika) verstärken.

7.7 Wichtigste Inkompatibilitäten

Nicht bekannt.

7.8 Dosierung mit Einzel- und Tagesgaben

Soweit nicht anders verordnet, nehmen Erwachsene und Kinder über sechs Jahre abends je nach Bedarf 1 bis 2 Tabletten ein. Die Dosis sollte 0,3 mg pro Kilogramm Körpermasse nicht überschreiten.

7.9 Art und Dauer der Anwendung

Bisacodyl-Tabletten sind mit reichlich Flüssigkeit einzunehmen.

Die Anwendung von Bisacodyl sollte nur über eine kurze Zeit lang erfolgen, da jede längere Anwendung zu einer Verstärkung der Darmträgheit führt.

7.10 Notfallmaßnahmen, Symptome und Gegenmittel

Überdosierung führt zu Diarrhoe. Gegebenenfalls sind bilanzierende Maßnahmen zu erwägen. Ein Antidot ist nicht bekannt.

7.11 Pharmakologische und toxikologische Eigenschaften, Pharmakokinetik, Bioverfügbarkeit, soweit diese Angaben für die therapeutische Verwendung erforderlich sind

7.11.1 Pharmakologische Eigenschaften

Bisacodyl ist ein Laxans aus der Gruppe der Triarylmethane, das nach Metabolisierung die Resorption von Wasser hemmt und die Sekretion von Wasser und Elektrolyten steigert. Daraus ergeben sich eine Konsistenzverminderung und eine Volumenvermehrung des Stuhles sowie eine Anregung der Peristaltik.

7.11.2 Toxikologische Eigenschaften

Die akute und chronische Toxizität von Bisacodyl ist sehr gering und liegt bei verschiedenen Tierarten im Bereich von 4 bis 20 g/kg. Eine teratogene Wirkung konnte bei Ratten bei Dosierungen von 10 bis 5 mg/kg täglich nicht festgestellt werden. Experimentelle Untersuchungen zur Mutagenität und Kanzerogenität sind nicht bekannt.

7.11.3 Pharmakokinetik

Bisacodyl wird durch Enzyme der Dünndarmschleimhaut hydrolysiert, das entstehende Desacetylbisacodyl wird resorbiert und als Glukuronid biliär sezerniert. Durch bakterielle Spaltung entsteht im Kolon die Wirkform, das freie Diphenol. Der enterohepatische Kreislauf erklärt den gegenüber der oralen Anwendung schnelleren Wirkungseintritt der rektalen Darreichungsform.

Bisacodyl wird vorwiegend im Stuhl als Desacetylbisacodyl ausgeschieden, ein kleiner Teil wird als Glukuronid renal eliminiert.

Über Plasmaspiegel und Plasmaproteinbindung liegt kein Erkenntnismaterial vor.

7.12 Sonstige Hinweise

Schädliche Wirkungen von Bisacodyl bei der Anwendung während der Schwangerschaft und der Laktation sowie Auswirkungen auf Kraftfahrer und die Bedienung von Maschinen sind nicht bekannt.

Bisacodyl-Tabletten 5 mg

Siehe Kommentar zu Bisacodyl-Dragees 5 mg.

P. Surmann

Blasen- und Nierentee I

1 **Bezeichnung des Fertigarzneimittels**

Blasen- und Nierentee I

2 **Darreichungsform**

Tee

3 **Zusammensetzung**

Birkenblätter	10,0 g
Queckenwurzelstock	20,0 g
Riesengoldrutenkraut	20,0 g
Hauhechelwurzel	20,0 g
Süßholzwurzel	20,0 g

4 **Herstellungsvorschrift**

Die für die Herstellung einer Charge benötigten Mengen Birkenblätter, Queckenwurzelstock, Riesengoldrutenkraut, Hauhechelwurzel und Süßholzwurzel werden gemischt und anschließend in die vorgesehenen Behältnisse abgefüllt.

5 **Eigenschaften und Prüfungen**

5.1 Ausgangsstoffe

5.2 Fertigarzneimittel

5.2.1 Aussehen, Eigenschaften

Blasen- und Nierentee I ist ein Teegemisch aus getrockneten und geschnittenen, oberseits dunkelgrünen, unterseits hellen graugrünen Blättern, geschnittenen hellen Wurzelstücken, goldgelben Blüten und grün gelben Stengelteilen. Das Teegemisch hat einen arteigenen Geruch.

5.2.2 Prüfung auf Identität

Die nach 5.2.3 makroskopisch einzeln verlesenen Bestandteile werden auf Identität geprüft.

Birkenblätter
entsprechend Prüfung auf Identität (AB.).

Queckenwurzelstock
entsprechend Prüfung auf Identität gemäß AB.

Riesengoldrutenkraut
entsprechend Prüfung auf Identität gemäß AB.

Hauhechelwurzel
entsprechend 5.1.3, Abschnitt Prüfung auf Identität.

Hauhechelwurzel
entsprechend Prüfung auf Identität gemäß AB.

Süßholzwurzel
entsprechend Prüfung auf Identität (AB.).

5.2.3 Gehalt

80,0 bis 120,0 Prozent der deklarierten Mengen an Birkenblättern, Queckenwurzelstock, Riesengoldrutenkraut, Hauhechelwurzel und Süßholzwurzel.

Bestimmung

Eine geeignete Menge Blasen- und Nierentee II wird makroskopisch in die einzelnen Bestandteile verlesen und diese gewogen.

5.2.4 Haltbarkeit

Die Haltbarkeit in den Behältnissen nach 6 beträgt drei Jahre.

6 **Behältnisse**

Geklebte Blockbodenbeutel bzw. Seitenfaltenbeutel aus einseitig glattem, gebleichtem Natronkraftpapier 50 g/m^2, gefüttert mit gebleichtem Pergamyn 40 g/m^2.

Die Seiten 3–6 entfallen

7 **Kennzeichnung**

Nach § 10 AMG, insbesondere:

7.1 Zulassungsnummer

1959.99.99

7.2 Art der Anwendung

Zum Trinken nach Bereitung eines Teeaufgusses.

7.3 Hinweis

Vor Licht und Feuchtigkeit geschützt lagern.

8 **Packungsbeilage**

Nach § 11 AMG, insbesondere:

8.1 Anwendungsgebiete

Zur Erhöhung der Harnmenge bei Katarrhen im Bereich von Niere und Blase; zur Vorbeugung von Harngrieß und Harnsteinbildung.

8.2 Gegenanzeigen

Wasseransammlungen (Ödeme) infolge eingeschränkter Herz- oder Nierentätigkeit.

Bei chronischen Nierenerkrankungen soll vor der Anwendung von Blasen- und Nierentee der Arzt befragt werden.

8.3 Dosierungsanleitung und Art der Anwendung

2 bis 3 Teelöffel voll Tee werden mit siedendem Wasser (ca. 150 ml) übergossen, bedeckt etwa 15 Minuten ziehen gelassen und dann durch ein Teesieb gegeben.

Soweit nicht anders verordnet, wird 3- bis 4mal täglich 1 Tasse frisch bereiteter Tee zwischen den Mahlzeiten getrunken.

8.4 Hinweis

Vor Licht und Feuchtigkeit geschützt aufbewahren.

Monographien-Kommentar

Blasen- und Nierentee I

Kommentare zu den einzelnen Bestandteilen von Blasen- und Nierentee I befinden sich gemäß nachfolgender Übersicht in:

Bestandteil	Kommentar
Birkenblätter	Komm. Ph. Eur.
Queckenwurzelstock	Ph. Eur. u. St. Zul.
Riesengoldrutenkraut	St. Zul.
Hauhechelwurzel	St. Zul.
Süßholzwurzel	Komm. Ph. Eur.

M. Wichtl

Blasen- und Nierentee II bis VII

1 **Bezeichnung des Fertigarzneimittels**

Blasen- und Nierentee[1])

2 **Darreichungsform**

Tee

3 **Zusammensetzung**

A. Wirksame Bestandteile (in Masseprozenten)

Bestandteile \ Teenummer	II	III	IV	V	VI	VII
Bärentraubenblätter	35,0 bis 50,0		35,0 bis 50,0	35,0 bis 50,0		35,0 bis 50,0
Birkenblätter	10,0 bis 20,0	10,0 bis 25,0			15,0 bis 30,0	15,0 bis 25,0
Samenfreie Gartenbohnenhülsen	10,0 bis 20,0			10,0 bis 20,0		
Hauhechelwurzel		10,0 bis 30,0	10,0 bis 25,0		20,0 bis 30,90	
Orthosiphonblätter			15,0 bis 30,0	10,0 bis 30,0	20,0 bis 30,0	
Queckenwurzelstock			10,0 bis 20,0			15,0 bis 25,0
Schachtelhalmkraut		10,0 bis 30,0	10,0 bis 30,0			

---

[1]) Die Bezeichnung des Tees setzt sich aus dem Wort „Blasen- und Nierentee" und der römischen Ziffer zusammen, die der jeweiligen Zusammensetzung zugeordnet ist (z. B. „Blasen- und Nierentee II").

B. Sonstige Bestandteile

Brennnesselkraut, Pfefferminzblätter
Bitterer Fenchel, Ringelblumenblüten,
Hagenbuttenschalen, Rotes Sandelholz,
Kornblumenblüten, Süßholzwurzel.

Die wirksamen Bestandteile nach A müssen insgesamt mindestens 70 Masseprozente der jeweiligen Teemischung ergeben. Die sonstigen Bestandteile müssen – sofern solche verwendet werden – aus der Gruppe B ausgewählt werden. Sie dürfen pro Bestandteil nicht mehr als 5 Masseprozente der jeweiligen Teemischung betragen.

4 Herstellungsvorschrift

Die für die Herstellung einer Charge benötigten Bestandteile werden gemischt und anschließend in die vorgesehenen Behältnisse abgefüllt.

5 Eigenschaften und Prüfungen

5.1 Ausgangsstoffe

5.1.1 Samenfreie Gartenbohnenhülsen

Die Droge muss der Monographie Bohnenhülsen des Deutschen Arzneimittel-Codex in der jeweils gültigen Fassung entsprechen.

5.1.2 Brennnesselkraut

Die Droge muss der Monographie Brennnesselkraut des Deutschen Arzneimittel-Codex (DAC) in der jeweils gültigen Fassung entsprechen.

5.1.3 Kornblumenblüten

Die Droge muss der Monographie Kornblüten des Deutschen Arzneimittel-Codex (DAC) in der jeweils gültigen Fassung entsprechen.

5.2 Fertigarzneimittel

5.2.1 Aussehen, Eigenschaften

Teemischung aus getrockneten und meist zerkleinerten Pflanzenteilen mit arteigenem Geruch.

5.2.2 Prüfung auf Identität

Die nach 5.2.3 makroskopisch einzeln verlesenen, wirksamen Bestandteile werden auf Identität geprüft.

Bärentraubenblätter
entsprechend Prüfung auf Identität gemäß AB.

Birkenblätter
entsprechend Prüfung auf Identität gemäß AB.

Samenfreie Gartenbohnenhülsen
entsprechend Prüfung auf Identität gemäß DAC.

Riesengoldrutenkraut
entsprechend Prüfung auf Identität gemäß AB.

Hauhechelwurzel
entsprechend Prüfung auf Identität gemäß AB.

Orthosiphonblätter
entsprechend Prüfung auf Identität gemäß AB.

Queckenwurzelstock
entsprechend Prüfung auf Identität gemäß AB.

Schachtelhalmkraut
entsprechend Prüfung auf Identität gemäß AB.

5.2.3 Gehalt

80 bis 120 Prozent der deklarierten Bestandteile.

Bestimmung

Eine geeignete Menge der Teemischung wird makroskopisch in die einzelnen Bestandteile verlesen. Die deklarierten Bestandteile werden gewogen.

5.2.4 Haltbarkeit

Die Haltbarkeit in den Behältnissen nach 6 beträgt drei Jahre.

6 **Behältnisse**

Geklebte Blockbodenbeutel bzw. Seitenfaltenbeutel aus einseitig glattem, gebleichtem Natronkraftpapier 50 g/m^2, gefüttert mit gebleichtem Pergamyn 40 g/m^2.

7 **Kennzeichnung**

Nach § 10 AMG, insbesondere:

7.1 Zulassungsnummer

Blasen- und Nierentee Nr.	Zulassungsnummer
II	1959.98.99
III	1959.97.99
IV	1959.96.99
V	1959.95.99
VII	1959.94.99
VIII	1959.93.99

7.2 Art der Anwendung

Zum Trinken nach Bereitung eines Teeaufgusses.

7.3 Hinweis

Vor Licht und Feuchtigkeit geschützt lagern.

4   Blasen- und Nierentee II bis VII

8   **Packungsbeilage**

8.1   Nach § 11 AMG, für Blasen- und Nierentee III und VI, insbesondere:

8.1.1 Anwendungsgebiete

Zur Erhöhung der Harnmenge bei Katarrhen im Bereich von Niere und Blase; zur Vorbeugung von Harngrieß und Harnsteinbildung.

8.1.2 Gegenanzeigen

Wasseransammlungen (Ödeme) infolge eingeschränkter Herz- und Nierentätigkeit.

Bei chronischen Nierenerkrankungen soll vor der Anwendung von Blasen- und Nierentee der Arzt befragt werden.

8.1.3 Dosierungsanleitung und Art der Anwendung

2 bis 3 Teelöffel voll Tee werden mit siedendem Wasser (ca. 150 ml) übergossen, bedeckt etwa 15 Minuten ziehengelassen und dann durch ein Teesieb gegeben.

Soweit nicht anders verordnet, wird 3- bis 4mal täglich 1 Tasse frisch bereiteter Tee zwischen den Mahlzeiten getrunken.

8.1.4 Hinweis

Vor Licht und Feuchtigkeit geschützt aufbewahren.

8.2   Nach § 11 AMG, für Blasen- und Nierentee II, IV, V, VII, insbesondere:

8.2.1 Anwendungsgebiete

Zur Unterstützung bei der Therapie von Blasen- und Nierenbeckenkatarrhen.

8.2.2 Nebenwirkungen

Bei Magenempfindlichkeit und bei Kindern können Übelkeit und Erbrechen auftreten.

Hinweis:

Bei langdauernder Anwendung oder bei Überdosierung sind Leberschäden möglich (Hydrochinonvergiftung).

8.2.3 Wechselwirkungen mit anderen Mitteln

Der Tee soll nicht zusammen mit Mitteln gegeben werden, die zur Bildung eines sauren Harns führen.

8.2.4 Dosierungsanleitung und Art der Anwendung

Ein Teelöffel (2 bis 4 g) voll Tee wird mit Wasser (ca. 150 ml) etwa 15 Minuten lang zugedeckt gekocht und dann durch ein Teesieb gegeben.

Der Tee kann auch durch Ansetzen mit kaltem Wasser und mehrstündiges Ziehen bereitet werden. Nach dem Durchsieben ist kurz aufzukochen.

Soweit nicht anders verordnet, wird 3- bis 4mal täglich 1 Tasse Tee getrunken.

8.2.5 Hinweis

Vor Licht und Feuchtigkeit geschützt aufbewahren.

Monographien-Kommentar

Blasen- und Nierentee II bis VII

Kornblumenblüten

Stammpflanze: **Centaurea cyranus** L. ist eine im Mittelmeergebiet heimische, mit dem Getreidebau weltweit verbreitete, einjährige Asteraceae. Durch konsequente „Unkraut"-Bekämpfung ist sie in vielen Ländern stark zurückgegangen. Die bekannten „kornblumenblauen" Röhrenblüten sind in Köpfchen angeordnet. Die Droge wird aus osteuropäischen Ländern importiert.

Inhaltsstoffe: Die Droge ist fast ausschließlich auf ihre Farbstoffe hin untersucht; wesentlich sind die Anthocyane (Cyanidin- und Pelargonidinglykoside) sowie deren Eisen- und Aluminiumchelate. Weitere Inhaltsstoffe sind Flavonoide, Triterpene und seltene Kohlenwasserstoffe. Neue Untersuchungen fehlen.

Die Droge wird praktisch ausschließlich als Schmuckdroge verwendet, um einer Teemischung einen farblichen Akzent zu geben. Die Anwendung als Diureticum ist obsolet.

Rotes Sandelholz

Stammpflanze: **Pterocarpus santalinus** L. ist ein in Indien beheimateter, etwa 5 bis 7 m hoher Baum mit sehr hartem Kernholz. Er wird auf den Philippinen z.T. kultiviert.

Inhaltsstoffe: Rote Farbstoffe, die sich vom Benzoxanthenon ableiten, vor allem Santalin A und B. In kleinen Mengen kommt ätherisches Öl vor, das vorwiegend aus Sesquiterpenen (Pterocarpol, Cedrol u. a.) besteht.

Prüfung auf Identität:

A. Die Farbstoffe lösen sich in organischen Lösungsmitteln mit unterschiedlicher Farbe; jedoch sind die Lösungen stets durch eine grünlichgelbe Fluoreszenz charakterisiert.

B. In Alkalihydroxidlösungen bilden die Santaline rotgefärbte Phenolate.

C. Die Farbstoffe sind in Wasser unlöslich, beim Schütteln mit Wasser muß deshalb die wäßrige Phase farblos bleiben; andernfalls müßte man auf einen Zusatz von künstlichen Farbstoffen (Verfälschung!) schließen.

Der Droge kommt keine physiologische oder pharmakologische Wirkung zu, sie wird ausschließlich als Schmuckdroge verwendet.

Kommentare zu den übrigen Bestandteilen von Blasen- und Nierentee II bis VII befinden sich gemäß nachfolgender Übersicht in:

Monographien-Kommentar

Bestandteil	Kommentar
A. Bärentraubenblätter	Komm. Ph. Eur.
Birkenblätter	Komm. Ph. Eur.
Samenfreie Gartenbohnenhülsen	St.Zul.
Goldrutenkraut oder Riesengoldrutenkraut	Komm. Ph. Eur. u. St.Zul.
Hauhechelwurzel	St.Zul.
Orthosiphonblätter	Komm. Ph. Eur.
Queckenwurzelstock	Komm. Ph. Eur. u. St.Zul.
Schachtelhalmkraut	Komm. DAB
B. Brennesselkraut	St.Zul.
Fenchel	Komm. Ph. Eur.
Hagebuttenschalen	Komm. DAB
Pfefferminzblätter	Komm. Ph. Eur.
Ringelblumenblüten	St.Zul.
Süßholzwurzel	Komm. Ph. Eur.

M. Wichtl

Bockshornsamen

1 **Bezeichnung des Fertigarzneimittels**

Bockshornsamen

2 **Darreichungsform**

Tee

3 **Eigenschaften und Prüfungen**

Haltbarkeit:
Die Haltbarkeit in den Behältnissen nach 4 beträgt 3 Jahre.

4 **Behältnisse**

Geklebte Blockbodenbeutel bzw. Seitenfaltenbeutel aus einseitig glattem, gebleichtem Natronkraftpapier 50 g/m^2, gefüttert mit gebleichtem Pergamyn 40 g/m^2.

5 **Kennzeichnung**

Nach § 10 AMG, insbesondere:

5.1 Zulassungsnummer

2319.99.99

5.2 Art der Anwendung

Zum Einnehmen und zur Bereitung von Breiumschlägen.

5.3 Hinweis

Vor Licht und Feuchtigkeit geschützt lagern.

6 **Packungsbeilage**

Nach § 11 AMG, insbesondere:

6.1 Stoff- oder Indikationsgruppe

Pflanzliches Magen-Darm-Mittel/Mittel bei örtlichen Entzündungen.

6.2 Anwendungsgebiete

Innerliche Anwendung bei:

Appetitlosigkeit

Äußerliche Anwendung bei:

lokalen Entzündungen.

6.3 Gegenanzeigen
Keine bekannt.

6.4 Wechselwirkungen mit anderen Mitteln
Keine bekannt.

6.5 Dosierungsanleitung und Art der Anwendung
Soweit nicht anders verordnet, wird 3mal täglich vor den Mahlzeiten ein knapper halber Teelöffel voll (ca. 2 g) zerkleinerter Bockshornsamen mit Flüssigkeit eingenommen.

Zur äußerlichen Anwendung werden 1mal täglich 50 g gepulverte Bockshornsamen mit ¼ l Wasser 5 Minuten lang gekocht und dann als feuchtwarmer Breiumschlag verwendet.

6.6 Dauer der Anwendung
Bei akuten Beschwerden, die länger als eine Woche andauern oder periodisch wiederkehren, wird die Rücksprache mit einem Arzt empfohlen.

6.7 Nebenwirkungen
Bei wiederholter äußerer Anwendung können unerwünschte Hautreaktionen auftreten.

6.8 Hinweis
Vor Licht und Feuchtigkeit geschützt aufbewahren.

Boldoblätter

1 **Bezeichnung des Fertigarzneimittels**

Boldoblätter

2 **Darreichungsform**

Tee

3 **Eigenschaften und Prüfungen**

3.1 Haltbarkeit

Die Haltbarkeit in den Behältnissen nach 4 beträgt 2 Jahre.

4 **Behältnisse**

Geklebte Blockbodenbeutel bzw. Seitenfaltenbeutel aus einseitig glattem, gebleichtem Natronkraftpapier 50 g/m^2, gefüttert mit gebleichtem Pergamyn 40 g/m^2.

5 **Kennzeichnung**

Nach § 10 AMG, insbesondere:

5.1 Zulassungsnummer

2329.99.99

5.2 Art der Anwendung

Zum Trinken nach Bereitung eines Teeaufgusses.

5.3 Hinweis

Vor Licht und Feuchtigkeit geschützt lagern.

6 **Packungsbeilage**

Nach § 11 AMG, insbesondere:

6.1 Stoff- oder Indikationsgruppe

Pflanzliches Magen-Darm-Mittel.

6.2 Anwendungsgebiete

Leichte krampfartige Magen-Darm-Störungen; Verdauungsbeschwerden, besonders bei funktionellen Störungen des ableitenden Gallensystems.

2 Boldoblätter

6.3 Gegenanzeigen

Verschluss der Gallenwege, schwere Lebererkrankungen.

Bei Gallensteinleiden nur nach Rücksprache mit einem Arzt anzuwenden.

6.4 Wechselwirkungen mit anderen Mitteln

Keine bekannt.

6.5 Dosierungsanleitung und Art der Anwendung

Soweit nicht anders verordnet, wird 2-mal täglich eine Tasse des wie folgt bereiteten Teeaufgusses getrunken:

1 Teelöffel voll (ca. 1,5 g) Boldoblätter oder die entsprechende Menge in einem oder mehreren Aufgussbeutel(n) wird mit siedendem Wasser (ca. 150 ml) übergossen und nach etwa 10 bis 15 Minuten gegebenenfalls durch ein Teesieb gegeben.

6.6 Dauer der Anwendung

Bei akuten Beschwerden, die länger als eine Woche andauern oder periodisch wiederkehren, wird die Rücksprache mit einem Arzt empfohlen.

6.7 Nebenwirkungen

Keine bekannt.

6.3 Hinweis

Vor Licht und Feuchtigkeit geschützt aufbewahren.

Monographien-Kommentar

Boldoblätter

Stammpflanze:

Peumus boldus MOL. (Monimiaceae, nahe verwandt mit den Lauraceae) ist ein bis 6 m hoch werdender, immergrüner Baum oder Strauch mit ledrigen Blättern, der in den Trockengebieten Chiles beheimatet ist.

Droge:

Diese wird ausschließlich aus Chile importiert.

Inhaltsstoffe:

Boldoblätter enthalten 0,2 bis 0,5 Prozent Alkaloide vom Aporphintyp; Hauptalkaloid ist Boldin, daneben kommen Isocordyn, N-Methyl-laureotetanin u. a. vor [1]. Die Droge enthält ein (in kugeligen Exkretzellen lokalisiertes) ätherisches Öl in Mengen von 2 bis 3 Prozent; es besteht vorwiegend aus Monoterpenen wie p-Cymol, Cineol, Ascaridol u. a. In der Droge sind kleine Mengen an Flavonoiden nachgewiesen worden.

[1] T. J. Betts, J. Chromatogr. **511,** 373 (1990).

M. Wichtl

Brennnesselblätter

1 **Bezeichnung des Fertigarzneimittels**

Brennnesselblätter

2 **Darreichungsform**

Tee

2 **Eigenschaften und Prüfungen**

Haltbarkeit:

Die Haltbarkeit in den Behältnissen nach 4 beträgt 3 Jahre.

3 **Behältnisse**

Geklebte Blockbodenbeutel bzw. Seitenfaltenbeutel aus einseitig glattem, gebleichtem Natronkraftpapier 50 g/m^2, gefüttert mit gebleichtem Pergamyn 40 g/m^2.

4 **Kennzeichnung**

Nach § 10 AMG, insbesondere:

5.1 Zulassungsnummer

2479.99.99

5.2 Art der Anwendung

Zum Trinken nach Bereitung eines Teeaufgusses.

5.3 Hinweis

Vor Licht und Feuchtigkeit geschützt lagern.

6 **Packungsbeilage**

Nach § 11 AMG, insbesondere:

6.1 Stoff- oder Indikationsgruppe

Pflanzliches Arzneimittel zur Durchspülung der Harnwege. Pflanzliches Arzneimittel bei Muskel- oder Gelenkschmerzen.

6.2 Anwendungsgebiete

Zur Durchspülung der ableitenden Harnwege und zur Vorbeugung und Behandlung von Nierengrieß; zur unterstützenden Behandlung rheumatischer Beschwerden.

2 Brennnesselblätter

Hinweise:

Bei Blut im Urin, bei Fieber oder beim Anhalten der Beschwerden über 7 Tage hinaus ist ein Arzt aufzusuchen.

Ebenso sollte bei akuten rheumatischen Beschwerden, die z.B. mit Rötung, Schwellung oder Überwärmung von Gelenken einhergehen sowie andauernden Beschwerden ein Arzt aufgesucht werden.

6.3 Gegenanzeigen

Aus der verbreiteten Anwendung von Brennnesselblättern als Lebensmittel haben sich bisher keine Anhaltspunkte für Risiken in Schwangerschaft und Stillzeit ergeben. Ergebnisse experimenteller Untersuchungen liegen jedoch nicht vor. Teeaufgüsse aus Brennnesselblättern sollen deshalb in Schwangerschaft und Stillzeit nicht getrunken werden.

Zur Anwendung dieses Arzneimittels bei Kindern liegen keine ausreichend dokumentierten Untersuchungen vor. Brennnesselblätter sollen deshalb bei Kindern unter 12 Jahren nicht angewendet werden.

Hinweis:

Bei Ödemen infolge eingeschränkter Herz- oder Nierentätigkeit ist eine Durchspülungstherapie nicht angezeigt.

6.4 Wechselwirkungen mit anderen Mitteln

Keine bekannt.

6.5 Dosierungsanleitung und Art der Anwendung

Soweit nicht anders verordnet, wird 3- bis 4-mal täglich eine Tasse des wie folgt bereiteten Teeaufgusses getrunken:

4 Teelöffel voll (ca. 2,8 g) Brennnesselblätter oder die entsprechende Menge in einem oder mehreren Aufgussbeutel(n) werden mit siedendem Wasser (ca. 150 ml) übergossen und nach etwa 10 bis 15 Minuten gegebenenfalls durch ein Teesieb gegeben.

Hinweis:

Auf zusätzlich reichliche Flüssigkeitszufuhr ist zu achten.

6.6 Nebenwirkungen

Keine bekannt.

6.7 Hinweis

Vor Licht und Feuchtigkeit geschützt aufbewahren.

Brombeerblätter

1 Bezeichnung des Fertigarzneimittels

Brombeerblätter

2 Darreichungsform

Tee

3 Eigenschaften und Prüfungen

3.1 Qualitätsvorschrift

Die Droge muss der Monographie „Brombeerblätter" des Deutschen Arzneimittel-Codex (DAC) in der jeweils gültigen Fassung entsprechen.

3.2 Haltbarkeit

Die Haltbarkeit in den Behältnissen nach 4 beträgt 3 Jahre.

4 Behältnisse

Geklebte Blockbodenbeutel bzw. Seitenfaltenbeutel aus einseitig glattem, gebleichtem Natronkraftpapier 50 g/m^2, gefüttert mit gebleichtem Pergamyn 40 g/m^2.

5 Kennzeichnung

Nach § 10 AMG, insbesondere:

5.1 Zulassungsnummer

1449.99.99

5.2 Art der Anwendung

Zum Trinken sowie zum Spülen oder Gurgeln nach Bereitung eines Teeaufgusses.

5.3 Hinweis

Vor Licht und Feuchtigkeit geschützt lagern.

6 Packungsbeilage

Nach § 11 AMG, insbesondere:

5.1 Stoff- oder Indikationsgruppe

Pflanzliches Arzneimittel bei Durchfall.

Pflanzliches Arzneimittel bei Entzündungen im Mund- und Rachenraum.

6.2 Anwendungsgebiete

Unspezifische, akute Durchfallerkrankungen; leichte Schleimhautentzündungen im Mund- und Rachenraum.

Hinweis:

Bei Durchfällen, die länger als 2 Tage andauern oder mit Blutbeimengungen oder Temperaturerhöhungen einhergehen, sollte ein Arzt aufgesucht werden. Durchfallerkrankungen bei Säuglingen und Kleinkindern erfordern grundsätzlich die Rücksprache mit einem Arzt.

Sollten die Beschwerden bei leichten Schleimhautentzündungen im Mund- und Rachenraum länger als 1 Woche andauern, wiederkehren oder unklare Beschwerden auftreten, ist ein Arzt aufzusuchen.

6.3 Gegenanzeigen

Keine bekannt.

6.4 Vorsichtsmaßnahmen für die Anwendung und Warnhinweise

Bei Durchfallerkrankungen muss auf Ersatz von Flüssigkeit und Salzen (Elektrolyten) als wichtigste therapeutische Maßnahme geachtet werden.

Aus der verbreiteten Anwendung von Brombeerblättern als Arzneimittel oder in Lebensmitteln haben sich bisher keine Anhaltspunkte für Risiken ergeben. Zur Anwendung von Brombeerblättern in Schwangerschaft und Stillzeit sowie bei Kindern unter 12 Jahren liegen jedoch keine ausreichenden Untersuchungen vor. Die Anwendung von Brombeerblättern wird daher nicht empfohlen.

6.5 Wechselwirkungen mit anderen Mitteln

Keine bekannt.

6.6 Dosierungsanleitung und Art der Anwendung

Soweit nicht anders verordnet, wird 3-mal täglich zwischen den Mahlzeiten eine Tasse Teeaufguss getrunken oder es wird mit einem lauwarmen Teeaufguss gespült oder gegurgelt. Der Aufguss wird wie folgt bereitet:

2 Teelöffel voll (ca. 1,5 g) Brombeerblätter oder die entsprechende Menge in einem oder mehreren Aufgussbeutel(n) werden mit siedendem Wasser (ca. 150 ml) übergossen und nach etwa 10 bis 15 Minuten gegebenenfalls durch ein Teesieb gegeben.

6.7 Nebenwirkungen

Keine bekannt.

6.8 Hinweis

Vor Licht und Feuchtigkeit geschützt aufbewahren.

Monographien-Kommentar

Brombeerblätter

Stammpflanze

Die Brombeere, Rubus fruticosus L. s. l. (Rosaceae) ist ein vorwiegend im Gartenbau gezogener, aber auch verwildert vorkommender halb immergrüner Strauch, der an Zweigen und Blattstielen bestachelt ist. Durch die Kultur sind heute eine Vielzahl an Varietäten bekannt, darunter auch stachellose Sorten. Kulturen befinden sich vorwiegend in Europa und Nordamerika.

Droge

Diese stammt zumeist aus Sammlungen von Wildvorkommen. Importiert werden Brombeerblätter aus osteuropäischen Ländern.

Inhaltsstoffe

Brombeerblätter enthalten 8 bis 14 % Gerbstoffe vom Gallotannintyp [1] sowie dimere Ellagitannine [2], Pflanzensäuren [3], kleine Mengen an Flavonoiden, Sterolen und Triterpenen.

3.3 Prüfung auf Identität

Ein mit warmem Methanol hergestellter, Flavonoide und phenolische Inhaltsstoffe erfassender Drogenauszug wird dünnschicht-chromtographisch getrennt. Man erhält ein typisches „fingerprint-DC", bei dem die Fluoreszenzfarben nach Besprühen mit Naturstoffreagens beschrieben sind; eine Zuordnung der Zonen zu bestimmten Flavonoiden wird wegen fehlender Kenntnisse über die Zusammensetzung nicht gegeben.

3.4 Prüfung auf Reinheit, fremde Bestandteile

Beobachtet werden gelegentlich Beimengungen von Himbeerblättern; diese sind auf der Unterseite stärker behaart, wobei es sich, im Gegensatz zu Brombeerblättern, um peitschenförmig gewundene Haare handelt.

[1] G. Marczal; Pharm. Zentralhalle **100,** 181 (1961).
[2] K. Lund, Dissertation Freiburg i. Br., 1986.
[3] Chr. Wollmann; Pharmazie **19,** 456 (1964).

M. Wichtl

Brusttee

1 **Bezeichnung des Fertigarzneimittels**

Brusttee

2 **Darreichungsform**

Tee

3 **Zusammensetzung**

(in Masseprozenten)

Anis 15,0
Süßholzwurzel 25,0
Eibischwurzel 25,0
Eibischblätter 35,0

4 **Herstellungsvorschrift**

Die für die Herstellung einer Charge benötigten Mengen Anis, Süßholzwurzel, Eibischwurzel und Eibischblätter werden gemischt und anschließend in die vorgesehenen Behältnisse abgefüllt.

5 **Eigenschaften und Prüfungen**

5.1 Fertigarzneimittel

5.1.1 Aussehen, Eigenschaften

Brusttee ist ein leicht aromatisch nach Anethol riechendes Teegemisch aus getrockneten und geschnittenen graugrünen, beiderseits weich samtartig behaarten Blättern und geschnittenen hell- bis dunkelgelben und faserig rauen Wurzelstückchen und gelblichgrünen oder grünlichgrauen, zweiteiligen Spaltfrüchten.

5.1.2 Prüfung auf Identität

Die nach 5.1.3 makroskopisch einzeln verlesenen Bestandteile werden auf Identität geprüft.

Anis
entsprechend Prüfung auf Identität gemäß AB.

Süßholzwurzel
entsprechend Prüfung auf Identität (AB.).

Eibischwurzel
entsprechend Prüfung auf Identität gemäß AB.

Eibischblätter
entsprechend Prüfung auf Identität gemäß AB.

5.1.3 Gehalt

80,0 bis 120,0 Prozent der deklarierten Menge an Anis, Süßholzwurzel, Eibischwurzel, Eibischblättern.

Bestimmung

Eine geeignete Menge Brusttee wird makroskopisch in die einzelnen Bestandteile verlesen und diese gewogen.

5.1.4 Haltbarkeit

Für die Haltbarkeit in den Behältnissen nach 6 ist der Gehalt an ätherischem Öl im Anis bestimmend. Dieser nimmt in den Behältnissen nach 6 absolut um etwa 0,2 Prozent pro Jahr ab. Die Dauer der Haltbarkeit errechnet sich somit aus der Differenz des zum Zeitpunkt der Abpackung bestimmten Gehaltes an ätherischem Öl und dem durch das Arzneibuch vorgeschriebenen Mindestgehalt.

6 Behältnisse

Geklebte Blockbodenbeutel bzw. Seitenfaltenbeutel aus einseitig glattem, gebleichtem Natronkraftpapier 50 g/m^2, gefüttert mit gebleichtem Pergamyn 40 g/m^2.

7 Kennzeichnung

Nach § 10 AMG, insbesondere:

7.1 Zulassungsnummer

1969.99.99

7.2 Art der Anwendung

Zum Trinken nach Bereitung eines Teeaufgusses.

7.3 Hinweis

Vor Licht und Feuchtigkeit geschützt lagern.

Bupivacainhydrochlorid-Lösung 0,25 %

1 **Bezeichnung des Fertigarzneimittels**

Bupivacainhydrochlorid-Lösung 0,25 %

2 **Darreichungsform**

Injektionslösung

3 **Zusammensetzung**

Wirksamer Bestandteil:

Bupivacainhydrochlorid 1 H_2O	0,264 g

Sonstige Bestandteile:

Natriumchlorid	0,84 g
Wasser für Injektionszwecke	zu 100,0 ml

4 **Herstellungsvorschrift**

Die für die Herstellung einer Charge benötigten Mengen Bupivavainhydrochlorid 1 H_2O und Natriumchlorid werden in Wasser für Injektionszwecke gelöst. Die Lösung wird auf das erforderliche Volumen bzw. die erforderliche Masse aufgefüllt und durch ein Membranfilter von 0,2 µm nomineller Porengröße, falls erforderlich mit vorgeschaltetem Tiefenfilter, in die vorgesehenen Behältnisse filtriert. Die Sterilisation der abgefüllten Lösung erfolgt 15 Minuten lang bei 121 °C mit gesättigtem Wasserdampf.

5 **Inprozess-Kontrollen**

Überprüfung

– der relativen Dichte (AB. 2.2.5): 1,002 bis 1,006

oder

– des Brechungsindexes (AB. 2.2.6): 1,334 bis 1,336

sowie

– des pH-Wertes (AB. 2.2.3): 4,0 bis 6,5.

6 **Eigenschaften und Prüfungen**

6.1 Aussehen, Eigenschaften

Klare, von Schwebestoffen praktisch freie, farblose, isotonische Lösung ohne wahrnehmbaren Geruch; pH-Wert (AB. 2.2.3) zwischen 4,0 und 6,5; relative Dichte (AB. 2.2.5) zwischen 1,002 und 1,006; Brechungsindex (AB. 2.2.6) zwischen 1,334 und 1,336.

6.2 Prüfung auf Identität

Die Prüfung erfolgt mit Hilfe der Dünnschichtchromatographie (AB. 2.2.27) unter Verwendung einer Schicht von Kieselgel G R.

Untersuchungslösung: Bupivacainhydrochlorid-Lösung 0,25 %.

Referenzlösung: 2,64 mg eines als Standard geeigneten Bupivacainhydrochlorids 1 H_2O pro 1 ml Methanol R.

Auf die Platte werden getrennt 10 µl jeder Lösung aufgetragen. Die Chromatographie erfolgt mit einer Mischung von 17 Volumteilen Wasser, 17 Volumteilen Essigsäure 98 % R und 66 Volumteilen 1-Butanol R über eine Laufstrecke von 10 cm. Nach dem Trocknen der Platte an der Luft wird mit verdünntem Dragendorffs Reagenz R angesprüht. Im Chromatogramm der Untersuchungslösung tritt ein Fleck auf, der in Bezug auf seine Lage, Größe und Färbung annähernd dem Fleck im Chromatogramm der Referenzlösung entspricht.

6.3 Prüfung auf Reinheit

2,6-Dimentylanilin: höchstens 400 ppm.

Ein 30 mg wasserfreiem Bupivacainhydrochlorid entsprechendes Volumen Injektionslösung wird mit Methanol R zu 15 ml verdünnt. 2 ml der Lösung werden mit 1 ml einer frisch bereiteten Lösung von Dimethylaminobenzaldehyd R (10 g · l^{-1}) in Methanol R und 2 ml Essigsäure 96 % R versetzt. Nach 10 Minuten darf die Lösung nicht stärker gefärbt (AB. 2.2.2, Methode II) sein als eine gleichzeitig und in gleicher Weise hergestellte Referenzlösung, zu deren Herstellung 2 ml einer Lösung von 2,6-Dimethylanilin R (8 mg · l^{-1}) in Methanol R verwendet werden.

Prüfung auf Bakterien-Endotoxine (AB. 2.6.14):

Die Endotoxinkonzentration darf höchstens 6,6 I.E./ml betragen.

6.4 Gehalt

93,0 bis 105,0 Prozent der deklarierten Menge an Bupivacainhydrochlorid 1 H_2O.

Die Bestimmung erfolgt mit Hilfe der UV-Vis-Spektroskopie (AB. 2.2.25).

Untersuchungslösung: Die Injektionslösung wird mit Salzsäure (0,1 mol · l^{-1}) zu einer Konzentration von 0,75 mg Bupivacainhydrochlorid 1 H_2O pro 1,0 ml verdünnt.

Die Absorption der Lösung wird im Maximum bei etwa 263 nm gegen Salzsäure (0,1 mol · l^{-1}) als Kompensationsflüssigkeit gemessen.

Die Berechnung des Gehalts erfolgt mit Hilfe der Absorption einer Referenzlösung eines als Standard geeigneten Bupivacainhydrochlorids 1 H_2O in Salzsäure (0,1 mol · l^{-1}) mit einer Konzentration von 0,528 mg pro 1,0 ml.

6.5 Haltbarkeit

Die Haltbarkeit in den Behältnissen nach 7 beträgt 3 Jahre.

7 **Behältnisse**

Ampullen

8 **Kennzeichnung**

Nach § 10 AMG, insbesondere:

8.1 Zulassungsnummer

2089.99.99

8.2 Art der Anwendung

Zur periduralen und perineuralen Injektion.

8.3 Hinweise

Verschreibungspflichtig.

Nur klare Lösungen in unversehrten Behältnissen verwenden.

pH-Wert: 4,0 bis 6,5.

9 **Packungsbeilage**

Nach § 11 AMG, insbesondere:

9.1 Stoff- oder Indikationsgruppe

Arzneimittel vom Säureamid-Typ zur örtlichen Betäubung mit Langzeitwirkung.

9.2 Anwendungsgebiete

Lokale und regionale Nervenblockade.

9.3 Gegenanzeigen

Wann darf Bupivacainhydrochlorid-Lösung 0,25 % nicht angewendet werden?

Bupivacainhydrochlorid-Lösung 0,25 % darf nicht angewendet werden:

– bei bekannter Überempfindlichkeit gegen Lokalanästhetika vom Säureamid-Typ
– bei schweren Störungen des Herz-Reizleitungssystems
– bei akutem Versagen der Herzleistung
– zur Betäubung des Gebärmutterhalses in der Geburtshilfe (Parazervikalanästhesie).

Zusätzlich sind die speziellen Gegenanzeigen für die Periduralanästhesie zu beachten, wie z. B.:

– nicht korrigierter Mangel an Blutvolumen
– erhebliche Störungen der Blutgerinnung
– erhöhter Hirndruck.

Zur Durchführung einer rückenmarksnahen Anästhesie unter den Bedingungen einer Blutgerinnungsprophylaxe siehe unter „Vorsichtsmaßnahmen".

Wann darf Bupivacainhydrochlorid-Lösung 0,25 % nur mit besonderer Vorsicht angewendet werden?

Im Folgenden wird beschrieben, wann Bupivacainhydrochlorid-Lösung 0,25 % nur unter bestimmten Bedingungen und nur mit besonderer Vorsicht angewendet werden darf. Befragen Sie hierzu bitte Ihren Arzt. Dies gilt auch, wenn diese Angaben bei Ihnen früher einmal zutrafen.

Bupivacainhydrochlorid-Lösung 0,25 % darf nur mit besonderer Vorsicht angewendet werden:

- bei Nieren- oder Lebererkrankungen
- bei Gefäßverschlüssen
- bei Arteriosklerose (Gefäßverkalkung)
- bei Nervenschädigung durch Zuckerkrankheit
- zur Injektion in ein entzündetes (infiziertes) Gebiet.

Was muss in der Schwangerschaft beachtet werden?

Die Anwendung von Bupivacainhydrochlorid-Lösung 0,25 % in der Frühschwangerschaft sollte nur unter strengster Nutzen-Risiko-Abschätzung erfolgen, da im Tierversuch fruchtschädigende Wirkungen beobachtet worden sind und mit einer Anwendung von Bupivacainhydrochlorid-Lösung 0,25 % am Menschen während der Frühschwangerschaft keine Erfahrungen vorliegen.

Nach geburtshilflicher Periduralanästhesie mit Bupivacainhydrochlorid-Lösung 0,25 % konnte bei fünf Frauen in einem Zeitraum von 2 bis 48 Stunden nach der Geburt kein Bupivacain in der Muttermilch nachgewiesen werden (Nachweisgrenze < 0,02 µg/ml, maximale maternale Serumspiegel von 0,45 ± 0,06 µg/ml).

Eine Periduralanästhesie mit Bupivacainhydrochlorid-Lösung 0,25 % unter der Geburt ist kontraindiziert, wenn massive Blutungen drohen oder bereits vorhanden sind (beispielsweise bei tiefer Implantation der Plazenta oder nach vorzeitiger Plazentalösung).

Was muss bei Kindern berücksichtigt werden?

Für Kinder sind die Dosierungen individuell unter Berücksichtigung von Gewicht und Alter zu berechnen.

Was muss bei älteren Menschen berücksichtigt werden?

Vornehmlich bei älteren Patienten kann ein plötzlicher arterieller Blutdruckabfall als Komplikation bei Periduralanästhesie mit Bupivacainhydrochlorid-Lösung 0,25 % auftreten.

9.4 Vorsichtsmaßnahmen für die Anwendung und Warnhinweise

Welche Vorsichtsmaßnahmen müssen beachtet werden?

Zur Vermeidung von Nebenwirkungen sollten folgende Punkte beachtet werden:

- bei Risikopatienten und bei Verwendung höherer Dosierungen (> 25 % der maximalen Einzeldosis bei einzeitiger Gabe) intravenösen Zugang für Infusionanlegen (Volumensubstitution)
- Dosierung so niedrig wie möglich wählen
- normalerweise keinen Vasokonstriktorzusatz verwenden
- korrekte Lagerung des Patienten beachten
- vor Injektion sorgfältig in zwei Ebenen aspirieren (Drehung der Kanüle)

- Vorsicht bei Injektion in infizierte Bereiche (wegen verstärkter Resorption bei herabgesetzter Wirksamkeit)
- Injektion langsam vornehmen
- Blutdruck, Puls und Pupillenweite kontrollieren
- allgemeine und spezielle Kontraindikationen sowie Wechselwirkungen mit anderen Mitteln beachten.

Vor der periduralen Injektion des Lokalanästhetikums ist darauf zu achten, dass das Instrumentarium zur Wiederbelebung (z. B. zur Freihaltung der Atemwege und zur Sauerstoffzufuhr) und die Notfallmedikation zur Therapie toxischer Reaktionen sofort verfügbar sind.

Es ist zu beachten, dass unter Behandlung mit Blutgerinnungshemmern (Antikoagulanzien, wie z. B. Heparin), nichtsteroidalen Antirheumatika oder Plasmaersatzmitteln nicht nur eine versehentliche Gefäßverletzung im Rahmen der Schmerzbehandlung zu ernsthaften Blutungen führen kann, sondern dass allgemein mit einer erhöhten Blutungsneigung gerechnet werden muss. Gegebenenfalls sollten die Blutungszeit und die partielle Thromboplastinzeit (PTT), respektive aktivierte partielle Tromboplastinzeit (APTT) bestimmt, der Quick-Test durchgeführt und die Thrombozytenzahl überprüft werden. Diese Untersuchungen sollten bei Risikopatienten auch im Falle einer Low-dose-Heparinprophylaxe (vorsorgliche Behandlung mit dem Blutgerinnungshemmer Heparin in niedriger Dosis) vor der Anwendung von Bupivacainhydrochlorid-Lösung 0,25 % durchgeführt werden.

Eine Anästhesie bei gleichzeitiger Vorsorgetherapie zur Vermeidung von Thrombosen (Thromboseprophylaxe) mit niedermolekularem Heparin sollte nur mit besonderer Vorsicht durchgeführt werden.

Bei bestehender Behandlung mit nichtsteroidalen Antirheumatika (z. B. Acetylsalicylsäure) wird in den letzten fünf Tagen vor einer geplanten rückenmarksnahen Injektion eine Bestimmung der Blutungszeit als notwendig angesehen.

<u>Was muss im Straßenverkehr sowie bei der Arbeit mit Maschinen und bei Arbeiten ohne sicheren Halt beachtet werden?</u>

Bei Anwendung von Bupivacainhydrochlorid-Lösung 0,25 % muss vom Arzt im Einzelfall entschieden werden, ob der Patient aktiv am Straßenverkehr teilnehmen oder Maschinen bedienen darf.

9.5 Wechselwirkungen mit anderen Mitteln

<u>Welche anderen Arzneimittel beeinflussen die Wirkung von Bupivacainhydrochlorid-Lösung 0,25 %?</u>

Beachten Sie bitte, dass diese Angaben auch für vor kurzem angewandte Arzneimittel gelten können.

Die gleichzeitige Gabe gefäßverengender Arzneimittel führt zu einer längeren Wirkdauer von Bupivacainhydrochlorid-Lösung 0,25 %.

Bei gleichzeitiger Anwendung von Aprindin und Bupivacainhydrochlorid-Lösung 0,25 % ist eine Summation der Nebenwirkungen möglich. Aprindin hat aufgrund der chemischen Strukturähnlichkeit mit Lokalanästhetika ähnliche Nebenwirkungen.

Ein toxischer Synergismus wird für zentrale Analgetika und Narkotika wie z.B. Ether beschrieben.

Kombinationen verschiedener Lokalanästhetika rufen additive Wirkungen an kardiovaskulärem System und ZNS hervor.

<u>Welche anderen Arzneimittel werden in ihrer Wirkung durch Bupivacainhydrochlorid-Lösung 0,25 % beeinflusst?</u>

Die Wirkung nicht depolarisierender Muskelrelaxanzien wird durch Bupivacainhydrochlorid-Lösung 0,25 % verlängert.

9.6 Wichtigste Inkompatibilitäten

Bisher sind keine bekannt.

9.7 Dosierungsanleitung und Art der Anwendung

Die folgenden Angaben gelten, soweit Ihr Arzt Bupivacainhydrochlorid-Lösung 0,25 % nicht anders verordnet hat.

<u>Wie viel wird von Bupivacainhydrochlorid-Lösung 0,25 % angewendet? Wie oft wird die Lösung angewendet?</u>

Grundsätzlich gilt, dass nur die kleinste Dosis verabreicht werden darf, mit der die gewünschte ausreichende Anästhesie erzielt wird. Die Dosierung ist entsprechend den Besonderheiten des Einzelfalles vorzunehmen.

Die Angaben für die empfohlenen Dosen gelten für Jugendliche über 15 Jahre und Erwachsene mit einer durchschnittlichen Körpergröße bei einzeitiger Anwendung (1 ml Bupivacainhydrochlorid-Lösung 0,25 % enthält 2,5 mg Bupivacainhydrochlorid):

Grenzstrang-Blockade	5–10 ml
Brachialplexus-Blockade	15–40 ml
Intercostal-Blockade, pro Segment	4–8 ml
Nervus cutan. femoris lateralis-Blockade	10–15 ml
Nervus femoralis-Blockade	5–10 ml
Nervus ischiadicus-Blockade	10–20 ml
Nervus mandibularis-Blockade	2–5 ml
Nervus maxillaris-Blockade	2–5 ml
Nervus medianus-Blockade	5 ml
Nervus obturatorius-Blockade	15–20 ml
Nervus phrenicus-Blockade	5 ml
Nervus radialis-Blockade	10–20 ml
Nervus ulnaris-Blockade	5–10 ml
Parazervikal-Blockade, pro Seite	10 ml

Paravertebral-Blockade	5–10 ml
Periduralanästhesie, pro Segment	1 ml
Psoas-Kompartiment-Blockade	20–40 ml
Sakral-Blockade	15–40 ml
Stellatum-Blockade	5–10 ml
Trigeminus-Blockade	1–5 ml
3-in-1-Block (Plexus lumbalis-Blockade)	10–30 ml

Die empfohlene Maximaldosis beträgt bei einzeitiger Anwendung bis zu 2 mg Bupivacainhydrochlorid/kg Körpermasse. Das bedeutet z.B. für einen 75 kg schweren Patienten eine Höchstgabe von 150 mg Bupivacainhydrochlorid, entsprechend 60 ml Bupivacainhydrochlorid-Lösung 0,25 %.

Bei Patienten mit reduziertem Allgemeinzustand müssen grundsätzlich kleinere Dosen angewendet werden (siehe maximale Dosis).

Bei Patienten mit bestimmten Vorerkrankungen (Gefäßverschlüssen, Arteriosklerose oder Nervenschädigung bei Zuckerkrankheit) ist die Dosis ebenfalls um ein Drittel zu verringern.

Bei eingeschränkter Leber- oder Nierenfunktion können besonders bei wiederholter Anwendung erhöhte Plasmaspiegel auftreten. In diesen Fällen wird ebenfalls ein niedrigerer Dosisbereich empfohlen.

In der geburtshilflichen Periduralanästhesie ist wegen der veränderten anatomischen Verhältnisse eine Dosisreduktion um etwa ein Drittel erforderlich.

<u>Wie und wann wird Bupivacainhydrochlorid-Lösung 0,25 % angewendet?</u>

Bupivacainhydrochlorid-Lösung 0,25 % wird zur rückenmarksnahen Leitungsanästhesie peridural injiziert. Zur Infiltrationsanästhesie wird Bupivacainhydrochlorid-Lösung 0,25 % in einem umschriebenen Bezirk in das Gewebe eingespritzt (Infiltration). Zur peripheren Leitungsanästhesie, Schmerztherapie und Sympathikusblockade wird Bupivacainhydrochlorid-Lösung 0,25 % in Abhängigkeit von den anatomischen Verhältnissen nach gezielter Punktion lokal appliziert.

Bupivacainhydrochlorid-Lösung 0,25 % sollte nur von Personen mit entsprechenden Kenntnissen zur erfolgreichen Durchführung der jeweiligen Anästhesieverfahren angewendet werden.

Für die kontinuierliche Periduralanästhesie kann für den Lumbalbereich eine Dosierung von 4–8 ml Bupivacainhydrochlorid-Lösung 0,25 % pro Stunde und für den Thorakalbereich von 2–4 ml pro Stunde injiziert werden.

Eine wiederholte Anwendung dieses Arzneimittels kann aufgrund einer raschen Toleranzentwicklung gegenüber diesem Arzneimittel zu Wirkungseinbußen führen.

Die Injektionslösung ist nur zur einmaligen Entnahme vorgesehen. Die Anwendung muss unmittelbar nach Öffnung der Ampulle erfolgen. Nicht verbrauchte Reste sind zu verwerfen.

9.8 Überdosierung und andere Anwendungsfehler

Was ist zu tun, wenn Bupivacainhydrochlorid-Lösung 0,25 % versehentlich in zu großen Mengen oder in ungeeigneter Art und Weise angewendet wurde?

Neurologische Symptome in Form von Ohrgeräuschen (Tinnitus) oder unwillkürlichen, wiederholten Augenbewegungen (Nystagmus) bis hin zu generalisierten Krämpfen können als Folge einer unbeabsichtigten intravenösen Applikation oder bei abnormen Resorptionsverhältnissen auftreten. Als kritische Schwellendosis wird eine Konzentration von 2,2–4 µg Bupivacain/ml Blutplasma angesehen.

Die Zeichen einer Überdosis lassen sich zwei qualitativ unterschiedlichen Symptomenkomplexen zuordnen und unter Berücksichtigung der Intensität gliedern:

Zentralnervöse Symptome

leichte Intoxikation

Kribbeln in den Lippen und der Zunge, Taubheit im Mundbereich, Ohrensausen, metallischer Geschmack, Angst, Unruhe, Zittern, Muskelzuckungen, Erbrechen, Desorientiertheit

mittelschwere Intoxikation

Sprachstörung, Benommenheit, Übelkeit, Erbrechen, Schwindel, Schläfrigkeit, Verwirrtheit, Zittern, choreiforme Bewegungen (bestimmte Form von Bewegungsunruhe), Krämpfe (tonisch-klonisch), weite Pupillenöffnung, beschleunigte Atmung

schwere Intoxikation

Erbrechen (Erstickungsgefahr), Schließmuskellähmung, Muskeltonusverlust, Reaktions- und Bewegungslosigkeit (Stupor), irreguläre Atmung, Atemstillstand, Koma, Tod.

Kardiovaskuläre Symptome

leichte Intoxikation

Herzklopfen, erhöhter Blutdruck, beschleunigte Herzrate, beschleunigte Atmung

mittelschwere Intoxikation

beschleunigter Herzschlag, Herzrhythmusstörungen (Arrhythmie), Sauerstoffmangel, Blässe

schwere Intoxikation

starke Sauerstoffunterversorgung (schwere Zyanose), Herzrhythmusstörungen (verlangsamter Herzschlag, Blutdruckabfall, primäres Herzversagen, Kammerflimmern, Asystolie).

Es sind folgende Gegenmaßnahmen erforderlich:

– sofortige Unterbrechung der Zufuhr von Bupivacainhydrochlorid-Lösung 0,25 %

– Freihalten der Atemwege

- zusätzlich Sauerstoff zuführen; falls notwendig, mit reinem Sauerstoff assistiert oder kontrolliert beatmen (zunächst über Maske und mit Beatmungsbeutel, dann erst über einen Trachealtubus); die Sauerstofftherapie darf nicht bereits beim Abklingen der Symptome, sondern erst dann abgesetzt werden, wenn alle Vitalfunktionen zur Norm zurückgekehrt sind
- sorgfältige Kontrolle von Blutdruck, Puls und Pupillenweite.

Weitere mögliche Gegenmaßnahmen sind:

- bei einem akuten und bedrohlichen Blutdruckabfall sollte unverzüglich eine Flachlagerung des Patienten mit einer Hochlagerung der Beine erfolgen und ein Beta-Sympathikomimetikum langsam intravenös injiziert werden (z.B. 10–20 Tropfen einer Lösung von 1 mg Isoprenalin in 200 ml Glucose-Lösung 5%). Zusätzlich ist eine Volumensubstitution vorzunehmen (z.B. mit kristalloiden Lösungen)
- bei erhöhtem Vagotonus (Bradykardie) wird Atropin (0,5–1,0 mg i.v.) verabreicht; bei Verdacht auf Herzstillstand sind die erforderlichen Maßnahmen durchzuführen
- Konvulsionen werden mit kleinen, wiederholt verabreichten Dosen ultrakurz wirkender Barbiturate (z.B. Thiopental-Natrium 25–50 mg) oder mit Diazepam 5–10 mg i.v. behandelt; dabei werden die Dosen fraktioniert bis zum Zeitpunkt der sicheren Kontrolle verabreicht; grundsätzlich ist darauf hinzuweisen, dass in vielen Fällen bei Anzeichen von Krämpfen eine Sauerstoffbeatmung zur Behandlung ausreicht; bei anhaltenden Krämpfen werden Thiopental-Natrium (250 mg) und ein kurzwirksames Muskelrelaxans verabreicht, und nach Intubation wird mit 100% Sauerstoff beatmet; die Krampfschwellendosis kann beim Menschen individuell unterschiedlich sein; als Untergrenze werden 2,2 µg/ml Blutplasma angegeben.

Zentral wirkende Analeptika sind kontraindiziert bei Intoxikation durch Lokalanästhetika!

9.9 Nebenwirkungen

Welche Nebenwirkungen können bei der Anwendung von Bupivacainhydrochlorid-Lösung 0,25% auftreten?

Die möglichen Nebenwirkungen nach Anwendung von Bupivacainhydrochlorid entsprechen weitgehend denen anderer Lokalanästhetika vom Säureamid-Typ. Unerwünschte, systemische Wirkungen, die bei Überschreiten eines Blutplasmaspiegels von 1,2–2 µg Bupivacain pro ml auftreten können, sind verursacht durch die Art der Anwendung, pharmakodynamisch oder pharmakokinetisch bedingt und betreffen das Zentralnervensystem und das Herz-Kreislauf-System.

Durch die Art der Anwendung verursacht sind Nebenwirkungen:

- infolge der Injektion zu großer Lösungsmengen
- durch unbeabsichtigte Injektion in ein Blutgefäß
- durch unbeabsichtigte Injektion in den Spinalkanal (intrathekal) bei vorgesehener Periduralanästhesie
- durch hohe Periduralanästhesie (massiver Blutdruckabfall).

Pharmakodynamisch bedingte Nebenwirkungen:

In äußerst seltenen Fällen können allergische Reaktionen auftreten.

Im Zusammenhang mit der Anwendung von Bupivacain während einer Epiduralanästhesie ist über einen Fall von maligner Hyperthermie berichtet worden.

Epidural angewendetes Bupivacain hemmt die Thrombozytenaggregation.

Pharmakokinetisch bedingte Nebenwirkungen:

Als mögliche Ursache für Nebenwirkungen müssen auch eventuelle abnorme Resorptionsverhältnisse oder Störungen beim Abbau in der Leber oder bei der Ausscheidung durch die Niere in Betracht gezogen werden.

Wenn Sie Nebenwirkungen bei sich beobachten, die nicht in dieser Packungsbeilage aufgeführt sind, teilen Sie diese bitte Ihrem Arzt oder Apotheker mit.

9.10 Hinweise

Nur klare Lösungen in unversehrten Behältnissen verwenden.

pH-Wert der Lösung: 4,0–6,5.

10 Fachinformation

Nach § 11a AMG, insbesondere:

10.1 Verschreibungsstatus/Apothekenpflicht

Verschreibungspflichtig.

10.2 Stoff- oder Indikationsgruppe

Lokalanästhetikum mit Langzeitwirkung vom Säureamid-Typ (Carbonsäureamid des Anilins).

10.3 Anwendungsgebiete

Lokale und regionale Nervenblockade.

10.4 Gegenanzeigen

Die Anwendung von Bupivacainhydrochlorid-Lösung 0,25 % ist kontraindiziert:

- bei bekannter Überempfindlichkeit gegen Lokalanästhetika vom Säureamid-Typ
- bei schweren kardialen Überleitungsstörungen
- bei akut dekompensierter Herzinsuffizienz
- zur Parazervikalanästhesie in der Geburtshilfe.

Zusätzlich sind die speziellen Gegenanzeigen für die Periduralanästhesie zu beachten, wie z.B.:

- nicht korrigierter Mangel an Blutvolumen
- erhebliche Störungen der Blutgerinnung
- erhöhter Hirndruck.

Zur Durchführung einer rückenmarksnahen Anästhesie unter den Bedingungen einer Blutgerinnungsprohylaxe siehe unter „Vorsichtsmaßnahmen".

Bupivacainhydrochlorid-Lösung 0,25 % darf nur mit besonderer Vorsicht angewendet werden:

– bei Nieren- oder Lebererkrankungen

– bei obliterativer Gefäßerkrankung

– bei Arteriosklerose

– bei diabetischer Neuropathie

– zur Injektion in ein infiziertes Gebiet.

Anwendung in Schwangerschaft und Stillzeit:

Die Anwendung von Bupivacainhydrochlorid-Lösung 0,25 % in der Frühschwangerschaft sollte nur unter strengster Nutzen-Risiko-Abschätzung erfolgen, da im Tierversuch fruchtschädigende Wirkungen beobachtet worden sind und mit einer Anwendung von Bupivacainhydrochlorid-Lösung 0,25 % am Menschen während der Frühschwangerschaft keine Erfahrungen vorliegen.

Nach geburtshilflicher Periduralanästhesie mit Bupivacainhydrochlorid-Lösung 0,25 % konnte bei fünf Frauen in einem Zeitraum von 2 bis 48 Stunden nach der Geburt kein Bupivacain in der Muttermilch nachgewiesen werden (Nachweisgrenze < 0,02 µg/ml, maximale maternale Serumspiegel von 0,45 ± 0,06 µg/ml).

Eine Periduralanästhesie mit Bupivacainhydrochlorid-Lösung 0,25 % unter der Geburt ist kontraindiziert, wenn massive Blutungen drohen oder bereits vorhanden sind (beispielsweise bei tiefer Implantation der Plazenta oder nach vorzeitiger Plazentalösung).

10.5 Nebenwirkungen

Die möglichen Nebenwirkungen nach Anwendung von Bupivacainhydrochlorid entsprechen weitgehend denen anderer Lokalanästhetika vom Säureamid-Typ. Unerwünschte, systemische Wirkungen, die bei Überschreiten eines Plasmaspiegels von 1,2–2 µg/ml auftreten können, sind methodisch, pharmakodynamisch oder pharmakokinetisch bedingt und betreffen das Zentralnervensystem und das kardiovaskuläre System.

Methodisch bedingt sind Nebenwirkungen:

– infolge der Injektion zu großer Volumina

– durch akzidentelle intravasale Injektion

– durch akzidentelle intrathekale Injektion bei vorgesehener Periduralanästhesie

– durch hohe Periduralanästhesie (massiver Blutdruckabfall).

Pharmakodynamisch bedingte Nebenwirkungen:

In äußerst seltenen Fällen können allergische Reaktionen aufrtreten.

Im Zusammenhang mit der Anwendung von Bupivacain während einer Epiduralanästhesie ist über einen Fall von maligner Hyperthermie berichtet worden. Epidural angewendetes Bupivacain hemmt die Thrombozytenaggregation.

12 Bupivacainhydrochlorid-Lösung 0,25 %

Pharmakokinetisch bedingte Nebenwirkungen:

Als mögliche Ursache für Nebenwirkungen müssen auch eventuelle abnorme Resorptionsverhältnisse oder Störungen beim Abbau in der Leber oder bei der Ausscheidung durch die Niere in Betracht gezogen werden.

10.6 Wechselwirkungen mit anderen Mitteln

Es ist zu beachten, dass diese Angaben auch für vor kurzem angewandte Arzneimittel gelten können.

Gleichzeitige Applikation von Vasokonstriktoren führt zu einer längeren Wirkdauer von Bupivacainhydrochlorid.

Bei gleichzeitiger Anwendung von Aprindin und Bupivacainhydrochlorid-Lösung ist eine Summation der Nebenwirkungen möglich. Aprindin hat aufgrund der chemischen Strukturähnlichkeit mit Lokalanästhetika ähnliche Nebenwirkungen. Ein toxischer Synergismus wird für zentrale Analgetika, Chloroform, Ether und Thiopental beschrieben.

Kombinationen verschiedener Lokalanästhetika rufen additive Wirkungen an kardiovaskulärem System und ZNS hervor.

Die Wirkung nicht depolarisierender Muskelrelaxanzien wird durch Bupivacainhydrochlorid-Lösung verlängert.

10.7 Warnhinweise und Vorsichtsmaßnahmen für die Anwendung

Zur Vermeidung von Nebenwirkungen sollten folgende Punkte beachtet werden:

- bei Risikopatienten und bei Verwendung höherer Dosierungen (> 25 % der maximalen Einzeldosis bei einzeitiger Gabe) intravenösen Zugang für Infusion anlegen (Volumensubstitution)
- Dosierung so niedrig wie möglich wählen
- normalerweise keinen Vasokonstriktorzusatz verwenden
- korrekte Lagerung des Patienten beachten
- vor Injektion sorgfältig in zwei Ebenen aspirieren (Drehung der Kanüle)
- Vorsicht bei Injektion in infizierte Bereiche (wegen verstärkter Resorption bei herabgesetzter Wirksamkeit)
- Injektion langsam vornehmen
- Blutdruck, Puls und Pupillenweite kontrollieren
- allgemeine und spezielle Kontraindikationen und Wechselwirkungen mit anderen Mitteln beachten.

Vor der periduralen Injektion des Lokalanästhetikums ist darauf zu achten, dass das Instrumentarium zur Wiederbelebung (z. B. zur Freihaltung der Atemwege und zur Sauerstoffzufuhr) und die Notfallmedikation zur Therapie toxischer Reaktionen sofort verfügbar sind.

Es ist zu beachten, dass unter Behandlung mit Antikoagulanzien (wie z. B. Heparin), nichtsteroidalen Antirheumatika oder Plasmaersatzmitteln nicht nur eine versehentliche Gefäßverletzung im Rahmen der Schmerzbehandlung zu ernsthaften Blutungen führen kann, sondern dass allgemein mit einer erhöhten Blutungsneigung gerechnet werden muss. Gegebenenfalls sollten die Blutungszeit und die partielle Thromboplastinzeit (PTT), respektive aktivierte partielle Thromboplastinzeit (APTT) bestimmt, der Quick-Test durchgeführt und die Thrombozytenzahl überprüft werden. Diese Untersuchungen sollten bei Risikopatienten auch im Falle einer Low-dose-Heparinprophylaxe vor der Anwendung von Bupivacainhydrochlorid-Lösung 0,25 % durchgeführt werden.

Eine Anästhesie bei gleichzeitiger Thromboseprophylaxe mit niedermolekularem Heparin sollte nur mit besonderer Vorsicht durchgeführt werden.

Bei bestehender Behandlung mit nichtsteroidalen Antirheumatika (z. B. Acetylsalicylsäure) wird in den letzten fünf Tagen vor einer geplanten rückenmarksnahen Injektion eine Bestimmung der Blutungszeit als notwendig angesehen.

Bei Anwendung von Bupivacainhydrochlorid-Lösung 0,25 % muss vom Arzt im Einzelfall entschieden werden, ob der Patient aktiv am Straßenverkehr teilnehmen oder Maschinen bedienen darf.

10.8 Wichtigste Inkompatibilitäten

Bisher sind keine bekannt.

10.9 Dosierung mit Einzel- und Tagesgaben

Grundsätzlich gilt, dass nur die kleinste Dosis Bupivacainhydrochlorid-Lösung 0,25 % verabreicht werden darf, mit der die gewünschte ausreichende Anästhesie erzielt wird. Die Dosierung ist entsprechend den Besonderheiten des Einzelfalles vorzunehmen.

Die Angaben für die empfohlenen Dosen gelten für Jugendliche über 15 Jahre und Erwachsene mit einer durchschnittlichen Körpergröße bei einzeitiger Anwendung (1 ml Bupivacainhydrochlorid-Lösung 0,25 % enthält 2,5 mg Bupivacainhydrochlorid):

Grenzstrang-Blockade	5–10 ml
Brachialplexus-Blockade	15–40 ml
Intercostal-Blockade, pro Segment	4–8 ml
Nervus cutan. femoris lateralis-Blockade	10–15 ml
Nervus femoralis-Blockade	5–10 ml
Nervus ischiadicus-Blockade	10–20 ml
Nervus mandibularis-Blockade	2–5 ml
Nervus maxillaris-Blockade	2–5 ml
Nervus medianus-Blockade	5 ml
Nervus obturatorius-Blockade	15–20 ml
Nervus phrenicus-Blockade	5 ml
Nervus radialis-Blockade	10–20 ml
Nervus ulnaris-Blockade	5–10 ml

Parazervikal-Blockade, pro Seite	10 ml
Paravertebral-Blockade	5–10 ml
Periduralanästhesie, pro Segment	1 ml
Psoas-Kompartiment-Blockade	20–40 ml
Sakral-Blockade	15–40 ml
Stellatum-Blockade	5–10 ml
Trigeminus-Blockade	1–5 ml
3-in-1-Block (Plexus lumbalis-Blockade)	10–30 ml

Die empfohlene Maximaldosis beträgt bei einzeitiger Anwendung bis zu 2 mg Bupivacainhydrochlorid/kg Körpermasse. Das bedeutet z.B. für einen 75 kg schweren Patienten eine Höchstgabe von 150 mg Bupivacainhydrochlorid, entsprechend 60 ml Bupivacainhydrochlorid-Lösung 0,25 %.

Bei Patienten mit reduziertem Allgemeinzustand müssen grundsätzlich kleinere Dosen angewendet werden (sieh maximale Dosis).

Bei Patienten mit obliterativer Gefäßerkrankung, Arteriosklerose oder diabetischer Neuropathie ist die Dosis um ein Drittel zu verringern.

Bei eingeschränkter Leber- oder Nierenfunktion können besonders bei wiederholter Anwendung erhöhte Plasmaspiegel auftreten. In diesen Fällen wird ebenfalls ein niedrigerer Dosisbereich empfohlen.

In der geburtshilflichen Periduralanästhesie ist wegen der veränderten anatomischen Verhältnisse eine Dosisreduktion um etwa ein Drittel erforderlich.

Art der Anwendung:

Bupivacainhydrochlorid-Lösung 0,25 % wird zur rückenmarksnahen Leitungsanästhesie peridural injiziert. Zur Infiltrationsanästhesie wird Bupivacainhydrochlorid-Lösung 0,25 % in einem umschriebenen Bezirk in das Gewebe eingespritzt (Infiltration). Zur peripheren Leitungsanästhesie, Schmerztherapie und Sympathikusblockade wird Bupivacainhydrochlorid-Lösung 0,25 % in Abhängigkeit von den anatomischen Verhältnissen nach gezielter Punktion lokal appliziert.

Bupivacainhydrochlorid-Lösung 0,25 % sollte nur von Personen mit entsprechenden Kenntnissen zur erfolgreichen Durchführung der jeweiligen Anästhesieverfahren angewendet werden.

Für die kontinuierliche Periduralanästhesie kann für den Lumbalbereich eine Dosierung von 4–8 ml Bupivacainhydrochlorid-Lösung 0,25 % pro Stunde und für den Thorakalbereich von 2–4 ml pro Stunde injiziert werden.

Eine wiederholte Anwendung dieses Arzneimittels kann aufgrund einer Tachyphylaxie zu Wirkungseinbußen führen.

Die Injektionslösung ist nur zur einmaligen Entnahme vorgesehen. Die Anwendung muss unmittelbar nach Öffnung der Ampulle erfolgen. Nicht verbrauchte Reste sind zu verwerfen.

10.10 Notfallmaßnahmen, Symptome und Gegenmittel

Neurologische Symptome in Form von Tinnitus oder unwillkürlichen, wiederholten Augenbewegungen (Nystagmus) bis hin zu generalisierten Krämpfen können als Folge einer unbeabsichtigten intravenösen Applikation oder bei abnormen Resorptionsverhältnissen auftreten. Als kritische Schwellendosis wird eine Konzentration von 2,2–4 µg Bupivacain pro ml Blutplasma angesehen.

Die Zeichen einer Überdosierung lassen sich zwei qualitativ unterschiedlichen Symptomenkomplexen zuordnen und unter Berücksichtigung der Intensität gliedern:

Zentralnervöse Symptome

leichte Intoxikation

Kribbeln in den Lippen und der Zunge, Taubheit im Mundbereich, Ohrensausen, metallischer Geschmack, Angst, Unruhe, Zittern, Muskelzuckungen, Erbrechen, Desorientiertheit

mittelschwere Intoxikation

Sprachstörung, Benommenheit, Übelkeit, Erbrechen, Schwindel, Schläfrigkeit, Verwirrtheit, Zittern, choreiforme Bewegungen (bestimmte Form von Bewegungsunruhe), Krämpfe (tonisch-klonisch), weite Pupillenöffnung, beschleunigte Atmung

schwere Intoxikation

Erbrechen (Erstickungsgefahr), Schließmuskellähmung, Muskeltonusverlust, Reaktions- und Bewegungslosigkeit (Stupor), irreguläre Atmung, Atemstillstand, Koma, Tod.

Kardiovaskuläre Symptome

leichte Intoxikation

Herzklopfen, erhöhter Blutdruck, beschleunigte Herzrate, beschleunigte Atmung

mittelschwere Intoxikation

beschleunigter Herzschlag, Herzrhythmusstörungen (Arrhythmie), Sauerstoffmangel, Blässe

schwere Intoxikation

starke Sauerstoffunterversorgung (schwere Zyanose), Herzrhythmusstörungen (verlangsamter Herzschlag, Blutdruckabfall, primäres Herzversagen, Kammerflimmern, Asystolie).

Es sind folgende Gegenmaßnahmen erforderlich:

– sofortige Unterbrechung der Zufuhr von Bupivacainhydrochlorid-Lösung 0,25 %

– Freihalten der Atemwege

– zusätzlich Sauerstoff zuführen; falls notwendig, mit reinem Sauerstoff assistiert oder kontrolliert beatmen (zunächst über Maske und mit Beatmungsbeutel, dann erst über einen Trachealtubus); die Sauerstofftherapie darf nicht bereits beim Abklingen der Symptome, sondern erst dann abgesetzt werden, wenn alle Vitalfunktionen zur Norm zurückgekehrt sind

– sorgfältige Kontrolle von Blutdruck, Puls und Pupillenweite.

Weitere mögliche Gegenmaßnahmen sind:

– bei einem akuten und bedrohlichen Blutdruckabfall sollte unverzüglich eine Flachlagerung des Patienten mit einer Hochlagerung der Beine erfolgen und ein Beta-Sympathikomimetikum langsam intravenös injiziert werden (z. B. 10–20 Tropfen einer Lösung von 1 mg Isoprenalin in 200 ml Glucose-Lösung 5 %); zusätzlich ist eine Volumensubstitution vorzunehmen (z. B. mit kristalloiden Lösungen)

– bei erhöhtem Vagotonus (Bradykardie) wird Atropin 0,5–1,0 mg i.v.) verabreicht; bei Verdacht auf Herzstillstand sind die erforderlichen Maßnahmen durchzuführen

– Konvulsionen werden mit kleinen, wiederholt verabreichten Dosen ultrakurz wirkender Barbiturate (z. B. Thiopental-Natrium 25–50 mg) oder mit Diazepam 5–10 mg i. v. behandelt; dabei werden die Dosen fraktioniert bis zum Zeitpunkt der sicheren Kontrolle verabreicht; grundsätzlich ist darauf hinzuweisen, dass in vielen Fällen bei Anzeichen von Krämpfen eine Sauerstoffbeatmung zur Behandlung ausreicht; bei anhaltenden Krämpfen werden Thiopental-Natrium (250 mg) und ein kurzwirksames Muskelrelaxans verabreicht, und nach Intubation wird mit 100 % Sauerstoff beatmet; die Krampfschwellendosis kann beim Menschen individuell unterschiedlich sein; als Untergrenze werden 2,2 µg/ml Blutplasma angegeben.

Zentral wirkende Analeptika sind kontraindiziert bei Intoxikation durch Lokalanästhetika!

10.11 Pharmakologische und toxikologische Eigenschaften, Pharmakokinetik, Bioverfügbarkeit, soweit diese Angaben für die therapeutische Verwendung erforderlich sind

10.11.1 Pharmakologische Eigenschaften

Bupivacainhydrochlorid ist ein Lokalanästhetikum vom Säureamid-Typ mit raschem Wirkungseintritt und lang anhaltender reversibler Blockade vegetativer, sensorischer und motorischer Nervenfasern sowie der Erregungsleitung des Herzens. Es wird angenommen, dass die Wirkung durch Abdichten der Na^+-Kanäle in der Nervenmembran verursacht wird. Bupivacainhydrochlorid-Injektionslösung hat einen pH-Wert von 4,0–6,5 und einen pKa-Wert von 8,1. Das Verhältnis von dissoziierter Form zu der lipidlöslichen Base wird durch den im Gewebe vorliegenden pH-Wert bestimmt. Der Wirkstoff diffundiert zunächst durch die Nervenmembran zum Nerven in seiner basischen Form, wirkt aber als Bupivacain-Kation erst nach Reprotonierung. Bei niedrigen pH-Werten, z. B. im entzündlich veränderten Gewebe, liegen nur geringe Anteile in der basischen Form vor, sodass keine ausreichende Anästhesie zustande kommen kann. Bupivacainhydrochlorid wirkt negativ chronotrop und negativ dromotrop. Die motorische Blockade bleibt nicht länger bestehen als die Analgesie.

10.11.2 Toxikologische Eigenschaften

a) Akute Toxizität

Systemtoxizität:

Die Prüfung der akuten Toxizität von Bupivacain im Tierversuch ergab bei der Maus eine LD_{50} (i. v.) zwischen 6,4 und 10,4 mg/kg Körpermasse. Bei der Ratte liegen die Werte zwischen 5,6 und 6,0 mg/kg Körpermasse. Der Abstand zur therapeutischen Dosis (2 mg/kg Körpermasse) ist damit relativ gering.

Toxisch bedingte ZNS-Reaktionen wurden bereits bei 2,2 µg Bupivacain/ml beobachtet, bei kontinuierlicher Infusion lagen die gemessenen Plasmaspiegel über 4 µg Bupivacain/ml.

Lokale Toxizität:

Die Prüfung der lokalen Toxizität von Bupivacain hat bei verschiedenen Tierspezies eine reversible Gewebetoxizität ergeben.

b) Chronische Toxizität/Subchronische Toxizität

Untersuchungen zur subchronischen Toxizität bei lokaler Applikation von Bupivacain beim Tier (Ratte) ergaben muskuläre Faseratrophien. Eine komplette Regeneration der Kontraktilität wurde jedoch beobachtet. Untersuchungen zur chronischen Toxizität liegen nicht vor.

c) Mutagenes und tumorerzeugendes Potenzial

Eine ausreichende Mutagenitätsprüfung von Bupivacain liegt nicht vor. Eine vorläufige Untersuchung an Lymphozyten von Patienten, die mit Bupivacain behandelt wurden, verlief negativ.

Langzeituntersuchungen zum tumorerzeugenden Potenzial von Bupivacain wurden nicht durchgeführt.

d) Reproduktionstoxizität

Bupivacain passiert die Plazenta mittels einfacher Diffusion und erreicht auch im Feten pharmakologisch wirksame Konzentrationen. Kontrollierte Studien über mögliche Effekte von Bupivacainhydrochlorid-Lösung 0,25 % auf den Embryo/Fetus während einer Exposition von Frauen in der Schwangerschaft liegen nicht vor.

Im Tierversuch ist bei Dosierungen, die dem fünf- bzw. neunfachen der Humandosis entsprachen bzw. einer Gesamtdosis von 400 mg, eine verminderte Überlebensrate der Nachkommen exponierter Ratten sowie embryoletale Effekte beim Kaninchen nachgewiesen worden. Eine Studie an Rhesusaffen gab Hinweise auf eine veränderte postnatale Verhaltensentwicklung nach Bupivacain-Exposition zum Geburtszeitpunkt.

Hinweise:

Nach Gabe von Bupivacainhydrochlorid-Lösung 0,25 % unter der Geburt kann es zu neurophysiologischen Beeinträchtigungen des Neugeborenen kommen. Im Zusammenhang mit einer Anwendung bei der Parazervikalblockade ist von fetalen Bradykardien und von Todesfällen berichtet worden.

10.11.2 Pharmakokinetik

Bupivacainhydrochlorid ist sehr lipophil (im Vergleich zu Mepivacain oder Lidocain) und hat einen pKa-Wert von 8,1. Es wird in hohem Maße an Plasmaproteine gebunden (92 % bis 96 %). Die Plasma-Halbwertszeit bei Erwachsenen beträgt 1,5 bis 5,5 Stunden, die Plasma-Clearance 0,58 l/min. Nach Metabolisierung in der Leber, vorwiegend durch Hydrolysierung, werden die Stoffwechselprodukte (Säurekonjugate) renal ausgeschieden. Nur 5 bis 6 % werden unverändert eliminiert.

10.12 Sonstige Hinweise

Anwendung in Schwangerschaft und Stillzeit:

Siehe „Gegenanzeigen".

Anwendung bei älteren Menschen:

Vornehmlich bei älteren Patienten kann eine plötzliche arterielle Hypotension als Komplikation bei Periduralanästhesie mit Bupivacainhydrochlorid-Lösung 0,25 % auftreten.

Anwendung bei Kindern:

Für Kinder sind die Dosierungen individuell unter Berücksichtigung von Alter und Gewicht zu berechnen.

10.13 Besondere Lager- und Aufbewahrungshinweise

Keine.

Monographien-Kommentar

Bupivacainhydrochlorid-Lösung 0,25 Prozent

Anmerkungen zur Rezeptur und Herstellung des Fertigarzneimittels

Bupivacainhyrochlorid-Monohydrat liegt als weißes, kristallines Pulver oder als farblose Kristalle vor und ist geruchlos. 1 Teil Substanz löst sich in 25 Teilen Wasser (entspricht 40 mg/ml) oder in 8 Teilen Ethanol 96% (125 mg/ml). Der pH-Wert einer 1%igen, wäßrigen Lösung liegt zwischen 4,5–6,0. Bei pH-Werten oberhalb 6,0 nimmt die Löslichkeit der Substanz in Wasser signifikant ab (pH 7,4: 0,83 mg/ml). Der Verteilungskoeffizient Oleylalkohol/ Wasser liegt bei 1600, für Toluol/Wasser 2000, für Heptan/Phosphatpuffer pH 7,4 bei 27,5. Eine Molekülassoziation, wie sie bei anderen Lokalanästhetika zu beobachten ist, zeigte sich für Bupivacain bei Konzentrationen von 0,1 mol/l NaCl-Lösung nicht. Bupivacain wird an Proteine zu rund 90% gebunden [1–5].

Die Zusammensetzung der Lösung stellt einen Kompromiß dar zwischen der Notwendigkeit, das Präparat den physiologischen Bedingungen am Zielort anzupassen und der Forderung nach Stabilität des Wirkstoffs während der Laufzeit des Produktes. Die Zubereitung ist praktisch isoton und euhydrisch eingestellt. Bei passender Einspritzgeschwindigkeit wird die Anisohydrie vom Organismus in der Regel gut vertragen, da dessen Pufferkapazität groß, die der Lösung hingegen klein ist und die Titrationsacidität damit vollkommen ausreichen dürfte.

Die Ph. Eur. definiert Parenteralia als „sterile" Zubereitungen, in denen keine lebensfähigen Keime nachweisbar sein dürfen. Die Forderung erscheint absolut, ist jedoch in dieser Form unter statistischen Gesichtspunkten nicht zu halten. Daher werden Toleranzgrenzen für die Überlebenswahrscheinlichkeit der Keime angegeben: Das Arzneibuch (5.1.1) nennt für Produkte, die im Endbehältnis sterilisiert werden, einen Sterilitätssicherheits-Wert (Sterility Assurance Level, SAL) von maximal 10^{-6}, d. h., höchstens 1 lebensfähiger Mikroorganismus wird in 10^6 sterilisierter Zubereitungen eines Endproduktes akzeptiert.

Injektionszubereitungen mit einem Volumen ab 15 ml sind einer Prüfung auf Pyrogene (2.6.8) zu unterziehen. Stand der Technik ist es, praktisch alle Einzeldosen unter pyrogenfreien Bedingungen zu fertigen. In den weitaus meisten Fällen handelt es sich bei den Pyrogenen um Endotoxine gramnegativer Bakterien, die auf der Oberfläche der Bakterienwände als Lipopolysaccharid-Protein-Lipoid-Komplex sitzen. Hochpyrogen ist dabei der phosphorylierte Polysaccharid-Anteil mit einer relativ fest gebundenen Lipidkomponente.

Eine geringe Anzahl von Viren, Pilzen und Hefen verfügen zwar ebenfalls über pyrogene Eigenschaften, haben jedoch vielfach eine weit geringere Aktivität, so daß in Verbindung mit ihrem spärlichen Vorkommen im allgemeinen die Schlußfolgerung gerechtfertigt erscheint, bei Abwesenheit von Bakterien-Endotoxinen in der Zubereitung auf die Abwesenheit von aus Mikroorganismen stammenden Pyrogenen schlechthin zu schließen. Voraussetzung bleibt selbstverständlich, daß keine anderen pyrogene Substanzen abiogenen Ursprungs wie Schwermetalle (Eisen-, Kupferionen), organische Verbindungen etc. im Produkt vorhanden sind, und die Prüfung auf Bakterien-Endotoxine nach 2.6.14 (LAL-Test) nicht durch Störfaktoren, welche die Reaktion zwischen den Endotoxinen und dem

Monographien-Kommentar

Amöbozyten-Lysat beeinträchtigen, behindert wird. Ist der LAL-Test weder vorgeschrieben noch zugelassen, muß, von begründeten und erlaubten Fällen einmal abgesehen, entsprechend 2.6.8 vorgegangen werden. Anzumerken bleibt, daß der Begriff „Pyrogenfrei" nicht im Sinne von absolut verstanden werden kann, sondern nur bedeutet, daß im Kaninchentest mit einer bestimmten Dosis keine Hyperthermie erzeugt werden konnte.

Kann die Anwesenheit von Pyrogenen trotz Herstellung der Lösung unter aseptischen Bedingungen, Verwendung von pyrogenfreiem Wasser, pyrogenfreien Arznei-und Hilfsstoffen, Behältnissen etc. nicht vermieden werden, müssen sie aus der fertigen Lösung abgetrennt werden. Beispielsweise während der Filtration durch Tiefenfilter auf Zellulosebasis mit Zetapotentialeigenschaften oder mit positiv geladenen Membranfiltern [6].

Bei der Fertigung konzentrieren sich alle verfahrenstechnischen und sonstigen Hygienemaßnahmen auf die Einhaltung höchster mikrobieller Reinheit. Die Forderung nach optimaler Sauberkeit ist in zahlreichen nationalen und internationalen Richtlinien niedergelegt [7–9]. Unter ihnen findet sich die 1997 revidierte GMP-Richtlinie der Europäischen Union, die z. T. detaillierte Anforderungen an das Personal, die Räumlichkeiten, Einrichtungen und Betriebsmittel stellt.

Bupivacainhydrochlorid-Lösung 0,25% kann unter Beachtung obiger Kriterien entsprechend der unter Pkt. 4 der Monographie aufgeführten Vorschrift hergestellt werden. In einem Ansatzbehälter, der bei Fertigung kleinerer Chargen aus Glas, besser jedoch aus rostfreiem Stahl mit Rührwerk und einer mit einem Manometer versehenen Abdrückvorrichtung bestehen kann, darüber hinaus mit Einrichtungen für Heizung, Kühlung, Evakuierung und Schutzbegasung sowie mit Zuleitungen für destilliertes Wasser und Reindampf ausgerüstet sein sollte, wird zunächst eine zur Lösung der abgewogenen Substanzen ausreichende Menge an Wasser vorgelegt. Vorgeschrieben ist die Verwendung von Wasser für Injektionszwecke, das, ordungsgemäß aus Trinkwasser oder gereinigtem Wasser gewonnen, in frisch destilliertem Zustand praktisch frei von Mikroorganismen und Pyrogenen ist. Destilliert wird heutzutage fast ausschließlich mit Anlagen, die nach dem Thermokompressionsverfahren oder als mehrstufige Druckkolonnen arbeiten. Ihnen werden meist Ionenaustauscher- oder Umkehrosmoseanlagen vorgeschaltet, um die Belagbildung an den Heizflächen der Destillen zu vermeiden.

Nach abgeschlossener Herstellung empfiehlt es sich, noch vor der Filtration Inprozeß-Kontrollen durchzuführen. Nicht nur die unter Pkt. 5 der Monographie aufgeführten, sondern auch die unter Pkt. 6.1 beschriebenen, soweit sie das Aussehen der Lösung hinsichtlich Klarheit, Färbung und Schwebstoffgehalt betreffen. Sind partikuläre Verunreinigungen, die beispielsweise durch die Ausgangsstoffe oder über das System eingeschleppt sein könnten, sichtbar, sollte der Entkeimungsfiltration eine Klärfiltration durch Heranziehen eines geeigneten Tiefenfilters vorangestellt werden. Dabei ist zu prüfen, in welchem Umfang der Wirkstoff von den eingesetzten Filtermaterialien sorbiert wird. Falls erforderlich, sind Maßnahmen zur Verhinderung einer Gehaltsminderung im Filtrat zu ergreifen.

Filtiert werden kann durch ein Membranfilter mit einer Nennporenweite von 0,2 µm. Ein anderer Filtertyp mit gleichem Rückhaltevermögen ist ebenfalls einsetzbar.

Das zur Entkeimungsfiltration vorgesehene Filtrationssystem (Filtereinheit, Verbundleitung, Auffangbehältnis für das Sterilfiltrat) sollte inline dampfsterilisierbar sein, um das Kontaminationsrisiko zu minimieren. Kann das Filtrat nicht inline abgefüllt, sondern nur in vorsterilsierten Zwischenbehältern gesammelt werden, sind alle anschließenden Manipulationen unter LF-Schutz vorzunehmen.

Monographien-Kommentar

Bupivacainhydrochlorid-Lösung 0,25%

1 Bezeichnung des Fertigarzneimittels

Die Angabe 0,25 % ist nach internationalen Gepflogenheiten eine Gehaltsangabe; hier ist jedoch eine Konzentration gemeint: 0,25 g / 100 ml

3 Zusammensetzung

Die angegebene Menge Bupivacainhydrochlorid-Monohydrat ergibt eine Konzentration von 0,25014 g / 100 ml bezogen auf die wasserfreie Substanz

5 Inprozeß-Kontrollen

Die Dichte als Kontrollgröße für die Richtigkeit der Lösung eignet sich nur zur Erkennung grober Fehler; die Abschätzung zeigt, daß erst bei einer Einwaage der festen Bestandteile von < 50 % der geforderten Werte die untere Grenze der Dichte unterschritten wird; die obere Grenze der Dichte ist erreicht bei einer 150 %-igen Einwaage der Festsubstanzen.

Vergleichbare Aussagen sind hinsichtlich des Brechungsindex zu machen.

Ausgehend vom pKa-Wert von 8,09 [1] bis 8,17 [2] läßt sich der pH-Wert der korrekt angesetzten Lösung mit 5,1 abschätzen; mit dem angegebenen pH-Wert-Bereich wird eine Konzentration von > 0,6 mg / 100 ml und < 50 g / 100 ml toleriert; als Kontrollgröße für die Konzentration des Arzneistoffes ist der pH-Wert deshalb noch weniger geeignet als Dichte und Brechungsindex.

Zur Kontrolle des Arzneistoffgehaltes könnte die Lichtabsorption eingesetzt werden, was bei Einsatz der Lichtleitertechnik on-line möglich wäre; die Absorption der Lösung beträgt bei einem Lichtweg von 1 cm bei 271 nm (am Nebenmaximum) ca. 2,70 ($A \frac{1\%}{1\,cm}$ ca. 11 [3, 6]); deshalb ist ein Arbeiten bei einer etwas höheren Wellenlänge und/oder unter Einsatz eines kürzeren Lichtweges empfehlenswert.

Der Natriumchloridgehalt ließe sich über Leitfähigkeitsmessungen verfolgen.

6 Eigenschaften und Prüfungen

6.1 Aussehen, Eigenschaften: s. 5

6.2 Prüfung auf Identität

Die dünnschichtchromatographische Prüfung gestattet die Identifizierung über den Vergleich der Rf-Werte von Probe und Referenz und den Farbvergleich nach Besprühen mit Dragendorffs Reagenz (Reaktion auf aliphatische Amine). Das eingesetzte Fließmittel hat eine lange Entwicklungszeit zur Folge. Günstiger sind unpolare mobile Phasen, die dann allerdings alkalisch gemacht werden müssen, damit Bupivacain als weniger polare Base vorliegt; Beispiele sind in [4, 5] gegeben, auch die USP 1995 und die Ph. Eur. 1997 bevorzugen diesen Weg, auf dem zusätzlich die Reinheitsprüfung auf verwandte Substanzen erfolgt.

Monographien-Kommentar

2

6.3 Prüfung auf Reinheit

Im Gegensatz zum Arzneibuch (Ph. Eur.) wird nicht auf „Verwandte Substanzen" geprüft; lediglich der Gehalt an dem Synthesezwischenprodukt bzw. Hydrolyseprodukt 2,6-Dimethylanilin wird durch Farbvergleich auf 400 ppm (bezogen auf den Arzneistoff Bupivacainhydrochlorid-Monohydrat) begrenzt. Durch den vorgeschalteten Extraktionsschritt wird das schwach basische 2,6-Dimethylanilin von möglichen störenden Nebenkomponenten abgetrennt, die sauren Charakter haben; damit werden für den Farbvergleich genau definierte reproduzierbar herstellbare Bedingungen geschaffen. Die Reaktion zwischen dem 2,6-Dimethylanilin (DMA) und p-Dimethylaminobenzaldehyd (Ehrlichs Reagenz) führt im Sauren zu einem Aldimin (Cyaninfarbstoff). Ph. Eur. begrenzt den Gehalt an DMA auf 100 ppm und setzt für den Vergleich 10 µg Referenzsubstanz gegenüber 12 µg in der vorliegenden Vorschrift (Text der Standardzulassung) ein.

6.4 Gehalt

Die UV-photometrische Gehaltsbestimmung wird mit einer verdünnten Lösung durchgeführt, die 0,528 mg Arzneistoff pro ml enthalten soll; dies ist durch eine Verdünnung der Bupivacainhydrochlorid-Lösung 0,25 % im Verhältnis 1:5 erreichbar, z. B. durch Auffüllen von 10,0 ml zu 50,0 ml mit 0,1 M Salzsäure. Die Absorption sollte bei 0,70 bis 0,73 liegen ($A\frac{1\%}{1\,cm}$ = 13,4 [3], 13,8 [5], 13,9 [6]).

Als Alternativen kommen die Titrationsverfahren im nichtwäßrigen [USP 1995] oder überwiegend nichtwäßrigen Lösungsmittel [DAC 1986, DAB 1996] nicht in Frage, da eine wäßrige Lösung zu bestimmen ist; eine Variation der Vorschrift der Ph. Eur. macht jedoch die Titration der Kationensäure in Ethanol/Wasser mit Natriumhydroxidlösung möglich: 20,0 ml der Bupivacainhydrochlorid-Lösung 0,25% werden mit 25 ml Ethanol 96% und 1,0 ml 0,01 M HCl versetzt und mit 0,02 M NaOH bei potentiometrischer Indikation titriert. Die argentometrische Chloridbestimmung scheidet wegen mangelnder Selektivität (NaCl wird miterfaßt) aus. Die Gaschromatographie [7, 8] und die HPLC [4, 9–11] sind aufwendiger als die Photometrie, insofern eher bei der Haltbarkeitsbestimmung einzusetzen, wo eine hohe Selektivität erforderlich ist. Dies gilt auch für die Kapillarelektrophorese [12].

6.5 Haltbarkeit

Als selektive Methode der Wahl ist die HPLC anzusehen, wie sie z. B. in USP 1995 (Bupivacaine Hydrochloride Injection) oder in [4, 9–11] beschrieben ist.

[1] P. Friberger, G. Aberg, Acta Pharm. Suec. 1971, 8: 361.
[2] H. Kamaya, J. J. Hayes, I. Ueda, Anesth. Analg. 1983, 62: 1025.
[3] H.-W. Dibbern, E. Wirbitzki, UV- und IR-Spektren wichtiger pharmazeutischer Wirkstoffe, Editio Cantor Aulendorf (1978).
[4] A. C. Moffat et al. (Hrsg.), Clarke's Isolation ans Identification of Drugs, 2. Aufl. The Pharmaceutical Press, London 1986, S. 565.
[5] T. D. Wilson in K. Florey (Hrsg.) „Analytical Profiles of Drug Substances, Bd. 17", Academic Press, New York London.
[6] F. v. Bruchhausen, S. Ebel, A. W. Frahm, E. Hackenthal (Hrsg.), Hagers Handbuch der Pharmazeutischen Praxis Bd. 7, S. 554, 5. Aufl., Springer Verlag Heidelberg 1993.
[7] G. B. Park et al., J. Pharm. Sci. 1980, 69: 603.

Bupivacainhydrochlorid-Lösung 0,25%

[8] L. J. Lesko et al., J. Chromatogr. 1980, 182: 226.
[9] R. L. Lindberg, J. H. Kanto, K. K. Pihlajamaki, J. Chromatogr. 1986, 383: 357.
[10] I. Murillo, J. Costa, P. Salva, J. Liq. Chromatogr. 1993, 16: 3509.
[11] P. Le Guevello, P. Le Corre, F. Chevanne, R. Le Verge, J. Chromatogr. Biomed. Appl. 1993, 133: 284.
[12] H. Wolfisberg, A. Schmutz, R. Stotzer, W. Thormann, J Chromatogr 1993, 652: 407.

P. Surmann

Monographien-Kommentar

Bupivacainhydrochlorid-Lösung 0,25 Prozent

Nach Ph. Eur. 5.1.1 ist das Filtrationsverfahren zu validieren, bevor es in der Praxis angewendet wird. Hierzu gehören neben der Typ-Validierung des Filtermediums, die von dem Hersteller vorzunehmen ist, die Validierung des Filtrationssystems sowohl nach produkt- als auch verfahrensspezifischen Gesichtspunkten, die Validierung der Abfüllanlage und die Festlegung der Inprozeß-Kontrollen, um den Gesamtprozeß abzusichern [10,11].

Die Integrität des Filtrationssystems und der eingesetzten Membranfilter kann anhand von Testgeräten festgestellt werden, die von einer Reihe von Firmen im Handel angeboten werden [Näheres bei 12]. Die Geräte prüfen automatisch die Dichtigkeit des Filters von der unreinen Seite her, so daß eine Verunreinigung der Sterilseite vermieden wird. Vom Arbeitsprinzip her gibt es zwischen den Geräten kaum Unterschiede: Filtrationssystem bzw. Filter werden mit einer geeigneten Flüssigkeit (meist Wasser) so benetzt, daß die Poren im Filtermedium vollständig gefüllt sind. Die unreine Seite wird über ein Ventil geschlossen und langsam mit einem Gasdruck beaufschlagt. Da das Gas ausschließlich durch die Membran diffundieren kann, kommt es nach Verdrängung der Flüssigkeit an der unreinen Seite zu einem Druckabfall. Dieser Druckabfall wird meßtechnisch erfaßt, registriert und ausgewertet.

Im Rahmen der Integritätstests wird hauptsächlich das Druckhaltevermögen der Filter überprüft. Mit in die Untersuchungen einbezogen wird meist auch noch das sog. Blasendruckverfahren (Bubble-Point-Test, B.-P.-Test).

Der B.-P.-Test basiert zum einen darauf, daß ein bestimmter Druck erforderlich ist, um das Gas durch den benetzten Filter zu drücken, zum anderen, daß zwischen diesem Druck und der vorhandenen Porenweite Proportionalität besteht. Durch kontinuierliche Steigerung des Gasdruckes wird schließlich eine Höhe erreicht, bei der die Flüssigkeit aus den sog. „größten Poren" (besser: größten Kavernen) herausgedrückt wird, und erste Gasblasen in Form einer Kette aus der Filteroberfläche in die vorgelegte Grenzflüssigkeit hineinperlen. Dieses Druckmaximum gilt als Blasendruckwert, oder B.-P.-Wert, und ist bei einer definierten Flüssigkeit charakteristisch für die vom Hersteller deklarierte mittlere Porenweite des jeweiligen Filtermediums. Anzumerken ist, daß üblicherweise kein Einzelwert sondern ein Druckbereich angegeben wird, da die Filter keine vollkommen homogene Porenverteilung aufweisen und auch bei engermaschigen Membranen durchaus noch einige größere Poren vorhanden sein können. Liegt der Druckbereich jedoch außerhalb der vom Hersteller festgelegten Grenzen, hat das Filtermedium u. U. eine von der Deklaration abweichende mittlere Porenweite oder aber möglicherweise Schädigungen an der Membran.

Beim Druckhaltetest wird der Filter langsam bis zu einem Druck beaufschlagt, der bei ca. 70–80% des B.-P.-Druckbereiches liegt. Dieser Druck wird über einen Zeitraum von wenigen Minuten beobachtet. Der entstehende Druckabfall wird gemessen und mit dem vorgegebenen Grenzwert verglichen. Wird das Limit überschritten, können eine Reihe von Gründen hierfür ausschlaggebend gewesen sein. Beispielsweise durch

- Undichtigkeiten im System aufgrund fehlerhafter Dichtung. Bei Scheibenfiltern kann die Dichtung für die Filterplatte defekt sein, was zwar in der Regel nicht zu einer Keimzunahme im Filtrat führt, aber durch Blasenbildung den Test stören kann. Bei Einsatz von Filterkerzen kann der für die Abdichtung verwendete O-Ring defekt sein, was u. U. zur Folge hat, daß die Lösung von der unreinen zur reinen Seite durchtreten kann. Oder

Monographien-Kommentar

- die Filtermembran ist nicht ausreichend benetzt oder weist Schädigungen auf, feststellbar durch Druckabfall und Gasdurchlaß. Oder
- die Kerzen haben u. U. Schwächen im Bereich der Klebe- und Schweißstellen zwischen Abschlußkappe und plissierter Membran, so daß bei hoher plötzlicher Druckbelastung Undichtigkeiten auftreten können.

Bei der Auswahl der Filterschichten stehen verschiedene Materialien zur Verfügung: Zellulosefasern, die zu Tiefenfilter mit Schichtdicken bis etwa 3–4 mm verpreßt werden und dabei ein dreidimensionales, unregelmäßig geformtes Netzwerk bilden mit Zwischenräumen, in denen die abzutrennenden Partikel praktisch irreversibel durch Adsorption, elektrostatische Kräfte und Prallabscheiden gebunden werden.

Celluloseacetat, -nitrat finden entweder alleine oder in Mischungen Anwendung bei der Herstellung von Membranfiltern mit Schichtdicken bis zu 300 µm. Weitere Materialien für Membranfilter sind Polyamid, auch Nylon 66. Letzteres ist z. B. als Ultipor® N_{66} im Handel und wird vom Hersteller als ein „geschäumtes polymeres Material" beschrieben. Der Vorteil der Filter aus diesem Material ist, daß sie im Gegensatz zu denen aus Celluloseestern in Gegenwart von Wärme (z. B. bei der Dampfsterilisation) kaum schrumpfen und damit die deklarierte Porenweite nahezu erhalten bleibt. Welches Material schließlich für den Filtrationsprozeß eingesetzt werden kann, hängt von den Wechselwirkungen zwischen den Inhaltsstoffen der Zubereitung und den Bestandteilen des Filtergewebes ab.

Je nachdem, ob die Filtergehäuse im Apothekenbereich oder im industriellen Rahmen eingesetzt werden sollen, differieren sie hinsichtlich ihrer Größe und Konstruktion. Unterschiede ergeben sich ferner, ob das Trennmedium für Scheibenmembranen oder Filterkerzen ausgelegt ist.

Für den Apothekenbetrieb eignen sich Filtrationsvorsätze mit Luer-Lock-Eingang zum Anschluß an eine Injektionsspritze als Filtersystem mit Scheibenmembran. Sie sind in unterschiedlichen Durchmessern und Filtrationskapazitäten als Einmalvorsatz aus Kunststoff oder für den Mehrfachgebrauch in Edelstahl erhältlich. Arbeitstechnisch rationeller sind Konstruktionen, die über einen Dreiwegehahn verfügen, über den die zu filtrierende Lösung angesaugt und nach Hahnumstellung durch das Filter in einen vorher sterilisierten Quarantänebehälter gedrückt werden. Ist die Menge an zu filtrierender Lösung größer, empfiehlt es sich, Filter mit einem Aufgußraum zu verwenden, der bis zu 2 l Flüssigkeit aufnehmen kann.

Im industriellen Rahmen werden in der Regel kontinuierlich arbeitende Filtrationssysteme mit Kerzenfiltern bevorzugt, deren Oberfläche wesentlich größer ist und damit eine höhere Durchflußleistung und längere Standzeiten zulassen.

Im Anschluß an den Filtrationsvorgang empfiehlt es sich, noch vor dem Abfüllprozeß das Aussehen und die Eigenschaften der Bupivacainhydrochlorid-Lösung 0,25% nach Pkt. 6.1 zu kontrollieren. Aus Sicherheitsgründen kann es ferner durchaus geboten sein, den Gehalt von Bupivacainhydrochlorid in der Bulk-Ware zu bestimmen, um im Falle signifikanter Abweichungen bereits vor der Abfüllung Korrekturmaßnahmen ergreifen zu können.

Das Arzneibuch fordert, Behältnisse für Parenteralia soweit wie möglich aus Materialien herzustellen, die genügend durchsichtig sind, um eine visuelle Prüfung des Inhaltes zu erlauben. Im Falle der Einzeldosisbehältnisse handelt es sich in der Regel um Ampullen aus Glas der Glasart I (Ph. Eur. 3.2.1). Glasart I, Borosilikatglas, verdankt seine Eigenschaft als „Neutralglas" seinen wesentlichen Anteilen an Bor- und Aluminiumoxid, die die

Monographien-Kommentar

Bupivacainhydrochlorid-Lösung 0,25 Prozent

Abgabe von Alkali aus der Oberfläche stark einschränken und dem Glas eine große Resistenz gegen Temperaturschocks verleihen.

Als Nachteil erweist sich allerdings die Bildung von Glassplittern während des Öffnens. Ein nahezu splitterfreies Öffnen erscheint unter folgenden Bedingungen möglich [8]:

- Erzeugung eines leichten Überdrucks in der eingeschmolzenen Ampulle, z. B. durch Verschließen bei niedriger Temperatur,
- Öffnen durch eine Kombination von ziehender und drehender Bewegung,
- Verwendung von Brechringampullen mit Sollbruchstelle: In der Einengung am Spieß wird ein Emailring oder -punkt heiß aufgebracht. Email hat einen unterschiedlichen Ausdehnungskoeffizienten, erzeugt damit im Glas eine Spannung und erleichtert damit das Abbrechen des Ampullenspießes. Der Handel liefert zudem sog. OPC-Ampullen (One Point Cut) mit vorgeritzter Sollbruchstelle im gleichen Bereich.

Die Ampullen werden maschinell nach dem Röhrenglas- oder Hüttenglasverfahren geformt. Nach DIN 56 377, Teil 1, sind sie genormt, wobei zwischen Spieß-, Trichter- und Aufbrennampullen unterschieden wird. Um während der Fertigung entstandene Glasspannungen abzubauen, die eine erhöhte Bruchanfälligkeit verursachen würde, werden die Leerampullen bei Temperaturen um 400 °C getempert und anschließend langsam und gleichmäßig abgekühlt.

Aufbrennampullen werden in geschlossenem Zustand angeliefert und erst unmittelbar vor der Füllung mit Hilfe einer Stichflamme aufgebrannt. Aufgrund der direkt nach der Herstellung erfolgten Hitzeeinwirkung sind diese Behältnisse im Inneren steril und pyrogenfrei, so daß sie ohne vorherige Reinigung befüllt und wieder verschlossen werden können. Spieß- und Trichterampullen sind dagegen im Leerzustand offen und müssen vor der Weiterverwendung sorgfältig gespült, getrocknet und sterilisiert werden. Die Reinigung erfolgt heute überwiegend nach dem Naßspritzverfahren, wobei für den letzten Spülgang Wasser für Injektionszwecke vorzusehen ist. Zur Dekontaminierung der Ampullen setzt man häufig kompakte Rundspritzautomaten ein, gelegentlich mit einem vorgeschalteten Ultraschallbad, um Partikel ≤ 2 µm sicher zu entfernen [Näheres hierzu bei 8, 11,12,13].

Unmittelbar nach der Filtration der Lösung schließt sich der Abfüll- und Schließprozeß an, üblicherweise unter Laminar Flow. Bei den Abfüllsystemen ist die Dosiergenauigkeit von entscheidender Bedeutung. Dosiert wird volumetrisch mit Hilfe von Kolbenpumpen. Sie können mit konventionellen Ansaug- und Auslaßventilen bestückt sein oder über eine sog. Drehkolben- bzw. Drehschiebersteuerung verfügen [12]. Die genaue Dosierung hängt nahezu ausschließlich von den mechanischen Randbedingungen ab: Von der Dichtigkeit des Kolbens im Zylinder und der Abdichtung durch die Steuerorgane.

Die füllgutführenden Teile der Abfüllanlage müssen gereinigt und sterilisiert werden. Moderne Systeme verfügen über die Möglichkeit, beides mit Hilfe des sog. CIP-(Cleaning In Place)-SIP-Verfahrens (Sterilization In Place) automatisch ohne Ausbau von Teilen inline durchzuführen. Dieses Verfahren eignet sich nur für Pumpen mit Drehkolben- oder Drehschiebereinrichtung, nicht für konventionell ausgerüstete aufgrund anderer Konstruktionsmerkmale.

Der Verschluß der Ampullen erfolgt durch Zuschmelzen oder Abziehen des oberen Teils des Ampullenspießes. Hierfür stehen je nach Chargengröße und Einrichtung einfache

Monographien-Kommentar

Handgeräte bis zu vollautomatisch arbeitenden, voll gekapselten Kompaktanlagen zur Verfügung, in denen mehrere Tausend Ampullen pro Stunde gespült, sterilisiert, gefüllt und verschlossen werden können.

Die Ampullen werden mit gesättigtem, gespannten Dampf gemäß der unter AB 5.1.1 beschriebenen Standardbedingungen mit Hilfe eines qualifizierten Autoklaven sterilisiert. Dazu wird der ordnungsgemäße Ablauf des validierten Verfahrens entsprechend überwacht und aufgezeichnet. Bei Verzicht auf den Einsatz der Standardmethode ist die Verwendung äquivalenter Verfahren, die eine andere Kombination von Temperatur und Zeit aufweisen, zulässig. Voraussetzung hierfür ist der Nachweis der Funktionstüchtigkeit des Autoklaven vor dessen Inbetriebnahme (Qualifizierung) und der Nachweis der Effektivität des angewandten Sterilisationsverfahrens (Validierung). Ferner darf die Ausgangskeimzahl (Bioburden) im Endbehältnis nicht größer sein als der bei der Validierung festgelegte Grenzwert. Darüber hinaus muß die Thermoresistenz der im Endbehältnis vorhandenen Mikroorganismen bekannt und insgesamt kleiner sein als die Zahl der bei der Validierung eingesetzten Testkeime.

Nach Abschluß der Sterilisation empfiehlt es sich, eine Prüfung auf Dichtigkeit vorzunehmen. Häufig angewendet wird das Blaubadverfahren. Es basiert auf einer Druckdifferenz zwischen Ampulleninnerem und und umgebender wäßriger Farbstofflösung (meist Methylenblau, 0,1%). Ist die Ampulle undicht, färbt sich der Inhalt an und der Defekt wird sichtbar. In praxi kann der Autoklav soweit mit der Farbstofflösung gefüllt werden, daß alle Ampullen untergetaucht sind. Zur Erzeugung der Druckdifferenz wird anschließend abwechselnd Druck und Vakuum angelegt. Bekannt ist, daß die Nachweisgrenze des Blaubads für Haarrisse weit mehr als Faktor 20 oberhalb der Schwelle für eine mikrobielle Kontamination liegt, die sich etwa bei 0,22 µm befindet. Blaubäder sollten daher steril sein. Die geforderte Prüfsicherheit ist mit ihnen nicht gegeben.

Undichte Ampullen lassen sich auch mit Geräten erfassen, die nach dem Prinzip der Hochfrequenz-Büschelentladung arbeiten. Nach Anlegen einer Hochfrequenzspannung an die Glasampullen fließt in Gegenwart eines Risses oder Loches (Pinehole) ein größerer Strom als bei intakten Behältnissen. Erkannt werden noch 0,5 µm kleine Risse und Löcher mit 0,85 µm Durchmesser [12].

Die Sichtprüfung auf ungelöste Verunreinigungen, die insbesondere durch Fasern, Glassplitter oder andere partikuläre Verunreinigungen hervorgerufen werden, kann nach der im AB unter 2.9.20 angegebenen Methode durchgeführt werden. Nichtsichtbare Partikel lassen sich nach 2.9.19 erfassen. Andere Geräte und Verfahren können ebenfalls eingesetzt werden, wenn sie zu ähnlichen Ergebnissen führen.

[1] Wilson, T.D.; Bupivacaine. In: Florey, K., Analytical Profiles of Drug Substances, Vol. 19, 59, Academic Press, Inc., San Diego, Boston, London, 1990.

[2] Trissel, L.A.; Bupivacaine Hydrochloride. In: Trissel's Stability of Compounded Formulations, 30, American Pharmaceutical Ass., Washington D.C., 1996.

[3] Bupivacain. In: Anästhetika V-3.6.2.2, 10. In: Kuemmerle, H.-P., Klinische Pharmakologie, 4.Aufl., Bd.6, ecomed verlagsgesellschaft mbH., Landsberg, München, 1990.

[4] Hoffmann, H.; Bupivacainhydrochlorid. In: Kommentar zum DAB 10, B 59, 2. Lfg. 1993.

[5] Bupivacainhydrochlorid Monohydrat. In: v. Bruchhausen, F.; Ebel, S.; Frahm, A.W.; Hackenthal, E., Stoffe A–D, 554. In: Hagers Handbuch der pharmazeutischen Praxis, Bd.7 Springer Verlag, Berlin, Heidelberg, New York, 1993.

[6] Wallhäuser, K.H., Pyrogene. In: Wallhäuser, K.H., Praxis der Sterilisation, Desinfektion, Konservierung, 5. Aufl., 663, Georg Thieme Verlag, Stuttgart, New York, 1995.

Bupivacainhydrochlorid-Lösung 0,25 Prozent

[7] Braun, R., Parenteralia. In: Braun, R., Standardzulassungen für Fertigarzneimittel, Kommentar, B 27, Deutscher Apotheker Verlag, Stuttgart, Govi-Verlag-Pharmazeutischer Verlag GmbH, Frankfurt, 1996.

[8] Dolder, R.; Luft, P., Parenteralia. In: Sucker, H., Fuchs, P., Speiser, P.: Pharmazeutische Technologie, 454, Georg Thieme Verlag, Stuttgart, New York, 1991.

[9] Manufacture of sterile medicinal products. Revision to the Annex I to the EU Guide to GMP, 1997.

[10] Wallhäuser, K. H., Validierung des geeigneten Filtrationssystems. In: Wallhäuser, K. H., Praxis der Sterilisation, Desinfektion, Konservierung, 5. Aufl., 353, Georg Thieme Verlag, Stuttgart, New York, 1995.

[11] Braun, R., Filtration von pharmazeutischen Produkten, die nicht im Endbehältnis sterilisiert werden können. In: Braun, R., Standardzulassungen für Fertigarzneimittel, Kommentar, B 39, Deutscher Apotheker Verlag, Stuttgart, Govi-Verlag-Pharmazeutischer Verlag GmbH, Frankfurt, 1996.

[12] Rössler, R., Parenteralia. In: Nürnberg, E., Surmann, P., Hagers Handbuch der pharmazeutischen Praxis, Bd. 2, Methoden, 758, Springer Verlag, Berlin, Heidelberg, New York, 1991.

[13] Voigt, R., Injektions- und Infusionszubereitungen. In: Voigt, R., Pharmazeutische Technologie für Studium und Beruf, 7. Aufl., 457, Ullstein Mosby GmbH & Co.KG, Berlin, 1993.

J. Ziegenmeyer

Bupivacainhydrochlorid-Lösungen 0,5 % und 0,75 %

1 **Bezeichnung des Fertigarzneimittels**

Bupivacainhydrochlorid-Lösung [1)]

2 **Darreichungsform**

Injektionslösung

3 **Zusammensetzung**

Bestandteile \ Wirkstoffkonzentration	0,5 %	0,75 %
Wirksamer Bestandteil:		
Bupivacainhydrochlorid 1 H_2O	0,528 g	0,792 g
Sonstige Bestandteile:		
Natriumchlorid	0,84 g	0,83 g
Wasser für Injektionszwecke	zu 100,0 ml	zu 100,0 ml

4 **Herstellungsvorschrift**

Die für die Herstellung einer Charge benötigten Mengen Bupivacainhydrochlorid 1 H_2O und Natriumchlorid werden in Wasser für Injektionszwecke gelöst. Die Lösung wird auf das erforderliche Volumen bzw. die erforderliche Masse aufgefüllt und durch ein Membranfilter von 0,2 µm nomineller Porengröße, falls erforderlich mit vorgeschaltetem Tiefenfilter, in die vorgesehenen Behältnisse filtriert. Die Sterilisation der abgefüllten Lösung erfolgt 15 Minuten lang bei 121 °C mit gesättigtem Wasserdampf.

[1)] Die Bezeichnung der Lösung setzt sich aus den Worten „Bupivacainhydrochlorid-Lösung", den arabischen Ziffern, die der jeweiligen Wirkstoffkonzentration zugeordnet sind und dem Zeichen „%" zusammen (z. B. „Bupivacainhydrochlorid-Lösung 0,5%").

2 Bupivacainhydrochlorid-Lösungen 0,5 % und 0,75 %

5 Inprozess-Kontrollen

Überprüfung:	0,5 %	0,75 %
der relativen Dichte (AB. 2.2.5)	1,002 bis 1,006	1,002 bis 1,006
oder		
des Brechungsindexes (AB. 2.2.6)	1,334 bis 1,336	1,334 bis 1,336
sowie		
des pH-Wertes (AB. 2.2.3)	4,0 bis 6,5	4,0 bis 6,5

6 Eigenschaften und Prüfungen

6.1 Aussehen, Eigenschaften

Klare, von Schwebestoffen praktisch freie, farblose, isotonische Lösung ohne wahrnehmbaren Geruch; pH-Wert (AB. 2.2.3) zwischen 4,0 und 6,5; relative Dichte (AB. 2.2.5) zwischen 1,002 und 1,006; Brechungsindex (AB. 2.2.6) zwischen 1,334 und 1,336.

6.2 Prüfung auf Identität

Die Prüfung erfolgt mit Hilfe der Dünnschichtchromatographie (AB. 2.2.27) unter Verwendung einer Schicht von Kieselgel G R.

Untersuchungslösung: Die Injektionslösung wird mit Methanol R zu einer Konzentration von 3 mg Bupivacainhydrochlorid 1 H_2O pro 1 ml verdünnt.

Referenzlösung: 3 mg eines als Standard geeigneten Bupivacainhydrochlorids 1 H_2O pro 1 ml Methanol R.

Auf die Platte werden getrennt 10 µl jeder Lösung aufgetragen. Die Chromatographie erfolgt mit einer Mischung von 17 Volumteilen Wasser, 17 Volumteilen Essigsäure 98 % R und 66 Volumteilen 1-Butanol R über eine Laufstrecke von 10 cm. Nach dem Trocknen der Platte an der Luft wird mit verdünntem Dragendorffs Reagenz R angesprüht. Im Chromatogramm der Untersuchungslösung tritt ein Fleck auf, der in Bezug auf seine Lage, Größe und Färbung annähernd dem Fleck im Chromatogramm der Referenzlösung entspricht.

6.3 Prüfung auf Reinheit

2,6-Dimethylanilin: höchstens 400 ppm.

Ein 30 mg wasserfreiem Bupivacainhydrochlorid entsprechendes Volumen Injektionslösung wird mit Methanol R zu 15 ml verdünnt. 2 ml der Lösung werden mit 1 ml einer frisch bereiteten Lösung von Dimethylaminobenzaldehyd R (10 g · l^{-1}) in Methanol R und 2 ml Essigsäure 96 % R versetzt. Nach 10 Minuten darf die Lösung nicht stärker gefärbt (AB. 2.2.2, Methode II) sein als eine gleichzeitig und in gleicher Weise hergestellte Referenzlösung, zu deren Herstellung 2 ml einer Lösung von 2,6-Dimethylanilin R (8 mg · l^{-1}) in Methanol R verwendet werden.

Prüfung auf Bakterien-Endoxine (AB. 2.6.14):

Die Endotoxinkonzentration darf höchstens betragen bei:

Bupivacainhydrochlorid-Lösung 0,5 %: 13,2 I.E./ml

Bupivacainhydrochlorid-Lösung 0,75 %: 19,80 I.E./ml.

6.4 Gehalt

93,0 bis 105,0 Prozent der deklarierten Menge an Bupivacainhydrochlorid 1 H_2O.

Die Bestimmung erfolgt mit Hilfe der UV-Vis-Spektroskopie (AB. 2.2.25).

Untersuchungslösung: Die Injektionslösung wird mit Salzsäure (0,1 mol · l^{-1}) zu einer Konzentration von 0,75 mg Bupivacainhydrochlorid 1 H_2O pro 1,0 ml verdünnt.

Die Absorption der Lösung wird im Maximum bei etwa 263 nm gegen Salzsäure (0,1 mol · l^{-1}) als Kompensationsflüssigkeit gemessen.

Die Berechnung des Gehalts erfolgt mit Hilfe der Absorption einer Referenzlösung eines als Standard geeigneten Bupivacainhydrochlorids 1 H_2O in Salzsäure (0,1 mol · l^{-1}) mit einer Konzentration von 0,75 mg pro 1,0 ml.

6.5 Haltbarkeit

Die Haltbarkeit in den Behältnissen nach 7 beträgt 3 Jahre.

7 **Behältnisse**

Ampullen

8 **Kennzeichnung**

Nach § 10 AMG, insbesondere:

8.1 Zulassungsnummern

Bupivacainhydrochlorid-Lösung 0,5 %: 2089.98.99

Bupivacainhydrochlorid-Lösung 0,75 %: 2089.97.99

8.2 Art der Anwendung

Zur epiduralen und perineuralen Injektion.

8.3 Hinweise

Verschreibungspflichtig.

Nur klare Lösungen in unversehrten Behältnissen verwenden.

pH-Wert: 4,0 bis 6,5.

9 **Packungsbeilage**

Nach § 11 AMG, insbesondere:

9.1 Stoff- oder Indikationsgruppe

Arzneimittel vom Säureamid-Typ zur örtlichen Betäubung mit Langzeitwirkung.

9.2 Anwendungsgebiete

Bupivacainhydrochlorid-Lösung 0,5 %:

Lokale und regionale Nervenblockade.

Bupivacainhydrochlorid-Lösung 0,75 %:

Regionale Nervenblockade im Epiduralraum.

9.3 Gegenanzeigen

<u>Wann darf Bupivacainhydrochlorid-Lösung 0,5 % nicht angewendet werden?</u>

Bupivacainhydrochlorid-Lösung 0,5 % darf nicht angewendet werden:

– bei bekannter Überempfindlichkeit gegen Lokalanästhetika vom Säureamid-Typ

– bei schweren Störungen des Herz-Reizleitungssystems

– bei akutem Versagen der Herzleistung

– zur Betäubung des Gebärmutterhalses in der Geburtshilfe (Parazervikalanästhesie).

Hinweis:

Die Durchführung der Spinalanästhesie bei Jugendlichen und Erwachsenen bis ca. 30 Jahren wird wegen der in diesen Altersgruppen häufig auftretenden postspinalen Kopfschmerzen nicht empfohlen.

Zusätzlich sind die speziellen Gegenanzeigen für die Spinal- und die Periduralanästhesie zu beachten, wie z. B.:

– nicht korrigierter Mangel an Blutvolumen

– erhebliche Störungen der Blutgerinnung

– erhöhter Hirndruck.

Zur Durchführung einer rückenmarksnahen Anästhesie unter den Bedingungen einer Blutgerinnungsprophylaxe siehe unter „Vorsichtsmaßnahmen".

<u>Wann darf Bupivacainhydrochlorid-Lösung 0,75 % nicht angewendet werden?</u>

Bupivacainhydrochlorid-Lösung 0,75 % darf nicht angewendet werden:

– bei bekannter Überempfindlichkeit gegen Lokalanästhetika vom Säureamid-Typ

– bei schweren Störungen des Herz-Reizleitungssystems

– bei akutem Versagen der Herzleistung.

Zusätzlich sind die speziellen Gegenanzeigen für die Periduralanästhesie zu beachten, wie z. B.:

– nicht korrigierter Mangel an Blutvolumen

– erhebliche Störungen der Blutgerinnung

– erhöhter Hirndruck.

Zur Durchführung einer rückenmarksnahen Anästhesie unter den Bedingungen einer Blutgerinnungsprophylaxe siehe unter „Vorsichtsmaßnahmen".

Wann darf Bupivacainhydrochlorid-Lösung 0,5 % bzw. 0,75 % nur mit besonderer Vorsicht angewendet werden?

Im Folgenden wird beschrieben, wann Bupivacainhydrochlorid-Lösung 0,5 % bzw. 0,75 % nur unter bestimmten Bedingungen und nur mit besonderer Vorsicht angewendet werden darf. Befragen Sie hierzu bitte Ihren Arzt. Dies gilt auch, wenn diese Angaben bei Ihnen früher einmal zutrafen.

Bupivacainhydrochlorid-Lösung 0,5 % bzw. 0,75 % darf nur mit besonderer Vorsicht angewendet werden:

– bei Nieren- oder Lebererkrankungen
– bei Gefäßverschlüssen
– bei Arteriosklerose (Gefäßverkalkung)
– bei Nervenschädigung durch Zuckerkrankheit
– zur Injektion in ein entzündetes (infiziertes) Gebiet.

Was muss in der Schwangerschaft und Stillzeit beachtet werden?

Die Anwendung von Bupivacainhydrochlorid-Lösung 0,5 % bzw. 0,75 % in der Frühschwangerschaft sollte nur unter strengster Nutzen-Risiko-Abschätzung erfolgen, da im Tierversuch fruchtschädigende Wirkungen beobachtet worden sind und mit einer Anwendung von Bupivacainhydrochlorid-Lösung 0,5 % bzw. 0,75 % am Menschen während der Frühschwangerschaft keine Erfahrungen vorliegen.

Nach geburtshilflicher Periduralanästhesie mit Bupivacainhydrochlorid-Lösung 0,5 % bzw. 0,75 % konnte bei fünf Frauen in einem Zeitraum von 2 bis 48 Stunden nach der Geburt kein Bupivacain in der Muttermilch nachgewiesen werden (Nachweisgrenze < 0,02 µg/ml, maximale maternale Serumspiegel von 0,45 ± 0,06 µg/ml).

Eine Periduralanästhesie mit Bupivacainhydrochlorid-Lösung 0,5 % bzw. 0,75 % unter der Geburt ist kontraindiziert, wenn massive Blutungen drohen oder bereits vorhanden sind (beispielsweise bei tiefer Implantation der Plazenta oder nach vorzeitiger Plazentalösung).

Was muss bei Kindern berücksichtigt werden?

Für Kinder sind die Dosierungen individuell unter Berücksichtigung von Gewicht und Alter zu berechnen.

Was muss bei älteren Menschen berücksichtigt werden?

Vornehmlich bei älteren Patienten kann ein plötzlicher arterieller Blutdruckabfall als Komplikation bei Periduralanästhesie mit Bupivacainhydrochlorid-Lösung 0,5 % bzw. 0,75 % auftreten.

9.4 Vorsichtsmaßnahmen für die Anwendung und Warnhinweise

Welche Vorsichtsmaßnahmen müssen beachtet werden?

Zur Vermeidung von Nebenwirkungen sollten folgende Punkte beachtet werden:

– bei Risikopatienten und bei Verwendung höherer Dosierungen (> 25 % der maximalen Einzeldosis bei einzeitiger Gabe) intravenösen Zugang für Infusion anlegen (Volumensubstitution)

- Dosierung so niedrig wie möglich wählen
- normalerweise keinen Vasokonstriktorzusatz verwenden
- korrekte Lagerung des Patienten beachten
- vor Injektion sorgfältig in zwei Ebenen aspirieren (Drehung der Kanüle)
- Vorsicht bei Injektion in infizierte Bereiche (wegen verstärkter Resorption bei herabgesetzter Wirksamkeit)
- Injektion langsam vornehmen
- Blutdruck, Puls und Pupillenweite kontrollieren
- allgemeine und spezielle Kontraindikationen sowie Wechselwirkungen mit anderen Mitteln beachten.

Vor der periduralen Injektion des Lokalanästhetikums ist darauf zu achten, dass das Instrumentarium zur Wiederbelebung (z.B. zur Freihaltung der Atemwege und zur Sauerstoffzufuhr) und die Notfallmedikation zur Therapie toxische Reaktionen sofort verfügbar sind.

Es ist zu beachten, dass unter Behandlung mit Blutgerinnungshemmern (Antikoagulanzien, wie z.B. Heparin), nichtsteroidalen Antirheumatika oder Plasmaersatzmitteln nicht nur eine versehentliche Gefäßverletzung im Rahmen der Schmerzbehandlung zu ernsthaften Blutungen führen kann, sondern dass allgemein mit einer erhöhten Blutungsneigung gerechnet werden muss. Gegebenenfalls sollten die Blutungszeit und die partielle Thromboplastinzeit (PTT), respektive aktivierte partielle Thromboplastinzeit (APTT) bestimmt, der Quick-Test durchgeführt und die Thrombozytenzahl überprüft werden. Diese Untersuchungen sollten bei Risikopatienten auch im Falle einer Low-dose-Heparinprophylaxe (vorsorgliche Behandlung mit dem Blutgerinnungshemmer Heparin in niedriger Dosis) vor der Anwendung von Bupivacainhydrochlorid-Lösung 0,5 % bzw. 0,75 % durchgeführt werden.

Eine Anästhesie bei gleichzeitiger Vorsorgetherapie zur Vermeidung von Thrombosen (Thromboseprophylaxe) mit niedermolekularem Heparin sollte nur mit besonderer Vorsicht durchgeführt werden.

Bei bestehender Behandlung mit nichtsteroidalen Antirheumatika (z.B. Acetylsalicylsäure) wird in den letzten fünf Tagen vor einer geplanten rückenmarksnahen Injektion eine Bestimmung der Blutungszeit als notwendig angesehen.

Was muss im Straßenverkehr sowie bei der Arbeit mit Maschinen und bei Arbeiten ohne sicheren Halt beachtet werden?

Bei Anwendung von Bupivacainhydrochlorid-Lösung 0,5 % bzw. 0,75 % muss vom Arzt im Einzelfall entschieden werden, ob der Patient aktiv am Straßenverkehr teilnehmen oder Maschinen bedienen darf.

9.5 Wechselwirkungen mit anderen Mitteln

Welche anderen Arzneimittel beeinflussen die Wirkung von Bupivacainhydrochlorid-Lösung 0,5 % bzw. 0,75 %?

Beachten Sie bitte, dass diese Angaben auch für vor kurzem angewandte Arzneimittel gelten können.

Die gleichzeitige Gabe gefäßverengender Arzneimittel führt zu einer längeren Wirkdauer von Bupivacainhydrochlorid-Lösung 0,5 % bzw. 0,75 %.

Bei gleichzeitiger Anwendung von Aprindin und Bupivacainhydrochlorid-Lösung 0,5 % bzw. 0,75 % ist eine Summation der Nebenwirkungen möglich. Aprindin hat aufgrund der chemischen Strukturähnlichkeit mit Lokalanästhetika ähnliche Nebenwirkungen.

Ein toxischer Synergismus wird für zentrale Analgetika und Narkotika, wie z.B. Ether, beschrieben.

Kombinationen verschiedener Lokalanästhetika rufen additive Wirkungen an kardiovaskulärem System und ZNS hervor.

<u>Welche anderen Arzneimittel werden in ihrer Wirkung durch Bupivacainhydrochlorid-Lösung 0,5 % bzw. 0,75 % beeinflusst?</u>

Die Wirkung nicht depolarisierender Muskelrelaxanzien wird durch Bupivacainhydrochlorid-Lösung 0,5 % bzw. 0,75 % verlängert.

9.6 Wichtigste Inkompatibilitäten

Bisher sind keine bekannt.

9.7 Dosierungsanleitung und Art der Anwendung

Die folgenden Angaben gelten, soweit Ihr Arzt Bupivacainhydrochlorid-Lösung 0,5 % bzw. 0,75 % nicht anders verordnet hat.

<u>Wie viel wird von Bupivacainhydrochlorid-Lösung 0,5 % angewendet? Wie oft wird die Lösung angewendet?</u>

Grundsätzlich gilt, dass nur die kleinste Dosis verabreicht werden darf, mit der die gewünschte ausreichende Anästhesie erzielt wird. Die Dosierung ist entsprechend den Besonderheiten des Einzelfalles vorzunehmen.

Die Angaben für die empfohlenen Dosen gelten für Jugendliche über 15 Jahre und Erwachsene mit einer durchschnittlichen Körpergröße bei einzeitiger Anwendung (1 ml Bupivacainhydrochlorid-Lösung 0,5 % enthält 5 mg Bupivacainhydrochlorid):

Brachialplexus-Blockade	15–30 ml
Intercostal-Blockade, pro Segment	3– 5 ml
Nervus cutan. femoris lateralis-Blockade	10–15 ml
Nervus femoralis-Bockade	5–10 ml
Nervus ischiadicus-Blockade	10–20 ml
Nervus mandibularis-Blockade	2– 5 ml
Nervus maxillaris-Blockade	2– 5 ml
Nervus phrenicus-Blockade	5 ml
Nervus suprascapularis-Blockade	3– 8 ml
Parazervikal-Blockade, pro Seite	5 ml
Paravertebral-Blockade	5– 8 ml

Periduralanästhesie, pro Segment	1 ml
Psoas-Kompartiment-Blockade	20–30 ml
Sakral-Blockade	15–20 ml
Spinalanästhesie	2– 3 ml
Trigeminus-Blockade	0,5– 4 ml
3-in-1-Block (Plexus lumbalis-Blockade)	10–30 ml

Die empfohlene Maximaldosis beträgt bei einzeitiger Anwendung bis zu 2 mg Bupivacainhydrochlorid/kg Körpermasse. Das bedeutet z. B. für einen 75 kg schweren Patienten eine Höchstgabe von 150 mg Bupivacainhydrochlorid, entsprechend 30 ml Bupivacainhydrochlorid-Lösung 0,5 %.

Bei Patienten mit reduziertem Allgemeinzustand müssen grundsätzlich kleinere Dosen angewendet werden (siehe maximale Dosis).

Bei Patienten mit bestimmten Vorerkrankungen (Gefäßverschlüssen, Arteriosklerose oder Nervenschädigungen bei Zuckerkrankheit) ist die Dosis ebenfalls um ein Drittel zu verringern.

Bei eingeschränkter Leber- oder Nierenfunktion können besonders bei wiederholter Anwendung erhöhte Plasmaspiegel auftreten. In diesen Fällen wird ebenfalls ein niedrigerer Dosisbereich empfohlen.

In der geburtshilflichen Periduralanästhesie ist wegen der veränderten anatomischen Verhältnisse eine Dosisreduktion um etwa ein Drittel erforderlich.

<u>Wie und wann wird Bupivacainhydrochlorid-Lösung 0,5 % angewendet?</u>

Zur Spinalanästhesie wird Bupivacainhydrochlorid-Lösung 0,5 % subdural appliziert, für andere rückenmarksnahe Leitungsanästhesien peridural injiziert. Zur Infiltrationsanästhesie wird Bupivacainhydrochlorid-Lösung 0,5 % in einem umschriebenen Bezirk in das Gewebe eingespritzt (Infiltration). Zur peripheren Leitungsanästhesie, Schmerztherapie und Sympathikusblockade wird Bupivacainhydrochlorid-Lösung 0,5 % in Abhängigkeit von den anatomischen Verhältnissen nach gezielter Punktion lokal appliziert.

Bupivacainhydrochlorid-Lösung 0,5 % sollte nur von Personen mit entsprechenden Kenntnissen zur erfolgreichen Durchführung der jeweiligen Anästhesieverfahren angewendet werden.

Grundsätzlich gilt, dass bei kontinuierlicher Anwendung niedrig konzentrierte Lösungen (z. B. 0,25 %) appliziert werden.

Die wiederholte Anwendung bezieht sich in erster Linie auf die Plexusanästhesie.

Zur Orientierung gilt:

Für die Katheter-Plexusanästhesie des Armes kann 12 Stunden nach der ersten Injektion der Maximaldosis (0,5 %ige Lösung) eine zweite Injektion von 30 ml Bupivacainhydrochlorid-Lösung 0,25 % und nach weiteren 10,5 Stunden eine dritte Injektion von 30 ml Bupivacainhydrochlorid-Lösung 0,25 % vorgenommen werden.

Eine wiederholte Anwendung dieses Arzneimittels kann aufgrund einer raschen Toleranzentwicklung gegenüber diesem Arzneimittel zu Wirkungseinbußen führen.

Die Injektionslösung ist nur zur einmaligen Entnahme vorgesehen. Die Anwendung muss unmittelbar nach Öffnung der Ampulle erfolgen. Nicht verbrauchte Reste sind zu verwerfen.

Wie viel wird von Bupivacainhydrochlorid-Lösung 0,75 % angewendet? Wie oft wird die Lösung angewendet?

1 ml Bupivacainhydrochlorid-Lösung 0,75 % enthält 7,5 mg Bupivacainhydrochlorid.

Periduralanästhesie, pro Segment

Thorakal: 0,8 – 0,9 ml

Lumbal: 0,4 – 1 ml

Die empfohlene Maximaldosis beträgt bei einzeitiger Anwendung bis zu 2 mg Bupivacainhydrochlorid/kg Körpermasse, im Allgemeinen 150 mg Bupivacainhydrochlorid, entsprechend 20 ml Bupivacainhydrochlorid-Lösung 0,75 %.

Bei Patienten mit reduziertem Allgemeinzustand müssen grundsätzlich kleinere Dosen angewendet werden (siehe maximale Dosis).

Bei Patienten mit bestimmten Vorerkrankungen (Gefäßverschlüssen, Arteriosklerose oder Nervenschädigung bei Zuckerkrankheit) ist die Dosis ebenfalls um ein Drittel zu verringern.

Bei eingeschränkter Leber- oder Nierenfunktion können besonders bei wiederholter Anwendung erhöhte Plasmaspiegel auftreten. In diesen Fällen wird ebenfalls ein niedrigerer Dosisbereich empfohlen.

In der geburtshilflichen Periduralanästhesie ist wegen der veränderten anatomischen Verhältnisse eine Dosisreduktion um etwa ein Drittel erforderlich.

Wie und wann wird Bupivacainhydrochlorid-Lösung 0,75 % angewendet?

Zur Periduralanästhesie wird Bupivacainhydrochlorid-Lösung 0,75 % in Abhängigkeit von den anatomischen Verhältnissen nach gezielter Punktion in den Epiduralraum injiziert.

Die Anwendung von Bupivacainhydrochlorid-Lösung 0,75 % erfordert eine kontinuierliche EKG-Überwachung. Nach Injektion ist eine auf mindestens 40 % erhöhte Sauerstoffkonzentration in der Einatmungsluft zu garantieren.

Bupivacainhydrochlorid-Lösung 0,75 % sollte nur von Personen mit entsprechenden Kenntnissen zur erfolgreichen Durchführung der jeweiligen Anästhesieverfahren angewendet werden.

Eine wiederholte Anwendung ist wegen der langen Wirkdauer von Bupivacainhydrochlorid-Lösung 0,75 % erst nach ca. 4 Stunden erforderlich. Wurde initial die maximale Dosis verabreicht, so ist eine zweite Injektion erst nach 12 Stunden indiziert. Zusätzliche Injektionen können intermittierend oder kontinuierlich durchgeführt werden.

Grundsätzlich gilt, dass bei kontinuierlicher Anwendung niedrig konzentrierte Lösungen (z. B. 0,25 %) appliziert werden.

Eine wiederholte Anwendung dieses Arzneimittels kann aufgrund einer raschen Toleranzentwicklung gegenüber diesem Arzneimittel zu Wirkungseinbußen führen.

Die Injektionslösung ist nur zur einmaligen Entnahme vorgesehen. Die Anwendung muss unmittelbar nach Öffnung der Ampulle erfolgen. Nicht verbrauchte Reste sind zu verwerfen.

9.8 Überdosierung und andere Anwendungsfehler

<u>Was ist zu tun, wenn Bupivacainhydrochlorid-Lösung 0,5 % bzw. 0,75 % versehentlich in zu großen Mengen oder in ungeeigneter Art und Weise angewendet wurde?</u>

Neurologische Symptome in Form von Ohrgeräuschen (Tinnitus) oder unwillkürlichen, wiederholten Augenbewegungen (Nystagmus) bis hin zu generalisierten Krämpfen können als Folge einer unbeabsichtigten intravenösen Applikation oder bei abnormen Resorptionsverhältnissen auftreten. Als kritische Schwellendosis wird eine Konzentration von 2,2–4 µg Bupivacain/ml Blutplasma angesehen.

Die Zeichen einer Überdosierung lassen sich zwei qualitativ unterschiedlichen Symptomenkomplexen zuordnen und unter Berücksichtigung der Intensität gliedern:

Zentralnervöse Symptome

leichte Intoxikation

Kribbeln in den Lippen und der Zunge, Taubheit im Mundbereich, Ohrensausen, metallischer Geschmack, Angst, Unruhe, Zittern, Muskelzuckungen, Erbrechen, Desorientiertheit.

mittelschwere Intoxikation

Sprachstörung, Benommenheit, Übelkeit, Erbrechen, Schwindel, Schläfrigkeit, Verwirrtheit, Zittern, choreiforme Bewegungen (bestimmte Form von Bewegungsunruhe), Krämpfe (tonisch-klonisch), weite Pupillenöffnung, beschleunigte Atmung.

schwere Intoxikation

Erbrechen (Erstickungsgefahr), Schließmuskellähmung, Muskeltonusverlust, Reaktions- und Bewegungslosigkeit (Stupor), irreguläre Atmung, Atemstillstand, Koma, Tod.

Kardiovaskuläre Symptome:

leichte Intoxikation

Herzklopfen, erhöhter Blutdruck, beschleunigte Herzrate, beschleunigte Atmung.

mittelschwere Intoxikation

beschleunigter Herzschlag, Herzrhythmusstörungen (Arrhythmie), Sauerstoffmangel, Blässe

schwere Intoxikation

starke Sauerstoffunterversorgung (schwere Zyanose), Herzrhythmusstörungen (verlangsamter Herzschlag, Blutdruckabfall, primäres Herzversagen, Kammerflimmern, Asystolie).

Es sind die folgenden Gegenmaßnahmen erforderlich:

- sofortige Unterbrechung der Zufuhr von Bupivacainhydrochlorid-Lösung 0,5% bzw. 0,75%
- Freihalten der Atemwege
- zusätzlich Sauerstoff zuführen; falls notwendig, mit reinem Sauerstoff assistiert oder kontrolliert beatmen (zunächst über Maske und mit Beatmungsbeutel, dann erst über einen Trachealtubus); die Sauerstofftherapie darf nicht bereits beim Abklingen der Symptome, sondern erst dann abgesetzt werden, wenn alle Vitalfunktionen zur Norm zurückgekehrt sind
- sorgfältige Kontrolle von Blutdruck, Puls und Pupillenweite.

Diese Maßnahmen gelten bei Bupivacainhydrochlorid-Lösung 0,5% auch für den Fall einer totalen Spinalanästhesie, deren erste Anzeichen Unruhe, Flüsterstimme und Schläfrigkeit sind; letztere kann in Bewusstlosigkeit und Atemstillstand übergehen.

Weitere mögliche Gegenmaßnahmen sind:

- bei einem akuten und bedrohlichen Blutdruckabfall sollte unverzüglich eine Flachlagerung des Patienten mit einer Hochlagerung der Beine erfolgen und ein Beta-Sympathikomimetikum langsam intravenös injiziert werden (z.B. 10–20 Tropfen einer Lösung von 1 mg Isoprenalin in 200 ml Glucose-Lösung 5%); zusätzlich ist eine Volumensubstitution vorzunehmen (z.B. mit kristalloiden Lösungen)
- bei erhöhtem Vagotonus (Bradykardie) wird Atropin (0,5–1,0 mg i.v.) verabreicht; bei Verdacht auf Herzstillstand sind die erforderlichen Maßnahmen durchzuführen.
- Konvulsionen werden mit kleinen, wiederholt verabreichten Dosen ultrakurz wirkender Barbiturate (z.B. Thiopental-Natrium 25–50 mg) oder mit Diazepam 5–10 mg i.v. behandelt; dabei werden die Dosen fraktioniert bis zum Zeitpunkt der sicheren Kontrolle verabreicht; grundsätzlich ist darauf hinzuweisen, dass in vielen Fällen bei Anzeichen von Krämpfen eine Sauerstoffbeatmung zur Behandlung ausreicht; bei anhaltenden Krämpfen werden Thiopental-Natrium (250 mg) und gegebenenfalls ein kurzwirksames Muskelrelaxans verabreicht, und nach Intubation wird mit 100% Sauerstoff beatmet; die Krampfschwellendosis kann beim Menschen individuell unterschiedlich sein; als Untergrenze werden 2,2 µg/ml Blutplasma angegeben.

Zentral wirkende Analeptika sind kontraindiziert bei Intoxikation durch Lokalanästhetika!

9.9 Nebenwirkungen

Welche Nebenwirkungen können bei der Anwendung von Bupivacainhydrochlorid-Lösung 0,5 % bzw. 0,75 % auftreten?

Die möglichen Nebenwirkungen nach Anwendung von Bupivacainhydrochlorid entsprechen weitgehend denen anderer Lokalanästhetika vom Säureamid-Typ. Unerwünschte, systemische Wirkungen, die bei Überschreiten eines Blutplasmaspiegels von 1,2–2 µg Bupivacain pro ml auftreten können, sind verursacht durch die Art der Anwendung, pharmakodynamisch oder pharmakokinetisch bedingt und betreffen das Zentralnervensystem und das Herz-Kreislauf-System.

Durch die Art der Anwendung verursacht sind Nebenwirkungen:

– infolge der Injektion zu großer Lösungsmengen

– durch unbeabsichtigte Injektion in ein Blutgefäß

– durch unbeabsichtigte Injektion in den Spinalkanal (intrathekal) bei vorgesehener Periduralanästhesie

– durch hohe Periduralanästhesie oder Spinalanästhesie in Form eines massiven Blutdruckabfalls (bei Bupivacainhydrochlorid-Lösung 0,5 %) bzw. durch hohe Periduralanästhesie in Form eines massiven Blutdruckabfalls (bei Bupivacainhydrochlorid-Lösung 0,75 %).

Pharmakodynamisch bedingte Nebenwirkungen:

In äußerst seltenen Fällen können allergische Reaktionen auftreten.

Nach einer Spinalanästhesie treten häufig Harnblasenfunktionsstörungen auf (bei Bupivacainhydrochlorid-Lösung 0,5 %).

Im Zusammenhang mit der Anwendung von Bupivacain während einer Epiduralanästhesie ist über einen Fall von maligner Hyperthermie berichtet worden.

Epidural angewendetes Bupivacain hemmt die Thrombozytenaggregation.

Pharmakokinetisch bedingte Nebenwirkungen:

Als mögliche Ursache für Nebenwirkungen müssen auch eventuelle abnorme Resorptionsverhältnisse oder Störungen beim Abbau in der Leber oder bei der Ausscheidung durch die Niere in Betracht gezogen werden.

Wenn Sie Nebenwirkungen bei sich beobachten, die nicht in dieser Packungsbeilage aufgeführt sind, teilen Sie diese bitte Ihrem Arzt oder Apotheker mit.

9.10 Hinweise

Nur klare Lösungen in unversehrten Behältnissen verwenden.

pH-Wert der Lösung: 4,0 bis 6,5.

10 **Fachinformation**

Nach § 11a AMG, insbesondere

10.1 Verschreibungsstatus/Apothekenpflicht

Verschreibungspflichtig.

10.2 Stoff- oder Indikationsgruppe

Lokalanästhetikum mit Langzeitwirkung vom Säureamid-Typ (Carbonsäureamid des Anilins).

10.3 Anwendungsgebiete

Bupivacainhydrochlorid-Lösung 0,5 %:

Lokale und regionale Nervenblockade.

Bupivacainhydrochlorid-Lösung 0,75 %:

Regionale Nervenblockade im Epiduralraum.

10.4 Gegenanzeigen

Bupivacainhydrochlorid-Lösung 0,5 %:

Die Anwendung von Bupivacainhydrochlorid-Lösung 0,5 % ist kontraindiziert:

– bei bekannter Überempfindlichkeit gegen Lokalanästhetika vom Säureamid-Typ

– bei schweren kardialen Überleitungsstörungen

– bei akut dekompensierter Herzinsuffizienz

– zur Parazervikalanästhesie in der Geburtshilfe.

Hinweis:

Die Durchführung der Spinalanästhesie bei Jugendlichen und Erwachsenen bis ca. 30 Jahren wird wegen der in diesen Altersgruppen häufig auftretenden postspinalen Kopfschmerzen nicht empfohlen.

Zusätzlich sind die speziellen Gegenanzeigen für die Spinal- und die Periduralanästhesie zu beachten, wie z. B.:

– nicht korrigierter Mangel an Blutvolumen

– erhebliche Störungen der Blutgerinnung

– erhöhter Hirndruck.

Zur Durchführung einer rückenmarksnahen Anästhesie unter den Bedingungen einer Blutgerinnungsprophylaxe siehe unter „Vorsichtsmaßnahmen".

Bupivacainhydrochlorid-Lösung 0,75 %:

Die Anwendung von Bupivacainhydrochlorid-Lösung 0,75 % ist kontraindiziert:

– bei bekannter Überempfindlichkeit gegen Lokalanästhetika vom Säureamid-Typ

– bei schweren kardialen Überleitungsstörungen

– bei akut dekompensierter Herzinsuffizienz.

Zusätzlich sind die speziellen Gegenanzeigen für Periduralanästhesie zu beachten, wie z. B.:

– nicht korrigierter Mangel an Blutvolumen

– erhebliche Störungen der Blutgerinnung

– erhöhter Hirndruck.

Zur Durchführung einer rückenmarksnahen Anästhesie unter den Bedingungen einer Blutgerinnungsprophylaxe siehe unter „Vorsichtsmaßnahmen".

Bupivacainhydrochlorid-Lösung 0,5 % bzw. 0,75 % darf nur mit besonderer Vorsicht angewendet werden:

– bei Nieren- oder Lebererkrankungen

– bei Gefäßverschlüssen

– bei Arteriosklerose

– bei diabetischer Neuropathie

– zur Injektion in ein infiziertes Gebiet.

Anwendung in Schwangerschaft und Stillzeit:

Die Anwendung von Bupivacainhydrochlorid-Lösung 0,5 % bzw. 0,75 % in der Frühschwangerschaft sollte nur unter strengster Nutzen-Risiko-Abschätzung erfolgen, da im Tierversuch fruchtschädigende Wirkungen beobachtet worden sind und mit einer Anwendung von Bupivacainhydrochlorid-Lösung 0,5 % bzw. 0,75 % am Menschen während der Frühschwangerschaft keine Erfahrungen vorliegen.

Nach geburtshilflicher Periduralanästhesie mit Bupivacainhydrochlorid-Lösung 0,5 % bzw. 0,75 % konnte bei fünf Frauen in einem Zeitraum von 2 bis 48 Stunden nach der Geburt kein Bupivacain in der Muttermilch nachgewiesen werden (Nachweisgrenze < 0,02 µg/ml; maximale maternale Serumspiegel von 0,45 ± 0,06 µg/ml).

Eine Periduralanästhesie mit Bupivacainhydrochlorid-Lösung 0,5 % bzw. 0,75 % ist unter der Geburt kontraindiziert, wenn massive Blutungen drohen oder bereits vorhanden sind (beispielsweise bei tiefer Implantation der Plazenta oder nach vorzeitiger Plazentalösung).

10.5 Nebenwirkungen

Die möglichen Nebenwirkungen nach Anwendung von Bupivacainhydrochlorid entsprechen weitgehend denen anderer Lokalanästhetika vom Säureamid-Typ. Unerwünschte, systemische Wirkungen, die bei Überschreiten eines Plasmaspiegels von 1,2–2 µg/ml auftreten können, sind methodisch, pharmakodynamisch oder pharmakokinetisch bedingt und betreffen das Zentralnervensystem und das kardiovaskuläre System.

Methodisch bedingt sind Nebenwirkungen:

– infolge der Injektion zu großer Volumina

– durch akzidentelle intravasale Injektion

– durch akzidentelle intrathekale Injektion bei vorgesehener Periduralanästhesie

– durch hohe Periduralanästhesie oder Spinalanästhesie in Form eines massiven Blutdruckabfalls (bei Bupivacainhydrochlorid-Lösung 0,5 %) bzw. durch hohe Periduralanästhesie in Form eines massiven Blutdruckabfalls (bei Bupivacainhydrochlorid-Lösung 0,75 %).

Pharmakodynamisch bedingte Nebenwirkungen:

In äußerst seltenen Fällen können allergische Reaktionen auftreten. Nach einer Spinalanästhesie treten häufig Harnblasenfunktionsstörungen auf (bei Bupivacainhydrochlorid-Lösung 0,5%). Im Zusammenhang mit der Anwendung von Bupivacain während einer Epiduralanästhesie ist über einen Fall von maligner Hyperthermie berichtet worden. Epidural angewendetes Bupivacain hemmt die Thrombozytenaggregation.

Pharmakokinetisch bedingte Nebenwirkungen:

Als mögliche Ursache für Nebenwirkungen müssen auch eventuelle abnorme Resorptionsverhältnisse oder Störungen beim Abbau in der Leber oder bei der Ausscheidung durch die Niere in Betracht gezogen werden.

10.6   Wechselwirkungen mit anderen Mitteln

Es ist zu beachten, dass diese Angaben auch für vor kurzem angewandte Arzneimittel gelten können.

Gleichzeitige Applikation von Vasokonstriktoren führt zu einer längeren Wirkdauer von Bupivacainhydrochlorid.

Bei gleichzeitiger Anwendung von Aprindin und Bupivacainhydrochlorid-Lösungen ist eine Summation der Nebenwirkungen möglich. Aprindin hat aufgrund der chemischen Strukturähnlichkeit mit Lokalanästhetika ähnliche Nebenwirkungen.

Ein toxischer Synergismus wird für zentrale Analgetika und Narkotika, wie z.B. Ether, beschrieben.

Kombinationen verschiedener Lokalanästhetika rufen additive Wirkungen am kardiovaskulären System und am ZNS hervor.

Die Wirkung nicht depolarisierender Muskelrelaxanzien wird durch Bupivacainhydrochlorid-Lösungen verlängert.

10.7   Warnhinweise und Vorsichtsmaßnahmen für die Anwendung

Zur Vermeidung von Nebenwirkungen sollten folgende Punkte beachtet werden:
- bei Risikopatienten und bei Verwendung höherer Dosierungen (> 25% der maximalen Einzeldosis bei einzeitiger Gabe) intravenösen Zugang für Infusion anlegen (Volumensubstitution)
- Dosierung so niedrig wie möglich wählen
- normalerweise keinen Vasokonstriktorzusatz verwenden
- korrekte Lagerung des Patienten beachten
- vor Injektion sorgfältig in zwei Ebenen aspirieren (Drehung der Kanüle)
- Vorsicht bei Injektion in infizierte Bereiche (wegen verstärkter Resorption bei herabgesetzter Wirksamkeit)
- Injektion langsam vornehmen
- Blutdruck, Puls und Pupillenweite kontrollieren
- allgemeine und spezielle Kontraindikationen und Wechselwirkungen mit anderen Mitteln beachten.

Vor der periduralen Injektion des Lokalanästhetikums ist darauf zu achten, dass das Instrumentarium zur Wiederbelebung (z.B. zur Freihaltung der Atemwege und zur Sauerstoffzufuhr) und die Nofallmedikation zur Therapie toxischer Reaktionen sofort verfügbar sind.

16   Bupivacainhydrochlorid-Lösungen 0,5 % und 0,75 %

Es ist zu beachten, dass unter Behandlung mit Antikoagulanzien (wie z.B. Heparin), nichtsteroidalen Antirheumatika oder Plasmaersatzmitteln nicht nur eine versehentliche Gefäßverletzung im Rahmen der Schmerzbehandlung zu ernsthaften Blutungen führen kann, sondern dass allgemein mit einer erhöhten Blutungsneigung gerechnet werden muss. Gegebenenfalls sollte die Blutungszeit und die partielle Thromboplastinzeit (PTT), respektive aktivierte partielle Thromboplastinzeit (APTT) bestimmt, der Quick-Test durchgeführt und die Thombozytenzahl überprüft werden. Diese Untersuchungen sollten bei Risikopatienten auch im Falle einer Low-dose-Heparinprophylaxe vor der Anwendung von Bupivacainhydrochlorid-Lösungen durchgeführt werden. Eine Anästhesie bei gleichzeitiger Thromboseprophylaxe mit niedermolekularem Heparin sollte nur mit besonderer Vorsicht durchgeführt werden.

Bei bestehender Behandlung mit nichtsteroidalen Antirheumatika (z.B. Acetylsalicylsäure) wird in den letzten fünf Tagen vor einer geplanten rückenmarksnahen Injektion eine Bestimmung der Blutungszeit als notwendig angesehen.

Bei Anwendung von Bupivacainhydrochlorid-Lösungen muss vom Arzt im Einzelfall entschieden werden, ob der Patient aktiv am Straßenverkehr teilnehmen oder Maschinen bedienen darf.

10.8 Wichtigste Inkompatibilitäten

Bisher sind keine bekannt.

10.9 Dosierung mit Einzel- und Tagesgaben

Grundsätzlich gilt, dass nur die kleinste Dosis Bupivacainhydrochlorid-Lösung 0,5 % bzw. 0,75 % verabreicht werden darf, mit der die gewünschte ausreichende Anästhesie erzielt wird. Die Dosierung ist entsprechend den Besonderheiten des Einzelfalls vorzunehmen.

Bupivacainhydrochlorid-Lösung 0,5 %:

Es gelten folgende Dosierungsrichtlinien:

Die Angaben für die empfohlenen Dosen gelten für Jugendliche über 15 Jahre und Erwachsene mit einer durchschnittlichen Körpergröße bei einzeitiger Anwendung (1 ml Bupivacainhydrochlorid-Lösung 0,5 % enthält 5 mg Bupivacainhydrochlorid):

Brachialplexus-Blockade	15–30 ml
Intercostal-Blockade, pro Segment	3– 5 ml
Nervus cutan. femoris lateralis-Blockade	10–15 ml
Nervus femoralis-Blockade	5–10 ml
Nervus ischiadicus-Blockade	10–20 ml
Nervus mandibularis-Blockade	2– 5 ml
Nervus maxillaris-Blockade	2– 5 ml
Nervus phrenicus-Blockade	5 ml
Nervus suprascapularis-Blockade	3– 8 ml
Parazervikal-Blockade, pro Seite	5 ml

Paravertebral-Blockade	5– 8 ml
Periduralanästhesie, pro Segment	1 ml
Psoas-Kompartiment-Blockade	20–30 ml
Sakral-Blockade	15–20 ml
Spinalanästhesie	2– 3 ml
Trigeminus-Blockade	0,5– 4 ml
3-in-1-Block (Plexus lumbalis-Blockade)	10–30 ml

Die empfohlene Maximaldosis beträgt bei einzeitiger Anwendung bis zu 2 mg Bupivacainhydrochlorid/kg Körpermasse. Das bedeutet z.B. für einen 75 kg schweren Patienten eine Höchstgabe von 150 mg Bupivacainhydrochlorid, entsprechend 30 ml Bupivacainhydrochlorid-Lösung 0,5 %.

Bei Patienten mit reduziertem Allgemeinzustand müssen grundsätzlich kleinere Dosen angewendet werden (siehe maximale Dosis).

Bei Patienten mit obliterativer Gefäßerkrankung, Arteriosklerose oder diabetischer Neuropathie ist die Dosis ebenfalls um ein Drittel zu verringern.

Bei eingeschränkter Leber- oder Nierenfunktion können besonders bei wiederholter Anwendung erhöhte Plasmaspiegel auftreten. In diesen Fällen wird ebenfalls ein niedrigerer Dosisbereich empfohlen.

In der geburtshilflichen Periduralanästhesie ist wegen der veränderten anatomischen Verhältnisse eine Dosisreduktion um etwa ein Drittel erforderlich.

Bupivacainhydrochlorid 0,75 %:

Es gelten folgende Dosierungsrichtlinien:

Die Angaben für die empfohlenen Dosen gelten für Jugendliche über 15 Jahre und Erwachsene mit einer durchschnittlichen Körpergröße bei einzeitiger Anwendung.

1 ml Bupivacainhydrochlorid-Lösung 0,75 % enthält 7,5 mg Bupivacainhydrochlorid.

Periduralanästhesie, pro Segment:

Thorakal: 0,8–0,9 ml

Lumbal: 0,4–1 ml

Die empfohlene Maximaldosis bei einzeitiger Anwendung beträgt bis zu 2 mg Bupivacainhydrochlorid/kg Körpermasse, im Allgemeinen 150 mg Bupivacainhydrochlorid, entsprechend 20 ml Bupivacainhydrochlorid-Lösung 0,75 %.

Bei Patienten mit reduziertem Allgemeinzustand müssen grundsätzlich kleinere Dosen angewendet werden (siehe maximale Dosis).

Bei Patienten mit obliterativer Gefäßerkrankung, Arteriosklerose oder diabetischer Neuropathie ist die Dosis ebenfalls um ein Drittel zu verringern.

Bei eingeschränkter Leber- oder Nierenfunktion können besonders bei wiederholter Anwendung erhöhte Plasmaspiegel auftreten. In diesen Fällen wird ebenfalls ein niedrigerer Dosisbereich empfohlen.

In der geburtshilflichen Periduralanästhesie ist wegen der veränderten anatomischen Verhältnisse eine Dosisreduktion um etwa ein Drittel erforderlich.

10.10 Art der Anwendung

Bupivacainhydrochlorid-Lösung 0,5 %:

Zur Spinalanästhesie wird Bupivacainhydrochlorid-Lösung 0,5 % subdural appliziert, für andere rückenmarksnahe Leitungsanästhesien peridural injiziert. Zur Infiltrationsanästhesie wird Bupivacainhydrochlorid-Lösung 0,5 % in einem umschriebenen Bezirk in das Gewebe eingespritzt (Infiltration). Zur peripheren Leitungsanästhesie, Schmerztherapie und Sympathikusblockade wird Bupivacainhydrochlorid-Lösung 0,5 % in Abhängigkeit von den anatomischen Verhältnissen nach gezielter Punktion lokal appliziert.

Bupivacainhydrochlorid-Lösung 0,5 % sollte nur von Personen mit entsprechenden Kenntnissen zur erfolgreichen Durchführung der jeweiligen Anästhesieverfahren angewendet werden.

Grundsätzlich gilt, dass bei kontinuierlicher Anwendung niedrig konzentrierte Lösungen (z. B. 0,25 %) appliziert werden.

Die wiederholte Anwendung bezieht sich in erster Linie auf die Plexusanästhesie. Zur Orientierung gilt:

Für die Katheter-Plexusanästhesie des Armes kann 12 Stunden nach der ersten Injektion der Maximaldosis (0,5 %ige Lösung) eine zweite Injektion von 30 ml Bupivacainhydrochlorid-Lösung 0,25 % und nach weiteren 10,5 Stunden eine dritte Injektion von 30 ml Bupivacainhydrochlorid-Lösung 0,25 % vorgenommen werden.

Eine wiederholte Anwendung dieses Arzneimittels kann aufgrund einer Tachyphylaxie zu Wirkungseinbußen führen.

Die Injektionslösung ist nur zur einmaligen Entnahme vorgesehen. Die Anwendung muss unmittelbar nach Öffnung der Ampulle erfolgen. Nicht verbrauchte Reste sind zu verwerfen.

Bupivacainhydrochlorid-Lösung 0,75 %:

Zur Periduralanästhesie wird Bupivacainhydrochlorid-Lösung 0,75 % in Abhängigkeit von den anatomischen Verhältnissen nach gezielter Punktion in den Epiduralraum injiziert.

Die Anwendung von Bupivacainhydrochlorid-Lösung 0,75 % erfordert eine kontinuierliche EKG-Überwachung. Nach Injektion ist eine auf mindestens 40 % erhöhte Sauerstoffkonzentration in der Einatmungsluft zu garantieren.

Bupivacainhydrochlorid-Lösung 0,75 % sollte nur von Personen mit entsprechenden Kenntnissen zur erfolgreichen Durchführung der jeweiligen Anästhesieverfahren angewendet werden.

Eine wiederholte Anwendung ist wegen der langen Wirkdauer von Bupivacainhydrochlorid erst nach ca. 4 Stunden erforderlich. Wurde initial die maximale Dosis verabreicht, so ist eine zweite Injektion erst nach 12 Stunden indiziert. Zusätzliche Injektionen können intermittierend oder kontinuierlich durchgeführt werden.

Grundsätzlich gilt, dass bei kontinuierlicher Anwendung niedrig konzentrierte Lösungen (z. B. 0,25 %) appliziert werden.

Eine wiederholte Anwendung dieses Arzneimittels kann aufgrund einer Tachyphylaxie zu Wirkungseinbußen führen.

Die Injektionslösung ist nur zur einmaligen Entnahme vorgesehen. Die Anwendung muss unmittelbar nach Öffnung der Ampulle erfolgen. Nicht verbrauchte Reste sind zu verwerfen.

10.11 Notfallmaßnahmen, Symptome und Gegenmittel

Neurologische Symptome in Form von Tinnitus oder unwillkürlichen, wiederholten Augenbewegungen (Nystagmus) bis hin zu generalisierten Krämpfen können als Folge einer unbeabsichtigten intravenösen Applikation oder bei abnormen Resorptionsverhältnissen auftreten. Als kritische Schwellendosis wird eine Konzentration von 2,2 – 4 µg Bupivacain pro ml Blutplasma angesehen.

Die Zeichen einer Überdosierug lassen sich zwei qualitativ unterschiedlichen Symptomenkomplexen zuordnen und unter Berücksichtigung der Intensität gliedern:

Zentralnervöse Symptome:

leichte Intoxikation

Kribbeln in den Lippen und der Zunge, Taubheit im Mundbereich, Ohrensausen, metallischer Geschmack, Angst, Unruhe, Zittern, Muskelzuckungen, Erbrechen, Desorientiertheit

mittelschwere Intoxikation

Sprachstörung, Benommenheit, Übelkeit, Erbrechen, Schwindel, Schläfrigkeit, Verwirrtheit, Zittern, choreiforme Bewegungen (bestimmte Form von Bewegungsunruhe), Krämpfe (tonisch-klonisch), weite Pupillenöffnung, beschleunigte Atmung

schwere Intoxikation

Erbrechen (Erstickungsgefahr), Schließmuskellähmung, Muskeltonusverlust, Reaktions- und Bewegungslosigkeit (Stupor), irreguläre Atmung, Atemstillstand, Koma, Tod.

Kardiovaskuläre Symptome:

leichte Intoxikation

Herzklopfen, erhöhter Blutdruck, beschleunigte Herzrate, beschleunigte Atmung

mittelschwere Intoxikation

beschleunigter Herzschlag, Herzrhythmusstörungen (Arrhythmie), Sauerstoffmangel, Blässe

schwere Intoxikation

starke Sauerstoffunterversorgung (schwere Zyanose), Herzrhythmusstörungen (verlangsamter Herzschlag, Blutdruckabfall, primäres Herzversagen, Kammerflimmern, Asystolie).

Es sind folgende Gegenmaßnahmen erforderlich:

– sofortige Unterbrechung der Zufuhr von Bupivacainhydrochlorid-Lösung

– Freihalten der Atemwege

– zusätzlich Sauerstoff zuführen; falls notwendig, mit reinem Sauerstoff assistiert oder kontrolliert beatmen (zunächst über Maske und mit Beatmungsbeutel, dann erst über einen Trachealtubus); die Sauerstofftherapie darf nicht bereits beim Abklingen der Symptome, sondern erst dann abgesetzt werden, wenn alle Vitalfunktionen zur Norm zurückgekehrt sind

– sorgfältige Kontrolle von Blutdruck, Puls und Pupillenweite.

Diese Maßnahmen gelten bei Bupivacainhydrochlorid-Lösung 0,5 % auch für den Fall einer totalen Spinalanästhesie, deren ersten Anzeichen Unruhe, Flüsterstimme und Schläfrigkeit sind; letztere kann in Bewusstlosigkeit und Atemstillstand übergehen.

Weitere mögliche Gegenmaßnahmen sind:

– bei einem akuten und bedrohlichen Blutdruckabfall sollte unverzüglich eine Flachlagerung des Patienten mit einer Hochlagerung der Beine erfolgen und ein Beta-Sympathikomimetikum langsam intravenös injiziert werden (z.B. 10–20 Tropfen einer Lösung von 1 mg Isoprenalin in 200 ml Glucose-Lösung 5 %); zusätzlich ist eine Volumensubstitution vorzunehmen (z.B. mit kristalloiden Lösungen)

– bei erhöhtem Vagotonus (Bradykardie) wird Atropin (0,5–1,0 mg i.v.) verabreicht; bei Verdacht auf Herzstillstand sind die erforderlichen Maßnahmen durchzuführen

– Konvulsionen werden mit kleinen, wiederholt verabreichten Dosen ultrakurz wirkender Barbiturate (z.B. Thiopental-Natrium 25–50 mg) oder mit Diazepam 5–10 mg i.v. behandelt; dabei werden die Dosen fraktioniert bis zum Zeitpunkt der sicheren Kontrolle verabreicht; grundsätzlich ist darauf hinzuweisen, dass in vielen Fällen bei Anzeichen von Krämpfen eine Sauerstoffbeatmung zur Behandlung ausreicht; bei anhaltenden Krämpfen werden Thiopental-Natrium (250 mg) und gegebenenfalls ein kurzwirksames Muskelrelaxans verabreicht, und nach Intubation wird mit 100 % Sauerstoff beatmet; die Krampfschwellendosis kann beim Menschen individuell unterschiedlich sein; als Untergrenze werden 2,2 µg/ml Blutplasma angegeben.

Zentral wirkende Analeptika sind kontraindiziert bei Intoxikation durch Lokalanästhetika!

10.12 Pharmakologische und toxikologische Eigenschaften, Pharmakokinetik, Bioverfügbarkeit, soweit diese Angaben für die therapeutische Verwendung erforderlich sind

10.12.1 Pharmakologische Eigenschaften

Bupivacainhydrochlorid ist ein Lokalanästhetikum vom Säureamid-Typ mit raschem Wirkungseintritt und lang anhaltender reversibler Blockade vegetativer, sensorischer und motorischer Nervenfasern sowie der Erregungsleitung des Herzens. Es wird angenommen, dass die Wirkung durch Abdichten der Na^+-Kanäle in der Nervenmembran verursacht wird. Bupivacainhydrochlorid-Injektionslösung hat einen pH von 4,0–6,5 und einen pK_a-Wert von 8,1. Das Verhältnis von dissoziierter Form zu der lipidlöslichen Base wird durch den im Gewebe vorliegenden pH-Wert bestimmt. Der Wirkstoff diffundiert zunächst durch die Nervenmembran zum Nerven in seiner basischen Form, wirkt aber als Bupivacain-Kation erst nach Reprotonierung. Bei niedrigen pH-Werten, z. B. im entzündlich veränderten Gewebe, liegen nur geringe Anteile in der basischen Form vor, sodass keine ausreichende Anästhesie zustande kommen kann. Bupivacainhydrochlorid wirkt negativ chromotrop und negativ dromotrop. Die motorische Blockade bleibt nicht länger bestehen als die Analgesie.

10.12.2 Toxikologische Eigenschaften

a) Akute Toxizität

Systemtoxizität:

Die Prüfung der akuten Toxizität von Bupivacain im Tierversuch ergab bei der Maus eine LD_{50} (i. v.) zwischen 6,4 und 10,4 mg/kg Körpermasse. Bei der Ratte liegen die Werte zwischen 5,6 und 6,0 mg/kg Körpermasse. Der Abstand zur therapeutischen Dosis (2 mg/kg Körpermasse) ist damit relativ gering.

Toxische ZNS-Reaktionen wurden bereits bei 2,2 µg Bupivacain/ml beobachtet. Bei kontinuierlicher Infusion lagen die gemessenen Plasmaspiegel über 4 µg Bupivacain/ml.

Lokale Toxizität:

Die Prüfung der lokalen Toxizität von Bupivacain hat bei verschiedenen Tierspezies eine reversible Gewebetoxizität ergeben.

b) Chronische Toxizität/Subchronische Toxizität

Untersuchungen zur subchronischen Toxizität bei lokaler Applikation von Bupivacain beim Tier (Ratte) ergaben muskuläre Faseratrophien. Eine komplette Regeneration der Kontraktilität wurde jedoch beobachtet. Untersuchungen zur chronischen Toxizität liegen nicht vor.

c) Mutagenes und tumorerzeugendes Potenzial

Eine ausreichende Mutagenitätsprüfung von Bupivacain liegt nicht vor. Eine vorläufige Untersuchung an Lymphozyten von Patienten, die mit Bupivacain behandelt wurden, verlief negativ.

Langzeituntersuchungen zum tumorerzeugenden Potenzial von Bupivacain wurden nicht durchgeführt.

d) Reproduktionstoxizität

Bupivacain passiert die Plazenta mittels einfacher Diffusion und erreicht auch im Feten pharmakologisch wirksame Konzentrationen. Kontrollierte Studien über mögliche Effekte von Bupivacain auf den Embryo/Fetus während einer Exposition von Frauen in der Schwangerschaft liegen nicht vor.

Im Tierversuch sind bei Dosierungen, die dem fünf- bzw. neunfachen der Humandosis entsprachen bzw. einer Gesamtdosis von 400 mg, eine verminderte Überlebensrate der Nachkommen exponierter Ratten sowie embryoletale Effekte beim Kaninchen nachgewiesen worden. Eine Studie an Rhesusaffen ergab Hinweise auf eine veränderte postnatale Verhaltensentwicklung nach Bupivacain-Exposition zum Geburtszeitpunkt.

Hinweise:

Nach Gabe von Bupivacainhydrochlorid-Lösung 0,5 % bzw. 0,75 % unter der Geburt kann es zu neurophysiologischen Beeinträchtigungen des Neugeborenen kommen.

Im Zusammenhang mit einer Anwendung bei der Paracervikalblockade ist von fetalen Bradykardien und Todesfällen berichtet worden.

10.12.3 Pharmakokinetik

Bupivacainhydrochlorid ist sehr lipophil (im Vergleich zu Mepivacain oder Lidocain) und hat einen pK_a-Wert von 8,1. Es wird in hohem Maße an Plasmaproteine gebunden (92 % bis 96 %). Die Plasma-Halbwertszeit bei Erwachsenen beträgt 1,5 bis 5,5 Stunden; die Plasma-Clearance 0,58 l/min. Nach Metabolisierung in der Leber, vorwiegend durch Hydrolysierung, werden die Stoffwechselprodukte (Säurekonjugate) renal ausgeschieden. Nur 5 bis 6 % werden unverändert eliminiert.

10.13 Sonstige Hinweise

Anwendung in Schwangerschaft und Stillzeit:

Siehe „Gegenanzeigen".

Anwendung bei älteren Menschen:

Vornehmlich bei älteren Patienten kann eine plötzliche arterielle Hypotension als Komplikation bei Periduralanästhesie mit Bupivacainhydrochlorid-Lösung auftreten.

Anwendung bei Kindern:

Für Kinder sind die Dosierungen individuell unter Berücksichtigung von Alter und Gewicht zu berechnen.

10.14 Besondere Lager- und Aufbewahrungshinweise

Keine.

0,5 M-Calciumchlorid-Lösung

1 **Bezeichnung des Fertigarzneimittels**

0,5 M-Calciumchlorid-Lösung

2 **Darreichungsform**

Infusionslösungskonzentrat

3 **Zusammensetzung**

Wirksamer Bestandteil:

Calciumchlorid $2\,H_2O$ 73,5 g

Sonstiger Bestandteil:

Wasser für Injektionszwecke   zu 1000,0 ml

Molare Konzentration:

1 ml enthält: 0,5 mmol Ca^{++}

                      1 mmol Cl^-

4 **Herstellungsvorschrift**

Die für die Herstellung einer Charge benötigte Menge Calciumchlorid $2\,H_2O$ wird in Wasser für Injektionszwecke gelöst. Die Lösung wird auf das erforderliche Volumen bzw. auf die erforderliche Masse aufgefüllt und durch ein Membranfilter von ca. 0,22 µm nomineller Porengröße, falls erforderlich mit vorgeschaltetem Tiefenfilter, in die vorgesehenen Behältnisse filtriert. Die Sterilisation der abgefüllten Lösung erfolgt 15 Minuten lang bei 121 °C mit gesättigtem Wasserdampf.

5 **Inprozess-Kontrollen**

Überprüfung

– der relativen Dichte (AB. V. 6.4): 1,042 bis 1,047

oder

– des Brechungsindexes (AB. V. 6.5): 1,344 bis 1,347

sowie

– des pH-Wertes (AB. V. 6.3.1): 5,0 bis 7,0.

6 **Eigenschaften und Prüfungen**

6.1 Aussehen, Eigenschaften

Klare, von Schwebstoffen praktisch freie, farblose bis höchstens schwach gelbliche Lösung ohne wahrnehmbaren Geruch; pH-Wert (AB. V. 6.3.1) zwischen 5,0 und 7,0.

2   0,5 M-Calciumchlorid-Lösung

6.2 Prüfung auf Identität

1. Die Lösung entspricht der Identitätsreaktion a) auf Calcium (AB. V. 3.1.1).
2. Die Lösung entspricht der Identitätsreaktion a) auf Chlorid (AB. V. 3.1.1.1).

6.3 Prüfung auf Reinheit

Prüfung auf Bakterien-Endotoxine (AB. V. 2.1.9):

Die Endotoxinkonzentration darf höchstens 14,7 I.E./ml betragen.

6.4 Gehalt

95,0 bis 105,0 Prozent der deklarierten Menge an Calciumchlorid $2H_2O$.

Bestimmung:

5,0 ml werden mit Wasser zu 50 ml verdünnt. Das Calcium wird nach „Komplexometrische Titration" (AB. V. 3.5.4) bestimmt.

1 ml 0,1 M-Natriumedetat-Lösung entspricht 14,70 mg $CaCl_2$ $2H_2O$.

6.5 Haltbarkeit

Die Haltbarkeit in den Behältnissen nach 7 beträgt 3 Jahre.

7   Behältnisse

Glasbehältnisse nach AB. VI. 2.1, ggf. verschlossen mit Gummistopfen nach AB. VI. 2.3.

8   Kennzeichnung

Nach §10 AMG, insbesondere:

8.1 Zulassungsnummer

1769.99.99

8.2 Art der Anwendung

Zur intravenösen Infusion nach Zusatz zu Infusionslösungen.

8.3 Hinweise

Apothekenpflichtig.

Nur klare Lösungen in unversehrten Behältnissen verwenden.

Nicht unverdünnt anwenden.

Theoretische Osmolarität: 1500 mOsm/l.

pH-Wert: 5,0 bis 7,0.

Molare Konzentration:

1 ml enthält: 0,5 mmol Ca^{++}

                  1 mmol Cl^-

9   Packungsbeilage

Nach § 11 AMG, insbesondere:

9.1 Stoff- oder Indikationsgruppe

Elektrolytkonzentrat.

9.2 Anwendungsgebiete

Calciummangelzustände, insbesondere bei hypochlorämischer alkalotischer Stoffwechsellage.

9.3 Gegenanzeigen

Erhöhter Calcium- oder Chloridgehalt des Blutes (Hyperkalzämie oder Hyperchlorämie); Azidosen; schwere Niereninsuffizienz; erhöhte Ausscheidung von Calcium im Urin (Hyperkalzurie); Ablagerung von Calciumsalzen in der Niere (Nephrokalzinose).

Vorsicht ist geboten bei Patienten, die mit Digitalis-Glykosiden behandelt werden.

Anwendung in der Schwangerschaft und Stillzeit:

Gegen eine Anwendung in der Schwangerschaft und Stillzeit bestehen bei entsprechender Indikation keine Bedenken.

9.4 Vorsichtsmaßnahmen für die Anwendung

Kontrollen des Serumionogramms und des Säuren-Basen-Haushalts sind erforderlich.

Aufgrund der gewebereizenden Wirkung von Calciumchlorid ist auf eine intravenöse Anwendung zu achten.

Langsam infundieren, um ein eventuelles Auftreten von Hitzegefühl, Übelkeit, Erbrechen und Blutdruckabfall bis hin zur Bewusstlosigkeit sowie Herzrhythmusstörungen zu vermeiden.

9.5 Wechselwirkungen mit anderen Mitteln

0,5 M-Calciumchlorid-Lösung darf nicht mit Lösungen gemischt werden, die anorganisches Phosphat oder Carbonat enthalten.

Bei Patienten, die mit Digitalis-Glykosiden behandelt werden, kann es zu Anzeichen einer Digitalis-Überdosierung kommen.

9.6 Warnhinweise

Keine.

9.7 Dosierungsanleitung und Art der Anwendung

Die Dosierung richtet sich nach dem individuellen Bedarf, der vor der Anwendung zu bestimmen ist.

Das Infusionslösungskonzentrat darf nicht unverdünnt, sondern nur als Zusatz zur intravenösen Infusion verwendet werden.

9.8 Hinweise für den Fall der Überdosierung

Eine Überdosierung durch zu schnelle Infusion kann Hitzegefühl, Übelkeit, Erbrechen, Vasodilatation und Blutdruckabfall, Bradykardie und Herzrhythmusstörungen bis zum Herzstillstand zur Folge haben. Eine zu rasche oder übermäßige Infusion kann auch zu einem erhöhten Calciumgehalt des Blutes führen (Gesamtplasmacalciumkonzentration > 3 mmol/l bzw. ionisierter Calciumanteil > 1,1 mmol).

Symptome einer Hyperkalzämie können sein:

- zerebrale Störungen (z. B. Mattigkeit, Lethargie, Verwirrtheit)
- gastrointestinale Störungen (z. B. Übelkeit, Erbrechen, Stuhlverstopfung, Neigung zu Geschwüren)
- kardiale Störungen (z. B. Tachykardie- und Arrhythmieneigung, Bluthochdruck, EKG-Veränderungen [QT-Verkürzung])
- renale Störungen (z. B. vermehrte Harnausscheidung, gesteigerter Durst, Verminderung der Konzentrierungsfähigkeit, Neigung zur Ablagerung von Calciumsalzen in der Niere)
- Reflexabschwächung.

Die hyperkalzämische Krise (Plasmakonzentration > 4 mmol/l) ist durch folgende, sich rasch entwickelnde Symptome charakterisiert: Erbrechen, Koliken, Atonie bis hin zum Darmverschluss infolge Lähmung der Darmmuskulatur, allgemeine Muskelschwäche, Bewusstseinsstörungen, anfangs vermehrte, später häufig verminderte bis vollständig fehlende Harnausscheidung.

Therapie:

Sofortiges Abbrechen der Infusion.

Insbesondere bei hochgradig erhöhtem Calciumgehalt des Blutes besteht die Notwendigkeit einer akuten Senkung des Serum-Calciumspiegels.

Gegenmaßnahmen bei noch ausreichender Nierenfunktion:

Forcierte Diurese bei gleichzeitiger Flüssigkeitssubstitution mit isotonischer Natriumchlorid-Lösung unter strenger Kontrolle der Wasserbilanz und des Elektrolythaushalts.

Gegenmaßnahmen bei gestörter Nierenfunktion:

Hämodialyse gegen ein calciumfreies Dialysat.

9.9 Nebenwirkungen

Bei der Anwendung können lokal ein Wärmegefühl und bei höheren Konzentrationen Venenwandreizungen und -entzündungen auftreten.

10 **Fachinformation**

Nach § 11 a AMG, insbesondere:

10.1 Verschreibungsstatus/Apothekenpflicht

Apothekenpflichtig.

10.2 Stoff- oder Indikationsgruppe

Elektrolytkonzentrat.

1 ml enthält: 0,5 mmol Ca^{++}
                1 mmol Cl^-

10.3 Anwendungsgebiete

Calciummangelzustände, insbesondere bei hypochlorämischer alkalotischer Stoffwechsellage.

10.4 Gegenanzeigen

Hyperkalzämie, Hyperchlorämie, Azidosen; schwere Niereninsuffizienz, Hyperkalzurie, Nephrokalzinose.

Vorsicht ist geboten bei digitalisierten Patienten.

10.5 Nebenwirkungen

Bei der Anwendung können lokal ein Wärmegefühl und bei höheren Konzentrationen Venenwandreizungen und -entzündungen auftreten.

10.6 Wechselwirkungen mit anderen Mitteln

Bei digitalisierten Patienten können Anzeichen einer Digitalisintoxikation auftreten.

10.7 Warnhinweise

Keine.

10.8 Wichtigste Inkompatibilitäten

0,5 M-Calciumchlorid-Lösung darf nicht mit Lösungen gemischt werden, die anorganisches Phosphat oder Carbonat enthalten.

10.9 Dosierung mit Einzel- und Tagesgaben

Die Dosierung richtet sich nach dem individuellen Bedarf, der vor der Anwendung zu bestimmen ist.

Das Infusionslösungskonzentrat darf nicht unverdünnt, sondern nur als Zusatz zur intravenösen Infusion verwendet werden.

10.10 Notfallmaßnahmen, Symptome und Gegenmittel

Eine Überdosierung durch zu schnelle Infusion kann Hitzegefühl, Übelkeit, Erbrechen, Vasodilatation und Blutdruckabfall, Bradykardie und Herzrhythmusstörungen bis zum Herzstillstand zur Folge haben. Eine zu rasche oder übermäßige Infusion kann auch zu einem erhöhten Calciumgehalt des Blutes führen (Gesamt-Plasmacalciumkonzentration > 3 mmol/l bzw. ionisierter Calciumanteil > 1,1 mmol).

Symptome einer Hyperkalzämie können sein:

– zerebrale Störungen (z. B. Mattigkeit, Lethargie, Verwirrtheit)

– gastrointestinale Störungen (z. B. Übelkeit, Erbrechen, Stuhlverstopfung, Neigung zu Geschwüren)

– kardiale Störungen (z. B. Tachykardie- und Arrhythmieneigung, Bluthochdruck, EKG-Veränderungen [QT-Verkürzung])

– renale Störungen (z. B. vermehrte Harnausscheidung, gesteigerter Durst, Ver-

minderung der Konzentrationsfähigkeit, Neigung zu Ablagerung von Calciumsalzen in der Niere)
- Reflexabschwächung.

Die hyperkalzämische Krise (Plasmakonzentration > 4 mmol/l) ist durch folgende, sich rasch entwickelnde Symtome charakterisiert: Erbrechen, Koliken, Atonie bis hin zum Darmverschluss infolge Lähmung der Darmmuskulatur, allgemeine Muskelschwäche, Bewusstseinsstörungen, anfangs vermehrte, später häufig verminderte bis vollständig fehlende Harnausscheidung.

Therapie:

Sofortiges Abbrechen der Infusion.

Insbesondere bei hochgradig erhöhtem Calciumgehalt des Blutes besteht die Notwendigkeit einer akuten Senkung des Serum-Calciumspiegels.

Gegenmaßnahmen bei noch ausreichender Nierenfunktion:

Forcierte Diurese bei gleichzeitiger Flüssigkeitssubstitution mit isotonischer Natriumchlorid-Lösung unter strenger Kontrolle der Wasserbilanz und des Elektrolythaushalts.

Gegenmaßnahmen bei gestörter Nierenfunktion:

Hämodialyse gegen ein calciumfreies Dialysat.

10.11 Pharmakologische und toxikologische Eigenschaften, Pharmakokinetik, Bioverfügbarkeit, soweit diese Angaben für die therapeutische Verwendung erforderlich sind.

Das Gesamtkörper-Calcium beträgt ca. 2,5 % der Körpermasse; davon befinden sich etwa 99 % in den Knochen und Zähnen. Im Plasma liegen ca. 50 % des Calciums in ionisierter Form vor, die übrigen 50 % sind protein- und komplexgebunden. Zwischen den einzelnen Fraktionen besteht ein labiler Gleichgewichtszustand, der vor allem vom pH-Wert und der Proteinkonzentration des Plasmas abhängig ist. Nur das ionisierte Calcium ist biologisch wirksam.

Intestinale Resorption, Austausch zwischen Extrazellulärraum und Knochen sowie die renale Ausscheidung werden durch Parathormon, Calcitonin und 1,25-Dihydroxicholecalciferol beeinflusst.

10.12 Sonstige Hinweise

Gegen eine Anwendung in der Schwangerschaft und Stillzeit bestehen bei entsprechender Indikation keine Bedenken.

Nur klare Lösungen in unversehrten Behältnissen verwenden.

Kontrollen des Serumionogramms und des Säuren-Basen-Haushalts sind erforderlich.

Aufgrund der gewebereizenden Wirkung von Calciumchlorid ist auf eine intravenöse Anwendung zu achten.

Langsam infundieren, um ein eventuelles Auftreten von Hitzegefühl, Übelkeit, Erbrechen und Blutdruckabfall bis hin zur Bewusstlosigkeit sowie Herzrhythmusstörungen zu vermeiden.

10.13 Besondere Lager- und Aufbewahrungshinweise
Keine.

Monographien-Kommentar

Calciumchlorid-Lösung 1 normal

1   Bezeichnung des Fertigarzneimittels

Der Begriff 1 normal ist unglücklich gewählt: Er entspricht weder den SI-Einheiten noch ist ersichtlich, worauf sich die „Normalität" bezieht. Die vorgeschriebene Lösung hat die Stoffmengen-Konzentration $c = 0,5 \text{ mol} \cdot l^{-1}$; damit bezieht sich die „Normalität" offensichtlich auf das Chlorid, denn die Ladungszahl eines Ions für die „Normalität" zugrunde zu legen, ist kaum üblich.

5   Inprozeß-Kontrollen

pH-Wert: Das hydratisierte Calciumion (Hexaquokomplex) ist eine sehr schwache Säure. Deshalb liegt der pH-Wert der Lösung nur wenig unter 7.

6   Eigenschaften und Prüfungen

6.4   Gehalt

Die Bestimmungsvorschrift ist etwas unglücklich formuliert, bei oberflächlichem Lesen scheint die Angabe der zur Titration einzusetzenden Maßlösung vergessen zu sein.

Es wird mit 0,1 M-Natrium-EDTA-Lösung titriert. Der vorherige Zusatz von 20,0 ml der Maßlösung hat die Aufgabe, den überwiegenden Teil der Calciumionen zu komplexieren, um eine Fällung von Calciumhydroxid bei der Zugabe der Natriumhydroxid-Lösung zu vermeiden.

Der erwartete Gesamtverbrauch von 25 ml Maßlösung gestattet den Einsatz einer Feinbürette bei der eigentlichen Titration.

P. Surmann

Campherspiritus

1	**Bezeichnung des Fertigarzneimittels**

Campherspiritus

2	**Darreichungsform**

Lösung

3	**Eigenschaften und Prüfungen**

Haltbarkeit:

Die Haltbarkeit in den Behältnissen nach 4 beträgt 3 Jahre.

4	**Behältnisse**

Braunglasflaschen mit Verschlusskappen und Konusdichtungen aus Polyethylen.

5	**Kennzeichnung**

Nach § 10 AMG, insbesondere:

5.1 Zulassungsnummer

6299.99.99

5.2 Art der Anwendung

Zum Einreiben in die Haut.

5.3 Wirksame Bestandteile

Campher/Racemischer Campher

Ethanol 66 % (V/V)

5.4 Hinweise

Enthält 66 Vol.-% Alkohol.
Nur zur äußerlichen Anwendung.
Dicht verschlossen und vor Feuer geschützt lagern.

6	**Packungsbeilage**

Nach § 11 AMG, insbesondere:

6.1 Stoff- oder Indikationsgruppe

Durchblutungsförderndes Mittel.

6.2 Anwendungsgebiete

Förderung der Hautdurchblutung und Vorbeugung des Wundliegens; zur Unterstützung bei der Therapie von Zerrungen, Prellungen, Verstauchungen, Muskelrheumatismus.

6.3 Gegenanzeigen

Geschädigte Haut, z. B. bei offenen Wunden und Verbrennungen.

Nicht bei Säuglingen und Kleinkindern anwenden.

6.4 Vorsichtsmaßnahmen für die Anwendung

Nicht in die Augen und auf Schleimhäute bringen.

6.5 Wechselwirkungen mit anderen Mitteln

Keine bekannt.

6.6 Warnhinweise

Aufgrund des Gehaltes an Alkohol kann häufige Anwendung des Arzneimittels auf der Haut Reizungen oder Entzündungen und Hauttrockenheit verursachen.

6.7 Dosierungsanleitung und Art der Anwendung

Soweit nicht anders verordnet, wird Campherspiritus ein- bis mehrmals täglich auf die betroffenen Körperstellen aufgetragen und bis zur Trocknung eingerieben.

6.8 Nebenwirkungen

Lokale Reizerscheinungen, evtl. Kontaktekzeme.

6.9 Hinweise

Nur zur äußerlichen Anwendung.

Dicht verschlossen und vor Feuer geschützt aufbewahren.

Cascararinde

1 Bezeichnung des Fertigarzneimittels

Cascararinde

2 Darreichungsform

Tee

3 Eigenschaften und Prüfungen

Haltbarkeit

Die Haltbarkeit in den Behältnissen nach 4 beträgt 3 Jahre.

4 Behältnisse

Nichtgeklebte und nicht heißgesiegelte Filterbeutel aus Koch- und Heißfilterpapier, mit einem Baumwollfaden für ein Kleinetikett versehen und einer Klammer aus kupferfreier Aluminiumlegierung verschlossen; Papierumbeutel.

Die Packungsgrößen sind entsprechend den Angaben zur Dosierungsanleitung und zur Dauer der Anwendung therapiegerecht festzulegen.

5 Kennzeichnung

Nach § 10 AMG, insbesondere:

5.1 Zulassungsnummer

8699.99.99

5.2 Art der Anwendung

Zum Trinken nach Bereitung eines Teeaufgusses.

5.3 Hinweise

Apothekenpflichtig.

Vor Licht und Feuchtigkeit geschützt lagern.

6 Packungsbeilage

Nach § 11 AMG, insbesondere:

6.1 Stoff- oder Indikationsgruppe

Pflanzliches stimulierendes Abführmittel.

6.2 Anwendungsgebiete

Zur kurzfristigen Anwendung bei Verstopfung (Obstipation).

6.3 Gegenanzeigen

<u>Wann dürfen Sie Cascararindentee nicht trinken?</u>

Teeaufgüsse aus Cascararinde dürfen bei Darmverschluß, akut-entzündlichen Erkrankungen des Darmes, z. B. bei Morbus Crohn, Colitis ulcerosa oder Blinddarmentzündung, bei Bauchschmerzen unbekannter Ursache sowie bei schwerem Flüssigkeitsmangel im Körper mit Wasser- und Salzverlusten nicht getrunken werden.

<u>Was müssen Sie in der Schwangerschaft und Stillzeit beachten?</u>

Teeaufgüsse aus Cascararinde dürfen wegen unzureichender toxikologischer Untersuchungen in der Schwangerschaft und Stillzeit nicht getrunken werden.

<u>Was ist bei Kindern und älteren Menschen zu berücksichtigen?</u>

Kinder unter 10 Jahren dürfen Teeaufgüsse aus Cascararinde nicht trinken.

6.4 Vorsichtsmaßnahmen für die Anwendung und Warnhinweise

<u>Welche Vorsichtsmaßnahmen müssen beachtet werden?</u>

Eine über die kurzdauernde Anwendung hinausgehende Einnahme stimulierender Abführmittel kann zu einer Verstärkung der Darmträgheit führen.

Cascararinde sollte deshalb nur dann eingesetzt werden, wenn die Verstopfung durch eine Ernährungsumstellung oder durch Quellstoffpräparate nicht zu beheben ist.

Hinweis:

Bei inkontinenten Erwachsenen sollte beim Trinken von Teeaufgüssen aus Cascararinde ein längerer Hautkontakt mit dem Kot durch Wechseln der Vorlage vermieden werden.

6.5 Wechselwirkungen mit anderen Mitteln

<u>Welche anderen Arzneimittel beeinflussen die Wirkung von Cascararinde?</u>

Bei andauerndem Gebrauch oder bei Mißbrauch ist durch Kaliummangel eine Verstärkung der Wirkung bestimmter, den Herzmuskel stärkender Arzneimittel (Herzglykoside) sowie eine Beeinflussung der Wirkung von Mitteln gegen Herzrhythmusstörungen möglich. Die Kaliumverluste können durch gleichzeitige Anwendung von bestimmten Arzneimitteln, die die Harnausscheidung steigern (Saluretika), von Cortison und cortisonähnlichen Substanzen (Nebennierenrindensteroide) oder Süßholzwurzel verstärkt werden.

Beachten Sie bitte, daß diese Angaben auch für vor kurzem angewandte Arzneimittel gelten können.

6.6 Dosierungsanleitung, Art und Dauer der Anwendung

Die folgenden Angaben gelten, soweit Ihnen Ihr Arzt Cascararinde nicht anders verordnet hat. Bitte halten Sie sich an die Anwendungsvorschriften, da die Teeaufgüsse aus Cascararinde sonst nicht richtig wirken können!

Wieviel von Cascararindentee und wie oft sollten Sie Cascararindentee trinken?

Erwachsene und Kinder ab 10 Jahren trinken 1mal täglich 1 Tasse des wie folgt bereiteten Teeaufgusses:

0,45 g Cascararinde in einem Aufgußbeutel mit siedendem Wasser (ca. 150 ml) übergießen und 10 bis 15 Minuten ziehen lassen.

Die individuell richtige Dosierung ist die geringste, die erforderlich ist, um einen weich geformten Stuhl zu erhalten. Dazu kann gegebenenfalls 1/2 Tasse Teeaufguß bereits ausreichen.

Wann sollten Sie Cascararindentee trinken?

Sie sollten den Teeaufguß möglichst abends vor dem Schlafengehen trinken. Die Wirkung tritt normalerweise nach 8–12 Stunden ein.

Wie lange sollten Sie Cascararindentee anwenden?

Das stimulierende Abführmittel Cascararindentee darf ohne ärztlichen Rat nicht über einen längeren Zeitraum (mehr als 1–2 Wochen) angewendet werden.

6.7 Überdosierung und andere Anwendungsfehler

Was ist zu tun, wenn Cascararindentee in zu großen Mengen getrunken wurde?

Bei versehentlicher oder beabsichtiger Überdosierung können schmerzhafte Darmkrämpfe und schwere Durchfälle mit Folge von Wasser- und Salzverlusten sowie eventuell starke Magen-Darm-Beschwerden auftreten. Bei Überdosierung benachrichtigen Sie bitte umgehend einen Arzt. Er wird entscheiden, welche Gegenmaßnahmen (z. B. Zuführung von Flüssigkeit und Salzen) gegebenenfalls erforderlich sind.

Was müssen Sie beachten, wenn Sie zuwenig Cascararindentee getrunken oder eine Anwendung vergessen haben?

Holen Sie die vergessene Anwendung nicht nach, sondern führen Sie in einem solchen Fall die Anwendung wie ursprünglich vorgesehen fort.

6.8 Nebenwirkungen

Welche Nebenwirkungen können nach der Anwendung von Cascararindentee auftreten?

In Einzelfällen können krampfartige Magen-Darm-Beschwerden auftreten. In diesen Fällen ist eine Dosisreduktion erforderlich.

Durch Abbauprodukte kann es zu einer intensiven Gelbfärbung oder rotbraunen Verfärbung des Harns kommen, die aber vorübergehend und harmlos ist.

Bei andauerndem Gebrauch oder Mißbrauch können auftreten:

– erhöhter Verlust von Wasser und Salzen (Elektrolytverluste), insbesondere Kaliumverluste. Der Kaliumverlust kann zu Störungen der Herzfunktion und zu Muskelschwäche führen, insbesondere bei gleichzeitiger Einnahme von Herzglykosiden (den Herzmuskel stärkende Arzneimittel), Saluretika (harntreibende Arzneimittel) und Cortison und cortisonähnlichen Substanzen (Nebennierenrindensteroide).

– Ausscheidung von Eiweiß und roten Blutkörperchen im Harn.

– Pigmenteinlagerung in die Darmschleimhaut (Pseudomelanosis coli). Diese Einlagerung ist harmlos und bildet sich normalerweise nach dem Absetzen von Cascararindentee zurück.

Wenn Sie Nebenwirkungen bei sich beobachten, die nicht in dieser Packungsbeilage aufgeführt sind, teilen Sie diese bitte Ihrem Arzt oder Apotheker mit.

6.9 Hinweis

Vor Licht und Feuchtigkeit geschützt aufbewahren.

7 Fachinformation

Nach § 11a AMG, insbesondere:

7.1 Verschreibungsstatus/Apothekenpflicht

Apothekenpflichtig.

7.2 Stoff- oder Indikationsgruppe

Pflanzliches stimulierendes Laxans.

7.3 Anwendungsgebiete

Zur kurzfristigen Anwendung bei Ostipation

7.4 Gegenanzeigen

Ileus, akut-entzündliche Erkrankungen des Darmes, wie z. B. Morbus Crohn, Colitis ulcerosa, Appendizitis; abdominale Schmerzen unbekannter Ursache; schwere Dehydratation mit Wasser- und Elektrolytverlusten;

Kinder unter 10 Jahren;

Schwangerschaft und Stillzeit.

7.5 Nebenwirkungen

In Einzelfällen krampfartige Magen-Darm-Beschwerden, insbesondere bei Patienten mit Colon irritabile. In diesen Fällen ist eine Dosisreduktion erforderlich. Gelb- oder Rotbraunverfärbung des Harns (pH-abhängig) durch Metaboliten. Diese Verfärbung ist nicht klinisch signifikant.

Bei chronischem Gebrauch/Mißbrauch:

– Elektrolytverluste, insbesondere von Kalium. Der Kaliumverlust kann zu Störungen der Herzfunktion und zu Muskelschwäche führen, insbesondere bei gleichzeitiger Einnahme von Herzglykosiden, Saluretika und Nebennierenrindensteroiden.

– Albuminurie und Hämaturie.

– Pigmenteinlagerung in die Darmschleimhaut (Pseudomelanosis coli). Diese ist harmlos und bildet sich nach Absetzen der Droge normalerweise zurück.

7.6 Wechselwirkungen mit anderen Mitteln

Bei chronischem Gebrauch oder Mißbrauch ist durch Kaliummangel eine Verstärkung der Wirkung von Herzglykosiden sowie eine Beeinflussung der Wirkung von Antiarrhythmika möglich. Kaliumverluste können durch Kombination mit Suluretika, Nebennierenrindensteroiden und Süßholzwurzel verstärkt werden.

7.7 Warnhinweise

Eine über die kurzdauernde Anwendung hinausgehende Einnahme stimulierender Abführmittel kann zu einer Verstärkung der Darmträgheit führen.

Zubereitungen aus Cascararinde sollten nur dann eingesetzt werden, wenn die Verstopfung durch eine Ernährungsumstellung oder durch Quellstoffpräparate nicht zu ist.

Hinweis:

Bei inkontinenten Erwachsenen sollte beim Trinken von Teeaufgüssen aus Cascararinde ein längerer Hautkontakt mit dem Kot durch Wechseln der Vorlage vermieden werden.

7.8 Wichtigste Inkompatibilitäten

Keine bekannt.

7.9 Dosierung

Die maximale tägliche Aufnahme darf nicht mehr als 30 mg Hydroxyanthracenderivate betragen.

Diese Dosierung wird mit einer Tasse eines Teeaufgusses aus 0,45 g Cascararinde erreicht.

Die individuell richtige Dosierung ist diejenige, die erforderlich ist, um einen weich geformten Stuhl zu erhalten. Dazu kann gegebenenfalls 1/2 Tasse Teeaufguß bereits ausreichen.

7.10 Art und Dauer der Anwendung

Zum Trinken nach Bereitung eines Teeaufgusses. Der Teeaufguß soll abends vor dem Schlafengehen getrunken werden.

Stimulierende Abführmittel dürfen ohne ärztlichen Rat nicht über einen längeren Zeitraum (mehr als 1–2 Wochen) eingenommen werden.

7.11 Notfallmaßnahmen, Symptome, Gegenmittel

Symptome der Intoxikation:

Durchfall mit übermäßigen Wasser- und Elektrolytverlusten (insbesondere Kaliumverluste).

Notfallmaßnahmen:

Elektrolyt- und flüssigkeitsbilanzierende Maßnahmen.

7.12 Pharmakologische und toxikologische Eigenschaften und Angaben über die Pharmakokinetik und Bioverfügbarkeit, soweit diese Angaben für die therapeutische Verwendung erforderlich sind.

7.12.1 Pharmakologische Eigenschaften

1,8-Dihydroxyanthracen-Derivate haben einen laxierenden Effekt. Es sind zwei unterschiedliche Wirkmechanismen anzunehmen:

1. Beeinflussung der Kolonmotilität (Stimulierung der propulsiven und Hemmung der stationären Kontraktionen); daraus resultiert eine beschleunigte Darmpassage sowie die Verminderung der Flüssigkeitsresorption.

2. Beeinflussung von Sekretionsprozessen (Stimulierung der Schleim- und aktiven Chloridsekretion); daraus resultiert eine erhöhte Flüssigkeitssekretion.

Die Defäkation setzt nach etwa 8–12 Stunden ein.

7.12.2 Toxikologische Eigenschaften

Es liegen keine Studien zur akuten sowie zur chronischen Toxizität, ebensowenig zu Reproduktionstoxizität und Kanzerogenität der Droge bzw. von Drogenzubereitungen vor.

Drogenzubereitungen weisen, vermutlich auf Grund des Gehaltes an Aglykone, eine höhere Allgemeintoxizität als die reinen Glykoside.

Zur in-vitro-Gentoxizität liegen für andere anthanoide Inhaltsstoffe (Aloe-Emodin, Emodin, Physcion und Chrysophanol) teilweise positive Befunde vor.

In frischem Zustand enthält die Droge Anthrone und muß deshalb vor der Verwendung mindestens 1 Jahr gelagert oder unter Luftzutritt und Erwärmen künstlich gealtert werden. Bei nicht bestimmungsgemäßem Gebrauch, z. B. frischer Droge, kann starkes Erbrechen, eventuell mit Spasmen einhergehend, auftreten.

7.12.3 Pharmakokinetik

Systematische Untersuchungen zur Kinetik von Zubereitungen aus Cascararinde fehlen. Die β-glykosidisch gebundenen Glykoside werden weder im oberen Magen-Darm-Trakt resorbiert noch durch menschliche Verdauungsenzyme gespalten; erst im Dickdarm werden sie durch bakterielle Enzyme zu Anthronen als aktive Metaboliten umgewandelt.

Die in der Droge enthaltenen Aglykone werden bereits im oberen Dünndarm resorbiert.

Aktive Metaboliten anderer Anthranoide, wie Rhein, gehen in geringen Mengen in die Muttermilch über. Eine laxierende Wirkung bei gestillten Säuglingen wurde nicht beobachtet. Tierexperimentell ist die Plazentagängigkeit von Rhein äußerst gering. Untersuchungen zu Cascararinde sind nicht bekannt.

7.13 Sonstige Hinweise

Keine.

7.14 Besondere Lager- und Aufbewahrungshinweise

Vor Licht und Feuchtigkeit geschützt aufbewahren.

Monographien-Kommentar

Cascararinde

Für Arzneimittel, die als arzneilich wirksame Bestandteile Drogenzubereitungen oder isolierte Inhaltsstoffe (z. B. Sennoside) aus den Arten der Pflanzengattungen Andira, Cassia, Rhammus, Rheum oder Aloe enthalten, werden genotoxische und kanzerogene Wirkungen diskutiert. Wesentliche Grundlage dieser Diskussion sind die Erkenntnisse zur Genotoxizität aus in vitro- und in vivo-Untersuchungen zu einzelnen in den obengenannten Pflanzengattungen enthaltenen Anthranoiden sowie deren Metaboliten und Hinweise auf ein kanzerogenes Potential bei der Anwendung von Anthranoid-haltigen Arzneimitteln.

Zur Abwehr von Arzneimittelrisiken hat daher das Bundesgesundheitsamt im Rahmen des Stufenplan (Stufe II) die pharmazeutischen Unternehmer, die betroffene Arzneimittel in den Verkehr bringen, aufgefordert bestimmte Untersuchungen zur Abklärung des genotoxischen Risikos durchzuführen und die Ergebnisse binnen 12 Monate dem Bundesgesundheitsamt vorzulegen [1].

Weiterhin hat das Bundesgesundheitsamt Auflagen zu den Angaben in den Gebrauchs- und Fachinformationen gemacht.

Anwendungsgebiete

Es darf nur noch beansprucht werden, generell:

„Verstopfung (Obstipation)"

Gegenanzeigen

generell:

„Darmverschluß; akut-entzündliche Erkrankungen des Darms, z. B. Morbus Crohn, Colitis ulcerosa, Appendizitis; abdominale Schmerzen unbekannter Ursache. Nicht anzuwenden bei Kindern unter 12 Jahren. Aufgrund bisher noch unzureichender toxikologischer Untersuchungen nicht anzuwenden in Schwangerschaft und Stillzeit."

Dauer der Anwendung

Folgender Passus ist aufzunehmen:

„Stimulierende Abführmittel dürfen ohne ärztlichen Rat nicht über einen längeren Zeitraum (mehr als ein bis zwei Wochen) eingenommen werden."

Packungsgröße

Die Packungsgröße ist entsprechend der in der Monographie vorgegebenen Tagesdosierung und der Dauer der Anwendung (nicht länger als zwei Wochen) therapiegerecht festzulegen.

Monographien-Kommentar

Hinweis

Nach § 36 Abs. 1 AMG ist es den Nutzern einer Standardzulassung möglich, die Angaben zu Anwendungsgebieten einzuschränken bzw. die Angaben zu Gegenanzeigen zu erweitern. Es ist daher ratsam, die Auflagen des Bundesgesundheitsamtes umgehend in der Gebrauchsinformation umzusetzen, auch wenn die Standardzulassungsmonographie vom Verordnungsgeber noch nicht offiziell geändert worden ist.

[1] BAnz. S. 7140 vom 13. Juli 1994.

R. Braun

In der Zwischenzeit hat das Bundesinstitut für Arzneimittel und Medizinprodukte (BfArM) sein Verfahren zur Abwehr von Arzneimittelrisiken, Stufe II, abgeschlossen und mit Bescheid vom 21. Juni 1996 [2] Maßnahmen für den Verkehr mit Anthranoid-(Hydroxyanthracenderivat-)haltigen Arzneimitteln veröffentlicht. Diese Maßnahmen beinhalten ausführliche Vorschriften für die Angaben in der Gebrauchs- und Fachinformation. Die Anpassungen sind von den pharmazeutischen Unternehmern bis spätestens zum 1. Februar 1997 umzusetzen [3].

Der Bescheid gilt grundsätzlich auch für entsprechende Standardzulassungsmonographien. In der Zwischenzeit hat der Verordnungsgeber die Entwürfe für die geänderten Standardzulassungsmonographien im Herbst 1996 den Fachkreisen zur Stellungnahme vorgelegt. Mit einer Verordnung ist im Frühjahr 1997 zu rechnen. Da für das Inkrafttreten der neuen Monographien keine Übergangszeit vorgesehen ist, sollten sich die Nutzer dieser Monographien hinsichtlich der Angaben in der Gebrauchs- und Fachinformation rechtzeitig auf diese Änderung einstellen.

[2] BAnz. S. 7581 vom 5. Juli 1996.
[3] BAnz. S. 10656 vom 12. September 1996.

R. Braun

Chinarinde

1 **Bezeichnung des Fertigarzneimittels**
Chinarinde

2 **Darreichungsform**
Tee

3 **Eigenschaften und Prüfungen**
Haltbarkeit:
Die Haltbarkeit in den Behältnissen nach 4 beträgt 3 Jahre.

4 **Behältnisse**
Geklebte Blockbodenbeutel bzw. Seitenfaltenbeutel aus einseitig glattem, gebleichtem Natronkraftpapier 50 g/m^2, gefüttert mit gebleichtem Pergamyn 40 g/m^2.

5 **Kennzeichnung**
Nach § 10 AMG, insbesondere:

5.1 Zulassungsnummer
1459.99.99

5.2 Art der Anwendung
Zum Trinken nach Bereitung eines Teeaufgusses.

5.3 Hinweis
Vor Licht und Feuchtigkeit geschützt lagern.

6 **Packungsbeilage**
Nach § 11 AMG, insbesondere:

6.1 Stoff- oder Indikationsgruppe
Pflanzliches Magen-Darm-Mittel.

6.2 Anwendungsgebiete
Appetitlosigkeit; Verdauungsbeschwerden wie Blähungen und Völlegefühl.

6.3 Gegenanzeigen
Schwangerschaft; Überempfindlichkeit gegen Cinchona-Alkaloide wie Chinin und Chinidin.

6.4 Wechselwirkungen mit anderen Mitteln

Bei gleichzeitiger Gabe von blutgerinnungshemmenden Mitteln erfolgt eine Wirkungsverstärkung.

6.5 Dosierungsanleitung und Art der Anwendung

Soweit nicht anders verordnet, wird 1- bis 3mal täglich zur Appetitanregung jeweils ca. ½ Stunde vor den Mahlzeiten, bei Verdauungsbeschwerden nach den Mahlzeiten eine Tasse des wie folgt bereiteten Teeaufgusses getrunken:

Etwa ½ Teelöffel voll (ca. 0,8 g) Chinarinde oder die entsprechende Menge in einem oder mehreren Aufgußbeutel(n) wird mit siedendem Wasser (ca. 150 ml) übergossen und nach 10 bis 15 Minuten gegebenenfalls durch ein Teesieb gegeben.

6.6 Dauer der Anwendung

Bei akuten Beschwerden, die länger als eine Woche andauern oder periodisch wiederkehren, wird die Rücksprache mit einem Arzt empfohlen.

6.7 Nebenwirkungen

Gelegentlich können nach Einnahme von chininhaltigen Arzneimitteln Überempfindlichkeitsreaktionen wie Hautallergien oder Fieber auftreten. In seltenen Fällen ist eine erhöhte Blutungsneigung durch Verminderung der Blutplättchen zu beobachten (Thrombozytopenie). In diesen Fällen ist sofort ein Arzt aufzusuchen.

Hinweis:

Eine Sensibilisierung gegen Chinin oder Chinidin ist möglich.

6.8 Hinweis

Vor Licht und Feuchtigkeit geschützt aufbewahren.

Zusammengesetzte Chinatinktur

1 **Bezeichnung des Fertigarzneimittels**

Zusammengesetzte Chinatinktur

2 **Darreichungsform**

Tinktur

3 **Behältnisse**

Braunglasflaschen mit Verschlußkappe und Konusdichtung aus Polypropylen oder Senkrechttropfer aus Polyethylen.

4 **Haltbarkeit**

Die Haltbarkeit in den Behältnissen nach 3 beträgt ein Jahr.

5 **Kennzeichnung**

Nach § 10 AMG, insbesondere:

5.1 Zulassungsnummer

8799.99.99

5.2 Art der Anwendung

Zum Einnehmen.

5.3 Hinweise

Apothekenpflichtig
Vor Licht geschützt, gut verschlossen lagern.

6 **Packungsbeilage**

Nach § 11 AMG, insbesondere:

6.1 Anwendungsgebiete

Bei Magenbeschwerden, wie z. B. durch mangelnde Magensaftbildung; zur Appetitanregung.

6.2 Gegenanzeigen

Chininüberempfindlichkeit, Magen- und Darmgeschwüre.

2 Chinatinktur, Zusammengesetzte

6.3 Nebenwirkungen

Gelegentlich können nach Einnahme von chininhaltigen Arzneimitteln Überempfindlichkeitsreaktionen wie Hautallergien oder Fieber auftreten. In seltenen Fällen ist eine erhöhte Blutungsneigung durch Verminderung der Blutplättchen zu beobachten. In diesen Fällen ist sofort ein Arzt aufzusuchen.

6.4 Dosierungsanleitung und Art der Anwendung

Soweit nicht anders verordnet, werden ½ Stunde vor den Mahlzeiten 15 bis 20 Tropfen Zusammengesetzte Chinatinktur pur, oder auf etwas Zucker geträufelt, eingenommen.

6.5 Hinweis

Vor Licht geschützt, gut verschlossen aufbewahren.

Monographien-Kommentar

Zusammengesetzte Chinatinktur

Die Kennzeichnung und die Packungsbeilage müssen wegen des Alkoholgehaltes der „Zusammengesetzten Chinatinktur" folgende Warnhinweise enthalten (s. auch Kommentar zu „Baldriantinktur"):

4 **Kennzeichnung**

Auf der äußeren Umhüllung und dem Behältnis muß der Warnhinweis aufgeführt sein:

„Enthält 65,8 Vol.% Alkohol!"

5 **Packungsbeilage**[1])

In der Packungsbeilage muß ebenfalls der Warnhinweis enthalten sein:

„Enthält 65,8 Vol.% Alkohol!"

Siehe auch Kommentar DAB, S. 253.

Über die Plazierung des Hinweises gibt es keine verbindliche Vorschrift. Es ist sinnvoll, ihn vor Pkt. 6.5 „Hinweise" einzufügen.

R. Braun

---

[1]) Anmerkung: Die maximale Einzeldosis beträgt 20 Tropfen entsprechend 0,36 g Tinktur. Darin sind 0,21 g Alkohol enthalten. Somit kann der ausführlichere Warnhinweis für Arzneimittel, die pro Einzeldosis mehr als 0,5 g Alkohol enthalten, entfallen.

Codeinphosphat-Kapseln 30 mg

1 Bezeichnung des Fertigarzneimittels

Codeinphosphat-Kapseln 30 mg

2 Darreichungsform

Kapseln

3 Eigenschaften und Prüfungen

3.1 Aussehen, Eigenschaften

Hartgelatinekapseln, an deren Außenseite kein Pulver anhaften darf.

3.2 Auflösungsgeschwindigkeit

Innerhalb von 45 min müssen 75 Prozent (Q) der pro Kapsel deklarierten Menge Codeinphosphat aufgelöst sein.

Auflösungsmedium: 900 ml Wasser

Methode: Blattrührer-Methode

Umdrehungsgeschwindigkeit: 50 U/min

3.3 Gehalt

95,0 bis 105,0 Prozent der pro Kapsel deklarierten Menge Codeinphosphat $\times \frac{1}{2} H_2O$.

3.4 Haltbarkeit

Die Haltbarkeit in den Behältnissen nach 4 beträgt mindestens ein Jahr.

4 Behältnisse

Behältnisse aus Braunglas oder Tiefziehfolie mit Lichtschutz als kindergesicherte Verpackung nach DIN 55 559.

5 Kennzeichnung

Nach § 10 AMG, insbesondere:

5.1 Zulassungsnummer

2599.99.99

2 Codeinphosphat-Kapseln 30 mg

5.2 Art der Anwendung

Zum Einnehmen.

5.3 Hinweis

Verschreibungspflichtig

6 Packungsbeilage

Nach § 11 AMG, insbesondere:

6.1 Anwendungsgebiete

Akuter und chronischer Reizhusten; Husten bei Erkrankungen der Atemwege.

6.2 Gegenanzeigen

Krankheitszustände, bei denen eine Dämpfung des Atemzentrums vermieden werden muß; Langzeitverabreichung bei chronischer Verstopfung.

6.3 Nebenwirkungen

Die Einnahme von Codeinphosphat kann zu Verstopfungen und Übelkeit führen.

Hinweis:

Dieses Arzneimittel kann auch bei bestimmungsgemäßem Gebrauch das Reaktionsvermögen soweit verändern, daß die Fähigkeit zur aktiven Teilnahme am Straßenverkehr oder zum Bedienen von Maschinen beeinträchtigt wird. Dies gilt in verstärktem Maße im Zusammenwirken mit Alkohol.

6.4 Wechselwirkungen mit anderen Mitteln

Die Wirkung von anderen zentraldämpfenden Arzneimitteln wie Beruhigungs- oder Schlafmittel, bestimmten Psychopharmaka und Schmerzmitteln sowie von Alkohol kann verstärkt werden.

6.5 Dosierungsanleitung und Art der Anwendung

Soweit nicht anders verordnet, nehmen Erwachsene, Jugendliche und Kinder über 12 Jahren 2- bis 3mal täglich 1 bis 2 Kapseln ein.

Hinweise:

Nicht für Kinder unter 12 Jahren.

Bei längerer Anwendung von Codeinphosphat-Kapseln besteht, wie bei allen codeinhaltigen Präparaten, die Möglichkeit der Abhängigkeitsbildung.

6.6 Dauer der Anwendung

Bis zur Beendigung der Beschwerden; jedoch ohne Rücksprache mit dem Arzt nicht länger als 10 Tage.

Standardzulassungen 1986 — Stand: 12. März 1986

Monographien-Kommentar

Codeinphosphat-Kapseln 30 mg

3.2 Auflösungsgeschwindigkeit

Zur Bestimmung der geringen Codeinphosphat-Konzentration (ca. 25 µg/ml) sind die Farbstoff-Codein-Ionenpaar Extraktionsmethoden anwendbar [1 bis 4]. Sie sind bei geringem Gerätebedarf relativ selektiv, erfordern jedoch einen großen Arbeitsaufwand. Diesen umgeht die direkte fluorimetrische Bestimmung [15]. Eine schnell durchführbare und automatisierbare Methode stellt die Direkt-Potentiometrie unter Verwendung einer Codein-selektiven Membran-Elektrode dar [6, 7]. Der Einsatz der GLC und HPLC ist ebenfalls möglich [11 bis 14].

3.3 Gehalt

Die Titration nach Ph. Eur. mit Perchlorsäure in Eisessig/Dioxan erfaßt das Anion Dihydrogenphophat, zeigt insofern keine Selektivität hinsichtlich des Codeins; da nahezu alle Anionen und einige Hilfsstoffe stören [16], sind andere Verfahren vorzuziehen.

Eine relativ einfach durchführbare Methode ist die Codein-Pikrat-Ionenpaarextraktion mit nachfolgender photometrischer Bestimmung. Die Methode ist gut dokumentiert [8], insbesondere bezüglich des Verhaltens der Hilfsstoffe. Störungen hierdurch lassen sich häufig durch eine Vorextraktion der Base eliminieren. Siehe hierzu Kommentar zu „Atropinsulfat-Tabletten 0,5 mg".

Auch eine direkte photometrische Bestimmung bei einer Wellenlänge von 284 nm ist möglich, wenn keine hier absorbierenden Hilfsstoffe in der Kapsel enthalten sind.

> Der Inhalt von zehn Kapseln wird fein gepulvert und genau gewogen (Masse m_g). Ein Teil hiervon, ca. der Masse von einer Kapsel entsprechend wird genau gewogen (m_u), in einem 50 ml Meßkolben mit ca. 30 ml 0,1 M HCl geschüttelt und mit 0,1 M HCl bis zur Marke aufgefüllt.
>
> Die Lösung wird, wenn nötig, filtriert, wobei die ersten 20 ml verworfen werden. 10,0 ml des Filtrates werden in einem 50 ml Meßkolben mit 0,1 M HCl bis zur Marke aufgefüllt. Die Absorption dieser Lösung gegen 0,1 M HCl wird in 1-cm-Küvetten bei 284 nm gemessen (A_u).
>
> 30 mg Codeinphosphat x ½ H_2O Referenzsubstanz, genau gewogen (m_s), werden in einen 50-ml-Meßkolben mit 0,1 M HCl bis zur Marke aufgefüllt. 10,0 ml dieser Lösung werden mit 0,1 M HCl zu 50,0 ml verdünnt. Die Absorption dieser Lösung gegen 0,1 M HCl wird bei 284 nm in 1-cm-Küvetten gemessen (A_s). Die Masse Codein pro Kapsel ergibt sich zu
>
> $$m(\text{Codein} \times \tfrac{1}{2} H_2O)/\text{Kapsel} = 0,1 \cdot \frac{m_g}{m_u} \cdot \frac{A_u}{A_s} \cdot m_s$$
>
> und der auf den deklarierten Wert bezogene Gehalt
>
> $$w = 0,3333 \cdot \frac{m_g}{m_u} \cdot \frac{A_u}{A_s} \cdot m_s \,\%.$$

Monographien-Kommentar

2

Neben diesen photometrischen Methoden läßt sich das Codein nach Extraktion aus alkalischer Lösung auch acidimetrisch titrieren [9]. Ohne Extraktion ist die argentometrische Titration der Tetraphenylborat-Fällung möglich [10]. Hierbei stören Kaliumionen, lipophile Amine und quartäre Ammoniumsalze.

3.4 Haltbarkeit

Die Anwesenheit von Zersetzungsprodukten kann dünnschichtchromatographisch geprüft werden [Ph. Eur. und 15]. Zur selektiven Bestimmung des Codeins neben möglichen Abbauprodukten eignen sich am besten die chromatographischen Verfahren [11 bis 15].

[1] G. Szasz, Nguyen Bang; Acta Pharm. Hung. **51**, 43 (1981); Anal. Abstr. **41**, 235 (2E8) (1981).

[2] M. Peterkova, O. Matousova, B. Kakac; Cesk. Farm **30**, 270 (1981); Anal. Abstr. **42**, 523 (4E44) (1982).

[3] H. Farsam, H. H. Yahya-Saeb, A. Fawzi; Int. J. Pharm. **7**, 343 (1981); Anal. Abstr. **42**, 518 (4E11) (1982).

[4] Fumi Matsai, W. N. French; J. Pharm. Sci. **60**, 287 (1971).

[5] G. Dusinski, E. Radejova; Farm. Obz. **49**, 17 (1981); Anal. Abstr. **39** 2E9 (1980).

[6] E. Hopirtean, F. Kormos; Chem. Anal. (Warsaw) **25**, 209 (1980); Anal. Abstr. **40**, 1E13 (1981).

[7] T. Goina, S. Hobai, L. Rozenberg; Farmacia (Bucharest) **26**, 141 (1978); Anal. Abstr. **37**, 730 (6J96) (1979).

[8] K. Howarka; Pharm. Zentralhalle **108**, 824 (1969).

[9] BP 1980.

[10] W. Keller, F. Weiss; Pharmazie **12**, 19 (1957).

[11] L. Kopjak, B. S. Finkle, T. C. Lamoreaux, W. O. Pierre, F. M. Urry; J. Anal. toxicol. **3**, 155 (1979).

[12] E. J. Kubiak, J. W. Munson; J. Pharm. Sci. **69**, 152 (1980).

[13] C. Y. Ko, F. C. Marziani, C. A. Janicki; J. Pharm. Sci. **69**, 1081 (1980).

[14] V. D. Gupta, O. H. Shek; Am. J. Hosp. Pharm. **33**, 1086 (1976).

[15] P. Gundermann, R. Pohloudek-Fabini; Pharmazie **35**, 296 (1980).

[16] P. Surmann, Quantitative Analyse von Arzneistoffen und Arzneizubereitungen, Wissenschaftliche Verlagsgesellschaft mbH Stuttgart 1987.

P. Surmann

4 Behältnisse

Gemäß einer Auflage nach § 28 Arzneimittelgesetz [1] dürfen Codeinphosphat-Kapseln 30 mg nur in kindergesicherter Verpackung in den Verkehr gebracht werden; für weitere Erläuterungen siehe Kommentar zur Acetylsalicylsäure-Kapseln 500 mg.

[1] Anordnung einer Auflage nach § 28 Arzneimittelgeetz vom 18. April 1979 (BAnz. Nr. 81 vom 28. April 1979).

R. Braun

Codeinphosphat-Kapseln 50 mg

1 **Bezeichnung des Fertigarzneimittels**

Codeinphosphat-Kapseln 50 mg

2 **Darreichungsform**

Kapseln

3 **Eigenschaften und Prüfungen**

3.1 Aussehen, Eigenschaften

Hartgelatinekapseln, an deren Außenseite kein Pulver anhaften darf.

3.2 Auflösungsgeschwindigkeit

Innerhalb von 45 min müssen 75 Prozent (Q) der pro Kapsel deklarierten Menge Codeinphosphat aufgelöst sein.

Auflösungsmedium: 900 ml Wasser

Methode: Blattrührer-Methode

Umdrehungsgeschwindigkeit: 50 U/min

3.3 Gehalt

95,0 bis 105,0 Prozent der pro Kapsel deklarierten Menge Codeinphosphat $\times$ ½H_2O.

3.4 Haltbarkeit

Die Haltbarkeit in den Behältnissen nach 4 beträgt mindestens ein Jahr.

4 **Behältnisse**

Behältnisse aus Braunglas oder Tiefziehfolie mit Lichtschutz als kindergesicherte Verpackung nach DIN 55 559.

5 **Kennzeichnung**

Nach § 10 AMG, insbesondere:

5.1 Zulassungsnummer

2599.98.99

5.2 Art der Anwendung

Zum Einnehmen.

5.3 Hinweis

Verschreibungspflichtig

6 Packungsbeilage

Nach § 11 AMG, insbesondere:

6.1 Anwendungsgebiete

Akuter und chronischer Reizhusten; Husten bei Erkrankungen der Atemwege.

6.2 Gegenanzeigen

Krankheitszustände, bei denen eine Dämpfung des Atemzentrums vermieden werden muß; Langzeitverabreichung bei chronischer Verstopfung.

6.3 Nebenwirkungen

Die Einnahme von Codeinphosphat kann zu Verstopfungen und Übelkeit führen.

Hinweis:

Dieses Arzneimittel kann auch bei bestimmungsgemäßem Gebrauch das Reaktionsvermögen soweit verändern, daß die Fähigkeit zur aktiven Teilnahme am Straßenverkehr oder zum Bedienen von Maschinen beeinträchtigt wird. Dies gilt in verstärktem Maße im Zusammenwirken mit Alkohol.

6.4 Wechselwirkungen mit anderen Mitteln

Die Wirkung von anderen zentraldämpfenden Arzneimitteln wie Beruhigungs- oder Schlafmittel, bestimmten Psychopharmaka und Schmerzmitteln sowie von Alkohol kann verstärkt werden.

6.5 Dosierungsanleitung und Art der Anwendung

Soweit nicht anders verordnet, nehmen Erwachsene, Jugendliche und Kinder über 12 Jahren 2- bis 3mal täglich 1 Kapsel ein.

Hinweise:

Nicht für Kinder unter 12 Jahren.

Bei längerer Anwendung von Codeinphosphat-Kapseln besteht, wie bei allen codeinhaltigen Präparaten, die Möglichkeit der Abhängigkeitsbildung.

6.6 Dauer der Anwendung

Bis zur Beendigung der Beschwerden; jedoch ohne Rücksprache mit dem Arzt nicht länger als 10 Tage.

Monographien-Kommentar

Codeinphosphat-Kapseln 50 mg

Siehe Kommentar zu Codeinphosphat-Kapseln 30 mg

3.3 **Gehalt**

Die direkte UV-photometrische Methode des Kommentars zu Codeinphosphat-Kapseln 30 mg kann mit einer kleinen Änderung übernommen werden: Der einer Kapsel entsprechende Teil wird in einem 100,0-ml-Meßkolben in 0,1 M HCl gelöst und bis zur Marke aufgefüllt.

P. Surmann

4 **Behältnisse**

Gemäß einer Auflage nach § 28 Arzneimittelgesetz [1] dürfen Codeinphosphat-Kapseln 50 mg nur in kindergesicherter Verpackung in den Verkehr gebracht werden; für weitere Erläuterungen siehe Kommentar zur Acetylsalicylsäure-Kapseln 500 mg.

[1] Anordnung einer Auflage nach § 28 Arzneimittelgesetz vom 18. April 1979 (BAnz. Nr. 81 vom 28. April 1979).

R. Braun

Codeinphosphat-Tabletten 30 mg

1 **Bezeichnung des Fertigarzneimittels**

Codeinphosphat-Tabletten 30 mg

2 **Darreichungsform**

Tabletten

3 **Eigenschaften und Prüfungen**

3.1 Aussehen, Eigenschaften

Weiße, nichtüberzogene Tabletten mit Bruchrille von bitterem Geschmack.

3.2 Auflösungsgeschwindigkeit

Innerhalb von 45 min müssen 75 Prozent (Q) der pro Tablette deklarierten Menge Codeinphosphat aufgelöst sein.

Auflösungsmedium: 900 ml Wasser

Methode: Blattrührer-Methode

Umdrehungsgeschwindigkeit: 50 U/min

3.3 Gehalt

95,0 bis 105,0 Prozent der pro Tablette deklarierten Menge Codeinphosphat $\times \, \frac{1}{2}H_2O$.

3.4 Haltbarkeit

Die Haltbarkeit in den Behältnissen nach 4 beträgt mindestens ein Jahr.

4 **Behältnisse**

Behältnisse aus Braunglas oder Tiefziehfolie mit Lichtschutz als kindergesicherte Verpackung nach DIN 55 559.

5 **Kennzeichnung**

Nach § 10 AMG, insbesondere:

5.1 Zulassungsnummer

2599.99.98

5.2 Art der Anwendung

Zum Einnehmen.

2 Codeinphosphat-Tabletten 30 mg

5.3 Hinweis

Verschreibungspflichtig

6 Packungsbeilage

Nach § 11 AMG, insbesondere:

6.1 Anwendungsgebiete

Akuter und chronischer Reizhusten; Husten bei Erkrankungen der Atemwege.

6.2 Gegenanzeigen

Krankheitszustände, bei denen eine Dämpfung des Atemzentrums vermieden werden muß; Langzeitverabreichung bei chronischer Verstopfung.

6.3 Nebenwirkungen

Die Einnahme von Codeinphosphat kann zu Verstopfungen und Übelkeit führen.

Hinweis:

Dieses Arzneimittel kann auch bei bestimmungsgemäßem Gebrauch das Reaktionsvermögen soweit verändern, daß die Fähigkeit zur aktiven Teilnahme am Straßenverkehr oder zum Bedienen von Maschinen beeinträchtigt wird. Dies gilt in verstärktem Maße im Zusammenwirken mit Alkohol.

6.4 Wechselwirkungen mit anderen Mitteln

Die Wirkung von anderen zentraldämpfenden Arzneimitteln wie Beruhigungs- oder Schlafmittel, bestimmten Psychopharmaka und Schmerzmitteln sowie von Alkohol kann verstärkt werden.

6.5 Dosierungsanleitung und Art der Anwendung

Soweit nicht anders verordnet, nehmen Erwachsene, Jugendliche und Kinder über 12 Jahren 2- bis 3mal täglich 1 bis 2 Tabletten, Kinder über 6 Jahren 2- bis 3mal täglich ½ bis 1 Tablette und Kinder zwischen 4 und 6 Jahren 2- bis 3mal täglich ½ Tablette ein.

Hinweise:

Nicht für Kinder unter 4 Jahren.

Bei längerer Anwendung von Codeinphosphat besteht wie bei allen codeinhaltigen Präparaten die Möglichkeit der Abhängigkeitsbildung.

6.6 Dauer der Anwendung

Bis zur Beendigung der Beschwerden; jedoch ohne Rücksprache mit dem Arzt nicht länger als 10 Tage.

Monographien-Kommentar

Codeinphosphat-Tabletten 30 mg

Siehe Kommentar zu Codeinphosphat-Kapseln 30 mg.   P. Surmann

4   **Behältnisse**
Gemäß einer Auflage nach § 28 Arzneimittelgesetz [1] dürfen Codeinphosphat-Tabletten 30 mg nur in kindergesicherter Verpackung in den Verkehr gebracht werden; für weitere Erläuterungen siehe Kommentar zu Acetylsalicylsäure-Kapseln 500 mg.

[1] Anordnung einer Auflage nach § 28 Arzneimittelgesetz vom 18. April 1979 (BAnz. Nr. 81 vom 28. April 1979).

R. Braun

Codeinphosphat-Tabletten 50 mg

1 Bezeichnung des Fertigarzneimittels

Codeinphosphat-Tabletten 50 mg

2 Darreichungsform

Tabletten

3 Eigenschaften und Prüfungen

3.1 Aussehen, Eigenschaften

Weiße, nichtüberzogene Tabletten mit Bruchrille von bitterem Geschmack.

3.2 Auflösungsgeschwindigkeit

Innerhalb von 45 min müssen 75 Prozent (Q) der pro Tablette deklarierten Menge Codeinphosphat aufgelöst sein.

Auflösungsmedium: 900 ml Wasser

Methode: Blattrührer-Methode

Umdrehungsgeschwindigkeit: 50 U/min

3.3 Gehalt

95,0 bis 105,0 Prozent der pro Tablette deklarierten Menge Codeinphosphat $\times \frac{1}{2} H_2O$.

3.4 Haltbarkeit

Die Haltbarkeit in den Behältnissen nach 4 beträgt mindestens ein Jahr.

4 Behältnisse

Behältnisse aus Braunglas oder Tiefziehfolie mit Lichtschutz als kindergesicherte Verpackung nach DIN 55 559.

5 Kennzeichnung

Nach § 10 AMG, insbesondere:

5.1 Zulassungsnummer

2599.98.98

5.2 Art der Anwendung

Zum Einnehmen.

5.3 Hinweis

Verschreibungspflichtig

6 Packungsbeilage

Nach § 11 AMG, insbesondere:

6.1 Anwendungsgebiete

Akuter und chronischer Reizhusten; Husten bei Erkrankungen der Atemwege.

6.2 Gegenanzeigen

Krankheitszustände, bei denen eine Dämpfung des Atemzentrums vermieden werden muß; Langzeitverabreichung bei chronischer Verstopfung.

6.3 Nebenwirkungen

Die Einnahme von Codeinphosphat kann zu Verstopfungen und Übelkeit führen.

Hinweis:

Dieses Arzneimittel kann auch bei bestimmungsgemäßem Gebrauch das Reaktionsvermögen soweit verändern, daß die Fähigkeit zur aktiven Teilnahme am Straßenverkehr oder zum Bedienen von Maschinen beeinträchtigt wird. Dies gilt in verstärktem Maße im Zusammenwirken mit Alkohol.

6.4 Wechselwirkungen mit anderen Mitteln

Die Wirkung von anderen zentraldämpfenden Arzneimitteln wie Beruhigungs- oder Schlafmittel, bestimmten Psychopharmaka und Schmerzmitteln sowie von Alkohol kann verstärkt werden.

6.5 Dosierungsanleitung und Art der Anwendung

Soweit nicht anders verordnet, nehmen Erwachsene, Jugendliche und Kinder über 12 Jahren 2- bis 3mal täglich 1 Tablette, Kinder über 6 Jahren 2- bis 3mal täglich ½ Tablette ein.

Hinweise:

Nicht für Kinder unter 6 Jahren.

Bei längerer Anwendung von Codeinphosphat besteht, wie bei allen codeinhaltigen Präparaten, die Möglichkeit der Abhängigkeitsbildung.

6.6 Dauer der Anwendung

Bis zur Beendigung der Beschwerden; jedoch ohne Rücksprache mit dem Arzt nicht länger als 10 Tage.

Codeinphosphat-Tabletten 50 mg

Siehe Kommentar zu Codeinphosphat-Kapseln 30 mg und 50 mg.   P. Surmann

4   **Behältnisse**

Gemäß einer Auflage nach § 28 Arzneimittelgesetz [1] dürfen Codeinphosphat-Tabletten 50 mg nur in kindergesicherter Verpackung in den Verkehr gebracht werden; für weitere Erläuterungen siehe Kommentar zur Acetylsalicylsäure-Kapseln 500 mg.

[1] Anordnung einer Auflage nach § 28 Arzneimittelgesetz vom 18. April 1979 (BAnz. Nr. 81 vom 28. April 1979).

R. Braun

Monographien-Kommentar

Codeinphosphat-Tabletten 30 mg und 50 mg

Anmerkungen zur Rezeptur und Herstellung des Fertigarzneimittels.

Codeinphosphat kommt in Form kleiner farbloser Kristalle oder als weißes, kristallines Pulver (Nädelchen) vor.

Je nach Herstellung kann die Substanz bis 2 Mol Kristallwasser enthalten. An der Luft verliert sie ziemlich leicht einen Teil ihres Kristallwassers. Daher schwanken die Angaben der Arzneibücher in den Grenzen von 0 bis 1,5 Mol Kristallwasser pro Mol Codeinphsphat [1, 2]. Das Arzneibuch [1] beschreibt eine Substanz mit 0,5 Mol Kristallwasser, läßt aber für gewisse galenische Zubereitungen ein Codeinphosphat mit 1,5 Mol Kristallwasser zu. Der erhöhte Wassergehalt muß bei der Verarbeitung berücksichtigt werden.

Codeinphosphat löst sich in etwa 4 Teilen Wasser [1]. Die Stabilität in wäßriger Lösung ist bei pH 2,0 am geringsten. Das Stabilitätsoptimum liegt bei pH 3,5. Wäßrige Lösungen lassen sich durch Citronensäure und Thioharnstoff stabilisieren [3].

Bei Mischungen von Codeinphosphat und Polyethylenglykolen kommt es zur Bildung von Codein-N-oxid, einer larvierten Inkompatibilität, die weder durch Geruch noch Farbänderung wahrnehmbar ist [4].

Codeinphosphat ist lichtempfindlich, was bei der Herstellung von Zubereitungen zu berücksichtigen ist.

Für die Herstellung von Codeinphosphat-Tabletten 30 mg und 50 mg sind sowohl die Direkttablettierung wie die Feuchtgranulierung möglich.

Für die Direkttablettierung sind teuere Hilfsstoffe erforderlich mit strengeren physiko-chemischen Spezifikationen, insbesondere der Teilchenform, der Korngrößenverteilung und der Feuchtigkeit, um ein homogenes, freifließendes Tablettiergut zu gewährleisten. Dem steht die arbeits- und energieintensive, aber mit billigeren Ausgangsstoffen mögliche und oft unproblematische Technologie der Feuchtgranulation gegenüber [5,6].

Nach der Standardzulassung müssen Codeinphosphat-Tabletten 30 mg und 50 mg mit einer Bruchrille hergestellt werden. Um eine akzeptable Teilbarkeit der Tabletten zu gewährleisten, wird man zweckmäßigerweise ein Tablettiergewicht von 100 bis 200 mg wählen, was einem Tablettendurchmesser von 7 mm bis 9 mm entspricht.

Die Herstellung der Codeinphosphat-Tabletten kann als unproblematisch bezeichnet werden, da mit den üblichen Tablettierhilfsstoffen gearbeitet werden kann.

Als Füll- und Bindemittel eignen sich:
  Lactose, bzw. sprühgetrocknete Lactose für die Direkttablettierung, Maisstärke, Cellulosen, Celluloseether.

Zur Herstellung von Granulierlösungen unterschiedlicher Konzentration eignen sich:
  Maisstärke, Gelatine, Celluloseether, Polyvinylpyrrolidon (z. B. Kollidon® 20).

Monographien-Kommentar

2

Als Zerfallsbeschleuniger können verwendet werden:
getrocknete Maisstärke, granulierte Maisstärke (Korngröße 0,2 mm), Cellulose, Siliciumdioxid (Aerosil® 200) sowie unlösliches Polyvinylpyrrolidon (Kollidon® CI, Plasdone® XL). (Die Substanz wird in der 3. Verordnung zur Änderung der Verordnung über Standardzulassungen monographisch beschrieben.)

Zur Gleit-, Schmier-, und Fließregulierung eignen sich:
Talkum, Magnesiumstearat, Siliciumoxid (Aerosil® 200).

In der folgenden Tabelle werden 3 unverbindliche Rahmenrezepturempfehlungen für Codeinphosphat-Tabletten 30 mg und 50 mg gegeben, die jeder Anwender in eigener Verantwortung hinsichtlich ihrer Realisierbarkeit überprüfen muß.

	1 [7]	2 Feucht- granulierung	3 Direkt- tablettierung
Codeinphosphat	20 mg	30 / 50 mg	30 / 50 mg
Lactose	134 mg	50 – 70 mg	
Lactose, sprühgetrocknet			100 – 130 mg
Maisstärke		40 – 110 mg	15 – 20 mg
Kartoffelstärke	40 mg		
Cellulose, mikrokristallin (Avicel® pH 101)			15 – 20 mg
Gelatine (50 g / l)	q. s.		
Talkum	4 mg	3,5 – 5 mg	1 – 2 mg
Magnesiumstearat	1 mg	1,0 – 1,5 mg	0,1 – 0,5 mg

Bei Rezeptur 1 muß Codeinphosphat auf 30 – 50 mg erhöht werden. Die übrigen Hilfsstoffe müssen angeglichen werden. Kartoffelstärke sollte durch Maisstärke ersetzt werden.

Bei Rezeptur 2 wird mit Maisstärkekleister granuliert. 10 Prozent der Maisstärke sollte als Maisstärkengranulat (ca. 0,2 mm Durchmesser) der äußeren Phase als Tablettensprengmittel zugesetzt werden.

[1] Ph. Eur. Band I mit Kommentar (1978).
[2] Hagers Handbuch der Pharmazeutischen Praxis Band I, p. 845 (1967), Springer Verlag, Berlin-Heidelber-New York.
[3] P. Gundermann, R. Pohloudek, Pharmazie **38**, 92 (1983).
[4] J. Schulz, K. H. Bauer, Acta Pharm. Technol. **32**, 78 (1986).
[5] APV-Fortbildungslehrgang: Scriptum „Direkttablettierung" November 1971.
[6] H. A. Liebermann, L. Lachmann, in Pharmaceutical Dosage Forms Tablets, Vol. 1, p. 168 Marcel Dekker Inc. New York / Basel (1980).
[7] Formularium der Nederlandse Apothekers F 29 6 / 1978.

Curcumawurzelstock

1 **Bezeichnung des Fertigarzneimittels**

Curcumawurzelstock

2 **Darreichungsform**

Tee

3 **Eigenschaften und Prüfungen**

3.1 Qualitätsvorschrift

Die Droge muss der Monographie „Curcumawurzelstock" des Deutschen Arzneimittel-Codex (DAC) in der jeweils gültigen Fassung entsprechen.

3.2 Haltbarkeit

Der Gehalt an ätherischem Öl im Curcumawurzelstock nimmt in den Behältnissen nach 4 etwa um 0,5 Prozent absolut pro Jahr ab. Die Dauer der Haltbarkeit errechnet sich somit aus der Differenz des zum Zeitpunkt der Abpackung bestimmten Gehaltes an ätherischem Öl und dem durch den DAC vorgeschriebenen Mindestgehalt.

4 **Behältnisse**

Geklebte Blockbodenbeutel bzw. Seitenfaltenbeutel aus einseitig glattem, gebleichtem Natronkraftpapier 50 g/m^2, gefüttert mit gebleichtem Pergamyn 40 g/m^2.

5 **Kennzeichnung**

Nach § 10 AMG, insbesondere:

5.1 Zulassungsnummer

2339.99.99

5.2 Art der Anwendung

Zum Trinken nach Bereitung eines Teeaufgusses.

5.3 Hinweis

Vor Licht und Feuchtigkeit geschützt lagern.

6 **Packungsbeilage**

Nach § 11 AMG, insbesondere:

6.1 Stoff- oder Indikationsgruppe

Pflanzliches Magen-Darm-Mittel

6.2 Anwendungsgebiete

Verdauungsbeschwerden, besonders bei funktionellen Störungen des ableitenden Gallensystems.

6.3 Gegenanzeigen

Verschluss der Gallenwege.

Bei Gallensteinleiden nur nach Rücksprache mit einem Arzt anzuwenden.

6.4 Wechselwirkungen mit anderen Mitteln

Keine bekannt.

6.5 Dosierungsanleitung und Art der Anwendung

Soweit nicht anders verordnet, wird 2-mal täglich eine Tasse des wie folgt bereiteten Teeaufgusses getrunken:

Etwa $^1/_2$ Teelöffel voll (ca. 1,3 g) Curcumawurzelstock oder die entsprechende Menge in einem oder mehreren Aufgussbeutel(n) wird mit siedendem Wasser (ca. 150 ml) übergossen und nach etwa 10 bis 15 Minuten gegebenenfalls durch ein Teesieb gegeben.

6.6 Dauer der Anwendung

Bei akuten Beschwerden, die länger als eine Woche andauern oder periodisch wiederkehren, wird die Rücksprache mit einem Arzt empfohlen.

6.7 Nebenwirkungen

Keine bekannt.

6.8 Hinweis

Vor Licht und Feuchtigkeit geschützt aufbewahren.

Monographien-Kommentar

Curcumawurzelstock

Stammpflanze:

Curcuma domestica VAL. (Zingiberaceae) ist eine ausdauernde Rhizomstaude mit bodenständigen, bis über 1 m langen Blättern, die besonders im tropischen Asien, aber auch im tropischen Afrika als Gewürzpflanze kultiviert wird. Die knolligen Rhizome bilden einen Bestandteil des Curry-Gewürzes.

Droge:

Diese wird vorwiegend aus Indonesien und Indien, z.T. auch aus China importiert.

Inhaltsstoffe:

Die Droge enthält 3 bis 5 Prozent Curcuminoide (Dicinnamoylmethanderivate, gelbe Pflanzenfarbstoffe), vor allem Curcumin (Diferuloylmethan), daneben Monodesmethoxy- und Bisdesmethoxy-curcumin [1]; in der Droge wurden auch andere Diarylheptan- und Diarylpentanderivate gefunden [2, 3]. Das in Ölzellen lokalisierte ätherische Öl (Menge 2 bis 7 Prozent) besteht praktisch ausschließlich aus Sesquiterpenen [4], mengenmäßig vorherrschend sind α-Turmeron, α-Curcumen, Zingiberen, β-Sesquiphellandren, Germacron und β-Bisabolen. Die Droge enthält reichlich verkleisterte Stärke, unter den übrigen Polysacchariden wurden auch immunologisch aktive Arabinogalactane gefunden [5].

[1] K. Jentzsch, P. Spiegl und R. Kamitz, Sci. Pharm. **36,** 251 (1968).
[2] T. Masuda und Mitarb., Phytochemistry **32,** 1557 (1993).
[3] R. Nakyama und Mitarb., Phytochemistry **33,** 501 (1993).
[4] M. Ohshiro, M. Kuroyanagi und A. Ueno, Phytochemistry **29,** 2201 (1990).
[5] M. Tomoda und Mitarb., Phytochemistry **29,** 1083 (1990).

M. Wichtl

Dimenhydrinat-Tabletten 50 mg

1 Bezeichnung des Fertigarzneimittels

Dimenhydrinat-Tabletten 50 mg

2 Darreichungsform

Tabletten

3 Zusammensetzung

Wirksamer Bestandteil:

Dimenhydrinat	50,0 mg

Sonstige Bestandteile:

Calciumhydrogenphosphat 2 H_2O	90,0 mg
Lactose 1 H_2O	40,0 mg
Cellulosepulver	14,0 mg
Carboxymethylstärke-Natrium (Typ A)	4,0 mg
Hochdisperses Siliciumdioxid	0,8 mg
Magnesiumstearat	1,2 mg

4 Herstellungsvorschrift

Die für die Herstellung einer Charge benötigten Ausgangsstoffe werden gesiebt. Dimenhydrinat, Calciumhydrogenphosphat 2 H_2O, Lactose 1 H_2O, Cellulosepulver, Carboxymethylstärke-Natrium (Typ A) und hochdisperses Siliciumdioxid werden bis zur Homogenität gemischt. Anschließend wird Magnesiumstearat 1 bis 3 min untergemischt. Die fertige Pressmasse wird zu Tabletten mit einer Masse von 200 mg verpresst. Die Tabletten werden in die vorgesehenen Behältnisse abgefüllt.

5 Inprozess-Kontrollen

Überprüfung der Tablettenmasse: 200 mg ± 15 mg.

6 Eigenschaften und Prüfungen

6.1 Ausgangsstoffe

6.1.1 Calciumhydrogenphosphat 2 H_2O

Hinweis:

Es ist ein Calciumhydrogenphosphat zur Direkttablettierung mit einem Korngrößenspektrum zwischen 50 und 400 µm zu verwenden.

6.1.2 Lactose 1 H$_2$O

Hinweis:

Es ist eine Lactose zur Direkttablettierung mit einem Korngrößenspektrum überwiegend zwischen 60 und 600 µm zu verwenden.

6.1.3 Cellulosepulver

Hinweis:

Es ist ein Cellulosepulver mit einem Korngrößenspektrum zwischen 1 und 100 µm zu verwenden.

6.1.4 Hochdisperses Siliciumdioxid

Hinweis:

Es ist ein hochdisperses Siliciumdioxid pyrolytischer Herstellung mit einer BET-Oberfläche von 200 ± 25 mg^2/g zu verwenden.

6.2 Fertigarzneimittel

6.2.1 Aussehen, Eigenschaften

Weiße, nichtüberzogene Tabletten mit Bruchkerbe.

6.2.2 Wirkstofffreisetzung (AB. V. 5.4).

Innerhalb von 30 min müssen mindestens 80 Prozent der pro Tablette deklarierten Menge Dimenhydrinat gelöst sein.

Prüfflüssigkeit: 900 ml künstlicher Darmsaft ohne Enzyme[1], pH 7,5 ± 0,1
Apparatur: Blattrührer
Umdrehungsgeschwindigkeit: 100 U/min

Die Bestimmung des gelösten Dimenhydrinats erfolgt mit Hilfe der UV-Vis-Spektroskopie (AB. V.6.19) im Absorptionsmaximum bei etwa 276 nm gegen die Prüfflüssigkeit als Kompensationsflüssigkeit.

Die Auswertung erfolgt mit Hilfe einer Referenzlösung aus einem als Standard geeigneten Dimenhydrinat in der Prüfflüssigkeit.

6.2.3 Prüfsubstanz

20 Tabletten werden gewogen und gründlich zerrieben.

6.2.4 Prüfung auf Identität

Die Prüfung erfolgt mit Hilfe der Dünnschichtchromatographie (AB. V.6.20.2) unter Verwendung einer Schicht von Kieselgel GF$_{254}$ R.

Untersuchungslösung: Eine 0,5 g Dimenhydrinat entsprechende Menge Prüfsubstanz wird unter Rühren 10 min lang mit 25 ml warmem Ethanol 96 % R extrahiert. Die Lösung wird filtriert.

Referenzlösung a: 10 mg eines als Standard geeigneten Dimenhydrinats pro 1 ml Ethanol 96 % R.

---

[1] 6,8 g Kaliumdihydrogenphosphat R und 190 ml 0,2 N-Natriumhydroxid-Lösung werden mit Wasser zu 1000 ml gelöst. Der pH-Wert von 7,5 ± 0,1 wird ggf. mit 0,2 N-Natriumhydroxid-Lösung eingestellt.

Referenzlösung b: 10 mg eines als Standard geeigneten 8-Chlortheophyllins pro 2,5 ml einer Mischung von 4 Volumteilen Chloroform R und 1 Volumteil wasserfreier Ameisensäure R.

Auf die Platte werden getrennt 5 µl der Untersuchungslösung und der Referenzlösung a sowie 10 µl der Referenzlösung b aufgetragen. Die Chromatographie erfolgt mit einer Mischung von 20 Volumteilen Methanol R und 80 Volumteilen Chloroform R über eine Laufstrecke von 15 cm. Nach dem Trocknen der Platte an der Luft wird zunächst im ultravioletten Licht bei 254 nm ausgewertet. Im Chromatogramm der Untersuchungslösung treten zwei Flecke auf, von denen einer in bezug auf seine Lage, Größe und Intensität jeweils annähernd dem Fleck im Chromatogramm der Referenzlösung a bzw. b entspricht.

Anschließend wird die Platte mit verdünntem Dragendorffs Reagenz R besprüht. Im Chromatogramm der Untersuchungslösung tritt nur noch ein Fleck auf, der annähernd dem mit der Referenzlösung a erhaltenen Fleck entspricht.

6.2.5 Gehalt

95,0 bis 105,0 Prozent der pro Tablette deklarierten Menge an Dimenhydrinat.

Die Bestimmung erfolgt mit Hilfe der UV-Vis-Spektroskopie (AB. V.6.19).

Untersuchungslösung: Eine 100 mg Dimenhydrinat entsprechende Menge Prüfsubstanz wird mit 50 ml 0,1N-Salzsäure versetzt und der Wirkstoff eluiert. Nach dem Verdünnen mit Methanol R zu 100,0 ml wird filtriert. 2,0 ml der klaren Lösung werden mit 0,1N-Salzsäure zu 100,0 ml verdünnt. Die Absorption der Lösung wird im Maximum bei etwa 277 nm gegen 0,1N-Salzsäure als Kompensationsflüssigkeit gemessen.

Die Berechnung des Gehalts erfolgt mit Hilfe einer Referenzlösung eines als Standard geeigneten Dimenhydrinats in einer Konzentration von 0,020 mg pro 1,0 ml 0,1N-Salzsäure.

6.2.6 Haltbarkeit

Die Haltbarkeit in den Behältnissen nach 7 beträgt drei Jahre.

7 **Behältnisse**

Dichtschließende Behältnisse aus

– Braunglas, mit Verschlüssen aus Polyethylen oder Polypropylen,
– Verbundpackstoff.
    Material: Aluminiumfolie von 0,020 mm Dicke mit ca. 6 g/m² Heißsiegellack auf PVC-Basis sowie opake Hart-PVC-Tiefziehfolie von 0,200 mm Dicke, einseitig beschichtet mit 40 g/m² PVDC.

8 **Kennzeichnung**

Nach § 10 AMG, insbesondere:

8.1 Zulassungsnummer

1879.99.98

8.2 Art der Anwendung

Zum Einnehmen.

8.3 Hinweis

Apothekenpflichtig.

9 Packungsbeilage

Nach § 11 AMG, insbesondere:

9.1 Anwendungsgebiete

Vorbeugung und Behandlung von Reisekrankheit, Schwindel, Übelkeit und Erbrechen (nicht bei Chemotherapie).

9.2 Gegenanzeigen

Dimenhydrinat darf nicht angewendet werden bei:
- Früh- und Neugeborenen,
- Schwangerschaft, da vorzeitig Wehen ausgelöst werden können,
- Krampfanfällen (Epilepsie, Eklampsie),
- Vergrößerung der Vorsteherdrüse (Prostataadenom) mit Restharnbildung,
- erhöhtem Augeninnendruck (Glaukom) mit engem Kammerwinkel,
- Alkoholmißbrauch,
- Mangeldurchblutung des Gehirns (zerebro-vaskuläre Insuffizienz),
- Aminoglykosid-Antibiotika-Behandlung, da die eventuell durch Aminoglykosid-Antibiotika verursachten gehörschädigenden Wirkungen verdeckt werden können.

Dimenhydrinat geht in die Muttermilch über und sollte daher nicht in der Stillzeit eingenommen werden.

9.3 Nebenwirkungen

Häufig kommt es zu Schläfrigkeit und Benommenheit.

Gelegentlich kann es zu Störungen des zentralen Nervensystems mit Erregung und Unruhe, gedrückter (depressiver) oder gehobener (euphorischer) Stimmungslage und einer Desorientierung mit illusionärer bzw. wahnhafter Verkennung der Umgebung und psychomotorischer Unruhe, Bewegungsstörungen, Schwindel und Krämpfen kommen.

Außerdem kann es gelegentlich zu Störungen des Magen-Darm-Traktes mit Verstopfung, zu Mundtrockenheit und zu Überempfindlichkeitsreaktionen mit Hautausschlägen und Hautjucken kommen. In einzelnen Fällen sind Störungen der Blutbildung (reversible Agranulozytosen und Leukopenien) beobachtet worden.

Hinweis:

Dieses Arzneimittel kann auch bei bestimmungsgemäßem Gebrauch das Reaktionsvermögen soweit verändern, daß die Fähigkeit zur aktiven Teilnahme am Straßenverkehr oder zum Bedienen von Maschinen beeinträchtigt wird. Dies gilt in verstärktem Maße im Zusammenhang mit Alkohol.

9.4 Wechselwirkungen mit anderen Mitteln

Die gleichzeitige Anwendung von Dimenhydrinat mit Arzneimitteln, die auf das zentrale Nervensystem wirken (z. B. Psychopharmaka, Schlafmittel, Schmerzmittel), kann zu einer wechselseitigen Verstärkung der beruhigenden und erregenden Wirkungen führen.

Die gleichzeitige Gabe von Dimenhydrinat und trizyklischen Antidepressiva, MAO-Hemmstoffen und Parasympathikolytika verstärken die anticholinergen Nebenwirkungen wie Mundtrockenheit und Verstopfung.

Die gleichzeitige Verabreichung von Dimenhydrinat und blutdrucksenkenden Mitteln führt zu einer verstärkten blutdrucksenkenden Wirkung. Die Dosis muß entsprechend angepaßt werden.

Die hemmende Wirkung von Procarbazin auf das Zellwachstum wird durch die gleichzeitige Gabe von Dimenhydrinat verstärkt.

Dimenhydrinat kann die Wirkung von Glukokortikoiden und Heparin herabsetzen. Es schwächt die durch Phenothiazine hervorgerufenen Störungen des Bewegungsablaufes (EPM-Syndrome) ab.

9.5 Dosierungsanleitung

Soweit nicht anders verordnet, wird wie folgt eingenommen:

Zur Vorbeugung von Reisekrankheiten:

3mal täglich 1 Tablette; die erste Tablette sollte 30 Minuten vor Reisebeginn eingenommen werden.

Zur Behandlung von Reisekrankheiten, Schwindel, Übelkeit und Erbrechen:

4stündlich 1 bis 2 Tabletten, jedoch nicht mehr als 6 Tabletten pro Tag.

Dosierung bei Kindern:

Kinder ab 6 bis 12 Jahre nehmen $^1/_2$ bis 1 Tablette alle 6 bis 8 Stunden ein, jedoch nicht mehr als 3 Tabletten täglich.

9.6 Art und Dauer der Anwendung

Die Einnahme erfolgt vor den Mahlzeiten mit reichlich Flüssigkeit.

Dimenhydrinat-Tabletten sollen ohne Rücksprache mit dem Arzt nur wenige Tage angewendet werden.

10 **Fachinformation**

Nach § 11a AMG, insbesondere:

10.1 Verschreibungsstatus/Apothekenpflicht

Apothekenpflichtig.

10.2 Stoff- oder Indikationsgruppe

Antihistaminikum, Antiemetikum.

10.3 Anwendungsgebiete

Vorbeugung und Behandlung von Reisekrankheit, Schwindel, Übelkeit und Erbrechen (nicht bei Chemotherapie).

6   Dimenhydrinat-Tabletten 50 mg

10.4 Gegenanzeigen

Dimenhydrinat darf nicht angewendet werden bei:

- Früh- und Neugeborenen, da der kindliche Organismus weitaus empfindlicher auf die zentralnervösen und anticholinergen Wirkungen der Substanz reagiert,
- Schwangerschaft, da es am Uterus Kontraktilitätssteigerungen hervorrufen bzw. vorzeitig Wehen auslösen kann,
- Eklampsie,
- Epilepsie,
- Prostataadenom mit Restharnbildung,
- Glaukom mit engem Kammerwinkel,
- Alkoholmißbrauch,
- zerebro-vaskuläre Insuffizienz,
- Aminoglykosid-Antibiotika-Therapie, da die eventuell durch Aminoglykosid-Antibiotika verursachten ototoxischen Wirkungen maskiert werden können.

Dimenhydrinat wird in geringen Mengen über die Muttermilch abgegeben. Von einer Anwendung während der Laktationsperiode ist daher abzusehen.

10.5 Nebenwirkungen

Häufig kommt es zu Schläfrigkeit und Benommenheit.

Gelegentlich kann es zu zentralnervösen Störungen wie Erregung und Unruhe, depressiver oder euphorischer Stimmungslage und Delirien, Bewegungsstörungen, Schwindel und Krämpfen kommen.

Außerdem kann es gelegentlich zu Störungen des Magen-Darm-Traktes mit Obstipation, zu Mundtrockenheit und zu allergischen Reaktionen mit Hautausschlägen und Hautjucken kommen. In einzelnen Fällen sind reversible Agranulozytosen und Leukopenien beobachtet worden.

Hinweis:

Dieses Arzneimittel kann auch bei bestimmungsgemäßem Gebrauch das Reaktionsvermögen soweit verändern, daß die Fähigkeit zur aktiven Teilnahme am Straßenverkehr oder zum Bedienen von Maschinen beeinträchtigt wird. Dies gilt in verstärktem Maße im Zusammenwirken mit Alkohol.

10.6 Wechselwirkungen mit anderen Mitteln

Die gleichzeitige Anwendung von Dimenhydrinat mit zentral wirkenden Arzneimitteln (z. B. Psychopharmaka, Schlafmittel, Schmerzmittel) kann zu einer wechselseitigen Verstärkung der sedierenden und erregenden Wirkungen führen.

Die gleichzeitige Gabe von Dimenhydrinat und trizyklischen Antidepressiva, MAO-Hemmstoffen und Parasympathikolytika verstärken die anticholinergen Nebenwirkungen wie Mundtrockenheit und Verstopfung.

Die gleichzeitige Verabreichung von Dimenhydrinat und Antihypertensiva führt zu einer verstärkten hypotensiven Wirkung. Die Dosis muß entsprechend angepaßt werden.

Die zytostatische Wirkung von Procarbazin wird durch die gleichzeitige Gabe von Dimenhydrinat verstärkt.

Dimenhydrinat kann die Wirkung von Glukokortikoiden und Heparin herabsetzen. Es schwächt das durch Phenothiazine hervorgerufene expyramidalmotorische Syndrom ab.

10.7 Warnhinweise

Keine.

10.8 Wichtigste Inkompatibilitäten

Keine bekannt.

10.9 Dosierung mit Einzel- und Tagesgaben

Es wird wie folgt eingenommen:

Zur Vorbeugung von Reisekrankheiten:

3mal täglich 1 Kapsel bzw. Tablette Dimenhydrinat. Die erste Kapsel bzw. Tablette sollte 30 Minuten vor Reisebeginn eingenommen werden.

Zur Behandlung von Reisekrankheiten, Schwindel, Übelkeit und Erbrechen:

4stündlich 1 bis 2 Kapseln bzw. Tabletten Dimenhydrinat, jedoch nicht mehr als 300 mg Dimenhydrinat, entsprechend 6 Kapseln bzw. Tabletten pro Tag.

Dosierung bei Kindern:

Kinder ab 6 bis 12 Jahre nehmen 5 mg/kg Körpermasse unterteilt in vier Einzeldosen ein oder 1 Kapsel bzw. $1/2$ bis 1 Tablette Dimenhydrinat alle 6 bis 8 Stunden, jedoch nicht mehr als 150 mg täglich.

10.10 Art und Dauer der Anwendung

Die Einnahme erfolgt vor den Mahlzeiten mit reichlich Flüssigkeit.

Dimenhydrinat soll ohne Rücksprache mit dem Arzt nur wenige Tage angewendet werden.

10.11 Notfallmaßnahmen, Symptome und Gegenmittel

Bei Überdosierung kommt es zu Schläfrigkeit und Schwindel sowie zu anticholinergen Symptomen. Massive Überdosierung führt zu Konvulsionen, Psychosen mit Halluzinationen, Agitationen, Tachykardien, Blutdruckanstieg und einem ausgeprägten peripheren anticholinergen Syndrom.

In diesen Fällen soll eine Magenspülung durchgeführt werden.

Maßnahmen zur Kreislaufstabilisierung sowie gegebenenfalls künstliche Beatmung stehen bei der weiteren Behandlung im Vordergrund. Gegen Konvulsionen kann Diazepam (10 bis 30 mg) oder Phenobarbital (5 bis 6 mg/kg Körpermasse) gegeben werden.

10.12 Pharmakologische und toxikologische Eigenschaften und Angaben über die Pharmakokinetik und Bioverfügbarkeit, soweit diese Angaben für die therapeutische Verwendung erforderlich sind

10.12.1 Pharmakologische Eigenschaften

Dimenhydrinat ist ein H_1-Antihistaminikum aus der Gruppe der Ethanolamine und bewirkt eine kompetitive Verdrängung des Histamins von den H_1-Rezeptoren.

Neben den antihistaminischen Wirkungen, wie Unterdrückung der durch Histamin ausgelösten Gefäßerweiterungen und der Erhöhung der Permeabilität der Kapillarwandungen, ist die antiemetische und sedierende Wirkung deutlich ausgeprägt.

Außerdem hat Dimenhydrinat eine besonders ausgeprägte anticholinerge Wirkung.

10.12.2 Toxikologische Eigenschaften

Akute Toxizität:

Die LD 50 bei der Ratte nach i.v.-Verabreichung von Dimenhydrinat wird mit 200 mg/kg Körpermasse angegeben.

Akute toxische Wirkungen von Dimenhydrinat sind bei Dosen von 25 bis 250 mg/kg Körpermasse beim Erwachsenen beschrieben worden.

Bei Kindern wird eine Letaldosis bzw. lebensgefährliche Dosis von 600 bis 1000 mg angegeben.

Schwere Überdosierungen von Dimenhydrinat können dabei mit halluzinationsartigem Delir, Tremor, Krämpfen, Koma, Atemdepression oder kardiovaskulärem Kollaps einhergehen.

Abusus von Dimenhydrinat zur Erzeugung halluzinatorischer Wirkungen ist beschrieben worden. Der Dosisbereich lag dabei zwischen 900 und 1600 mg.

Dimenhydrinat kann bereits in therapeutischen Dosen Störungen des Farbsehens, der Reaktionszeit und des räumlichen Sehens verursachen.

Chronische Toxizität:

Daten zur chronischen Toxizität am Tier liegen nicht vor.

Kanzerogenität:

Langzeitstudien zum kanzerogenen Potential von Dimenhydrinat liegen nicht vor.

Mutagenität:

Eine ausführliche Mutagenitätsprüfung von Dimenhydrinat liegt nicht vor. Bisherige Testergebnisse werden als negativ bewertet.

Reproduktionstoxikologie:

Eine teratogene Wirkung von Dimenhydrinat war im Tierversuch nicht nachweisbar.

Bei 313 Neugeborenen, deren Mütter im ersten Trimenon Dimenhydrinat eingenommen hatten, waren keine kongenitalen Mißbildungen feststellbar, die auf die Verabreichung der Substanz zurückzuführen waren. Dies gilt ebenso für 697 Neugeborene, deren Mütter Dimenhydrinat zu verschiedenen Zeitpunkten der gesamten Schwangerschaft eingenommen hatten. Lediglich zwei mögliche Assoziationen mit individuellen Mißbildungen wurden gefunden (Inguinalhernie und kardiovaskulärer Defekt), deren statistische Signifikanz jedoch nicht erwiesen werden konnte. Dimenhydrinat kann am menschlichen Uterus Kontraktilitätssteigerungen hervorrufen bzw. vorzeitig Wehen auslösen. Dimenhydrinat wird in geringen Mengen über die Muttermilch abgegeben.

10.12.3 Pharmakokinetik und Bioverfügbarkeit

Dimenhydrinat wird aus dem Gastrointestinaltrakt vollständig resorbiert und in der Leber metabolisiert. Die Wirkungsdauer beträgt 3 bis 6 Stunden. Die Metaboliten des Dimenhydrinats werden hauptsächlich über die Nieren eliminiert.

10.13 Sonstige Hinweise

Keine.

10.14 Besondere Lager- und Aufbewahrungshinweise

Keine.

Monographien-Kommentar

Dimenhydrinat-Kapseln 50 mg

3 Eigenschaften und Prüfungen

3.2 Fertigarzneimittel

3.2.2 Auflösungsgeschwindigkeit

Am einfachsten und bei entsprechender Geräteausstattung – Photometer mit Lichtleiter, Tauchsonde mit einem Lichtweg von 0,5 cm- auch on-line durchführbar ist die UV-photometrische Bestimmung des freigesetzten Dimenhydrinats. Die Absorption am Maximum bei ca. 280 nm wird zum überwiegenden Teil durch das 8-Chlortheophyllinat verursacht (mehr als 99 %), so daß die Kalibrierung (Vergleichsmessung) auch mit einer Lösung von 8-Chlortheophyllin in Wasser unter Zugabe der äquivalenten Menge Natriumhydroxid ausgeführt werden kann. Offline ist die Bestimmung wie folgt zu realisieren:

10,0 ml der Probelösung werden wenn nötig filtriert und gegebenenfalls unter Nachwaschen des Filters mit 0,1 M HCl zu 20,0 ml aufgefüllt. Die Absorption dieser Lösung wird in 1 cm Küvetten gegen 0,05 M HCl gemessen (A_u). 50 mg Dimenhydrinat Referenzsubstanz genau gewogen (Masse m_s in mg) werden in 100,0 ml 0,05 M HCl gelöst; 5,0 ml dieser Lösung werden zu 100,0 ml mit 0,05 M HCl aufgefüllt und in 1 cm Küvetten gegen 0,05 M HCl photometriert (Absorption A_s). Der freigesetzte prozentuale Anteil Q des Arzneistoffs bezogen auf die deklarierte Menge ergibt sich zu

$$Q = 1{,}8 \cdot m_s \cdot \frac{A_u}{A_s}$$

wird anstelle von Dimenhydrinat Referenzsubstanz 8-Chlortheophyllin eingesetzt, so ist die Einwaage m_s auf 25 mg zu mindern und folgende Berechnungsformel zu benutzen

$$Q = 1{,}8 \cdot m_s \cdot \frac{A_u}{A_s} \cdot \frac{M(\text{Dimenhydrinat})}{M(\text{8-Chlortheophyllin})}$$

Unter Umständen können die Komponenten Diphenhydramin-Kation und 8-Chlortheophyllin-Anion unterschiedlich schnell freigesetzt werden. Dann ist eine getrennte Bestimmung nötig, wie sie in [1] beschrieben ist. Falls die Hilfsstoffe stören, sind für Diphenhydramin Ionenpaarextraktions-Methoden [2 bis 7] einsetzbar. Eine Simultanbestimmung ist mittels HPLC möglich [8 bis 10].

3.2.3 Gehalt

Bei Abwesenheit störender Hilfsstoffe kann die UV-Photometrie zur Bestimmung des 8-Chlortheophyllins eingesetzt werden (Absorptionsmaximum bei ca. 280 nm, in Wasser gelöst). Auch die acidimetrische Titration in Eisessig oder die argentometrische Titration nach Fällung sind möglich (siehe Gehaltsbestimmung

Monographien-Kommentar

Ph. Eur.); es wird mit beiden Verfahren die Base 8-Chlortheophyllinat bestimmt, jedoch mit unterschiedlicher Selektivität. Diphenhydramin ist über Ionenpaar-Extraktion kolorimetrisch bestimmbar [2 bis 7]. Außerdem sind die kolorimetrische Bestimmung nach Reineckat-Fällung [11], die UV-Photometrie nach Oxidation und Extraktion und die Gaschromatographie einsetzbar [12]. Mit einfachsten Mitteln ist die acidimetrische Titration der Diphenhydramin-Base möglich, die aus alkalischer Lösung mit Diethylether extrahiert wird:

> Die alkalische wäßrige lösung wird zwei Mal mit dem gleichen Volumen Diethylether extrahiert. Die über Natriumsulfat getrockneten vereinigten Extrakte werden eingedampft, der Rückstand in Eisessig gelöst und mit 0,1 M Perchlorsäure gegen Naphtholbenzein oder mit potentiometrischer Indikation titriert.

Mit Hilfe der HPLC können beide Komponenten des Dimenhydrinat – Diphenhydramin und 8-Chlortheophyllin – simultan bestimmt werden [8 bis 10].

[1] H. J. Langmaach, Krankenhaus-Apotheker 1980, 29: 91 in: Deutsche Apothekerzeitschrift 120..

[2] G. L. Starobinels, E. M. Rachman'ko, Vestri Akad Navul Belarus SSR, Ser Khim Navuk 1972, 22 (C. A. 1972, 77: 39 323x).

[3] Fadhil A. Shama, R. H. Maghssondi, J. Pharm. Sci. 1976, 65: 761.

[4] Y. M. Dessonky, B. A. Monsa, H. M. Nour El-Din, Pharmazie 1974, 29: 577.

[5] R. H. Maghssondi, A. B. Fawzi, M. A. N. Moosavi, Meerkalaiee, J. Assoc. off Anal. Chem. 1977, 60: 926.

[6] Fumi Matsui, W. N. French. J. Pharm. Sci. 1971, 60: 287.

[7] Masahiro Tsubondi, J. Pharm. Sci. 1971, 60: 943.

[8] G. Ghitardelli, E. Rohlio, Z. Zaccheo, M. Nennelli, Boll. Chim. Farm. 1980, 119: 483.

[9] T. R. Koziol, J. T Jacobs, R. G. Achari, J. Pharm. Sci. 1979, 68: 1135.

[10] M. S. Greenberg, W. J. Mayer, J. Chromatogr. 1979, 169: 321.

[11] A. Kar, G. I. Aninka, J. Pharm. Sci. 1981, 70: 690.

[12] I. J. Holcomb, S. A. Fusani, in Florey (Hrsg.) „Analytical Profiles of drug substances", Bd. 3, Academic Press, New York.

P. Surmann

Monographien-Kommentar

Dimenhydrinat-Kapseln 50 mg

Anmerkungen zur Rezeptur und Herstellung des Fertigarzneimittels.

Dimenhydrinat ist ein weißes kristallines Pulver. Die Teilchengrößenverteilung liegt überwiegend zwischen 100 und 300 µm. Ein Teil Substanz löst sich bei Raumtemperatur in 95 Teilen Wasser, 2 Teilen Ethanol oder 2 Teilen Chloroform [1].

Die Substanz ist in der USP XXI [2] bzw. BP 80 [3] beschrieben. Die USP XXI enthält noch je eine Monographie für eine Injektionslösung, einen Sirup und für Tabletten. Bei den Tabletten fordert die USP XXI die Bestimmung der Auflösegeschwindigkeit mit der Blattrührermethode. Die Standardzulassungsmonographie Dimenhydrinat-Kapseln 50 mg hat sowohl die Testbedingungen wie die Forderung nach der gelösten Menge aus dieser USP-Monographie übernommen.

Bei der Entwicklung einer Kapselfüllmischung ist neben der Kompatibilität der Hilfsstoffe mit den Wirkstoffen und der Kapselhülle vor allem die vorgesehene Art der Kapselabfüllung zu beachten. So sind die Anforderungen an eine Kapselfüllmischung, die nach dem Einstreichprinzip auf einem einfachen Handabfüllgerät oder auf einem halbautomatischen Gerät verarbeitet werden soll, wesentlich geringer als wenn die Abfüllung der Kapselfüllmischung auf einer vollautomatisch getakteten oder kontinuierlich laufenden Hochleistungsmaschine erfolgt.

In der Regel enthält eine Kapselformulierung, die nach dem Einstreichprinzip abgefüllt wird, Wirkstoffe, Füllmittel, Fließregulierungsmittel und ggf. noch Schmiermittel. Das Ph. Eur. [4] schreibt für die rezepturmäßige Herstellung von Hartgelatinesteckkapseln vorzugsweise eine Mischung von 99,5 Teilen Mannitol und 0,5 Teilen hochdispersem Siliciumdioxid vor, da mit dieser Mischung die geringsten Inkompatibilitäten mit Wirkstoffen zu erwarten sind. In der pharmazeutischen Industrie sind Lactose, mikrokristalline Cellulose, Maisstärke, Dicalciumphosphat, Calciumcarbonat, Saccharose und Mannitol die gebräuchlichsten Füllmittel [5].

Als Schmier- und Fließregulierungsmittel kommen in Betracht
0,1 bis 0,3 Prozent Magnesiumstearat bzw.
1,0 bis 3,0 Prozent Talkum,
jeweils allein oder in Kombination mit 0,1 bis 0,3 Prozent hochdispersem Siliciumdioxid [5]. Dem Zusatz von Magnesiumstearat muß wegen seiner hydrophobierenden Eigenschaften besondere Beachtung geschenkt werden, da es die Auflösegeschwindigkeit des Wirkstoffes aus der Kapsel verzögern kann [8].

Im Gegensatz zur Tablettenherstellung, die überwiegend über eine Granulierung der Wirk- und Füllstoffe läuft, wird bei der Kapselherstellung eine Granulierung nur bei ungenügender Benetzbarkeit des Wirkstoffes und bei Entmischungen von Wirk- und Hilfsstoffen erforderlich.

Für die Herstellung der Dimenhydrinat-Kapseln 50 mg der Standardzulassung mit einfachen Handabfüllgeräten oder halbautomatischen Kapselfüllgeräten können sowohl das Ph. Eur.-Füllmittel wie die oben genannten Füllstoffe verwendet werden. Gut geeignet erscheint auch eine Mischung aus Cellulosepulver[1)] mit einem Kornspektrum von 1 bis 100 µm und direkttablettierbarer Lactose[2)] im Verhältnis 1 : 10.

Monographien-Kommentar

2

Unter Berücksichtigung der Wirkstoffmenge von 50 mg Dimenhydrinat und einer ausreichenden Menge an Füll- und Fließregulierungsmittel dürfte eine Kapsel der Größe zwei mit einem Volumen von 0,37 ml [6] in Betracht kommen.

Um ein Verspröden oder ein Quellen und Verkleben der Leerkapseln zu vermeiden, sollten diese bei Raumtemperatur und einer relativen Luftfeuchte von 40 bis 60 Prozent aufbewahrt und abgefüllt werden [7].

Die vom Ph. Eur. geforderte Zuverlässigkeit des Verschlusses bei den Hartgelatinekapseln ist bei den im Handel erhältlichen Steckkapseln durch einen zusätzlichen Sicherheitsverschluß gewährleistet, den jeder Hartgelatinekapsel-Hersteller gesondert entwickelt und patentiert hat.

---

[1]) Elcema® p 100, Degussa, Hanau (BRD)
[2]) Tablettose®, Meggle, Reitmehring (BRD)

[1] Martindale, The Extra Pharmacopoeia, 28. Edition, p. 1309, The Pharmaceutical Press, London 1982.

[2] USP XXI (1985).

[3] BP 80 (1980).

[4] Ph. Eur.

[5] A. Laichner, Vortrag anläßlich des APV-Seminars „Hartgelatinekapselabfüllung in der pharmazeutischen Industrie" vom 1. bis 3. Dezember 1986 in Nürnberg.

[6] Deutscher Arzneimittel Codex 1986, p. 21, 1. Lieferung 1986 mit unverändertem Teil des DAC 1979.

[7] W. Fahrig, U. Hofer, Die Kapsel, p. 80. Wissenschaftliche Verlagsgesellschaft Stuttgart, 1983.

[8] [7] p. 143.

E. Norden-Ehlert

Dimeticon-Kapseln 100 mg

1 **Bezeichnung des Arzneimittels**
Dimeticon-Kapseln 100 mg

2 **Darreichungsform**
Kapseln

3 **Prüfungen und Eigenschaften**

3.2 Fertigarzneimittel

3.2.1 Aussehen, Eigenschaften
Gefärbte oder nichtgefärbte Weichgelatinekapseln.

3.2.2 Gehalt
95,0 bis 105,0 Prozent der je Kapsel deklarierten Menge Dimeticon.

3.2.3 Haltbarkeit
Die Haltbarkeit in den Behältnissen nach 4 beträgt mindestens ein Jahr.

4 **Behältnisse**
Behältnisse aus Glas oder Streifenpackungen.

5 **Kennzeichnung**
Nach § 10 AMG, insbesondere:

5.1 Zulassungsnummer
6399.99.99

5.2 Art der Anwendung
Zum Einnehmen zu oder nach den Mahlzeiten und vor dem Schlafengehen.

5.3 Hinweis
Apothekenpflichtig

6 **Packungsbeilage**
Nach § 11 AMG, insbesondere:

6.1 Anwendungsgebiete

Bei übermäßiger Gasbildung und Gasansammlung im Magen-Darm-Bereich (Meteorismus, Flatulenz, Aerophagie, Roemheld-Syndrom); vor diagnostischen Untersuchungen im Bauchbereich zur Reduzierung von Gasschatten im Röntgenbild; bei verstärkter Gasbildung nach Operationen.

6.2 Dosierungsanleitung

Soweit nicht anderes verordnet, werden 1 bis 2 Kapseln zu oder nach den Mahlzeiten eingenommen.

Bei Bedarf können auch vor dem Schlafengehen noch 1 bis 2 Kapseln eingenommen werden.

6.3 Art und Dauer der Anwendung

Die Dauer der Anwendung richtet sich nach dem Verlauf der Beschwerden. Dimeticon-Kapseln können, falls erforderlich, über längere Zeit eingenommen werden.

Monographien-Kommentar

Dimeticon Kapseln 100 mg

3.2.2 Gehalt

Zur Bestimmung des Dimeticon eignet sich ein IR-spektrometrisches Verfahren, wie es in USP XX beschrieben ist. Die Absorptionsbande bei ca. 1266 cm^{-1} (7,9 μm), die der Anregung der Si-CH$_3$-Valenzschwingung entspricht, gestattet eine relativ spezifische Bestimmung, da die üblichen Streckungs- und Gleitmittel in diesem Wellenzahlenbereich keine Absorption aufweisen:

Eine definierte Anzahl (z) Kapseln wird nach dem Öffnen mit Tetrachlorkohlenstoff mehrfach extrahiert. Die vereinigten Extrakte werden in einem Meßkolben (Volumen y ml) mit Tetrachlorkohlenstoff aufgefüllt, so daß eine Konzentration von ca. 2 mg/ml resultiert. 25,0 ml dieser Lösung werden in einem geeigneten Gefäß mit 50 ml verdünnter Salzsäure (AB) versetzt, verschlossen und exakt 5 Minuten lang maschinell mit genau definierter Stärke und Frequenz geschüttelt. Nach Trennung der Phasen im Scheidetrichter werden 5,0 ml der organischen Phase in einem verschließbaren Zentrifugenröhrchen mit 0,5 g wasserfreiem Natriumsulfat kräftig geschüttelt und zentrifugiert, bis eine klare flüssige Phase entsteht. Von dieser wird in einer 0,4 mm-Küvette die Absorption bei 1266 cm^{-1} (7,9 μm) gegen einen Blindwert gemessen (Absorption A_u). Der Blindwert wird durch Schütteln von 10 ml Tetrachlorkohlenstoff mit 0,5 g Natriumsulfat wasserfrei (AB) und anschließender Zentrifugation gewonnen. Als Standard werden 25,0 ml einer Lösung von Dimeticon-Referenzsubstanz (ca. 2 mg/ml, exakte Konzentration C) behandelt wie die Prüflösung (Absorption A_s).

Die Masse Dimeticon pro Kapsel ergibt sich zu

$$m \text{ (Dimeticon)/Kapsel} = C \cdot \frac{A_u}{A_s} \cdot \frac{y}{z}$$

Alternative Bestimmungsmethoden sind die photometrische Analyse des bei der Verbrennung nach Schöniger gebildeten Silikat nach Reaktion mit Ammoniummolybdat [1] und die photometrische Bestimmung des bei der Pyrolyse mit Natriumperoxid oder Kalium im Nickelbombenrohr gebildeten Silikat nach Reaktion mit Ammoniummolybdat und dessen Reduktion zu Molybdänblau [2].

3.2.3 Haltbarkeit

Die Bestimmungsmethode aus 3.2.2 ist geeignet. Zur Absicherung sollte das gesamte IR-Spektrum registriert und mit dem des gleichbehandelten Standard verglichen werden.

[1] J. E. Burroughs, W. G. Kator, A. I. Attia, Anal. Chem. **40**, 657 (1968).
[2] I. M. Kolthoff, P. J. Elving, „Treatiseon Analytical Chemistry", Part II, Vol. II, Interscience, New York, 1965.

P. Surmann

Monographien-Kommentar

Dimeticon-Kapseln 100 mg

Anmerkungen zur Rezeptur und Herstellung des Fertigarzneimittels.

Dimeticon-Kapseln 100 mg sollen nach der Spezifizierung des Fertigarzneimittels Weichgelatinekapseln sein. Damit ist der Nutzer dieser Standardzulassung zwangsläufig an einen Lohnhersteller gebunden. Die Herstellung von Weichgelatinekapseln setzt eigene Produktionsanlagen und Spezialkenntnisse voraus.

Üblicherweise wird die Rezeptur für die Füllmasse der Weichgelatinekapsel vom Kapselhersteller erarbeitet, basierend auf den beim Pharmazeutischen Unternehmer abgefragten physikalischen, chemischen, pharmakologischen und toxikologischen Daten der zu verarbeitenden wirksamen Bestandteile.

Die Kapselfüllmasse wird entweder als nicht sedimentierende Suspension oder ölige Lösung konzipiert.

Für die Qualität und Stabilität des Fertigarzneimittels trägt der Pharmazeutische Unternehmer als Auftraggeber die volle Verantwortung. Er muß auf Verlangen seiner Überwachungsbehörde gegenüber nachweisen, daß seine Dimeticon-Kapseln 100 mg der Forderung der Standardzulassung entsprechen und eine Mindesthaltbarkeit von 1 Jahr in den vorgeschriebenen oder auch anderen Behältnissen aufweisen. Kann der Pharmazeutische Unternehmer eine längere Haltbarkeit als 1 Jahr nachweisen, so kann er diese für sich in Anspruch nehmen.

Der Pharmazeutische Unternehmer als Auftraggeber haftet gegenüber dem Gesetzgeber für eine GMP-gerechte Produktion des Lohnherstellers.

Dieser dokumentiert seine GMP-gerechte Produktion gegenüber dem Pharmazeutischen Unternehmer u. a. mit einem GMP-Herstellungszertifikat seiner zuständigen Überwachungsbehörde. Hierauf soll geachtet werden.

Der erste weltweite Lohnhersteller für Weichgelatinekapseln war die Firma R. P. Scherer, die die Patente für dieses Verfahren besaß [1].

Inzwischen gibt es in der Bundesrepublik Deutschland mehrere Weichgelatinekapsel-Hersteller [2].

[1] R. P. Scherer GmbH, Eberbach/Baden, Die Kapsel im Dienste der Medizin (1975).
[2] Seibt, Pharma Technik, 600 / D 5, Seibt Verlag, München, 4. Ausgabe (1986).

E. Norden-Ehlert

Dimeticon-Tabletten 80 mg

1 **Bezeichnung des Arzneimittels**
Dimeticon-Tabletten 80 mg

2 **Darreichungsform**
Tabletten

3 **Prüfungen und Eigenschaften**

3.2 Fertigarzneimittel

3.2.1 Aussehen, Eigenschaften
Weiße bis fast weiße nichtüberzogene Tabletten.

3.2.2 Gehalt
95,0 bis 105,0 Prozent der je Tablette deklarierten Menge Dimeticon.

3.2.3 Haltbarkeit
Die Haltbarkeit in den Behältnissen nach 4 beträgt mindestens ein Jahr.

4 **Behältnisse**
Behältnisse aus Glas oder Streifenpackungen.

5 **Kennzeichnung**
Nach § 10 AMG, insbesondere:

5.1 Zulassungsnummer
6399.98.98

5.2 Art der Anwendung
Zum Einnehmen und Zerkauen zu oder nach den Mahlzeiten und vor dem Schlafengehen.

5.3 Hinweis
Apothekenpflichtig

6 **Packungsbeilage**
Nach § 11 AMG, insbesondere:

6.1 Anwendungsgebiete

Bei übermäßiger Gasbildung und Gasansammlung im Magen-Darm-Bereich (Meteorismus, Flatulenz, Aerophagie, Roemheld-Syndrom); vor diagnostischen Untersuchungen im Bauchbereich zur Reduzierung von Gasschatten im Röntgenbild; bei verstärkter Gasbildung nach Operationen.

6.2 Dosierungsanleitung

Soweit nicht anders verordnet, werden 1 bis 2 Tabletten zu oder nach den Mahlzeiten eingenommen und zerkaut.

Bei Bedarf können auch vor dem Schlafengehen noch 1 bis 2 Tabletten eingenommen werden.

6.3 Art und Dauer der Anwendung

Die Dauer der Anwendung richtet sich nach dem Verlauf der Beschwerden. Dimeticon-Tabletten können, falls erforderlich, über längere Zeit eingenommen werden.

Monographien-Kommentar

Dimeticon-Tabletten 80 mg

siehe Kommentar zu Dimeticon-Kapseln 100 mg

3.2.2 Gehalt

Entsprechend Dimeticon-Kapseln 100 mg. Die zur Tablettenherstellung verwendeten üblichen Hilfsstoffe stören die Bestimmung nicht.

P. Surmann

Monographien-Kommentar

Dimeticon-Tabletten 80 mg

Anmerkungen zur Rezeptur und Herstellung des Fertigarzneimittels.

Nach der „Roten Liste 1986" [1] werden die marktgängigsten Dimeticon-Tabletten als Kautabletten angeboten, was aus Sicht der optimalen Verfügbarkeit des Wirkstoffes und seines physiko-chemischen Profils eine bessere Darreichungsform sein dürfte als eine nicht überzogene Tablette, die innerhalb von 15 Minuten zerfallen muß [2].

Die Standardzulassungsmonographie Dimeticon-Tabletten 80 mg spezifiziert ihr Fertigarzneimittel in diesem für die Art der Anwendung wichtigen Punkt nicht. Nur aus den Angaben unter 5.2 Art der Anwendung und 6.2 Dosierungsanleitung wird ersichtlich, daß eine Kautablette angebracht ist.

Dimeticon, eine klare, farblose Flüssigkeit, ohne Geschmack und praktisch ohne Geruch ist gegenüber Hitze und den meisten Chemikalien außerordentlich stabil. Inkompatibilitäten im pharmazeutischen Bereich sind nicht bekannt.

Die Dimeticone mit unterschiedlichen Polymerisationsgraden und folglich unterschiedlichen Viscositäten werden in der pharmazeutischen Technologie vielseitig angewandt, wie z. B. in Hautschutzsalben, zur Innenvergütung von Infusionsflaschen, als Entschäumer, als Dichtungsmittel und Gleit- und Schmiermittel für Kolben, Stopfen und Injektionsspritzen. In der Tablettierung wurde früher häufig silikonisierter Talk als Formen-, Schmier- und Trennmittel verwendet [3].

Durch Zusatz von 4 bis 7 Prozent hochdispersem Siliciumdioxid wird das Dimeticon als Antischaummittel aktiviert [4, 5], was sich dementsprechend auch teilweise in den Zusammensetzungsangaben von den auf dem Markt befindlichen Dimeticonzubereitungen widerspiegelt. Dimeticon mit 4 bis 7 Prozent Siliciumdioxid ist in der USP XXI unter dem Namen Simethicone aufgenommen.

Bei diesem Produkt wird eine sog. „Defoaming activity" geprüft [4]:

> 100 ml Schaumlösung, bestehend aus 1 g Octoxynol-9 in 100 ml Wasser werden 500 μl Prüflösung, bestehend aus 200 mg Simethicone in 50 ml tert.- Butylalkohol, zugesetzt. Es wird unter definierten Bedingungen geschüttelt und danach die Zeit in Sekunden bestimmt, die bis zum vollständigen Zerfall des Schaumes benötigt wird. Diese Zeit soll 15 Sekunden nicht überschreiten.

Eine ähnliche, abgewandelte Prüfung wäre schon für beide Dimeticon-Fertigarzneimittel nach der Standardzulassung wünschenswert, um ein Fertigarzneimittel mit immer gleichbleibender Wirkung zu erhalten.

Für die Herstellung von Dimeticon-Kautabletten 80 mg nach der Standardzulassung empfiehlt es sich, aufgrund der oben gemachten Ausführungen Dimeticon mit hochdispersen Siliciumdioxid zu verarbeiten und auf die USP XXI-Suspension Simethicone, die auch auf dem deutschen Markt angeboten wird [6], zurückzugreifen. Dieses mit Wasser nicht mischbare strukturviskose und thixotrope Entschäumungskonzentrat muß aber für die Tablettierung auf inerte Hilfsstoffe mit großer Oberfläche aufgezogen bzw. fein verteilt werden. Dafür dürften sich Bentonit, weißer Ton [7], weitere Mengen Aerosil® oder auch Cellulosen eignen.

Danach kann nach Zusatz von für Kautabletten üblichen Hilfsstoffen wie Mono- und Disacchariden, Polyolen aber auch Cellulosen [8] nach Granulierung unter Beachtung des richtigen Feuchtigkeitsgehaltes ein tablettierfähiges Granulat erhalten werden.

Anregungen zur Rezeptur und Herstellung von Kautabletten finden sich in der Kommentierung zu Magnesiumtrisilikat-Tabletten 500 mg [9] und Ascorbinsäure-Tabletten 100 mg [10].

[1] Rote Liste 1986, Editio Cantor KG, Aulendorf.

[2] Ph. Eur., Bd. III mit Kommentar (1979)

[3] Arbeitsgruppe der Firmen Ciba-Geigy, Hoffmann-La Roche, Sandoz, „Katalog pharmazeutischer Hilfsstoffe", Vertrieb durch APV, Main (1974).

[4] USP XXI, (1985).

[5] J. E. Carless, J. B. Stenlake, W. D. Williams, J. Pharm. Pharmacol. **25,** 849 (1973).

[6] Th. Goldschmidt AG, Essen. Wacker-Chemie GmbH, München.

[7] Herzfeld, APV-Kurs Nr. 382, Die Herstellung von Hartgelatine-Kapseln, p. 15, Mainz (1986).

[8] H. A. Liebermann, L. Lachmann, Pharmaceutical Dosage Forms: Tablets, Vol. 1, 289, Marcel Dekker, Inc., New York, Basel (1980).

[9] Standardzulassung Magnesiumtrisilikat-Tabletten 500 mg, Anmerkungen zur Rezeptur und Herstellung des Fertigarzneimittels.

[10] Standardzulassung Ascorbinsäure-Tabletten 100 mg, Anmerkungen zur Rezeptur und Herstellung des Fertigarzneimittels.

E. Norden-Ehlert

Diphenhydraminhydrochlorid-Kapseln 25 mg

1 **Bezeichnung des Fertigarzneimittels**
Diphenhydraminhydrochlorid-Kapseln 25 mg

2 **Darreichungsform**
Kapseln

3 **Eigenschaften und Prüfungen**

3.2 Fertigarzneimittel

3.2.1 Aussehen, Eigenschaften
Hartgelatinekapseln, an deren Außenseite kein Pulver anhaften darf.

3.2.2 Auflösungsgeschwindigkeit
Innerhalb von 45 min müssen mindestens 75 Prozent (Q) der pro Kapsel deklarierten Menge Diphenhydraminhydrochlorid aufgelöst sein.
Auflösungsmedium: 500 ml Wasser
Methode: Drehkörbchen-Methode
Umdrehungsgeschwindigkeit: 100 U/min

3.2.3 Gehalt
95,0 bis 105,0 Prozent der pro Kapsel deklarierten Menge Diphenhydraminhydrochlorid.

3.2.4 Haltbarkeit
Die Haltbarkeit in den Behältnissen nach 4 beträgt mindestens ein Jahr.

4 **Behältnisse**
Dichtschließende Behältnisse aus Braunglas oder Tiefziehfolie mit Lichtschutz.

5 **Kennzeichnung**
Nach § 10 AMG, insbesondere:

5.1 Zulassungsnummer
2799.99.99

5.2 Art der Anwendung

Zum Einnehmen.

5.3 Hinweise

Apothekenpflichtig

Vor Feuchtigkeit geschützt lagern.

6 Packungsbeilage

Nach § 11 AMG, insbesondere:

6.1 Anwendungsgebiete

Einschlaf- und Durchschlafstörungen.

6.2 Gegenanzeigen

Bei akutem Asthma, grünem Star, Vergrößerung der Vorsteherdrüse, Magen- und/oder Zwölffingerdarmgeschwüren sowie bei verengter Magen-Darm-Passage und Verengung des Harnblasenausgangs können unter der Einnahme von Diphenhydraminhydrochlorid Unverträglichkeiten auftreten. Bei Epilepsie und in der Schwangerschaft soll Diphenhydraminhydrochlorid nicht eingenommen werden.

6.3 Nebenwirkungen

Die Einnahme von Diphenhydraminhydrochlorid kann gelegentlich zu Hautreaktionen, Magen-Darm-Störungen, Mundtrockenheit und Schwierigkeiten beim Harnlassen führen. Weiterhin kann eine Überempfindlichkeit gegen Sonnenlicht und ultraviolette Strahlen hervorgerufen werden. Nach längerfristiger täglicher Anwendung können durch plötzliches Absetzen der Therapie Schlafstörungen wieder verstärkt auftreten.

Hinweis:

Das Reaktionsvermögen kann auch bei bestimmungsgemäßen Gebrauch so beeinflußt werden, daß die Fähigkeit zur aktiven Teilnahme am Straßenverkehr oder zum Bedienen von Maschinen beeinträchtigt wird. Dies ist daher bei der Einnahme am Tage zu beachten.

6.4 Wechselwirkungen mit anderen Mitteln

Bei gleichzeitiger Einnahme von Diphenhydraminhydrochlorid mit anderen zentral wirksamen Medikamenten (z. B. Psychopharmaka, Schlafmittel, Schmerzmittel) kann die Wirkung dieser Medikamente verstärkt werden. Dies gilt insbesondere bei gleichzeitigem Alkoholgenuß.

6.5 Dosierungsanleitung

Soweit nicht anders verordnet, nehmen Erwachsene bei nächtlichem Erwachen oder bei Einschlafstörungen 2 Kapseln 15 bis 30 Minuten vor dem Schlafengehen mit etwas Flüssigkeit ein.

6.6 Art der Anwendung

Wird Diphenhydraminhydrochlorid zur Behandlung von Schlafstörungen eingenommen, so ist darauf zu achten, daß eine ausreichende Schlafdauer gewährleistet ist, um Beeinträchtigungen des Reaktionsvermögens (Verkehrstüchtigkeit) am folgenden Morgen zu vermeiden.

6.7 Dauer der Anwendung

Bei akuten Schlafstörungen oder akuten Angstzuständen ist die Behandlung möglichst auf Einzelgaben zu beschränken. Um bei chronischen Schlafstörungen oder chronischer Angstneurose die Notwendigkeit einer fortgesetzten Anwendung zu überprüfen, sollte nach zweiwöchiger täglicher Einnahme die Dosis schrittweise reduziert und die Medikation abgesetzt werden. Hierbei ist zu berücksichtigen, daß ggf. zunächst medikamentös bedingte Schlafstörungen bzw. Angst- und Unruhezustände verstärkt wieder auftreten können (sog. Absetzphänomen).

6.8 Hinweis

Vor Feuchtigkeit geschützt aufbewahren.

Monographien-Kommentar

Diphenhydraminhydrochlorid-Kapseln 25 mg

Anmerkungen zur Rezeptur und Herstellung des Fertigarzneimittels

Diphenhydraminhydrochlorid liegt als weißes bis fast weißes, kristallines Pulver vor, ist geruchlos oder fast ohne Geruch, weist einen bitteren Geschmack auf und ruft auf der Zunge vorübergehend Gefühllosigkeit hervor [1]. In 1 ml lösen sich 0,86 g Sustanz, in 1 ml Methanol 0,61 g, in 1 ml Isopropylalkohol 0,0135 g, in 1 ml Aceton 0,016 g [2]. In Ether ist Diphenhydraminhydrochlorid nahezu unlöslich [3]. Eine 1%ige, wäßrige Lösung hat einen pH-Wert von 5,5. Der pKa-Wert beträgt bei 25 °C 9,12; bei 20 °C 9,06 [1].

Als Hülle werden Hartgelatinekapseln eingesetzt. Ihr Hauptbestandteil setzt sich aus einer Mischung von Gelatine Typ A und Typ B zusammen. Daneben enthält das Wandmaterial Zuschläge von Farbstoffen und Opafizierungsmittel wie Titandioxid und Eisenpigmente. Die Färbung kann u. a. zur Produktidentifizierung und als Lichtschutz dienen. Die Opafizierung darüber hinaus auch zur Verbesserung der Verarbeitungseigenschaften von Hartgelatinekapseln: Opake Kapseln laden sich weniger stark auf als transparente und sind deshalb maschinengängiger, insbesondere beim Einfädeln und beim Verschließvorgang [4]. Zusätzlich kann im Wandmaterial Natriumdodecylsulfat vorhanden sein, das im Rahmen der Kapselfertigung der Gelatinelösung zugesetzt worden ist, um die Oberflächenspannung bei der Verarbeitung der Lösung zu senken. Das Arzneibuch empfiehlt die Verwendung weißopak eingefärbter Kapseln.

Leerkapseln weisen eine Wandstärke von 110–150 µm und einen Wassergehalt von 10–12% auf. Sie werden in der Regel in Kartons mit antistatischen PE-Innenbeuteln geliefert. Originalverpackt sind sie bei Temperaturen zwischen 15 und 25 °C und 35–65% relativer Luftfeuchtigkeit (rF) gut zu lagern. In unverpacktem Zustand beginnen Hartgelatinekapseln ab 40–50% rF allmählich Feuchtigkeit zu absorbieren. Eine Klimatisierung des Arbeitsbereiches, in dem die Kapselfüllung vorgenommen werden soll, ist daher vorzusehen.

Der Aufwand zur Entwicklung der Kapselrezeptur hält sich in den Grenzen, da zur Formulierung des Füllgutes prinzipiell die gleichen Hilfsstoffe eingesetzt werden können wie zur Entwicklung der schnell-freisetzenden Tablettenform. Zu berücksichtigen sind allerdings die durch das zur Verfügung stehende Dosier- und Abfüllsystem vorgegebenen Rahmenbedingungen: Je nachdem, ob das Füllgut unmittelbar in die Kapselunterteile eingerieselt bzw. eingestrichen wird (direkte Abfüllmethode) oder außerhalb der Kapselunterteile in speziellen Dosiereinheiten komprimiert und als Formling in die Kapselunterteile abgefüllt wird (indirekte Abfüllmethode), sind die verfahrenstechnisch bedingten Ansprüche an die Materialeigenschaften des Füllgutes verschieden und erfordern entsprechende Anpassungen. Dies trifft besonders zu in Hinblick auf das Fließverhalten, die Masseeinheitlichkeit und die Ausstoßkräfte beim Verkapselungsprozeß.

Die Hilfsstoffauswahl zur Formulierung von Diphenhydraminhydrochlorid-Kapseln 25 mg beschränkt sich im allgemeinen auf Füllstoffe und Gleitmittel. Für die rezepturgemäße Herstellung empfiehlt das Arzneibuch eine Mischung von 99,5 Teilen Mannitol und 0,5 Teilen hochdispersem Siliciumdioxid als Füllmittel. Statt Mannitol eignen sich als Füllstoffe ebenso Lactose verschiedener Korngrößen, Mais-, Kartoffelstärke, Cellulose, mi-

Monographien-Kommentar

krokristalline Cellulose, evtl. auch einige anorganische Salze wie Dicalciumphosphat. Bedacht werden muß ihr unterschiedlicher Einfluß auf die für den Füllprozeß bedeutsamen Parameter Pulverbettdichte, Kompressibilität und Komprimierbarkeit, wobei unter Kompressibilität die Fähigkeit eines Pulvers verstanden wird, unter Druck sein Volumen zu reduzieren und unter Komprimierbarkeit, unter Druck ein ausreichend festes Komprimat einzunehmen. So hat beispielsweise mikrokristalline Cellulose im Vergleich zu Lactose verschiedener Korngrößen eine deutlich kleinere Pulverdichte, jedoch eine wesentlich größere Kompressibilität und Komprimierbarkeit. Andererseits sind die Füllmengenschwankungen bei Verwendung von mikrokristalliner Cellulose größer als mit einer Mischung von Lactose 100+200 mesh [5].

Handelt es sich um rieselfähige Füllgüter, hängt die Dosiergenauigkeit bei der Abfüllung in starkem Maße von den Fließeigenschaften der Materie ab. Zu deren Prüfung sind eine Vielzahl von Versuchsanordnungen vorgeschlagen worden [5, 6]. Hauptsächlich verwendet werden Meßverfahren zur Bestimmung des Böschungswinkels, des Abrutschwinkels und der Fließgeschwindigkeit. Letztere kann nach der im Arzneibuch unter Ziffer 2.9.16 beschriebenen Methode ermittelt werden: Mit ihr wird unter definierten Bedingungen anhand genormter Auslauftrichter für eine vorgegebene Schüttgutmenge die Auslaufzeit gemessen. Für die Neigung des Böschungswinkels sind vor allem Kräfte der interpartikulären Gleitreibung maßgebend, für die Ausbildung des Abrutschwinkels hingegen die der interpartikulären Haftreibung. Beide Methoden charakterisieren unterschiedliche Füllguteigenschaften und sind darüber hinaus nicht genormt.

Will man Vergleiche anstellen, können diese allenfalls mit solchen Werten erfolgen, die unter identischen Bedingungen erzielt wurden.

Ist das Fließverhalten zu verbessern, bieten sich u. a. Granulierungsverfahren an, mit deren Hilfe sich sphärische Kornformen mit möglichst glatten Oberflächen aufbauen lassen. Granulate aus Wirk- und Hilfsstoffen verringern zudem die Gefahr einer potentiellen Entmischung und weisen in Zusammenhang mit spezifischen Abfüllverfahren eine bessere Komprimierbarkeit auf. Die zur Granulierung erforderlichen Bindemittel können in der Granulierflüssigkeit gelöst oder der inneren Phase trocken zugemischt werden. Wird die Substanz trocken verarbeitet, muß sie in dem der Mischung anschließend als Granulierflüssigkeit zugefügten Medium unverzüglich löslich oder zumindest rasch quellbar sein. Als Granulierflüssigkeit wird in der Regel Wasser herangezogen.

Stärke stellt eine multifunktionelle Substanz dar, die sowohl Bindemittelfunktionen als auch zerfallsbeschleunigende Eigenschaften aufweist. Als Bindemittel wird sie in Form eines 8–25%igen Kleisters verwendet. Anstelle von Stärke kann auch Polyvidon (Abk.: PVP, Povidone, im Handel z. B. als Kollidon® etc.) in Form einer 1–10%igen wäßrigen Lösung oder 1–15%ig als Trockenbindemittel angewendet werden. Zur Granulierung gut geeignet sind PVP-Sorten mit Molmassen zwischen 25000–40000 g mol^{-1} (Kollidon® 25, K 30). Wird niedermolekulares Polyvidon (z. B. K 25) mit einem hochmolekularen PVP (K 90) verschnitten, sollen sich mit dieser Mischung, die Granulat- und Kerneigenschaften optimieren lassen [7]. Bei Einsatz von Polyvidon ist daran zu denken, daß bei längerer Lagerung des Fertigarzneimittels die Zerfallszeit ansteigen kann.

Weitere Verbesserungsmaßnahmen ergeben sich durch Gleitmittelzusätze. Hierzu zählt hochdisperses Siliciumdioxid, ein ausgesprochenes Fließregulierungsmittel, das in Konzentrationen von 0,1–0,5% durch Reduktion der interpartikulären Haft- und Gleitreibung den Füllgutfluß fördert. Erfolgt die Abfüllung mit Hilfe halb- oder vollautomatische arbeitender Maschinen, kommen noch Metallseifen wie Magnesiumstearat, höhere Fettsäu-

Monographien-Kommentar

Diphenhydraminhydrochlorid-Kapseln 25 mg

ren wie Stearinsäure, gelegentlich auch Talkum hinzu. Sie üben dort ähnliche Funktionen aus wie bei entsprechenden Tablettierungsvorgängen, in dem sie als Schmiermittel bei der Kapselfüllung die Ausstoßkräfte reduzieren und ein Kleben der Formlinge an den Dosierstiften unterbinden.

Am meisten verwendet wird Magnesiumstearat. Die physikochemischen und Gleitmittel-Eigenschaften dieser Substanz können von Hersteller zu Hersteller, teilweise auch von Charge zu Charge in erheblichem Umfang schwanken, so daß im Rahmen der Qualitätskontrolle auf die exakte Einhaltung der vorgegebenen Spezifikationen zu achten ist. Als lipophile Verbindung kann Magnesiumstearat bei zu hoher Konzentration die Auflösungsgeschwindigkeit von Diphenhydraminhydrochlorid aus den Kapseln verlangsamen. Ziel der Rezepturentwicklung ist es daher, mit einem Minimum an Schmiermittel ein Optimum an Wirkung zu erreichen. Dieser Schritt muß erneut validiert werden, wenn ein anderes Abfüllsystem zum Einsatz kommt [8]. Magnesiumstearat wird üblicherweise in Konzentrationen bis 1% verwendet. Optimale Mengen können wesentlich tiefer liegen und Anteile von 0,2% und weniger an der Gesamtmasse haben.

Die zur Schmierung erforderliche Einsatzmenge von Stearinsäure übersteigt die von Magnesiumstearat oft um ein Mehrfaches. Deutliche Minderungen der Ausstoßkraft treten in der Regel erst bei einem Stearinsäureanteil von 2% auf. Gelegentlich beobachtet man in Gegenwart von Stearinsäure große Kapselmassenschwankungen. Sie sind meist auf den Befund zurückzuführen, daß durch die Fettsäure zwar die Reibungskräfte reduziert werden, der Formling selber jedoch am Dosierstift kleben bleibt. Stearinsäure erweist sich somit als ein Gleitmittel mit akzeptabler Schmierwirkung jedoch mäßigen Formtrenneigenschaften.

Nur wenig wirksam ist Talkum. Selbst in Konzentrationen von 5% wird die Ausstoßkraft geringfügiger reduziert als durch Schmiermittel mit deutlich niedrigeren Konzentrationen. Positive Effekte können bei Zusatz von Talkum erzielt werden, wenn der Magnesiumstearatanteil nicht ausreicht. Ist genügend Stearat vorhanden, zeigt Talkum eine antagonistische Wirkung und reduziert die Schmierwirkung von Magnesiumstearat [7].

Kapselrezepturen mit Diphenhydraminhydrochlorid lassen sich u. U. auch durch Bildung sog. interaktiver Mischungen vereinfachen [12]. Hierunter versteht man die Möglichkeit, feine, etwa in der Größenordnung von 1–4 µm vorliegende Wirkstoffteilchen durch einen einfachen Mischvorgang an grobe Trägerpartikeln wie Sorbitol oder Lactose über Adhäsionskräfte zu binden, so daß sie z. B. durch Siebung nicht mehr getrennt werden können.

Der pro Kapsel erforderliche Gesamtanteil an Hilfsstoffen ergibt sich unter Berücksichtigung des Mischverhaltens des Füllgutes aus dem Fassungsvermögen der geeigneten Kapselgröße, vermindert um das Volumen, das von der Wirkstoffeinzeldosis/Kapsel eingenommen wird. Die geeignete Kapselgröße kann näherungsweise bei Vorlage weitgehend homogener, rieselfähiger Füllmasse und Kenntnis ihres Schüttvolumens bzw. der Schüttdichte errechnet oder aus Nomogrammen abgelesen werden [6]. Die optimale Füllmenge/Kapsel (Sollfüllmasse) muß hingegen experimentell bestimmt werden. Hierzu stehen verschiedene Methoden zur Verfügung [9, 10, 11].

Unabhängig vom Maschinentyp umfaßt der Verkapselungsprozeß folgende Arbeitschritte: Ordnen und Einsetzen der Kapselhüllen, Öffnen der Leerkapseln, Dosierung des Füllgutes in die Kapselunterteile, Aufsetzen der Kapseloberteile und Verschließen, Auswerfen der gefüllten und verschlossenen Kapseln. Das jeweilige Abfüllverfahren richtet

Monographien-Kommentar

4

sich nach der Art und den Eigenschaften des Füllgutes, den Anforderungen an die Masseeinheitlichkeit und der Ansatzmenge.

Im Apothekenbetrieb, für die Herstellung von Versuchschargen im Entwicklungsstadium, zum Abfüllen kleinerer Produktionschargen eignen sich handbetriebene Kapselfüllgeräte. Methodisch geht man so vor, daß zunächst auf Basis der zuvor experimentell bestimmten Sollfüllmasse die entsprechend errechnete Menge Füllgut abgewogen und dann in die vorgesehenen Kapselunterteile gleichmäßig eingestrichen wird. Läßt sich gegebenenfalls der überstehende Rest der abgewogenen Füllmasse unter leichtem Druck gleichmäßig auf die Kapseln verteilen, gelingt es, gute Massetoleranzen einzuhalten. Anzumerken ist, daß dieses Einstreichverfahren keine Teilfüllung der Kapseln erlaubt, da das gesamte Kapselunterteil als „Dosierkammer" fungiert. Demzufolge ist eine komplette Füllung erforderlich, die nötigenfalls durch Füllstoffzusatz erreicht werden muß. Weiterführende Informationen zu Abfüllgeräten, die im Industriemaßstab eingesetzt werden, und solchen für pulverförmige Massen mit schlechten Fließeigenschaften finden sich in nachstehenden Publikationen [3, 4, 9, 10, 11].

Das Arzneibuch schreibt unter Ziffer 2.9.5 für Kapseln mit mehr als 2 mg oder mehr als 2% Wirkstoff die Prüfung der Gleichförmigkeit der Masse vor. Es empfiehlt sich jedoch, nach Ziffer 2.9.6 vorzugehen und bei Diphenhydraminhydrochlorid-Kapseln 25 mg die Prüfung B auf „Gleichförmigkeit des Gehaltes einzeldosierter Arzneiformen" durchzuführen, um sicher zu stellen, daß signifikante Gehaltsstreuungen, die über das vertretbare Maß hinausgehen und durch inhomogene Verteilung des Wirkstoffes innerhalb des Füllgutes oder nachträglich durch Entmischung während des Abfüllprozesses zustande gekommen sein könnten, weitgehend vermieden worden sind. Wird die Gehaltskonformität ermittelt, kann die Prüfung nach 2.9.5 entfallen.

Diphenhydraminhydrochlorid-Kapseln 25 mg müssen der Prüfung „Zerfallszeit von Tabletten und Kapseln" (Ziffer 2.9.1) entsprechen. Prüfflüssigkeit ist Wasser. Die Prüfung ist bestanden, wenn alle 6 eingesetzten Kapseln binnen 30 Minuten zerfallen sind. Das Arzneibuch läßt in begründeten Fällen anstelle von Wasser 0,1 N-Salzsäure oder künstlichen Magensaft R als Prüfmedium zu. Begründet könnte u. U. der Einsatz des künstlichen Magensaftes dann sein, wenn es sich um gealterte Hartgelatinehüllen handelt, die nur in Gegenwart der pepsinhaltigen Flüssigkeit innerhalb des vorgeschriebenen Zeitrahmens zerfallen.

Diphenhydraminhydrochlorid-Kapseln 25 mg sind eine schnell freisetzende Zubereitung und werden nach dem derzeitigen Stand der pharmazeutischen Wissenschaften als ein Arzneimittel mit „unproblematischer" Bioverfügbarkeit bewertet. Unter bestimmten Voraussetzungen kann daher auf eine vergleichende Bioverfügbarkeitsstudie verzichtet werden. Vor allem dann, wenn eine ordnungsgemäße pharmazeutische Qualität mit ausreichend dokumentierten in-vitro-Freisetzungseigenschaften vorhanden ist.

[1] Diphenhydraminhydrochlorid. In: F. von Bruchhausen, S. Ebel, A. W. Frahm, E. Hackenthal: Bd. 7, Stoffe A–D. In: Hagers Handbuch der Pharmazeutischen Praxis, 5. Aufl., Springer Verlag, Berlin, Heidelberg, New York, 1993.

[2] Holcomb, I. J., Fusari, S. A.:Diphenhydramine Hydrochloride, Bd. 3, 174. In: Florey, K.: Analytical Profiles of Drug Substances, Academic Press, New York, London, 1974.

[3] Diphenhydraminhydrochlorid. In: Europäisches Arzneibuch, 3. Ausgabe, Deutscher Apotheker Verlag Stuttgart, Govi-Verlag-Pharmazeutischer Verlag GmbH, 1997.

[4] Cole, E. T.: Leerkapseln, Kap. 8.2.1.1, 319. In: Sucker, H., Fuchs, P., Speiser, P.: Pharmazeutische Technologie, Georg Thieme Verlag, Stuttgart, New York, 1991.

Diphenhydraminhydrochlorid-Kapseln 25 mg

[5] Pfeifer, W.: Entwicklung von Hartgelatinekapseln, 320. In: Sucker, H., Fuchs, P., Speiser, P.: Pharmazeutische Technologie, Georg Thieme Verlag, Stuttgart, New York, 1991.

[6] Hofer, U.: Trockene Füllgüter, 83. In: Fahrig, W., Hofer, U.: Die Kapsel. Wiss. Verlagsgesellschaft mbH, Stuttgart, 1983.

[7] Hauer, B., Mosimann, P., Posanski, U., Rahm, H., Siegrist, H. R., Skinner, F., Stahl, P. H., Vollmy, C., Züger, O.: Feste orale und perorale Arzneiformen, Kap. 8.1, 244. In: Sucker, H., Fuchs, P., Speiser, P.: Pharmazeutische Technologie, Georg Thieme Verlag, Stuttgart, New York, 1991.

[8] Ullah, J., Wiley, G. J., Agharkar, S. N.: Drug.Dev.Ind.Pharmacy 18, 895 (1992).

[9] Führer, C.: Die Kapsel als moderne Arzneiform in Offizin und Industrie, Kap. II, 21. In: Fahrig, W., Hofer, U.: Die Kapsel. Wiss. Verlagsgesellschaft mbH, Stuttgart, 1983.

[10] Angaben zur Herstellung von Hartgelatine-Steckkapseln, 21, DAC Anlage G, 7. Ergänzung, 1995. In: Deutscher Arzneimittel-Codex Neues Rezeptur-Formularium, Bd. 1, Govi-Verlag Pharmazeutischer Verlag, Frankfurt a. M., Deutscher-Apotheker-Verlag mbH, Stuttgart, 1986.

[11] Herzfeldt, C.-D.: Kapseln, Kap. 4.9, 802. In: Nürnberg, E., Surmann, P.: Hagers Handbuch der pharmazeutischen Praxis, Bd. 2, Springer-Verlag, Berlin. Heidelberg, New York, 1991.

[12] Schmidt, P. C., Ben, E. S.: Vereinfachung der Kapselrezeptur durch Bildung interaktiver Mischungen. Pharm. Ztg. 132, 2550 (1987).

[13] Van Hostetler, B., Bellard, J. Q.: Hard Capsules, 374. In: Lachman, L., Lieberman, H. A., Kanig, J. L.: The Theory and Practice of Industrial Pharmacy, Lea & Febiger, Philadelphia, 1986.

[14] Kapseln, Kap. 14.6, 324. In: Bauer, K. H., Frömming, K.-H., Führer, C.: Pharmazeutische Technologie, Georg Thieme Verlag, Stuttgart, New York, 1993.

J. Ziegenmeyer

Monographien-Kommentar

Diphenhydraminhydrochlorid-Kapseln 25 mg

Siehe Kommentar zu Diphenhydraminhydrochlorid-Tabletten 25 mg.   P. Surmann

Diphenhydraminhydrochlorid-Kapseln 50 mg

1 **Bezeichnung des Fertigarzneimittels**

Diphenhydraminhydrochlorid-Kapseln 50 mg

2 **Darreichungsform**

Kapseln

3 **Eigenschaften und Prüfungen**

3.2 Fertigarzneimittel

3.2.1 Aussehen, Eigenschaften

Hartgelatinekapseln, an deren Außenseite kein Pulver anhaften darf.

3.2.2 Auflösungsgeschwindigkeit

Innerhalb von 45 min müssen mindestens 75 Prozent (Q) der pro Kapsel deklarierten Menge Diphenhydraminhydrochlorid aufgelöst sein.
Auflösungsmedium: 500 ml Wasser
Methode: Drehkörbchen-Methode
Umdrehungsgeschwindigkeit: 100 U/min

3.2.3 Gehalt

95,0 bis 105,0 Prozent der pro Kapsel deklarierten Menge Diphenhydraminhydrochlorid.

3.2.4 Haltbarkeit

Die Haltbarkeit in den Behältnissen nach 4 beträgt mindestens ein Jahr.

4 **Behältnisse**

Dichtschließende Behältnisse aus Braunglas oder Tiefziehfolie mit Lichtschutz.

5 **Kennzeichnung**

Nach § 10 AMG, insbesondere:

5.1 Zulassungsnummer

2799.98.99

5.2 Art der Anwendung

Zum Einnehmen.

5.3 Hinweise

Apothekenpflichtig

Vor Feuchtigkeit geschützt lagern.

6 Packungsbeilage

Nach § 11 AMG, insbesondere:

6.1 Anwendungsgebiete

Einschlaf- und Durchschlafstörungen.

6.2 Gegenanzeigen

Bei akutem Asthma, grünem Star, Vergrößerung der Vorsteherdrüse, Magen- und/oder Zwölffingerdarmgeschwüren sowie bei verengter Magen-Darm-Passage und Verengung des Harnblasenausgangs können unter der Einnahme von Diphenhydraminhydrochlorid Unverträglichkeiten auftreten. Bei Epilepsie und in der Schwangerschaft soll Diphenhydraminhydrochlorid nicht eingenommen werden.

6.3 Nebenwirkungen

Die Einnahme von Diphenhydraminhydrochlorid kann gelegentlich zu Hautreaktionen, Magen-Darm-Störungen, Mundtrockenheit und Schwierigkeiten beim Harnlassen führen. Weiterhin kann eine Überempfindlichkeit gegen Sonnenlicht und ultraviolette Strahlen hervorgerufen werden. Nach längerfristiger täglicher Anwendung können durch plötzliches Absetzen der Therapie Schlafstörungen wieder verstärkt auftreten.

Hinweis:

Das Reaktionsvermögen kann auch bei bestimmungsgemäßem Gebrauch so beeinflußt werden, daß die Fähigkeit zur aktiven Teilnahme am Straßenverkehr oder zum Bedienen von Maschinen beeinträchtigt wird. Dies ist daher bei der Einnahme am Tage zu beachten.

6.4 Wechselwirkungen mit anderen Mitteln

Bei gleichzeitiger Einnahme von Diphenhydraminhydrochlorid mit anderen zentral wirksamen Medikamenten (z. B. Psychopharmaka, Schlafmittel, Schmerzmittel) kann die Wirkung dieser Medikamente verstärkt werden. Dies gilt insbesondere bei gleichzeitigem Alkoholgenuß.

6.5 Dosierungsanleitung

Soweit nicht anders verordnet, nehmen Erwachsene bei nächtlichem Erwachen oder bei Einschlafstörungen 1 Kapsel 15 bis 30 Minuten vor dem Schlafengehen mit etwas Flüssigkeit ein.

6.6 Art der Anwendung

Wird Diphenhydraminhydrochlorid zur Behandlung von Schlafstörungen eingenommen, so ist darauf zu achten, daß eine ausreichende Schlafdauer gewährleistet ist, um Beeinträchtigungen des Reaktionsvermögens (Verkehrstüchtigkeit) am folgenden Morgen zu vermeiden.

6.7 Dauer der Anwendung

Bei akuten Schlafstörungen oder akuten Angstzuständen ist die Behandlung möglichst auf Einzelgaben zu beschränken. Um bei chronischen Schlafstörungen oder chronischer Angstneurose die Notwendigkeit einer fortgesetzten Anwendung zu überprüfen, sollte nach zweiwöchiger täglicher Einnahme die Dosis schrittweise reduziert und die Medikation abgesetzt werden. Hierbei ist zu berücksichtigen, daß ggf. zunächst medikamentös bedingte Schlafstörungen bzw. Angst- und Unruhezustände verstärkt wieder auftreten können (sog. Absetzphänomen).

6.8 Hinweis

Vor Feuchtigkeit geschützt aufbewahren.

Diphenhydraminhydrochlorid-Kapseln 50 mg

Siehe Kommentar zu Diphenhydraminhydrochlorid-Tabletten 25 mg.   P. Surmann.

Diphenhydraminhydrochlorid-Tabletten 25 mg

1 **Bezeichnung des Fertigarzneimittels**
Diphenhydraminhydrochlorid-Tabletten 25 mg

2 **Darreichungsform**
Tabletten

3 **Eigenschaften und Prüfungen**

3.2 Fertigarzneimittel

3.2.1 Aussehen, Eigenschaften
Weiße bis fast weiße, nichtüberzogene Tabletten mit Bruchrille.

3.2.2 Auflösungsgeschwindigkeit
Innerhalb von 45 min müssen mindestens 75 Prozent (Q) der pro Tablette deklarierten Menge Diphenhydraminhydrochlorid aufgelöst sein.
Auflösungsmedium: 500 ml Wasser
Methode: Drehkörbchen-Methode
Umdrehungsgeschwindigkeit: 50 U/min

3.2.3 Gehalt
95,0 bis 105,0 Prozent der pro Tablette deklarierten Menge Diphenhydraminhydrochlorid.

3.2.4 Haltbarkeit
Die Haltbarkeit in den Behältnissen nach 4 beträgt mindestens ein Jahr.

4 **Behältnisse**
Dichtschließende Behältnisse aus Braunglas oder Tiefziehfolie mit Lichtschutz.

5 **Kennzeichnung**
Nach § 10 AMG, insbesondere:

5.1 Zulassungsnummer
2799.99.98

2 Diphenhydraminhydrochlorid-Tabletten 25 mg

5.2 Art der Anwendung

Zum Einnehmen.

5.3 Hinweise

Apothekenpflichtig

Vor Feuchtigkeit geschützt lagern.

6 Packungsbeilage

Nach § 11 AMG, insbesondere:

6.1 Anwendungsgebiete

Einschlaf- und Durchschlafstörungen.

6.2 Gegenanzeigen

Bei akutem Asthma, grünem Star, Vergrößerung der Vorsteherdrüse, Magen- und/oder Zwölffingerdarmgeschwüren sowie bei verengter Magen-Darm-Passage und Verengung des Harnblasenausgangs können unter der Einnahme von Diphenhydraminhydrochlorid Unverträglichkeiten auftreten. Bei Epilepsie und in der Schwangerschaft soll Diphenhydraminhydrochlorid nicht eingenommen werden.

6.3 Nebenwirkungen

Die Einnahme von Diphenhydraminhydrochlorid kann gelegentlich zu Hautreaktionen, Magen-Darm-Störungen, Mundtrockenheit und Schwierigkeiten beim Harnlassen führen. Weiterhin kann eine Überempfindlichkeit gegen Sonnenlicht und ultraviolette Strahlen hervorgerufen werden. Nach längerfristiger täglicher Anwendung können durch plötzliches Absetzen der Therapie Schlafstörungen wieder verstärkt auftreten.

Hinweis:

Das Reaktionsvermögen kann auch bei bestimmungsgemäßem Gebrauch so beeinflußt werden, daß die Fähigkeit zur aktiven Teilnahme am Straßenverkehr oder zum Bedienen von Maschinen beeinträchtigt wird. Dies ist daher bei der Einnahme am Tage zu beachten.

6.4 Wechselwirkungen mit anderen Mitteln

Bei gleichzeitiger Einnahme von Diphenhydraminhydrochlorid mit anderen zentral wirksamen Medikamenten (z. B. Psychopharmaka, Schlafmittel, Schmerzmittel) kann die Wirkung dieser Medikamente verstärkt werden. Dies gilt insbesondere bei gleichzeitigem Alkoholgenuß.

6.5 Dosierungsanleitung

Soweit nicht anders verordnet, nehmen Erwachsene bei nächtlichem Erwachen oder bei Einschlafstörungen 2 Tabletten 15 bis 30 Minuten vor dem Schlafengehen mit etwas Flüssigkeit ein. Kinder nehmen je nach Alter ½ bis 1 Tablette ein.

Hinweise:

Nicht bei Kindern unter einem Jahr anwenden. Bei Kleinkindern ist die Dosierung exakt zu beachten, da zentrale Erregung durch Diphenhydraminhydrochlorid hervorgerufen werden kann.

6.6 Art der Anwendung

Wird Diphenhydraminhydrochlorid zur Behandlung von Schlafstörungen eingenommen, so ist darauf zu achten, daß eine ausreichende Schlafdauer gewährleistet ist, um Beeinträchtigungen des Reaktionsvermögens (Verkehrstüchtigkeit) am folgenden Morgen zu vermeiden.

6.7 Dauer der Anwendung

Bei akuten Schlafstörungen oder akuten Angstzuständen ist die Behandlung möglichst auf Einzelgaben zu beschränken. Um bei chronischen Schlafstörungen oder chronischer Angstneurose die Notwendigkeit einer fortgesetzten Anwendung zu überprüfen, sollte nach zweiwöchiger täglicher Einnahme die Dosis schrittweise reduziert und die Medikation abgesetzt werden. Hierbei ist zu berücksichtigen, daß ggf. zunächst medikamentös bedingte Schlafstörungen bzw. Angst- und Unruhezustände verstärkt wieder auftreten können (sog. Absetzphänomen).

6.8 Hinweis

Vor Feuchtigkeit geschützt aufbewahren.

Monographien-Kommentar

Diphenhydraminhydrochlorid-Tabletten 25 mg

3.2.2 Auflösungsgeschwindigkeit

Die zu erwartende Konzentration von ca. 35 mg/l (35 µg/ml) gestattet nur den Einsatz hochempfindlicher Analysenverfahren.

Einsetzbar sind

- die spektralphotometrische Bestimmung nach Extraktion eines Farbstoff-Ionenpaares [2 bis 7] oder des nach Oxidation entstehenden Benzophenons
- die Gaschromatographie [9 bis 11]
- die Hochdruckflüssigkeitschromatographie [12, 13], wobei die Meßwellenlänge des verwendeten Detektionsphotometers jedoch auf ca. 218 nm herabzusetzen ist, um eine ausreichende Empfindlichkeit zu erreichen.

Hilfsstoffe stören bei den angeführten Methoden nicht oder die Störung läßt sich ausschließen durch Variation der chromatographischen Bedingungen oder bei Einsatz der Ionenpaarextration durch einen vorgeschalteten Schritt (s. Kommentar zu „Atropinsulfat-Tabletten 0,5 mg").

3.2.3 Gehalt

Zur Bestimmung des Gehaltes eignen sich neben den in 3.2.2 aufgeführten Methoden auch weniger empfindliche. Die acidimetrische Titration nach Ph. Eur. mit Perchlorsäure in Eisessig unter Zusatz von Quecksilberacetat erfaßt das Anion Chlorid und ist wegen des verwendeten toxischen Quecksilberacetat und den damit verbundenen Problemen der Entsorgung kaum akzeptabel. Nach Extraktion der Base ist eine weniger umweltbelastende und selektivere acidimetrische Titration möglich [14]. Neben der photometrischen Analyse des gefällten Reineckats [15] ist auch die direkte UV-photometrische Messung einsetzbar.

10 Tabletten, genau gewogen (Masse m_g), werden fein gepulvert. Ein Teil des Pulvers, genau gewogen (Masse m_u), der ca. 1 bis 2 Tabletten entspricht, wird in einem Scheidetrichter mit 20 ml Wasser und einigen Tropfen 1 M Schwefelsäure bis zur deutlich sauren Reaktion (pH < 3) versetzt. Nach dem Waschen mit 20 ml Ether wird dieser mit 10 ml 0,05 M Schwefelsäure extrahiert. Die beiden wässrigen Phasen werden vereinigt. Die Etherphase wird verworfen.

Nach dem Alkalisieren mit 1 M Natriumhydroxidlösung wird dreimal mit je 20 ml Ether extrahiert. Die vereinigte Etherphase wird dreimal mit je 20 ml 0,05 M Schwefelsäure rückextrahiert. Nach dem Auffüllen der vereinigten Schwefelsäureextrakte auf 100,0 ml wird die Absorption dieser Lösung in 1-cm-Küvette bei 220 nm gegen 0,05 M Schwefelsäure gemessen (Absorption A_u). Als Referenz wird eine Lösung von 30 bis 40 mg Standardsubstanz, genau gewogen (Masse m_s), in 100,0 ml 0,05 M Schwefelsäure in gleicher Weise photometriert. (Absorption A_s). Die Masse Diphenhydramin-HCl pro Tablette ergibt sich zu

$$m \text{ (Diphenhydramin-HCl)/Tab.} = 0{,}1 \, \frac{m_g}{m_u} \cdot m_s \cdot \frac{A_u}{A_s}.$$

Störungen durch die zur Tablettierung benutzten Hilfsstoffe sind wegen der Mehrfachextraktionen weitgehend ausgeschlossen.

Die Methode der photometrischen Bestimmung des gefällten Reineckates wird durch die üblichen Hilfsstoffe ebenfalls nicht gestört. Sie hat gegenüber der vorliegenden Vorschrift den Vorteil, daß Extraktionen überflüssig sind.

3.2.4 Haltbarkeit

Die Bestimmung des intakten Diphenhydramin-HCl kann mittels chromatographischer Verfahren erfolgen, wie sie unter 3.2.2 angegeben sind.

Die Prüfung auf Zersetzungsprodukte ist dünnschichtchromatographisch möglich [16 und Ph. Eur. Monographie Diphenhydraminhydrochlorid].

[1] P. Surmann, C. Dietz, H. Wilk, T. Nassauer; Dtsch Apoth. Ztg. **123**, 1110, 1983.
[2] G. L. Starobinets, E. M. Rakhman'ko; Vestsi Akad. Navuk Belarus SSR, Ser. Khim. Navuk **1972**, 22 (C. A. 77, 39323x (1972).
[3] Fadhil A. Shamsa, R. H. Maghssoudi; J. Pharm. Sci. **65**, 761 (1976).
[4] Yehia M. Dessonky, B. A. Mousa, H. M. Nour El-Din; Pharmazie **29**, 577 (1974).
[5] R. H. Maghssoudi, A. B. Fawzi, M. A. N. Moosavi, Meerkalaiee, J. Assoc. Off. Anal. Chem. **60**, 926 (1977).
[6] Fumi Matsui, W. N. French, J. Pharm. Sci. **60**, 287 (1971).
[7] Masahiro Tsubouchi, J. Pharm. Sci. **60**, 943 (1971).
[8] B. Caddy. F. Fish, J. Tranter; Analyst **100**, 563 (1971).
[9] J. Vessman, P. Hartvig, S. Strömberg; Acta. Pharm. Suec. **7**, 373 (1970).
[10] B. Salvesen, H. Groenningsaeter, Medd. Nor. Farm. Selsk. **39**, 110 (1977).
[11] N. N. Dement'eva, Farmatsiya **30**, 32 (1981).
[12] G. Ghilardelli, F. Rotilio, F. Zaccheo, M. Nannetti; Boll. Chim. Farm. **119**, 483 (1980).
[13] T. R. Koziol, J. T. Jacob, R. G. Achari; J. Pharm. Sci. **68**, 1135 (1979).
[14] BP 1980 II, 530.
[15] A. Kar. G. I. Aninka; J. Pharm. Sci. **70**, 690 (1981).
[16] J. van der Griend, J. Juffermans, G. M. Beversbergen van Henegouwen, K. W. Gerritsma; Int. J. Pharm. **1**, 257 (1978).

P. Surmann

Monographien-Kommentar

Diphenhydraminhydrochlorid-Tabletten 25 mg und 50 mg

Anmerkungen zur Rezeptur und Herstellung des Fertigarzneimittels.

Das gut wasserlösliche Diphenhydraminhydrochlorid ist als Festsubstanz bei trockener Lagerung und unter Lichtschutz stabil. Es wird aber unter Einfluß von Licht und Luftfeuchtigkeit dunkel [1, 2]. Dabei soll sich u. a. Methylamin bilden [2].

In wäßriger Lösung tritt beim Erhitzen durch Hydrolyse der Ethergruppen Zersetzung auf. Die Etherspaltung wird durch niedrige pH-Werte begünstigt. Unter Einfluß von UV-Strahlung bilden sich Benzhydral und Dimethylaminoethanol [1].

Inkompatibilitäten der Substanz bestehen mit alkalisch reagierenden Stoffen (Fällung), starken Säuren (Etherspaltung), Jod-, Quecksilber- und Silbersalzen, sowie mit oxidierenden Stoffen (Zersetzung) [3].

Diphenhydraminhydrochlorid hat schlechte Fließeigenschaften und neigt zu Adhäsions- und Brückenbildung. Die Substanz ist hygroskopisch [2].

Auf Grund dieser Substanzeigenschaften kann für die Tablettenherstellung von Diphenhydraminhydrochlorid-Tabletten 25 mg und 50 mg nach der Standardzulassung nur eine Granulierung empfohlen werden. Die schlechte Mischeigenschaften lassen sich durch Zusatz von 0,5 bis 1 Prozent Aerosil® 200 zur Pulvermischung verbessern. Außerdem nivelliert das Aerosil® 200 in der Pulvermischung die Hygroskopizität des Dipenhydraminhydrochlorids [2].

Auf Grund der oben genannten Eigenschaften eignen sich als Tablettenfüllstoffe:
Maisstärke, Milchzucker, Cellulose — mikrokristallin und mikrofein gemahlen, Dicalciumhydrogenphosphat — wasserfrei und Dihydrat.

Als wäßrige Granulierlösungen können unter anderem verwendet werden [4]:
Maisstärkekleister 5- bis 20prozentig,
Gelatine 2- bis 20prozentig,
Polyvinylpyrrolidon (Kollidon® 25 bzw. 30) 2- bis 5prozentig,
Cellulosederivate 1- bis 6prozentig.

Als Zerfallsbeschleuniger können eingesetzt werden:
Maisstärkegranulat (Korngröße ca. 0,2 mm) im Zuschlag (äußere Phase),
Quervernetztes Polyvinylpyrrolidon (Kollidon® Cl, Plasdone® XL) 2 bis 5 Prozent im Zuschlag wie im Granulat (innere und äußere Phase),
Hochdisperses Siliciumdioxid (Aerosil® 200) 1 bis 2 Prozent, wegen seiner Dochtwirkung in der inneren und äußeren Phase [5],
Cellulose in der inneren und äußeren Phase.

Als Schmiermittel in der äußeren Phase werden für Diphenhydraminhydrochlorid-Tabletten üblicherweise eingesetzt:
Magnesiumstearat,
Stearinsäure,
10prozentige Mischung von Magnesiumstearat mit Talkum.

Monographien-Kommentar

2

Aufgrund der vorstehenden Ausführungen sind folgende unverbindliche Rahmenrezepturen für je 1000 Diphenhydraminhydrochlorid-Tabletten 25 mg und 50 mg denkbar, die jeder Anwender in eigener Verantwortung überprüfen muß:

Diphenhydraminhydrochlorid-Tabletten	25 mg		50 mg	
Tabletten zu	100 mg		200 mg	
Tablettendurchmesser	6 mm		9 mm	
Innere Phase:				
Diphenhydraminhydrochlorid	25 g	25 g	50 g	50 g
Lactose	23 g	22 g	46 g	44 g
Cellulose (Avicel® 101, Elcema®,	35 g	35 g	70 g	70 g
Siliciumdioxid (Aerosil® 200)	0,5 – 1 g	0,5 – 1 g	1 – 2 g	1 – 2 g
Granuliermittel:				
Polyvinylpyrrolidon (Kollidon® 25) 5%ige wäßrige Lsg.	q. s.		q. s.	
Hydroxypropylmethylcellulose (Pharmacoat 603) 2%ige wäßrige Lsg.		q. s.		q. s.
Äußere Phase:				
Siliciumdioxid (Aerosil® 200)	0,5 – 1 g	0,5 – 1 g	1 – 2 g	1 – 2 g
Magnesiumstearat	0,4 – 0,6 g	0,4 – 0,6 g	0,8 – 1,2 g	0,8 – 1 g
Cellulosepulver oder granulierte Maisstärke bis zu	100 g	100 g	200 g	200 g

[1] H. Attorfer, X. Perlia, Pharm. Acta Helv. **50,** 329, (1975).

[2] M. Kata, M. Wayer, M. M. Asztrahanova, Pharmazie **36,** 274, (1981).

[3] DAC, 4. Erg., (1984).

[4] H. Sucker, P. Fuchs, P. Speiser, Pharmazeutische Technologie, p. 377, G. Thieme Verlag Stuttgart (1978).

[5] Arbeitsgruppe der Firmen Ciba-Geigy, Hoffmann-La Roche, Sandoz, „Katalog pharmazeutischer Hilfsstoffe" Vertrieb durch APV, Mainz (1974).

E. Norden-Ehlert

Diphenhydraminhydrochlorid-Tabletten 50 mg

1 **Bezeichnung des Fertigarzneimittels**

Diphenhydraminhydrochlorid-Tabletten 50 mg

2 **Darreichungsform**

Tabletten

3 **Eigenschaften und Prüfungen**

3.2 Fertigarzneimittel

3.2.1 Aussehen, Eigenschaften

Weiße bis fast weiße, nichtüberzogene Tabletten mit Bruchrille.

3.2.2 Auflösungsgeschwindigkeit

Innerhalb von 45 min müssen mindestens 75 Prozent (Q) der pro Tablette deklarierten Menge Diphenhydraminhydrochlorid aufgelöst sein.

Auflösungsmedium: 500 ml Wasser

Methode: Drehkörbchen-Methode

Umdrehungsgeschwindigkeit: 50 U/min

3.2.3 Gehalt

95,0 bis 105,0 Prozent der pro Tablette deklarierten Menge Diphenhydraminhydrochlorid.

3.2.4 Haltbarkeit

Die Haltbarkeit in den Behältnissen nach 4 beträgt mindestens ein Jahr.

4 **Behältnisse**

Dichtschließende Behältnisse aus Braunglas oder Tiefziehfolie mit Lichtschutz.

5 **Kennzeichnung**

Nach § 10 AMG, insbesondere:

5.1 Zulassungsnummer

2799.98.98

2 Diphenhydraminhydrochlorid-Tabletten 50 mg

5.2 Art der Anwendung

Zum Einnehmen.

5.3 Hinweise

Apothekenpflichtig

Vor Feuchtigkeit geschützt lagern.

6 **Packungsbeilage**

Nach § 11 AMG, insbesondere:

6.1 Anwendungsgebiete

Einschlaf- und Durchschlafstörungen.

6.2 Gegenanzeigen

Bei akutem Asthma, grünem Star, Vergrößerung der Vorsteherdrüse, Magen- und/oder Zwölffingerdarmgeschwüren sowie bei verengter Magen-Darm-Passage und Verengung des Harnblasenausgangs können unter der Einnahme von Diphenhydraminhydrochlorid Unverträglichkeiten auftreten. Bei Epilepsie und in der Schwangerschaft soll Diphenhydraminhydrochlorid nicht eingenommen werden.

6.3 Nebenwirkungen

Die Einnahme von Diphenhydraminhydrochlorid kann gelegentlich zu Hautreaktionen, Magen-Darm-Störungen, Mundtrockenheit und Schwierigkeiten beim Harnlassen führen. Weiterhin kann eine Überempfindlichkeit gegen Sonnenlicht und ultraviolette Strahlen hervorgerufen werden. Nach längerfristiger täglicher Anwendung können durch plötzliches Absetzen der Therapie Schlafstörungen wieder verstärkt auftreten.

Hinweis:

Das Reaktionsvermögen kann auch bei bestimmungsgemäßem Gebrauch so beeinflußt werden, daß die Fähigkeit zur aktiven Teilnahme am Straßenverkehr oder zum Bedienen von Maschinen beeinträchtigt wird. Dies ist daher bei der Einnahme am Tage zu beachten.

6.4 Wechselwirkungen mit anderen Mitteln

Bei gleichzeitiger Einnahme von Diphenhydraminhydrochlorid mit anderen zentral wirksamen Medikamenten (z. B. Psychopharmaka, Schlafmittel, Schmerzmittel) kann die Wirkung dieser Medikamente verstärkt werden. Dies gilt insbesondere bei gleichzeitigem Alkoholgenuß.

6.5 Dosierungsanleitung

Soweit nicht anders verordnet, nehmen Erwachsene bei nächtlichem Erwachen oder bei Einschlafstörungen 1 Tablette 15 bis 30 Minuten vor dem Schlafengehen mit etwas Flüssigkeit ein.

6.6 Art der Anwendung

Wird Diphenhydraminhydrochlorid zur Behandlung von Schlafstörungen eingenommen, so ist darauf zu achten, daß eine ausreichende Schlafdauer gewährleistet ist, um Beeinträchtigungen des Reaktionsvermögens (Verkehrstüchtigkeit) am folgenden Morgen zu vermeiden.

6.7 Dauer der Anwendung

Bei akuten Schlafstörungen oder akuten Angstzuständen ist die Behandlung möglichst auf Einzelgaben zu beschränken. Um bei chronischen Schlafstörungen oder chronischer Angstneurose die Notwendigkeit einer fortgesetzten Anwendung zu überprüfen, sollte nach zweiwöchiger täglicher Einnahme die Dosis schrittweise reduziert und die Medikation abgesetzt werden. Hierbei ist zu berücksichtigen, daß ggf. zunächst medikamentös bedingte Schlafstörungen bzw. Angst- und Unruhezustände verstärkt wieder auftreten können (sog. Absetzphänomen).

6.8 Hinweis

Vor Feuchtigkeit geschützt aufbewahren.

Monographien-Kommentar

Diphenhydraminhydrochlorid-Tabletten 50 mg

Siehe Kommentar zu Diphenhydraminhydrochlorid-Tabletten 25 mg.   P. Surmann

Distickstoffmonoxid für medizinische Zwecke

1 Bezeichnung des Fertigarzneimittels

Distickstoffmonoxid für medizinische Zwecke

2 Darreichungsform

Verflüssigtes Gas

3 Eigenschaften und Prüfungen

3.1 Ausgangsstoff

Distickstoffmonoxid muß aus Ammoniumnitrat durch thermische Zersetzung hergestellt werden. Es darf nicht direkt aus Salpetersäure und Ammoniak gewonnen werden.

3.2 Haltbarkeit

Die Haltbarkeit in den Behältnissen nach 4 beträgt 5 Jahre.

4 Behältnisse

Graue evtl. mit silberner Schulter versehene, nahtlose Stahlflaschen nach DIN 4664 mit Bauartzulassung in Verbindung mit der Druckbehälterverordnung (DruckbehV) und den Technischen Regeln Druckgase (TRG), Gasflaschenventil nach DIN 477 und Schraubkappe.

5 Kennzeichnung

Nach § 10 AMG, insbesondere:

5.1 Zulassungsnummer

2349.99.99

5.2 Art der Anwendung

Zur Inhalation.

5.3 Hinweise

Apothekenpflichtig.

Jeder Druckbehälter ist entsprechend den gültigen nationalen Vorschriften zugelassen.

Stahlflasche vor Wärmeeinwirkung schützen; gegen Umfallen sichern. Nicht in Treppenhäusern, Fluren, Durchgängen und Verbrauchsräumen lagern. Insbesondere ist die Technische Regel für Druckgase (TRG) Nr. 280 zu beachten.

Alle Leitungen und Armaturen sind öl- und fettfrei zu halten.

Nur Originalabfüllungen der Hersteller dürfen für medizinische Zwecke verwendet werden.

Die höchstzulässige Füllmasse ist auf der Flaschenschulter eingeprägt.

6 Packungsbeilage

Nach § 11 AMG, insbesondere:

6.1 Stoff- oder Indikationsgruppe

Inhalationsgas.

6.2 Anwendungsgebiete

Zur Einleitung einer Betäubung (Narkose) und im Rahmen der gleichzeitigen Behandlung mit mehreren zur Durchführung einer Narkose geeigneten Arzneimitteln.

Zur Schmerzbehandlung in der klinischen Geburtshilfe unter stationären Bedingungen.

6.3 Gegenanzeigen

Absolute Gegenanzeigen:

Überempfindlichkeit gegenüber Distickstoffmonoxid.

Relative Gegenanzeigen:

Schwere pulmonale Funktionsstörungen (Hypoxämie); schwere Herzinsuffizienz; erhöhter Hirndruck.

Anwendung in der Schwangerschaft und Stillzeit:

Im ersten und zweiten Schwangerschaftsdrittel sollte Distickstoffmonoxid nicht angewendet werden.

Distickstoffmonoxid durchquert die Plazenta, die Narkosetiefe des Föten entspricht der der Mutter.

Es ist nicht bekannt, in welchem Umfang Distickstoffmonoxid in die Muttermilch übertritt.

6.4 Wechselwirkungen mit anderen Mitteln

Bei Anwendung verschiedener, das Zentralnervensystem dämpfender Arzneimittel muß mit einer gegenseitigen Wirkungsverstärkung gerechnet werden.

Die Herzmuskelkraft kann bei einer gleichzeitigen Anwendung von Distickstoffmonoxid und Opioiden negativ beeinflußt werden.

Das Morphin-Gegenmittel Naloxon schwächt die schmerzaufhebende Wirkung von Distickstoffmonoxid ab.

Bei einer gleichzeitigen Anwendung von Distickstoffmonoxid mit anderen Inhalationsanästhetika kommt es zu einer erhöhten Aufnahmerate der zusätzlich verwendeten Gase (Second-Gas-Effect).

6.5 Dosierungsanleitung, Art und Dauer der Anwendung

Soweit nicht anders verordnet:

Für die Durchführung einer Narkose werden als Dosierung in der Einatmungsluft Konzentrationen von über 50 %, in der Geburtshilfe Konzentrationen von 20 bis 50 % empfohlen.

Bei der Verwendung von Distickstoffmonoxid-Sauerstoff-Gemischen sollte ein Sauerstoffvolumenanteil von 25 % nicht unterschritten werden.

Bei Patienten mit gestörter Sauerstoffaufnahme der Lunge (z.B. Emphysem, Lungenödem) muß der Sauerstoffanteil erhöht oder es muß zeitweilig mit reinem Sauerstoff beatmet werden, um eine Sauerstoffverknappung (Hypoxie) oder -unterbrechung (Anoxie) zu vermeiden.

Bei Patienten mit luftgefüllten Hohlräumen im Körper z.B. Darmverschluß, Pneumothorax (Luftansammlung im Brustraum) kann es aufgrund des hohen Anteils von Distickstoffmonoxid in der Atmungsluft zu einer Zunahme des Volumens oder zu Druckanstiegen kommen.

Patienten mit bekanntem Bluthochdruck im Lungenkreislauf (pulmonale Hypertonie), erhöhtem Hirndruck oder kompensierter Herzleistungsschwäche bedürfen einer sorgfältigen ärztlichen Überwachung.

6.6 Hinweise für den Fall der Überdosierung

Im Fall einer Überdosierung ist der Patient mit reinem Sauerstoff kontrolliert zu beatmen. Ein spezielles Gegenmittel existiert nicht.

6.7 Nebenwirkungen

Obwohl nur eine geringe Wirkung auf den Kreislauf zu erwarten ist, kann es zu Blutdrucksenkungen, Abnahme des Schlagvolumens und Zunahme des Lungengefäßwiderstands kommen. Zustände gehobener Stimmungslage, Träume und Phantasien werden beschrieben, die Verkehrstauglichkeit ist eingeschränkt.

Distickstoffmonoxid führt zu einer geringen Steigerung des Hirndrucks. Über die Auslösung eines abnormen Temperaturanstiegs durch Distickstoffmonoxid ist in Einzelfällen berichtet worden.

Neben Meldungen über Übelkeit und Erbrechen wird außerdem nach sehr langer Anwendung (z.B. Operationen von 6 bis 10 Stunden Dauer) auch von einer Störung der Blutbildung im Knochenmark und von neurologischen Symptomen berichtet.

Aufgrund des hohen Volumenanteils von Distickstoffmonoxid in der Atmungsluft wird das Anästhetikum von lufthaltigen Hohlräumen im Körper aufgenommen (z.B. in Nasennebenhöhlen, im Mittelohr, beim Darmverschluß, Pneumothorax (Luftansammlung im Brustraum), bei bestimmten Untersuchungen der Hirnkammern oder bei operativen Eingriffen am Gehörorgan), so daß es zu Volumenzunahme oder Druckanstiegen kommen kann.

Wegen des Eindringens von Distickstoffmonoxid in Gummi geht bei der Narkose unter Verwendung eines Tubus Distickstoffmonoxid in die Blockermanschette des Tubus über und führt zu einer starken Volumenzunahme, wodurch der Atemweg gegebenenfalls verlegt werden kann.

Bei Beendigung der Betäubung kann durch die hohe Geschwindigkeit, mit der Distickstoffmonoxid aus dem Blut wieder in den Luftraum der Lungen zurückkehrt, eine Sauerstoffunterversorgung auftreten, wenn nicht mit reinem Sauerstoff, sondern mit Luft ausgeleitet wird.

Hinweis:

Nach einer Narkose mit diesem Arzneimittel darf der Patient nicht aktiv am Straßenverkehr teilnehmen oder Maschinen bedienen, über den Zeitfaktor hat der Arzt individuell zu entscheiden.

Der Patient sollte sich nur in Begleitung nach Hause begeben und keinen Alkohol zu sich nehmen.

6.8 Hinweise

Druckbehälter für Distickstoffmonoxid dürfen zur Reinigung nicht mit toxischen, schlafinduzierenden, zur Narkose führenden oder den Respirationstrakt bei der Anwendung reizenden Substanzen behandelt werden.

Stahlflasche vor Wärmeeinwirkung schützen; gegen Umfallen sichern. Nicht in Treppenhäusern, Fluren, Durchgängen und Verbrauchsräumen lagern. Insbesondere ist die Technische Regel für Druckgase (TRG) Nr. 280 zu beachten.

Alle Leitungen und Armaturen sind öl- und fettfrei zu halten.

Nur Originalabfüllungen der Hersteller dürfen für medizinische Zwecke verwendet werden.

Die höchstzulässige Füllmasse ist auf der Flaschenschulter eingeprägt.

7 Fachinformation

Nach § 11 a AMG, insbesondere:

7.1 Verschreibungsstatus/Apothekenpflicht

Apothekenpflichtig.

7.2 Stoff- oder Indikationsgruppe

Inhalationsanalgetikum.

7.3 Anwendungsgebiete

Zur Anästhesie-Einleitung und im Rahmen der Kombinationsnarkose (Barbiturate, Analgetika, Muskelrelaxantien oder Anästhetika).

Zur Analgesie in der klinischen Geburtshilfe unter stationären Bedingungen.

7.4 Gegenanzeigen

7.4.1 Absolute Gegenanzeigen

Überempfindlichkeit gegenüber Distickstoffmonoxid.

7.4.2 Relative Gegenanzeigen

Schwere pulmonale Funktionsstörungen (Hypoxämie); schwere Herzinsuffizienz; erhöhter Hirndruck.

7.4.3 Anwendung in der Schwangerschaft und Stillzeit:

Beweise für eine embryotoxische Wirkung beim Menschen gibt es nicht, empfohlen wird aber, im 1. und 2. Trimenon auf Distickstoffmonoxid zu verzichten.

Distickstoffmonoxid ist plazentagängig, die Narkosetiefe des Föten entspricht der der Mutter.

Es ist nicht bekannt, in welchem Umfang Distickstoffmonoxid in die Muttermilch übertritt.

7.5 Nebenwirkungen

Obwohl nur eine geringe Wirkung auf den Kreislauf zu erwarten ist, kann es zu Blutdrucksenkungen, Abnahme des Schlagvolumens und Zunahme des pulmonal vaskulären Widerstands kommen. Euphorien, Träume und Phantasien werden beschrieben, die Verkehrstauglichkeit ist eingeschränkt.

Distickstoffmonoxid führt zu einer geringen Steigerung des intrakraniellen Drucks. Über die Auslösung einer malignen Hyperthermie durch Distickstoffmonoxid ist in Einzelfällen berichtet worden.

Neben Meldungen über Nausea und Emesis wird außerdem nach sehr langer Anwendung (z.B. Operationen von 6 bis 10 Stunden Dauer) auch von Knochenmarksdepression und von neurologischen Symptomen berichtet.

Aufgrund des hohen Volumenanteils von Distickstoffmonoxid in der Atmungsluft wird das Anästhetikum von lufthaltigen Hohlräumen im Körper aufgenommen (z.B. in Nasennebenhöhlen, im Mittelohr, beim Ileus, Pneumothorax, bei Pneumenzephalographie oder bei Tympanoplastiken), so daß es zu Volumenzunahme oder Druckanstiegen kommen kann.

Wegen der Diffusion von Distickstoffmonoxid in Gummi dringt bei der Intubationsnarkose Distickstoffmonoxid in die Blockermanschette des Tubus und führt zu einer starken Volumenzunahme, wodurch der Atemweg gegebenenfalls verlegt werden kann.

Bei Narkoseausleitung kann durch die hohe Geschwindigkeit, mit der Distickstoffmonoxid aus dem Blut wieder in den Luftraum der Lungen zurückkehrt, eine Hypoxie auftreten, wenn nicht mit reinem Sauerstoff, sondern mit Luft ausgeleitet wird.

Hinweis:

Nach einer Narkose mit diesem Arzneimittel darf der Patient nicht aktiv am Straßenverkehr teilnehmen oder Maschinen bedienen, über den Zeitfaktor hat der Arzt individuell zu entscheiden.

Der Patient sollte sich nur in Begleitung nach Hause begeben und keinen Alkohol zu sich nehmen.

7.6 Wechselwirkungen mit anderen Mitteln

Bei Anwendung verschiedener, das Zentralnervensystem dämpfender Arzneimittel muß mit einer gegenseitigen Wirkungsverstärkung gerechnet werden.

Die myokardiale Kontraktilität kann bei einer gleichzeitigen Anwendung von Distickstoffmonoxid und Opioiden negativ beeinflußt werden.

Naloxon schwächt die analgetische Wirkung von Distickstoffmonoxid ab.

Bei der Kombination von Distickstoffmonoxid mit anderen Inhalationsanästhetika kommt es zu einer erhöhten Aufnahmerate der zusätzlich verwendeten Gase (Second-Gas-Effect).

7.7 Warnhinweise

Keine.

7.8 Wichtigste Inkompatibilitäten

Keine Angaben bekannt.

7.9 Dosierung mit Einzel- und Tagesgaben

In der Allgemeinanästhesie werden als Dosierung von Distickstoffmonoxid in der inspiratorischen Beatmungsluft Konzentrationen von über 50 %, in der Geburtshilfe Konzentrationen von 20 bis 50 % empfohlen.

Bei der Verwendung von Gas-Gemischen sollte ein Sauerstoffvolumenanteil von 25 % nicht unterschritten werden.

Bei Patienten mit gestörter alveolärer Sauerstoffaufnahme (z.B. Emphysem, Lungenödem) muß der Sauerstoffanteil erhöht oder es muß zeitweilig mit reinem Sauerstoff beatmet werden, um eine Hypoxie oder eine Anoxie zu vermeiden.

Bei Patienten mit luftgefüllten Hohlräumen im Körper (z.B. Ileus, Pneumothorax) kann es aufgrund des hohen Partialdrucks von Distickstoffmonoxid zu Volumenzunahmen oder Druckanstiegen kommen.

Patienten mit bekanntem pulmonalen Hochdruck, erhöhtem Hirndruck oder kompensierter Herzinsuffizienz bedürfen einer sorgfältigen ärztlichen Überwachung.

7.10 Art und Dauer der Anwendung

Die Applikation während einer Inhalationsanästhesie wird über eine Gesichtsmaske oder nach Intubation vorgenommen. Die Anwendungszeit richtet sich nach der Dauer der Narkose.

7.11 Notfallmaßnahmen, Symptome, Gegenmittel

Im Falle einer Überdosierung ist der Patient mit reinem Sauerstoff kontrolliert zu beatmen.

Ein spezielles Antidot existiert nicht.

7.12 Pharmakologische und toxikologische Eigenschaften, Pharmakokinetik, Bioverfügbarkeit, soweit diese Angaben für die therapeutische Verwendung erforderlich sind

7.12.1 Pharmakologische Eigenschaften

Über Mechanismen, die in Einzelheiten noch ungeklärt sind, verursacht Distickstoffmonoxid in Abhängigkeit von der Dosierung reversibel eine Beseitigung der Schmerzempfindung und Dämpfung vegetativer Reflexe.

Distickstoffmonoxid führt bei sehr hoher Konzentration (größer als 80 %) zu einer Ausschaltung des Bewußtseins. Es beeinflußt nicht die Willkürmotorik, hat aber eine negativ inotrope Wirkung. Es muß immer mit einer Hypoxie gerechnet werden.

7.12.2 Toxikologische Eigenschaften

Akute Toxizität:

Siehe Punkt 7.11 Notfallmaßnahmen.

Chronische Toxizität:

Siehe Punkt 7.5 Nebenwirkungen.

Mutagenes und tumorerzeugendes Potential:

Untersuchungen zum mutagenen und tumorerzeugenden Potential liegen nicht vor.

Reproduktionstoxizität:

Berichte über mögliche Schädigungen durch berufsbedingte Exposition beim Anästhesiepersonal sind sehr widersprüchlich. Diskutiert werden eine erhöhte Zahl von Aborten, Mißbildungen, Karzinomen, Parenchymschäden an Leber und Nieren sowie ZNS-Störungen.

7.12.3 Pharmakokinetik

Distickstoffmonoxid ist ein sehr stabiles und reaktionsträges farb- und geruchloses Gas, das schwerer als Luft ist und die folgenden physiko-chemischen Eigenschaften hat:

Molekulargewicht: 44,02

Siedepunkt: – 89 °C

Partialdampfdruck bei 20 °C: 5,17 MPa

Verteilungskoeffizienten: Blut/Gas 0,468
Öl/Gas 1,4
Fett/Blut 3,0.

Die mittlere minimale alveoläre Konzentration (MAC) beträgt 105 Vol.%, durch ein Sauerstoff/ Distickstoffmonoxid-Gemisch (70 % Distickstoffmonoxid/30 % Sauerstoff) werden die MAC-Werte von Halothan (0,75 auf 0,29 Vol.%) und Enfluran (1,68 auf 0,6 Vol.%) erniedrigt. Entsprechend dem niedrigen Blut/Gas-Distickstoffmonoxid-Verteilungskoeffizienten ist die Steuerbarkeit der Distickstoffmonoxid-Analgesie sehr gut. Bei der Maskeneinleitung, in Spontanatmung und bei normalen Herz-Kreislauf-Verhältnissen wird eine 50%ige alveoläre Gassättigung innerhalb von ca. 1 Minute erreicht.

Distickstoffmonoxid verteilt sich in Abhängigkeit von der regionalen Durchblutung auf alle Körpergewebe. Distickstoffmonoxid erweist sich im Stoffwechsel als stabil. Über eine Biotransformation existieren keine verläßlichen Untersuchungen. Die Elimination erfolgt überwiegend unverändert über die Lunge, geringe Mengen werden über die Haut und den Darm ausgeschieden.

7.13 Sonstige Hinweise

Druckbehälter für Distickstoffmonoxid dürfen zur Reinigung nicht mit toxischen, schlafinduzierenden, zur Narkose führenden oder den Respirationstrakt bei der Anwendung reizenden Substanzen behandelt werden.

7.14 Besondere Lager- und Aufbewahrungshinweise

Stahlflasche vor Wärmeeinwirkung schützen; gegen Umfallen sichern. Nicht in Treppenhäusern, Fluren, Durchgängen und Verbrauchsräumen lagern. Insbesondere ist die Technische Regel für Druckgase (TRG) Nr. 280 zu beachten.

Alle Leitungen und Armaturen sind öl- und fettfrei zu halten.

Nur Originalabfüllungen der Hersteller dürfen für medizinische Zwecke verwendet werden.

Die höchstzulässige Füllmasse ist auf der Flaschenschulter eingeprägt.

Monographien-Kommentar

Distickstoffmonoxid für medizinische Zwecke

3 Eigenschaften und Prüfungen

3.1 Ausgangsstoff

Bei der Herstellung von Gasen für medizinische Zwecke sollte die Richtlinie der PIC – Pharmaceutical Inspection Convention [1] beachtet werden.

[1] PIC – Document PH 5/92; Manufacture of Medicinal Gases.

R. Braun

Eibischblätter

1	**Bezeichnung des Fertigarzneimittels**	

Eibischblätter

2 **Darreichungsform**

Tee

3 **Eigenschaften und Prüfungen**

3.1 Qualitätsvorschrift

Die Droge muss der Monographie „Eibischblätter" des Deutschen Arzneimittel-Codex (DAC) in der jeweils gültigen Fassung entsprechen.

3.2 Haltbarkeit

Die Haltbarkeit in den Behältnissen nach 4 beträgt 3 Jahre.

4 **Behältnisse**

Geklebte Blockbodenbeutel bzw. Seitenfaltenbeutel aus einseitig glattem, gebleichtem Natronkraftpapier 50 g/m^2, gefüttert mit gebleichtem Pergamyn 40 g/m^2.

5 **Kennzeichnung**

Nach § 10 AMG, insbesondere:

5.1 Zulassungsnummer

1469.99.99

5.2 Art der Anwendung

Zum Trinken nach Bereitung eines Kaltauszuges.

5.3 Hinweis

Vor Licht und Feuchtigkeit geschützt lagern.

6 **Packungsbeilage**

Nach § 11 AMG, insbesondere:

6.1 Stoff- oder Indikationsgruppe

Pflanzliches Arzneimittel bei katarrhalischen Erkrankungen der oberen Atemwege.

6.2 Anwendungsgebiete

Schleimhautreizungen im Mund- und Rachenraum und damit verbundener trockener Reizhusten.

Hinweis:

Bei Beschwerden, die länger als 3 Tage anhalten, bei Atemnot, Fieber oder eitrigem oder blutigem Auswurf, sollte ein Arzt aufgesucht werden.

6.3 Gegenanzeigen

Keine bekannt.

6.4 Vorsichtsmaßnahmen für die Anwendung und Warnhinweise

Zur Anwendung von Eibischblättern in Schwangerschaft und Stillzeit sowie bei Kindern unter 12 Jahren liegen keine ausreichenden Untersuchungen vor. Zubereitungen aus Eibischblättern sollen daher von diesem Personenkreis nicht getrunken werden.

6.5 Wechselwirkungen mit anderen Mitteln

Das Trinken von Kaltauszügen aus Eibischblättern kann die Aufnahme anderer, gleichzeitig eingenommener Arzneimittel im Darm verzögern; es sollte daher ein Abstand von $1/2$ bis 1 Stunde vor und nach der Einnahme von Arzneimitteln eingehalten werden.

6.6 Dosierungsanleitung und Art der Anwendung

Soweit nicht anders verordnet, wird 3-mal täglich eine Tasse des wie folgt bereiteten Kaltauszuges getrunken:

1 gehäufter Teelöffel voll (ca. 1,7 g) Eibischblätter oder die entsprechende Menge in einem oder mehreren Aufgussbeutel(n) wird mit kaltem Wasser (ca. 150 ml) übergossen, unter öfterem Umrühren 2 bis 3 Stunden stehen gelassen, kurz zum Sieden erhitzt und gleich wieder abgekühlt und dann gegebenenfalls durch ein Teesieb gegeben.

6.7 Nebenwirkungen

Keine bekannt.

6.8 Hinweis

Vor Licht und Feuchtigkeit geschützt aufbewahren.

Monographien-Kommentar

Eibischblätter

Stammpflanze:

Siehe Eibischwurzel, Kommentar zum DAB 10.

Droge:

Die samtig behaarten Blätter werden kurz vor der Blüte (höherer Schleimgehalt!) geerntet und im Schatten getrocknet. Die Droge wird aus osteuropäischen Ländern importiert.

Inhaltsstoffe:

Eibischblätter enthalten 6 bis 9 Prozent Schleimstoffe, deren Zusammensetzung ähnlich ist den Schleimstoffen der Wurzel; es handelt sich im wesentlichen um Arabinogalactane, Galacturonorhamnane und Glucane [1, 2]; die Droge enthält verschiedene Flavonoide [3], auch Spuren von ätherischem Öl wurden nachgewiesen, dessen Zusammensetzung ist jedoch nicht bekannt.

Prüfung auf Reinheit:

Zu achten ist besonders auf Pilzbefall: Puccinia malvacearum bildet 1 bis 2 mm große, rostbraune Sporenhäufchen (Teleutosporen), die mikroskopisch leicht zu erkennen sind: zweizellige, gestielte, ellipsoide Formen, die massenhafte Kolonien bilden.

Die Blätter von Lavatera thuringiaca L. (Thüringer Strauchpappel) werden in der Praxis kaum beobachtet; sie lassen sich eindeutig nur durch mikroskopische Prüfung erkennen.

Gehaltsbestimmung:

Die Quellungszahl ist ein gutes Qualitätskriterium für Schleimdrogen. Wegen der sehr starken Behaarung der Droge wird hier, abweichend von der Arzneibuchvorschrift, 4,0 ml Ethanol zum Vorfeuchten verwendet.

[1] M. S. Karawya, S. I. Balbaa und M. S. A. Afifi, Planta Med. **20**, 14 (1971).
[2] N. Shimizu und T. Tomoda, Chem. Pharm. Bull. **33**, 5539 (1985).
[3] J. Gudej und H. L. Bieganowska, Chromatographia **30**, 333 (1990).

M. Wichtl

Eibischwurzel

1 **Bezeichnung des Fertigarzneimittels**

Eibischwurzel

2 **Darreichungsform**

Tee

3 **Behältnisse**

Geklebte Blockbodenbeutel bzw. Seitenfaltenbeutel aus einseitig glattem, gebleichtem Natronkraftpapier 50 g/m^2, gefüttert mit gebleichtem Pergamyn 40 g/m^2.

4 **Kennzeichnung**

Nach § 10 AMG, insbesondere:

4.1 Zulassungsnummer

8899.99.99

4.2 Art der Anwendung

Zur Bereitung eines Kaltauszuges.

4.3 Hinweis

Vor Licht und Feuchtigkeit geschützt lagern.

5 **Packungsbeilage**

Nach § 11 AMG, insbesondere:

5.1 Anwendungsgebiete

Zur Reizlinderung bei Schleimhautentzündungen im Mund- und Rachenraum, die oberen Luftwege sowie im Magen-Darm-Kanal.

5.2 Dosierungsanleitung und Art der Anwendung

Etwa 1 Eßlöffel voll (15 g) Eibischwurzel wird mit kaltem Wasser (ca. 150 ml) übergossen, unter öfterem Umrühren 1$^1/_2$ Stunden stehengelassen und durch ein Teesieb gegeben.

Soweit nicht anders verordnet, wird mehrmals täglich 1 Tasse Tee getrunken. Der Tee kann vor dem Trinken leicht erwärmt werden und soll jeweils frisch bereitet werden.

5.3 Hinweis

Vor Licht und Feuchtigkeit geschützt lagern.

Eichenrinde

1 **Bezeichnung des Fertigarzneimittels**

Eichenrinde

2 **Darreichungsform**

Tee

3 **Eigenschaften und Prüfungen**

3.1 Qualitätsvorschrift

Die Droge muss der Monographie „Eichenrinde" des Deutschen Arzneimittel-Codex (DAC) in der jeweils gültigen Fassung entsprechen.

3.2 Haltbarkeit

Die Haltbarkeit in den Behältnissen nach 4 beträgt 3 Jahre.

4 **Behältnisse**

Geklebte Blockbodenbeutel bzw. Seitenfaltenbeutel aus einseitig glattem, gebleichtem Natronkraftpapier 50 g/m², gefüttert mit gebleichtem Pergamyn 40 g/m².

5 **Kennzeichnung**

Nach § 10 AMG, insbesondere:

5.1 Zulassungsnummer

9099.99.99

5.2 Art der Anwendung

Zum Trinken sowie zum Spülen oder Gurgeln und für Umschläge nach Bereitung eines Teeaufgusses. Zur Bereitung von Bädern.

5.3 Hinweis

Vor Licht und Feuchtigkeit geschützt lagern.

6 **Packungsbeilage**

Nach § 11 AMG, insbesondere:

6.1 Stoff- oder Indikationsgruppe

Pflanzliches Arzneimittel bei Durchfall.

Pflanzliches Arzneimittel bei Entzündungen im Mund- und Rachenraum.

Pflanzliches Arzneimittel zur Wundbehandlung.

2 Eichenrinde

6.2 Anwendungsgebiete

Innerliche Anwendung bei:

unspezifischen, akuten Durchfallerkrankungen; leichten Entzündungen im Mund- und Rachenbereich sowie im Genital- und Analbereich.

Äußerliche Anwendung:

zur Förderung der Schorfbildung bei entzündlichen Hauterkrankungen.

Hinweise:

Bei Durchfällen, die länger als 2 Tage andauern oder mit Blutbeimengungen oder Temperaturerhöhungen einhergehen, sollte ein Arzt aufgesucht werden. Durchfallerkrankungen bei Säuglingen und Kleinkindern erfordern grundsätzlich die Rücksprache mit einem Arzt.

Sollten die Beschwerden bei leichten Schleimhautentzündungen im Mund- und Rachenraum länger als 1 Woche andauern, wiederkehren oder unklare Beschwerden auftreten, ist ein Arzt aufzusuchen.

Bei starker Rötung der Wundränder, bei großflächigen, nässenden oder eitrig infizierten Wunden ist die Rücksprache mit einem Arzt erforderlich.

6.3 Gegenanzeigen

Innerliche Anwendung:

Keine bekannt.

Äußerliche Anwendung:

Großflächige Hautschäden.

Bäder:

Vollbäder sind nicht anzuwenden bei:

– nässenden, großflächigen Ekzemen und Hautverletzungen
– fieberhaften und infektiösen Erkrankungen
– Herzinsuffizienz Stadium III und IV (NYHA)
– Bluthochdruck Stadium IV (WHO).

Zur Anwendung von Eichenrinde in Schwangerschaft und Stillzeit sowie bei Kindern unter 12 Jahren liegen keine ausreichenden Untersuchungen vor. Zubereitungen aus Eichenrinde dürfen daher von diesem Personenkreis nicht angewendet werden.

6.4 Vorsichtsmaßnahmen für die Anwendung und Warnhinweise

Bei Durchfallerkrankungen muss auf Ersatz von Flüssigkeit und Salzen (Elektrolyten) als wichtigste therapeutische Maßnahme geachtet werden.

6.5 Wechselwirkungen mit anderen Mitteln

Innerliche Anwendung:

Das Trinken von Zubereitungen aus Eichenrinde kann die Aufnahme anderer, gleichzeitig eingenommener Arzneimittel im Darm verzögern; es sollte daher ein

Abstand von $^1/_2$ bis 1 Stunde vor und nach Einnahme von Arzneimitteln eingehalten werden.

Äußerliche Anwendung:

Keine bekannt.

6.6 Dosierungsanleitung und Art der Anwendung

Soweit nicht anders verordnet, wird bei Durchfallerkrankungen 2-mal täglich eine Tasse des wie folgt bereiteten Teeaufgusses getrunken:

$^1/_2$ Teelöffel voll (ca. 1,5 g) Eichenrinde oder die entsprechende Menge in einem oder mehreren Aufgussbeutel(n) wird mit ca. 150 ml Wasser übergossen, für etwa 10 bis 15 Minuten zum Sieden erhitzt und anschließend gegebenenfalls durch ein Teesieb gegeben.

Zum Spülen, Gurgeln und zur Bereitung von Umschlägen wird ein Aufguss in der angegebenen Menge oder dem benötigten Vielfachen wie folgt hergestellt:

2 g Eichenrinde werden mit ca. 100 ml Wasser übergossen, für etwa 10 bis 15 Minuten zum Sieden erhitzt und anschließend durch ein Teesieb gegeben.

Zur Bereitung von Voll- und Teilbädern werden 5 g Eichenrinde auf 1 l Wasser oder ein Vielfaches davon eingesetzt.

6.7 Nebenwirkungen

Keine bekannt.

6.8 Hinweis

Vor Licht und Feuchtigkeit geschützt aufbewahren.

Monographien-Kommentar

Eichenrinde

Stammpflanzen

Die Stiel- oder Sommereiche, Quercus robur L. (Fagaceae) wird bis 50 m hoch und bildet eine breite, sich schon wenige Meter über dem Boden in knorrige Äste zerteilende Krone aus; die Blätter sind sitzend oder kurz gestielt, die Früchte hingegen deutlich gestielt. Die Trauben- oder Wintereiche, Quercus petraea (Matt.) Liebl. ist schlanker und wird nur etwa 30 m hoch, die Krone ist regelmäßiger und geschlossener als bei der Sommereiche; die Blätter sind deutlich gestielt (Blattstiel 12–24 mm lang), die Früchte hingegen zu 1 bis 5 in den Blattachsen sitzend, ungestielt.

Droge

Die Rinde von Stockausschlägen oder von jungen Zweigen wird meist im Frühjahr geschält (leichteres Ablösen, höherer Gerbstoffgehalt). Sie ist außen höchstens längsrunzelig, meist aber glatt und silbrig glänzend (Spiegelrinde).

Inhaltsstoffe

Eichenrinde enthält 8–20% Gerbstoffe; der Gehalt ist je nach Erntezeitpunkt und Alter der eintrindeten Zweige sehr variabel, die Gehaltsangaben sind aber auch abhängig von der verwendeten Bestimmungsmethode. Das Gerbstoffgemisch besteht aus Ellagitannien [1] und anderen komplexen Tanninen, enthält aber auch reichlich oligomere Proanthocyanidine [2, 3]. In kleinen Mengen sind auch verschiedene Sterole und Triterpene nachgewiesen worden.

Prüfung und Identität

Ein wäßriger Drogenauszug gibt mit $FeCl_3$ die für Gerbstoffe (Polyphenole) typische blaue bis blauschwarze Färbung der Fe (III)-chelate.

Prüfung auf Reinheit

Im DAC vermißt man eine Begrenzung der Menge an fremden Bestandteilen. Die Droge ist in der Praxis nicht selten verfälscht mit geschnittenen Zweigstücken oder mit Rinden älterer Zweige oder Stämme [2] mit Borkenbildung und geringem Gerbstoffgehalt.

Gehaltsbestimmung

Diese erfolgt in Anlehnung an die Arzneibuchmethode, s. Ratanhiawurzel, Kommentar zum Ph. Eur.; s. auch Hamamelisblätter. Angaben zu verschiedenen Bestimmungsmethoden für Gerbstoffe siehe [4].

Der Gehalt der Droge nimmt bei der Lagerung allmählich ab, es entstehen aus den Gerbstoffen wasserunlösliche Phlobaphene.

[1] M. König u. a., J. Nat. Prod. **57,** 1411 (1994).
[2] E. Pallenbach u. a., Planta Med. **59,** 264 (1993).
[3] A. Scalbert u. a., Phytochemistry **27,** 3483 (1988).
[4] H. Glasl, Dtsch. Apoth. Ztg. **123,** 1979 (1983).

M. Wichtl

Enzianwurzel

1 **Bezeichnung des Fertigarzneimittels**
Enzianwurzel

2 **Darreichungsform**
Tee

3 **Eigenschaften und Prüfungen**
Haltbarkeit:
Die Haltbarkeit in den Behältnissen nach 4 beträgt 3 Jahre.

4 **Behältnisse**
Geklebte Blockbodenbeutel bzw. Seitenfaltenbeutel aus einseitig glattem, gebleichtem Natronkraftpapier 50 g/m^2, gefüttert mit gebleichtem Pergamyn 40 g/m^2.

5 **Kennzeichnung**
Nach § 10 AMG, insbesondere:

5.1 Zulassungsnummer
9199.99.99

5.2 Art der Anwendung
Zum Trinken nach Bereitung eines Teeaufgusses.

5.3 Hinweis
Vor Licht und Feuchtigkeit geschützt lagern.

6 **Packungsbeilage**
Nach § 11 AMG, insbesondere:

6.1 Stoff- oder Indikationsgruppe
Pflanzliches Magen-Darm-Mittel.

6.2 Anwendungsgebiete
Appetitlosigkeit; Verdauungsbeschwerden wie Blähungen und Völlegefühl.

6.3 Gegenanzeigen
Magen- und Zwölffingerdarmgeschwüre.

2 Enzianwurzel

6.4 Wechselwirkungen mit anderen Mitteln
Keine bekannt.

6.5 Dosierungsanleitung und Art der Anwendung
Soweit nicht anders verordnet, wird 2- bis 4mal täglich zur Appetitanregung jeweils ca. ½ Stunde vor den Mahlzeiten, bei Verdauungsbeschwerden nach den Mahlzeiten eine Tasse des wie folgt bereiteten Teeaufgusses getrunken:

Etwa ein knapper ½ Teelöffel voll (ca. 1 g) Enzianwurzel oder die entsprechende Menge in einem oder mehreren Aufgußbeutel(n) wird mit siedendem Wasser (ca. 150 ml) übergossen, und nach etwa 10 bis 15 Minuten gegebenenfalls durch ein Teesieb gegeben.

6.6 Dauer der Anwendung
Bei akuten Beschwerden, die länger als eine Woche anhalten oder periodisch wiederkehren, wird die Rücksprache mit einem Arzt empfohlen.

6.7 Nebenwirkungen
Gelegentlich können bei bitterstoffempfindlichen Personen nach Anwendung von Enzian-Teeaufgüssen Kopfschmerzen ausgelöst werden.

6.8 Hinweis
Vor Licht und Feuchtigkeit geschützt aufbewahren.

Erdrauchkraut

1	**Bezeichnung des Fertigarzneimittels**

Erdrauchkaut

2 **Darreichungsform**

Tee

3 **Eigenschaften und Prüfungen**

Haltbarkeit:

Die Haltbarkeit in den Behältnissen nach 4 beträgt 3 Jahre.

4 **Behältnisse**

Geklebte Blockbodenbeutel bzw. Seitenfaltenbeutel aus einseitig glattem, gebleichtem Natronkraftpapier 50 g/m², gefüttert mit gebleichtem Pergamyn 40 g/m².

5 **Kennzeichnung**

Nach § 10 AMG, insbesondere:

5.1 Zulassungsnummer

1479.99.99

5.2 Art der Anwendung

Zum Trinken nach Bereitung eines Teeaufgusses.

5.3 Hinweis

Vor Licht und Feuchtigkeit geschützt lagern.

6 **Packungsbeilage**

Nach § 11 AMG, insbesondere:

6.1 Stoff- oder Indikationsgruppe

Pflanzliches Arzneimittel bei Verdauungsbeschwerden.

6.2 Anwendungsgebiete

Krampfartige Beschwerden im Bereich der Gallenblase und der Gallenwege sowie des Magen-Darm-Trakts.

Hinweis:

Bei Gallensteinleiden, Verschluss der Gallenwege oder Gelbsucht sowie bei unklaren, länger als 1 Woche andauernden oder wiederkehrenden Beschwerden sollte ein Arzt aufgesucht werden.

2   Erdrauchkraut

6.3   Gegenanzeigen

Keine bekannt.

6.4   Vorsichtsmaßnahmen für die Anwendung und Warnhinweise

Zur Anwendung von Erdrauchkraut in Schwangerschaft und Stillzeit sowie bei Kindern unter 12 Jahren liegen keine ausreichenden Untersuchungen vor. Teeaufgüsse aus Erdrauchkraut sollen daher von diesem Personenkreis nicht getrunken werden.

6.5   Wechselwirkungen mit anderen Mitteln

Keine bekannt.

6.6   Dosierungsanleitung und Art der Anwendung

Soweit nicht anders verordnet, wird 3- bis 4-mal täglich vor den Mahlzeiten eine Tasse des wie folgt bereiteten Teeaufgusses getrunken:

1 Teelöffel voll (ca. 1,6 g) Erdrauchkraut oder die entsprechende Menge in einem oder mehreren Aufgussbeutel(n) wird mit siedendem Wasser (ca. 150 ml) übergossen und nach etwa 10 bis 15 Minuten gegebenenfalls durch ein Teesieb gegeben.

6.7   Nebenwirkungen

Keine bekannt.

6.8   Hinweis

Vor Licht und Feuchtigkeit geschützt aufbewahren.

Monographien-Kommentar

Erdrauchkraut

Stammpflanze

Der Erdrauch oder die Ackerraute, Fumaria officinalis L. Fumariaceae bzw. Papaveraceae) ist ein kleines, auf Öd- und Kulturflächen, Schutt und Wegrändern vorkommendes Kraut. Die in Europa und Asien verbreitet vorkommende, 10 bis 20 cm (selten bis 30 cm) hoch werdende Pflanze besitzt fiederspaltige Blätter mit sehr schmalen Fiederabschnitten und 5 bis 8 mm lange, violettrote Blüten, deren Corollblätter schwarze oder bräunliche Spitzen aufweisen. Erdrauch blüht von Mai bis Oktober.

Droge

Die zur Blütezeit geernteten oberirdischen Teile werden im Schatten getrocknet. In der Schnittdroge sind die Blütenteile, da sie stark geschrumpft sind, nicht leicht erkennbar, auch von den Blättern sind meist nur die fast fädigen Abschnitte zu sehen. Gelegentlich findet man die kugeligen Schließfrüchte mit kleinem, braunrotem Samen. Die Droge wird aus osteuropäischen Ländern importiert.

Inhaltsstoffe

Erdrauchkraut enthält etwa 1 Prozent Alkaloide; bisher sind etwa 30 in ihrer Struktur bekannt. Mengenmäßig vorherrschend ist der Protopintyp (Protopin, Cryptopin u. a.), daneben kommen Protoberberin-, Spirobenzylisochinolin-, Indenobenzazepin-Alkaloide vor [1–4]. In der Droge sind ferner Flavonoide, Säuren (u. a. Fumarsäure, Kaffesäure, Chlorogensäure), Hydroxyzimtsäure-Äpfelsäureester [5] und Schleimstoffe nachgewiesen worden.

3.3 Prüfung auf Identität

Ein mit Methanol hergestellter Drogenauszug wird auf Anwesenheit von Alkaloiden mittels DC untersucht, wobei das Hauptalkaloid Protopin nachweisbar sein muß. Es läßt sich durch die Referenzsubstanz Noscapinhydrochlorid (unter den angegebenen Bedingungen gleicher Rf-Wert wie Protopin) gut erkennen. Im DC erscheinen weitere Alkaloidzonen, die aber noch keinen bestimmten Nebenalkaloiden zugeordnet werden können.

3.5 Gehaltsbestimmung

Der Gehalt an Alkaloiden wird in klassischer Weise maßanalytisch bestimmt. Da die Alkaloide oxidationsempfindlich sind, muß peroxidfreier Ether verwendet werden.

[1] P. Forgacs u. a.; Plantes Med. Phytother. **16,** 99 (1982).
[2] Z. H. Mardirossian u. a.; Phytochemistry **22,** 759 (1983).
[3] B. Gözler u. a.; J. Nat. Prod. **46,** 433 (1983).
[4] P. Forgacs u. a.; Plantes Med. Phytother. **20,** 64 (1986).
[5] R. Hahn und A. Nahrstedt, Planta Med. **59,** 189 (1993).

M. Wichtl

Erkältungstee I

1 **Bezeichnung des Fertigarzneimittels**

Erkältungstee I

2 **Darreichungsform**

Tee

3 **Zusammensetzung**

Wirksame Bestandteile:
Holunderblüten   30,0 g
Lindenblüten   30,0 g
Mädesüßblüten   20,0 g
Sonstige Bestandteile:
Hagebuttenschalen   20,0 g

4 **Herstellungsvorschrift**

Die für die Herstellung einer Charge benötigten Mengen Holunderblüten, Lindenblüten, Mädelsüßblüten und Hagebuttenschalen werden gemischt und anschließend in die vorgesehenen Behältnisse abgefüllt.

5 **Eigenschaften und Prüfungen**

5.1 Ausgangsstoffe

5.1.2 Mädesüßblüten

Die Droge muss der Monographie „Mädesüßblüten" des Deutschen Arzneimittel-Codex (DAC) in der jeweils gültigen Fassung entsprechen.

5.2 Fertigarzneimittel

5.2.1 Aussehen, Eigenschaften

Erkältungstee I ist ein charakteristisch nach Salicylsäuremethylester riechendes Teegemisch aus getrockneten und geschnittenen gelblichweißen bis bräunlichgelben und gelbgrünen Blüten, gelblichgrünen Hochblättern sowie roten bis orangefarbenen, leicht eingerollten Achsenbechern von Scheinfrüchten.

5.2.2 Prüfung auf Identität

Die nach 5.2.3 makroskopisch einzeln verlesenen Bestandteile werden auf Identität geprüft.

Holunderblüten
entsprechend Prüfung auf Identität gemäß AB.

2 Erkältungstee I

Lindenblüten
entsprechend Prüfung auf Identität (AB.).

Mädelsüßblüten
entsprechend Prüfung auf Identität gemäß AB.

5.2.3 Gehalt

80,0 bis 120,0 Prozent der deklarierten Mengen an Holunderblüten, Lindenblüten, Mädesüßblüten.

Bestimmung

Eine geeignete Menge Erkältungstee I wird makroskopisch in die einzelnen Bestandteile verlesen und diese gewogen.

5.2.4 Haltbarkeit

Die Haltbarkeit in den Behältnissen nach 6 beträgt drei Jahre.

6 **Behältnisse**

Geklebte Blockbodenbeutel bzw. Seitenfaltenbeutel aus einseitig glattem gebleichtem Natronkraftpapier 50 g/m^2, gefüttert mit gebleichtem Pergamyn 40 g/m^2.

7 **Kennzeichnung**

Nach § 10 AMG, insbesondere:

7.1 Zulassungsnummer

1979.99.99

Erkältungstee II bis V

1 **Bezeichnung des Fertigarzneimittels**

Erkältungstee[1])

2 **Darreichungsform**

Tee

3 **Zusammensetzung**

A. Wirksame Bestandteile (in Masseprozenten)

Bestandteile \ Teenummer	II	III	IV	V
Holunderblüten	20,0 bis 40,0	20,0 bis 30,0	30,0 bis 50,0	20,0 bis 40,0
Lindenblüten	20,0 bis 40,0	25,0 bis 40,0		20 bis 40,0
Mädesüßblüten		20,0 bis 30,0		
Thymian			20,0 bis 30,0	20,0 bis 30,0
Weidenrinde	20,0 bis 35,0		20,0 bis 35,0	

---

[1]) Die Bezeichnung des Tees setzt sich aus dem Wort „Erkältungstee" und der römischen Ziffer zusammen, die der jeweiligen Zusammensetzung zugeordnet ist (z. B. „Erkältungstee II").

B. Sonstige Bestandteile

Anis	Quendelkraut,
Brombeerblätter,	Ringelblumenblüten,
Bitterer Fenchel,	Schwarze Johannisbeerblätter,
Hagenbuttenschalen,	Süßholzwurzel.
Malvenblüten,	

Die wirksamen Bestandteile nach A müssen insgesamt mindestens 70 Masseprozente der jeweiligen Teemischung ergeben. Die sonstigen Bestandteile müssen – sofern solche verwendet werden – aus der Gruppe B ausgewählt werden. Sie dürfen pro Bestandteil nicht mehr als 5 Masseprozente der jeweiligen Teemischung betragen.

4 Herstellungsvorschrift

Die für die Herstellung einer Charge benötigten Bestandteile werden gemischt und anschließend in die vorgesehenen Behältnisse abgefüllt.

5 Eigenschaften und Prüfungen

5.1 Ausgangsstoffe

5.1.2 Mädesüßblüten

Die Droge muss der Monographie „Mädesüßblüten" des Deutschen Arzneimittel-Codex (DAC) in der jeweils gültigen Fassung entsprechen.

5.1.4 Brombeerblätter

Die Droge muss der Monographie „Brombeerblätter" des Deutschen Arzneimittel-Codex (DAC) in der jeweils gültigen Fassung entsprechen.

5.1.5 Schwarze Johannisbeerblätter

Die Droge muss der Monographie „Schwarze Johannisbeerblätter" des Deutschen Arzneimittel-Codex (DAC) in der jeweils gültigen Fassung entsprechen.

5.2 Fertigarzneimittel

5.2.1 Aussehen, Eigenschaften

Teemischung aus getrockneten und meist zerkleinerten Pflanzenteilen mit arteigenem Geruch

5.2.2 Prüfung auf Identität

Die nach 5.2.3 makroskopisch einzeln verlesenen, wirksamen Bestandteile werden auf Identität geprüft.

Holunderblüten
entsprechend Prüfung auf Identität gemäß AB.

Lindenblüten
entsprechend Prüfung auf Identität gemäß AB.

Mädesüßblüten
entsprechend Prüfung auf Identität gemäß DAC.

Thymian
entsprechend Prüfung auf Identität gemäß AB.

Weidenrinde
entsprechend Prüfung auf Identität gemäß AB.

5.2.3 Gehalt

80 bis 120 Prozent der deklarierten Bestandteile.

Bestimmung

Eine geeignete Menge der Teemischung wird makroskopisch in die einzelnen Bestandteile verlesen. Die deklarierten Bestandteile werden gewogen.

5.2.4 Haltbarkeit

Die Haltbarkeit von Erkältungstee II und III in den Behältnissen nach 6 beträgt drei Jahre.

Für die Haltbarkeit von Erkältungstee IV und V ist der Gehalt an ätherischem Öl im Thymian bestimmend. Dieser nimmt in den Behältnissen nach 6 pro Jahr absolut um etwa 0,15 Prozent ab. Die Dauer der Haltbarkeit errechnet sich somit aus der Differenz des jeweiligen Gehaltes an ätherischem Öl zum Zeitpunkt der Herstellung und dem vorgeschriebenen Mindestgehalt.

6 **Behältnisse**

Geklebte Blockbodenbeutel bzw. Seitenfaltenbeutel aus einseitig glattem, gebleichtem Natronkraftpapier 50 g/m^2, gefüttert mit gebleichtem Pergamyn 40 g/m^2.

7 **Kennzeichnung**

Nach § 10 AMG, insbesondere:

7.1 Zulassungsnummer

Erkältungstee Nr.	Zulassungsnummer
II	1979.98.99
III	1979.97.99
IV	1979.96.99
V	1979.95.99

7.2 Art der Anwendung

Zum Trinken nach Bereitung eines Teeaufgusses.

7.3 Hinweis

Vor Licht und Feuchtigkeit geschützt lagern.

8 **Packungsbeilage**

Nach § 11 AMG, insbesondere:

8.1 Anwendungsgebiete

Fieberhafte Erkältungskrankheiten, bei denen eine Schwitzkur erwünscht ist.

8.2 Dosierungsanleitung und Art der Anwendung

Etwa 1 Eßlöffel voll Tee wird mit siedendem Wasser (ca. 150 ml) übergossen, bedeckt etwa 10 Minuten ziehengelassen und dann durch ein Teesieb gegeben.

Soweit nicht anders verordnet, wird mehrmals täglich eine Tasse frisch bereiteter Tee getrunken.

8.3 Hinweis

Vor Licht und Feuchtigkeit geschützt aufbewahren.

Monographien-Kommentar

Erkältungstee II bis V

Weidenrinde

Stammpflanze: Die überaus artenreiche Gattung **Salix** L., Weide, ist in den gemäßigten Zonen Europas und Nordamerikas verbreitet. Es handelt sich um zweihäusige Sträucher oder Bäume. Für die Gewinnung einer den Anforderungen entsprechenden Rindendroge kommen vor allem **Salix purpurea** L., die Purpurweide und **Salix daphnoides** VILL., die Reifweide, in Betracht; andere **Salix**-Arten liefern nicht stets Rinde mit dem erforderlichen Gesamtsalicingehalt. **Salix purpurea** L. wird bis 6 m hoch und kommt in Auwäldern und auf feuchten Wiesen vor; **Salix daphnoides** VILL. wird bis 10 m hoch und ist in den Alpen und im Alpenvorland an Flußufern und in Auwäldern häufig anzutreffen.

Inhaltsstoffe: 0,5 bis über 11% Phenolglykoside, je nach Salix-Art sind Salicin, Triandrin, Salicortin und andere die Hauptinhaltsstoffe [1, 2]. Die Droge enthält ferner Gerbstoffe in Mengen von 8 bis 20%, Flavonoide und Phenolcarbonsäuren.

Prüfung auf Identität: Eine methanolische Extraktlösung wird durch Schütteln mit Polyamidpulver von der Hauptmenge an Gerbstoffen befreit. Die gereinigte Lösung wird mittels DC auf Phenolglykoside geprüft, wobei Salicin, Catechin (= Cianidanol DAB 9) und Glucose als Referenzsubstanzen dienen. Da die hier angegebene Methode nicht bei allen Weidenrinden befriedigende Ergebnisse liefert, ist für eine Monographie zum Nachtrag des DAB 9 eine Modifikation vorgeschlagen worden, wobei neben der obigen Untersuchungslösung auch eine zweite Untersuchungslösung aufgetragen ist, die nach alkalischer Hydrolyse erhalten wird (Spaltung acylierter Glykoside zu Salicin, s. Gehaltsbestimmung).

Prüfung auf Reinheit:

Fremde Bestandteile: Im Drogenhandel entsprechen nicht alle Chargen einem Gesamtsalicingehalt von mind. 1%, obwohl die Droge von **Salix**-Arten stammt; sie lassen sich durch makroskopische oder mikroskopische Prüfung nicht erkennen.

Gehaltsbestimmung:

Die mit Polyamidpulver von Gerbstoffen weitgehend befreite methanolische Extraktlösung wird alkalisch verseift, um acylierte Glykoside in Salicin umzuwandeln. Es schließt sich eine DC mit semiquantitativer Bestimmung an (Vergleich der Größe und Intensität der Salicinzone der Untersuchungslösung mit einer Salicin-Referenzlösung).

Malvenblüten

Stammpflanzen: **Malva silvestris** L. ist eine bis 1 m hoch werdende Staude, die in Osteuropa und Marokko zur Gewinnung von Blatt- und Blütendrogen kultiviert wird. Die ssp. **mauritiana** zeichnet sich durch intensiv dunkelviolette Korollblätter aus.

Inhaltsstoffe: Wie bei anderen Malvaceendrogen Schleim, hier bis etwa 10%. Die Blütendroge enthält größere Mengen an Anthocyanen (vor allem Malvin) und kleine Anteile an Gerbstoff.

Prüfung und Identität

A. Diese Prüfung ist auf den Nachweis der Anthocyane abgestellt, die je nach pH-Wert der Lösung rosarot (sauer) oder grünblau (alkalisch) erscheinen.

B. Malvin wird mittels DC nachgewiesen, wobei Methylenblau als Referenzlösung dient. Da Anthocyane in Lösung instabil sind, ist zügiges Arbeiten angezeigt.

Prüfung auf Reinheit

Fremde Bestandteile: Verfälschungen mit Blüten von **Althaea rosea** (L.) CAV., syn. **Alcea rosea** L. der Stockrose, kommen in der Praxis nur sehr selten vor.

Zu achten ist in jedem Fall auf Pilzbefall **(Puccinia malvacearum)**, der sich durch stecknadelkopfgroße, orangegelbe oder bräunliche Sporenhäufchen zu erkennen gibt.

Quendelkraut

Stammpflanze: **Thymus serpyllum** L.s.l. ist ein außerordentlich formenreicher, bis 20 cm hoher, mattenbildender Halbstrauch, der in nahezu ganz Europa wild vorkommt. Die Droge stammt aus osteuropäischen Kulturen.

Inhaltsstoffe: 0,1 bis über 0,6% ätherisches Öl (die von der Standardzulassung geforderte Qualität – mind. 0,4% ätherisches Öl – wird im Handel nicht immer angeboten!), das in seiner Zusammensetzung je nach Art stark variiert: neben hauptsächlich Thymol und/oder Carvacrol (Phenole) enthaltenden Sippen gibt es auch praktisch phenolfreie, die Linalool, Cineol oder andere Monoterpene enthalten. Bis etwa 7% Gerbstoffe, ferner Flavonoide und Bitterstoffe sind nachgewiesen worden.

Prüfung auf Identität: Das bei der Gehaltsbestimmung gewonnene ätherische Öl wird mittels DC auf Thymol und Carvacrol geprüft, unter Verwendung von Thymol als Referenzsubstanz. Die in der Beschreibung des Chromatogramms genannten blaugrünen Zonen kommen bisher nicht identifizierten Terpenen zu.

Prüfung auf Reinheit

Fremde Bestandteile: Thymian wird hier als Verfälschung angesprochen, was nicht ganz verständlich ist; diese höherwertige und teurere Droge wird kaum als Verwechslung von Thymian anzutreffen sein.

Gehaltbestimmung: Neben dem Gesamtgehalt an ätherischem Öl ist auch der Gehalt an Phenolen mittels EMERSON-Reaktion (s. Thymian, KOMM. DAB 9) zu ermitteln.

Monographien-Kommentar

Erkältungstee II bis V

Kommentare zu den übrigen Bestandteilen von Erkältungstee II bis V befinden sich gemäß nachfolgender Übersicht in:

Bestandteil	Kommentar
A. Holunderblüten	Ph. Eur. u. St. Zul.
Lindenblüten	Komm. Ph. Eur.
Mädesüßblüten	St. Zul.
Thymian	Komm. Ph. Eur.
B. Anis	Komm. Ph. Eur.
Brombeerblätter	St. Zul.
Fenchel	Komm. Ph. Eur.
Hagenbuttenschalen	Komm. DAB
Ringelblumenblüten	Ph. Eur. u. St. Zul.
Schwarze Johannisbeerblätter	St. Zul.
Süßholzwurzel	Komm. Ph. Eur.

[1] B. Meier et al., Dtsch. Apoth. Ztg. **127,** 2401 (1987).
[2] M. Wichtl (Hrsg.), Teedrogen 2. Aufl., S. 516 ff, Wiss. Verlagsgesellschaft, Stuttgart 1989.

M. Wichtl

Ethacridinlactat-Lösung 0,05 und 0,1 Prozent

1 **Bezeichnung des Fertigarzneimittels**

Ethacridinlactat-Lösung[1])

2 **Darreichungsform**

Lösung

3 **Zusammensetzung**

Bestandteile (in Gramm) / Wirkstoffkonzentration	0,05 Prozent	0,1 Prozent
Wirksamer Bestandteil: Ethacridinlactat 1 H_2O	0,53	1,05
Sonstiger Bestandteil: Gereinigtes Wasser	zu 1000,0 ml	zu 1000,0 ml

4 **Herstellungsvorschrift**

Die für die Herstellung einer Charge benötigte Menge Ethacridinlactat 1 H_2O wird in gereinigtem Wasser gelöst. Die Lösung wird auf das erforderliche Volumen bzw. die erforderliche Masse aufgefüllt und durch ein Membranfilter mit einem Porendurchmesser von ca. 0,22 µm filtriert und in die vorgesehenen keim- und partikelarmen Behältnisse abgefüllt.

Hinweis:

Die Lösung ist vor Licht geschützt zu lagern.

---

[1]) Die Bezeichnung der Lösung setzt sich aus den Worten „Ethacridinlactat-Lösung", den arabischen Ziffern, die der jeweiligen Wirkstoffkonzentration zugeordnet sind, und dem Wort „Prozent" zusammen (z. B. „Ethacridinlactat-Lösung 0,05 Prozent").

2 Ethacridinlactat-Lösung 0,05 und 0,1 Prozent

5 Inprozeß-Kontrollen

Überprüfung	0,05 Prozent	0,1 Prozent
– der relativen Dichte (AB. V.6.4) oder	0,998 bis 1,002	0,998 bis 1,002
– des Brechungsindexes (AB. V.6.5) sowie	1,332 bis 1,334	1,332 bis 1,334
– des pH-Wertes (AB. V.6.3.1)	5,0 bis 7,0	5,0 bis 7,0

6 Eigenschaften und Prüfungen

6.1 Aussehen, Eigenschaften

Klare, von Schwebestoffen praktisch freie, grünlich-gelbe Lösung ohne wahrnehmbaren Geruch; pH-Wert zwischen 5,0 und 7,0.

6.2 Prüfung auf Identität

A. Die Prüfung erfolgt mit Hilfe der Dünnschichtchromatographie (AB. V.6.20.2) unter Verwendung einer Schicht von Kieselgel G R.

Untersuchungslösung: Ethacridinlactat-Lösung 0,05 Prozent. Die 0,1prozentige Lösung wird mit Wasser zu dieser Konzentration verdünnt.

Referenzlösung: 0,53 mg eines als Standard geeigneten Ethacridinlactats 1 H_2O pro 1,0 ml Wasser.

Auf die Platte werden getrennt 50 µl jeder Lösung aufgetragen. Die Chromatographie erfolgt mit einer Mischung von 15 Volumteilen Wasser, 15 Volumteilen Essigsäure 98 % R und 70 Volumteilen 1-Butanol R über eine Laufstrecke von 15 cm. Nach dem Trocknen der Platte an der Luft wird im Tageslicht und im ultravioletten Licht bei 365 nm ausgewertet. Im Chromatogramm der Untersuchungslösung treten Flecke auf, die in bezug auf ihre Lage, Größe, Färbung und Fluoreszenz annähernd den Flecken im Chromatogramm der Referenzlösung entsprechen.

B. Die Prüfung erfolgt mit Hilfe der UV-Vis-Spektroskopie (AB. V.6.19).

Die Lösung wird mit Wasser zu einer Konzentration von 2,65 µg Ethacridinlactat 1 H_2O pro 1,0 ml verdünnt. Die Absorptionen dieser Lösung werden zwischen 220 und 450 nm gegen Wasser als Kompensationsflüssigkeit gemessen. Das Spektrum weist Maxima bei 269, 365 und 422 nm auf.

6.3 Gehalt

95,0 bis 105,0 Prozent der deklarierten Menge Ethacridinlactat 1 H_2O.

Die Bestimmung erfolgt mit Hilfe der UV-Vis-Spektroskopie (AB. V.6.19).

Untersuchungslösung: Die Lösung wird mit Wasser zu einer Konzentration von 5,3 µg Ethacridinlactat 1 H_2O pro 1,0 ml verdünnt. Die Absorption der

Lösung wird im Maximum bei ca. 269 nm gegen Wasser als Kompensationsflüssigkeit gemessen.

Die Berechnung des Gehalts erfolgt mit Hilfe der Absorption einer Referenzlösung eines als Standard geeigneten Ethacridinlactats 1 H_2O in Wasser mit einer Konzentration von 5,3 µg pro 1,0 ml.

6.4 Haltbarkeit

Die Haltbarkeit in den Behältnissen nach 7 beträgt ein Jahr.

7 Behältnisse

Braunglasflaschen mit Verschlußkappen und Konusdichtungen aus Polyethylen.

8 Kennzeichnung

Nach § 10 AMG, insbesondere:

8.1 Zulassungsnummern

Ethacridinlactat-Lösung 0,05 Prozent: 6499.98.97
Ethacridinlactat-Lösung 0,1 Prozent: 6499.97.97

8.2 Art der Anwendung

Zur Bereitung von Teilbädern und Umschlägen.

8.3 Hinweise

Apothekenpflichtig.
Vor Licht geschützt lagern.

9 Packungsbeilage

Nach § 11 AMG insbesondere:

9.1 Anwendungsgebiete

Zur lokalen Anwendung als Antiseptikum.

9.2 Gegenanzeigen

Gegenanzeigen zur lokalen Anwendung von Ethacridinlactat-Lösung 0,05 Prozent bzw. 0,1 Prozent bestehen nicht.

Schwangerschaft und Stillzeit:

Durch Versuche mit Ethacridinlactat an Tieren konnte eine Entstehung von Mißbildungen nicht nachgewiesen werden. Keine Anwendung an der Brust während der Stillzeit.

9.3 Nebenwirkungen

Selten kommt es zu Entzündungsreaktionen der Haut. In Einzelfällen ist das Auftreten von Schwellungen im Gesicht, Nesselsucht (Urtikaria), Kopfschmerzen und Krämpfen bekannt geworden.

9.4 Wechselwirkungen mit anderen Mitteln

Ethacridinlactat-Lösung 0,05 Prozent bzw. 0,1 Prozent nicht mit anderen Lösungen mischen, da es sonst zu Ausflockungen kommen kann.

9.5 Dosierungsanleitung, Art und Dauer der Anwendung

Soweit nicht anders verordnet, 2mal täglich Ethacridinlactat-Lösung 0,05 Prozent bzw. 0,1 Prozent örtlich für wenigstens 30 Minuten einwirken lassen.

9.6 Hinweis

Vor Licht geschützt aufbewahren.

10 Fachinformation

Nach § 11 a AMG insbesondere:

10.1 Verschreibungsstatus/Apothekenpflicht

Apothekenpflichtig.

10.2 Stoff- oder Indikationsgruppe

Desinfiziens/Antiseptikum.

10.3 Anwendungsgebiete

Zur lokalen Anwendung als Antiseptikum.

10.4 Gegenanzeigen

Gegenanzeigen zur lokalen Anwendung von Ethacridinlactat-Lösung 0,05 Prozent bzw. 0,1 Prozent bestehen nicht.

10.5 Nebenwirkungen

Selten kommt es zu Kontaktdermatitiden. In Einzelfällen ist das Auftreten von Gesichtsödem, Urtikaria, Kopfschmerzen und Konvulsionen bekannt geworden.

10.6 Wechselwirkungen mit anderen Mitteln

Ethacridinlactat-Lösung 0,05 Prozent bzw. 0,1 Prozent nicht mit anderen Lösungen mischen, da es sonst zu Ausflockungen kommen kann.

10.7 Warnhinweise

Keine.

10.8 Wichtigste Inkompatibilitäten

Galenische Unverträglichkeit mit Aluminiumacetat-tartrat-Lösungen, Ammoniumsalzen, sulfonierten Schieferölen, Calciumchlorid, Salicylsäure, Silber-Verbindungen, Salzen der Sozoiodolsäure, Tannin und Zinkchlorid wurden beobachtet.

10.9 Dosierung mit Einzel- und Tagesgaben

2mal täglich Ethacridinlactat-Lösung 0,05 Prozent bzw. 0,1 Prozent lokal für wenigstens 30 Minuten einwirken lassen.

10.10 Art und Dauer der Anwendung

Zur lokalen Anwendung bei Umschlägen und Teilbädern. Dabei ist zu beachten, daß wiederholtes Begießen von Verbänden und Umschlägen mit Ethacridinlactat-Lösung 0,05 Prozent bzw. 0,1 Prozent durch Verdunsten des Lösungsmittels zu einer erheblichen Konzentrationszunahme der Substanz führen kann. Die konzentrierte Substanz kann dann Ursache lokaler Reizungen sein und bis zur Sensibilisierung führen.

10.11 Notfallmaßnahmen, Symptome und Gegenmittel

Es sind keine Vergiftungsfälle bekannt geworden. Ein spezielles Antidot existiert nicht.

10.12 Pharmakologische und toxikologische Eigenschaften und Angaben über die Pharmakokinetik und Bioverfügbarkeit, soweit diese Angaben für die therapeutische Verwendung erforderlich sind.

10.12.1 Pharmakologische Eigenschaften, Pharmakokinetik

Ethacridin gehört zu den Acridinderivaten, deren antibakterielle Wirkung seit 1913 bekannt ist.

Die antibakterielle Wirkung der Acridine nimmt mit dem Ionisationsgrad zu.

Ethacridinlactat bildet hellgelbe, wasserlösliche Kristalle. Bei 37 °C und einem pH von 7,3 liegt das Salz in vollständig ionisierter Form vor (vollständige Dissoziation).

Die Acridine entfalten ihre Wirksamkeit mit großer Wahrscheinlichkeit an der RNS-haltigen Cytoplasmamembran der Bakterien. Die Bindung an der Bakterien-DNS bzw. -RNS verhindert die Proteinsynthese der Bakterien.

Ethacridinlactat weist eine antibakterielle Wirkung insbesondere gegenüber Staphylokokken, Streptokokken und Colibakterien auf.

Es zeigt weiter eine Wirkung gegenüber Pilzen, Protozoen wie Amöben, Trichomonaden, Kokzidien und Anaplasmen.

Minimale Hemmkonzentrationen in 10^{-6} g/ml:

Bacillus subtilis	3,2
Candida albicans	50
Corynebact. diphtheriae	6,4
Escherichia coli	6,4 – 12,5
Klebsiella pneumoniae	25
Proteus mirabilis	2 000

Pseudomonas aeruginosa	12,5
Salmonella typhy	12,5
Shigella dysenteriae	3,2
Staph. aureus	2 – 6,4
Strept. pyogenes	0,6 – 9,0
Trichophyton mentagrophytes	50

Daten zur Resistenzentwicklung gegen Ethacridinlactat sind nicht bekannt geworden.

Nach tierexperimentellen Daten werden weniger als 0,1 % von oral appliziertem Ethacridinlactat aus dem Gastrointestinaltrakt resorbiert, auch nicht bei Mehrfachgaben über einen Zeitraum von 14 Tagen. Im 0 – 14 Stunden-Urin wurden 0,01 % der Dosis wiedergefunden.

Nach intravenöser Injektion erfolgt eine schnelle Verteilung in alle Organe. Von einer auf diese Weise verabreichten radioaktiv markierten Lösung werden 84 % der Radioaktivität im Verlauf von 72 Stunden mit den Faeces ausgeschieden.

Daten zur Resorption von Ethacridinlactat über Haut und Wundflächen liegen nicht vor.

Leber und Nieren des Menschen enthalten ein Enzym, das Acridine zu Acridonen oxydiert, die mit dem Urin ausgeschieden werden.

10.12.2 Toxikologische Eigenschaften

Tierexperimentell konnte kein teratogener Effekt der Acridine nachgewiesen werden.

Tierversuche zeigen keine mutagene Wirkung des Ethacridinlactats.

10.13 Sonstige Hinweise

Schwangerschaft und Stillzeit:

Keine Anwendung an der laktierenden Brust.

10.14 Lager- und Aufbewahrungshinweise

Vor Licht schützen.

Da sich die Lösung bei Lichteinwirkung zersetzt (Dunkelfärbung und Bodensatz), ist sie bis zur therapeutischen Verwendung vor Licht geschützt aufzubewahren.

Monographien-Kommentar

Ethacridinlactat-Lösung 0,05%

6.2 Prüfung auf Identität

UV-Vis-Spektroskopie

Die hier angegebene Konzentration ist ungünstig gewählt; an den Maxima beträgt die Absorption nur ca. 0,06 (422 nm), 0,09 (365 nm) und 0,42 (269 nm); sinnvoller ist der Einsatz der Konzentration (5,3 µg/ml), die bei der photometrischen Gehaltsbestimmung eingesetzt wird. Diese Lösung ist durch Verdünnung der Prüflösung 1:100 herstellbar (1,0 ml Prüflösung werden in Meßkolben zu 100 ml aufgefüllt) und führt zu Absorptionen von ca. 0,11 (422 nm), 0,18 (365 nm) und 0,84 (269 nm).

6.3 Gehalt

Die photometrische Bestimmung erfolgt am Maximum, das die höchste Absorption zeigt; dies erfordert die Verdünnung der Prüflösung 1:100 (1,0 ml Prüflösung werden in Meßkolben zu 100 ml aufgefüllt) und eine Referenzlösung, deren Herstellung mindestens zwei Verdünnungsschritte nötig macht (z. B. Lösen von 53 mg Ethacridinlactat 1 H_2O im Meßkolben zu 250 ml, 5,0 ml dieser Lösung im Meßkolben auffüllen zu 200 ml). Günstiger vom Arbeitsaufwand und der Präzision her und selektiver ist die Messung am Maximum bei ca. 422 nm: Die Analysenlösung wird durch Auffüllen von 4,0 (5,0) ml Prüflösung im Meßkolben auf 50 (100) ml hergestellt, was eine Absorption von ca. 0,89 (0,55) ergibt; die Referenzlösung sollte 40 µg/ml Ethacridinlactat enthalten, was z. B. erreicht werden kann durch Lösen von 20,0 mg Substanz zu 500 ml.

6.4 Haltbarkeit

Lösungen von Ethacridinlactat zersetzen sich unter Lichteinfluß zu braunen bis braunroten Produkten [1]. Zur Kontrolle eignet sich das unter 6.3 beschriebene photometrische Verfahren, wobei sich die Auswertung an zwei oder mehr Wellenlängen (z. B. bei 365 nm und 422 nm) empfiehlt. Die HPLC [2] liefert wegen ihrer Selektivität bei Bestimmungen von Ethacridinlactat bei Haltbarkeitsuntersuchungen die zuverlässigsten Resultate.

Zur Analytik und Haltbarkeit von Ethacridin-Lösungen siehe auch [3].

[1] S. Gecgil, Eczacilik Gull 1972, 13: 40; CA 1972, 76: 103682.
[2] Y. Akada, S. Kawano, Y. Tanase, Yakugaku Zasshi 1980, 100: 766; Anal Abstr 1981, 40: 786.
[3] W. Messerschmidt, Pharm. Zeitung 1992, **137**, 964.

P. Surmann

Monographien-Kommentar

Ethacridinlactat-Lösung 0,1%

s. Ethacridinlactat-Lösung 0,05%

P. Surmann

Ethanol 70 % (V/V) und 80 % (V/V), vergällt mit Butan-2-on (Ethylmethylketon)

1 Bezeichnung des Fertigarzneimittels

Ethanol, vergällt mit Butan-2-on (Ethylmethylketon)[1)]

2 Darreichungsform

Lösung

3 Zusammensetzung

Wirkstoffkonzentration Bestandteile	70 % (V/V)	80 % (V/V)
Wirksamer Bestandteil: Ethanol 96 % (V/V), vergällt mit Butan-2-on (Ethylmethylketon)	65,9 g	77,6 g
Sonstiger Bestandteil: Gereinigtes Wasser	jeweils zu 100,0 ml	

4 Herstellungsvorschrift

Ethanol 96 % (V/V), vergällt mit Butan-2-on, wird mit gereinigtem Wasser im angegebenen Verhältnis gemischt. Die Lösung wird durch ein Membranfilter von 0,2 µm nomineller Porenweite, falls erforderlich mit vorgeschaltetem Tiefenfilter, in die vorgesehenen keimarmen (Ethanol 70 % [V/V]) bzw. sterilen (Ethanol 80 % [V/V]) Behältnisse filtriert.

5 Eigenschaften und Prüfungen

5.1 Ausgangsstoffe

5.1.1 Ethanol 96 % (V/V), vergällt mit Butan-2-on (Ethylmethylketon).

C_2H_6O M_r 46,07

Ethanol, vergällt mit Butan-2-on (Ethylmethylketon), hat eine relative Dichte d_{20}^{20} von höchstens 0,809, entsprechend mindestens 95,1 Prozent (V/V) bzw. mindestens 92,6 Prozent (m/m) Ethylalkohol und 1 Prozent (V/V) Butan-2-on. Die Herstellung des Ethylalkohols darf nur aus landwirtschaftlichen Rohstoffen erfolgen.

[1)] Die Bezeichnung der Lösung setzt sich aus den Worten „Ethanol", „vergällt mit Butan-2-on (Ethylmethylketon)", den arabischen Ziffern, die der jeweiligen Wirkstoffkonzentration zugeordnet sind und der Angabe „% (V/V)" zusammen (z.B. „Ethanol 70 % (V/V), vergällt mit Butan-2-on (Ethylmethylketon)".

5.1.1.1 Eigenschaften

Klare, farblose, flüchtige, leicht entzündbare Flüssigkeit; charakteristischer Geruch; mischbar mit Wasser, Dichlormethan und Ether.

5.1.1.2 Prüfung auf Identität

A. Die erkaltete Mischung von 2,5 ml Kaliumdichromat-Lösung R, 2,5 ml Wasser und 3 ml Schwefelsäure 96 % R in einem Reagenzglas wird mit 0,5 ml Substanz versetzt und die Öffnung des Reagenzglases sofort mit einem mit einer 2,5-prozentigen Lösung von Natriumpentacyanonitrosylferrat R getränkten Filterpapierstreifen bedeckt. Beim Betupfen der Papierfläche über der Öffnung mit Piperidin R entsteht eine blaue Färbung, die auf Zusatz von Natriumhydroxid-Lösung 8,5 % R nach Rosa umschlägt.

B. In einem Reagenzglas wird eine Lösung von 25 mg Vanillin R in 10 ml Substanz mit 5 ml Schwefelsäure 96 % R unterschichtet. Die Grenzfläche färbt sich sofort grünblau. Nach dem Durchmischen und Verdünnen mit Wasser ist die Lösung blau.

5.1.1.3 Prüfung auf Reinheit

Aussehen: Die Substanz muss klar (AB. 2.2.1) und farblos (AB. 2.2.2, Methode II) sein.

Gesamtsäure: max. 1 mg/100 ml (berechnet als Essigsäure).

100 ml Substanz werden im Wasserbad unter Rückflusskühlung kurz zum Sieden erhitzt. Nach der Zugabe von 0,1 ml Indigocarmin-Phenolrot-Lösung RN zu der heißen Lösung wird mit Natriumhydroxid-Lösung (0,01 mol · l^{-1}) bis zum ersten Umschlag von Grün nach Violett titriert.

Berechnung des Säuregehaltes/100 ml:

$$mg = \frac{\text{Verbrauch an NaOH (0,01 mol} \cdot \text{l}^{-1}\text{) in ml} \cdot 0,6 \cdot 100}{\text{Alkoholgehalt der Probe in Vol.\%}}$$

Flüchtige Bestandteile:

Acetaldehyd (einschließlich Acetal): höchstens 6 mg/100 ml.
Methanol: höchstens 50 mg/100 ml.
Butan-2-on: mindestens 800 mg/100 ml.
Sonstige Nebenbestandteile: höchstens 40 mg/100 ml.

Die Prüfung erfolgt mit Hilfe der Gaschromatographie (AB. 2.2.28).

Untersuchungslösung: Die Substanz wird durch Zugabe von Wasser auf einen Gehalt von 40 Prozent (V/V) Ethylalkohol eingestellt.

Die Chromatographie kann durchgeführt werden mit:

– einer Stahlsäule von 4 m Länge und 3,2 mm innerem Durchmesser, gepackt mit Kieselgel zur Gaschromatographie (150 bis 180 μm), welches mit 15 Prozent 1,1,1-Trimethylolpropantripelargonat imprägniert ist,
– Stickstoff zur Chromatographie R als Trägergas mit einer Durchflussrate von 25 ml je Minute,
– einem Flammenionisationsdetektor.

Die Temperatur der Säule wird auf 95 °C gehalten, die vom Probeneinlass und Detektor auf 150 °C. Es werden 2 μl der Untersuchungslösung eingespritzt und die Chromatographie über einen Zeitraum von 40 Minuten durchgeführt. Eine erneute Einspritzung soll erst nach 90 Minuten vorgenommen werden. Die stoffspezifischen Korrekturfaktoren der zu erwartenden Substanzen werden vor Beginn der Analyse mittels Eichlösungen ermittelt.

Nichtflüchtige Bestandteile: höchstens 0,0015 Prozent (m/V).

100,0 ml Substanz werden auf dem Wasserbad eingedampft. Der im Trockenschrank bei 100 bis 105 °C getrocknete Rückstand darf höchstens 1,5 mg betragen.

5.2 Fertigarzneimittel

5.2.1 Aussehen, Eigenschaften

Klare, farblose, flüchtige, leicht entzündbare Flüssigkeit mit charakteristischem Geruch.

5.2.2 Prüfung auf Identität

Entsprechend den Identitätsreaktionen A. und B. unter 5.1.1.2.

5.2.3 Relative Dichte (AB. 2.2.5)

Ethanol 70 % (V/V), vergällt mit Butan-2-on (Ethylmethylketon): 0,884 bis 0,888.

Ethanol 80 % (V/V), vergällt mit Butan-2-on (Ethylmethylketon): 0,858 bis 0,862.

5.2.4 Haltbarkeit

Die Haltbarkeit in den Behältnissen nach 6 beträgt 3 Jahre.

6 Behältnisse

Dicht schließende Behältnisse aus Glas oder Polyethylen.

7 Kennzeichnung

Nach § 10 AMG, insbesondere:

7.1 Zulassungsnummern

Ethanol 70 % (V/V), vergällt mit Butan-2-on (Ethylmethylketon): 2109.99.99

Ethanol 80 % (V/V), vergällt mit Butan-2-on (Ethylmethylketon): 2109.98.99

7.2 Art der Anwendung

Zum Auftragen auf die Haut und zur Bereitung von Umschlägen.

7.3 Hinweise

Nur zur äußeren Anwendung.

Leicht entzündlich! Von Zündquellen fern halten!

Dicht verschlossen lagern.

Bei Verschütten der Lösung sind unverzüglich Maßnahmen gegen Brand und Explosion zu treffen. Geeignete Maßnahmen sind z. B. das Aufnehmen der verschütteten Flüssigkeit und das Verdünnen mit Wasser, das Lüften des Raumes sowie das Beseitigen von Zündquellen.

8 Packungsbeilage

Nach § 11 AMG, insbesondere:

8.1 Stoff- oder Indikationsgruppe

Desinfektionsmittel.

8.2 Anwendungsgebiete

Ethanol 70 % (V/V), vergällt mit Butan-2-on (Ethylmethylketon):

Hygienische Händedesinfektion; Kühlumschläge.

Ethanol 80 % (V/V), vergällt mit Butan-2-on (Ethylmethylketon):

Hygienische Händedesinfektion, Hautdesinfektion vor einfachen Injektionen und Punktionen peripherer Gefäße; Kühlumschläge.

8.3 Gegenanzeigen

Mit Butan-2-on (Ethylmethylketon) vergälltes Ethanol ist nicht zur Desinfektion großflächiger, offener Wunden geeignet.

8.4 Wechselwirkungen mit anderen Mitteln

Keine bekannt.

8.5 Warnhinweise

Leicht entzündlich! Von Zündquellen fern halten!

Bei Verschütten der Lösung sind unverzüglich Maßnahmen gegen Brand und Explosion zu treffen. Geeignete Maßnahmen sind z. B. das Aufnehmen der verschütteten Flüssigkeit und das Verdünnen mit Wasser, das Lüften des Raumes sowie das Beseitigen von Zündquellen.

8.6 Dosierungsanleitung und Art der Anwendung

Ethanol 70 % (V/V), vergällt mit Butan-2-on (Ethylmethylketon):

Zur hygienischen Händedesinfektion werden die Hände mit der Lösung eingerieben und 1 Minute lang feuchtgehalten.

Für Kühlumschläge ist die Lösung mit gleichen Teilen Wasser verdünnt anzuwenden.

Ethanol 80 % (V/V), vergällt mit Butan-2-on (Ethylmethylketon):

Zur hygienischen Händedesinfektion werden die Hände mit der Lösung eingerieben und 30 Sekunden lang feuchtgehalten.

Zur Desinfektion vor einfachen Injektionen und Punktionen peripherer Gefäße wird die Haut mit der Lösung sorgfältig abgerieben und 15 Sekunden lang feuchtgehalten.

Für Kühlumschläge ist die Lösung mit gleichen Teilen Wasser verdünnt anzuwenden.

Hinweise:

Die Zeitangaben sind Mindestzeiten. Je nach zusätzlichen Erschwernissen (z.B. feuchte Haut, Verschmutzung der Haut, Risiko des Eingriffs) sind die Einwirkzeiten zu verlängern.

Ethanol 70 % (V/V), vergällt mit Butan-2-on (Ethylmethylketon) bzw. Ethanol 80 % (V/V), vergällt mit Butan-2-on (Ethylmethylketon) wirkt nicht sporenabtötend und ist daher für die Aufbewahrung steriler Instrumente und Spritzen nicht geeignet.

8.7 Nebenwirkungen

Beim Einreiben der Haut mit Ethanol 70 % (V/V), vergällt mit Butan-2-on (Ethylmethylketon) bzw. Ethanol 80 % (V/V), vergällt mit Butan-2-on (Ethylmethylketon) können Rötungen und leichtes Brennen auftreten.

8.8 Hinweis

Dicht verschlossen aufbewahren.

Ethanol-Wasser-Gemische 70% (V/V) und 80% (V/V)

1 **Bezeichnung des Fertigarzneimittels**

Ethanol[1)]

2 **Darreichungsform**

Lösung

3 **Herstellungsvorschrift**

Das Ethanol-Wasser-Gemisch wird entsprechend den Angaben des Arzneibuchs hergestellt. Die Lösung wird durch ein Membranfilter von 0,2 µm nomineller Porenweite, falls erforderlich mit vorgeschaltetem Tiefenfilter, in die vorgesehenen keimarmen (Ethanol 70 % [V/V]) bzw. sterilen (Ethanol 80 % [V/V]) Behältnisse filtriert.

4 **Eigenschaften und Prüfungen**

Haltbarkeit:

Die Haltbarkeit in den Behältnissen nach 5 beträgt 3 Jahre.

5 **Behältnisse**

Dicht schließende Behältnisse aus Glas oder Polyethylen.

6 **Kennzeichnung**

Nach § 10 AMG, insbesondere:

6.1 Zulassungsnummern

Ethanol 70 % (V/V): 1999.99.99
Ethanol 80 % (V/V): 1999.98.99

6.2 Art der Anwendung

Zum Auftragen auf die Haut und zur Bereitung von Umschlägen.

6.3 Hinweise

Leicht entzündlich!

Von Zündquellen fern halten!

Dicht verschlossen lagern.

Bei Verschütten der Lösung sind unverzüglich Maßnahmen gegen Brand und Explosion zu treffen. Geeignete Maßnahmen sind z. B. das Aufnehmen der verschütteten Flüssigkeit und das Verdünnen mit Wasser, das Lüften des Raumes sowie das Beseitigen von Zündquellen.

[1)] Die Bezeichnung der Lösung setzt sich aus dem Wort „Ethanol", den arabischen Ziffern, die der jeweiligen Wirkstoffkonzentration zugeordnet sind und der Angabe „% (V/V)" zusammen (z. B. „Ethanol 70% [V/V]").

7 Packungsbeilage

Nach § 11 AMG, insbesondere:

7.1 Stoff- oder Indikationsgruppe

Desinfektionsmittel.

7.2 Anwendungsgebiete

Ethanol 70 % (V/V):

Hygienische Händedesinfektion; Kühlumschläge.

Ethanol 80 % (V/V):

Hygienische Händedesinfektion, Hautdesinfektion vor einfachen Injektionen und Punktionen peripherer Gefäße.

7.3 Gegenanzeigen

Ethanol 70 % (V/V) bzw. Ethanol 80 % (V/V) ist nicht zur Desinfektion großflächiger, offener Wunden geeignet.

7.4 Wechselwirkungen mit anderen Mitteln

Keine bekannt.

7.5 Warnhinweise

Leicht entzündlich!

Von Zündquellen fern halten!

Bei Verschütten der Lösung sind unverzüglich Maßnahmen gegen Brand und Explosion zu treffen. Geeignete Maßnahmen sind z.B. das Aufnehmen der verschütteten Flüssigkeit und das Verdünnen mit Wasser, das Lüften des Raumes sowie das Beseitigen von Zündquellen.

7.6 Dosierungsanleitung und Art der Anwendung

Ethanol 70 % (V/V):

Zur hygienischen Händedesinfektion werden die Hände mit der Lösung eingerieben und 1 Minute lang mit der Lösung feucht gehalten.

Für Kühlumschläge ist die Lösung mit gleichen Teilen Wasser verdünnt anzuwenden.

Ethanol 80 % (V/V):

Zur hygienischen Händedesinfektion werden die Hände mit der Lösung eingerieben und 30 Sekunden lang mit der Lösung feucht gehalten.

Zur Desinfektion vor einfachen Injektionen und Punktionen peripherer Gefäße wird die Hand mit der Lösung sorgfältig abgerieben und 15 Sekunden lang feucht gehalten.

Für Kühlumschläge ist die Lösung mit gleichen Teilen Wasser verdünnt anzuwenden.

Hinweise:

Die Zeitangaben sind Mindestzeiten. Je nach zusätzlichen Erschwernissen (z.B. feuchte Haut, Verschmutzung der Haut, Risiko des Eingriffs) sind die Einwirkzeiten zu verlängern.

Ethanol 70% (V/V) bzw. Ethanol 80% (V/V) wirkt nicht sporenabtötend und ist daher für die Aufbewahrung steriler Instrumente und Spritzen nicht geeignet.

7.7 Nebenwirkungen

Beim Einreiben der Haut mit Ethanol 70% (V/V) bzw. Ethanol 80% (V/V) können Rötungen und leichtes Brennen auftreten.

7.8 Hinweis

Dicht verschlossen aufbewahren.

Monographien-Kommentar

Ethanol 70 Prozent (V/V) und 80 Prozent (V/V), vergällt mit Ethylmethylketon

Aufgrund der EG-Richtlinien zur Harmonisierung der Struktur der Verbrauchssteuern auf Alkohol und alkoholische Getränke ist am 1. Januar 1993 eine geänderte Fassung des Branntweinmonopolgesetzes in Kraft getreten. Danach sind Alkoholerzeugnisse – ausgenommen reine Alkohol-Wasser-Mischungen – von der Steuer befreit, wenn sie gewerblich zur Herstellung von Arzneimitteln durch dazu nach dem Arzneimittelrecht Befugte verwendet werden (§ 132 Branntweinmonopolgesetz). Der Bundesminister der Finanzen ist allerdings ermächtigt anzuordnen, daß Branntwein zur Herstellung von Arzneimitteln zum äußerlichen Gebrauch zu vergällen ist (§ 132 Abs. 4c).

Aufgrund dieser Änderung des Branntweinmonopolgesetzes mußten die bisherigen Monographien Ethanol 70 Prozent (V/V) und 80 Prozent (V/V) durch die neuen Monographien Ethanol 70 Prozent (V/V) und 80 Prozent (V/V) vergällt mit Ethylmethylketon ergänzt werden.

Die Bundesmonopolverwaltung hat mit Wirkung vom 15. 3. 1962 Ethylmethylketon (2-Butanon) als Vergällungsmittel für Branntwein eingeführt. Zur vollständigen Vergällung kommen auf 100 Liter Ethanol 0,75 Liter Ethylmethylketon.

Wegen der Zugänglichkeit und wegen der Häufigkeit der äußerlichen Anwendungen vergällten Alkohols am Menschen wurde Ethylmethylketon eingehend auf toxikologische Unbedenklichkeit geprüft. Die tödliche Dosis des unverdünnten Ketons bei oraler Aufnahme schwankt zwischen 0,5 bis 5,0 pro kg Körpergewicht; d. h. 35 bis 350 g für einen Menschen von ca. 70 kg. Ein Liter vergällter Branntwein enthält jedoch nur 7,5 g.

Die maximale Arbeitsplatzkonzentration (MAK) beträgt für Ethanol 1000 ppm = 1900 mg/m^3 und für Ethylmethylketon 200 ppm = 590 mg/m^3. Beim Verdampfen des mit Ethylmethylketon vergällten Ethanols würde der MAK-Wert für Ethanol somit weit überschritten sein, wenn der für das Vergällungsmittel erreicht ist.

Einmassieren des Vergällungsmittels in die skarifizierte Haut von Meerschweinchen verursachte keine Sensibilisierung.

8.1 Die Aufnahme von Ethanol 80 Prozent (V/V) in die Standardzulassung hat bei Apothekern Verwunderung hervorgerufen. Nach Auffassung vieler Hygieniker soll aber Ethanol 80 Prozent (V/V) besser desinfizieren als Ethanol 70 Prozent (V/V), weshalb ein Bedarf besonders in Krankenhausapotheken besteht.

Bei Ethanol 90 Prozent (V/V) dagegen ist das Desinfektionsvermögen deutlich geringer und für die meisten Fälle nicht ausreichend. Als Indikation wäre nach Verdünnung nur die Verwendung zu Kühlumschlägen anzusehen, das wirtschaftlich nicht vertretbar ist, da billigere Mittel hierfür zur Verfügung stehen. Ethanol 90 Prozent (V/V) wurde daher nicht für eine Standardzulassung vorgesehen. Dieses Ethanol-Wasser-Gemisch kann aber bei Bedarf auch nach Ablauf der Übergangsfrist nach Art. 3 § 10 AMG 76 in der Apotheke vorrätig gehalten werden, jedoch ohne Angabe von Anwendungsgebieten. Es handelt sich dann nicht um ein zulassungspflichtiges Fertigarzneimittel.

Monographien-Kommentar

2

8.2 Hinweis

Die Kommission des Bundesgesundheitsamtes „Erkennung, Verhütung und Bekämpfung von Krankenhausinfektionen" hat in einer Anlage zu Ziffer 5.1 der gleichlautenden Richtlinie gefordert, daß Präparate zur Händedesinfektion sowie Desinfektion der Haut vor Injektionen und Punktionen nicht nur frei von Keimen, sondern auch von bakteriellen Sporen sein müssen [1].

Da Ethanol 70 Prozent (V/V) nicht sporozid wirkt [2], sind entsprechende Präparate für diesen Anwendungszweck zuvor steril zu filtrieren. Die Präparate sind in geschlossenen Behältnissen und vor Kontamination geschützt aufzubewahren.

Zur aktuellen Übersicht über Desinfektionsmittel siehe [3].

[1] Richtlinie für die Erkennung, Verhütung und Bekämpfung von Krankenhausinfektionen; Anlage 5 zu Ziffer 5.1, Bundesgesundheitsblatt 28, 185 (1985).

[2] Liste vom Bundesgesundheitsamt geprüfter und anerkannter Desinfektionsmittel und -verfahren. Bundesgesundheitsblatt 37, 128 (1994).

[3] H.-R. Widmer, Pharm. Zeitung, **141,** 873–881 (1996).

R. Braun

Monographien-Kommentar

Ethanol 70 Prozent (V/V) und 80 Prozent (V/V) vergällt mit Ethylmethylketon

5 Eigenschaften und Prüfungen

5.1 Ausgangsstoffe

Die geforderte Dichte und der Gehalt sind nicht identisch mit den Forderungen des Arzneibuchs: Ph. Eur. fordert für Ethanol 96 % einen Mindestgehalt von 96 % (V/V), während hier 94 % (V/V) die untere Grenze ist; der zulässige Höchstgehalt ist identisch 97,2 % (V/V); die relative Dichte d_{20}^{20} des Vergällungsmittels Ethylmethylketon beträgt 0,802; der Siedepunkt wird mit 80 °C angegeben, so daß die destillative Abtrennung von Ethanol (Siedepunkt 78 ° C) äußerst schwierig ist, zumal beide Komponenten Azeotrope mit Wasser (und möglicherweise auch miteinander) bilden [5].

Prüfung auf Identität: Ethanol wird wie im Ph. Eur. mittels modifizierter Farbreaktion nach Simon durch Oxidation zu Acetaldehyd nachgewiesen, der aus dem Gasraum heraus unter der Katalyse von Piperidin mit Natriumpentacyanonitrosylferrat(II) (Nitroprussid) nukleophil zu einem blau gefärbten Komplex reagiert; dieser wird durch Deprotonierung mit Natriumhydroxidlösung gelb.

Ethylmethylketon wird durch Farbreaktion mit Vanillin/Schwefelsäure nachgewiesen [1]; die entstehenden Produkte sind in ihrer Struktur nicht aufgeklärt [2]. Eine Alternative mit höherer Selektivität ist im Kommentar zum DAB 7 [3] und in [4] aufgeführt: Durch Reaktion mit Nitrit (aus Amylnitrit) und anschließend Hydroxylamin entsteht Diacethyldioxim (Dimethylglyoxim), das mit Nickel(II)-Ionen einen sehr stabilen rot gefärbten Komplex bildet.

Prüfung auf Reinheit: Die gaschromatographische Untersuchung ist die Methode der Wahl für die leicht flüchtigen Verbindungen; für die üblichen Verunreinigungen sind Höchstwerte, für den Bestandteil Ethylmethylketon ist lediglich ein Mindestwert angegeben, die Angabe eines Höchstwertes fehlt.

[1] Vejdelek/Kakác, Farbreaktionen in der Spektrophotometrischen Analyse organischer Verbindungen, Bd. I S. 172, VEB G. Fischer Verlag Jena 1969.

[2] J. D. Few, Analyst, (1965) 90: 134.

[3] H. Böhme, K. Hartke, Deutsches Arzneibuch 7. Ausgabe Kommentar, Wissenschaftliche Verlagsgesellschaft Stuttgart 1969, S. 69.

[4] H. Böhme, D. Eichler, Dtsch. Apoth. Ztg. (1968) 108: 33.

[5] W. L. Archer, Industrial Solvents Handbook, Marcel Dekker, New York 1996

P. Surmann

Ethanolhaltige Iod-Lösung

1 Bezeichnung des Fertigarzneimittels

Ethanolhaltige Iod-Lösung

2. Darreichungsform

Lösung

3. Behältnisse

Dichtschließende Behältnisse aus Braunglas, Verschlußkappe mit Spatel aus Polyethylen oder Pinsel aus Nylonhaaren.

4. Kennzeichnung

Nach § 10 AMG, insbesondere:

4.1 Zulassungsnummer

5999.99.99

4.2 Art der Anwendung

Zum Auftragen auf die Haut.

5. Packungsbeilage

Nach § 11 AMG, insbesondere:

5.1 Anwendungsgebiete

Desinfektion der Haut vor Injektionen und Einschnitten; Desinfektionen von Wunden.

5.2 Gegenanzeigen

Ethanolhaltige Iod-Lösung ist nicht anzuwenden bei Iodüberempfindlichkeit. Bei Patienten mit Schilddrüsenüberfunktion (Hyperthyreose) ist bei der Behandlung größerer Hautflächen Vorsicht geboten, da Iod durch die Haut resorbiert wird.

5.3 Nebenwirkungen

Bei Vorliegen einer Iodüberempfindlichkeit können Hautreaktionen auftreten. In seltenen Fällen kommt es zur Entwicklung von Fieber.

2   Ethanolhaltige Iod-Lösung

5.4   Wechselwirkung mit anderen Mitteln

Ethanolhaltige Iod-Lösung darf nicht zusammen mit Quecksilber enthaltenden Arzneimitteln verwendet werden.

5.5   Dosierungsanleitung und Art der Anwendung

Soweit nicht anders verordnet, wird die Ethanolhaltige Iod-Lösung auf die zu desinfizierende Hautfläche aufgetragen.

Etilefrinhydrochlorid-Kapseln 5 mg

1 **Bezeichnung des Fertigarzneimittels**

Etilefrinhydrochlorid-Kapseln 5 mg

2 **Darreichungsform**

Kapseln

3 **Eigenschaften und Prüfungen**

3.1 Ausgangsstoffe

Etilefrinhydrochlorid

Die Substanz muß der Monographie Etilefrinhydrochlorid des Deutschen Arzneimittel-Codex 1986 (DAC) entsprechen.

3.2 Fertigarzneimittel

3.2.1 Aussehen, Eigenschaften

Hartgelatinesteckkapseln, an deren Außenseite kein Pulver anhaften darf.

3.2.2 Gehalt

95,0 bis 105,0 Prozent der pro Kapsel deklarierten Menge Etilefrinhydrochlorid.

3.2.3 Haltbarkeit

Die Haltbarkeit in den Behältnissen nach 4 beträgt mindestens ein Jahr.

4 **Behältnisse**

Dichtschließende Behältnisse aus Braunglas oder Tiefziehfolie.

5 **Kennzeichnung**

Nach § 10 AMG, insbesondere:

5.1 Zulassungsnummer

2899.99.99

2 Etilefrinhydrochlorid-Kapseln 5 mg

5.2 Art der Anwendung

Zum Einnehmen.

5.3 Hinweis

Apothekenpflichtig.

6 Packungsbeilage

Nach § 11 AMG, insbesondere:

6.1 Anwendungsgebiete

Kreislaufregulationsstörungen mit erniedrigtem Blutdruck (Hypotonie), die im Stehtest mit Beschwerden wie Blässe, Schweißausbruch, Flimmern oder Schwarzwerden vor den Augen sowie mit deutlichem Blutdruckabfall ohne Herzfrequenzanstieg einhergehen.

6.2 Gegenanzeigen

Etilefrinhydrochlorid darf nicht angewendet werden bei:

– hypotonen Kreislaufregulationsstörungen mit hypertoner Reaktion im Stehtest (Anstieg von Blutdruck und Herzfrequenz),

– Bluthochdruck,

– Überfunktion der Schilddrüse,

– Geschwulst der Nebenniere (Phäochromozytom),

– Erhöhung des Augeninnendrucks (Engwinkelglaukom),

– Entleerungsstörungen der Harnblase, insbesondere Vergrößerung der Vorsteherdrüse,

– schweren Verengungen der Herzkranzgefäße mit Sauerstoffmangel am Herzen (koronare Herzkrankheit),

– Herzrhythmusstörungen mit stark beschleunigter Herztätigkeit.

Hinweis:

Etilefrinhydrochlorid darf in den ersten 3 Monaten einer Schwangerschaft nicht eingenommen werden, da Tierversuche Hinweise auf Mißbildungen nach Aufnahme von hohen Dosen des Wirkstoffs ergeben haben und beim Menschen gewonnene Erfahrungen nicht vorliegen. Ab dem 4. Schwangerschaftsmonat ist bei strenger Indikationsstellung durch den behandelnden Arzt eine Einnahme möglich. Während der Stillzeit darf Etilefrinhydrochlorid nicht angewendet werden, da ein Übergang in die Muttermilch nicht auszuschließen ist und über die Auswirkungen auf Säuglinge keine Erfahrungen vorliegen.

6.3 Nebenwirkungen

Etilefrinhydrochlorid kann Herzklopfen, Unruhe, Schwitzen, Schwindelgefühl und Unverträglichkeiten im Magen-Darm-Bereich auslösen. Ferner kann es unter der Anwendung zu Stechen oder Druckgefühl über dem Herzen (pektangi-

nöse Beschwerden), stark beschleunigter Herztätigkeit (Tachykardie) sowie überschießendem Blutdruckanstieg (eventuell mit Kopfschmerzen) und Muskelzittern kommen.

In solchen Fällen ist vor der weiteren Einnahme unbedingt der Arzt zu befragen.

6.4 Wechselwirkungen mit anderen Mitteln

Bei gleichzeitiger Anwendung von Etilefrinhydrochlorid

– mit Guanethidin, trizyklischen Antidepressiva oder Reserpin kann es zu einem unerwünschten Blutdruckanstieg kommen,

– mit Atropin kann die Herzfrequenz übermäßig gesteigert sein,

– mit Alpha- bzw. Beta-Rezeptorenblockern kann es eventuell zu unerwünschtem Blutdruckabfall bzw. -anstieg mit verlangsamter Herzschlagfolge (Bradykardie) kommen.

6.5 Dosierungsanleitung und Art der Anwendung

Soweit nicht anders verordnet, nehmen Erwachsene und Schulkinder zweimal täglich 2 bis 3 Kapseln vor oder zwischen den Mahlzeiten ein.

Hinweis:

Etilefrinhydrochlorid sollte nicht mehr am späten Nachmittag oder Abend eingenommen werden, da seine anregende Wirkung das Einschlafen erschweren kann.

6.6 Dauer der Anwendung

Über die Dauer der Anwendung entscheidet der Arzt entsprechend dem Verlauf des Grundleidens.

7 Fachinformation

Nach § 11 a AMG, insbesondere:

7.1 Verschreibungsstatus/Apothekenpflicht

Apothekenpflichtig.

7.2 Stoff- oder Indikationsgruppe

Überwiegend direkt und peripher wirkendes Sympathomimetikum (Phenylethanolamin-Derivat).

7.3 Anwendungsgebiete

Hypotone Kreislaufregulationsstörungen, die im Stehtest mit Beschwerden wie Blässe, Schweißausbruch, Flimmern oder Schwarzwerden vor den Augen sowie mit deutlichem Blutdruckabfall ohne Herzfrequenzanstieg einhergehen.

7.4 Gegenanzeigen

Etilefrinhydrochlorid darf nicht angewendet werden bei:

- hypotonen Kreislaufregulationsstörungen mit hypertoner Orthostasereaktion,
- Hypertonie,
- Thyreotoxikose,
- Geschwulst der Nebenniere (Phäochromozytom),
- Erhöhung des Augeninnendrucks (Engwinkelglaukom),
- Prostataadenom mit Restharnbildung,
- schweren Verengungen der Herzkranzgefäße mit Sauerstoffmangel am Herzen (koronare Herzkrankheit),
- tachykarden Herzrhythmusstörungen.

7.5 Nebenwirkungen

Etilefrinhydrochlorid kann Herzklopfen, Unruhe, Schwitzen, Schwindelgefühl und Unverträglichkeiten im Magen-Darm-Bereich auslösen. Ferner kann es unter der Anwendung zu pektanginösen Beschwerden, zur Tachykardie sowie überschießendem Blutdruckanstieg (eventuell mit Kopfschmerzen) und Muskelzittern kommen.

7.6 Wechselwirkungen mit anderen Mitteln

Bei gleichzeitiger Anwendung von Etilefrinhydrochlorid

- mit Guanethidin, trizyklischen Antidepressiva oder Reserpin kann es zu einem unerwünschten Blutdruckanstieg kommen,
- mit Atropin kann die Herzfrequenz übermäßig gesteigert sein,
- mit Alpha- bzw. Beta-Rezeptorenblockern kann es eventuell zu unerwünschtem Blutdruckabfall bzw. -anstieg mit Bradykardie kommen.

7.7 Warnhinweise

Keine.

7.8 Wichtigste Inkompatibilitäten

Nicht bekannt.

7.9 Dosierung mit Einzel- und Tagesgaben

Schulkinder und Erwachsene erhalten als mittlere Tagesdosis 30 mg (20 – 50 mg) Etilefrinhydrochlorid, d. h. ca. zweimal täglich 2 bis 3 Kapseln mit 5 mg Wirkstoff.

Hinweis:

Etilefrinhydrochlorid sollte nicht mehr am späten Nachmittag oder Abend eingenommen werden, da seine anregende Wirkung das Einschlafen erschweren kann.

7.10 Art und Dauer der Anwendung

Etilefrinhydrochlorid-Kapseln sind vor oder zwischen den Mahlzeiten mit reichlich Flüssigkeit einzunehmen.

Über die Dauer der Anwendung entscheidet der Arzt entsprechend dem Verlauf des Grundleidens.

7.11 Notfallmaßnahmen, Symptome und Gegenmittel

Nach Einnahme extrem hoher Dosen können folgende Symptome auftreten:

ausgeprägte Tachykardie, Arrythmie, Blutdruckanstieg, Schweißausbruch, Erregung, Übelkeit, Erbrechen.

Als Gegenmaßnahmen kommen – abhängig von der Stärke der Symptome und unter Berücksichtigung der Wirkungsdauer – in Frage:

Entfernung des Arzneimittels aus dem Gastrointestinaltrakt durch Magenspülung, gefolgt von der Anwendung medizinischer Kohle und salinischer Abführmittel. In schweren Fällen sind Maßnahmen der Intensivmedizin zu ergreifen.

7.12 Pharmakologische und toxikologische Eigenschaften, Pharmakokinetik, Bioverfügbarkeit, soweit diese Angaben für die therapeutische Verwendung erforderlich sind

7.12.1 Pharmakologische Eigenschaften

Etilefrinhydrochlorid ist ein vorwiegend direkt und peripher wirkendes Sympathomimetikum vom Phenylethanolamin-Typ mit Affinität zu adrenergen α- und β-Rezeptoren. Aus seiner positiv inotropen Wirkung sowie seiner arteriolär konstringierenden, in hoher Dosierung auch venokonstriktorischen Wirkungskomponente lassen sich günstige Effekte auf die bei hypotoner Orthostasereaktion vorliegende Blutvolumenfehlverteilung ableiten.

7.12.2 Toxikologische Eigenschaften

Akute Toxizität:

Die LD_{50} beträgt bei oraler Gabe bei Mäusen ca. 345 mg/kg, bei Ratten ca. 187 mg/kg. Bei intravenöser Gabe beträgt sie bei Mäusen ca. 10,5 mg/kg, bei Ratten ca. 5,3 mg/kg.

Subakute Toxizität:

Bei oraler Gabe an Ratten traten bei einer Applikation über 6 Wochen mit Dosen bis 30 mg/kg übersteigerte pharmakodynamische Effekte (Atemfrequenz beschleunigt, Übersalivation, Exophthalmus) auf. Die gleichen Effekte zeigten sich bei einer 9-Wochen-Studie an Hunden mit einer Dosis von 30 mg/kg. Es kam weiterhin zu einer Beeinflussung der Nierenfunktion und zu Veränderungen bei den Enzymen, die nicht geklärt sind.

Chronische Toxizität:

Bei zwei Studien (Hund und Ratte) über einen Zeitraum von 34 Wochen wurden keine pathologischen Veränderungen festgestellt.

Kanzerogenität:

Studien zur kanzerogenen Wirkung liegen nicht vor. Eine Unbedenklichkeit hinsichtlich kanzerogener Wirkungen kann nicht bestätigt werden.

Mutagenität:

Zur mutagenen Wirkung liegen einige Untersuchungen vor. Eine Unbedenklichkeit hinsichtlich mutagener Wirkungen kann nicht bestätigt werden.

Reproduktionstoxikologie:

Etilefrinhydrochlorid darf in den ersten 3 Monaten einer Schwangerschaft nicht eingenommen werden, da Tierversuche Hinweise auf eine teratogene Wirkung nach Aufnahme hoher Dosen des Wirkstoffs ergeben haben und beim Menschen gewonnene Erfahrungen nicht vorliegen. Ab dem 4. Schwangerschaftsmonat ist bei strenger Indikationsstellung durch den behandelnden Arzt eine Einnahme möglich. Während der Stillzeit darf Etilefrinhydrochlorid nicht angewendet werden, da ein Übergang in die Muttermilch nicht auszuschließen ist und über die Auswirkungen auf Säuglinge keine Erfahrungen vorliegen.

7.12.3 Pharmakokinetik und Bioverfügbarkeit

Etilefrinhydrochlorid wird nach oraler Gabe rasch resorbiert, unterliegt aber einem erheblichen First-pass-effect. Seine biologische Verfügbarkeit liegt bei 50 %. Die Inaktivierung erfolgt hauptsächlich durch Konjugatbildung mit Schwefelsäure und anschließende renale Elimination.

Monographien-Kommentar

Etilefrinhydrochlorid-Kapseln 5 mg

3.2 Fertigarzneimittel

3.2.2 Gehalt

Eine einfache photometrische Bestimmung analog AB-DDR und der (inzwischen [1987] ersetzten) Monographie des Deutschen Arzneimittel-Codes 1986 (DAC) kann zur Gehaltsbestimmung eingesetzt werden, wenn keine bei 273 nm absorbierenden Hilfsstoffe zur Kapselherstellung verwendet wurden.

Etwas selektiver ist die photometrische Bestimmung in alkalischer Lösung, da das Etilefrin als Phenolat bei 290 nm ein Absorptionsmaximum hat:

1. Der Inhalt von 20 Kapseln wird gewogen (Masse m_g) und fein verrieben. Ein etwa 20 mg entsprechender Anteil wird gewogen (Masse m_a) und mit 50 ml 0,1 N HCl 5 min lang geschüttelt oder 3 min im Ultraschallbad behandelt. Die Suspension wird durch eine Glasfritte (G4) filtriert, Gefäß und Filter werden dreimal mit je 10 ml 0,1 N HCl nachgewaschen. Die vereinigten Filtrate werden in einem 100 ml-Meßkolben mit 0,1 N HCl bis zur Marke aufgefüllt. 10 ml dieser Lösung werden in einem 50 ml-Meßkolben mit 30,0 ml 0,2 N NaOH versetzt und mit Wasser bis zur Marke aufgefüllt. Die Absorption dieser Lösung gegen 0,1 N NaOH wird am Absorptionsmaximum bei 290 nm gemessen (A_u).

20 mg Etilefrinhydrochlorid-Standard genau gewogen (Masse m_s) werden im Meßkolben mit 0,1 N HCl zu 100 ml gelöst. 10,0 ml dieser Lösung werden in einem 50 ml-Meßkolben mit 30,0 ml 0,2 N NaOH gemischt und mit Wasser bis zur Marke aufgefüllt. Gegen 0,1 N NaOH wird am Maximum bei 290 nm die Absorption gemessen (A_s).

Die Masse Etilefrinhydrochlorid pro Kapsel ergibt sich zu

$$m \text{ (Etilefrinhydrochlorid)/Kapsel} = 0{,}05 \cdot \frac{m_g}{m_a} \cdot m_s \cdot \frac{A_u}{A_s}$$

und der auf den deklarierten Wert bezogene Gehalt zu

$$w \text{ (Etilefrin HCl/Etilefrin HCl dekl.)} = \frac{m_g}{m_a} \cdot m_s \cdot \frac{A_u}{A_s} \%$$

Alternativ zur photometrischen Analyse kann Etilefrinhydrochlorid auch bromatometrisch nach Koppeschaar bestimmt werden, wie es im DAC 1986 ähnlich beschrieben ist:

2. Der Inhalt von 20 Kapseln wird gewogen (Masse m_g) und fein verrieben. Ein etwa 20 mg Etilefrinhydrochlorid entsprechender Anteil wird gewogen (Masse m_a) und mit 10 ml 0,2 N HCl 5 min lang geschüttelt oder 3 min im Ultraschallbad behandelt. Die Suspension wird durch eine Glasfritte (G4) filtriert, Gefäß und Filter werden dreimal mit je 1 ml 0,2 N HCl nachgewiesen. Die vereinigten Filtrate werden mit 10,0 ml 0,1 N $KBrO_3$-Lösung und 1 g

Monographien-Kommentar

Kaliumbromid versetzt, gemischt und im verschlossenen Gefäß 2 min im Dunkeln stehengelassen. Nach Zugabe von 10 ml Kaliumjodid-Lösung (16,6 % in Wasser) und einer einminütigen Wartezeit wird mit 0,1 N Natriumthiosulfatlösung gegen 2 ml Stärkelösung R (DAB 9) als Indikator bis zur bleibenden Blaufärbung titriert (Verbrauch x ml).

1 ml 0,1 N $KBrO_3$-Lösung ≙ 3,682 mg Etilefrinhydrochlorid.

Die Masse Etilefrinhydrochlorid pro Kapsel ergibt sich zu

$$m \text{ (Etilefrin HCl)/Kapsel} = 0{,}1814 \cdot \frac{m_g}{m_a} \cdot (10 - x) \text{ mg}$$

und der auf den deklarierten Wert bezogene Gehalt zu

$$w \text{ (Etilefrin HCl/Etilefrin HCl dekl.)} = 3{,}628 \cdot \frac{m_g}{m_a} \cdot (10 - x) \text{ \%}$$

Andere alternative Methoden zur Gehaltsbestimmung sind die Kolorimetrie [1], auch analog Phenylephrin [2, 3], die Fluorimetrie [4], die GLC [5, 6] und die HPLC [7].

3.2.3 Haltbarkeit:

Die einfachen Gehaltsbestimmungen mittels UV-Photometrie oder bromatometrischer Titration (s. 3.2.2) sind nicht selektiv hinsichtlich möglicher Zersetzungsprodukte. Eine qualitative und halbquantitative Abschätzung ist über Dünnschichtchromatographie analog dem Deutschen Arzneimittel-Codex 1986 (DAC) möglich. Die kolorimetrischen Verfahren [1, 2], die GLC [5, 6] und die HPLC [7] sind zur selektiven Etilefrin-Bestimmung einsetzbar.

[1] A. A. Medvedovski, Farmatsiya **21**, 41 (1972). Zitat nach Kakac, Vejdelec „Handbuch der photometrischen Analyse, 1. Ergänzungsband S. 244 (1977).

[2] D. Burke, V. S. Venturella, B. Z. Zenkowski, J. Pharm. Sci. **63**, 269 (1974).

[3] K. T. Koshy, H. Mitchener, J. Pharm. Sci. **52**, 802 (1963).

[4] H. D. Dell, R. Kamp, H. Koop, Fresenius Z. Anal. Chem. **279**, 275 (1976).

[5] M. Donike, J. Chromatogr. **103**, 91 (1975).

[6] G. Machata, G. L. Dadisch, Gericht. Med. **36**, 37 (1978).

[7] CRC Handbook of Chromatography, Drugs Vol. II S. 374.

P. Surmann

Etilefrinhydrochlorid-Kapseln 25 mg

1 **Bezeichnung des Fertigarzneimittels**

Etilefrinhydrochlorid-Kapseln 25 mg

2 **Darreichungsform**

Kapseln

3 **Eigenschaften und Prüfungen**

3.1 Ausgangsstoffe

Etilefrinhydrochlorid

Die Substanz muß der Monographie Etilefrinhydrochlorid des Deutschen Arzneimittel-Codex 1986 (DAC) entsprechen.

3.2 Fertigarzneimittel

3.2.1 Aussehen, Eigenschaften

Hartgelatinesteckkapseln, an deren Außenseite kein Pulver anhaften darf.

3.2.2 Gehalt

95,0 bis 105,0 Prozent der pro Kapsel deklarierten Menge Etilefrinhydrochlorid.

3.2.3 Haltbarkeit

Die Haltbarkeit in den Behältnissen nach 4 beträgt mindestens ein Jahr.

4 **Behältnisse**

Dichtschließende Behältnisse aus Braunglas oder Tiefziehfolie.

5 **Kennzeichnung**

Nach § 10 AMG, insbesondere:

5.1 Zulassungsnummer

2899.98.99

2   Etilefrinhydrochlorid-Kapseln 25 mg

5.2   Art der Anwendung

Zum Einnehmen.

5.3   Hinweis

Apothekenpflichtig.

6   Packungsbeilage

Nach § 11 AMG, insbesondere:

6.1   Anwendungsgebiete

Kreislaufregulationsstörungen mit erniedrigtem Blutdruck (Hypotonie), die im Stehtest mit Beschwerden wie Blässe, Schweißausbruch, Flimmern oder Schwarzwerden vor den Augen sowie mit deutlichem Blutdruckabfall ohne Herzfrequenzanstieg einhergehen.

6.2   Gegenanzeigen

Etilefrinhydrochlorid darf nicht angewendet werden bei:

- hypotonen Kreislaufregulationsstörungen mit hypertoner Reaktion im Stehtest (Anstieg von Blutdruck und Herzfrequenz),
- Bluthochdruck,
- Überfunktion der Schilddrüse,
- Geschwulst der Nebenniere (Phäochromozytom),
- Erhöhung des Augeninnendrucks (Engwinkelglaukom),
- Entleerungsstörungen der Harnblase, insbesondere Vergrößerung der Vorsteherdrüse,
- schweren Verengungen der Herzkranzgefäße mit Sauerstoffmangel am Herzen (koronare Herzkrankheit),
- Herzrhythmusstörungen mit stark beschleunigter Herztätigkeit.

Hinweis:

Etilefrinhydrochlorid darf in den ersten 3 Monaten einer Schwangerschaft nicht eingenommen werden, da Tierversuche Hinweise auf Mißbildungen nach Aufnahme von hohen Dosen des Wirkstoffs ergeben haben und beim Menschen gewonnene Erfahrungen nicht vorliegen. Ab dem 4. Schwangerschaftsmonat ist bei strenger Indikationsstellung durch den behandelnden Arzt eine Einnahme möglich. Während der Stillzeit darf Etilefrinhydrochlorid nicht angewendet werden, da ein Übergang in die Muttermilch nicht auszuschließen ist und über die Auswirkungen auf Säuglinge keine Erfahrungen vorliegen.

6.3   Nebenwirkungen

Etilefrinhydrochlorid kann Herzklopfen, Unruhe, Schwitzen, Schwindelgefühl und Unverträglichkeiten im Magen-Darm-Bereich auslösen. Ferner kann es unter der Anwendung zu Stechen oder Druckgefühl über dem Herzen (pektangi-

nöse Beschwerden), stark beschleunigter Herztätigkeit (Tachykardie) sowie überschießendem Blutdruckanstieg (eventuell mit Kopfschmerzen) und Muskelzittern kommen.

In solchen Fällen ist vor der weiteren Einnahme unbedingt der Arzt zu befragen.

6.4 Wechselwirkungen mit anderen Mitteln

Bei gleichzeitiger Anwendung von Etilefrinhydrochlorid

– mit Guanethidin, trizyklischen Antidepressiva oder Reserpin kann es zu einem unerwünschten Blutdruckanstieg kommen,

– mit Atropin kann die Herzfrequenz übermäßig gesteigert sein,

– mit Alpha- bzw. Beta-Rezeptorenblockern kann es eventuell zu unerwünschtem Blutdruckabfall bzw. -anstieg mit verlangsamter Herzschlagfolge (Bradykardie) kommen.

6.5 Dosierungsanleitung und Art der Anwendung

Soweit nicht anders verordnet, nehmen Erwachsene und Schulkinder täglich 1 bis 2 Kapseln vor oder zwischen den Mahlzeiten ein.

Hinweis:

Etilefrinhydrochlorid sollte nicht mehr am späten Nachmittag oder Abend eingenommen werden, da seine anregende Wirkung das Einschlafen erschweren kann.

6.6 Dauer der Anwendung

Über die Dauer der Anwendung entscheidet der Arzt entsprechend dem Verlauf des Grundleidens.

7 Fachinformation

Nach § 11a AMG, insbesondere:

7.1 Verschreibungsstatus/Apothekenpflicht

Apothekenpflichtig.

7.2 Stoff- oder Indikationsgruppe

Überwiegend direkt und peripher wirkendes Sympathomimetikum (Phenylethanolamin-Derivat).

7.3 Anwendungsgebiete

Hypotone Kreislaufregulationsstörungen, die im Stehtest mit Beschwerden wie Blässe, Schweißausbruch, Flimmern oder Schwarzwerden vor den Augen sowie mit deutlichem Blutdruckabfall ohne Herzfrequenzanstieg einhergehen.

7.4 Gegenanzeigen

Etilefrinhydrochlorid darf nicht angewendet werden bei:

- hypotonen Kreislaufregulationsstörungen mit hypertoner Orthostasereaktion,
- Hypertonie,
- Thyreotoxikose,
- Geschwulst der Nebenniere (Phäochromozytom),
- Erhöhung des Augeninnendrucks (Engwinkelglaukom),
- Prostataadenom mit Restharnbildung,
- schweren Verengungen der Herzkranzgefäße mit Sauerstoffmangel am Herzen (koronare Herzkrankheit),
- tachykarden Herzrhythmusstörungen.

7.5 Nebenwirkungen

Etilefrinhydrochlorid kann Herzklopfen, Unruhe, Schwitzen, Schwindelgefühl und Unverträglichkeiten im Magen-Darm-Bereich auslösen. Ferner kann es unter der Anwendung zu pektanginösen Beschwerden, zur Tachykardie sowie überschießendem Blutdruckanstieg (eventuell mit Kopfschmerzen) und Muskelzittern kommen.

7.6 Wechselwirkungen mit anderen Mitteln

Bei gleichzeitiger Anwendung von Etilefrinhydrochlorid

- mit Guanethidin, trizyklischen Antidepressiva oder Reserpin kann es zu einem unerwünschten Blutdruckanstieg kommen,
- mit Atropin kann die Herzfrequenz übermäßig gesteigert sein,
- mit Alpha- bzw. Beta-Rezeptorenblockern kann es eventuell zu unerwünschtem Blutdruckabfall bzw. -anstieg mit Bradykardie kommen.

7.7 Warnhinweise

Keine.

7.8 Wichtigste Inkompatibilitäten

Nicht bekannt.

7.9 Dosierung mit Einzel- und Tagesgaben

Schulkinder und Erwachsene erhalten als mittlere Tagesdosis 30 mg (20 – 50 mg) Etilefrinhydrochlorid, d. h. ca. 1 bis 2 Kapseln täglich mit 25 mg Wirkstoff.

Hinweis:

Etilefrinhydrochlorid sollte nicht mehr am späten Nachmittag oder Abend eingenommen werden, da seine anregende Wirkung das Einschlafen erschweren kann.

7.10 Art und Dauer der Anwendung

Etilefrinhydrochlorid-Kapseln sind vor oder zwischen den Mahlzeiten mit reichlich Flüssigkeit einzunehmen.

Über die Dauer der Anwendung entscheidet der Arzt entsprechend dem Verlauf des Grundleidens.

7.11 Notfallmaßnahmen, Symptome und Gegenmittel

Nach Einnahme extrem hoher Dosen können folgende Symptome auftreten:

ausgeprägte Tachykardie, Arrythmie, Blutdruckanstieg, Schweißausbruch, Erregung, Übelkeit, Erbrechen.

Als Gegenmaßnahmen kommen – abhängig von der Stärke der Symptome und unter Berücksichtigung der Wirkungsdauer – in Frage:

Entfernung des Arzneimittels aus dem Gastrointestinaltrakt durch Magenspülung, gefolgt von der Anwendung medizinischer Kohle und salinischer Abführmittel. In schweren Fällen sind Maßnahmen der Intensivmedizin zu ergreifen.

7.12 Pharmakologische und toxikologische Eigenschaften, Pharmakokinetik, Bioverfügbarkeit, soweit diese Angaben für die therapeutische Verwendung erforderlich sind

7.12.1 Pharmakologische Eigenschaften

Etilefrinhydrochlorid ist ein vorwiegend direkt und peripher wirkendes Sympathomimetikum vom Phenylethanolamin-Typ mit Affinität zu adrenergen α- und β-Rezeptoren. Aus seiner positiv inotropen Wirkung sowie seiner arteriolär konstringierenden, in hoher Dosierung auch venokonstriktorischen Wirkungskomponente lassen sich günstige Effekte auf die bei hypotoner Orthostasereaktion vorliegende Blutvolumenfehlverteilung ableiten.

7.12.2 Toxikologische Eigenschaften

Akute Toxizität:

Die LD_{50} beträgt bei oraler Gabe bei Mäusen ca. 345 mg/kg, bei Ratten ca. 187 mg/kg. Bei intravenöser Gabe beträgt sie bei Mäusen ca. 10,5 mg/kg, bei Ratten ca. 5,3 mg/kg.

Subakute Toxizität:

Bei oraler Gabe an Ratten traten bei einer Applikation über 6 Wochen mit Dosen bis 30 mg/kg übersteigerte pharmakodynamische Effekte (Atemfrequenz beschleunigt, Übersalivation, Exophthalmus) auf. Die gleichen Effekte zeigten sich bei einer 9-Wochen-Studie an Hunden mit einer Dosis von 30 mg/kg. Es kam weiterhin zu einer Beeinflussung der Nierenfunktion und zu Veränderungen bei den Enzymen, die nicht geklärt sind.

Chronische Toxizität:

Bei zwei Studien (Hund und Ratte) über einen Zeitraum von 34 Wochen wurden keine pathologischen Veränderungen festgestellt.

Kanzerogenität:

Studien zur kanzerogenen Wirkung liegen nicht vor. Eine Unbedenklichkeit hinsichtlich kanzerogener Wirkungen kann nicht bestätigt werden.

Mutagenität:

Zur mutagenen Wirkung liegen einige Untersuchungen vor. Eine Unbedenklichkeit hinsichtlich mutagener Wirkungen kann nicht bestätigt werden.

Reproduktionstoxikologie:

Etilefrinhydrochlorid darf in den ersten 3 Monaten einer Schwangerschaft nicht eingenommen werden, da Tierversuche Hinweise auf eine teratogene Wirkung nach Aufnahme hoher Dosen des Wirkstoffs ergeben haben und beim Menschen gewonnene Erfahrungen nicht vorliegen. Ab dem 4. Schwangerschaftsmonat ist bei strenger Indikationsstellung durch den behandelnden Arzt eine Einnahme möglich. Während der Stillzeit darf Etilefrinhydrochlorid nicht angewendet werden, da ein Übergang in die Muttermilch nicht auszuschließen ist und über die Auswirkungen auf Säuglinge keine Erfahrungen vorliegen.

7.12.3 Pharmakokinetik und Bioverfügbarkeit

Etilefrinhydrochlorid wird nach oraler Gabe rasch resorbiert, unterliegt aber einem erheblichen First-pass-effect. Seine biologische Verfügbarkeit liegt bei 50 %. Die Inaktivierung erfolgt hauptsächlich durch Konjugatbildung mit Schwefelsäure und anschließende renale Elimination.

Monographien-Kommentar

Etilefrinhydrochlorid-Kapseln 25 mg

Siehe Kommentar zu Etilefrinhydrochlorid-Kapseln 5 mg

3.2 Fertigarzneimittel

3.2.2 Gehalt

Die photometrische Bestimmung kann wie im Kommentar zu Etilefrinhydrochlorid-Kapseln 5 mg durchgeführt werden. Wegen der höheren Dosierung des Wirkstoffes sollte jedoch die Einwaage und entsprechend die Verdünnungsvolumina erhöht werden, um den Wägefehler klein zu halten.

1. Der Inhalt von 20 Kapseln wird gewogen (Masse m_g) und fein verrieben. Ein 100 mg entsprechender Anteil wird gewogen (Masse m_a) und mit 100 ml 0,1 N HCl 5 min lang geschüttelt. Wenn nötig wird filtriert, wobei Gefäß und Filter dreimal mit je 20 ml 0,1 N HCl nachgewaschen werden. Die vereinigten Filtrate werden in einem 250 ml-Meßkolben bis zur Marke mit 0,1 N HCl aufgefüllt. 10 ml dieser Lösung werden im 100 ml-Meßkolben mit 0,1 N NaOH bis zur Marke aufgefüllt und am Absorptionsmaximum bei 290 nm in 1 cm-Küvetten gegen eine Mischung aus 10 ml 0,1 N HCl und 90 ml 0,1 N NaOH photometriert (Absorption A_u).

40 mg Etilefrinhydrochlorid-Standard genau gewogen (Masse m_s) werden im Meßkolben mit 0,1 N HCl zu 100 ml gelöst. 10 ml dieser Lösung werden in einem 100 ml-Meßkolben mit 0,1 N NaOH bis zur Marke aufgefüllt. Gegen eine Mischung aus 10 ml 0,1 N HCl und 90 ml 0,1 N NaOH wird am Maximum bei 290 nm die Absorption gemessen (A_s). Die Masse Etilefrinhydrochlorid pro Kapsel ergibt sich zu

$$m \text{ (Etilefrin HCl/Kapsel)} = 0{,}125 \cdot \frac{m_g}{m_a} \cdot m_s \cdot \frac{A_u}{A_s}$$

und der auf den deklarierten Wert bezogenen Gehalt zu

$$w \text{ (Etilefrin HCl/Etilefrin HCl dekl.)} = 0{,}05 \cdot \frac{m_g}{m_a} \cdot m_s \cdot \frac{A_u}{A_s} \%$$

Auch die bromatometrische Titration nach Koppeschaar ist möglich:

2. Der Inhalt von 20 Kapseln wird gewogen (Masse m_g) und fein verrieben. Ein 100 mg Wirkstoff entsprechender Anteil wird gewogen (Masse m_a) und mit 50 ml 0,2 N HCl 5 min lang geschüttelt. Wenn nötig wird filtriert, wobei Gefäß und Filter dreimal mit je 5 ml 0,2 N HCl nachgewaschen werden. Die vereinigten Filtrate werden mit 50 ml 0,1 N $KBrO_3$-Lösung und 1 g KBr versetzt, gemischt und im verschlossenen Gefäß 2 min lang stehengelassen. Nach Zugabe von 20 ml Kaliumjodid-Lösung (16,6 % in Wasser) und einer einminütigen Wartezeit wird mit 0,1 N Natriumthiosulfatlösung gegen 2 ml Stärkelösung R (DAB 9) bis zur bleibenden Blaufärbung titriert (Verbrauch x ml).

Die Masse Etilefrinhydrochlorid pro Kapsel ergibt sich zu

$$m \text{ (Etilefrin HCl)/Kapsel} = 0{,}1814 \cdot \frac{m_g}{m_a} \cdot (50 - x)$$

und der auf den deklarierten Wert bezogene Gehalt zu

$$w \text{ (Etilefrin HCl/Etilefrin HCl dekl.)} = 0{,}7256 \cdot \frac{m_g}{m_a} \cdot (50 - x) \text{ \%}$$

Alternative Bestimmungsmethoden sind im Kommentar zu Etilefrinhydrochlorid-Kapseln 5 mg aufgeführt.

P. Surmann

Etilefrinhydrochlorid-Tabletten 5 mg

1 **Bezeichnung des Fertigarzneimittels**

Etilefrinhydrochlorid-Tabletten 5 mg

2 **Darreichungsform**

Tabletten

3 **Eigenschaften und Prüfungen**

3.1 Ausgangsstoffe

Etilefrinhydrochlorid

Die Substanz muß der Monographie Etilefrinhydrochlorid des Deutschen Arzneimittel-Codex 1986 (DAC) entsprechen.

3.2 Fertigarzneimittel

3.2.1 Aussehen, Eigenschaften

Weiße, nichtüberzogene Tabletten mit Bruchrille.

3.2.2 Gehalt

95,0 bis 105,0 Prozent der pro Tablette deklarierten Menge Etilefrinhydrochlorid.

3.2.3 Haltbarkeit

Die Haltbarkeit in den Behältnissen nach 4 beträgt mindestens ein Jahr.

4 **Behältnisse**

Dichtschließende Behältnisse aus Braunglas oder Tiefziehfolie.

5 **Kennzeichnung**

Nach § 10 AMG, insbesondere:

5.1 Zulassungsnummer

2899.99.98

2 Etilefrinhydrochlorid-Tabletten 5 mg

5.2 Art der Anwendung
Zum Einnehmen.

5.3 Hinweis
Apothekenpflichtig.

6 Packungsbeilage
Nach § 11 AMG, insbesondere:

6.1 Anwendungsgebiete
Kreislaufregulationsstörungen mit erniedrigtem Blutdruck (Hypotonie), die im Stehtest mit Beschwerden wie Blässe, Schweißausbruch, Flimmern oder Schwarzwerden vor den Augen sowie mit deutlichem Blutdruckabfall ohne Herzfrequenzanstieg einhergehen.

6.2 Gegenanzeigen
Etilefrinhydrochlorid darf nicht angewendet werden bei:

- hypotonen Kreislaufregulationsstörungen mit hypertoner Reaktion im Stehtest (Anstieg von Blutdruck und Herzfrequenz),
- Bluthochdruck,
- Überfunktion der Schilddrüse,
- Geschwulst der Nebenniere (Phäochromozytom),
- Erhöhung des Augeninnendrucks (Engwinkelglaukom),
- Entleerungsstörungen der Harnblase, insbesondere Vergrößerung der Vorsteherdrüse,
- schweren Verengungen der Herzkranzgefäße mit Sauerstoffmangel am Herzen (koronare Herzkrankheit),
- Herzrhythmusstörungen mit stark beschleunigter Herztätigkeit.

Hinweis:

Etilefrinhydrochlorid darf in den ersten 3 Monaten einer Schwangerschaft nicht eingenommen werden, da Tierversuche Hinweise auf Mißbildungen nach Aufnahme von hohen Dosen des Wirkstoffs ergeben haben und beim Menschen gewonnene Erfahrungen nicht vorliegen. Ab dem 4. Schwangerschaftsmonat ist bei strenger Indikationsstellung durch den behandelnden Arzt eine Einnahme möglich. Während der Stillzeit darf Etilefrinhydrochlorid nicht angewendet werden, da ein Übergang in die Muttermilch nicht auszuschließen ist und über die Auswirkungen auf Säuglinge keine Erfahrungen vorliegen.

6.3 Nebenwirkungen
Etilefrinhydrochlorid kann Herzklopfen, Unruhe, Schwitzen, Schwindelgefühl und Unverträglichkeiten im Magen-Darm-Bereich auslösen. Ferner kann es unter der Anwendung zu Stechen oder Druckgefühl über dem Herzen (pektangi-

nöse Beschwerden), stark beschleunigter Herztätigkeit (Tachykardie) sowie überschießendem Blutdruckanstieg (eventuell mit Kopfschmerzen) und Muskelzittern kommen.

In solchen Fällen ist vor der weiteren Einnahme unbedingt der Arzt zu befragen.

6.4 Wechselwirkungen mit anderen Mitteln

Bei gleichzeitiger Anwendung von Etilefrinhydrochlorid

– mit Guanethidin, trizyklischen Antidepressiva oder Reserpin kann es zu einem unerwünschten Blutdruckanstieg kommen,

– mit Atropin kann die Herzfrequenz übermäßig gesteigert sein,

– mit Alpha- bzw. Beta-Rezeptorenblockern kann es eventuell zu unerwünschtem Blutdruckabfall bzw. -anstieg mit verlangsamter Herzschlagfolge (Bradykardie) kommen.

6.5 Dosierungsanleitung und Art der Anwendung

Soweit nicht anders verordnet, nehmen Erwachsene und Schulkinder zweimal täglich 2 bis 3 Tabletten vor oder zwischen den Mahlzeiten ein.

Hinweis:

Etilefrinhydrochlorid sollte nicht mehr am späten Nachmittag oder Abend eingenommen werden, da seine anregende Wirkung das Einschlafen erschweren kann.

6.6 Dauer der Anwendung

Über die Dauer der Anwendung entscheidet der Arzt entsprechend dem Verlauf des Grundleidens.

7 **Fachinformation**

Nach § 11a AMG, insbesondere:

7.1 Verschreibungsstatus/Apothekenpflicht

Apothekenpflichtig.

7.2 Stoff- oder Indikationsgruppe

Überwiegend direkt und peripher wirkendes Sympathomimetikum (Phenylethanolamin-Derivat).

7.3 Anwendungsgebiete

Hypotone Kreislaufregulationsstörungen, die im Stehtest mit Beschwerden wie Blässe, Schweißausbruch, Flimmern oder Schwarzwerden vor den Augen sowie mit deutlichem Blutdruckabfall ohne Herzfrequenzanstieg einhergehen.

7.4 Gegenanzeigen

Etilefrinhydrochlorid darf nicht angewendet werden bei:

- hypotonen Kreislaufregulationsstörungen mit hypertoner Orthostasereaktion,
- Hypertonie,
- Thyreotoxikose,
- Geschwulst der Nebenniere (Phäochromozytom),
- Erhöhung des Augeninnendrucks (Engwinkelglaukom),
- Prostataadenom mit Restharnbildung,
- schweren Verengungen der Herzkranzgefäße mit Sauerstoffmangel am Herzen (koronare Herzkrankheit),
- tachykarden Herzrhythmusstörungen.

7.5 Nebenwirkungen

Etilefrinhydrochlorid kann Herzklopfen, Unruhe, Schwitzen, Schwindelgefühl und Unverträglichkeiten im Magen-Darm-Bereich auslösen. Ferner kann es unter der Anwendung zu pektanginösen Beschwerden, zur Tachykardie sowie überschießendem Blutdruckanstieg (eventuell mit Kopfschmerzen) und Muskelzittern kommen.

7.6 Wechselwirkungen mit anderen Mitteln

Bei gleichzeitiger Anwendung von Etilefrinhydrochlorid

- mit Guanethidin, trizyklischen Antidepressiva oder Reserpin kann es zu einem unerwünschten Blutdruckanstieg kommen,
- mit Atropin kann die Herzfrequenz übermäßig gesteigert sein,
- mit Alpha- bzw. Beta-Rezeptorenblockern kann es eventuell zu unerwünschtem Blutdruckabfall bzw. -anstieg mit Bradykardie kommen.

7.7 Warnhinweise

Keine.

7.8 Wichtigste Inkompatibilitäten

Nicht bekannt.

7.9 Dosierung mit Einzel- und Tagesgaben

Schulkinder und Erwachsene erhalten als mittlere Tagesdosis 30 mg (20 – 50 mg) Etilefrinhydrochlorid, d. h. ca. zweimal täglich 2 bis 3 Tabletten mit 5 mg Wirkstoff.

Hinweis:

Etilefrinhydrochlorid sollte nicht mehr am späten Nachmittag oder Abend eingenommen werden, da seine anregende Wirkung das Einschlafen erschweren kann.

7.10 Art und Dauer der Anwendung

Etilefrinhydrochlorid-Tabletten sind vor oder zwischen den Mahlzeiten mit reichlich Flüssigkeit einzunehmen.

Über die Dauer der Anwendung entscheidet der Arzt entsprechend dem Verlauf des Grundleidens.

7.11 Notfallmaßnahmen, Symptome und Gegenmittel

Nach Einnahme extrem hoher Dosen können folgende Symptome auftreten:

ausgeprägte Tachykardie, Arrythmie, Blutdruckanstieg, Schweißausbruch, Erregung, Übelkeit, Erbrechen.

Als Gegenmaßnahmen kommen – abhängig von der Stärke der Symptome und unter Berücksichtigung der Wirkungsdauer – in Frage:

Entfernung des Arzneimittels aus dem Gastrointestinaltrakt durch Magenspülung, gefolgt von der Anwendung medizinischer Kohle und salinischer Abführmittel. In schweren Fällen sind Maßnahmen der Intensivmedizin zu ergreifen.

7.12 Pharmakologische und toxikologische Eigenschaften, Pharmakokinetik, Bioverfügbarkeit, soweit diese Angaben für die therapeutische Verwendung erforderlich sind

7.12.1 Pharmakologische Eigenschaften

Etilefrinhydrochlorid ist ein vorwiegend direkt und peripher wirkendes Sympathomimetikum vom Phenylethanolamin-Typ mit Affinität zu adrenergen α- und β-Rezeptoren. Aus seiner positiv inotropen Wirkung sowie seiner arteriolär konstringierenden, in hoher Dosierung auch venokonstriktorischen Wirkungskomponente lassen sich günstige Effekte auf die bei hypotoner Orthostasereaktion vorliegende Blutvolumenfehlverteilung ableiten.

7.12.2 Toxikologische Eigenschaften

Akute Toxizität:

Die LD_{50} beträgt bei oraler Gabe bei Mäusen ca. 345 mg/kg, bei Ratten ca. 187 mg/kg. Bei intravenöser Gabe beträgt sie bei Mäusen ca. 10,5 mg/kg, bei Ratten ca. 5,3 mg/kg.

Subakute Toxizität:

Bei oraler Gabe an Ratten traten bei einer Applikation über 6 Wochen mit Dosen bis 30 mg/kg übersteigerte pharmakodynamische Effekte (Atemfrequenz beschleunigt, Übersalivation, Exophthalmus) auf. Die gleichen Effekte zeigten sich bei einer 9-Wochen-Studie an Hunden mit einer Dosis von 30 mg/kg. Es kam weiterhin zu einer Beeinflussung der Nierenfunktion und zu Veränderungen bei den Enzymen, die nicht geklärt sind.

Chronische Toxizität:

Bei zwei Studien (Hund und Ratte) über einen Zeitraum von 34 Wochen wurden keine pathologischen Veränderungen festgestellt.

Kanzerogenität:

Studien zur kanzerogenen Wirkung liegen nicht vor. Eine Unbedenklichkeit hinsichtlich kanzerogener Wirkungen kann nicht bestätigt werden.

Mutagenität:

Zur mutagenen Wirkung liegen einige Untersuchungen vor. Eine Unbedenklichkeit hinsichtlich mutagener Wirkungen kann nicht bestätigt werden.

Reproduktionstoxikologie:

Etilefrinhydrochlorid darf in den ersten 3 Monaten einer Schwangerschaft nicht eingenommen werden, da Tierversuche Hinweise auf eine teratogene Wirkung nach Aufnahme hoher Dosen des Wirkstoffs ergeben haben und beim Menschen gewonnene Erfahrungen nicht vorliegen. Ab dem 4. Schwangerschaftsmonat ist bei strenger Indikationsstellung durch den behandelnden Arzt eine Einnahme möglich. Währen der Stillzeit darf Etilefrinhydrochlorid nicht angewendet werden, da ein Übergang in die Muttermilch nicht auszuschließen ist und über die Auswirkungen auf Säuglinge keine Erfahrungen vorliegen.

7.12.3 Pharmakokinetik und Bioverfügbarkeit

Etilefrinhydrochlorid wird nach oraler Gabe rasch resorbiert, unterliegt aber einem erheblichen First-pass-effect. Seine biologische Verfügbarkeit liegt bei 50 %. Die Inaktivierung erfolgt hauptsächlich durch Konjugatbildung mit Schwefelsäure und anschließende renale Elimination.

Monographien-Kommentar

Etilefrinhydrochlorid-Tabletten 5 mg

Siehe Kommentar zu Etilefrinhydrochlorid-Kapseln 5 mg.

Etilefrinhydrochlorid-Tabletten 25 mg

1 **Bezeichnung des Fertigarzneimittels**

Etilefrinhydrochlorid-Tabletten 25 mg

2 **Darreichungsform**

Tabletten

3 **Eigenschaften und Prüfungen**

3.1 Ausgangsstoffe

Etilefrinhydrochlorid

Die Substanz muß der Monographie Etilefrinhydrochlorid des Deutschen Arzneimittel-Codex 1986 (DAC) entsprechen.

3.2 Fertigarzneimittel

3.2.1 Aussehen, Eigenschaften

Weiße, nichtüberzogene Tabletten mit Bruchrille.

3.2.2 Gehalt

95,0 bis 105,0 Prozent der pro Tablette deklarierten Menge Etilefrinhydrochlorid.

3.2.3 Haltbarkeit

Die Haltbarkeit in den Behältnissen nach 4 beträgt mindestens ein Jahr.

4 **Behältnisse**

Dichtschließende Behältnisse aus Braunglas oder Tiefziehfolie.

5 **Kennzeichnung**

Nach § 10 AMG, insbesondere:

5.1 Zulassungsnummer

2899.98.98

Etilefrinhydrochlorid-Tabletten 25 mg

5.2 Art der Anwendung

Zum Einnehmen.

5.3 Hinweis

Apothekenpflichtig.

6 Packungsbeilage

Nach § 11 AMG, insbesondere:

6.1 Anwendungsgebiete

Kreislaufregulationsstörungen mit erniedrigtem Blutdruck (Hypotonie), die im Stehtest mit Beschwerden wie Blässe, Schweißausbruch, Flimmern oder Schwarzwerden vor den Augen sowie mit deutlichem Blutdruckabfall ohne Herzfrequenzanstieg einhergehen.

6.2 Gegenanzeigen

Etilefrinhydrochlorid darf nicht angewendet werden bei:

- hypotonen Kreislaufregulationsstörungen mit hypertoner Reaktion im Stehtest (Anstieg von Blutdruck und Herzfrequenz),
- Bluthochdruck,
- Überfunktion der Schilddrüse,
- Geschwulst der Nebenniere (Phäochromozytom),
- Erhöhung des Augeninnendrucks (Engwinkelglaukom),
- Entleerungsstörungen der Harnblase, insbesondere Vergrößerung der Vorsteherdrüse,
- schweren Verengungen der Herzkranzgefäße mit Sauerstoffmangel am Herzen (koronare Herzkrankheit),
- Herzrhythmusstörungen mit stark beschleunigter Herztätigkeit.

Hinweis:

Etilefrinhydrochlorid darf in den ersten 3 Monaten einer Schwangerschaft nicht eingenommen werden, da Tierversuche Hinweise auf Mißbildungen nach Aufnahme von hohen Dosen des Wirkstoffs ergeben haben und beim Menschen gewonnene Erfahrungen nicht vorliegen. Ab dem 4. Schwangerschaftsmonat ist bei strenger Indikationsstellung durch den behandelnden Arzt eine Einnahme möglich. Während der Stillzeit darf Etilefrinhydrochlorid nicht angewendet werden, da ein Übergang in die Muttermilch nicht auszuschließen ist und über die Auswirkungen auf Säuglinge keine Erfahrungen vorliegen.

6.3 Nebenwirkungen

Etilefrinhydrochlorid kann Herzklopfen, Unruhe, Schwitzen, Schwindelgefühl und Unverträglichkeiten im Magen-Darm-Bereich auslösen. Ferner kann es unter der Anwendung zu Stechen oder Druckgefühl über dem Herzen (pektangi-

nöse Beschwerden), stark beschleunigter Herztätigkeit (Tachykardie) sowie überschießendem Blutdruckanstieg (eventuell mit Kopfschmerzen) und Muskelzittern kommen.

In solchen Fällen ist vor der weiteren Einnahme unbedingt der Arzt zu befragen.

6.4 Wechselwirkungen mit anderen Mitteln

Bei gleichzeitiger Anwendung von Etilefrinhydrochlorid

– mit Guanethidin, trizyklischen Antidepressiva oder Reserpin kann es zu einem unerwünschten Blutdruckanstieg kommen,

– mit Atropin kann die Herzfrequenz übermäßig gesteigert sein,

– mit Alpha- bzw. Beta-Rezeptorenblockern kann es eventuell zu unerwünschtem Blutdruckabfall bzw. -anstieg mit verlangsamter Herzschlagfolge (Bradykardie) kommen.

6.5 Dosierungsanleitung und Art der Anwendung

Soweit nicht anders verordnet, nehmen Erwachsene und Schulkinder täglich 1 bis 2 Tabletten vor oder zwischen den Mahlzeiten ein.

Hinweis:

Etilefrinhydrochlorid sollte nicht mehr am späten Nachmittag oder Abend eingenommen werden, da seine anregende Wirkung das Einschlafen erschweren kann.

6.6 Dauer der Anwendung

Über die Dauer der Anwendung entscheidet der Arzt entsprechend dem Verlauf des Grundleidens.

7 **Fachinformation**

Nach § 11a AMG, insbesondere:

7.1 Verschreibungsstatus/Apothekenpflicht

Apothekenpflichtig.

7.2 Stoff- oder Indikationsgruppe

Überwiegend direkt und peripher wirkendes Sympathomimetikum (Phenylethanolamin-Derivat).

7.3 Anwendungsgebiete

Hypotone Kreislaufregulationsstörungen, die im Stehtest mit Beschwerden wie Blässe, Schweißausbruch, Flimmern oder Schwarzwerden vor den Augen sowie mit deutlichem Blutdruckabfall ohne Herzfrequenzanstieg einhergehen.

7.4 Gegenanzeigen

Etilefrinhydrochlorid darf nicht angewendet werden bei:

- hypotonen Kreislaufregulationsstörungen mit hypertoner Orthostasereaktion,
- Hypertonie,
- Thyreotoxikose,
- Geschwulst der Nebenniere (Phäochromozytom),
- Erhöhung des Augeninnendrucks (Engwinkelglaukom),
- Prostataadenom mit Restharnbildung,
- schweren Verengungen der Herzkranzgefäße mit Sauerstoffmangel am Herzen (koronare Herzkrankheit),
- tachykarden Herzrhythmusstörungen.

7.5 Nebenwirkungen

Etilefrinhydrochlorid kann Herzklopfen, Unruhe, Schwitzen, Schwindelgefühl und Unverträglichkeiten im Magen-Darm-Bereich auslösen. Ferner kann es unter der Anwendung zu pektanginösen Beschwerden, zur Tachykardie sowie überschießendem Blutdruckanstieg (eventuell mit Kopfschmerzen) und Muskelzittern kommen.

7.6 Wechselwirkungen mit anderen Mitteln

Bei gleichzeitiger Anwendung von Etilefrinhydrochlorid

- mit Guanethidin, trizyklischen Antidepressiva oder Reserpin kann es zu einem unerwünschten Blutdruckanstieg kommen,
- mit Atropin kann die Herzfrequenz übermäßig gesteigert sein,
- mit Alpha- bzw. Beta-Rezeptorenblockern kann es eventuell zu unerwünschtem Blutdruckabfall bzw. -anstieg mit Bradykardie kommen.

7.7 Warnhinweise

Keine.

7.8 Wichtigste Inkompatibilitäten

Nicht bekannt.

7.9 Dosierung mit Einzel- und Tagesgaben

Schulkinder und Erwachsene erhalten als mittlere Tagesdosis 30 mg (20 – 50 mg) Etilefrinhydrochlorid, d. h. ca. 1 bis 2 Tabletten täglich mit 25 mg Wirkstoff.

Hinweis:

Etilefrinhydrochlorid sollte nicht mehr am späten Nachmittag oder Abend eingenommen werden, da seine anregende Wirkung das Einschlafen erschweren kann.

7.10 Art und Dauer der Anwendung

Etilefrinhydrochlorid-Tabletten sind vor oder zwischen den Mahlzeiten mit reichlich Flüssigkeit einzunehmen.

Über die Dauer der Anwendung entscheidet der Arzt entsprechend dem Verlauf des Grundleidens.

7.11 Notfallmaßnahmen, Symptome und Gegenmittel

Nach Einnahme extrem hoher Dosen können folgende Symptome auftreten:

ausgeprägte Tachykardie, Arrythmie, Blutdruckanstieg, Schweißausbruch, Erregung, Übelkeit, Erbrechen.

Als Gegenmaßnahmen kommen – abhängig von der Stärke der Symptome und unter Berücksichtigung der Wirkungsdauer – in Frage:

Entfernung des Arzneimittels aus dem Gastrointestinaltrakt durch Magenspülung, gefolgt von der Anwendung medizinischer Kohle und salinischer Abführmittel. In schweren Fällen sind Maßnahmen der Intensivmedizin zu ergreifen.

7.12 Pharmakologische und toxikologische Eigenschaften, Pharmakokinetik, Bioverfügbarkeit, soweit diese Angaben für die therapeutische Verwendung erforderlich sind

7.12.1 Pharmakologische Eigenschaften

Etilefrinhydrochlorid ist ein vorwiegend direkt und peripher wirkendes Sympathomimetikum vom Phenylethanolamin-Typ mit Affinität zu adrenergen α- und β-Rezeptoren. Aus seiner positiv inotropen Wirkung sowie seiner arteriolär konstringierenden, in hoher Dosierung auch venokonstriktorischen Wirkungskomponente lassen sich günstige Effekte auf die bei hypotoner Orthostasereaktion vorliegende Blutvolumenfehlverteilung ableiten.

7.12.2 Toxikologische Eigenschaften

Akute Toxizität:

Die LD_{50} beträgt bei oraler Gabe bei Mäusen ca. 345 mg/kg, bei Ratten ca. 187 mg/kg. Bei intravenöser Gabe beträgt sie bei Mäusen ca. 10,5 mg/kg, bei Ratten ca. 5,3 mg/kg.

Subakute Toxizität:

Bei oraler Gabe an Ratten traten bei einer Applikation über 6 Wochen mit Dosen bis 30 mg/kg übersteigerte pharmakodynamische Effekte (Atemfrequenz beschleunigt, Übersalivation, Exophthalmus) auf. Die gleichen Effekte zeigten sich bei einer 9-Wochen-Studie an Hunden mit einer Dosis von 30 mg/kg. Es kam weiterhin zu einer Beeinflussung der Nierenfunktion und zu Veränderungen bei den Enzymen, die nicht geklärt sind.

Chronische Toxizität:

Bei zwei Studien (Hund und Ratte) über einen Zeitraum von 34 Wochen wurden keine pathologischen Veränderungen festgestellt.

Kanzerogenität:

Studien zur kanzerogenen Wirkung liegen nicht vor. Eine Unbedenklichkeit hinsichtlich kanzerogener Wirkungen kann nicht bestätigt werden.

Mutagenität:

Zur mutagenen Wirkung liegen einige Untersuchungen vor. Eine Unbedenklichkeit hinsichtlich mutagener Wirkungen kann nicht bestätigt werden.

Reproduktionstoxikologie:

Etilefrinhydrochlorid darf in den ersten 3 Monaten einer Schwangerschaft nicht eingenommen werden, da Tierversuche Hinweise auf eine teratogene Wirkung nach Aufnahme hoher Dosen des Wirkstoffs ergeben haben und beim Menschen gewonnene Erfahrungen nicht vorliegen. Ab dem 4. Schwangerschaftsmonat ist bei strenger Indikationsstellung durch den behandelnden Arzt eine Einnahme möglich. Während der Stillzeit darf Etilefrinhydrochlorid nicht angewendet werden, da ein Übergang in die Muttermilch nicht auszuschließen ist und über die Auswirkungen auf Säuglinge keine Erfahrungen vorliegen.

7.12.3 Pharmakokinetik und Bioverfügbarkeit

Etilefrinhydrochlorid wird nach oraler Gabe rasch resorbiert, unterliegt aber einem erheblichen First-pass-effect. Seine biologische Verfügbarkeit liegt bei 50 %. Die Inaktivierung erfolgt hauptsächlich durch Konjugatbildung mit Schwefelsäure und anschließende renale Elimination.

Monographien-Kommentar

Etilefrinhydrochlorid-Tabletten 25 mg

Siehe Kommentar zu Etilefrinhydrochlorid-Kapseln 25 mg.

Monographien-Kommentar

Etilefrinhydrochlorid-Tabletten 5 und 25 mg

Anmerkungen zur Rezeptur und Herstellung des Fertigarzneimittels.

Etilefrinhydrochlorid ist ein weißes kristallines, hygroskopisches Pulver.

Die Substanz ist sehr gut löslich in Wasser, gut löslich in Ethanol, praktisch unlöslich in Chloroform [1]. Der pKa-Wert beträgt 9,0 und 10,2 bei 25 °C [2]. Etilefrinhydrochlorid verfärbt sich unter Lichteinfluß [3] und ist mit alkalisch reagierenden Stoffen und Oxydationsmitteln inkompatibel [1].

Im trockenen Zustand kann die Substanz unter Licht-, Feuchtigkeits- und Wärmeausschluß als weitgehend stabil bezeichnet werden.

Wie alle Phenylalkylamine werden wäßrige Lösungen durch Licht, Sauerstoff, Schwermetallspuren und Wärme zersetzt. Die Stabilisierung solcher Lösungen erfolgt durch Inertbegasung oder Zusatz von Antioxidantien sowie Einstellung des optimalen sauren pH-Wertes und Licht- und Wärmeschutz.

Die Herstellung von Etilefrinhydrochlorid-Tabletten 5 mg und 25 mg kann sowohl durch Feuchtgranulierung wie Direkttablettierung erfolgen. Als Tablettierungshilfsstoffe für die innere Phase eignen sich Maisstärke, Cellulose, Sorbit, Mannit, Calciumhydrogenphosphat, hochdisperses Siliciumdioxid, weniger Lactose und Talkum. Als Gleit- und Schmiermittel empfehlen sich Stearinsäure und hydriertes Rizinusöl (Cutina® HR, Fa. Henkel), hochdisperses Siliciumdioxid (Aerosil® 200, Degussa). Sollte noch ein Tablettensprengmittel erforderlich werden, so kann quervernetztes Poly (1-vinyl-2-pyrrolidon), z. B. Kollidon® CL, BASF oder Plasdone® XL, GAF Corp., eingesetzt werden.

Die fertige Preßmischung und die Bulkware müssen vor Licht und Feuchtigkeit geschützt gelagert werden [4].

Wird das Fertigarzneimittel in Tiefziehfolie verpackt, so muß auch diese einen Lichtschutz haben, d. h. eingefärbt oder opak sein.

[1] Deutscher Arzneimittel-Codex 1986, 2. Lieferung 1987 E – 145.
[2] Clarke's isolation and Identification of Drugs p. 2. Ed., London, The pharmaceutical Press 1986.
[3] Pharmacop. Jap. 1981, Etilefrini hydrochloricum.
[4] Pharmacop. Jap. 1981, Tabellae Etilefrini hydrochloridi

E. Norden-Ehlert

Eucalyptusblätter

1   **Bezeichnung des Fertigarzneimittels**

Eucalyptusblätter

2   **Darreichungsform**

Tee

3   **Eigenschaften und Prüfungen**

Haltbarkeit:

Der Gehalt an ätherischem Öl in Eucalyptusblättern nimmt in den Behältnissen nach 4 etwa um 0,2 Prozent absolut pro Jahr ab. Die Dauer der Haltbarkeit errechnet sich somit aus der Differenz des zum Zeitpunkt der Abpackung bestimmten Gehaltes an ätherischem Öl und dem durch das Arzneibuch vorgeschriebenen Mindestgehalt.

4   **Behältnisse**

Geklebte Blockbodenbeutel bzw. Seitenfaltenbeutel aus einseitig glattem, gebleichtem Natronkraftpapier 50 g/m^2, gefüttert mit gebleichtem Pergamyn 40 g/m^2.

5   **Kennzeichnung**

Nach § 10 AMG, insbesondere:

5.1   Zulassungsnummer

9299.99.99

5.2   Art der Anwendung

Zum Trinken nach Bereitung eines Teeaufgusses.

5.3   Hinweis

Vor Licht und Feuchtigkeit geschützt lagern.

6   **Packungsbeilage**

Nach § 11 AMG, insbesondere:

6.1   Stoff- oder Indikationsgruppe

Pflanzliches Mittel zur Behandlung von Atemwegserkrankungen.

2 Eucalyptusblätter

6.2 Anwendungsgebiete

Erkältungskrankheiten der Luftwege.

6.3 Gegenanzeigen

Entzündliche Erkrankungen im Magen-Darm-Bereich sowie der Gallenwege; schwere Lebererkrankungen.

Nicht bei Kindern unter 2 Jahren anwenden.

6.4 Wechselwirkungen mit anderen Mitteln

Keine bekannt.

Hinweis:
Das in den Eucalyptusblättern enthaltene ätherische Öl bewirkt eine Anregung des fremdstoffabbauenden Enzymsystems der Leber. Die Wirkung anderer Arzneimittel kann deshalb abgeschwächt und/oder verkürzt werden.

6.5 Dosierungsanleitung und Art der Anwendung

Soweit nicht anders verordnet, wird 3 mal täglich eine Tasse des wie folgt bereiteten Teeaufgusses getrunken:

1 Teelöffel voll (ca. 1,8 g) Eucalyptusblätter oder die entsprechende Menge in einem oder mehreren Aufgußbeutel(n) wird mit siedendem Wasser (ca. 150 ml) übergossen und nach etwa 10 bis 15 Minuten gegebenenfalls durch ein Teesieb gegeben.

6.6 Dauer der Anwendung

Bei akuten Beschwerden, die länger als eine Woche andauern oder periodisch wiederkehren, wird die Rücksprache mit einem Arzt empfohlen.

6.7 Nebenwirkungen

In seltenen Fällen können nach Einnahme von Zubereitungen aus Eucalyptusblättern Übelkeit, Erbrechen und Durchfall auftreten.

6.8 Hinweis

Vor Licht und Feuchtigkeit geschützt aufbewahren.

Eucalyptusöl

1 Bezeichnung des Fertigarzneimittels

Eucalyptusöl

2 Darreichungsform

Ätherisches Öl

3 Eigenschaften und Prüfungen

Haltbarkeit:
Die Haltbarkeit in den Behältnissen nach 4 beträgt 3 Jahre.

4 Behältnisse

Braunglasflaschen mit Verschlußkappen und Konusdichtungen aus Polyethylen und Senkrechttropfern aus Polyethylen oder Polypropylen.

5 Kennzeichnung

Nach § 10 AMG, insbesondere:

5.1 Zulassungsnummer

6599.99.99

5.2 Art der Anwendung

Zum Einnehmen, Inhalieren und zum Auftragen auf die Haut.

5.3 Hinweis

Vor Licht geschützt und dicht verschlossen lagern.

6 Packungsbeilage

Nach § 11 AMG, insbesondere:

6.1 Stoff- oder Indikationsgruppe

Pflanzliche Einreibung bei Muskel- und Nervenschmerzen/Mittel zur Behandlung von Atemwegserkrankungen.

6.2 Anwendungsgebiete

Innerliche und äußerliche Anwendung bei:
Erkältungskrankheiten der oberen Luftwege
Äußerliche Anwendung bei:
rheumatischen Beschwerden.

2 Eucalyptusöl

6.3 Gegenanzeigen

Innerliche Anwendung:

entzündliche Erkrankungen im Magen-Darm-Bereich und im Bereich der Gallenwege, schwere Lebererkrankungen

Äußerliche Anwendung:

bei Säuglingen und Kleinkindern sollte Eucalyptusöl nicht im Bereich des Gesichts, speziell der Nase, aufgetragen werden.

6.4 Wechselwirkungen mit anderen Mitteln

Eucalyptusöl bewirkt eine Anregung des fremdstoffabbauenden Enzymsystems in der Leber. Die Wirkung anderer Arzneimittel kann deshalb abgeschwächt und/oder verkürzt werden.

6.5 Dosierungsanleitung und Art der Anwendung

Soweit nicht anders verordnet, werden 3mal täglich 2 bis 4 Tropfen Eucalyptusöl auf Zucker oder in einem Glas warmem Wasser eingenommen.

Zur Inhalation werden 3 bis 4 Tropfen Eucalyptusöl in heißes Wasser gegeben.

Bei äußerlicher Anwendung gegen Erkältungskrankheiten der Luftwege werden einige Tropfen Eucalyptusöl auf Brust- und Rückenhaut verrieben. Bei Anwendung gegen rheumatische Beschwerden werden einige Tropfen auf den betroffenen Hautpartien verrieben.

6.6 Dauer der Anwendung

Bei akuten Beschwerden, die länger als eine Woche andauern oder periodisch wiederkehren, wird die Rücksprache mit einem Arzt empfohlen.

6.7 Nebenwirkungen

In seltenen Fällen können nach Einnahme von Eucalyptusöl Übelkeit, Erbrechen und Durchfall auftreten.

6.8 Hinweis

Vor Licht geschützt und dicht verschlossen aufbewahren.

Faulbaumrinde

1 **Bezeichnung des Fertigarzneimittels**

Faulbaumrinde

2 **Darreichungsform**

Tee

3 **Eigenschaften und Prüfungen**

Haltbarkeit

Die Haltbarkeit in den Behältnissen nach 4 beträgt 3 Jahre.

4 **Behältnisse**

Nichtgeklebte und nicht heißgesiegelte Filterbeutel aus Koch- und Heißfilterpapier, mit einem Baumwollfaden für ein Kleinetikett versehen und einer Klammer aus kupferfreier Aluminiumlegierung verschlossen; Papierumbeutel.

Die Packungsgrößen sind entsprechend den Angaben zur Dosierungsanleitung und zur Dauer der Anwendung therapiegerecht festzulegen.

5 **Kennzeichnung**

Nach § 10 AMG, insbesondere:

5.1 Zulassungsnummer

9399.99.99

5.2 Art der Anwendung

Zum Trinken nach Bereitung eines Teeaufgusses.

5.3 Hinweise

Apothekenpflichtig.

Vor Licht und Feuchtigkeit geschützt lagern.

6 **Packungsbeilage**

Nach § 11 AMG, insbesondere:

6.1 Stoff- oder Indikationsgruppe

Pflanzliches stimulierendes Abführmittel.

Anwendungsgebiete

Zur kurzfristigen Anwendung bei Verstopfung (Obstipation).

2 Faulbaumrinde

6.3 Gegenanzeigen

Wann dürfen Sie Faulbaumrinde nicht trinken?

Teeaufgüsse aus Faulbaumrinde dürfen bei Darmverschluß, akut-entzündlichen Erkrankungen des Darmes, z. B. bei Morbus Crohn, Colitis ulcerosa oder Blinddarmentzündung, bei Bauchschmerzen unbekannter Ursache sowie bei schwerem Flüssigkeitsmangel im Körper mit Wasser- und Salzverlusten nicht getrunken werden.

Was müssen Sie in der Schwangerschaft und Stillzeit beachten?

Teeaufgüsse aus Faulbaumrinde dürfen wegen unzureichender toxikologischer Untersuchungen in der Schwangerschaft und Stillzeit nicht getrunken werden.

Was ist bei Kindern und älteren Menschen zu berücksichtigen?

Kinder unter 10 Jahren dürfen Teeaufgüsse aus Faulbaumrinde nicht trinken.

6.4 Vorsichtsmaßnahmen für die Anwendung und Warnhinweise

Welche Vorsichtsmaßnahmen müssen beachtet werden?

Eine über die kurzdauernde Anwendung hinausgehende Einnahme stimulierender Abführmittel kann zu einer Verstärkung der Darmträgheit führen.

Faulbaumrinde sollte nur dann eingesetzt werden, wenn die Verstopfung durch eine Ernährungsumstellung oder durch Quellstoffpräparate nicht zu beheben ist.

Hinweis:

Bei inkontinenten Erwachsenen sollte beim Trinken von Teeaufgüssen aus Faulbaumrinde ein längerer Hautkontakt mit dem Kot durch Wechseln der Vorlage vermieden werden.

6.5 Wechselwirkungen mit anderen Mitteln

Welche anderen Arzneimittel beeinflussen die Wirkung von Faulbaumrinde?

Bei andauerndem Gebrauch oder bei Mißbrauch ist durch Kaliummangel eine Verstärkung der Wirkung bestimmter, den Herzmuskel stärkender Arzneimittel (Herzglykoside) sowie eine Beeinflussung der Wirkung von Mitteln gegen Herzrhythmusstörungen möglich. Die Kaliumverluste können durch gleichzeitige Anwendung von bestimmten Arzneimitteln, die die Harnausscheidung steigern (Saluretika), von Cortison und cortisonähnlichen Substanzen (Nebennierenrindensteroide) oder Süßholzwurzel verstärkt werden.

Beachten Sie bitte, daß diese Angaben auch für vor kurzem angewandte Arzneimittel gelten können.

6.6 Dosierungsanleitung, Art und Dauer der Anwendung

Die folgenden Angaben gelten, soweit Ihnen Ihr Arzt Faulbaumrinde nicht anders verordnet hat. Bitte halten Sie sich an die Anwendungsvorschriften, da die Teeaufgüsse aus Faulbaumrinde sonst nicht richtig wirken können!

Wieviel von Faulbaumrindentee und wie oft sollten Sie Faulbaumrindentee trinken?

Erwachsene und Kinder ab 10 Jahren trinken 1mal täglich 1 Tasse des wie folgt bereiteten Teeaufgusses:

0,5 g Faulbaumrinde in einem Aufgußbeutel mit siedendem Wasser (ca. 150 ml) übergießen und 10 bis 15 Minuten ziehen lassen.

Die individuell richtige Dosierung ist die geringste, die erforderlich ist, um einen weich geformten Stuhl zu erhalten. Dazu kann gegebenenfalls 1/2 Tasse Teeaufguß bereits ausreichen.

Wann sollten Sie Faulbaumrindentee trinken?

Sie sollten den Teeaufguß möglichst abends vor dem Schlafengehen trinken. Die Wirkung tritt normalerweise nach 8–12 Stunden ein.

Wie lange sollten Sie Faulbaumrindentee anwenden?

Das stimulierende Abführmittel Faulbaumrindentee darf ohne ärztlichen Rat nicht über einen längeren Zeitraum (mehr als 1–2 Wochen) angewendet werden.

6.7 Überdosierung und andere Anwendungsfehler

Was ist zu tun, wenn Faulbaumrindentee in zu großen Mengen getrunken wurde?

Bei versehentlicher oder beabsichtigter Überdosierung können schmerzhafte Darmkrämpfe und schwere Durchfälle mit Folge von Wasser- und Salzverlusten sowie eventuell starke Magen-Darm-Beschwerden auftreten. Bei Überdosierung benachrichtigen Sie bitte umgehend einen Arzt. Er wird entscheiden, welche Gegenmaßnahmen (z. B. Zuführung von Flüssigkeit und Salzen) gegebenenfalls erforderlich sind.

Was müssen Sie beachten, wenn Sie zuwenig Faulbaumrindentee getrunken oder eine Anwendung vergessen haben?

Holen Sie die vergessene Anwendung nicht nach, sondern führen Sie in einem solchen Fall die Anwendung wie ursprünglich vorgesehen fort.

6.8 Nebenwirkungen

Welche Nebenwirkungen können nach der Anwendung von Faulbaumrindentee auftreten?

In Einzelfällen können krampfartige Magen-Darm-Beschwerden auftreten. In diesen Fällen ist eine Dosisreduktion erforderlich.

Durch Abbauprodukte kann es zu einer intensiven Gelbfärbung oder rotbraunen Verfärbung des Harns kommen, die aber vorübergehend und harmlos ist.

Bei andauerndem Gebrauch oder Mißbrauch können auftreten:

- erhöhter Verlust von Wasser und Salzen (Elektrolytverluste), insbesondere Kaliumverluste. Der Kaliumverlust kann zu Störungen der Herzfunktion und zu Muskelschwäche führen, insbesondere bei gleichzeitiger Einnahme von Herzglykosiden (den Herzmuskel stärkende Arzneimittel), Saluretika (harntreibende Arzneimittel) und Cortison und cortisonähnlichen Substanzen (Nebennierenrindensteroide).

- Ausscheidung von Eiweiß und roten Blutkörperchen im Harn.
- Pigmenteinlagerung in die Darmschleimhaut (Pseudomelanosis coli). Diese Einlagerung ist harmlos und bildet sich normalerweise nach dem Absetzen von Faulbaumrindentee zurück.

Wenn Sie Nebenwirkungen bei sich beobachten, die nicht in dieser Packungsbeilage aufgeführt sind, teilen Sie diese bitte Ihrem Arzt oder Apotheker mit.

6.9 Hinweis

Vor Licht und Feuchtigkeit geschützt aufbewahren.

7 Fachinformation

Nach § 11a AMG, insbesondere:

7.1 Verschreibungsstatus/Apothekenpflicht

Apothekenpflichtig.

7.2 Stoff- oder Indikationsgruppe

Pflanzliches stimulierendes Laxans.

7.3 Anwendungsgebiete

Zur kurzfristigen Anwendung bei Obstipation.

7.4 Gegenanzeigen

Ileus, akut-entzündliche Erkrankungen des Darmes, wie z. B. Morbus Crohn, Colitis ulcerosa, Appendizitis; abdominale Schmerzen unbekannter Ursache; schwere Dehydratation mit Wasser- und Elektrolytverlusten;

Kinder unter 10 Jahren;

Schwangerschaft und Stillzeit.

7.5 Nebenwirkungen

In Einzelfällen krampfartige Magen-Darm-Beschwerden, insbesondere bei Patienten mit Colon irritabile. In diesen Fällen ist eine Dosisreduktion erforderlich. Gelb- oder Rotbraunverfärbung des Harns (pH-abhängig) durch Metaboliten. Diese Verfärbung ist nicht klinisch signifikant.

Bei chronischem Gebrauch/Mißbrauch:

- Elektrolytverluste, insbesondere von Kalium. Der Kaliumverlust kann zu Störungen der Herzfunktion und zu Muskelschwäche führen, insbesondere bei gleichzeitiger Einnahme von Herzglykosiden, Saluretika und Nebennierenrindensteroiden.
- Albuminurie und Hämaturie.
- Pigmenteinlagerung in die Darmschleimhaut (Pseudomelanosis coli). Diese ist harmlos und bildet sich nach Absetzen der Droge normalerweise zurück.

7.6 Wechselwirkungen mit anderen Mitteln

Bei chronischem Gebrauch oder Mißbrauch ist durch Kaliummangel eine Verstärkung der Wirkung von Herzglykosiden sowie eine Beeinflussung der Wirkung von Antiarrhythmika möglich. Kaliumverluste können durch Kombination mit Saluretika, Nebennierenrindensteroiden und Süßholzwurzel verstärkt werden.

7.7 Warnhinweise

Eine über die kurzdauernde Anwendung hinausgehende Einnahme stimulierender Abführmittel kann zu einer Verstärkung der Darmträgheit führen.

Zubereitungen aus Faulbaumrinde sollten nur dann eingesetzt werden, wenn die Verstopfung durch eine Ernährungsumstellung oder durch Quellstoffpräparate nicht zu beheben ist.

Hinweis:

Bei inkontinenten Erwachsenen sollte beim Trinken von Teeaufgüssen aus Faulbaumrinde ein längerer Hautkontakt mit dem Kot durch Wechseln der Vorlage vermieden werden.

7.8 Wichtigste Inkompatibilitäten

Keine bekannt.

7.9 Dosierung

Die maximale tägliche Aufnahme darf nicht mehr als 30 mg Hydroxyanthracenderivate betragen.

Diese Dosierung wird mit einer Tasse eines Teeaufgusses aus 0,5 g Faulbaumrinde erreicht.

Die individuell richtige Dosierung ist diejenige, die erforderlich ist, um einen weich geformten Stuhl zu erhalten. Dazu kann gegebenenfalls 1/2 Tasse Teeaufguß bereits ausreichen.

7.10 Art und Dauer der Anwendung

Zum Trinken nach Bereitung eines Teeaufgusses. Der Teeaufguß soll abends vor dem Schlafengehen getrunken werden.

Stimulierende Abführmittel dürfen ohne ärztlichen Rat nicht über einen längeren Zeitraum (mehr als 1–2 Wochen) eingenommen werden.

7.11 Notfallmaßnahmen, Symptome, Gegenmittel

Symptome der Intoxikation:

Durchfall mit übermäßigen Wasser- und Elektrolytverlusten (insbesondere Kaliumverluste).

Notfallmaßnahmen:

Elektrolyt- und flüssigkeitsbilanzierende Maßnahmen.

7.12 Pharmakologische und toxikologische Eigenschaften und Angaben über die Pharmakokinetik und Bioverfügbarkeit, soweit diese Angaben für die therapeutische Verwendung erforderlich sind.

7.12.1 Pharmakologische Eigenschaften

1,8-Dihydroxyanthracen-Derivate haben einen laxierenden Effekt. Es sind zwei unterschiedliche Wirkmechanismen anzunehmen:

1. Beeinflussung der Kolonmotilität (Stimulierung der propulsiven und Hemmung der stationären Kontraktionen); daraus resultiert eine beschleunigte Darmpassage sowie die Verminderung der Flüssigkeitsresorpiton.
2. Beeinflussung von Sekretionsprozessen (Stimulierung der Schleim- und aktiven Chloridsekretion); daraus resultiert eine erhöhte Flüssigkeitssekretion.

Die Defäkation setzt nach etwa 8–12 Stunden ein.

7.12.2 Toxikologische Eigenschaften

Es liegen keine Studien zur akuten sowie zur chronischen Toxizität, ebensowenig zu Reproduktionstoxizität und Kanzerogenität der Droge bzw. von Drogenzubereitungen vor. Verschiedene Faulbaumrindenzubereitungen erwiesen sich als genotoxisch in verschiedenen in-vitro-Systemen (Bakterienmutationstest, Chromosomen-Abberationstest, DNA-Repair-Test an Säugerzellen). In einem Genmutationstest mit Säugerzellen wurde kein Anstieg der Mutationen beobachtet. Für Emodin wurden Hinweise auf ein genotoxisches Potential in verschiedenen Systemen (Bakterien und Säugerzellen in vitro) beobachtet. Für andere Anthrachinone (Aloe-Emodin, Physcion und Chrysophanol) liegen teilweise positive Befunde vor. In frischem Zustand enthält die Droge Anthrone und muß deshalb vor der Verwendung mindestens 1 Jahr gelagert werden. Bei nicht bestimmungsgemäßem Gebrauch, z. B. von frischer Droge, kann starkes Erbrechen, eventuell mit Spasmen einhergehend, auftreten.

7.12.3 Pharmakokinetik

Systematische Untersuchungen zur Kinetik von Zubereitungen aus Faulbaumrinde fehlen. Die β-glykosidisch gebundenen Glykoside Frangulin und Glucofrangulin werden weder im oberen Magen-Darm-Trakt resorbiert noch durch menschliche Verdauungsenzyme gespalten; erst im Dickdarm werden sie durch bakterielle Enzyme zu dem aktiven Metaboliten Emodinanthron umgewandelt.

Die in der Droge enthaltenen Aglykone werden bereits im oberen Dünndarm resorbiert.

Nach Einnahme von Faulbaumrindenextrakt beim Menschen wurden Rhein-Emodin und Spuren von Chrysophanol im Urin gefunden.

Aktive Metaboliten anderer Anthranoide, wie Rhein, gehen in geringen Mengen in die Muttermilch über. Eine laxierende Wirkung bei gestillten Säuglingen wurde nicht beobachtet. Tierexperimentell ist die Plazentagängigkeit von Rhein äußerst gering. Untersuchungen zu Faulbaumrinde sind nicht bekannt.

7.13 Sonstige Hinweise

Keine.

7.14 Besondere Lager- und Aufbewahrungshinweise

Vor Licht und Feuchtigkeit geschützt aufbewahren.

Monographien-Kommentar

Faulbaumrinde

Für Arzneimittel, die als arzneilich wirksame Bestandteile Drogenzubereitungen oder isolierte Inhaltsstoffe (z. B. Sennoside) aus den Arten der Pflanzengattungen Andira, Cassia, Rhammus, Rheum oder Aloe enthalten, werden genotoxische und kanzerogene Wirkungen diskutiert. Wesentliche Grundlage dieser Diskussion sind die Erkenntnisse zur Genotoxizität aus in vitro- und in vivo-Untersuchungen zu einzelnen in den obengenannten Pflanzengattungen enthaltenen Anthranoiden sowie deren Metaboliten und Hinweise auf ein kanzerogenes Potential bei der Anwendung von Anthranoid-haltigen Arzneimitteln.

Zur Abwehr von Arzneimittelrisiken hat daher das Bundesgesundheitsamt im Rahmen des Stufenplan (Stufe II) die pharmazeutischen Unternehmer, die betroffene Arzneimittel in den Verkehr bringen, aufgefordert bestimmte Untersuchungen zur Abklärung des genotoxischen Risikos durchzuführen und die Ergebnisse binnen 12 Monate dem Bundesgesundheitsamt vorzulegen [1].

Weiterhin hat das Bundesgesundheitsamt Auflagen zu den Angaben in den Gebrauchs- und Fachinformationen gemacht:

Anwendungsgebiete

Es darf nur noch beansprucht werden, generell:

„Verstopfung (Obstipation)"

Gegenanzeigen

generell:

„Darmverschluß; akut-entzündliche Erkrankungen des Darms, z. B. Morbus Crohn, Colitis ulcerosa, Appendizitis; abdominale Schmerzen unbekannter Ursache. Nicht anzuwenden bei Kindern unter 12 Jahren. Aufgrund bisher noch unzureichender toxikologischer Untersuchungen nicht anzuwenden in Schwangerschaft und Stillzeit."

Dauer der Anwendung

Folgender Passus ist aufzunehmen:

„Stimulierende Abführmittel dürfen ohne ärztlichen Rat nicht über einen längeren Zeitraum (mehr als ein bis zwei Wochen) eingenommen werden."

Packungsgröße

Die Packungsgröße ist entsprechend der in der Monographie vorgegebenen Tagesdosierung und der Dauer der Anwendung (nicht länger als zwei Wochen) therapiegerecht festzulegen.

Monographien-Kommentar

Hinweis

Nach § 36 Abs. 1 AMG ist es den Nutzern einer Standardzulassung möglich, die Angaben zu Anwendungsgebieten einzuschränken bzw. die Angaben zu Gegenanzeigen zu erweitern. Es ist daher ratsam, die Auflagen des Bundesgesundheitsamtes umgehend in der Gebrauchsinformation umzusetzen, auch wenn die Standardzulassungsmonographie vom Verordnungsgeber noch nicht offiziell geändert worden ist.

[1] BAnz. S. 7140 vom 13. Juli 1994.

R. Braun

In der Zwischenzeit hat das Bundesinstitut für Arzneimittel und Medizinprodukte (BfArM) sein Verfahren zur Abwehr von Arzneimittelrisiken, Stufe II, abgeschlossen und mit Bescheid vom 21. Juni 1996 [2] Maßnahmen für den Verkehr mit Anthranoid-(Hydroxyanthracenderivat-)haltigen Arzneimitteln veröffentlicht. Diese Maßnahmen beinhalten ausführliche Vorschriften für die Angaben in der Gebrauchs- und Fachinformation. Die Anpassungen sind von den pharmazeutischen Unternehmern bis spätestens zum 1. Februar 1997 umzusetzen [3].

Der Bescheid gilt grundsätzlich auch für entsprechende Standardzulassungsmonographien. In der Zwischenzeit hat der Verordnungsgeber die Entwürfe für die geänderten Standardzulassungsmonographien im Herbst 1996 den Fachkreisen zur Stellungnahme vorgelegt. Mit einer Verordnung ist im Frühjahr 1997 zu rechnen. Da für das Inkrafttreten der neuen Monographien keine Übergangszeit vorgesehen ist, sollten sich die Nutzer dieser Monographien hinsichtlich der Angaben in der Gebrauchs- und Fachinformation rechtzeitig auf diese Änderung einstellen.

[2] BAnz. S. 7581 vom 5. Juli 1996.
[3] BAnz. S. 10656 vom 12. September 1996.

R. Braun

Bitterer Fenchel

1 Bezeichnung des Fertigarzneimittels

Bitterer Fenchel

2 Darreichungsform

Tee

3 Eigenschaften und Prüfungen

Haltbarkeit:

Die Haltbarkeit in den Behältnissen nach 4 beträgt 1 Jahr.

4 Behältnisse

Geklebte Blockbodenbeutel bzw. Seitenfaltenbeutel aus einseitig glattem, gebleichtem Natronkraftpapier 50 g/m^2, gefüttert mit gebleichtem Pergamyn 40 g/m^2.

5 Kennzeichnung

Nach § 10 AMG, insbesondere:

5.1 Zulassungsnummer

5199.99.99

5.2 Art der Anwendung

Zum Trinken nach Bereitung eines Teeaufgusses.

5.3 Hinweis

Vor Licht und Feuchtigkeit geschützt lagern.

6 Packungsbeilage

Nach § 11 AMG, insbesondere:

6.1 Stoff- oder Indikationsgruppe

Pflanzliches Magen-Darm-Mittel/Mittel zur Behandlung von Atemwegserkrankungen.

6.2 Anwendungsgebiete

Verdauungsbeschwerden wie leichte, krampfartige Magen-Darm-Beschwerden, Völlegefühl und Blähungen.

Katarrhe der oberen Luftwege.

2 Bitterer Fenchel

6.3 Gegenanzeigen
Keine bekannt.

6.4 Wechselwirkungen mit anderen Mitteln
Keine bekannt.

6.5 Dosierungsanleitung und Art der Anwendung
Soweit nicht anders verordnet, wird 2- bis 3mal täglich eine Tasse des wie folgt bereiteten Teeaufgusses getrunken:

1 Teelöffel voll (ca. 2,5 g) kurz vor Gebrauch zerstoßener bitterer Fenchel oder die zerkleinerte entsprechende Menge in einem oder mehreren Aufgußbeutel(n) wird mit siedendem Wasser (ca. 150 ml) übergossen und nach etwa 10 bis 15 Minuten gegebenenfalls durch ein Teesieb gegeben.

Bei Säuglingen und Kleinkindern kann der Teeaufguß auch zum Verdünnen von Milch oder Breinahrung verwendet werden.

6.6 Dauer der Anwendung
Bei akuten Beschwerden, die länger als eine Woche andauern oder periodisch wiederkehren, wird die Rücksprache mit einem Arzt empfohlen.

6.7 Nebenwirkungen
In Einzelfällen allergische Reaktionen der Haut und der Atemwege.

6.8 Hinweis
Vor Licht und Feuchtigkeit geschützt aufbewahren.

Flohsamen

1 **Bezeichnung des Fertigarzneimittels**
Flohsamen

2 **Darreichungsform**
Körner

3 **Eigenschaften und Prüfungen**
Haltbarkeit:
Die Haltbarkeit in den Behältnissen nach 4 beträgt 3 Jahre.

4 **Behältnisse**
Geklebte Blockbodenbeutel bzw. Seitenfaltenbeutel aus einseitig glattem, gebleichtem Natronkraftpapier 50 g/m², gefüttert mit gebleichtem Pergamyn 40 g/m².

5 **Kennzeichnung**
Nach § 10 AMG, insbesondere:

5.1 Zulassungsnummer
1509.99.99

5.2 Art der Anwendung
Zum Einnehmen.

5.3 Hinweis
Vor Licht und Feuchtigkeit geschützt lagern.

6 **Packungsbeilage**
Nach § 11 AMG, insbesondere:

6.1 Stoff- oder Indikationsgruppe
Pflanzliches Abführmittel mit Quellstoffen.

6.2 Anwendungsgebiete
Zur Behandlung von Stuhlverstopfung. Bildung von weichem Stuhl, wenn eine erleichterte Darmentleerung erwünscht ist, z.B. bei Einrissen in der Afterschleimhaut, Hämorrhoiden, nach rektal-analen operativen Eingriffen, in der Schwangerschaft, bei Reizdarm.

6.3 Gegenanzeigen

Krankhafte Verengungen der Speiseröhre und im Magen-Darm-Trakt. Drohender oder bestehender Darmverschluß. Schwer einstellbarer Diabetes mellitus.

In seltenen Fällen können speziell bei Verwendung von pulverisierter Droge allergische Reaktionen auftreten.

6.4 Wechselwirkungen mit anderen Mitteln

Die Resorption von gleichzeitig eingenommenen Medikamenten kann verzögert werden.

Hinweis:

Bei insulinpflichtigen Diabetikern kann eine Reduzierung der Insulindosis erforderlich sein.

6.5 Dosierungsanleitung und Art der Anwendung

Soweit nicht anders verordnet, wird mehrmals täglich 1 Teelöffel voll (ca. 5 g) Flohsamen nach Vorquellen mit etwas Wasser (ca. 100 ml) unter Nachtrinken von 1 bis 2 Glas Wasser eingenommen.

Hinweis:

Es sollte ein Abstand von einer halben bis einer Stunde nach der Einnahme von Arzneimitteln eingehalten werden.

6.6 Nebenwirkungen

In Einzelfällen können Überempfindlichkeitsreaktionen auftreten.

6.7 Hinweis

Vor Licht und Feuchtigkeit geschützt aufbewahren.

Monographien-Kommentar

Flohsamen

Stammpflanzen

Plantago psyllium L. (Plantaginaceae), der Strauchwegerich ist eine einjährige, krautige Pflanze mit lineallanzettlichen Blättern, die im westlichen Mittelmeerraum beheimatet ist, aber auch in Nordafrika und im westlichen Asien vorkommt. Plantago indica L. (syn. Plantago arenaria WALDST. et KIT.), der Sandwegerich, ist ebenfalls einjährig und besitzt schmallineale, am Grund flaumig behaarte Blätter; er findet sich vorwiegend auf sandigen Stellen Südosteuropas und Kleinasiens. Plantago psyllium wird in Südfrankreich stellenweise kultiviert.

Droge

Die schwarzen, glänzenden Samen der beiden Plantago-Arten sind sehr ähnlich; die Samen von Plantago indica sind meist etwas größer (bis 3 mm lang, bis 1,5 mm breit, länglich-oval) als die von Plantago psyllium (bis 2,5 mm lang, 1 mm breit, länglich-elliptisch).

Inhaltsstoffe

In der Samenschale lokalisierte Schleimstoffe, deren Menge auf den ganzen Samen bezogen ca. 10–12 Prozent beträgt; sie bestehen aus reichlich Xylose neben wenig Arabinose, Galaktose und Galakturonsäure. Die Samen enthalten den für die Plantaginaceen charakteristischen Zucker Planteose (Trisaccharid aus Glucose, Fructose und Galaktose), daneben Hemicellulosen, Proteine und Iridoide, z. B. Aucubin.

Gehaltsbestimmung, Quellungszahl

Der Wert von mindestens 10 wird von guten Drogen meist weit übertroffen, er liegt meist zwischen 14 und 19. Die Quellung geht sehr rasch vor sich, die Samen bilden nach dem Einbringen in Wasser eine Hülle von durchscheinendem, farblosem Schleim aus.

M. Wichtl

Folsäure-Tabletten 5 mg

1   **Bezeichnung des Fertigarzneimittels**

Folsäure-Tabletten 5 mg

2   **Darreichungsform**

Tabletten

3   **Zusammensetzung**

Wirksamer Bestandteil:

Folsäure	5,0 mg

Sonstige Bestandteile:

Lactose 1 H_2O	97,1 mg
Talkum	10,0 mg
Cellulosepulver	6,0 mg
Hochdisperses Siliciumdioxid	1,0 mg
Magnesiumstearat	0,9 mg

4   **Herstellungsvorschrift**

Die für die Herstellung einer Charge benötigten Ausgangsstoffe werden gesiebt. Folsäure, Lactose 1 H_2O und Cellulosepulver werden bis zur Homogenität gemischt. Anschließend werden zunächst hochdisperses Siliciumdioxid und dann Magnesiumstearat untergemischt. Die fertige Pressmasse wird zu Tabletten mit einer Masse von 120 mg verpresst. Die Tabletten werden in die vorgesehenen Behältnisse abgefüllt.

Hinweise:

Der Wassergehalt der Folsäure ist bei der Einwaage zu berücksichtigen. Der Ausgleich für eine konstante Tablettenmasse wird mit der Menge an Lactose 1 H_2O berücksichtigt.

Pressmischung und Bulkware sind dicht verschlossen und vor Licht geschützt zu lagern.

5   **Inprozesskontrollen**

Überprüfung

– der Tablettenmasse (AB. 2.9.5): 120 mg ± 9 mg

sowie

– des Tablettenabriebs (AB. 2.9.7): höchstens 0,25 % (25 U/min; 4 Minuten).

2 Folsäure-Tabletten 5 mg

6 Eigenschaften und Prüfungen

6.1 Ausgangsstoffe

6.1.1 Lactose 1 H_2O

Direkt tablettierbare Lactose:

Teilchengröße maximal 25 Prozent < 63 µm
maximal 10 Prozent > 400 µm.

6.1.2 Cellulosepulver

Teilchengröße 100 Prozent < 100 µm.

6.1.3 Hochdisperses Siliciumdioxid

Es ist ein hochdisperses Siliciumdioxid pyrolytischer Herstellung mit einer BET-Oberfläche von 200 ± 25 m^2/g zu verwenden.

6.2 Fertigarzneimittel

6.2.1 Aussehen, Eigenschaften

Gelbe bis orangenfarbige, nichtüberzogene Tabletten.

6.2.2 Wirkstofffreisetzung (AB. 2.9.3)

Innerhalb von 45 Minuten müssen mindestens 75 Prozent der pro Tablette deklarierten Menge an Folsäure freigesetzt sein.

Prüfflüssigkeit: 500 ml Wasser; 37 ± 0,5 °C

Apparatur: Blattrührer

Umdrehungsgeschwindigkeit: 50 U/min

Die Bestimmung der gelösten Folsäure erfolgt nach Vornahme der erforderlichen Anpassungen mit Hilfe der unter Ziffer 6.2.6 beschriebenen Flüssigchromatographie.

Die Forderung ist erfüllt, wenn:

– jede von 6 geprüften Tabletten mindestens 80 Prozent der pro Tablette deklarierten Menge an Folsäure freisetzt (Stufe 1)

oder

– der sich aus 12 geprüften Tabletten (die 6 Tabletten aus Stufe 1 und 6 weitere Tabletten) ergebende Mittelwert der freigesetzten Menge an Folsäure mindestens 75 Prozent der pro Tablette deklarierten Menge beträgt und gleichzeitig keine der geprüften Tabletten weniger als 60 Prozent der deklarierten Menge freisetzt (Stufe 2).

6.2.3 Prüfsubstanz

20 Tabletten werden gewogen und gründlich zerrieben.

6.2.4 Prüfung auf Identität

Entsprechend der Identitätsprüfung B (AB.) für Folsäure.

Zur Bereitung der Untersuchungslösung wird eine 0,5 mg Folsäure entsprechende Menge Prüfsubstanz unter Rühren 10 Minuten lang mit 1 ml einer Mischung von 1 Volumteil konzentrierter Ammoniak-Lösung R und 9 Volumteilen Methanol extrahiert. Die Lösung wird zentrifugiert und die überstehende Flüssigkeit verwendet.

6.2.5 Prüfung auf Reinheit

Freie Amine:

4-Aminobenzoylglutaminsäure: höchstens 2,0 Prozent

4-Aminobenzoesäure: höchstens 0,5 Prozent.

Die Prüfung erfolgt mit Hilfe der Flüssigchromatographie (AB. 2.2.29). Die zu verwendenden Lösungen sind vor Licht zu schützen.

Untersuchungslösung: Eine 5,0 mg Folsäure entsprechende Menge Prüfsubstanz wird unter Rühren 10 Minuten lang mit 50,0 ml mobiler Phase extrahiert. Die Lösung wird zentrifugiert und die überstehende Flüssigkeit verwendet.

Referenzlösung: 0,5 µg einer als Standard geeigneten 4-Aminobenzoesäure und 2,0 µg einer als Standard geeigneten 4-Aminobenzoylglutaminsäure pro 1,0 ml mobiler Phase.

Die Chromatographie kann durchgeführt werden mit:

- einer Säule aus rostfreiem Stahl von 20 cm Länge und 4,6 mm innerem Durchmesser gepackt mit octadecylsilyliertem Kieselgel zur Chromatographie R (10 µm)
- Phosphat-Pufferlösung pH 5,5 R als mobile Phase bei einer Durchflussrate von 2 ml je Minute
- einem Spektralfotometer als Detektor bei einer Wellenlänge von 269 nm.

Im Chromatogramm der Referenzlösung treten in der Reihenfolge ihrer Retentionszeiten die Peaks der 4-Aminobenzoylglutaminsäure und der 4-Aminobenzoesäure auf. Die Prüfung darf nur ausgewertet werden, wenn die Auflösung zwischen den beiden Peaks mindestens 3,0 beträgt. Die Flächen der Peaks von 4-Aminobenzoylglutaminsäure und 4-Aminobenzoesäure im Chromatogramm der Untersuchungslösung dürfen nicht größer sein als diejenigen im Chromatogramm der Referenzlösung.

6.2.6 Gehalt

90,0 bis 105,0 Prozent der deklarierten Menge an Folsäure.

Bestimmung:

Die Bestimmung erfolgt mit Hilfe der Flüssigchromatographie (AB. 2.2.29). Die zu verwendenden Lösungen sind vor Licht zu schützen.

Untersuchungslösung: Eine 20,0 mg Folsäure entsprechende Menge Prüfsubstanz wird unter Rühren 10 Minuten lang mit 100,0 ml Natriumhydroxid-Lösung (0,1 mol $\cdot$ l^{-1}) extrahiert. Die Lösung wird zentrifugiert. 5,0 ml der überstehenden Flüssigkeit werden mit der mobilen Phase zu 100,0 ml verdünnt.

Referenzlösung: 5,0 ml einer 0,020 %igen Lösung einer als Standard geeigneten Folsäure in Natriumhydroxid-Lösung (0,1 mol · l^{-1}) werden mit der mobilen Phase zu 100,0 ml verdünnt.

Die Chromatographie kann durchgeführt werden mit:

- einer Säule aus rostfreiem Stahl von 20 cm Länge und 4,6 mm innerem Durchmesser gepackt mit octadecylsilyliertem Kieselgel zur Chromatographie R (10 µm)
- einer Mischung von 93 Volumteilen Phosphat-Pufferlösung pH 6,0 R 2 und 7 Volumteilen Acetonitril R als mobile Phase bei einer Durchflussrate von 2 ml je Minute
- einem Spektralfotometer als Detektor bei einer Wellenlänge von 283 nm.

Die Berechnung des Gehalts erfolgt mit Hilfe des Chromatogramms der Referenzlösung.

6.2.7 Haltbarkeit

Die Haltbarkeit in den Behältnissen nach 7 beträgt 2 Jahre.

7 Behältnisse

Dicht schließende Behältnisse aus

- Braunglas, mit Verschlüssen aus Polyethylen oder Polypropylen
- Verbundpackstoff

    Material: Aluminiumfolie von 0,02 mm Dicke mit ca. 6 g/m^2 Heißsiegellack auf PVC-Basis sowie opake Hart-PVC-Tiefziehfolie von 0,2 mm Dicke, einseitig beschichtet mit 40 g/m^2 PVDC.

8 Kennzeichnung

Nach § 10 AMG, insbesondere:

8.1 Zulassungsnummer

1909.99.99

8.2 Art der Anwendung

Zum Einnehmen.

8.3 Hinweise

Apothekenpflichtig.

Vor Licht und Feuchtigkeit geschützt lagern.

9 Packungsbeilage

Nach § 11 AMG, insbesondere:

9.1 Stoff- oder Indikationsgruppe

Vitamine.

9.2 Anwendungsgebiete

Therapie von Folsäuremangelzuständen, die diätetisch nicht behoben werden können.

9.3 Gegenanzeigen

<u>Wann dürfen Sie Folsäure-Tabletten 5 mg nicht anwenden?</u>

Der durch Folsäure hervorgerufene Anstieg der jungen roten Blutkörperchen (Retikulozyten) kann einen Vitamin-B_{12}-Mangel maskieren. Wegen der Gefahr irreversibler neurologischer Störungen ist vor Therapie einer Blutarmut infolge gestörter Entwicklung der roten Blutkörperchen (Megaloblastenanämie) sicherzustellen, dass diese nicht auf einem Vitamin-B_{12}-Mangel beruht. Die Ursache einer Megaloblastenanämie muss vor Therapiebeginn abgeklärt werden.

<u>Was müssen Sie in der Schwangerschaft und Stillzeit beachten?</u>

Es sind keine Risiken bekannt.

9.4 Vorsichtsmaßnahmen für die Anwendung und Warnhinweise

<u>Welche Vorsichtsmaßnahmen müssen Sie beachten?</u>

Auch bei lebensbedrohlicher Megaloblastenanämie muss wegen der Gefahr bleibender Schäden des Nervensystems vor Therapiebeginn ein eventueller Vitamin-B_{12}-Mangel ausgeschlossen werden (Sicherstellung von Serum- und Erythrozyten-Proben und Bestimmung des Vitamin-B_{12}-Gehaltes).

9.5 Wechselwirkungen mit anderen Mitteln

<u>Welche anderen Arzneimittel beeinflussen die Wirkung von Folsäure-Tabletten 5 mg?</u>

Die Gabe von Folsäure kann die Blutspiegel von Mitteln gegen Anfallsleiden (Antikonvulsiva, z. B. Phenytoin, Phenobarbital, Primidon) senken und dadurch u. U. die Krampfbereitschaft erhöhen.

Bei Gabe hoher Dosen kann nicht ausgeschlossen werden, dass sich Folsäure-Tabletten 5 mg und gleichzeitig verabreichte Hemmstoffe der Folsäure (Folsäureantagonisten), wie z. B. bestimmte Arzneistoffe gegen bakterielle Infektionen oder Malaria (Trimethoprim, Proguanil, Pyrimethamin) und Methotrexat (Wirkstoff u. a. zur Behandlung von Tumoren), gegenseitig in ihrer Wirkung hemmen.

Bei gleichzeitiger Anwendung mit Fluorouracil (Arzneimittel zur Behandlung von Tumoren) können schwere Durchfälle auftreten.

Chloramphenicol (Wirkstoff zur Behandlung von Infektionen) kann das Ansprechen auf die Behandlung mit Folsäure-Tabletten 5 mg verhindern und sollte deshalb nicht an Patienten mit schweren Folsäuremangelerscheinungen verabreicht werden.

9.6 Dosierungsanleitung, Art und Dauer der Anwendung

Die folgenden Angaben gelten, soweit Ihnen Ihr Arzt Folsäure-Tabletten 5 mg nicht anders verordnet hat. Bitte halten Sie sich an die Anwendungsvorschriften, da Folsäure-Tabletten 5 mg sonst nicht richtig wirken können.

Wie viele Folsäure-Tabletten 5 mg sollten Sie einnehmen und wie oft?

Je nach Bedarf 1 bis 3 Tabletten pro Tag (entsprechend 5–15 mg Folsäure).

Die Tabletten werden unzerkaut zu den Mahlzeiten mit etwas Flüssigkeit eingenommen.

Wie lange sollten Sie Folsäure-Tabletten 5 mg anwenden?

Die Dauer der Behandlung ist vom Ausmaß des Folsäuremangels abhängig und richtet sich nach dem klinischen Bild sowie gegebenenfalls nach den entsprechenden labordiagnostischen Messgrößen und wird vom Arzt für jeden Patienten bestimmt.

9.7 Überdosierung und andere Anwendungsfehler

Was ist zu tun, wenn Sie Folsäure-Tabletten 5 mg in zu großen Mengen eingenommen haben (beabsichtigte oder versehentliche Überdosierung)?

Bei gelegentlicher höherer Dosierung sind keine Überdosierungserscheinungen zu erwarten.

Bei Patienten mit Anfallsleiden kann es jedoch zu einer Zunahme der Krampfbereitschaft kommen.

Bei hohen Dosierungen (über 15 mg pro Tag und länger als 4 Wochen) können Magen-Darm-Störungen, Schlafstörungen, Erregung oder Depressionen auftreten.

In diesen Fällen sollten Sie sich mit Ihrem Arzt in Verbindung setzen.

9.8 Nebenwirkungen

Welche Nebenwirkungen können bei der Anwendung von Folsäure-Tabletten 5 mg auftreten?

In Einzelfällen können Unverträglichkeitsreaktionen z. B. in Form von Hautrötungen (Erythem), Juckreiz (Pruritus), Luftnot (Bronchospasmus), Übelkeit oder Kreislaufkollaps (anaphylaktischem Schock) auftreten.

Bei sehr hohen Dosierungen kann es zu Magen-Darm-Störungen, Schlafstörungen, Erregung oder Depression kommen.

Wenn Sie Nebenwirkungen bei sich beobachten, die nicht in dieser Packungsbeilage aufgeführt sind, teilen Sie diese bitte Ihrem Arzt oder Apotheker mit.

Welche Gegenmaßnahmen sind bei Nebenwirkungen zu ergreifen?

Bitte informieren Sie Ihren Arzt über aufgetretene Nebenwirkungen, damit er diese gegebenenfalls gezielt behandeln kann.

9.9 Hinweis

Vor Licht und Feuchtigkeit geschützt aufbewahren.

10 Fachinformation

Nach § 11a AMG, insbesondere:

10.1 Verschreibungsstatus/Apothekenpflicht

Apothekenpflichtig.

10.2 Stoff- oder Indikationsgruppe

Vitamine.

10.3 Anwendungsgebiete

Therapie von Folsäuremangelzuständen, die diätetisch nicht behoben werden können.

10.4 Gegenanzeigen

Der durch Folsäure hervorgerufene Retikulozytenanstieg kann einen Vitamin-B_{12}-Mangel maskieren. Wegen der Gefahr irreversibler neurologischer Störungen ist vor Therapie einer Megaloblastenanämie sicherzustellen, dass diese nicht auf einem Vitamin-B_{12}-Mangel beruht. Die Ursache einer Megaloblastenanämie muss vor Therapiebeginn abgeklärt werden.

10.5 Nebenwirkungen

In Einzelfällen können allergische Reaktionen, z. B. als Erythem, Pruritus, Bronchospasmus, Übelkeit oder anaphylaktischer Schock auftreten.

Bei sehr hohen Dosen werden selten gastrointestinale Störungen, Schlafstörungen, Erregung oder Depressionen beobachtet.

10.6 Wechselwirkungen mit anderen Mitteln

Unter antikonvulsiver Therapie kann es zu einer Zunahme der Krampfbereitschaft kommen.

Bei Gabe hoher Dosen kann nicht ausgeschlossen werden, dass sich Folsäure und gleichzeitig verabreichte Folsäureantagonisten, wie z. B. Chemotherapeutika (Trimethoprim, Proguanil, Pyrimethamin) und Zytostatika (Methotrexat), gegenseitig in ihrer Wirkung hemmen.

Zusammen mit Fluorouracil verabreicht, können hohe Folsäure-Dosen zu schweren Durchfällen führen.

Chloramphenicol kann das Ansprechen auf die Behandlung mit Folsäure verhindern und sollte deshalb nicht an Patienten mit schweren Folsäuremangelerscheinungen verabreicht werden.

10.7 Warnhinweise

Keine.

10.8 Wichtigste Inkompatibilitäten

Bisher keine bekannt.

10.9 Dosierung mit Einzel- und Tagesgaben

Je nach Bedarf 1 bis 3 Folsäure-Tabletten 5 mg pro Tag (entsprechend 5–15 mg Folsäure).

10.10 Art und Dauer der Anwendung

Die Tabletten werden unzerkaut zu den Mahlzeiten mit etwas Flüssigkeit eingenommen.

Die Dauer der Behandlung ist vom Ausmaß des Folsäuremangels abhängig und richtet sich nach dem klinischen Bild und gegebenenfalls nach den entsprechenden labordiagnostischen Parametern.

10.11 Notfallmaßnahmen, Symptome und Gegenmittel

Symptome einer Überdosierung:

Eine Überdosierung von Folsäure äußert sich nach chronischer Gabe sehr hoher Dosen (über 15 mg Folsäure pro Tag länger als 4 Wochen) in folgenden Symptomen: bitterer Geschmack, Appetitlosigkeit, Nausea, Flatulenz, Alpträume, Erregung, Depressionen. Unter antiepileptischer Therapie (vor allem mit Phenobarbital, Phenytoin oder Primidon) kann die Häufigkeit und Stärke epileptischer Anfälle zunehmen.

Therapiemaßnahmen bei Überdosierung:

Es sind keine besonderen Maßnahmen notwendig.

10.12 Pharmakologische und toxikologische Eigenschaften, Pharmakokinetik, Bioverfügbarkeit, soweit diese Angaben für die therapeutische Verwendung erforderlich sind

10.12.1 Pharmakologische Eigenschaften

Folsäure ist nicht als solche wirksam, sondern dient in reduzierter Form (Tetrahydrofolsäure) als Carrier von C_1-Gruppen. Damit hat Folsäure eine zentrale Stellung im Intermediärstoffwechsel aller lebenden Zellen. Die in der normalen ungekochten Nahrung verbreitet vorkommenden Folsäure-Polyglutamate werden nach Hydrolyse und Reduktion sowie Methylierung gut und vollständig resorbiert. Die empfohlene Tageszufuhr mit der Nahrung liegt für den gesunden Erwachsenen bei 300 µg/Tag, berechnet als Gesamtfolat, entsprechend 120 µg Folsäure. Dabei wird vorausgesetzt, dass bei intaktem enterohepatischem Kreislauf die mit der Gabe sezernierte Folsäure praktisch quantitativ resorbiert wird.

Die Gesamtkörpermenge an Folat im menschlichen Organismus liegt zwischen 5 und 10 mg. Hauptspeicherorgan ist die Leber. Die Körperreserven an Folsäure sind relativ gering. Wird keine Folsäure mit der Nahrung zugeführt, kommt es nach 4–5 Monaten zur Manifestation einer megaloblastischen Anämie.

10.12.2 Toxikologische Eigenschaften

Akute Toxizität:

Bislang sind keine akuten Intoxikationen durch Folsäure bei Mensch und Tier bekannt geworden.

Chronische Toxizität:

Studien zur chronischen Toxizität von Folsäure am Tier liegen nicht vor.

Überdosierung beim Menschen kann vereinzelt Schlafstörungen, gastrointestinale Symptome und mentale Veränderungen, wie Erregung oder Depressionen hervorrufen (siehe auch Ziffern 10.5 und 10.11).

Mutagenes und tumorerzeugendes Potenzial:

In physiologischen Dosierungen sind keine mutagenen Effekte zu erwarten. Langzeitstudien zum tumorerzeugenden Potenzial von Folsäure liegen nicht vor.

Reproduktionstoxizität:

Kontrollierte Studien an Schwangeren mit Tagesdosen bis 5 mg Folsäure haben keine Hinweise auf Schädigungen des Embryos oder Fetus ergeben. Folsäure-Supplementierung kann das Risiko von Neuralrohrdefekten vermindern.

10.12.3 Pharmakokinetik

Therapeutisch kommt Folsäure entweder parenteral oder peroral zur Anwendung.

Nach i.m.-Gabe von 1,5 mg Folsäure, Mononatriumsalz werden innerhalb der ersten Stunde maximale Serumkonzentrationen erreicht. Der anschließende Konzentrationsabfall erfolgt rasch, sodass nach 12 Stunden die Basiswerte wieder erreicht werden.

Innerhalb der ersten 6 Stunden werden nach parenteraler Verabreichung etwa 80 % und in den darauf folgenden 4 Std. weitere 17 % renal ausgeschieden.

Peroral zugeführte Folsäure wird nahezu vollständig resorbiert, die aus den Flächen unter den Serum-Konzentrations-Zeitprofilen (AUC ng h/ml) nach i.m.-versus peroraler Gabe abgeleitete Bioverfügbarkeit liegt bei 80–87 %. Maximale Plasmakonzentrationen werden nach ca. 1,6 Stunden erreicht.

10.13 Sonstige Hinweise

Auch bei lebensbedrohlicher Megaloblasten-Anämie muss wegen der Gefahr irreversibler neurologischer Störungen vor Therapiebeginn ein eventueller Vitamin-B_{12}-Mangel ausgeschlossen werden (Sicherstellung von Serum- und Erythrozyten-Proben und Bestimmung des Vitamin-B_{12}-Gehaltes).

Für die Anwendung in der Schwangerschaft und Stillzeit sind keine Risiken bekannt.

10.14 Besondere Lager- und Aufbewahrungshinweise

Vor Licht und Feuchtigkeit geschützt aufbewahren.

Monographien-Kommentar

Folsäure-Tabletten 5 mg

6.2.3 Auflösungsgeschwindigkeit

Bei der hier angegebenen UV-photometrischen Bestimmungsmethode ist das Absorptionsmaximum bei 283 nm gewählt, an dem die spezifische Absorption 350 beträgt. Bei 80 % Auflösung wird beim Einsatz einer Tablette eine Absorption von 0,156 gemessen. Günstiger wäre es, am Maximum bei 256 nm zu messen. Dort betrüge die Absorption bei 80 %iger Freisetzung unter Einsatz einer Tablette 0,263, so daß höhere Präzision zu erwarten ist. Voraussetzung ist, daß die verwendeten Hilfsstoffe bei der Meßwellenlänge nicht absorbieren. Die Messung der Referenzlösung führt zu einer ca. zweimal so großen Absorption wie die Analysenlösung (bei Einsatz einer Tablette). Besser wäre es, mit einer Vergleichslösung der Konzentration 0,5 mg in 100 ml zu arbeiten, da dann die Absorption von Analyse und Vergleich nahe beieinander liegen, was sich günstig auf die Richtigkeit der Bestimmung auswirkt.

6.2.4 Gehalt

Die photometrische Gehaltsbestimmung wird am Absorptionsmaximum bei 256 nm durchgeführt. Im Gegensatz zu 6.2.3 wird die Auswertung hier nicht über Vergleichsmessung einer Referenzlösung, sondern über die spezifische Absorption vorgenommen. Da die Literaturangaben zur Spezifischen Absorption zwischen 565 und 590 schwanken, wäre es sicherlich besser, die Auswertung über eine Vergleichsmessung durchzuführen, zumal in 6.2.3 das Vorhandensein einer als Standard geeigneten Folsäure erforderlich ist.

Auch die selektivere Absorptionsmessung bei 365 nm kann zur photometrischen Bestimmung genutzt werden: Anstelle von 2,0 ml Filtrat werden dann 5,0 ml zur weiteren Verdünnung eingesetzt, was sich auf die Präzision günstig auswirkt. Ph. Eur. beschreibt eine kolorimetrische Methode, die auf der Diazotierung des bei reduktiver Spaltung von Folsäure entstehenden primären aromatischen Amins (4-Aminobenzoylglutaminsäure) und dessen Kupplung mit Naphthylethylendiamin (Bratton Marshall Reagenz) basiert. Alternativ können andere kolorimetrische und polarographische Bestimmungsverfahren eingesetzt werden [1, 5], die allerdings deutlich aufwendiger sind als die beschriebene photometrische Methode. Eine echte Alternative stellen die HPLC-Verfahren dar [2 bis 4].

6.2.5 Haltbarkeit

Die Haltbarkeit wird am sichersten mittels HPLC-Verfahren überprüft, da hierbei Zersetzungsprodukte abgetrennt werden.

Monographien-Kommentar

2

[1] T. Higuchi, E. Brochmann-Hanssen, „Pharmaceutical Analysis", Interscience Publishers, New York 1961.

[2] A. P. DeLeenheer, W. E. Lambert, M. G. M. DeRuyter, „Modern Chromatographic Analysis of the Vitamins", Chromatographic Sciences Series Vol. 30, Marcel Dekker, New York 1985.

[3] A. R. Braufman, M. McComish, J. Chromatogr. **151**, 87 (1978).

[4] I. J. Halcomb, S. A. Fusari, Anal. Chem. **53**, 607 (1980).

[5] Metrohm Applikations-Bulletin Nr. B 119; Voltammetrische Bestimmung der Vitamine Thiamin, Riboflavin, Pyridoxin, Folsäure, Nikotinamid und Cobalamin.

P. Surmann

Monographien-Kommentar

Folsäure-Tabletten 5 mg

Anmerkungen zur Rezeptur und Herstellung des Fertigarzneimittels.

Folsäure kristallisiert aus Wasser in Form orange gelber, dünner, speerförmig zugespitzter Blättchen. Je nach Kristallgröße erscheint die Substanz entweder als mattes, orange- bis braungelbes Pulver oder als orange bis goldgelbe, feine Kristallschuppen. Die Löslichkeit in Wasser ist temperaturabhängig. So lösen sich bei 25 °C 1 bis 2 mg, bei 100 °C 200 mg Folsäure in 1 Liter Wasser. Unter Salzbildung ist die Substanz sowohl in Alkalien wie in Mineralsäuren löslich [1].

Folsäure kann mit 3 Prozent Gentesinsäure und Ethanolamin solubilisiert werden, so daß dann bei pH 6,2 – 6,4 eine Löslichkeit von 40 mg/ml erreicht werden kann [2]. Nach De Ritter gehört Folsäure zu den instabilen Vitaminen [2]. Schmidt gibt für das Stabilitätsoptimum einen pH-Bereich von 6,0 bis 9,8 an [3]. Doch soll es schon möglich sein, oberhalb pH 4 bzw. pH 5 Folsäurelösungen 1 Stunde bei 100 °C oder 15 Minuten bei 121 °C zu sterilisieren. [2].

Die Instabilität der Substanz rührt vor allem von ihrer Lichtempfindlichkeit her [2, 3], wobei diese am stärksten in Lösungen bei pH 7,0 und am schwächsten im alkalischen Bereich ausgeprägt ist.

Im festen Zustand zersetzt sich Folsäure zu Xanthopterin und p-Aminobenzoylglutaminsäure, die weiter zu p-Hydroxybenzoesäure und Glutaminsäure zerfällt [4]. Der Einfluß von Temperatur und Feuchte wurden sowohl an der Reinsubstanz wie an Mischungen aus Folsäure und Avicel® (mikrokristalline Cellulose) untersucht. Die Zersetzung der Folsäure verläuft nach einer Reaktion pseudonullter Ordnung [2, 4, 6]. Für die Stabilität der Folsäure sind nicht nur Feuchtigkeit und Temperatur entscheidend, sondern auch das Mischungsverhältnis mit bestimmten Hilfsstoffen. So ließ sich für eine 50prozentige Folsäure-Avicel®-Mischung bei 20 °C/70 % relativer Feuchte ein Abfall von 1,1 Prozent pro Jahr reaktionskinetisch berechnen, während dieser für die reine Folsäure unter gleichen Lagerbedingungen 1,3 Prozent pro Jahr betrug [4, 6].

Nach Arbeiten von Shah sollen Folsäure-Tabletten nicht durch Direkttablettierung mit Calciumhydrogenphosphat-Dihydrat (Emcompress®) hergestellt werden, da solche Tabletten im Lagertest weich werden, verbunden mit einem Anstieg der Friabilität und der Zerfallszeiten [5]. Trotz Veränderungen der galenischen Eigenschaften konnten bei diesen Tabletten keine chemischen Zersetzungsprodukte nachgewiesen werden.

Folsäure ist inkompatibel mit oxidierenden und reduzierenden Substanzen sowie mit Schwermetallsalzen [7]. Ferner sind Interaktionen von Folsäure mit Thiamin und Riboflavin bekannt [2].

Auf Grund der Kristallstruktur und der niedrigen Dosierung können Folsäure-Tabletten 5 mg nach der Standardzulassung mittels Direkttablettierung hergestellt werden. Dafür ist es erforderlich, daß direkttablettierbare Hilfsstoffe eingesetzt werden. Neben den chemischen Reinheitsforderungen des Arzneibuches müssen bei diesen

Monographien-Kommentar

Ausgangsstoffen die galenisch-physikalischen Parameter, wie z. B. Partikelbeschaffenheit und Korngrößenspektrum zusätzlich festgelegt werden. Für eine reproduzierbare Herstellung empfiehlt es sich daher, Markenprodukte einzusetzen, auch wenn sie etwas teurer sein sollten. Die direkttablettierbare Lactose mit dem geforderten Kornspektrum ist unter dem Namen Tablettose® der Firma Meggle, Reitmehring (BRD) im Handel. Cellulosepulver gemäß Ph. Eur. ist eine gemahlene mikrofeine Cellulose. Diese ist unter dem Namen Elcema® der Firma Degussa oder Solka-Floc® der Brown Company im Handel [8]. Elcema® P 100 hat ein Kornspektrum von 1 bis 100 µm und wäre somit für diese Rezeptur geeignet.

Der verhältnismäßig hohe Anteil Talkum in der Rezeptur dient als zusätzliches Schmiermittel und verbessert die Gleit- und Fließfähigkeit der Tablettenmischung. Somit soll eine Verpreßbarkeit der Rezeptur auf möglichst vielen verschiedenen Typen von Tablettenmaschinen erreicht werden.

Für die Direkttablettierung läßt sich das Magnesiumstearat am schwersten normieren, da die Schmier- und Gleitmittelaktivität je nach Produktqualität unterschiedlich sein kann. Dies ist auf unterschiedliche Partikelformen und Größenverteilungen sowie unterschiedlichen Kristallwassergehalt und unterschiedliche spezifische Oberflächen zurückzuführen. Bis jetzt gibt es keine allgemein anwendbare Prüfbedingungen, mit denen die Schmier- und Gleitmittelaktivität eindeutig erfaßt werden kann. Vielmehr muß die erforderliche Menge Magnesiumstearat oft in einem Preßversuch ermittelt werden, was auch bei der Nutzung dieser Standardzulassungsmonographie erforderlich werden kann. In Herstellungsvorschriften werden wegen der unterschiedlichen Qualitäten für Magnesiumstearat oft Bereiche angegeben und diese mit einem inerten Füllstoff ausgeglichen. Durch die Allgemeine Bestimmung Nr. 18 der Standardzulassungen wird dieses Vorgehen auch hier möglich.

Für die Herstellung der Pulvermischung empfiehlt es sich, aus Folsäure und einem Teil der Lactose eine Vormischung herzustellen, um eine gleichmäßigere Wirkstoffverteilung zu gewährleisten. Die Mischzeiten bis zur Homogenität einer Charge sind von der Chargengröße und dem verwendeten Mischer abhängig und müssen im Rahmen der Validierung der Herstellung ermittelt werden.

Wichtig ist zum Schluß die relativ kurze Mischzeit zum Untermischen des Magnesiumstearats. Nach allgemeiner Erfahrung liegt diese meistens zwischen 1 bis 3 Minuten, um die Gleit- und Schmiermittelaktivität des Magnesiumstearates in der Pulvermischung zu erhalten. Ein sogenanntes „Totmischen" durch zu lange Mischzeiten ist unbedingt zu vermeiden.

[1] Kommentar DAB 8, p. 373 (1978).
[2] E. De Ritter, J. Pharm. Sci. **71**, 1073 (1982).
[3] P. C. Schmidt, Dtsch. Apoth. Ztg. **122**, 103 (1982).
[4] W. Grimm, Pharm. Ind. **41**, 269 (1979).
[5] D. H. Shah, A. S. Arambulo, Drug Dev. Commun. **1**, 495 (1974 – 1975).
[6] F. X. Tripet, U. W. Kesselring, Pharm. Acta Helv. **50**, 318 (1975).
[7] Martindale, The Extra Pharmacopeia 28, p. 1647, London Pharmaceutica Press 1982.
[8] Katalog Pharmazeutischer Hilfsstoffe, Arbeitsgruppe der Firma Ciba-Geigy, Hoffmann-La Roche, Sandoz, Basel 1974.

E. Norden-Ehlert

Franzbranntwein

1 Bezeichnung des Fertigarzneimittels
Franzbranntwein

2 Darreichungsform
Lösung

3 Zusammensetzung

Campher	0,5–5,0 g
oder Menthol	0,5–3,0 g
Ethanol 96% mindestens	39,9 g
höchstens	77,6 g
Geruchsstoffe höchstens	0,5 g
Arzneimittelfarbstoff nach Bedarf	
Gereinigtes Wasser	zu 100,0 g

Hinweis:
Werden natürliche ätherische Öle als Geruchsstoffe eingesetzt, muß der Alkohol in einer Konzentration verwendet werden, die zu einer klaren bis sehr schwach opaleszierenden Lösung führt.

4 Herstellungsvorschrift
Campher oder Menthol sowie die Geruchsstoffe werden in der erforderlichen Menge Ethanol 96% gelöst. In Wasser und/oder Ethanol 96% werden ggf. die Arzneimittelfarbstoffe gelöst. Die mit Wasser zum Endgewicht abgefüllte und fertig gemischte Lösung wird in die vorgesehenen Behältnisse abgefüllt.

5 Eigenschaften und Prüfungen

5.1 Aussehen, Eigenschaften
Klare bis sehr schwach opaleszierende Lösung (AB.) von arteigenem Geruch.

5.2 Gehalt
95,0 bis 105,0 Prozent der deklarierten Menge **Ethanol 96%** und
90,0 bis 110,0 Prozent der deklarierten Mengen Campher oder Menthol.

2 Franzbranntwein

6 Behältnisse

Dichtschließende Behältnisse aus Braunglas.

7 Kennzeichnung

Nach § 10 AMG, insbesondere:

7.1 Zulassungsnummer

5299.99.99

7.2 Art der Anwendung

Zum Einreiben der Haut.

7.3 Hinweise

Nur zur äußerlichen Anwendung.

Vor Feuer schützen!

Gut verschlossen lagern.

8 Packungsbeilage

Nach § 11 AMG, insbesondere:

8.1 Anwendungsgebiete

Zum Vorbeugen bei Gefahr des Wundliegens und bei mangelhafter Hautdurchblutung. Zur Unterstützung bei der Therapie von Zerrungen, Prellungen, Verstauchungen, Muskel- und Gelenkschmerzen.

8.2 Gegenanzeigen

Offene Hautwunden.

8.3 Nebenwirkungen

Hautreizungen durch Austrocknen bei längerer Anwendung.

8.4 Wechselwirkungen mit anderen Mitteln

Nicht bekannt.

8.5 Dosierungsanleitung und Art der Anwendung

Soweit nicht anders verordnet, wird Franzbranntwein einmal bis mehrmals täglich auf die betroffenen Körperstellen aufgetragen und bis zur Trockne in die Haut einmassiert.

8.6 Hinweise

Nur zur äußerlichen Anwendung.

Vor Feuer schützen!

Gut verschlossen aufbewahren.

Monographien-Kommentar

Franzbranntwein

Anmerkungen zur Rezeptur und Herstellung des Fertigarzneimittels.

Wie bei dem apothekenpflichtigen Franzbranntwein mit ätherischem Öl soll mit dieser Standardzulassung des freiverkäuflichen Franzbranntweins ein möglichst großer Teil der auf dem Markt befindlichen nicht zugelassenen Franzbranntweine erfaßt werden, um sie von der Einzelzulassung freizustellen [1].

Der Rezeptur dieses Franzbranntweines liegen der § 45 AMG 1976 und der § 1 mit Anlage 1a der „Verordnung über die Zulassung von Arzneimitteln für den Verkehr außerhalb der Apotheken" zu Grunde [2]. Abweichend von einer Einzelzulassung sind sowohl für die wirksamen Bestandteile Ethanol, wie auch für Campher oder Menthol nach Wahl in der Standardzulassungsmonographie „Franzbranntwein" Bereiche angegeben. Der nicht wirksame Bestandteil Geruchsstoffe wurde auf 0,5 Prozent (m/m) begrenzt. Es gilt als Stand des Wissens, daß diese Konzentration zur Parfümierung eines Arzneimittels ausreicht. Anderenfalls muß den Geruchsstoffen, die häufig aus ätherischen Ölen bestehen, eine eigene pharmakodynamische Wirkung zugeschrieben werden [3]. Es wird hierzu auch auf die Standardzulassungsmonographie „Franzbranntwein mit ätherischem Öl" verwiesen.

Auf Grund der Allgemeinen Bestimmung Nr. 2 Absatz 3 der Standardzulassungen [4] wird man als Geruchsstoff zur Zeit nur ätherische Öle einsetzen können, die in Arzneibüchern beschrieben sind.

Für künstliche Franzbranntweinessenzen oder Franzbranntweinaromen fehlen zur Zeit die in der pharmazeutischen Wissenschaft und Praxis allgemein bekannten Monographien in der Art des Arzneibuches. Der pharmazeutische Unternehmer darf im Gegensatz zur Einzelzulassung im Rahmen der Standardzulassung die fehlende monographische Beschreibung eines künstlichen Geruchstoffes aber nicht erstellen.

Es können in geringem Maße Probleme mit der klaren Mischbarkeit der ätherischen Öle in Ethanol-Wassergemischen auftreten [5], insbesondere bei Verwendung von Ethanol 45 Prozent (V/V) und 0,5 Prozent Kiefernnadel- oder Fichtennadelöl. Die Löslichkeit kann teilweise durch den Zusatz von 5 Prozent Campher oder 3 Prozent Menthol etwas verbessert werden. Die Löslichkeitsverbesserung ist stark vom eingesetzten ätherischen Öl abhängig, wie die Arbeiten zur Rezepturerstellung dieser Standardzulassungsmonographie gezeigt haben.

Der pharmazeutische Unternehmer muß für einen, der Spezifikation dieser Monographie entsprechenden Franzbranntwein, den ätherischen Ölgehalt (Geruchsstoffe) mit der vorgesehenen Ethanolkonzentration abstimmen.

Monographien-Kommentar

[1] § 36 AMG (1976).

[2] Verordnung über die Zulassung von Arzneimitteln für den Verkehr außerhalb der Apotheken § 1, Anlage 1a vom 19. 9. 69, Bundesgesetzblatt I S. 1651 (1969), Änd.V.O. vom 13. 12. 1977 (BGBl. I S. 2585), Änd.V.O. vom 19. 12. 1977 (BGBl. I S. 2760).

[3] Sachverständigenausschuß für Apothekenpflicht, 14. April 1986.

[4] Standardzulassungen 1985, Allgemeine Bestimmungen Nr. 2, Stand: 12. März 1986.

[5] Standardzulassungsmonographie „Franzbranntwein mit ätherischem Öl", Anmerkungen zur Rezeptur und Herstellung des Fertigarzneimittels.

E. Norden-Ehlert

Franzbranntwein mit ätherischem Öl

1 **Bezeichnung des Fertigarzneimittels**
Franzbranntwein mit ätherischem Öl

2 **Darreichungsform**
Lösung

3 **Zusammensetzung**

Campher	0,1–5,0 g
Fichtennadelöl oder Kiefernnadelöl	0,6–3,0 g
Ethanol 96% mindestens	39,9 g
höchstens	77,6 g
Macrogol-Glycerolhydroxystearat nach Bedarf	bis 4,0 g
Arzneimittelfarbstoffe nach Bedarf	
Gereinigtes Wasser	zu 100,0 g

Hinweis:
Die Löslichkeit der Kiefernnadel- und Fichtennadelöle kann je nach Herkunft sehr stark schwanken. Dies bedingt, daß trotz des Zusatzes von bis zu 4 Prozent (m/m) Macrogol-Glycerolhydroxystearat der Alkohol in so einer Konzentration gewählt werden muß, die zu einer klaren bis stark opaleszierenden, solubilisierten Flüssigkeit führt.

4 **Herstellungsvorschrift**

Die erforderliche Menge Fichtennadelöl oder Kiefernnadelöl wird intensiv mit Macrogol-Glycerolhydroxystearat verrührt. Anschließend werden 1 bis 10 Prozent der Gesamtmenge an Wasser langsam unter Rühren in kleinen Anteilen hinzugegeben. Dann fügt man unter Rühren Ethanol 96% hinzu und löst den Campher in dieser Mischung. Die Arzneimittelfarbstoffe werden ggf. in Wasser und/oder Ethanol 96% gelöst. Die unter Rühren mit Wasser zum Endgewicht aufgefüllte und fertig gemischte Lösung wird in die vorgesehenen Behältnisse abgefüllt.

5 **Eigenschaften und Prüfungen**

5.2 Fertigarzneimittel

5.2.1 Aussehen, Eigenschaften

Klare bis stark opaleszierende, solubilisierte Flüssigkeit mit Geruch nach Fichtennadel- oder Kiefernnadelöl.

5.2.2 Gehalt

95,0 bis 105,0 Prozent der deklarierten Menge Ethanol und
90,0 bis 110,0 Prozent der deklarierten Menge Campher und Fichtennadel-
oder Kiefernnadelöl.

5.2.3 Haltbarkeit

Die Haltbarkeit in den Behältnissen nach 6 beträgt mindestens 1 Jahr.

6 Behältnisse

Dichtschließende Behältnisse aus Braunglas.

7 Kennzeichnung

Nach § 10 AMG, insbesondere:

7.1 Zulassungsnummer

5399.99.99

7.2 Art der Anwendung

Zum Einreiben der Haut.

7.3 Hinweise

Apothekenpflichtig

Nur zur äußerlichen Anwendung.

Vor Feuer schützen!

Gut verschlossen lagern.

8 Packungsbeilage

Nach § 11 AMG, insbesondere:

8.1 Anwendungsgebiete

Zur Vorbeugung bei Gefahr des Wundliegens und bei mangelhafter Hautdurchblutung; zur Unterstützung bei der Therapie von Zerrungen, Prellungen, Verstauchungen, Muskel- und Gelenkschmerzen.

8.2 Gegenanzeigen

Offene Hautwunden.

8.3 Nebenwirkungen

Nicht bekannt.

8.4 Wechselwirkungen mit anderen Mitteln

Nicht bekannt.

8.5 Dosierungsanleitung und Art der Anwendung

Soweit nicht anders verordnet, wird Franzbranntwein einmal bis mehrmals täglich auf die betroffenen Körperstellen aufgetragen und bis zur Trockne in die Haut einmassiert.

8.6 Hinweise

Nur zur äußerlichen Anwendung.

Vor Feuer schützen!

Gut verschlossen aufbewahren.

Monographien-Kommentar

Franzbranntwein mit ätherischem Öl

Anmerkungen zur Rezeptur und Herstellung des Fertigarzneimittels.

Ziel dieser Standardzulassungsmonographie soll es sein, einen möglichst großen Teil der auf dem Markt befindlichen nicht zugelassenen Franzbranntweine mit ätherischem Öl zu erfassen, um sie von der Einzelzulassung freizustellen (§ 36 AMG 1976). Deswegen sind für die wirksamen Bestandteile statt fester Werte Bereiche angegeben. Bei dem wirksamen Bestandteil ätherisches Öl kann der pharmazeutische Unternehmer zwischen zwei ähnlich wirksamen Bestandteilen Fichtennadelöl oder Kiefernnadelöl wählen.

Die Problematik dieser Monographie liegt in der Inhomogenität des ätherischen Öls, das bei Kiefernnadelöl von allen Arten der Gattung Pinus und Fichtennadelöl von allen Arten der Gattung Abies und Picea gewonnen werden kann. Das bedingt sehr starke Schwankungen beider Öle, sowohl in ihrer Zusammensetzung, wie auch in ihrer Löslichkeit bzw. klaren Mischbarkeit in Ethanol und Ethanol-Wassergemischen.

Der Gehalt an Terpenkohlenwasserstoffen, die zum Teil beim Besprühen mit Anisaldehyd im Dünnschichtchromatogramm nicht anfärbbar sind, soll mit ausschlaggebend sein, inwieweit die ätherischen Öle mit Ethanol zwischen 40 und 80 Prozent (V/V) klar mischbar sind. Deterpinisierte ätherische Öle sind in Ethanol-Wassergemischen leichter klar mischbar. Das dürfte auch der Grund für die fehlende Angabe des Mischungsverhältnisses von ätherischem Öl und Ethanol in der Prüfvorschrift der Öle sein. Andere Arzneibücher, wie z. B. das ÖAB 81 [1], die Ph. Helv. VI [2], Ph. Hung. VI [3] und das überholte Ergänzungsbuch zum DAB 6 [4], geben ein Mischungsverhältnis von 1 Teil ätherischem Öl in 5 bis 10 Teilen Ethanol überwiegend 90 Prozent (V/V) an, wobei diese Mischungen klar bis trüb sein können.

Im Rahmen der Rezepturerarbeitung dieser Monographie wurden 15 verschiedene Kiefernnadelöle und 15 verschiedene Fichtennadelöle von mehreren Herstellern und Lieferanten hinsichtlich ihrer Löslichkeit in Ethanol und Ethanol-Wassergemischen überprüft. Die Löslichkeit ist sehr großen Schwankungen unterworfen. Generell kann man sagen, daß die Fichtennadelöle sich besser und leichter in Ethanol-Wassergemischen klar mischen.

Obwohl die physikalischen Kennzahlen schon große Spannweiten haben, wurde der Bereich der optischen Drehung vor allem bei Mustern, die vom Hersteller als unverfälschtes Naturprodukt bezeichnet waren, nicht eingehalten, während zum Teil sehr preiswerte Muster mit dem Zusatz „i. d. K." (= in den Kennzahlen) hervorragende Analysenergebnisse nach der Prüfvorschrift lieferten. Mit der vorliegenden Prüfvorschrift, die auch im DAB 9 erscheinen wird, ist es nicht möglich, zwischen vollsynthetischen, halbsynthetischen und reinen Naturprodukten zu differenzieren. Zwar hatten billige, verfälschte ätherische Öle Säurezahlen über 1, was auf Verschnitt mit fetten Ölen hindeutet, oder sie fielen in der Dichtebestimmung aus dem vorgegebenen Rahmen. Einige Öle waren mit dem Geruchstoff Bornylacetat, der auch eine Löslichkeitsverbesserung bringen soll, aufgebessert. Dabei ist zu bemerken, daß es nach

Monographien-Kommentar

Herstellerangaben [4] chinesische Fichtennadelöle mit 5, 15 und 35 Prozent Bornylacetat gibt.

Auf Grund der variablen Mengen aller Wirkstoffe, der unterschiedlichen Zusammensetzung der ätherischen Öle und der daraus folgenden unterschiedlichen klaren Mischbarkeit in Ethanol-Wassergemischen, kann die Herstellung des Franzbranntweins mit ätherischen Ölen nach der Standardzulassung zum Teil nur über eine Solubilisation erfolgen, zumal die Mischbarkeit in Ethanol-Wassergemischen auch noch asymptotisch verläuft.

Solubilisate kann man nach Sonntag [6] und Mittal [7] als eine visuell transparente, isotrope, thermodynamisch stabile, flüssige Dispersion bezeichnen, deren innere Phase (= ätherisches Öl) in Tensidmizellen eingebaut ist. Das ätherische Öl muß in die Mizellen, die nur einen begrenzten Raum zur Verfügung haben, eingebettet werden. Deswegen muß das Öl in dementsprechend kleine Volumenteile aufgetrennt werden. Dafür ist Energie und eine Reduzierung der Oberflächenspannung erforderlich. Werden die Mizellen gedehnt, vergrößert, werden sie sichtbar und die Flüssigkeit erscheint opaleszierend getrübt. Sie bleibt aber noch eine thermodynamisch stabile Dispersion, wenn die Mizellen nicht überdehnt werden. Teilweise scheint es fließende Übergänge zur flüssigen Emulsion zu geben.

Da jedes ätherische Öl beim Solubilisieren in Ethanol-Wassergemischen wegen seiner Zusammensetzung sich anders verhält, d. h. einen ihm ganz erforderlichen HLB benötigt, zeigte sich bei der Rezepturerarbeitung, daß hierfür Poly(oxyethylen)-40-hydriertes Ricinusöl (z.B. Cremophor®-RH-40 der BASF oder Arlatone® 975 der Atlas-Chemie) mit 3 bis 4 Prozent (m/m) am geeignetsten ist. Tensidmengen oberhalb von 4 Prozent ergeben zwar klarere Lösungen von z.B. 3 Prozent Kiefernnadelöl in Ethanol 45 Prozent (V/V), aber diese Solubilisate kleben auf der Haut, was bei einem Franzbranntwein nicht erwünscht ist. Mengen unter 3 Prozent Tensid sind teilweise nicht ausreichend.

Eine generelle Richtlinie bzw. tabellarische Zusammenstellung, aus der der erforderliche Ethanol- und Tensidgehalt bei vorgegebener Menge Fichtennadel- oder Kiefernnadelöl berechenbar ist, kann wegen der variablen Ölzusammensetzung nicht gegeben werden, zumal auch noch die unterschiedlich möglichen Camphermengen das Solubilisat beeinflussen.

Wichtig ist, daß die Angaben in der Herstellungsvorschrift zum Solubilisieren genau eingehalten werden, um die opaleszierende Trübung auf das notwendige Maß zurückzudrängen. Der Grad der opaleszierenden Trübung kann spektralphotometrisch bei 500 nm und 550 nm gemessen werden.

Für ein immer reproduzierbares Fertigarzneimittel „Franzbranntwein mit ätherischem Öl" empfiehlt es sich, neben der quantitativen Analyse der wirksamen Bestandteile die gleichbleibende Solubilisation und die daraus resultierende Opaleszens der Flüssigkeit bei 500 nm spektralphotometrisch zu messen und einen Bereich festzulegen, wobei Werte von 0,120 bis 0,125 in 1 cm Schichtdicke bei 500 nm nicht überschritten werden sollten.

Monographien-Kommentar

Franzbranntwein mit ätherischem Öl

[1] ÖAB, (1981).
[2] Ph. Helv. VI, (1971).
[3] Ph. Hung. VI, (1970).
[4] Erg. B. BAB 6, (1941).
[5] Freiy + Lau GmbH, Norderstedt 3, Mitteilung KN/S vom 5. 12. 1985.
[6] H. Sonntag, Lehrbuch der Kolloidwissenschaft, p. 267, VEB – Deutscher Verlag der Wissenschaften, Berlin (1977).
[7] K. L. Mittal, Micellisation, Solubilisation and Microemulsions, Vol. 1, p. 53, Plenum Press, New York (1977).

E. Norden-Ehlert

Anmerkungen zur Qualität

Bezüglich der Spezifikation von Fichten- und Kiefernnadelöl siehe auch Kommentar zum DAB.

R. Braun

Frauenmantelkraut

1	**Bezeichnung des Fertigarzneimittels**
	Frauenmantelkraut
2	**Darreichungsform**
	Tee
3	**Eigenschaften und Prüfungen**
	Haltbarkeit:
	Die Haltbarkeit in den Behältnissen nach 4 beträgt 3 Jahre.
4	**Behältnisse**
	Geklebte Blockbodenbeutel bzw. Seitenfaltenbeutel aus einseitig glattem, gebleichtem Natronkraftpapier 50 g/m², gefüttert mit gebleichtem Pergamyn 40 g/m².
5	**Kennzeichnung**
	Nach § 10 AMG, insbesondere:
5.1	Zulassungsnummer
	9499.99.99
5.2	Art der Anwendung
	Zum Trinken nach Bereitung eines Teeaufgusses.
5.3	Hinweis
	Vor Licht und Feuchtigkeit geschützt lagern.
6	**Packungsbeilage**
	Nach § 11 AMG, insbesondere:
6.1	Stoff- oder Indikationsgruppe
	Pflanzliches Magen-Darm-Mittel.
6.2	Anwendungsgebiete
	Unspezifische leichte Durchfallerkrankungen.

Frauenmantelkraut

6.3 Gegenanzeigen
Keine bekannt.

Die Behandlung von Durchfällen bei Säuglingen und Kleinkindern ist in jedem Fall nur nach Rücksprache mit einem Arzt vorzunehmen.

6.4 Wechselwirkungen mit anderen Mitteln
Keine bekannt.

6.5 Dosierungsanleitung und Art der Anwendung
Soweit nicht anders verordnet, wird 3- bis 5mal täglich eine Tasse des wie folgt bereiteten Teeaufgusses getrunken:

2 Teelöffel voll (ca. 2 g) Frauenmantelkraut oder die entsprechende Menge in einem oder mehreren Aufgußbeutel(n) wird mit siedendem Wasser (ca. 150 ml) übergossen und nach etwa 10 bis 15 Minuten gegebenenfalls durch ein Teesieb gegeben.

6.6. Dauer der Anwendung
Bei Durchfällen, die länger als 2 Tage andauern oder mit Blutbeimengungen oder Temperaturerhöhung einhergehen, ist die Rücksprache mit einem Arzt erforderlich.

6.7 Nebenwirkungen
Keine bekannt.

6.8 Hinweis
Vor Licht und Feuchtigkeit geschützt aufbewahren.

Gänsefingerkraut

1 **Bezeichnung des Fertigarzneimittels**

Gänsefingerkraut

2 **Darreichungsform**

Tee

3 **Eigenschaften und Prüfungen**

3.1 Qualitätsvorschrift

Die Droge muss der Monographie „Gänsefingerkraut" des Deutschen Arzneimittel-Codex (DAC) in der jeweiligen gültigen Fassung entsprechen.

3.2 Haltbarkeit

Die Haltbarkeit in den Behältnissen nach 4 beträgt 3 Jahre.

4 **Behältnisse**

Geklebte Blockbodenbeutel bzw. Seitenfaltenbeutel aus einseitig glattem, gebleichtem Natronkraftpapier 50 g/m^2, gefüttert mit gebleichtem Pergamyn 40 g/m^2.

5 **Kennzeichnung**

Nach § 10 AMG, insbesondere:

5.1 Zulassungsnummer

9599.99.99

5.2 Art der Anwendung

Zum Trinken sowie zum Spülen oder Gurgeln nach Bereitung eines Teeaufgusses.

5.3 Hinweis

Vor Licht und Feuchtigkeit geschützt lagern.

6 **Packungsbeilage**

Nach § 11 AMG, insbesondere:

6.1 Stoff- oder Indikationsgruppe

Pflanzliches Arzneimittel bei Durchfall.

Pflanzliches Arzneimittel bei Entzündungen im Mund- und Rachenraum.

Pflanzliches Arzneimittel bei Regelbeschwerden.

2 Gänsefingerkraut

6.2 Anwendungsgebiete

Leicht schmerzhafte Regelblutungen; zur Unterstützung der Therapie leichter, unspezifischer, akuter Durchfallerkrankungen; leichte Schleimhautentzündungen im Mund- und Rachenraum.

Hinweise:

Bei Störungen der Regelblutung sollte zur diagnostischen Abklärung zunächst ein Arzt aufgesucht werden.

Bei Durchfällen, die länger als 2 Tage andauern oder mit Blutbeimengungen oder Temperaturerhöhungen einhergehen, sollte ein Arzt aufgesucht werden. Durchfallerkrankungen bei Säuglingen und Kleinkindern erfordern grundsätzlich die Rücksprache mit einem Arzt.

Sollten die Beschwerden bei leichten Schleimhautentzündungen im Mund- und Rachenraum länger als 1 Woche andauern, wiederkehren oder unklare Beschwerden auftreten, ist ein Arzt aufzusuchen.

6.3 Gegenanzeigen

Keine bekannt.

6.4 Vorsichtsmaßnahmen für die Anwendung und Warnhinweise

Bei Durchfallerkrankungen muss auf Ersatz von Flüssigkeit und Salzen (Elektrolyten) als wichtigste therapeutische Maßnahme geachtet werden.

Zur Anwendung von Gänsefingerkraut in Schwangerschaft und Stillzeit sowie bei Kindern unter 12 Jahren liegen keine ausreichenden Untersuchungen vor. Zubereitungen aus Gänsefingerkraut sollen daher von diesem Personenkreis nicht angewendet werden.

6.5 Wechselwirkungen mit anderen Mitteln

Keine bekannt.

6.6 Dosierungsanleitung und Art der Anwendung

Soweit nicht anders verordnet, wird 2- bis 3-mal täglich eine Tasse Teeaufguss getrunken oder es wird mit einem lauwarmen Teeaufguss gespült oder gegurgelt. Der Aufguss wird wie folgt bereitet:

3 Teelöffel voll (ca. 2 g) Gänsefingerkraut oder die entsprechende Menge in einem oder mehreren Aufgussbeutel(n) werden mit siedendem Wasser (ca. 150 ml) übergossen und nach etwa 10 bis 15 Minuten gegebenenfalls durch ein Teesieb gegeben.

6.7 Nebenwirkungen

Beschwerden bei Reizmagen können verstärkt werden

6.8 Hinweis

Vor Licht und Feuchtigkeit geschützt aufbewahren.

Monographien-Kommentar

Gänsefingerkraut

Stammpflanze

Das Gänsefingerkraut, Potentilla anserina L. (Rosaceae) ist eine auf der nördlichen Hemisphäre verbreitet vorkommende Staude, die sich mit flachliegenden Ausläufern auf nährstoffreichen Böden ausbreitet.

Droge

Während oder kurz vor der Blüte (Mai bis August) werden Blätter und Blüten (-knospen) gesammelt und rasch getrocknet. Die Droge wird aus osteuropäischen Ländern importiert.

Inhaltsstoffe

Gänsefingerkraut enthält 6–10 % Gerbstoffe, überwiegend Ellagitannine [1, 2]. In kleiner Menge kommen Flavonoide, Cholin [3] und Sterole vor. Über eine spasmolytisch wirksame Substanz [4] liegen keine genauen Angaben vor.

Prüfung auf Identität

Die Gerbstoffe werden mit einer Methanol-Wasser-Mischung aus der Droge extrahiert und mit $FeCl_3$ nachgewiesen (Bildung tiefblauer Fe III-Chelate).

Prüfung auf fremde Bestandteile

Verfälschungen kommen praktisch kaum vor, sie ließen siehe bei der mikroskopischen Prüfung sicher erkennen.

Gehaltsbestimmung

Diese erfolgt in Anlehnung an die Arzneibuchmethode, siehe Hamamelisblätter.

[1] K. Lund, Dissertation Freiburg i. Br. 1986.
[2] E. C. Bate-Smith, J. Linn. Soc. (Bot.) **58,** 39 (1961).
[3] P. Tunmann und R. Janka; Arzneim. Forsch. **5,** 20 (1955).
[4] W. Smetana und R. Fischer; Pharm. Zentralhalle **102,** 324 (1963).

M. Wichtl

Gallentee I

1. **Bezeichnung des Fertigarzneimittels**

    Gallentee I

2. **Darreichungsform**

    Tee

3. **Zusammensetzung**

Kümmel	10,0 g
Javanische Gelbwurz	20,0 g
Löwenzahn	30,0 g
Mariendistelfrüchte	20,0 g
Pfefferminzblätter	20,0 g

4. **Herstellungsvorschrift**

    Die für die Herstellung einer Charge benötigten Mengen Kümmel, Javanische Gelbwurz, Löwenzahn, Mariendistelfrüchte und Pfefferminzblätter werden gemischt und anschließend in die vorgesehenen Behältnisse abgefüllt.

5. **Eigenschaften und Prüfungen**

    5.1 Ausgangsstoffe

    5.1.1 Löwenzahn

    Die Droge muss der Monographie Löwenzahn des Deutschen Arzneimittel-Codex (DAC) in der jeweils gültigen Fassung entsprechen.

    5.2 Fertigarzneimittel

    5.2.1 Aussehen, Eigenschaften

    Gallentee I ist ein aromatisch riechendes Teegemisch, das aus dünnen getrockneten und geschnittenen Blättern, dunkelbraunen, getrockneten und geschnittenen Wurzelstücken, orangegelben bis gelbbraunen oder graubraunen geschnittenen Wurzelstücken und gelben Blütenknospen besteht, die oft von dunklen Blättern eingeschlossen sind.

    Außerdem enthält das Teegemisch deutlich erkennbare graubraune Spaltfrüchte, die in ihre Teilfrüchte zerfallen sind, und schief eiförmig-längliche Früchte (Achänen) von glänzend braunschwarzer oder graubrauner Farbe.

    5.2.2 Prüfung auf Identität

    Die nach 5.2.3 makroskopisch einzeln verlesenen Bestandteile werden auf Identität geprüft.

Kümmel
entsprechend Prüfung auf Identität (AB.).

Javanische Gelbwurz
entsprechend Prüfung auf Identität (AB.).

Löwenzahn
entsprechend Prüfung auf Identität gemäß DAC.

Mariendistelfrüchte
entsprechend Prüfung auf Identität (AB.).

Pfefferminzblätter
entsprechend Prüfung auf Identität gemäß AB.

5.2.3 Gehalt

80,0 bis 120,0 Prozent der deklarierten Menge an Kümmel, Javanischer Gelbwurz, Löwenzahn, Mariendistelfrüchten und Pfefferminzblättern.

Bestimmung

Eine geeignete Menge Gallentee I wird makroskopisch in die einzelnen Bestandteile verlesen und diese gewogen.

5.2.4 Haltbarkeit

Die Haltbarkeit in den Behältnissen nach 6 beträgt zwei Jahre unter der Voraussetzung einer 2-jährigen Haltbarkeit des Kümmels. Der Gehalt an ätherischem Öl im Kümmel nimmt in den Behältnissen nach 6 pro Jahr absolut um etwa 0,3 Prozent ab. Die Haltbarkeit des Kümmels errechnet sich somit aus der Differenz des Gehaltes an ätherischem Öl zum Zeitpunkt der Herstellung und dem im Arzneibuch vorgeschriebenen Mindestgehalt.

6 **Behältnisse**

Geklebte Blockbodenbeutel bzw. Seitenfaltenbeutel aus einseitig glattem, gebleichtem Natronkraftpapier 50 g/m^2, gefüttert mit gebleichtem Pergamyn 40 g/m^2.

7 Kennzeichnung

Nach § 10 AMG, insbesondere:

7.1 Zulassungsnummer

1989.99.99

7.2 Art der Anwendung

Zum Trinken nach Bereitung eines Teeaufgusses.

7.3 Hinweis

Vor Licht und Feuchtigkeit geschützt lagern.

8 Packungsbeilage

Nach § 11 AMG, insbesondere:

8.1 Anwendungsgebiete

Zur Unterstützung bei der Behandlung von nichtentzündlichen Gallenblasenbeschwerden und bei Störungen im Bereich des Gallenabflusses; Beschwerden im Bereich von Magen und Darm wie Völlegefühl, Blähungen und Verdauungsbeschwerden.

8.2 Gegenanzeigen

Entzündungen oder Verschluß der Gallenwege; Darmverschluß.

8.3 Dosierungsanleitung und Art der Anwendung

Etwa 1 Eßlöffel voll Tee wird mit siedendem Wasser (ca. 150 ml) übergossen, bedeckt etwa 10 bis 15 Minuten ziehen gelassen und dann durch ein Teesieb gegeben.

Soweit nicht anders verordnet, wird 3- bis 4mal täglich eine Tasse frisch bereiteter Tee eine halbe Stunde vor den Mahlzeiten getrunken.

8.4 Hinweis

Vor Licht und Feuchtigkeit geschützt aufbewahren.

Monographien-Kommentar

Gallentee I

Kommentar zu den einzelnen Bestandteilen von Gallentee I befinden sich gemäß nachfolgender Übersicht in:

Bestandteil	Kommentar
Kümmel	Komm. Ph. Eur.
Javanische Gelbwurz	Komm. Ph. Eur.
Löwenzahn	St. Zul.
Mariendistelfrüchte	Komm. DAB
Pfefferminzblätter	Komm. Ph. Eur.

M. Wichtl

Gallentee II

1 **Bezeichnung des Fertigarzneimittels**

Gallentee II

2 **Darreichungsform**

Tee

3 **Zusammensetzung**

A. Wirksame Bestandteile (in Masseprozenten)

Javanische Gelbwurz	15,0 bis 20,0
Löwenzahn	15,0 bis 50,0
Pfefferminzblätter	20,0 bis 40,0
Schafgarbenkraut	10,0 bis 30,0

B. Sonstige Bestandteile
Bitterer Fenchel   Ringelblumenblüten
Kamillenblüten,   Süßholzwurzel,
Kornblumenblüten,   Wermutkraut.
Kümmel,

Die wirksamen Bestandteile nach A müssen insgesamt mindestens 70 Masseprozente der gesamten Teemischung ergeben. Die sonstigen Bestandteile müssen – sofern solche verwendet werden – aus der Gruppe B ausgewählt werden. Sie dürfen pro Bestandteil nicht mehr als 5 Masseprozente der gesamten Teemischung betragen.

4 **Herstellungsvorschrift**

Die für die Herstellung einer Charge benötigten Bestandteile werden gemischt und anschließend in die vorgesehenen Behältnisse abgefüllt.

5 **Eigenschaften und Prüfungen**

5.1 Ausgangsstoffe

5.1.1 Löwenzahn

Die Droge muss der Monographie „Löwenzahn" des Deutschen Arzneimittel-Codex (DAC) in der jeweils gültigen Fassung entsprechen.

5.1.3 Kornblumenblüten

Die Droge muss der Monographie „Kornblumenblüten" des Deutschen Arzneimittel-Codex (DAC) in der jeweils gültigen Fassung entsprechen.

5.2 Fertigarzneimittel

5.2.1 Aussehen, Eigenschaften

Teemischung aus getrockneten und meist zerkleinerten Pflanzenteilen mit arteigenem Geruch.

5.2.2 Prüfung auf Identität

Die nach 5.2.3 makroskopisch einzeln verlesenen, wirksamen Bestandteile werden auf Identität geprüft.

Javanische Gelbwurz
entsprechend Prüfung auf Identität gemäß AB.

Löwenzahn
entsprechend Prüfung auf Identität gemäß AB.

Pfefferminzblätter
entsprechend Prüfung auf Identität gemäß AB.

Schafgarbenkraut
entsprechend Prüfung auf Identität gemäß AB.

5.2.3 Gehalt

80 bis 120 Prozent der deklarierten Bestandteile.

Bestimmung

Eine geeignete Menge der Teemischung wird makroskopisch in die einzelnen Bestandteile verlesen. Die deklarierten Bestandteile werden gewogen.

5.2.4 Haltbarkeit

Die Haltbarkeit in den Behältnissen nach 6 beträgt zwei Jahre.

6 **Behältnisse**

Geklebte Blockbodenbeutel bzw. Seitenfaltenbeutel aus einseitig glattem, gebleichtem Natronkraftpapier 50 g/m^2, gefüttert mit gebleichtem Pergamyn 40 g/m^2.

7 **Kennzeichnung**

Nach § 10 AMG, insbesondere:

7.1 Zulassungsnummer

1989.98.99

7.2 Art der Anwendung

Zum Trinken nach Bereitung eines Teeaufgusses.

7.3 Hinweis

Vor Licht und Feuchtigkeit geschützt lagern.

8 Packungsbeilage

Nach § 11 AMG, insbesondere:

8.1 Anwendungsgebiete

Zur Unterstützung bei der Behandlung von nichtentzündlichen Gallenblasenbeschwerden und bei Störungen im Bereich des Gallenabflusses; Beschwerden im Bereich von Magen und Darm wie Völlegefühl, Blähungen und Verdauungsbeschwerden.

8.2 Gegenanzeigen

Entzündungen oder Verschluß der Gallenwege; Darmverschluß.

8.3 Dosierungsanleitung und Art der Anwendung

Etwa 1 Eßlöffel voll Tee wird mit siedendem Wasser (ca. 150 ml) übergossen, bedeckt etwa 10 bis 15 Minuten ziehengelassen und dann durch ein Teesieb gegeben.

Soweit nicht anders verordnet, wird 3- bis 4mal täglich eine Tasse frisch bereiteter Tee eine halbe Stunde vor den Mahlzeiten getrunken.

8.4 Hinweis

Vor Licht und Feuchtigkeit geschützt aufbewahren.

Monographien-Kommentar

Gallentee II

Kommentare zu den einzelnen Bestandteilen von Gallentee II befinden sich gemäß nachfolgender Übersicht in:

Bestandteil	Kommentar
A. Javanische Gelbwurz	Komm. Ph. Eur.
Löwenzahn	St. Zul.
Pfefferminzblätter	Komm. Ph. Eur.
Schafgarbenkraut	Ph. Eur. u. St. Zul.
B. Fenchel	Komm. Ph. Eur.
Kamillenblüten	Komm. Ph. Eur.
Kornblumenblüten	St. Zul. Blasen- und Nierentee II–VII
Kümmel	Komm. Ph. Eur.

M. Wichtl

Samenfreie Gartenbohnenhülsen

1 Bezeichnung des Fertigarzneimittels

Samenfreie Gartenbohnenhülsen

2 Darreichungsform

Tee

3 Eigenschaften und Prüfungen

3.1 Qualitätsvorschrift

Die Droge muss der Monographie „Bohnenhülsen" des deutschen Arzneimittel-Codex (DAC) in der jeweils gültigen Fassung entsprechen.

3.2 Haltbarkeit

Die Haltbarkeit in den Behältnissen nach 4 beträgt 3 Jahre.

4 Behältnisse

Geklebte Blockbodenbeutel bzw. Seitenfaltenbeutel aus einseitig glattem, gebleichtem Natronkraftpapier 50 g/m^2, gefüttert mit gebleichtem Pergamyn 40 g/m^2.

5 Kennzeichnung

Nach § 10 AMG, insbesondere:

5.1 Zulassungsnummer

8499.99.99

5.2 Art der Anwendung

Zum Trinken nach Bereitung eines Teeaufgusses.

5.3 Hinweis

Vor Licht und Feuchtigkeit geschützt lagern.

6 Packungsbeilage

Nach § 11 AMG, insbesondere:

6.1 Stoff- oder Indikationsgruppe

Pflanzliches Arzneimittel zur Durchspülung der Harnwege.

6.2 Anwendungsgebiete

Zur Durchspülung der ableitenden Harnwege und zur Vorbeugung und Behandlung von Harnsteinen und Nierengrieß.

Hinweise:

Bei Blut im Urin, bei Fieber oder beim Anhalten der Beschwerden über 7 Tage hinaus ist ein Arzt aufzusuchen.

6.3 Gegenanzeigen

Keine bekannt.

6.4 Vorsichtsmaßnahmen für die Anwendung und Warnhinweise

Zur Anwendung von samenfreien Gartenbohnenhülsen in der Schwangerschaft und Stillzeit sowie bei Kindern unter 12 Jahren liegen keine ausreichenden Untersuchungen vor. Teeaufgüsse aus Gartenbohnenhülsen sollen daher von diesem Personenkreis nicht getrunken werden.

Hinweis:

Bei Wasseransammlungen (Ödemen) infolge eingeschränkter Herz- oder Nierentätigkeit ist eine Durchspülungstherapie nicht angezeigt.

6.5 Wechselwirkungen mit anderen Mitteln

Keine bekannt.

6.6 Dosierungsanleitung und Art der Anwendung

Soweit nicht anders verordnet, wird 2- bis 5-mal täglich eine Tasse des wie folgt bereiteten Teeaufgusses getrunken:

1 Esslöffel voll (ca. 2,5 g) samenfreier Gartenbohnenhülsen oder die entsprechende Menge in einem oder mehreren Aufgussbeutel(n) wird mit siedendem Wasser (ca. 150 ml) übergossen und nach etwa 10 bis 15 Minuten gegebenenfalls durch ein Teesieb gegeben.

6.7 Nebenwirkungen

Keine bekannt.

6.8 Hinweis

Vor Licht und Feuchtigkeit geschützt aufbewahren.

Monographien-Kommentar

Gartenbohnenhülsen, samenfreie

Stammpflanze

Phaseolus vulgaris L. (Fabaceae) ist eine alte Kulturpflanze, von der zahlreiche Varietäten (Blütenfarbe, Form und Größe der Samen) bekannt sind. Von der nahe verwandten Feuerbohne (Phaseolus coccineus L.) unterscheidet sich die Gartenbohne durch ihre glatten Hülsen(früchte); die Hülsen der Feuerbohne sind rauh.

Droge

Verwendet werden die von den Samen befreiten und nachgetrockneten Fruchtwände. Die Droge wird vor allem aus osteuropäischen Ländern importiert.

Inhaltsstoffe

Bohnenschalen weisen keine auffälligen Inhaltsstoffe auf [1]. Gefunden wurden Schleimstoffe, Hemicellulosen, Proteine und freie Aminosäuren sowie etwas Trigonellin. Bemerkenswert ist der Gehalt an Chrom (1 ppm) [2].

Prüfung auf Reinheit, fremde Bestandteile

Entgegen den Angaben in der Standardzulassung findet man die Monographie im DAC 1986 unter Bohnenhülsen, nicht unter Gartenbohnenhülsen!

Verfälschungen kommen kaum vor; Samenanteile finden sich meist nur in Mengen unter 1 Prozent.

6.1 Anwendungsgebiete

Es ist nicht bekannt, auf welche Inhaltsstoffe die (schwache) diuretische Wirkung zurückzuführen ist. Für die volksmedizinische Anwendung als schwaches Antidiabeticum gibt es keine ausreichenden Belege [1], daher ist diese Indikation in der Standardzulassung zu Recht nicht genannt.

[1] Lj. Kraus und G. Reher; Dtsch. Apoth. Ztg. **122,** 2357 (1982).
[2] A. Müller, E. Diemann und P. Sassenberg, Naturwissenschaften **75,** 115 (1988).

M. Wichtl

Glucose-Lösung 12% mit Elektrolyten

1 **Bezeichnung des Fertigarzneimittels**

Glucose-Lösung 12% mit Elektrolyten

2 **Darreichungsform**

Infusionslösung

3 **Zusammensetzung**

Wirksame Bestandteile:

Wasserfreie Glucose	120,00 g
Natriumdihydrogenphosphat-Dihydrat	2,808 g
Natriumchlorid	1,869 g
Kaliumchlorid	2,238 g
Magnesiumchlorid 6 H_2O	0,508 g
Zinkacetat-Dihydrat	10,10 mg

Sonstiger Bestandteil:

Wasser für Injektionszwecke	zu 1000,0 ml

Molare Konzentration

1 ml enthält: 0,05 mmol Na^+
　　　　　　　0,03 mmol K^+
　　　　　　　2,5 µmol Mg^{++}
　　　　　　　0,046 µmol Zn^{++}
　　　　　　　0,067 mmol Cl^-
　　　　　　　0,018 mmol $H_2PO_4^-$

4 **Herstellungsvorschrift**

Die für die Herstellung einer Charge benötigten Mengen wasserfreie Glucose, Natriumdihydrogenphosphat-Dihydrat, Natriumchlorid, Kaliumchlorid, Magnesiumchlorid 6 H_2O und Zinkacetat-Dihydrat werden in Wasser für Injektionszwecke gelöst. Die Lösung wird auf das erforderliche Volumen bzw. auf die erforderliche Masse aufgefüllt und durch ein Membranfilter von 0,2 µm nomineller Porengröße, falls erforderlich mit vorgeschaltetem Tiefenfilter, in die vorgesehenen Behältnisse filtriert. Die Sterilisation der abgefüllten Lösung erfolgt 15 Minuten lang bei 121 °C mit gesättigtem Wasserdampf.

5 Inprozess-Kontrollen

Überprüfung

– der relativen Dichte (AB. 2.2.5): 1,046 bis 1,054

oder

– des Brechungsindexes (AB. 2.2.6): 1,350 bis 1,352

sowie

– des pH-Wertes (AB. 2.2.3): 3,5 bis 6,5.

6 Eigenschaften und Prüfungen

6.1 Ausgangsstoffe

Zinkacetat-Dihydrat:

Die Substanz muss der Monographie „Zinkacetat-Dihydrat" des Deutschen Arzneimittel-Codes (DAC) in der jeweils gültigen Fassung entsprechen.

Wasserfreie Glucose:

Die Substanz muss der Prüfung auf Pyrogene (AB. 2.6.8) entsprechen. Je Kilogramm Körpermasse eines Kaninchens werden 10 ml einer Lösung, die 55 mg Substanz je Milliliter in Wasser für Injektionszwecke enthält, injiziert.

6.2 Fertigarzneimittel

6.2.1 Aussehen, Eigenschaften

Klare, von Schwebestoffen praktisch freie, farblose bis höchstens schwach gelbliche Lösung ohne wahrnehmbaren Geruch; pH-Wert (AB. 2.2.3) zwischen 3,5 und 6,5.

6.2.2 Prüfung auf Identität

Glucose

A. Entsprechend der Identitätsreaktion C. auf „Wasserfreie Glucose" gemäß AB.

B. Die mit gleichen Teilen Wasser verdünnte Lösung färbt Glucoseoxidase-Reagenzpapier.

Natrium

Entsprechend der Identitätsreaktion b) auf Natrium (AB. 2.3.1).

Kalium

2 ml der Lösung werden mit 1 ml Natriumtetraphenylborat-Lösung R versetzt. Es entsteht ein weißer Niederschlag.

Magnesium

5 ml der Lösung geben mit 6 ml Natriumhydroxid-Lösung 8,5 % R und 0,4 ml Titangelb-Lösung R eine rote Färbung.

Zink

5 ml der Lösung werden mit 5 ml Chloroform R, 2 Tropfen Dithizon-Lösung R und 2 Tropfen Ammoniak-Lösung R 1 versetzt und umgeschüttelt. Die Chloroformphase färbt sich intensiv rot.

Phosphat

Entsprechend der Identitätsreaktion b) auf Phosphat (AB. 2.3.1).

Chlorid

Entsprechend der Identitätsreaktion a) auf Chlorid (AB. 2.3.1).

6.2.3 Prüfung auf Reinheit

Prüfung auf Bakterien-Endotoxine (AB. 2.6.14):

Die Endotoxinkonzentration darf höchstens I.E./ml betragen.

Prüfung auf Bräunungsstoffe:

Die Lösung darf nicht stärker gefärbt sein als eine Farbvergleichslösung bestehend aus 0,4 ml Farbreferenz-Lösung BG und 9,6 ml Salzsäure 1 % RN.

Prüfung auf Hydroxymethylfurfural:

Es wird mit Wasser eine Verdünnung hergestellt, die in 500 ml 1 g Glucose enthält. Die Absorption (AB. 2.2.25) dieser Lösung darf bei 284 nm und einer Schichtdicke von 1 cm 0,25 nicht überschreiten (max. 0,088 %).

6.2.4 Gehalt

95,0 bis 105,0 Prozent der deklarierten Mengen an wasserfreier Glucose, Natrium, Kalium, Magnesium, Zink, Phosphat und Gesamtchlorid.

Bestimmung der Glucose:

100,0 ml der Lösung werden mit 0,2 ml Ammoniak-Lösung R 1 versetzt und 30 Minuten lang stehen gelassen.

Die spezifische Drehung (AB. 2.2.7) der Lösung wird bestimmt und ihr Gehalt berechnet ($[\alpha]_D^{20}$ = + 52,6°).

Bestimmung des Natriums:

Der Gehalt wird mit Hilfe der „Atomemissionsspektroskopie" (AB. 2.2.22, Methode I) bestimmt.

Untersuchungslösung: Eine genau gewogene Menge Lösung wird mit Wasser auf eine dem Gerät angepasste Verdünnung gebracht.

Referenzlösungen: Die Referenzlösungen werden aus der Natrium-Lösung R (200 ppm Na) hergestellt. Die Absorption wird bei 589,0 nm bestimmt unter Verwendung einer Natrium-Hohlkathodenlampe als Strahlungsquelle und einer Luft-Acetylen- oder Luft-Propan-Flamme.

Bestimmung des Kaliums:

Der Gehalt wird mit Hilfe der „Atomemissionsspektroskopie" (AB. 2.2.22, Methode I) bestimmt.

Untersuchungslösung: Eine genau gewogene Menge Lösung wird mit Wasser auf eine dem Gerät angepasste Verdünnung gebracht.

Referenzlösung: 1,144 g zuvor 3 Stunden lang bei 100 bis 105 °C getrocknetes Kaliumchlorid R werden in Wasser zu 100,0 ml gelöst (600 µg K/ml). Diese Lösung ist entsprechend zu verdünnen.

Die Absorption wird bei 766,5 nm bestimmt unter Verwendung einer Kalium-Hohlkathodenlampe als Strahlungsquelle und einer Luft-Acetylen- oder Luft-Propan-Flamme.

Bestimmung des Magnesiums:

Der Gehalt wird mit Hilfe der „Atomabsorptionsspektroskopie" (AB. 2.2.23, Methode I) bestimmt.

Untersuchungslösung: Eine genau gewogene Menge Lösung wird mit Wasser auf eine dem Gerät angepasste Verdünnung gebracht.

Referenzlösungen: Die Referenzlösungen werden aus der Magnesium-Lösung (100 ppm Mg) R hergestellt.

Die Absorption wird bei 285,2 nm bestimmt unter Verwendung einer Magnesium-Hohlkathodenlampe als Strahlungsquelle und einer Luft-Acetylen- oder Luft-Propan-Flamme.

Bestimmung des Phosphats:

Die Bestimmung erfolgt mit Hilfe der UV-Vis-Spektroskopie (AB. 2.2.25).

Untersuchungslösung: Die Infusionslösung wird mit Wasser zu einer Konzentration von 0,56 mg Natriumdihydrogenphosphat-Dihydrat pro 1,0 ml verdünnt.

Referenzlösung: 0,56 mg eines als Standard geeigneten Natriumdihydrogenphosphat-Dihydrates pro 1,0 ml Wasser.

Kompensationsflüssigkeit: Wasser.

0,25 ml von Untersuchungs- und Referenzlösung werden mit 5,0 ml stabilisierter Eisen-Trichloressigsäure-Lösung[1] und 0,5 ml Molybdat-Reagenz[2] versetzt. Die Absorptionen von Untersuchungs- und Referenzlösung werden im Maximum bei etwa 740 nm gegen die Kompensationsflüssigkeit gemessen. Die Berechnung des Phosphat-Gehaltes erfolgt unter Bezug auf die bekannte Konzentration und Absorption der Referenzlösung.

Bestimmung des Zink:

Der Gehalt wird mit Hilfe der „Atomabsorptionsspektroskopie" (AB. 2.2.23, Methode I) bestimmt.

Untersuchungslösung: Eine genau gewogene Menge Lösung wird mit Wasser auf eine dem Gerät angepasste Verdünnung gebracht.

Referenzlösungen: Die Referenzlösungen werden aus der Zink-Lösung R (5 ppm Zn) hergestellt.

Die Absorption wird bei 213,8 nm bestimmt unter Verwendung einer Zink-Hohlkathodenlampe als Strahlungsquelle und einer Luft-Acetylen-Flamme.

Bestimmung des Gesamtchlorids:

20,0 ml der Lösung werden mit 30 ml Wasser, 5 ml Salpetersäure 12,5% R, 20,0 ml Silbernitrat-Lösung (0,1 mol · l^{-1}) und 2 ml Dibutylphthalat R versetzt und

---

[1] 5,0 g Trichloressigsäure R werden in 30 ml Wasser gelöst. Nach Zusatz von 0,5 g Thioharnstoff R und 1,5 g Ammoniumeisen(II)-sulfat R wird mit Wasser zu 50,0 ml verdünnt. Die Lösung wird in einer Braunglasflasche aufbewahrt. Sie ist frisch herzustellen, wenn sich die Absorption der Referenzlösung um mehr als 20 Prozent verringert hat bzw. wenn die Kompensationsflüssigkeit sich blau färbt.

[2] 2,2 g Ammoniummolybdat R werden in 25 ml Wasser gelöst. Unter gleichzeitiger Kühlung werden 4,5 ml Schwefelsäure 96% R hinzugefügt. Die Lösung wird mit Wasser zu 50,0 ml verdünnt.

geschüttelt. Mit Ammoniumthiocyanat-Lösung (0,1 mol · l⁻¹) wird unter Zusatz von 2 ml Ammoniumeisen(III)-sulfat-Lösung R 2 bis zur rötlich gelben Färbung titriert, wobei vor dem Umschlagspunkt kräftig geschüttelt wird.

1 ml Silbernitrat-Lösung (0,1 mol · l⁻¹) entspricht 3,545 mg Chlorid.

6.2.4 Haltbarkeit

Die Haltbarkeit in den Behältnissen nach 7 beträgt 3 Jahre.

7 Behältnisse

Glasbehältnisse nach AB. 3.2.1, verschlossen mit Gummistopfen nach AB. 3.2.9.

8 Kennzeichnung

Nach § 10 AMG, insbesondere:

8.1 Zulassungsnummer

2489.99.99

8.2 Art der Anwendung

Zur intravenösen Infusion.

8.3 Hinweise

Apothekenpflichtig.

Nur klare Lösungen in unversehrten Behältnissen verwenden.

Theoretische Osmolarität: 852 mOsm/l.

pH-Wert: 3,5 bis 6,5.

Energiegehalt: 2040 kJ/l (480 kcal/l).

Titrationsazidität: bis pH 7,4: < 16 mmol/l.

Maximale Infusionsgeschwindigkeit: 2 ml/kg Körpermasse und Stunde (≡ 0,25 g Glucose).

Maximale Tagesdosis: 40 ml/kg Körpermasse und Tag (≡ 4,8 g Glucose/kg).

Molare Konzentration:

1 ml enthält	0,05	mmol Na^+
	0,03	mmol K^+
	2,5	µmol Mg^{++}
	0,046	µmol Zn^{++}
	0,067	mmol Cl^-
	0,018	mmol $H_2PO_4^-$

9 Packungsbeilage

Nach § 11 AMG, insbesondere:

6 Glucose-Lösung 12 % mit Elektrolyten

9.1 Stoff- oder Indikationsgruppe

Elektrolythaltige Kohlenhydratlösung.

1 ml enthält:
- 0,05 mmol Na^+
- 0,03 mmol K^+
- 2,5 µmol Mg^{++}
- 0,046 µmol Zn^{++}
- 0,067 mmol Cl^-
- 0,018 mmol $H_2PO_4^-$

9.2 Anwendungsgebiete

Substitution von Energie und Elektrolyten im Rahmen einer parenteralen Ernährung.

9.3 Gegenanzeigen

Absolute Gegenanzeigen:
- Überwässerungszustände (Hyperhydratationszustände)
- erhöhter Kaliumgehalt des Blutes (Hyperkaliämie)
- erhöhter Blutzuckerspiegel, der einen Einsatz von mehr als 6 Einheiten Insulin/Stunde erforderlich macht
- hyperosmolare Zustände
- stoffwechselbedingte Übersäuerung des Blutes (Azidose), insbesondere bei herabgesetzter Perfusion und unzureichendem Sauerstoffangebot.

Relative Gegenanzeigen:
- verminderter Natriumgehalt des Blutes (Hyponatriämie)
- Vorsicht ist geboten bei niereninsuffizienten Patienten mit Neigung zu erhöhtem Kaliumgehalt des Blutes.

Verwendung in der Schwangerschaft und Stillzeit:

Gegen eine Anwendung in der Schwangerschaft und Stillzeit bestehen keine Bedenken.

9.4 Vorsichtsmaßnahmen für die Anwendung

Kontrollen des Elektrolyt- und Flüssigkeitsstatus sowie der Blutglucosekonzentration sind erforderlich.

Es ist zu beachten, dass die vorgegebene Lösung nur einen Baustein für die parenterale Ernährung darstellt. Für eine vollständige parenterale Ernährung ist die gleichzeitige Substitution mit Proteinbausteinen, Elektrolyten, Vitaminen, essenziellen Fettsäuren und Spurenelementen erforderlich.

9.5 Wechselwirkungen mit anderen Mitteln

Wechselwirkungen sind bisher nicht bekannt.

Aufgrund des Calciumgehalts können Inkompatibilitäten mit phosphathaltigen und carbonathaltigen Lösungen bestehen.

Glucosehaltige Lösungen dürfen nicht gleichzeitig in demselben Schlauchsystem mit Blutkonserven verabreicht werden, da dies zu einer Pseudoagglutination führen kann.

9.6 Warnhinweise

Keine.

9.7 Dosierungsanleitung und Art und Dauer der Anwendung

Die Dosierung richtet sich nach dem Bedarf an Energie, Flüssigkeit und Elektrolyten.

Maximale Infusionsgeschwindigkeit:

Die Infusionsgeschwindigkeit ist durch den Glucose- und Kaliumgehalt der Lösung limitiert. Die Glucosezufuhr sollte 0,25 g/kg Körpermasse/Stunde (entsprechend ca. 2 ml/kg Körpermasse/Stunde) nicht überschreiten.

Maximale Tagesdosis:

Für die maximale Tagesdosis ist der Flüssigkeitsbedarf des Patienten limitierend. Nur in Ausnahmefällen (Postaggressionsstoffwechsel) kann die Glucosezufuhr zum limitierenden Faktor werden. Eine Flüssigkeitszufuhr von 40 ml/kg Körpermasse und Tag sollte bei Erwachsenen nicht überschritten werden. Damit werden 4,8 g Glucose/kg Körpermasse und Tag zugeführt.

Aufgrund der hohen Osmolarität ist die Applikation über einen zentralen Venenkatheter erforderlich.

Diese Lösung weist im Prinzip einen unphysiologisch zusammengesetzten Elektrolytgehalt auf und eignet sich daher nicht zur generellen Substitution von Flüssigkeit und Elektrolyten auf längere Zeit ohne Gabe zusätzlicher elektrolythaltiger Arzneimittel im Rahmen einer Gesamttherapie. Bei der alleinigen Applikation dieser Lösung über einen längeren Zeitraum sind in Abhängigkeit von der Nierenfunktion, Störungen im Flüssigkeits- und Elektrolythaushalt möglich.

9.8 Hinweise für den Fall der Überdosierung

Überdosierung kann zu erhöhtem Blutzuckerspiegel, Überwässerung, Störungen im Elektrolythaushalt (Hyperkaliämie) und zu Störungen im Säuren-Basen-Haushalt führen.

Therapie:

Unterbrechung der Zufuhr der Lösung, beschleunigte Elimination über die Nieren, eine entsprechende Bilanzierung der Elektrolyte und ggf. Insulinapplikation.

9.9 Nebenwirkungen

Bei bestimmungsgemäßer Anwendung sind keine Nebenwirkungen zu erwarten.

10 Fachinformation

Nach § 11a AMG, insbesondere:

10.1 Verschreibungsstatus/Apothekenpflicht

Apothekenpflichtig.

8 Glucose-Lösung 12 % mit Elektrolyten

10.2 Stoff- oder Indikationsgruppe

Elektrolythaltige Kohlenhydratlösung.

1 ml enthält:
- 0,05 mmol Na^+
- 0,03 mmol K^+
- 2,5 µmol Mg^{++}
- 0,046 µmol Zn^{++}
- 0,067 mmol Cl^-
- 0,018 mmol $H_2PO_4^-$

10.3 Anwendungsgebiete

Substitution von Energie und Elektrolyten im Rahmen einer parenteralen Ernährung.

10.4 Gegenanzeigen

Absolute Kontraindikationen:
- Hyperhydratationszustände
- Hyperkaliämie
- Insulinrefraktäre Hyperglykämie, die einen Einsatz von mehr als 6 Einheiten Insulin/Stunde erforderlich macht
- Hyperosmolare Zustände
- Metabolische Azidosen, insbesondere bei Minderperfusion und unzureichendem Sauerstoffangebot.

Relative Kontraindikationen:
- Hyponatriämie
- Vorsicht ist geboten bei niereninsuffizienten Patienten mit Neigung zur Hyperkaliämie.

10.5 Nebenwirkungen

Bei bestimmungsgemäßer Anwendung keine.

10.6 Wechselwirkungen mit anderen Mitteln

Wechselwirkungen sind bisher nicht bekannt.

10.7 Warnhinweise

Keine.

10.8 Wichtigste Inkompatibilitäten

Aufgrund des Calciumgehalts können Inkompatibilitäten mit phosphathaltigen und carbonathaltigen Lösungen bestehen.

Glucosehaltige Lösungen dürfen nicht gleichzeitig in demselben Schlauchsystem mit Blutkonserven verabreicht werden, da dies zu einer Pseudoagglutination führen kann.

10.9 Dosierung mit Einzel- und Tagesgaben

Die Dosierung richtet sich nach dem Bedarf an Energie, Flüssigkeit und Elektrolyten.

Maximale Infusionsgeschwindigkeit:

Die Infusionsgeschwindigkeit ist durch den Glucose- und Kaliumgehalt der Lösung limitiert. Die Glucosezufuhr sollte 0,25 g/kg Körpermasse/Stunde (entsprechend ca. 2 ml/kg Körpermasse/Stunde) nicht überschreiten.

Maximale Tagesdosis:

Für die maximale Tagesdosis ist der Flüssigkeitsbedarf des Patienten limitierend. Nur in Ausnahmefällen (Postaggressionsstoffwechsel) kann die Glucosezufuhr zum limitierenden Faktor werden. Eine Flüssigkeitszufuhr von 40 ml/kg Körpermasse und Tag sollte bei Erwachsenen nicht überschritten werden. Damit werden 4,8 g Glucose/kg Körpermasse und Tag zugeführt.

10.10 Art und Dauer der Anwendung

Aufgrund der hohen Osmolarität ist die Applikation über einen zentralen Venenkatheter erforderlich.

Diese Lösung weist im Prinzip einen unphysiologisch zusammengesetzten Elektrolytgehalt auf und eignet sich daher nicht zur generellen Substitution von Flüssigkeit und Elektrolyten auf längere Zeit ohne Gabe zusätzlicher elektrolythaltiger Arzneimittel im Rahmen einer Gesamttherapie. Bei der alleinigen Applikation dieser Lösung über einen längeren Zeitraum sind in Abhängigkeit von der Nierenfunktion, Störungen im Flüssigkeits- und Elektrolythaushalt möglich.

10.11 Notfallmaßnahmen, Symptome und Gegenmittel

Symptome der Überdosierung:

– Hyperglykämie

– Überwässerung

– Störungen im Elektrolythaushalt (Hyperkaliämie)

– Störungen im Säuren-Basen-Haushalt.

Therapie bei Überdosierung:

– Unterbrechung der Zufuhr

– beschleunigte renale Elimination

– eine entsprechende Bilanzierung der Elektrolyte

– ggf. Insulinapplikation.

10.12 Pharmakologische und toxikologische Eigenschaften, Pharmakokinetik, Bioverfügbarkeit, soweit diese Angaben für die therapeutische Verwendung erforderlich sind

Die Lösung ist durch den relativ hohen Energiegehalt der Glucose als Hauptbestandteil charakterisiert. Entsprechend der Stoffwechselsituation und ggf. unterschiedlicher Fähigkeit des Organismus zur Glucoseoxidation können im Rahmen der empfohlenen Dosisrichtlinien zwischen 2 und 5 g Glucose/kg Körpermasse und Tag appliziert werden. Die Elektrolytzusammensetzung ist so gewählt, dass eine minimale Zufuhr der wichtigsten Elektrolyte inklusive Phosphat und Zink erfolgt.

Glucose wird als natürliches Substrat der Zellen im Organismus ubiquitär verstoffwechselt. Sie ist unter physiologischen Bedingungen das wichtigste energieliefernde Kohlenhydrat mit einem Brennwert von ca. 17 kJ bzw. ca. 4 kcal/g. Unter anderem sind Nervengewebe, Erythrozyten und Nierenmark obligat auf die Zufuhr von Glucose angewiesen. Der Normalwert der Glucosekonzentration im Blut wird für den nüchternen Zustand mit 50–95 mg/100 ml bzw. 2,8–5,3 mmol/l angegeben.

Glucose dient einerseits dem Aufbau von Glycogen als Speicherform für Kohlenhydrate und unterliegt andererseits dem glycolytischen Abbau zu Pyruvat bzw. Lactat zur Energiegewinnung in den Zellen. Glucose dient außerdem der Aufrechterhaltung des Blutzuckerspiegels und der Biosynthese wichtiger Körperbestandteile. An der hormonellen Regulation des Blutzuckerspiegels sind im Wesentlichen Insulin, Glucagon, Glucocorticoide und Katecholamine beteiligt.

Bei der Infusion verteilt sich Glucose zunächst im intravasalen Raum, um dann in den Intrazellulärraum aufgenommen zu werden.

Glucose wird in der Glycolyse zu Pyruvat bzw. Lactat metabolisiert. Lactat kann z.T. wieder in den Glucosestoffwechsel (Cori-Zyklus) eingeschleust werden. Unter aeroben Bedingungen wird Pyruvat vollständig zu Kohlendioxid und Wasser oxidiert. Die Endprodukte der vollständigen Oxidation von Glucose werden über die Lunge (Kohlendioxid) und die Nieren (Wasser) eliminiert.

Beim Gesunden wird Glucose praktisch nicht renal eliminiert. In pathologischen Stoffwechselsituationen (z.B. Diabetes mellitus, Postaggressionsstoffwechsel), die mit Hyperglykämien (Glucosekonzentrationen im Blut über 120 mg/100 ml bzw. 6,7 mmol/l) einhergehen, wird bei Überschreiten der maximalen tubulären Transportkapazität (180 mg/100 ml bzw. 10 mmol/l) Glucose auch über die Nieren ausgeschieden (Glucosurie).

Voraussetzung für eine optimale Utilisation von zugeführter Glucose ist ein normaler Elektrolyt- und Säuren-Basen-Status. So kann insbesondere eine Azidose eine Einschränkung der oxidativen Verwertung anzeigen.

Es bestehen enge Wechselbeziehungen zwischen den Elektrolyten und dem Kohlenhydratstoffwechsel, davon ist besonders Kalium betroffen. Die Verwertung von Glucose geht mit einem erhöhten Kaliumbedarf einher. Bei Nichtbeachtung dieses Zusammenhangs können erhebliche Störungen im Kaliumstoffwechsel entstehen, die u.a. zu massiven Herzrhythmusstörungen Anlass geben können.

Unter pathologischen Stoffwechselbedingungen können Glucoseverwertungsstörungen (Glucoseintoleranzen) auftreten. Dazu zählen in erster Linie der Diabetes mellitus sowie die bei so genannten Stressstoffwechselzuständen (z.B. intra- und postoperativ, schwere Erkrankungen, Verletzungen) hormonell induzierte Herabsetzung der Glucosetoleranz, die auch ohne exogene Substratzufuhr zu Hyperglykämien führen können. Hyperglykämien können – je nach Ausprägung – zu osmotisch bedingten Flüssigkeitsverlusten über die Niere mit konsekutiver hypertoner Dehydratation, hyperosmolaren Störungen bis hin zum hyperosmolaren Koma führen.

Eine übermäßige Glucosezufuhr, insbesondere im Rahmen eines Postaggressionssyndroms, kann zu einer deutlichen Verstärkung der Glucoseutilisationsstörung führen und, bedingt durch die Einschränkung der oxidativen Glucoseverwertung, zur vermehrten Umwandlung von Glucose in Fett beitragen. Dies wiederum kann u. a. mit einer gesteigerten Kohlendioxidbelastung des Organismus (Probleme bei der Entwöhnung vom Respirator) sowie vermehrter Fettinfiltration der Gewebe – insbesondere der Leber – verbunden sein. Besonders gefährdet durch Störungen der Glucosehomöostase sind Patienten mit Schädel-Hirn-Verletzungen und Hirnödem. Hier können bereits geringfügige Störungen der Blutglucosekonzentration und der damit verbundene Anstieg der Plasma-(Serum)osmolalität zu einer erheblichen Verstärkung der zerebralen Schäden beitragen.

Für die parenterale Zufuhr von Zink im Rahmen einer parenteralen Ernährung wird bei Erwachsenen eine Dosis zwischen 21 und 92 µmol pro Tag empfohlen. Die meisten Patienten haben einen erhöhten Zinkverlust bedingt durch Proteinabbau und konsekutiv vermehrte Ausscheidung mit dem Urin sowie durch die Bildung von Zink-Aminosäuren-Komplexen unter parenteraler Aminosäurenzufuhr. Darüber hinaus können sich zusätzliche Verluste über Fisteln, Drainagen, Darmsekrete etc. ergeben, sodass entsprechend Literaturempfehlungen Zufuhrraten bis zum Doppelten der oben angegebenen Dosis angemessen sein können.

10.13 Sonstige Hinweise

Gegen eine Anwendung in der Schwangerschaft und Stillzeit bestehen keine Bedenken.

Kontrollen des Elektrolyt- und Flüssigkeitstatus sowie der Blutglucosekonzentration sind erforderlich.

Es ist zu beachten, dass die vorgegebene Lösung nur einen Baustein für die parenterale Ernährung darstellt. Für eine vollständige parenterale Ernährung ist die gleichzeitige Substitution mit Proteinbausteinen, Elektrolyten, Vitaminen, essenziellen Fettsäuren und Spurenelementen erforderlich.

10.14 Besondere Lager- und Aufbewahrungshinweise

Keine.

Glucose-Lösung 5 % mit Natriumchlorid 0,45 %

1 Bezeichnung des Fertigarzneimittels

Glucose-Lösung 5 % mit Natriumchlorid 0,45 %

2 Darreichungsform

Infusionslösung

3 Zusammensetzung

Wirksame Bestandteile:

Wasserfreie Glucose	50,0 g
Natriumchlorid	4,5 g

Sonstiger Bestandteil:

Wasser für Injektionszwecke	zu 1000,0 ml

Molare Konzentration

1 ml enthält: 0,077 mmol Na^+

0,077 mmol Cl^-

4 Herstellungsvorschrift

Die für die Herstellung einer Charge benötigten Mengen wasserfreie Glucose und Natriumchlorid werden in Wasser für Injektionszwecke gelöst. Die Lösung wird auf das erforderliche Volumen bzw. auf die erforderliche Masse aufgefüllt und durch ein Membranfilter von 0,2 µm nomineller Porengröße, falls erforderlich mit vorgeschaltetem Tiefenfilter, in die vorgesehenen Behältnisse filtriert. Die Sterilisation der abgefüllten Lösung erfolgt 15 Minuten lang bei 121 °C mit gesättigtem Wasserdampf.

5 Inprozess-Kontrollen

Überprüfung

– der relativen Dichte (AB. 2.2.5): 1,018 bis 1,026

oder

– des Brechungsindexes (AB. 2.2.6): 1,340 bis 1,342

sowie

– des pH-Wertes (AB. 2.2.3): 3,5 bis 6,5.

6 Eigenschaften und Prüfungen

6.1 Ausgangsstoffe

Wasserfreie Glucose:

Die Substanz muss der Prüfung auf Pyrogene (AB. 2.6.8) entsprechen.

Je Kilogramm Körpermasse eines Kaninchens werden 10 ml einer Lösung, die 55 mg Substanz je Milliliter in Wasser für Injektionszwecke enthält, injiziert.

6.2 Fertigarzneimittel

6.2.1 Aussehen, Eigenschaften

Klare, von Schwebestoffen praktisch freie, farblose bis höchstens schwach gelbliche Lösung ohne wahrnehmbaren Geruch; pH-Wert (AB. 2.2.3) zwischen 3,5 und 6,5.

6.2.2 Prüfung auf Identität

Glucose

A. Entsprechend der Identitätsreaktion C. auf „Wasserfreie Glucose" gemäß AB.

B. Die mit gleichen Teilen Wasser verdünnte Lösung färbt Glucoseoxidase-Reagenzpapier.

Natrium

Entsprechend der Identitätsreaktion b) auf Natrium (AB. 2.3.1).

Chlorid

Entsprechend der Identitätsreaktion a) auf Chlorid (AB. 2.3.1).

6.2.3 Prüfung auf Reinheit

Prüfung auf Bakterien-Endotoxine (AB. 2.6.14):

Die Endotoxinkonzentration darf höchstens 1,0 I.E./ml betragen.

Prüfung auf Bräunungsstoffe:

Die Lösung darf nicht stärker gefärbt sein als eine Farbvergleichslösung bestehend aus 0,2 ml Farbreferenz-Lösung BG und 9,8 ml Salzsäure 1 % RN.

Prüfung auf Hydroxymethylfurfural:

Es wird mit Wasser eine Verdünnung hergestellt, die in 500 ml 1 g Glucose enthält. Die Absorption (AB. 2.2.25) dieser Lösung darf bei 284 nm und einer Schichtdicke von 1 cm 0,25 nicht überschreiten (max. 0,088 %).

6.2.4 Gehalt

95,0 bis 105,0 Prozent der deklarierten Mengen an wasserfreier Glucose und Natriumchlorid.

Bestimmung der Glucose:

100,0 ml der Lösung werden mit 0,2 ml Ammoniak-Lösung R 1 versetzt und 30 Minuten lang stehen gelassen.

Die spezifische Drehung (AB. 2.2.7) der Lösung wird bestimmt und ihr Gehalt berechnet ($[\alpha]_D^{20} = +52,6°$).

Bestimmung des Natriumchlorids:

Ein 90,0 mg Natriumchlorid entsprechendes Volumen Infusionslösung wird mit Wasser zu 50 ml verdünnt, mit 5 ml Salpetersäure 12,5 % R, 25,0 ml Silbernitrat-

Lösung (0,1 mol · l^{-1}) und 2 ml Dibutylphthalat R versetzt und geschüttelt. Mit Ammoniumthiocyanat-Lösung (0,1 mol · l^{-1}) wird unter Zusatz von 2 ml Ammoniumeisen(III)-sulfat-Lösung R 2 bis zur rötlich gelben Färbung titriert, wobei vor dem Umschlagspunkt kräftig geschüttelt wird.

1 ml Silbernitrat-Lösung (0,1 mol · l^{-1}) entspricht 5,844 mg Natriumchlorid.

6.2.5 Haltbarkeit

Die Haltbarkeit in den Behältnissen nach 7 beträgt 3 Jahre.

7 Behältnisse

Glasbehältnisse nach AB. 3.2.1, verschlossen mit Gummistopfen nach AB. 3.2.9.

8 Kennzeichnung

Nach § 10 AMG, insbesondere:

8.1 Zulassungsnummer

2509.99.99

8.2 Art der Anwendung

Zur intravenösen Infusion.

8.3 Hinweise

Apothekenpflichtig.

Nur klare Lösungen in unversehrten Behältnissen verwenden.

Theoretische Osmolarität: 432 mOsm/l.

pH-Wert: 3,5 bis 6,5

Energiegehalt 850 kJ/l (200 kcal/l).

Titrationsazidität: bis pH 7,4: < 0,2 mmol/l.

Maximale Infusionsgeschwindigkeit: 5 ml/kg Körpermasse und Stunde ($\equiv$ 0,25 g Glucose).

Maximale Tagesdosis: 40 ml/kg Körpermasse und Tag (2 g Glucose/kg).

Molare Konzentration:

1 ml enthält:　0,077 mmol Na$^+$

　　　　　　　0,077 mmol Cl$^-$

9 Packungsbeilage

Nach § 11 AMG, insbesondere:

9.1 Stoff- oder Indikationsgruppe

Elektrolythaltige Kohlenhydratlösung.

1 ml enthält:　0,077 mmol Na$^+$

　　　　　　　0,077 mmol Cl$^-$

4 Glucose-Lösung 5 % mit Natriumchlorid 0,45 %

9.2 Anwendungsgebiete

Hypertone Dehydratation; isotone Dehydratation.

Zur teilweisen Deckung des Energiebedarfs; als Trägerlösung für kompatible Elektrolytkonzentrate und Medikamente.

9.3 Gegenanzeigen

Absolute Gegenanzeigen:
- Überwässerungszustände (Hyperhydratationszustände)
- Verminderter Kaliumgehalt des Blutes (Hypokaliämie)
- Verlust von Körperwasser und Elektrolyten (hypotone Dehydratation).

Relative Gegenanzeigen:
- Verminderter Natriumgehalt des Blutes (Hyponatriämie)
- Erhöhter Blutzuckerspiegel, der einen Einsatz von mehr als 6 Einheiten Insulin/Stunde erforderlich macht.

Verwendung in der Schwangerschaft und Stillzeit:

Gegen eine Anwendung in der Schwangerschaft und Stillzeit bestehen keine Bedenken.

9.4 Vorsichtsmaßnahmen für die Anwendung

Kontrollen des Elektrolyt- und Flüssigkeitsstatus sind erforderlich.

Die Kontrolle der Blutglucosekonzentration ist postoperativ und posttraumatisch und bei anderen Störungen der Glucosetoleranz (Hyperglykämien) erforderlich.

Aufgrund des hohen Energiegehaltes bei Anwendung einer kaliumfreien Lösung ist eine regelmäßige Kontrolle des Kaliumspiegels zu empfehlen.

Zur Behandlung der hypertonen Dehydratation sollen nur Lösungen mit einem Natriumgehalt von mindestens 70 mmol/l verwendet werden. Der Ausgleich der Dehydratation sollte nicht schneller als in 48 Stunden erfolgen.

9.5 Wechselwirkungen mit anderen Mitteln

Wechselwirkungen sind bisher nicht bekannt.

Glucosehaltige Lösungen dürfen nicht gleichzeitig in demselben Schlauchsystem mit Blutkonserven verabreicht werden, da dies zu einer Pseudoagglutination führen kann.

9.6 Warnhinweise

Keine.

9.7 Dosierungsanleitung und Art der Anwendung

Die Dosierung richtet sich nach dem Bedarf an Flüssigkeit und Elektrolyten.

Maximale Infusionsgeschwindigkeit:

Die Infusionsgeschwindigkeit ist durch den Glucosegehalt der Lösung limitiert. Die Glucosezufuhr sollte 0,25 g/kg Körpermasse/Stunde (entsprechend 5 ml/kg Körpermasse/Stunde) nicht überschreiten.

Maximale Tagesdosis:

Für die maximale Tagesdosis ist der Flüssigkeitsbedarf des Patienten limitierend. Eine Flüssigkeitszufuhr von 40 ml/kg Körpermasse und Tag sollte bei Erwachsenen nicht überschritten werden. Eine teilweise Deckung des Energiebedarfs im Sinne der Substitution des obligaten Glucosebedarfs ist nur in einer Dosierung von 40 ml/kg Körpermasse und Tag (entsprechend 2 g Glucose/kg Körpermasse und Tag) möglich.

9.8 Hinweise für den Fall der Überdosierung

Überdosierung kann zu Überwässerung, erhöhtem Glucosegehalt des Blutes (Hyperglykämie), Störungen im Elektrolythaushalt (Hypokaliämie, Hyponatriämie) und zu Störungen im Säuren-Basen-Haushalt führen.

Therapie:

Unterbrechung der Zufuhr der Lösung, beschleunigte Elimination über die Nieren, eine entsprechende Bilanzierung der Elektrolyte und ggf. Insulinapplikation.

9.9 Nebenwirkungen

Bei bestimmungsgemäßer Anwendung sind keine Nebenwirkungen zu erwarten.

10 Fachinformation

Nach § 11a AMG, insbesondere:

10.1 Verschreibungsstatus/Apothekenpflicht

Apothekenpflichtig.

10.2 Stoff- oder Indikationsgruppe

Elektrolythaltige Kohlenhydratlösung.

10.3 Anwendungsgebiete

Hypertone Dehydratation; isotone Dehydratation;

zur partiellen Deckung des Energiebedarfs;

als Trägerlösung für kompatible Elektrolytkonzentrate und Medikamente.

10.4 Gegenanzeigen

Absolute Kontraindikationen:

– Hyperhydratationszustände

– Hypokaliämie

– hypotone Dehydratation.

Relative Kontraindikationen:

– Hyponatriämie

– insulinrefraktäre Hyperglykämie, die einen Einsatz von mehr als 6 Einheiten Insulin/Stunde erforderlich macht.

10.5 Nebenwirkungen

Bei bestimmungsgemäßer Anwendung keine.

10.6 Wechselwirkungen mit anderen Mitteln

Wechselwirkungen sind bisher nicht bekannt.

10.7 Warnhinweise

Keine.

10.8 Wichtigste Inkompatibilitäten

Glucosehaltige Lösungen dürfen nicht gleichzeitig in demselben Schlauchsystem mit Blutkonserven verabreicht werden, da dies zu einer Pseudoagglutination führen kann.

10.9 Dosierung und Art der Anwendung

Die Dosierung richtet sich nach dem Bedarf an Flüssigkeit und Elektrolyten.

Maximale Infusionsgeschwindigkeit:

Die Infusionsgeschwindigkeit ist durch den Glucosegehalt der Lösung limitiert. Die Glucosezufuhr sollte 0,25 g/kg Körpermasse/Stunde (entsprechend 5 ml/kg Körpermasse/Stunde) nicht überschreiten.

Maximale Tagesdosis:

Für die maximale Tagesdosis ist der Flüssigkeitsbedarf des Patienten limitierend. Eine Flüssigkeitszufuhr von 40 ml/kg Körpermasse und Tag sollte bei Erwachsenen nicht überschritten werden. Eine teilweise Deckung des Energiebedarfs im Sinne der Substitution des obligaten Glucosebedarfs ist nur mit einer Dosierung von 40 ml/kg Körpermasse und Tag (entsprechend 2 g Glucose/kg Körpermasse und Tag) möglich.

10.10 Notfallmaßnahmen, Symptome und Gegenmittel

Symptome der Überdosierung:

- Überwässerung
- Hyperkaliämie
- Störungen im Elektrolythaushalt (Hypokaliämie, Hyponatriämie)
- Störungen im Säuren-Basen-Haushalt.

Therapie bei Überdosierung:

- Unterbrechung der Zufuhr
- beschleunigte renale Elimination
- eine entsprechende Bilanzierung der Elektrolyte
- ggf. Insulinapplikation.

10.11 Pharmakologische und toxikologische Eigenschaften, Pharmakokinetik, Bioverfügbarkeit, soweit diese Angaben für die therapeutische Verwendung erforderlich sind

Die Lösung enthält Natrium und Chlorid in äquimolaren Anteilen, die in der Gesamtosmolarität der Hälfte der physiologischen Plasmaosmolarität entsprechen, und einen 5%igen Kohlenhydratanteil in Form von Glucose zur Herstellung der Isotonie.

Natrium ist das Hauptkation des extrazellulären Flüssigkeitsraumes und reguliert zusammen mit verschiedenen Anionen dessen Größe. Natrium und Kalium sind die Hauptträger bioelektrischer Vorgänge im Organismus.

Der Natriumgehalt und Flüssigkeitsstoffwechsel des Organismus sind eng miteinander gekoppelt. Jede vom Physiologischen abweichende Veränderung der Plasmanatriumkonzentration beeinflusst gleichzeitig den Flüssigkeitsstatus des Organismus. Unabhängig von der Serumosmolalität bedeutet ein vermehrter Natriumgehalt einen gesteigerten Flüssigkeitsgehalt bzw. ein verminderter Natriumgehalt des Organismus eine Abnahme des Körperwassers.

Der Gesamtnatriumgehalt des Organismus beträgt ca. 80 mmol/kg, davon befinden sich ca. 97% extrazellulär und ca. 3% intrazellulär. Der Tagesumsatz beträgt etwa 100–180 mmol (entsprechend 1,5–2,5 mmol/kg Körpermasse).

Die Nieren sind der Hauptregulator des Natrium- und Wasserhaushaltes. Im Zusammenspiel mit hormonellen Steuerungsmechanismen (Renin-Angiotensin-Aldosteron-System, antidiuretisches Hormon) sowie dem hypothetischen natriuretischen Hormon sind sie hauptsächlich für die Volumenkonstanz und Flüssigkeitszusammensetzung des Extrazellulärraumes verantwortlich.

Glucose wird als natürliches Substrat der Zellen im Organismus ubiquitär verstoffwechselt. Sie ist unter physiologischen Bedingungen das wichtigste energieliefernde Kohlenhydrat mit einem Brennwert von ca. 17 kJ bzw. ca. 4 kcal/g. Unter anderem sind Nervengewebe, Erythrozyten und Nierenmark obligat auf die Zufuhr von Glucose angewiesen. Der Normalwert der Glucosekonzentration im Blut wird für den nüchternen Zustand mit 50–95 mg/100 ml bzw. 2,8–5,3 mmol/l angegeben.

Glucose dient einerseits dem Aufbau von Glycogen als Speicherform für Kohlenhydrate und unterliegt andererseits dem glycolytischen Abbau zu Pyruvat bzw. Lactat zur Energiegewinnung in den Zellen. Glucose dient außerdem der Aufrechterhaltung des Blutzuckerspiegels und der Biosynthese wichtiger Körperbestandteile. An der hormonellen Regulation des Blutzuckerspiegels sind im Wesentlichen Insulin, Glucagon, Glucocorticoide und Katecholamine beteiligt.

Bei der Infusion verteilt sich Glucose zunächst im intravasalen Raum, um dann in den Intrazellulärraum aufgenommen zu werden.

Glucose wird in der Glycolyse zu Pyruvat bzw. Lactat metabolisiert. Lactat kann z. T. wieder in den Glucosestoffwechsel (Cori-Zyklus) eingeschleust werden. Unter aeroben Bedingungen wird Pyruvat vollständig zu Kohlendioxid und Wasser oxidiert. Die Endprodukte der vollständigen Oxidation von Glucose werden über die Lunge (Kohlendioxid) und die Nieren (Wasser) eliminiert.

Bei Gesunden wird Glucose praktisch nicht renal eliminiert. In pathologischen Stoffwechselsituationen (z. B. Diabetes mellitus, Postaggressionsstoffwechsel), die mit Hyperglykämien (Glucosekonzentrationen im Blut über 120 mg/100 ml bzw. 6,7 mmol/l) einhergehen, wird bei Überschreiten der maximalen tubulären Transportkapazität (180 mg/100 ml bzw. 10 mmol/l) Glucose auch über die Nieren ausgeschieden (Glucosurie).

Voraussetzung für eine optimale Utilisation von zugeführter Glucose ist ein normaler Elektrolyt- und Säuren-Basen-Status. So kann insbesondere eine Azidose eine Einschränkung der oxidativen Verwertung anzeigen.

Es bestehen enge Wechselbeziehungen zwischen den Elektrolyten und dem Kohlenhydratstoffwechsel, davon ist besonders Kalium betroffen. Die Verwertung von Glucose geht mit einem erhöhten Kaliumbedarf einher. Bei Nichtbeachtung dieses Zusammenhangs können erhebliche Störungen im Kaliumstoffwechsel entstehen, die u. a. zu massiven Herzrhythmusstörungen Anlass geben können.

Unter pathologischen Stoffwechselbedingungen können Glucoseverwertungsstörungen (Glucoseintoleranzen) auftreten. Dazu zählen in erster Linie der Diabetes mellitus sowie die bei so genannten Stressstoffwechselzuständen (z. B. intra- und postoperativ, schwere Erkrankungen, Verletzungen) hormonell induzierte Herabsetzung der Glucosetoleranz, die auch ohne exogene Substratzufuhr zu Hyperglykämien führen können. Hyperglykämien können – je nach Ausprägung – zu osmotisch bedingten Flüssigkeitsverlusten über die Niere mit konsekutiver hypertoner Dehydration, hyperosmolaren Störungen bis hin zum hyperosmolaren Koma führen.

Eine übermäßige Glucosezufuhr, insbesondere im Rahmen eines Postaggressionssyndroms, kann zu einer deutlichen Verstärkung der Glucoseutilisationsstörung führen und, bedingt durch die Einschränkung der oxidativen Glucoseverwertung, zur vermehrten Umwandlung von Glucose in Fett beitragen. Dies wiederum kann u. a. mit einer gesteigerten Kohlendioxidbelastung des Organismus (Probleme bei der Entwöhnung vom Respirator) sowie vermehrter Fettinfiltration der Gewebe – insbesondere der Leber – verbunden sein. Besonders gefährdet durch Störungen der Glucosehomöostase sind Patienten mit Schädel-Hirn-Verletzungen und Hirnödem. Hier können bereits geringfügige Störungen der Blutglucosekonzentration und der damit verbundene Anstieg der Plasma(Serum)osmolalität zu einer erheblichen Verstärkung der zerebralen Schäden beitragen.

In entsprechender Dosierung (40 ml/kg Körpermasse und Tag) kann mit dieser Lösung eine Deckung des obligaten Kohlenhydratbedarfs in der Größenordnung von 2 g Glucose/kg Körpermasse und Tag (hypokalorische Infusionstherapie) erreicht werden. Die Lösung wird eingesetzt in einem Bereich, in dem die Kompensationsmöglichkeiten des Organismus so groß sind, dass die Variationen der Elektrolytkonzentration keine Rolle spielen.

10.12 Sonstige Hinweise

Gegen eine Anwendung in der Schwangerschaft und Stillzeit bestehen keine Bedenken.

Kontrollen des Elektrolyt- und Flüssigkeitsstatus sind erforderlich.

Die Kontrolle der Blutglucosekonzentration ist postoperativ und posttraumatisch und bei anderen Störungen der Glucosetoleranz (Hyperglykämien) erforderlich.

Aufgrund des hohen Energiegehaltes bei Anwendung einer kaliumfreien Lösung ist eine regelmäßige Kontrolle des Kaliumspiegels zu empfehlen.

Bei hypertoner Dehydratation sollen nur Lösungen mit einem Natriumgehalt von mindestens 70 mmol/l verwendet werden. Der Ausgleich der Dehydratation sollte nicht schneller als in 48 Stunden erfolgen.

10.13 Besondere Lager- und Aufbewahrungshinweise

Keine.

Glucose-Lösung 5% mit Natriumchlorid 0,9%

1 **Bezeichnung des Fertigarzneimittels**

Glucose-Lösung 5% mit Natriumchlorid 0,9%

2 **Darreichungsform**

Infusionslösung

3 **Zusammensetzung**

Wirksame Bestandteile:

Wasserfreie Glucose	50,0 g
Natriumchlorid	9,0 g

Sonstiger Bestandteil:

Wasser für Injektionszwecke	zu 1000,0 ml

Molare Konzentration

1 ml enthält: 0,154 mmol Na^+

0,154 mmol Cl^-

4 **Herstellungsvorschrift**

Die für die Herstellung einer Charge benötigten Mengen wasserfreie Glucose und Natriumchlorid werden in Wasser für Injektionszwecke gelöst. Die Lösung wird auf das erforderliche Volumen bzw. auf die erforderliche Masse aufgefüllt und durch ein Membranfilter von 0,2 μm nomineller Porengröße, falls erforderlich mit vorgeschaltetem Tiefenfilter, in die vorgesehenen Behältnisse filtriert. Die Sterilisation der abgefüllten Lösung erfolgt 15 Minuten lang bei 121 °C mit gesättigtem Wasserdampf.

5 **Inprozess-Kontrollen**

Überprüfung

– der relativen Dichte (AB. 2.2.5): 1,022 bis 1,030

oder

– des Brechungsindexes (AB. 2.2.6): 1,341 bis 1,343

sowie

– der pH-Wertes (AB. 2.2.3): 3,5 bis 6,5.

6 **Eigenschaften und Prüfungen**

6.1 Ausgangsstoffe

Wasserfreie Glucose:

Die Substanz muss der Prüfung auf Pyrogene (AB. 2.6.8) entsprechen.

2   Glucose-Lösung 5% mit Natriumchlorid 0,9%

Je Kilogramm Körpermasse eines Kaninchens werden 10 ml einer Lösung, die 55 mg Substanz je Milliliter in Wasser für Injektionszwecke enthält, injiziert.

6.2 Fertigarzneimittel

6.2.1 Aussehen, Eigenschaften

Klare, von Schwebestoffen praktisch freie, farblose bis höchstens schwach gelbliche Lösung ohne wahrnehmbaren Geruch; pH-Wert (AB. 2.2.3) zwischen 3,5 und 6,5.

6.2.2 Prüfung auf Identität

Glucose

A. Entsprechend der Identitätsreaktion C. auf „Wasserfreie Glucose" gemäß AB.

B. Die mit gleichen Teilen Wasser verdünnte Lösung färbt Glucoseoxidase-Reagenzpapier.

Natrium

Entsprechend der Identitätsreaktion b) auf Natrium (AB. 2.3.1).

Chlorid

Entsprechend der Identitätsreaktion a) auf Chlorid (AB. 2.3.1).

6.2.3 Prüfung auf Reinheit

Prüfung auf Bakterien-Endotoxine (AB. 2.6.14):

Die Endotoxinkonzentration darf höchstens 1,0 I.E./ml betragen.

Prüfung auf Bräunungsstoffe:

Die Lösung darf nicht stärker gefärbt sein als eine Farbvergleichslösung bestehend aus 0,2 ml Farbreferenz-Lösung BG und 9,8 ml Salzsäure 1% RN.

Prüfung auf Hydroxymethylfurfural:

Es wird mit Wasser eine Verdünnung hergestellt, die in 500 ml 1 g Glucose enthält. Die Absorption (AB. 2.2.25) dieser Lösung darf bei 284 nm und einer Schichtdicke von 1 cm 0,25 nicht überschreiten (max. 0,088%).

6.2.4 Gehalt

95,0 bis 105,0 Prozent der deklarierten Mengen an wasserfreier Glucose und Natriumchlorid.

Bestimmung der Glucose:

100,0 ml der Lösung werden mit 0,2 ml Ammoniak-Lösung R 1 versetzt und 30 Minuten lang stehen gelassen.

Die spezifische Drehung (AB. 2.2.7) der Lösung wird bestimmt und ihr Gehalt berechnet ($[\alpha]_D^{20} = + 52{,}6°$).

Bestimmung des Natriumchlorids:

Ein 90,0 mg Natriumchlorid entsprechendes Volumen Infusionslösung wird mit Wasser zu 50 ml verdünnt, mit 5 ml Salpetersäure 12,5% R, 25,0 ml Silbernitrat-

Lösung (0,1 mol · l^{-1}) und 2 ml Dibutylphthalat R versetzt und geschüttelt. Mit Ammoniumthiocyanat-Lösung (0,1 mol · l^{-1}) wird unter Zusatz von 2 ml Ammoniumeisen(III)-sulfat-Lösung R 2 bis zur rötlich gelben Färbung titriert, wobei vor dem Umschlagspunkt kräftig geschüttelt wird.

1 ml Silbernitrat-Lösung (0,1 mol · l^{-1}) entspricht 5,844 mg Natriumchlorid.

6.2.5 Haltbarkeit

Die Haltbarkeit in den Behältnissen nach 7 beträgt 3 Jahre.

7 Behältnisse

Glasbehältnisse nach AB. 3.2.1, verschlossen mit Gummistopfen nach AB. 3.2.9.

8 Kennzeichnung

Nach § 10 AMG, insbesondere:

8.1 Zulassungsnummer

2509.98.99

8.2 Art der Anwendung

Zur intravenösen Infusion.

8.3 Hinweise

Apothekenpflichtig.

Nur klare Lösungen in unversehrten Behältnissen verwenden.

Theoretische Osmolarität: 585 mOsm/l.

pH-Wert: 3,5 bis 6,5.

Energiegehalt: 850 kJ/l (200 kcal/l).

Titrationsazidität: bis pH 7,4: < 0,2 mmol/l.

Maximale Infusionsgeschwindigkeit: 5 ml/kg Körpermasse und Stunde ($\equiv$ 0,25 g Glucose).

Maximale Tagesdosis: 40 ml/kg Körpermasse und Tag ($\equiv$ 2 g Glucose/kg).

Molare Konzentration:

1 ml enthält 0,154 mmol Na$^+$
0,154 mmol Cl$^-$

9 Packungsbeilage

Nach § 11 AMG, insbesondere:

9.1 Stoff- oder Indikationsgruppe

Elektrolythaltige Kohlenhydratlösung.

1 ml enthält 0,154 mmol Na$^+$
0,154 mmol Cl$^-$

4 Glucose-Lösung 5 % mit Natriumchlorid 0,9 %

9.2 Anwendungsgebiete

Flüssigkeits- und Elektrolytsubstitution bei hypochlorämischer Alkalose; Chloridverluste; hypotone Dehydratation; isotone Dehydratation.

Zur teilweisen Deckung des Energiebedarfs; als Trägerlösung für kompatible Elektrolytkonzentrate und Medikamente.

9.3 Gegenanzeigen

Absolute Gegenanzeigen:

- Überwässerungszustände (Hyperhydratationszustände)
- verminderter Kaliumgehalt des Blutes (Hypokaliämie).

Relative Gegenanzeigen:

- erhöhter Blutzuckerspiegel, der einen Einsatz von mehr als 6 Einheiten Insulin/Stunde erforderlich macht
- erhöhter Natriumgehalt des Blutes (Hypernatriämie)
- erhöhter Chloridgehalt des Blutes (Hyperchlorämie)
- Erkrankungen, die eine restriktive Natriumzufuhr gebieten (wie Herzinsuffizienz, generalisierte Ödeme, Lungenödem, Bluthochdruck, Eklampsie, schwere Niereninsuffizienz).

Verwendung in der Schwangerschaft und Stillzeit:

Gegen eine Anwendung in der Schwangerschaft und Stillzeit bestehen keine Bedenken.

9.4 Vorsichtsmaßnahmen für die Anwendung

Kontrollen des Elektrolyt- und Flüssigkeitsstatus sind erforderlich.

Die Kontrolle der Blutglucosekonzentration ist postoperativ und posttraumatisch und bei anderen Störungen der Glucosetoleranz (Hyperglykämien) erforderlich.

Aufgrund des hohen Energiegehaltes bei Anwendung einer kaliumfreien Lösung ist eine regelmäßige Kontrolle des Kaliumspiegels zu empfehlen.

Zur Behandlung der hypertonen Dehydratation ist eine zu schnelle Infusion unbedingt zu vermeiden. (Cave: Anstieg der Plasmaosmolarität und der Plasmanatriumkonzentration).

9.5 Wechselwirkungen mit anderen Mitteln

Wechselwirkungen sind bisher nicht bekannt.

Glucosehaltige Lösungen dürfen nicht gleichzeitig in demselben Schlauchsystem mit Blutkonserven verabreicht werden, da dies zu einer Pseudoagglutination führen kann.

9.6 Warnhinweise

Keine.

9.7 Dosierungsanleitung und Art der Anwendung

Die Dosierung richtet sich nach dem Bedarf an Flüssigkeit und Elektrolyten.

Maximale Infusionsgeschwindigkeit:

Die Infusionsgeschwindigkeit ist durch den Glucosegehalt der Lösung limitiert. Die Glucosezufuhr sollte 0,25 g/kg Körpermasse/Stunde (entsprechend 5 ml/kg Körpermasse/Stunde) nicht überschreiten.

Maximale Tagesdosis:

Für die maximale Tagesdosis ist der Flüssigkeitsbedarf des Patienten limitierend. Eine Flüssigkeitszufuhr von 40 ml/kg Körpermasse und Tag sollte bei Erwachsenen nicht überschritten werden. Eine teilweise Deckung des Energiebedarfs im Sinne der Substitution des obligaten Glucosebedarfs ist nur in einer Dosierung von 40 ml/kg Körpermasse und Tag (entsprechend 2 g Glucose/kg Körpermasse und Tag) möglich.

9.8 Hinweise für den Fall der Überdosierung

Überdosierung kann zu Überwässerung, Hyperosmolarität, Induktion einer azidotischen Stoffwechsellage und zu erhöhtem Glucosegehalt des Blutes (Hyperglykämie) führen.

Therapie:

Unterbrechung der Zufuhr der Lösung, beschleunigte Elimination über die Niere, eine entsprechende Bilanzierung der Elektrolyte und ggf. Insulinapplikation.

9.9 Nebenwirkungen

Bei bestimmungsgemäßer Anwendung sind keine Nebenwirkungen zu erwarten.

10 **Fachinformation**

Nach § 11a AMG, insbesondere:

10.1 Verschreibungsstatus/Apothekenpflicht

Apothekenpflichtig.

10.2 Stoff- oder Indikationsgruppe

Elektrolythaltige Kohlenhydratlösung.

1 ml enthält 0,154 mmol Na^+

0,154 mmol Cl^-

10.3 Anwendungsgebiete

Flüssigkeits- und Elektrolytsubstitution bei hypochlorämischer Alkalose;

Chloridverluste;

hypotone Dehydratation;

isotone Dehydratation;

zur partiellen Deckung des Energiebedarfs;

als Trägerlösung für kompatible Elektrolytkonzentrate und Medikamente.

10.4 Gegenanzeigen

Absolute Kontraindikationen:
- Hyperhydratationszustände
- Hypokaliämie.

Relative Kontraindikationen:
- Insulinrefraktäre Hyperglykämie, die einen Einsatz von mehr als 6 Einheiten Insulin/Stunde erforderlich macht
- Hypernatriämie
- Hyperchlorämie
- Erkrankungen, die eine restriktive Natriumzufuhr gebieten (wie Herzinsuffizienz, generalisierte Ödeme, Lungenödem, Hypertonie, Eklampsie, schwere Niereninsuffizienz).

10.5 Nebenwirkungen

Bei bestimmungsgemäßer Anwendung keine.

10.6 Wechselwirkungen mit anderen Mitteln

Wechselwirkungen sind bisher nicht bekannt.

10.7 Warnhinweise

Keine.

10.8 Wichtigste Inkompatibilitäten

Glucosehaltige Lösungen dürfen nicht gleichzeitig in demselben Schlauchsystem mit Blutkonserven verabreicht werden, da dies zu einer Pseudoagglutination führen kann.

10.9 Dosierung und Art der Anwendung

Die Dosierung richtet sich nach dem Bedarf an Flüssigkeit und Elektrolyten.

Maximale Infusionsgeschwindigkeit:

Die Infusionsgeschwindigkeit ist durch den Glucosegehalt der Lösung limitiert. Die Glucosezufuhr sollte 0,25 g/kg Körpermasse/Stunde (entsprechend 5 ml/kg Körpermasse/Stunde) nicht überschreiten.

Maximale Tagesdosis:

Für die maximale Tagesdosis ist der Flüssigkeitsbedarf des Patienten limitierend. Eine Flüssigkeitszufuhr von 40 ml/kg Körpermasse und Tag sollte bei Erwachsenen nicht überschritten werden. Eine teilweise Deckung des Energiebedarfs im Sinne der Substitution des obligaten Glucosebedarfs ist nur in einer Dosierung von 40 ml/kg Körpermasse und Tag (entsprechend 2 g Glucose/kg Körpermasse und Tag) möglich.

10.10 Notfallmaßnahmen, Symptome und Gegenmittel

Symptome der Überdosierung:
- Überwässerung

- Hyperosmolarität
- Induktion einer azidotischen Stoffwechsellage
- Hyperglykämie

Therapie bei Überdosierung:

- Unterbrechung der Zufuhr
- beschleunigte renale Elimination
- eine entsprechende Bilanzierung der Elektrolyte
- ggf. Insulinapplikation.

10.11 Pharmakologische und toxikologische Eigenschaften, Pharmakokinetik, Bioverfügbarkeit, soweit diese Angaben für die therapeutische Verwendung erforderlich sind

Die Lösung enthält Natrium und Chlorid in äquimolaren Anteilen, die in der Gesamtosmolarität der des Plasmas entsprechen. Zusätzlich enthält diese Lösung einen 5%igen Kohlenhydratanteil in Form von Glucose zur Herstellung der Isotonie.

Natrium ist das Hauptkation des extrazellulären Flüssigkeitsraumes und reguliert zusammen mit verschiedenen Anionen dessen Größe. Natrium und Kalium sind die Hauptträger bioelektrischer Vorgänge im Organismus.

Der Natriumgehalt und Flüssigkeitsstoffwechsel des Organismus sind eng miteinander gekoppelt. Jede vom Physiologischen abweichende Veränderung der Plasmanatriumkonzentration beeinflusst gleichzeitig den Flüssigkeitsstatus des Organismus. Unabhängig von der Serumosmolalität bedeutet ein vermehrter Natriumgehalt einen gesteigerten Flüssigkeitsgehalt bzw. ein verminderter Natriumgehalt des Organismus eine Abnahme des Körperwassers.

Der Gesamtnatriumgehalt des Organismus beträgt ca. 80 mmol/kg, davon befinden sich ca. 97% extrazellulär und ca. 3% intrazellulär. Der Tagesumsatz beträgt etwa 100–180 mmol (entsprechend 1,5–2,5 mmol/kg Körpermasse).

Die Nieren sind der Hauptregulator des Natrium- und Wasserhaushaltes. Im Zusammenspiel mit hormonellen Steuerungsmechanismen (Renin-Angiotensin-Aldosteron-System, antidiuretisches Hormon) sowie dem hypothetischen natriuretischen Hormon sind sie hauptsächlich für die Volumenkonstanz und Flüssigkeitszusammensetzung des Extrazellulärraumes verantwortlich.

Glucose wird als natürliches Substrat der Zellen im Organismus ubiquitär verstoffwechselt. Sie ist unter physiologischen Bedingungen das wichtigste energieliefernde Kohlenhydrat mit einem Brennwert von ca. 17 kJ bzw. ca. 4 kcal/g. Unter anderem sind Nervengewebe, Erythrozyten und Nierenmark obligat auf die Zufuhr von Glucose angewiesen. Der Normalwert der Glucosekonzentration im Blut wird für den nüchternen Zustand mit 50–95 mg/100 ml bzw. 2,8–5,3 mmol/l angegeben.

Glucose dient einerseits dem Aufbau von Glycogen als Speicherform für Kohlenhydrate und unterliegt andererseits dem glycolytischen Abbau zu Pyruvat bzw. Lactat zur Energiegewinnung in den Zellen. Glucose dient außerdem der Aufrechterhaltung des Blutzuckerspiegels und der Biosynthese wichtiger Körperbestandteile. An der hormonellen Regulation des Blutzuckerspiegels sind im Wesentlichen Insulin, Glucagon, Glucocorticoide und Katecholamine beteiligt.

Bei der Infusion verteilt sich Glucose zunächst im intravasalen Raum, um dann in den Intrazellulärraum aufgenommen zu werden.

Glucose wird in der Glycolyse zu Pyruvat bzw. Lactat metabolisiert. Lactat kann z.T. wieder in den Glucosestoffwechsel (Cori-Zyklus) eingeschleust werden. Unter aeroben Bedingungen wird Pyruvat vollständig zu Kohlendioxid und Wasser oxidiert. Die Endprodukte der vollständigen Oxidation von Glucose werden über die Lunge (Kohlendioxid) und die Nieren (Wasser) eliminiert.

Bei Gesunden wird Glucose praktisch nicht renal eliminiert. In pathologischen Stoffwechselsituationen (z.B. Diabetes mellitus, Postaggressionsstoffwechsel), die mit Hyperglykämien (Glucosekonzentrationen im Blut über 120 mg/100 ml bzw. 6,7 mmol/l) einhergehen, wird bei Überschreiten der maximalen tubulären Transportkapazität (180 mg/100 ml bzw. 10 mmol/l) Glucose auch über die Nieren ausgeschieden (Glucosurie).

Voraussetzung für eine optimale Utilisation von zugeführter Glucose ist ein normaler Elektrolyt- und Säuren-Basen-Status. So kann insbesondere eine Azidose eine Einschränkung der oxidativen Verwertung anzeigen.

Es bestehen enge Wechselbeziehungen zwischen den Elektrolyten und dem Kohlenhydratstoffwechsel, davon ist besonders Kalium betroffen. Die Verwertung von Glucose geht mit einem erhöhten Kaliumbedarf einher. Bei Nichtbeachtung dieses Zusammenhangs können erhebliche Störungen im Kaliumstoffwechsel entstehen, die u.a. zu massiven Herzrhythmusstörungen Anlass geben können.

Unter pathologischen Stoffwechselbedingungen können Glucoseverwertungsstörungen (Glucoseintoleranzen) auftreten. Dazu zählen in erster Linie der Diabetes mellitus sowie die bei so genannten Stressstoffwechselzuständen (z.B. intra- und postoperativ, schwere Erkrankungen, Verletzungen) hormonell induzierte Herabsetzung der Glucosetoleranz, die auch ohne exogene Substratzufuhr zu Hyperglykämien führen können. Hyperglykämien können – je nach Ausprägung – zu osmotisch bedingten Flüssigkeitsverlusten über die Niere mit konsekutiver hypertoner Dehydration, hyperosmolaren Störungen bis hin zum hyperosmolaren Koma führen.

Eine übermäßige Glucosezufuhr, insbesondere im Rahmen eines Postaggressionssyndroms, kann zu einer deutlichen Verstärkung der Glucoseutilisationsstörung führen und, bedingt durch die Einschränkung der oxidativen Glucoseverwertung, zur vermehrten Umwandlung von Glucose in Fett beitragen. Dies wiederum kann u.a. mit einer gesteigerten Kohlendioxidbelastung des Organismus (Probleme bei der Entwöhnung vom Respirator) sowie vermehrter Fettinfiltration der Gewebe – insbesondere der Leber – verbunden sein. Besonders gefährdet durch Störungen der Glucosehomöostase sind Patienten mit Schädel-Hirn-Verletzungen und Hirnödem. Hier können bereits geringfügige Störungen der Blutglucosekonzentration und der damit verbundene Anstieg der Plasma(Serum)osmolalität zu einer erheblichen Verstärkung der zerebralen Schäden beitragen.

In entsprechender Dosierung (40 ml/kg Körpermasse und Tag) kann mit dieser Lösung eine Deckung des obligaten Kohlenhydratbedarfs in der Größenordnung von 2 g Glucose/kg Körpermasse und Tag (hypokalorische Infusionstherapie) erreicht werden.

10.12 Sonstige Hinweise

Gegen eine Anwendung in der Schwangerschaft und Stillzeit bestehen keine Bedenken.

Kontrollen des Elektrolyt- und Flüssigkeitsstatus sind erforderlich.

Die Kontrolle der Blutglucosekonzentration ist postoperativ und posttraumatisch und bei anderen Störungen der Glucosetoleranz (Hyperglykämien) erforderlich.

Aufgrund des hohen Energiegehaltes bei Anwendung einer kaliumfreien Lösung ist eine regelmäßige Kontrolle des Kaliumspiegels zu empfehlen.

Bei hypertoner Dehydratation ist eine zu schnelle Infusion unbedingt zu vermeiden (Cave: Anstieg der Plasmaosmolarität und der Plasmanatriumkonzentration).

10.13 Besondere Lager- und Aufbewahrungshinweise

Keine.

Glucose-Lösungen 5 bis 50 %

1 **Bezeichnung des Fertigarzneimittels**

Glucose-Lösung[1)]

2 **Darreichungsform**

Infusionslösung

3 **Zusammensetzung**

Bestandteile \ Wirkstoffkonzentration	5 %	10 %	20 %	40 %	50 %
Wirksamer Bestandteil: Wasserfreie Glucose	50,0 g	100,0 g	200,0 g	400,0 g	500,0 g
Sonstiger Bestandteil: Wasser für Injektionszwecke	jeweils zu 1000,0 ml				

4 **Herstellungsvorschrift**

Die für die Herstellung einer Charge benötigte Menge wasserfreie Glucose wird in Wasser für Injektionszwecke gelöst. Die Lösung wird auf das erforderliche Volumen bzw. auf die erforderliche Masse aufgefüllt. Die 5-, 10- und 20 prozentige Lösung werden durch ein Membranfilter von 0,2 µm nomineller Porengröße, die 40- und 50 prozentige Lösung durch ein Membranfilter von höchstens 0,45 µm nomineller Porengröße, jeweils falls erforderlich mit vorgeschaltetem Tiefenfilter, in die vorgesehenen Behältnisse filtriert. Die Sterilisation der abgefüllten Lösung erfolgt 15 Minuten lang bei 121 °C mit gesättigtem Wasserdampf.

[1)] Die Bezeichnung der Lösung setzt sich aus dem Wort „Glucose-Lösung", den arabischen Ziffern, die der jeweiligen Wirkstoffkonzentration zugeordnet sind und dem Zeichen „%" zusammen (z. B. „Glucose-Lösung 5%").

2 Glucose-Lösungen 5 bis 50 %

5 Inprozess-Kontrollen

Überprüfung:	5 %	10 %	20 %	40 %	50 %
der relativen Dichte (AB. 2.2.5)	1,018 bis 1,020	1,036 bis 1,040	1,072 bis 1,079	1,142 bis 1,157	1,176 bis 1,195
oder des Brechungsindexes (AB. 2.2.6)	1,339 bis 1,341	1,346 bis 1,348	1,360 bis 1,363	1,387 bis 1,393	1,400 bis 1,408
sowie des pH-Wertes*) (AB. 2.2.3)	4,5 bis 6,5	4,5 bis 6,6	4,5 bis 6,5	4,5 bis 6,5	4,5 bis 6,5

*) gemessen in der gegebenenfalls mit Wasser für Injektionszwecke auf einen Gehalt von 5 % Substanz verdünnten Lösung, der 0,3 ml einer gesättigten Lösung von Kaliumchlorid R pro 100 ml zugesetzt werden.

6 Eigenschaften und Prüfungen

6.1 Ausgangsstoffe

Wasserfreie Glucose:

Die Substanz muss der Prüfung auf Pyrogene (AB. 2.6.8) entsprechen. Je Kilogramm Körpermasse eines Kaninchens werden 10 ml einer Lösung, die 55 mg Substanz je Milliliter in Wasser für Injektionszwecke enthält, injiziert.

6.2 Fertigarzneimittel

6.2.1 Aussehen, Eigenschaften

Klare, von Schwebestoffen praktisch freie, farblose bis höchstens schwach gelbliche Lösung von süßem Geschmack und ohne wahrnehmbaren Geruch; (pH-Wert (AB. 2.2.3) zwischen 3,2 und 6,5*) (siehe oben).

Relative Dichte (AB. 2.2.5):

Glucose-Lösung 5 %: zwischen 1,018 und 1,020

Glucose-Lösung 10 %: zwischen 1,036 und 1,040

Glucose-Lösung 20 %. zwischen 1,072 und 1,079

Glucose-Lösung 40 %: zwischen 1,142 und 1,157

Glucose-Lösung 50 %: zwischen 1,176 und 1,195;

Brechungsindex (AB. 2.2.6):

Glucose-Lösung 5 %: zwischen 1,339 und 1,341

Glucose-Lösung 10 %: zwischen 1,346 und 1,348

Glucose-Lösung 20 %: zwischen 1,360 und 1,363

Glucose-Lösung 40 %: zwischen 1,387 und 1,393

Glucose-Lösung 50 %: zwischen 1,400 und 1,408

6.2.2 Prüfung auf Identität

A. Entsprechend Identitätsreaktion C. auf „Wasserfreie Glucose" gemäß AB.

B. Die gegebenenfalls mit Wasser auf einen Gehalt von 5 % Glucose verdünnte Lösung färbt Glucoseoxidase-Reagenzpapier.

6.2.3 Prüfung und Reinheit

Prüfung auf Bakterien-Endotoxine (AB. 2.6.14):

Die Endotoxinkonzentration darf höchstens betragen:

Glucose-Lösung 5 %: 1,0 I.E./ml

Glucose-Lösung 10 %: 2,0 I.E./ml

Glucose-Lösung 20 %: 4,0 I.E./ml

Glucose-Lösung 40 %: 8,0 I.E./ml

Glucose-Lösung 50 %: 10,0 I.E./ml

Prüfung auf Bräunungsstoffe:

Die Lösung darf nicht stärker gefärbt sein als eine Farbvergleichslösung folgender Zusammensetzung:

Glucose-Lösung 5 %:	0,2 ml Farbreferenzlösung BG, 9,8 ml Salzsäure 15 % RN.
Glucose-Lösung 10 %:	0,4 ml Farbreferenzlösung BG, 9,6 ml Salzsäure 1 % RN.
Glucose-Lösung 20 %:	0,4 ml Farbreferenzlösung BG, 9,6 ml Salzsäure 1 % RN.
Glucose-Lösung 40 %:	0,8 ml Farbreferenzlösung BG, 9,2 ml Salzsäure 1 % RN.
Glucose-Lösung 50 %:	1,0 ml Farbreferenzlösung BG, 9,0 ml Salzsäure 1 % RN.

Prüfung auf Hydroxymethylfurfural:

Es wird mit Wasser eine Verdünnung hergestellt, die in 250 ml 1 g Glucose enthält. Die Absorption (AB. 2.2.25) dieser Lösung darf bei 284 nm und einer Schichtdicke von 1 cm 0,25 nicht überschreiten (max. 0,044 %).

6.2.4 Gehalt

95,0 bis 105,0 Prozent der deklarierten Menge an wasserfreier Glucose.

Bestimmung:

Ein 5,0 g wasserfreier Glucose entsprechendes Volumen Infusionslösung wird mit 0,2 ml Ammoniak-Lösung R 1 versetzt, 30 Minuten stehen gelassen und mit Wasser – falls nötig – zu 100,0 ml verdünnt. Die spezifische Drehung (AB. 2.2.7) der Lösung wird bestimmt und ihr Gehalt berechnet ($[\alpha]_D^{20} = +52,6°$).

6.5 Haltbarkeit

Die Haltbarkeit in den Behältnissen nach 7 beträgt 3 Jahre.

4   Glucose-Lösungen 5 bis 50 %

7   Behältnisse

Glasbehältnisse nach AB. 3.2.1, verschlossen mit Gummistopfen nach AB. 3.2.9.

Glucose-Lösung 40 % und 50 %:

Die Füllvolumina in den Behältnissen sollten 500 ml nicht übersteigen.

8   Kennzeichnung

Nach § 10 AMG, insbesondere:

8.1   Zulassungsnummern

Glucose-Lösung   5 %: 4999.99.99

Glucose-Lösung 10 %: 4999.98.99

Glucose-Lösung 20 %: 4999.97.99

Glucose-Lösung 40 %: 4999.96.99

Glucose-Lösung 50 %: 4999.95.99

8.2   Art der Anwendung

Glucose-Lösung 5- und 10 %: zur intravenösen Infusion.

Glucose-Lösung 20-, 40- und 50 %: zur zentralvenösen Infusion (Kava-Katheter).

Maximale Infusionsgeschwindigkeit: bis zu … ml Infusionslösung (entsprechend bis zu 0,25 g Glucose)/kg Körpermasse/Stunde.

Maximale Tagesdosis: bis zu … ml Infusionslösung (entsprechend bis zu 6 g Glucose)/kg Körpermasse.

Dosierung für Kinder: Siehe Packungsbeilage.

8.3   Hinweise

Apothekenpflichtig.

Nur klare Lösungen in unversehrten Behältnissen verwenden.

pH-Wert: 3,2 bis 6,5.

Titrationsazidität bis pH 7,4: < 0,4 mmol/l.

	5 %	10 %	20 %	40 %	50 %
Theoretische Osmolarität (mOsm/l)	278	555	1110	2220	2275
Energiegehalt (kJ/l/kcal/l)	850/ 200	1700/ 400	3400/ 800	6800/ 1600	8500/ 2000

9 Packungsbeilage

9.1 Stoff- oder Indikationsgruppe

Elektrolytfreie Kohlenhydratlösung.

9.2 Anwendungsgebiete

Glucose-Lösung 5 %:
- als Trägerlösung für kompatible Elektrolytkonzentrate und Medikamente
- Zufuhr freien Wassers.

Glucose-Lösung 10 %:
- Glucosezufuhr zur Energiebereitstellung
- hypoglykämische Zustände
- als Trägerlösung für kompatible Elektrolytkonzentrate und Medikamente.

Glucose-Lösung 20 %:
- Glucosezufuhr zur Energiebereitstellung
- hypoglykämische Zustände
- als Kohlenhydratkomponente in der parenteralen Ernährung.

Glucose-Lösung 40 % und 50 %:
- Glucosezufuhr zur Energiebereitstellung
- hochkalorische Kalorienzufuhr bei Indikationen zur Flüssigkeitseinschränkung
- hypoglykämische Zustände
- als Kohlenhydratkomponente in der parenteralen Ernährung.

9.3 Gegenanzeigen

Glucose-Infusionslösungen dürfen nicht angewendet werden bei:
- erhöhtem Blutzuckerspiegel, der einen Einsatz von mehr als 6 Einheiten Insulin/Stunde erforderlich macht
- vermindertem Kaliumgehalt des Blutes (Hypokaliämie, ohne gleichzeitige Elektrolytsubstitution)
- stoffwechselbedingter Übersäuerung des Blutes (Azidose), insbesondere bei herabgesetzter Perfusion und unzureichendem Sauerstoffangebot.

Aus der mit der Glucosezufuhr verbundenen Flüssigkeitsaufnahme können weitere Gegenanzeigen resultieren. Hierzu zählen:
- Überwässerung (Hyperhydratationszustände)
- hypotone Dehydratation.

Glucose-Lösung 10 %, 20 %, 40 %, 50 %:

Vorsicht ist geboten bei erhöhter Serumosmolarität, insbesondere bei Verwendung hoch konzentrierter Lösungen und zügiger Infusionsgeschwindigkeit.

6 Glucose-Lösungen 5 bis 50 %

Verwendung in der Schwangerschaft und Stillzeit:

Gegen eine Anwendung in der Schwangerschaft und Stillzeit bestehen bei entsprechender Indikation keine Bedenken.

9.4 Vorsichtsmaßnahmen für die Anwendung

Da glucosehaltige Infusionslösungen häufig in Stressstoffwechselsituationen (Postaggressionsstoffwechsel) mit bekannter eingeschränkter Glucoseverwertung angewendet werden, sind – in Abhängigkeit von Stoffwechselzustand und applizierter Menge – häufige Kontrollen der Blutglucosekonzentration notwendig. Darüber hinaus sind, bedingt durch die gegenseitige Beeinflussung, ggf. Kontrollen des Flüssigkeits-, Elektrolyt- und Säure-Basen-Status erforderlich.

Glucose-Lösungen dürfen nicht im selben System wie Blutkonserven verabreicht werden, da dies zu einer Pseudoagglutination führen kann.

Aufgrund des Energiegehaltes bei Applikation einer kaliumfreien Lösung ist eine regelmäßige Kontrolle des Kaliumspiegels zu empfehlen.

Glucose-Lösung 20 %, 40 %, 50 %:

Es ist zu beachten, dass die vorgegebene Lösung nur einen Baustein für die parenterale Ernährung darstellt. Für eine vollständige parenterale Ernährung ist die gleichzeitige Substitution mit Proteinbausteinen, Elektrolyten, essenziellen Fettsäuren, Vitaminen und Spurenelementen erforderlich.

9.5 Wechselwirkungen mit anderen Mitteln

Beim Mischen mit anderen Arzneimitteln kann der saure pH-Wert der Glucoselösung u. a. zu Ausfällungen in der Mischung führen.

Erythrozytenkonzentrate dürfen nicht in Glucose-Lösungen aufgeschwemmt werden, da dies zu einer Pseudoagglutination führen kann.

9.6 Warnhinweise

Keine.

9.7 Dosierungsanleitung mit Einzel- und Tagesgaben, Art und Dauer der Anwendung

9.7.1 Die Dosierung richtet sich nach dem Bedarf an Glucose und Flüssigkeit.

Erwachsene:

Eine Gesamtflüssigkeitszufuhr von 40 ml/kg Körpermasse und Tag sollte beim Erwachsenen im Rahmen einer parenteralen Ernährung nur in Ausnahmefällen überschritten werden. Für die Dosierung von Glucose gelten folgende Richtwerte:

Maximale Infusionsgeschwindigkeit: bis zu ... ml Infusionslösung (entsprechend bis zu 0,25 g Glucose)/kg Körpermasse/Stunde.

Maximale Tagesdosis: bis zu ... ml Infusionslösung (entsprechend bis zu 6 g Glucose)/kg Körpermasse.

Unter veränderten Stoffwechselbedingungen (z. B. Postaggressionsstoffwechsel, hypoxische Zustände, Organinsuffizienz) kann die oxidative Verstoffwechselung eingeschränkt sein. Daher ist die Zufuhr ggf. auf 3 g Glucose/kg/Körpermasse/Tag zu begrenzen.

Kinder:

Die Therapie soll nur unter Verwendung von Glucose-Lösung 20%, 40% oder 50% erfolgen.

Die maximale Tagesdosis für Glucose beträgt:

Frühgeborene	bis zu 18 g/kg Körpermasse und Tag $\cong$ bis zu ... ml/kg Körpermasse und Tag*
Neugeborene	bis zu 15 g/kg Körpermasse und Tag $\cong$ bis zu ... ml/kg Körpermasse und Tag*
1.–2. Lebensjahr	bis zu 15 g/kg Körpermasse und Tag $\cong$ bis zu ... ml/kg Körpermasse und Tag*
3.–5. Lebensjahr	bis zu 12 g/kg Körpermasse und Tag $\cong$ bis zu ... ml/kg Körpermasse und Tag*
6.–10. Lebensjahr	bis zu 10 g/kg Körpermasse und Tag $\cong$ bis zu ... ml/kg Körpermasse und Tag*
10.–14. Lebensjahr	bis zu 8 g/kg Körpermasse und Tag $\cong$ bis zu ... ml/kg Körpermasse und Tag*

* Hier sind die der jeweiligen Glucose-Konzentration entsprechenden Angaben zu machen.

Bei der Dosisfestlegung ist zu berücksichtigen, dass die folgenden Richtwerte für die Gesamtflüssigkeitszufuhr aller anzuwendenden Infusionslösungen nicht überschritten werden. Der Volumenbedarf (Basisbedarf) beträgt:

1. Lebenstag	50–70 ml/kg Körpermasse und Tag
2. Lebenstag	70–90 ml/kg Körpermasse und Tag
3. Lebenstag	80–100 ml/kg Körpermasse und Tag
4. Lebenstag	100–120 ml/kg Körpermasse und Tag
ab 5. Lebenstag	100–130 ml/kg Körpermasse und Tag
1. Lebensjahr	100–140 ml/kg Körpermasse und Tag
2. Lebensjahr	80–120 ml/kg Körpermasse und Tag
3.–5. Lebensjahr	80–100 ml/kg Körpermasse und Tag
6.–10. Lebensjahr	60–80 ml/kg Körpermasse und Tag
10.–14. Lebensjahr	50–70 ml/kg Körpermasse und Tag

9.7.2 Art und Dauer der Anwendung:

Glucose-Lösung 5% und 10%:

Zur intravenösen Infusion.

Glucose-Lösung 20%, 40% und 50%:

Zur zentralvenösen Infusion (Kava-Katheter).

Über die Dauer der Anwendung entscheidet der Arzt.

8 Glucose-Lösungen 5 bis 50 %

9.8 Hinweise für den Fall der Überdosierung

Überdosierung kann zu Hyperglykämie, Glucosurie, Hyperosmolarität, hyperglykämischem, hyperosmolarem Koma, Überwässerung und Elektrolytstörungen führen. Die primäre Therapie der Störungen besteht in einer Reduktion der Glucosezufuhr. Störungen des Kohlenhydratstoffwechsels und des Elektrolythaushaltes können mit Insulingabe und Elektrolytzufuhr behandelt werden.

9.9 Nebenwirkungen

Bei Beachtung der Gegenanzeigen, Dosierungsempfehlungen und Hinweise sind Nebenwirkungen nicht zu erwarten.

10 **Fachinformation**

Nach § 11a AMG, insbesondere:

10.1 Verschreibungsstatus/Apothekenpflicht

Apothekenpflichtig

10.2 Stoff- oder Indikationsgruppe

Elektrolytfreie Kohlenhydratlösung.

10.3 Anwendungsgebiete

Glucose-Lösung 5 %:
– als Trägerlösung für kompatible Elektrolytkonzentrate und Medikamente
– Zur Zufuhr freien Wassers.

Glucose-Lösung 10 %:
– Glucosezufuhr zur Energiebereitstellung
– hypoglykämische Zustände
– als Trägerlösung für kompatible Elektrolytkonzentrate und Medikamente.

Glucose-Lösung 20 %:
– Glucosezufuhr zur Energiebereitstellung
– hypoglykämische Zustände
– als Kohlenhydratkomponente in der parenteralen Ernährung.

Glucose-Lösung 40 % und 50 %:
– Glucosezufuhr zur Energiebereitstellung
– hochkalorische Kalorienzufuhr bei Indikationen zur Flüssigkeitsrestriktion
– hypoglykämische Zustände
– als Kohlenhydratkomponente in der parenteralen Ernährung.

10.4 Gegenanzeigen

Glucose-Infusionslösungen dürfen nicht angewendet werden bei:

– insulinrefraktärer Hyperglykämie, die einen Einsatz von mehr als 6 Einheiten Insulin/Stunde erforderlich macht

– Hypokaliämie, ohne gleichzeitige Elektrolytsubstitution

– metabolischen Azidosen, insbesondere bei Minderperfusion und unzureichendem Sauerstoffangebot.

Aus der mit der Glucoseapplikation verbundenen Flüssigkeitszufuhr können weitere Gegenanzeigen resultieren. Hierzu zählen:

– Hyperhydratationszustände

– hypotone Dehydratation.

Vorsicht ist geboten bei erhöhter Serumosmolarität, insbesondere bei Verwendung hoch konzentrierter Lösungen und zügiger Infusionsgeschwindigkeit.

10.5 Nebenwirkungen

Bei Beachtung der Gegenanzeigen, Dosierungsempfehlungen und Hinweise sind Nebenwirkungen nicht zu erwarten.

10.6 Wechselwirkungen mit anderen Mitteln

Erythrozytenkonzentrate dürfen nicht in Glucose-Lösungen aufgeschwemmt werden, da dies zu einer Pseudoagglutination führen kann.

10.7 Warnhinweise

Keine.

10.8 Wichtigste Inkompatibilitäten

Beim Mischen mit anderen Arzneimitteln kann der saure pH-Wert der Glucose-Lösung u. a. zu Ausfällungen in der Mischung führen.

10.9 Dosierung mit Einzel- und Tagesgaben

Die Dosierung richtet sich nach dem Bedarf an Glucose und Flüssigkeit.

Erwachsene:

Eine Gesamtflüssigkeitszufuhr von 40 ml/kg Körpermasse und Tag sollte beim Erwachsenen im Rahmen einer parenteralen Ernährung nur in Ausnahmefällen überschritten werden. Für die Dosierung von Glucose gelten folgende Richtwerte:

Maximale Infusionsgeschwindigkeit: bis zu ... ml Infusionslösung (entsprechend bis zu 0,25 g Glucose)/kg Körpermasse/Stunde.

Maximale Tagesdosis: bis zu ... ml Infusionslösung (entsprechend bis zu 6 g Glucose)/kg Körpermasse.

Unter veränderten Stoffwechselbedingungen (z. B. Postaggressionsstoffwechsel, hypoxische Zustände, Organinsuffizienz) kann die oxidative Verstoffwechselung eingeschränkt sein. Daher ist die Zufuhr ggf. auf 3 g Glucose/kg Körpermasse/Tag zu begrenzen.

Kinder:

Die Therapie soll nur unter Verwendung von Glucose-Lösung 20%, 40% oder 50% erfolgen.

Die maximale Tagesdosis für Glucose beträgt:

Frühgeborene	bis zu 18 g/kg Körpermasse und Tag ≅ bis zu ... ml/kg Körpermasse und Tag*
Neugeborene	bis zu 15 g/kg Körpermasse und Tag ≅ bis zu ... ml/kg Körpermasse und Tag*
1.–2. Lebensjahr	bis zu 15 g/kg Körpermasse und Tag ≅ bis zu ... ml/kg Körpermasse und Tag*
3.–5. Lebensjahr	bis zu 12 g/kg Körpermasse und Tag ≅ bis zu ... ml/kg Körpermasse und Tag*
6.–10. Lebensjahr	bis zu 10 g/kg Körpermasse und Tag ≅ bis zu ... ml/kg Körpermasse und Tag*
10.–14. Lebensjahr	bis zu 8 g/kg Körpermasse und Tag ≅ bis zu ... ml/kg Körpermasse und Tag*

* Hier sind die der jeweiligen Glucose-Konzentration entsprechenden Angaben zu machen.

Bei der Dosisfestlegung ist zu berücksichtigen, dass die folgenden Richtwerte für die Gesamtflüssigkeitszufuhr aller anzuwendenden Infusionslösungen nicht überschritten werden.

Der Volumenbedarf (Basisbedarf) beträgt:

1. Lebenstag	50–70 ml/kg Körpermasse und Tag
2. Lebenstag	70–90 ml/kg Körpermasse und Tag
3. Lebenstag	80–100 ml/kg Körpermasse und Tag
4. Lebenstag	100–120 ml/kg Körpermasse und Tag
ab 5. Lebenstag	100–130 ml/kg Körpermasse und Tag
1. Lebensjahr	100–140 ml/kg Körpermasse und Tag
2. Lebensjahr	80–120 ml/kg Körpermasse und Tag
3.–5. Lebensjahr	80–100 ml/kg Körpermasse und Tag
6.–10. Lebensjahr	60–80 ml/kg Körpermasse und Tag
10.–14. Lebensjahr	50–70 ml/kg Körpermasse und Tag

10.10 Art und Dauer der Anwendung

Glucose-Lösung 5% und 10%:
Zur intravenösen Infusion.

Glucose-Lösung 20%, 40% und 50:
Zur zentralvenösen Infusion (Kava-Katheter).

Über die Dauer der Anwendung entscheidet der Arzt.

10.11 Notfallmaßnahmen, Symptome und Gegenmittel

Eine Glucoseintoleranz (Diabetes mellitus, Postaggressionsstoffwechsel) kann unter Glucoseinfusion zu Hyperglykämien bis hin zum hyperosmolaren Koma, das eine hohe Letalität aufweist, führen.

Je älter der Patient ist und je schwerer die Erkrankung bzw. ein Trauma sind, desto häufiger kommt es im Rahmen des Postaggressionsstoffwechsels zu einer Glucoseintoleranz, besonders dann, wenn zusätzlich ein bis dahin nicht erkannter Diabetes mellitus vorliegt.

Bei bereits bekanntem Diabetes mellitus ist darüber hinaus eine sorgfältige Abstimmung mit der meist erforderlichen Insulintherapie vorzunehmen. Der Einsatz einer Insulintherapie, insbesondere während des Postaggressionsstoffwechsels, beinhaltet die Gefahr schwerwiegender Hypoglykämien, da wegen der bestehenden Regulationsstörung häufig schnell wechselnde Blutglucosekonzentrationen auftreten. Eine engmaschige Kontrolle der Blutglucosekonzentration ist daher erforderlich.

Überdosierung kann zu Hyperglykämie, Glucosurie, Hyperosmolarität, hyperglykämischem, hyperosmolarem Koma, Überwässerung und Elektrolytstörungen führen. Die primäre Therapie der Störungen besteht in einer Reduktion der Glucosezufuhr. Störungen des Kohlenhydratstoffwechsels und des Elektrolythaushaltes können mit Insulingabe und Elektrolytzufuhr behandelt werden.

10.12 Pharmakologische und toxikologische Eigenschaften, Pharmakokinetik, Bioverfügbarkeit, soweit diese Angaben für die therapeutische Verwendung erforderlich sind.

10.12.1 Pharmakologische Eigenschaften

Glucose wird als natürliches Substrat der Zellen im Organismus ubiquitär verstoffwechselt. Sie ist unter physiologischen Bedingungen das wichtigste energieliefernde Kohlenhydrat mit einem Brennwert von ca. 17 kJ bzw. ca. 4 kcal/g. Unter anderem sind Nervengewebe, Erythrozyten und Nierenmark obligat auf die Zufuhr von Glucose angewiesen. Der Normalwert der Glucosekonzentration im Blut wird in nüchternem Zustand mit 50–95 mg/100 ml bzw. 2,8–5,3 mmol/l angegeben.

Glucose dient einerseits dem Aufbau von Glykogen als Speicherform für Kohlenhydrate und unterliegt andererseits dem glycolytischen Abbau zu Pyruvat bzw. Lactat zur Energiegewinnung in den Zellen. Glucose dient außerdem der Aufrechterhaltung des Blutzuckerspiegels und der Biosynthese wichtiger Körperbestandteile.

10.12.2 Toxikologische Eigenschaften

Die Infusion konzentrierter Glucose-Lösungen kann eine schmerzhafte lokale Reizung der Venen an der Injektionsstelle hervorrufen. Es kann eine Thrombophlebitis auftreten.

Andere toxische Effekte – einschließlich kanzerogener, mutagener und reproduktionstoxischer Wirkungen – sind bei der vorgesehenen Anwendungsart und -dauer unter der Beachtung der Gegenanzeigen und Hinweise nicht zu erwarten.

10.12.3 Pharmakokinetik und Bioverfügbarkeit

Bei der Infusion verteilt sich Glucose zunächst im intravasalen Raum, um dann in den Intrazellularraum aufgenommen zu werden.

Glucose wird in der Glykolyse zunächst zu Pyruvat bzw. Lactat metabolisiert. Unter aeroben Bedingungen wird Pyruvat vollständig zu Kohlendioxid und Wasser oxidiert. Lactat kann z. T. wieder in den Glucosestoffwechsel (Cori-Zyklus) eingeschleust werden. Die Endprodukte der vollständigen Oxidation von Glucose werden über die Lunge (Kohlendioxid) und die Nieren (Wasser) eliminiert.

Beim Gesunden wird Glucose praktisch nicht renal eliminiert. In pathologischen Stoffwechselsituationen (z. B. Diabetes mellitus, Postaggressionsstoffwechsel), die mit Hyperglykämien (Glucosekonzentrationen im Blut über 120 mg/100 ml bzw. 6,7 mmol/l) einhergehen, wird bei Überschreiten der maximalen tubulären Transportkapazität (180 mg/100 ml bzw. 10 mmol/l) Glucose auch über die Nieren ausgeschieden (Glucosurie).

An der hormonellen Regulation des Blutzuckerspiegels sind im Wesentlichen Insulin, Glukagon, Glukokortikoide und Catecholamine beteiligt.

Voraussetzung für eine optimale Utilisation von zugeführter Glucose ist ein normaler Elektrolyt- und Säure-Basen-Status. So kann insbesondere eine Azidose eine Einschränkung der oxidativen Verwertung anzeigen. Es bestehen enge Wechselbeziehungen zwischen den Elektrolyten und dem Kohlenhydratstoffwechsel, davon ist besonders Kalium betroffen. Die Verwertung von Glucose geht mit einem erhöhten Kaliumbedarf einher. Bei Nichtbeachtung dieses Zusammenhanges können erhebliche Störungen im Kaliumstoffwechsel entstehen, die u. a. zu massiven Herzrhythmusstörungen Anlass geben können. Unter pathologischen Stoffwechselbedingungen können Glucoseverwertungsstörungen (Glucoseintoleranzen) auftreten. Dazu zählen in erster Linie der Diabetes mellitus sowie die bei so genannten Stressstoffwechselzuständen (z. B. intra- und postoperativ, schwere Erkrankungen, Verletzungen) hormonell induzierte Herabsetzung der Glucosetoleranz, die auch ohne exogene Substratzufuhr zu Hyperglykämien führen können. Hyperglykämien können – je nach Ausprägung – zu osmotisch bedingten Flüssigkeitsverlusten über die Niere mit konsekutiver hypertoner Dehydratation, hyperosmolaren Störungen bis hin zum hyperosmolaren Koma führen.

Eine übermäßige Glucosezufuhr, insbesondere im Rahmen eines Postaggressionssyndroms, kann zu einer deutlichen Verstärkung der Glucoseutilisationsstörung führen und, bedingt durch die Einschränkung der oxidativen Glucoseverwertung, zur vermehrten Umwandlung von Glucose in Fett beitragen. Dies wiederum kann u. a. mit einer gesteigerten Kohlendioxidbelastung des Organismus (Probleme bei der Entwöhnung vom Respirator), sowie vermehrter Fettinfiltration der Gewebe – insbesondere der Leber – verbunden sein. Besonders gefährdet durch Störungen der Glucosehomöostase sind Patienten mit Schädel-Hirn-Verletzungen und Hirnödem. Hier können bereits geringfügige Störungen der Blutglucosekonzentration und der damit verbundene Anstieg der Plasma(Serum)-Osmolarität zu einer erheblichen Verstärkung der zerebralen Schäden beitragen.

10.13 Sonstige Hinweise

Gegen eine Anwendung in der Schwangerschaft und Stillzeit bestehen bei entsprechender Indikation keine Bedenken.

Da glucosehaltige Infusionslösungen häufig in Stressstoffwechselsituationen (Postaggressionsstoffwechsel) mit bekannter eingeschränkter Glucoseutilisation angewandt werden, sind häufige Kontrollen der Blutglucosekonzentrationen notwendig (in Abhängigkeit vom Stoffwechselzustand und applizierter Menge). Darüber hinaus sind, bedingt durch die gegenseitige Beeinflussung, Kontrollen des Flüssigkeits-, Elektrolyt- und Säuren-Basen-Status ggf. erforderlich. Glucose-Lösungen dürfen nicht im selben System wie Blutkonserven verabreicht werden, da dies zu einer Pseudoagglutination führen kann.

Aufgrund des Energiegehaltes bei Applikation einer kaliumfreien Lösung ist eine regelmäßige Kontrolle des Kaliumspiegels zu empfehlen.

Glucose-Lösung 20 %, 40 %, 50 %:

Es ist zu beachten, dass die vorgegebene Lösung nur einen Baustein für die parenterale Ernährung darstellt. Für eine vollständige parenterale Ernährung ist die gleichzeitige Substitution mit Proteinbausteinen, Elektrolyten, essenziellen Fettsäuren, Vitaminen und Spurenelementen erforderlich.

10.14 Besondere Lager- und Aufbewahrungshinweise

Keine.

Monographien-Kommentar

Glucose-Lösung 5 Prozent

6.2.2 Prüfung auf Identität

2. β-D-Glucose wird durch Luftsauerstoff unter Katalyse des spezifischen Enzyms Glucoseoxidase (GOD) oxidiert. Dabei entsteht aus dem Sauerstoff Wasserstoffperoxid.

β-D-Glucose   δ-D-Gluconolacton

Da in GOD-Enzympräparaten meistens auch Mutarotase enthalten ist, ein Enzym, das die Gleichgewichtseinstellung zwischen α- und β-D-Glucose beschleunigt, wird auch α-D-Glucose miterfaßt.

Das gebildete Wasserstoffperoxid oxidiert nun unter Katalyse von Peroxidase (POD) ein geeignetes organisches Substrat zu einem gefärbten Produkt. Gebräuchliche Substrate sind o-Tolidin, o-Dianisidin und 2,2'-Azino-di-(3-ethyl-benzthiazolan)-6'-sulfonat.

R = CH$_3$: o-Tolidin
R = OCH$_3$: o-Dianisidin

Monographien-Kommentar

2

6.2.3 Prüfung auf Hydroxymethylfurfural

Die Konzentration an Hydroxymethylfurfural (HMF) in der Untersuchungslösung ergibt sich zu

$$\rho_U^*(\text{HMF}) = \frac{A \cdot M}{d \cdot \alpha} \leq \frac{0{,}25 \cdot 126}{1 \cdot 18000} \cdot \frac{g}{1 l} = 1{,}75 \cdot 10^{-3} g \cdot l^{-1}$$

A = Absorption
d = Küvetten Schichtdicke in cm
M = Molare Masse von HMF in g · mol^{-1}
α = Molarer Absorptionskoeffizient in 1l · mol^{-1} · cm^{-1}

Die Untersuchungslösung wird aus der Glucose-Lösung mit dem Glucosegehalt von w % durch Verdünnen hergestellt; der Verdünnungsfaktor F ist

$$F = \frac{2}{5 \cdot w\%}$$

Damit ist die zulässige Konzentration an HMF in der Glucose-Lösung 5 Prozent

$$\rho_G^*(\text{HMF}) = 1{,}75 \cdot 10^{-3} \cdot \frac{5 \cdot w\%}{2} \cdot g \cdot 1 l^{-1} = 21{,}875 \, mg \cdot 1 l^{-1} \leq 22 \, mg \cdot 1 l^{-1}$$

6.2.4 Gehalt

Der gemessene Drehwinkel muß bei Einsatz einer 1 dm Küvette zwischen 2,503 und 2,767 liegen.

Alternativ ist Glucose photometrisch über eine enzymatische Reaktion [1] oder nach spezifischer Farbreaktion [2] und über HPLC [3] bestimmbar.

[1] G. Wurm (Hrsg.), Hagers Handbuch der Pharmazeutischen Praxis Bd. I, S. 474 ff.
[2] A. Bär, H. Krämer, Krankenhauspharmazie **4**, 115 (1983).
[3] A. Schmoldt, M. Machut, Deutsche Apothekerzeitung **121**, 1006 (1981).

P. Surmann

9 Packungsbeilage

Für kohlenhydrathaltige Infusionslösungen hat das Bundesgesundheitsamt zusammen mit der Aufbereitungskommission B 10 (Infusion und Transfusion) eine generelle Bekanntmachung veröffentlicht, die im Beipackzettel berücksichtigt werden muß.

Es ist daher davon auszugehen, daß der Text der Standardzulassungsmonographie mit der nächsten Änderungsverordnung angepaßt werden wird.

Der Text der Bekanntmachung findet sich in diesem Kommentar unter C I. S. 13.

R. Braun

Monographien-Kommentar

Glucose-Lösung 10 Prozent

6.2.2   2. Siehe Kommentar zu Glucose-Lösung 5 Prozent

6.2.3   Prüfung auf Hydroxymethylfurfural

Der Verdünnungsfaktor F der Glucose-Lösung 10 Prozent ist

$$F = \frac{2}{5 \cdot w\%} = \frac{1}{25}$$

Damit ist die zulässige Konzentration an HMF in der Glucose-Lösung 10 Prozent

$$\rho_G^* (HMF) = 1{,}75 \cdot 10^{-3} \cdot \frac{1}{F} \cdot g \cdot 1l^{-1} = 43{,}75\,mg \cdot 1l^{-1} \leq 44\,mg \cdot 1l^{-1}$$

6.2.4   Gehalt

Der gemessene Drehwinkel muß bei Einsatz einer 1 dm Küvette zwischen 2,503 und 2,767 liegen.

Alternativ ist Glucose photometrisch über eine enzymatische Reaktion [1] oder nach spezifischer Farbreaktion [2] und über HPLC [3] bestimmbar.

Die zulässige Absorption entspricht einer maximalen Konzentration an Hydroxymethylfurfural in der Injektionslösung von 44 mg · 1l^{-1}.

Siehe auch Kommentar zu Fructose-Lösung 5 Prozent.

[1] G. Wurm (Hrsg.), Hagers Handbuch der Pharmazeutischen Praxis Bd. I, S. 474 ff.
[2] A. Bär, H. Krämer, Krankenhauspharmazie **4**, 115 (1983).
[3] A. Schmoldt, M. Machut, Deutsche Apothekerzeitung **121**, 1006 (1981).

P. Surmann

9   Packungsbeilage

Für kohlenhydrathaltige Infusionslösungen hat das Bundesgesundheitsamt zusammen mit der Aufbereitungskommission B 10 (Infusion und Transfusion) eine generelle Bekanntmachung veröffentlicht, die im Beipackzettel berücksichtigt werden muß.

Es ist daher davon auszugehen, daß der Text der Standardzulassungsmonographie mit der nächsten Änderungsverordnung angepaßt werden wird.

Der Text der Bekanntmachung findet sich in diesem Kommentar unter C I. S. 13.

R. Braun

Monographien-Kommentar

Glucose-Lösung 20 Prozent

6.2.2 2. Siehe Kommentar zu Glucose-Lösung 5 Prozent.

6.2.3 Prüfung auf Hydroxymethylfurfural

Der Verdünnungsfaktor F der Glucose-Lösung 20 Prozent ist

$$F = \frac{2}{5 \cdot w\%} = \frac{1}{50}$$

Damit ist die zulässige Konzentration an HMF in der Glucose-Lösung 20 Prozent

$$\rho_G^* (HMF) = 1{,}75 \cdot 10^{-3} \cdot \frac{1}{F} \cdot g \cdot 1 l^{-1} = 87{,}5\, mg \cdot 1 l^{-1} \leq 88\, mg \cdot 1 l^{-1}$$

6.2.4 Gehalt

Der gemessene Drehwinkel muß bei Einsatz einer 1 dm Küvette zwischen 2,503 und 2,767 liegen.

Alternativ ist Glucose photometrisch über eine enzymatische Reaktion [1] oder nach spezifischer Farbreaktion [2] und über HPLC [3] bestimmbar.

Die zulässige Absorption entspricht einer maximalen Konzentration an Hydroxymethylfurfural in der Injektionslösung von 88 mg $\cdot$ 1 l^{-1}.

Siehe auch Kommentar zu Fructose-Lösung 5 Prozent.

[1] G. Wurm (Hrsg.), Hagers Handbuch der Pharmazeutischen Praxis Bd. I, S. 474 ff.
[2] A. Bär, H. Krämer, Krankenhauspharmazie **4**, 115 (1983).
[3] A. Schmoldt, M. Machut, Deutsche Apothekerzeitung **121**, 1006 (1981).

P. Surmann

9 Packungsbeilage

Für kohlenhydrathaltige Infusionslösungen hat das Bundesgesundheitsamt zusammen mit der Aufbereitungskommission B 10 (Infusion und Transfusion) eine generelle Bekanntmachung veröffentlicht, die im Beipackzettel berücksichtigt werden muß.

Es ist daher davon auszugehen, daß der Text der Standardzulassungsmonographie mit der nächsten Änderungsverordnung angepaßt werden wird.

Der Text der Bekanntmachung findet sich in diesem Kommentar unter C I. S. 13.

R. Braun

Monographien-Kommentar

Glucose-Lösung 40 Prozent

6.2.2 2. Siehe auch Kommentar zu Glucose-Lösung 5 Prozent.

6.2.3 Prüfung auf Hydroxymethylfurfural

Der Verdünnungsfaktor F der Glucose-Lösung 40 Prozent ist

$$F = \frac{2}{5 \cdot w\%} = \frac{1}{100}$$

Damit ist die zulässige Konzentration an HMF in der Glucose-Lösung 40 Prozent

$$\rho_G^* (HMF) = 1{,}75 \cdot 10^{-3} \cdot \frac{1}{F} \cdot g \cdot 1l^{-1} = 175\,mg \cdot 1l^{-1}$$

6.2.4 Gehalt

Der gemessene Drehwinkel muß bei Einsatz einer 1 dm Küvette zwischen 2,003 und 2,213 liegen.

Alternativ ist Glucose photometrisch über eine enzymatische Reaktion [1] oder nach spezifischer Farbreaktion [2] und über HPLC [3] bestimmbar.

Die zulässige Absorption entspricht einer maximalen Konzentration an Hydroxymethylfurfural in der Injektionslösung von $175\,mg \cdot 1l^{-1}$.

Siehe auch Kommentar zu Fructose-Lösung 5 Prozent.

[1] G. Wurm (Hrsg.), Hagers Handbuch der Pharmazeutischen Praxis Bd. I, S. 474 ff.
[2] A. Bär, H. Krämer, Krankenhauspharmazie **4**, 115 (1983).
[3] A. Schmoldt, M. Machut, Deutsche Apothekerzeitung **121**, 1006 (1981).

P. Surmann

9 Packungsbeilage

Für kohlenhydrathaltige Infusionslösungen hat das Bundesgesundheitsamt zusammen mit der Aufbereitungskommission B 10 (Infusion und Transfusion) eine generelle Bekanntmachung veröffentlicht, die im Beipackzettel berücksichtigt werden muß.

Es ist daher davon auszugehen, daß der Text der Standardzulassungsmonographie mit der nächsten Änderungsverordnung angepaßt werden wird.

Der Text der Bekanntmachung findet sich in diesem Kommentar unter C I. S. 13.

R. Braun

Monographien-Kommentar

Glucose-Lösung 50 Prozent

6.2.2 2. Siehe Kommentar zu Glucose-Lösung 5 Prozent.

6.2.3 Prüfung auf Hydroxymethylfurfural

Der Verdünnungsfaktor F der Glucose-Lösung 50 Prozent ist

$$F = \frac{2}{5 \cdot w\%} = \frac{1}{125}$$

Damit ist die zulässige Konzentration an HMF in der Glucose-Lösung 50 Prozent

$$\rho_G^* \text{ (HMF)} = 1{,}75 \cdot 10^{-3} \cdot \frac{1}{F} \cdot g \cdot 1l^{-1} = 218{,}75\,\text{mg} \cdot 1l^{-1} \leq 220\,\text{mg} \cdot 1l^{-1}$$

6.2.4 Gehalt

Der gemessene Drehwinkel muß bei Einsatz einer 1 dm Küvette zwischen 2,503 und 2,767 liegen.

Alternativ ist Glucose photometrisch über eine enzymatische Reaktion [1] oder nach spezifischer Farbreaktion [2] und über HPLC [3] bestimmbar.

Die zulässige Absorption entspricht einer maximalen Konzentration an Hydroxymethylfurfural in der Injektionslösung von 219 mg · $1l^{-1}$.

Siehe auch Kommentar zu Fructose-Lösung 5 Prozent.

[1] G. Wurm (Hrsg.), Hagers Handbuch der Pharmazeutischen Praxis Bd. I, S. 474 ff.
[2] A. Bär, H. Krämer, Krankenhauspharmazie **4**, 115 (1983).
[3] A. Schmoldt, M. Machut, Deutsche Apothekerzeitung **121**, 1006 (1981).

P. Surmann

9 Packungsbeilage

Für kohlenhydrathaltige Infusionslösungen hat das Bundesgesundheitsamt zusammen mit der Aufbereitungskommission B 10 (Infusion und Transfusion) eine generelle Bekanntmachung veröffentlicht, die im Beipackzettel berücksichtigt werden muß.

Es ist daher davon auszugehen, daß der Text der Standardzulassungsmonographie mit der nächsten Änderungsverordnung angepaßt werden wird.

Der Text der Bekanntmachung findet sich in diesem Kommentar unter C I. S. 13.

R. Braun

Glucose-Toleranztest

1	**Bezeichnung des Fertigarzneimittels**	
	Glucose-Toleranztest	
2	**Darreichungsform**	
	Lösung	
3	**Zusammensetzung**	

Wirksamer Bestandteil:

Glucose-Monohydrat   27,5 g

Sonstige Bestandteile:

Citronensäure-Monohydrat   0,25 g

Benzoesäure   0,15 g

Glycerol   5,0 g

Gereinigtes Wasser   zu 100,0 ml

4 **Herstellungsvorschrift**

Die für die Herstellung einer Charge erforderliche Menge Benzoesäure wird unter Rühren in etwa der Hälfte der benötigten Menge heißen Wassers gelöst. In der ca. 50 °C warmen Lösung werden dann die erforderlichen Mengen Glucose-Monohydrat und Citronensäure-Monohydrat gelöst und das Glycerol hinzugefügt. Nach dem Abkühlen auf Raumtemperatur wird die Lösung mit dem restlichen Wasser auf das erforderliche Volumen bzw. die erforderliche Masse gebracht und dann in die vorgesehenen Behältnisse abgefüllt.

5 **Inprozess-Kontrollen**

Überprüfung

– der relativen Dichte (AB. 2.2.5): 1,106 bis 1,108

– des pH-Wertes (AB. 2.2.3): 2,3 bis 2,5

6 **Eigenschaften und Prüfungen**

6.1 Aussehen, Eigenschaften

Klare, farblose bis höchstens schwach gelbliche Lösung von süßem Geschmack; pH-Wert (AB. 2.2.3) zwischen 2,2 und 2,5; relative Dichte (AB. 2.2.5) zwischen 1,197 und 1,199.

6.2 Prüfung auf Identität

Glucose:

0,5 ml Glucose-Toleranztest werden mit 10 ml Wasser verdünnt. Nach Zusatz von 3 ml Fehlingscher Lösung R und Erhitzen bildet sich ein roter Niederschlag.

Benzoesäure:

Die Prüfung erfolgt mit Hilfe der Dünnschichtchromatographie (AB. 2.2.27) unter Verwendung einer Schicht von Kieselgel GF_{254} R.

Untersuchungslösung: 2,5 ml Glucose-Toleranztest werden mit Methanol R zu 10 ml verdünnt.

Referenzlösung: 0,375 mg einer als Standard geeigneten Benzoesäure pro 1 ml Methanol R.

Auf die kurz vor der Verwendung durch einstündiges Erhitzen auf 100 bis 105 °C aktivierte Platte werden getrennt 10 µl jeder Lösung aufgetragen.

Die Chromatographie erfolgt mit einer Mischung von 6 Teilen Essigsäure 98 % R, 12 Teilen Wasser und 82 Teilen 1-Butanol R über eine Laufstrecke von 10 cm. Nach dem Trocknen an der Luft wird die Platte im ultravioletten Licht bei 254 nm ausgewertet. Der Fleck im oberen Drittel des Chromatogramms der Untersuchungslösung entspricht in Bezug auf seine Lage, Größe und Intensität annähernd dem Fleck im Chromatogramm der Referenzlösung.

6.3 Prüfung auf Reinheit

Prüfung auf Hydroxymethylfurfural:

Es wird mit Wasser eine Verdünnung hergestellt, die in 250 ml 1,1 g Glucose-Monohydrat enthält. Die Absorption (AB. 2.2.25) dieser Lösung darf bei 284 nm und einer Schichtdicke von 1 cm 0,25 nicht übersteigen (max. 0,044 %).

6.4 Grenzprüfung auf Benzoesäure

Bei Durchführung der unter 6.2 beschriebenen dünnschichtchromatographischen Identitätsprüfung auf Benzoesäure darf der im oberen Drittel des Chromatogramms der Untersuchungslösung auftretende Fleck nicht größer und intensiver sein als der Fleck, der sich ergibt, wenn 12 µl Referenzlösung aufgetragen werden.

6.5 Gehalt

Zum Zeitpunkt der Produktfreigabe: 95,0 bis 105,0 Prozent der deklarierten Menge an Glucose-Monohydrat.

Bestimmung:

Ein 5,0 g wasserfreier Glucose entsprechendes Volumen Lösung wird mit 0,2 ml Ammoniak-Lösung R 1 versetzt, 30 Minuten stehen gelassen und mit Wasser zu 100,0 ml verdünnt. Die spezifische Drehung (AB. 2.2.7) der Lösung wird bestimmt und daraus der Gehalt berechnet ($[\alpha]_D^{20} = +\ 52{,}6°$).

6.6 Haltbarkeit

Die Haltbarkeit in den Behältnissen nach 7 beträgt 3 Jahre.

7 Behältnisse

Braunglasflaschen mit Gießring und Schraubverschluss aus Polyethylen.

8 **Kennzeichnung**

Nach § 10 AMG, insbesondere:

8.1 Zulassungsnummer

2519.99.99

8.2 Art der Anwendung

Zum Trinken.

8.3 Hinweise

Apothekenpflichtig.

Unter Aufsicht nach Anweisung des Arztes trinken.

Energiegehalt: 467,5 kJ/100 ml (110 kcal/100 ml).

9 **Packungsbeilage**

Nach § 11 AMG, insbesondere:

9.1 Stoff- oder Indikationsgruppe

Diagnostikum für den oralen Glucose-Toleranztest

9.2 Anwendungsgebiete

Oraler Glucose-Toleranztest zur diagnostischen Bestätigung oder zum Ausschluss eines Verdachts auf Diabetes mellitus oder einer gestörten Glucosetoleranz.

9.3 Gegenanzeigen

Wann dürfen Sie den Glucose-Toleranztest nicht anwenden?

Sie dürfen den Glucose-Toleranztest nicht anwenden bei:
– manifestem Diabetes mellitus
– fieberhaften Infekten
– akuten Magen-Darm-Erkrankungen
– stark reduziertem Allgemein- und Ernährungszustand.

9.4 Vorsichtsmaßnahmen für die Anwendung und Warnhinweise

Welche Vorsichtsmaßnahmen müssen beachtet werden?

Gelegentlich können während des Tests oder später hypoglykämische Symptome mit einer Beeinflussung des Befindens (Verminderung der Reaktionsfähigkeit) auftreten. Zur Vermeidung von Unterzuckerungserscheinungen sollte unmittelbar nach dem Test eine kohlenhydratreiche Mahlzeit verzehrt werden.

Was müssen Sie im Straßenverkehr sowie bei der Arbeit mit Maschinen und bei Arbeiten ohne sicheren Halt beachten?

Die Fähigkeit zur aktiven Teilnahme am Straßenverkehr, zum Bedienen von Maschinen oder zum Arbeiten ohne sicheren Halt kann durch das Auftreten hypoglykämischer Symptome beeinträchtigt werden.

4 Glucose-Toleranztest

9.5 Wechselwirkungen mit anderen Mitteln

<u>Welche anderen Arzneimittel beeinflussen die Wirkung des Glucose-Toleranztests?</u>

Der Test wird beeinflusst durch die gleichzeitige Therapie mit Medikamenten, die Auswirkungen auf die Glucosetoleranz haben können, z. B.:

- nichtsteroidale Antirheumatika
- Glukokortikoide
- Abführmittel
- Mittel zur Senkung des Bluthochdrucks (außer ACE-Hemmern)
- Nicotinsäure-Derivate
- Nitrazepam
- Phenothiazine
- orale Kontrazeptiva
- Schilddrüsenhormone
- Saluretika vom Thiazid- und Furosemid-Typ
- Tranquilizer und Sedativa.

Beachten Sie bitte, dass diese Angaben auch für vor kurzem angewandte Arzneimittel gelten können.

Diese Medikamente sollten, sofern dies ohne Gefahr möglich ist, mindestens drei Tage vor dem Test abgesetzt werden. Kann auf ein Medikament nicht verzichtet werden, bedarf das Testergebnis einer differenzierten Interpretation.

9.6 Dosierungsanleitung, Art und Dauer der Anwendung

9.6.1 Dosierung

Erwachsene erhalten 300 ml Lösung mit 75 g wasserfreier Glucose, Schwangere 400 ml Lösung mit 100 g wasserfreier Glucose und Kinder ein Volumen, das 1,75 g wasserfreie Glucose/kg Körpermasse, maximal jedoch 75 g wasserfreie Glucose enthält (10 ml Lösung enthalten 2,5 g wasserfreie Glucose). Die Lösung muss innerhalb von 5 Minuten getrunken werden.

9.6.2 Art der Anwendung

Vorbereitung des Patienten:

- vor dem Test sind für mindestens 3 Tage die üblichen Essensgewohnheiten einzuhalten (mindestens 150–200 g Kohlenhydrate)
- vor dem Test sind mindestens 3 Tage lang die verzichtbaren Medikamente abzusetzen, die die Glucosetoleranz stören können
- vor dem Test ist die normale körperliche Tätigkeit fortzusetzen; auszuschließen sind Bettlägerigkeit oder übermäßige körperliche Aktivitäten
- der Abstand zur Menstruation sollte mindestens 3 Tage betragen

- nach zehn- bis sechzehnstündiger Nüchternperiode – ohne Essen, ohne Trinken (außer Wasser), ohne Rauchen, keine körperliche Anstrengung – sollte der Test bis 9.00 Uhr morgens durchgeführt werden.

Wenn die Bedingungen zur Vorbereitung des Patienten nicht eingehalten werden, können die Ergebnisse des Tests verfälscht sein.

Durchführung des Tests:

Der Test soll am sitzenden Patienten wie folgt durchgeführt werden:

- Entnahme des Blutes zur Bestimmung des Nüchternblutzuckerspiegels
- Trinken der Testlösung innerhalb von 5 Minuten
- Blutentnahme 60, 120 und 180 Minuten nach der Einnahme
- während der Testdurchführung sollte nicht geraucht werden und keiner körperlichen Aktivität nachgegangen werden.

Um eine Veränderung der so genannten normalen Nierenschwelle für Glucose zu erkennen, sollte nach der letzten Blutentnahme Glucose im Harn bestimmt werden.

Auswertung des Tests:

Blutglucosegrenzwerte für den oralen Glucose-Toleranztest nach Belastung mit 75 g wasserfreier Glucose (Kinder: 1,75 g wasserfreier Glucose/kg Körpermasse) nach Empfehlung der WHO:

	Vollblut		Plasma	
	venös	kapillar	venös	kapillar
Diabetes mellitus				
Nüchternwert:				
mg/dl	≥120	≥120	≥140	≥140
mmol/l	≥6,7	≥6,7	≥7,8	≥7,8
2-Std.-Wert:				
mg/dl	≥180	≥200	≥200	≥200
mmol/l	≥10,0	≥11,1	≥11,1	≥12,2
Gestörte Glucosetoleranz				
Nüchternwert:				
mg/dl	≥120	≥120	≥140	≥140
mmol/l	≥6,7	≥6,7	≥7,8	≥7,8
2-Std.-Wert:				
mg/dl	120–180	140–200	140–200	160–220
mmol/l	6,7–10,0	7,8–11,1	7,8–11,1	8,9–12,2

Grenzwerte für Schwangere:

Diabetes mellitus	Venöse Plasma-Glucose-Konzentration	
Nüchternwert:	≥ 105 mg/dl	≥ 5,8 mmol/l
1-Std.-Wert	≥ 190 mg/dl	≥ 10,5 mmol/l
2-Std.-Wert	≥ 165 mg/dl	≥ 9,1 mmol/l
3-Std.-Wert	≥ 145 mg/dl	≥ 8,0 mmol/l

Hinweis:

Die Glucosetoleranz kann durch folgende Störfaktoren beeinflusst werden:

- Medikamente (siehe Abschnitt Wechselwirkungen)
- Kaliummangel
- Magnesiummangel
- Hyperlipoproteinämie
- Leberzirrhose
- Schilddrüsenüberfunktion
- hochgradige Herzinsuffizienz
- metabolische Azidose (Urämie)
- Stresseinwirkungen (z. B. Herzinfarkt, Operationen, Traumen)
- Schwangerschaft
- lange Bettlägerigkeit
- Menstruation sowie drei Tage davor und danach.

Ein pathologisches Ergebnis kann durch folgende Erkrankungen und Faktoren vorgetäuscht werden:

- Duodenalulkus
- Zustand nach Billroth-II-Operation
- Kaliummangel
- Magnesiummangel
- Leberfunktionsstörung
- Medikamente (wie z. B. Ovulationshemmer, Abführmittel, Sulfonamid-Derivate, Etacrynsäure)
- Hungerzustand.

Ein negatives Ergebnis trotz diabetischer Stoffwechsellage kann vorgetäuscht werden durch folgende Erkrankungen oder Faktoren:

- akute Enteritis
- Enteritis regionalis
- Colon irritabile

- Colitis ulcerosa
- Glucose-Galaktose-Intoleranz
- Disaccharidasemangel
- Morbus Whipple
- Tuberkulose
- Parasitenbefall
- Medikamente wie z. B. Coffein, Reserpin, Biguanide, MAO-Hemmer, blutglucosesenkende Sulfonamid-Derivate, Gonadotropin, mittelkettige Fettsäuren.

9.7 Nebenwirkungen und Gegenmaßnahmen

Welche Nebenwirkungen können bei der Anwendung des Glucose-Toleranztests auftreten?

Als Nebenwirkungen können auftreten:
- sehr selten allergische Reaktionen, z. B. Hautrötungen
- selten Magendruck und Übelkeit
- gelegentlich während des Tests oder später auftretende hypoglykämische Symptome mit einer Verminderung der Reaktionsfähigkeit.

Welche Gegenmaßnahmen sind bei Nebenwirkungen zu ergreifen?

Die Gefahr einer Unterzuckerung kann durch Gabe von etwas Zucker oder einer kohlenhydrathaltigen Mahlzeit im Anschluss an den Test gesenkt werden.

10 Fachinformation

Nach § 11a AMG, insbesondere:

10.1 Verschreibungsstatus/Apothekenpflicht

Apothekenpflichtig.

10.2 Stoff- oder Indikationsgruppe

Diagnostikum für den oralen Glucose-Toleranztest.

10.3 Anwendungsgebiete

Oraler Glucose-Toleranztest zur Diagnose oder zum Ausschluss eines Diabetes mellitus oder einer gestörten Glucosetoleranz.

10.4 Gegenanzeigen

Manifester Diabetes mellitus; fieberhafte Infekte; akute Magen-Darm-Erkrankungen; stark reduzierter Allgemein- und Ernährungszustand.

10.5 Nebenwirkungen

Als Nebenwirkungen können auftreten:
- sehr selten allergische Reaktionen, z. B. Hautrötungen
- selten Magendruck und Übelkeit

8 Glucose-Toleranztest

- gelegentlich während des Tests oder später auftretende hypoglykämische Symptome mit einer Verminderung der Reaktionsfähigkeit.

Zur Vermeidung von hypoglykämischen Symptomen sollte unmittelbar nach dem Test eine kohlenhydratreiche Mahlzeit verzehrt werden.

10.6 Wechselwirkungen mit anderen Mitteln

- nichtsteroidale Antirheumatika
- Glukokortikoide
- Laxantien
- Mittel zur Senkung des Bluthochdrucks (außer ACE-Hemmern)
- Nicotinsäure-Derivate
- Nitrazepam
- Phenothiazine
- orale Kontrazeptiva
- Schilddrüsenhormone
- Saluretika vom Thiazid- und Furosemid-Typ
- Tranquilizer und Sedativa.

Diese Medikamente sollten, sofern dies ohne Gefahr möglich ist, mindestens drei Tage vor dem Test abgesetzt werden. Kann auf ein Medikament nicht verzichtet werden, bedarf das Testergebnis einer differenzierten Interpretation.

10.7 Wichtigste Inkompatibilitäten

Entfällt.

10.8 Dosierungsanleitung, Art und Dauer der Anwendung

10.8.1 Dosierung

Erwachsene erhalten 300 ml Lösung mit 75 g wasserfreier Glucose, Schwangere 400 ml Lösung mit 100 g wasserfreier Glucose und Kinder ein Volumen, das 1,75 g wasserfreie Glucose/kg Körpermasse, maximal jedoch 75 g wasserfreie Glucose enthält (10 ml Lösung enthalten 2,5 g wasserfreie Glucose). Die Lösung muss innerhalb von 5 Minuten getrunken werden.

10.8.2 Art der Anwendung

Vorbereitung des Patienten:

- vor dem Test sind für mindestens 3 Tage die üblichen Essensgewohnheiten einzuhalten (mindestens 150–200 g Kohlenhydrate)
- vor dem Test sind mindestens 3 Tage lang die verzichtbaren Medikamente abzusetzen, die die Glucosetoleranz stören können
- vor dem Test ist die normale körperliche Tätigkeit fortzusetzen; auszuschließen sind Bettlägerigkeit oder übermäßige körperliche Aktivitäten
- der Abstand zur Menstruation sollte mindestens 3 Tage betragen

– nach zehn- bis sechzehnstündiger Nüchternperiode – ohne Essen, ohne Trinken (außer Wasser), ohne Rauchen, keine körperliche Anstrengung – sollte der Test bis 9.00 Uhr morgens durchgeführt werden.

Wenn die Bedingungen zur Vorbereitung des Patienten nicht eingehalten werden, können die Ergebnisse des Tests verfälscht sein.

Durchführung des Tests:

Der Test soll am sitzenden Patienten wie folgt durchgeführt werden:

– Entnahme des Blutes zur Bestimmung des Nüchternblutzuckerspiegels

– Trinken der Testlösung innerhalb von 5 Minuten

– Blutentnahme 60, 120 und 180 Minuten nach der Einnahme

– während der Testdurchführung sollte nicht geraucht werden und keiner körperlichen Aktivität nachgegangen werden.

Um eine Veränderung der so genannten normalen Nierenschwelle für Glucose zu erkennen, sollte nach der letzten Blutentnahme Glucose im Harn bestimmt werden.

Auswertung des Tests:

Blutglucosegrenzwerte für den oralen Glucose-Toleranztest nach Belastung mit 75 g wasserfreier Glucose (Kinder: 1,75 g wasserfreier Glucose/kg Körpermasse) nach Empfehlung der WHO:

	Vollblut		**Plasma**	
	venös	kapillar	venös	kapillar
Diabetes mellitus				
Nüchternwert:				
mg/dl	≥120	≥120	≥140	≥140
mmol/l	≥6,7	≥6,7	≥7,8	≥7,8
2-Std.-Wert:				
mg/dl	≥180	≥200	≥200	≥200
mmol/l	≥10,0	≥11,1	≥11,1	≥12,2
Gestörte Glucose-Toleranz				
Nüchternwert:				
mg/dl	≥120	≥120	≥140	≥140
mmol/l	≥6,7	≥6,7	≥7,8	≥7,8
2-Std.-Wert:				
mg/dl	120–180	140–200	140–200	160–220
mmol/l	6,7–10,0	7,8–11,1	7,8–11,1	8,9–12,2

Grenzwerte für Schwangere:

Diabetes mellitus	Venöse Plasma-Glucose-Konzentration	
Nüchternwert:	≥ 105 mg/dl	≥ 5,8 mmol/l
1-Std.-Wert	≥ 190 mg/dl	≥ 10,5 mmol/l
2-Std.-Wert	≥ 165 mg/dl	≥ 9,1 mmol/l
3-Std.-Wert	≥ 145 mg/dl	≥ 8,0 mmol/l

Hinweis:

Die Glucosetoleranz kann durch folgende Störfaktoren beeinflusst werden:

- Medikamente (siehe Abschnitt Wechselwirkungen)
- Kaliummangel
- Magnesiummangel
- Hyperlipoproteinämie
- Leberzirrhose
- Schilddrüsenüberfunktion
- hochgradige Herzinsuffizienz
- metabolische Azidose (Urämie)
- Stresseinwirkungen (z. B. Herzinfarkt, Operationen, Traumen)
- Schwangerschaft
- lange Bettlägerigkeit
- Menstruation sowie drei Tage davor und danach.

Ein pathologisches Ergebnis kann durch folgende Erkrankungen und Faktoren vorgetäuscht werden:

- Duodenalulkus
- Zustand nach Billroth-II-Operation
- Kaliummangel
- Magnesiummangel
- Leberfunktionsstörung
- Medikamente (wie z. B. Ovulationshemmer, Abführmittel, Sulfonamid-Derivate, Etacrynsäure)
- Hungerzustand.

Ein negatives Ergebnis trotz diabetischer Stoffwechsellage kann vorgetäuscht werden durch folgende Erkrankungen oder Faktoren:

- akute Enteritis
- Enteritis regionalis

- Colon irritabile
- Colitis ulcerosa
- Glucose-Galaktose-Intoleranz
- Disaccharidasemangel
- Morbus Whipple
- Tuberkulose
- Parasitenbefall
- Medikamente wie z. B. Coffein, Reserpin, Biguanide, MAO-Hemmer, blutglucosesenkende Sulfonamid-Derivate, Gonadotropin, mittelkettige Fettsäuren.

10.9 Notfallmaßnahmen, Symptome und Gegenmittel

Hinsichtlich der zu ergreifenden Maßnahmen bei gelegentlich auftretender Hypoglykämie siehe Angaben unter „Nebenwirkungen".

10.10 Sonstige Hinweise

Die Fähigkeit zur aktiven Teilnahme am Straßenverkehr, zum Bedienen von Maschinen oder zum Arbeiten ohne sicheren Halt kann durch das Auftreten von hypoglykämischen Symptomen beeinträchtigt werden.

Glucose-Elektrolyt-Mischung

1 Bezeichnung des Fertigarzneimittels
Glucose-Elektrolyt-Mischung

2 Darreichungsform
Pulver

3 Zusammensetzung

Wasserfreie Glucose	71,7 g
Natriumcitrat 2 H_2O	10,4 g
Natriumchlorid	12,5 g
Kaliumchlorid	5,4 g

4 Herstellungsvorschrift
Die für die Herstellung einer Charge benötigten Mengen wasserfreie Glucose, Natriumcitrat 2 H_2O, Natriumchlorid und Kaliumchlorid werden, falls erforderlich, gemahlen und bis zur Homogenität gemischt. Die fertige Mischung wird in die vorgesehenen Behältnisse gefüllt.

Hinweis:

Die Bulkware ist vor Feuchtigkeit geschützt zu lagern.

5 Inprozeß-Kontrollen
Überprüfung des Wassergehalts: höchstens 2,25 Prozent (Karl-Fischer-Methode).

6 Eigenschaften und Prüfungen

6.1 Aussehen, Eigenschaften
Weiße, kristalline bis pulverige, geruchlose Mischung von süß-salzigem Geschmack; leicht löslich in Wasser. Eine 3prozentige Lösung in Wasser hat einen pH-Wert von 7,0 bis 8.

6.2 Prüfsubstanz: Glucose-Elektrolyt-Mischung, fein verrieben.

6.3 Prüfung auf Identität
Glucose
entsprechend der Prüfung auf Identität gemäß AB.

Glucose-Elektrolyt-Mischung

Natrium

entsprechend der Identitätsreaktion a) auf Natrium (AB. V.3.1.1).

Kalium

entsprechend der Identitätsreaktion a) auf Kalium (AB. V.3.1.1).

Citrat

entsprechend der Identitätsreaktion auf Citrat (AB. V.3.1.1).

Chlorid

entsprechend der Identitätsreaktion a) auf Chlorid (AB. V.3.1.1).

6.4 Gehalt

95,0 bis 105,0 Prozent der deklarierten Mengen an wasserfreier Glucose, Kalium, Gesamtnatrium, Citrat und Gesamtchlorid.

Bestimmung

Glucose

Die Bestimmung erfolgt mit Hilfe der optischen Drehung (AB. V.6.6).

Eine etwa 5,0 g wasserfreier Glucose entsprechende Menge Prüfsubstanz wird in 80 ml Wasser gelöst. Nach Zusatz von 0,2 ml Ammoniak-Lösung 10 % R wird 30 min lang stehengelassen, mit Wasser zu 100,0 ml verdünnt und der Drehungswinkel der Lösung gemessen. Zur Berechnung der Glucose-konzentration ist die spezifische Drehung $[\alpha]_D^{20} = +52,6°$ zugrunde zu legen.

Kalium

Die Bestimmung erfolgt mit Hilfe der Atomabsorptionsspektroskopie (AB. V.6.17, Methode I).

Untersuchungslösung: Eine genau gewogene Menge Prüfsubstanz wird in Wasser zu einer dem verwendeten Gerät angepaßten Konzentration gelöst. 100 ml Lösung werden mit 10 ml einer 2,2prozentigen Lösung von Natriumchlorid R versetzt.

Referenzlösungen: Die Referenzlösungen werden aus der Kalium-Lösung (100 ppm K) R hergestellt. 100 ml der Referenzlösungen werden mit 10 ml einer 2,2prozentigen Lösung von Natriumchlorid R versetzt.

Die Absorption wird bei 766,5 nm bestimmt unter Verwendung einer Kalium-Hohlkathodenlampe als Strahlungsquelle und einer Luft-Propan- oder Luft-Acetylen-Flamme.

Glucose-Elektrolyt-Mischung 3

Natrium

Die Bestimmung erfolgt mit Hilfe der Atomabsorptionsspektroskopie (AB. V.6.17, Methode II).

Untersuchungslösung: Eine genau gewogene Menge Prüfsubstanz wird in Wasser zu einer dem verwendeten Gerät angepaßten Konzentration gelöst.

Referenzlösungen: Die Referenzlösungen werden aus der Natrium-Lösung (200 ppm Na) R hergestellt.

Die Absorption wird bei 589,0 nm bestimmt unter Verwendung einer Natrium-Hohlkathodenlampe als Strahlungsquelle und einer Luft-Propan- oder Luft-Acetylen-Flamme.

Citrat

Eine etwa 0,150 g Natriumcitrat 2 H_2O entsprechende Menge Prüfsubstanz wird mit 50 ml wasserfreier Essigsäure R versetzt und die Mischung ca. 10 min lang bei 50 °C gerührt. Nach dem Abkühlen wird nach „Titration in wasserfreiem Medium" (AB. V.3.5.5) mit 0,1N-Perchlorsäure unter Zusatz von 0,25 ml Naphtholbenzein-Lösung R bis zum Farbumschlag nach Grün titriert.

1 ml 0,1N-Perchlorsäure entspricht 9,803 mg $C_6H_5Na_3O_7$ 2 H_2O.

Chlorid

1,000 g Prüfsubstanz wird in 60 ml Wasser gelöst. Die Lösung wird mit 5 ml Salpetersäure 12,5 % R, 25,0 ml 0,1 N-Silbernitrat-Lösung und 2 ml Dibutylphthalat R versetzt. Nach kräftigem Umschütteln wird mit 0,1N-Ammoniumthiocyanat-Lösung unter Zusatz von 2 ml Ammoniumeisen(III)-sulfat-Lösung R 2 titriert, wobei vor dem Umschlagspunkt kräftig geschüttelt wird.

1 ml 0,1N-Silbernitrat-Lösung entspricht 3,545 mg Chlorid.

6.5 Haltbarkeit

Die Haltbarkeit in den Behältnissen nach 7 beträgt drei Jahre.

7 **Behältnisse**

Dichtschließende Behältnisse aus Glas oder Polypropylen und einer Dosiereinrichtung mit einem Fassungsvermögen von 27,9 g Pulver oder dicht verschweißte Beutel aus Aluminiumverbundfolie, bestehend aus Polyethylen 50 µm, 46,1 g/m², Aluminium 15 µm, 40,5 g/m² und Polyester 12 µm, 16,9 g/m², für einen Inhalt von 27,9 g Pulver.

8 **Kennzeichnung**

Nach § 10 AMG, insbesondere:

8.1 Zulassungsnummer

2119.99.99

8.2 Art der Anwendung

Zum Einnehmen nach Auflösen in Wasser.

8.3 Hinweise

Apothekenpflichtig.

Dicht verschlossen halten.

Vor Feuchtigkeit geschützt lagern.

Nicht verwendete Restmengen der Lösung sind nach 24 Stunden zu verwerfen.

9 Packungsbeilage

Nach § 11 AMG, insbesondere:

9.1 Anwendungsgebiete

Zum Ausgleich von Salz- und Flüssigkeitsverlusten bei Durchfallerkrankungen.

Hinweis:

Jeder Durchfall (Diarrhoe) kann Anzeichen einer schweren Erkrankung sein. Bei längerer Dauer und/oder Beeinträchtigung des Allgemeinbefindens ist daher ein Arzt aufzusuchen.

Bei Säuglingen und Kleinkindern können Durchfälle, besonders bei gleichzeitigem unstillbaren Erbrechen, rasch zu schweren Krankheitserscheinungen (Bewußtseinstrübung, Schock) führen. Es ist daher bei der Durchfallbehandlung von Säuglingen und Kleinkindern in jedem Fall ein Arzt hinzuzuziehen.

9.2 Gegenanzeigen

Akute und chronische Ausscheidungsstörungen der Nieren (akute und chronische Niereninsuffizienz), unstillbares Erbrechen, Bewußtseinstrübung bzw. Schock, Untersäuerung des Blutes (metabolische Alkalose).

Bei Patienten mit Herzschwäche (Herzinsuffizienz) und erhöhtem Blutdruck ist vor Beginn der Behandlung wegen der zugeführten Volumen- und Natriummengen der Arzt zu befragen.

9.3 Nebenwirkungen

Als Folge einer durch Kalium bedingten Magenreizung können Übelkeit und Erbrechen auftreten.

Hinweis:

Wegen des hohen Glucosegehaltes sollte Glucose-Elektrolyt-Mischung von Diabetikern nur nach Rücksprache mit dem behandelnden Arzt angewendet werden.

9.4 Wechselwirkungen mit anderen Mitteln

Die Wirkung herzwirksamer Glykoside kann herabgesetzt werden. Patienten, die eine gleichzeitige Therapie mit derartigen Glykosiden erhalten, sind sorgfältig in ihrem Kaliumgehalt zu überwachen.

9.5 Dosierungsanleitung und Art der Anwendung

Zum Einnehmen nach Auflösen in abgekochtem, abgekühltem Wasser oder Tee. Der Inhalt eines Beutels bzw. eines gestrichenen Dosierlöffels wird in 1,0 l Flüssigkeit gelöst.

Soweit nicht anders verordnet, werden

- von Kindern unter einem Jahr 600 bis 1000 ml Glucose-Elektrolyt-Lösung über den Tag verteilt eingenommen,
- von Kindern bis zu vier Jahren 1,0 l bis 2,0 l Glucose-Elektrolyt-Lösung über den Tag verteilt eingenommen.

Bei älteren Kindern und Erwachsenen kann die Einnahme auf bis zu 4 l Glucose-Elektrolyt-Lösung in Abhängigkeit von dem erforderlichen Ausgleich des Flüssigkeitsverlustes erhöht werden.

Hinweis für Diabetiker:

1 Beutel bzw. ein Dosierlöffel voll Glucose-Elektrolyt-Mischung entspricht etwa 1,7 BE (Broteinheit).

Die Dauer der Anwendung bei Säuglingen und Kleinkindern bestimmt der Arzt. Sie beträgt in der Regel 6 bis 12 Stunden und sollte 24 Stunden nicht überschreiten.

Schulkinder und Erwachsene nehmen Glucose-Elektrolyt-Mischung nach Anweisung des Arztes bzw. bis zum Abklingen des Durchfalls ein.

Hinweis:

Nicht verwendete Restmengen der Lösung sind nach 24 Stunden zu verwerfen.

9.6 Hinweise

Dicht verschlossen halten.

Vor Feuchtigkeit geschützt aufbewahren.

10 **Fachinformation**

Nach § 11 a AMG, insbesondere:

10.1 Verschreibungsstatus/Apothekenpflicht

Apothekenpflichtig.

10.2 Stoff- oder Indikationsgruppe

Orales Rehydratationstherapeutikum.

10.3 Anwendungsgebiete

Zur oralen Elektrolyt- und Flüssigkeitszufuhr bei Durchfallerkrankungen.

6 Glucose-Elektrolyt-Mischung

Hinweis:

Jede Diarrhoe kann Anzeichen einer schweren Erkrankung sein. Bei längerer Dauer und/oder Beeinträchtigung des Allgemeinbefindens ist daher ein Arzt aufzusuchen.

Bei Säuglingen und Kleinkindern können Durchfälle, besonders bei gleichzeitigem unstillbaren Erbrechen, rasch zu schweren Krankheitserscheinungen (Bewußtseinstrübung, Schock) führen. Es ist daher bei der Durchfallbehandlung von Säuglingen und Kleinkindern in jedem Fall ein Arzt hinzuzuziehen.

10.4 Gegenanzeigen

Akute und chronische Niereninsuffizienz, unstillbares Erbrechen, Bewußtseinstrübung bzw. Schock, metabolische Alkalose.

Bei Patienten mit Herzinsuffizienz und erhöhtem Blutdruck ist vor Beginn der Behandlung wegen der zugeführten Volumen- und Natriummengen der Arzt zu befragen.

10.5 Nebenwirkungen

Als Folge einer durch Kalium bedingten Magenreizung können Übelkeit und Erbrechen auftreten.

Hinweis:

Wegen des hohen Glucosegehaltes sollte Glucose-Elektrolyt-Mischung von Diabetikern nur nach Rücksprache mit dem behandelnden Arzt angewendet werden.

10.6 Wechselwirkungen mit anderen Mitteln

Die Wirkung herzwirksamer Glykoside kann herabgesetzt werden. Patienten, die eine gleichzeitige Therapie mit derartigen Glykosiden erhalten, sind sorgfältig in ihrem Kaliumgehalt zu überwachen.

10.7 Warnhinweise

Keine.

10.8 Wichtigste Inkompatibilitäten

Keine bekannt.

10.9 Dosierung mit Einzel- und Tagesgaben

Es werden
– von Kindern unter einem Jahr 600 bis 1000 ml Glucose-Elektrolyt-Lösung über den Tag verteilt eingenommen,
– von Kindern bis zu vier Jahren 1,0 l bis 2,0 l Glucose-Elektrolyt-Lösung über den Tag verteilt eingenommen.

Bei älteren Kindern und Erwachsenen kann die Einnahme auf bis zu 4 l Glucose-Elektrolyt-Lösung in Abhängigkeit von dem erforderlichen Ausgleich des Flüssigkeitsverlustes erhöht werden.

10.10 Art und Dauer der Anwendung

Zum Einnehmen nach Auflösen in abgekochtem, abgekühltem Wasser oder Tee. Der Inhalt eines Beutels bzw. eines gestrichenen Dosierlöffels wird in 1,0 l Flüssigkeit gelöst.

Die Dauer der Anwendung bei Säuglingen und Kleinkindern bestimmt der Arzt. Sie beträgt in der Regel 6 bis 12 Stunden und sollte 24 Stunden nicht überschreiten.

Schulkinder und Erwachsene nehmen Glucose-Elektrolyt-Mischung nach Anweisung des Arztes bzw. bis zum Abklingen des Durchfalls ein.

Hinweis:
Nicht verwendete Restmengen der Lösung sind nach 24 Stunden zu verwerfen.

10.11 Notfallmaßnahmen, Symptome und Gegenmittel

Bei bestehendem und besonders bei bisher unerkanntem Diabetes mellitus kann es durch die Einnahme von Glucose-Elektrolyt-Mischung zu einer Hyperglykämie bis hin zum Coma diabeticum kommen. Das Coma diabeticum ist die schwerste Form der diabetischen Stoffwechselentgleisung und auch heute noch mit einer relativ hohen Mortalität belastet. Es entwickelt sich in der Regel langsam und ist gekennzeichnet durch zunehmend stärker werdenden Durst, Polyurie, Müdigkeit und Mattigkeit, Gewichtsabnahme, Appetitlosigkeit, Übelkeit und Erbrechen, Leibschmerzen, Somnolenz und Bewußtlosigkeit.

Das klinische Bild zeigt in diesem Fall eine ausgeprägte Exsikkose, eine trockene Zunge, weiche Bulbi, gerötete Haut und Tachykardie. Die Einnahme von Glucose-Elektrolyt-Mischung muß unterbrochen werden. Die wichtigste Maßnahme ist die sofortige Flüssigkeitssubstitution durch eine Infusion von mindestens 500 ml 0,9 % Natriumchlorid-Lösung oder auch anderer iso- oder hypotoner Elektrolytlösungen. Eine i.v.-Verabreichung von 20 I.E. Altinsulin soll nur bei gesicherter Diagnose erfolgen. Ein sofortiger Transport ins Krankenhaus ist erforderlich.

10.12 Pharmakologische und toxikologische Eigenschaften und Angaben über die Pharmakokinetik und Bioverfügbarkeit, soweit diese Angaben für die therapeutische Verwendung erforderlich sind

10.12.1 Pharmakologische Eigenschaften

Wasser und Elektrolytverluste bei Diarrhoe werden durch die Einnahme von Glucose-Elektrolyt-Mischung ersetzt. Bei ausreichender Zufuhr werden auf natürlichem Wege Exsikkose und Störungen des Elektrolythaushaltes vermieden.

10.12.2 Toxikologische Eigenschaften

Toxische Effekte sind in den vorgesehenen Konzentrationen bei der angegebenen Anwendungsart und -dauer unter Beachtung der Gegenanzeigen und Hinweise nicht zu erwarten.

10.12.3 Pharmakokinetik und Bioverfügbarkeit

Die Resorption der Glucose-Elektrolyt-Mischung erfolgt im Jejunum, wobei die Aufnahme der Elektrolyt-Lösung in diesem Darmabschnitt durch die gleichzeitig vorhandene Glucose ermöglicht wird.

10.13 Sonstige Hinweise

Keine.

10.14 Besondere Lager- und Aufbewahrungshinweise

Vor Feuchtigkeit geschützt aufbewahren.

Monographien-Kommentar

Glucose-Elektrolyt-Mischung

6.4 Gehalt

Glucose

Zur Bestimmung über die optische Drehung sollen der Vorschrift entsprechend etwa 5,0 g wasserfreie Glucose gelöst sein, was einer Einwaage e von 6,97 g der Mischung entspricht. Die Einwaage muß den allgemeinen Bestimmungen der Ph. Eur. folgend zwischen 6,28 und 7,67 g liegen. Der abgelesene Drehwinkel muß bei dem geforderten Gehalt zwischen $0{,}358 \cdot e$ und $0{,}396 \cdot e°$ liegen. So muß sich bei einer Einwaage von 7,0 g ein Drehwinkel zwischen 2,508 und 2,772° ergeben. Die Wartezeit ist einzuhalten, um die Einstellung des Gleichgewichtes zwischen α- und β-Form (Mutarotation) abzuwarten.

Kalium

Der Massengehalt der Prüfsubstanz an Kalium muß zwischen 2,69 und 2,97 Prozent betragen.

Natrium

Der Gesamtmassengehalt der Prüfsubstanz an Natrium resultiert aus Natriumchlorid und Natriumcitrat. Er muß zwischen 6,99 und 7,72 Prozent betragen.

Citrat

Die Einwaage der Mischung muß den allgemeinen Bestimmungen der Ph. Eur. folgend zwischen 1,30 und 1,58 g liegen (entsprechend 0,150 g Natriumcitrat $2H_2O \pm 10\%$). Bei der Titration in Eisessig werden drei Equivalente Perchlorsäure zur Protonierung des Citrat-Anions verbraucht. Durch Verwendung des Indikators Naphtholbenzein ist gewährleistet, daß die Base Chlorid nicht miterfaßt wird. Für eine Einwaage von e Gramm Prüfsubstanz muß der Verbrauch an Maßlösung zwischen $10{,}08 \cdot e$ und $11{,}14 \cdot e$ ml liegen.

Chlorid

Der Gesamtmassengehalt der Prüfsubstanz an Chlorid resultiert aus Natriumchlorid und Kaliumchlorid. Die Bestimmung erfolgt mittels argentometrischer Titration nach Volhard. Anstelle von Dibutylphthalat kann Nitrobenzol eingesetzt werden; die Zugabe kann auch ganz unterbleiben, wenn mit ausreichender Geschwindigkeit titriert wird, da die Umfällung von Silberchlorid in Silberthiocyanat sehr langsam erfolgt. Die in der Arbeitsvorschrift angegebene Einwaage ist zu hoch, das Reagenz Silbernitrat reicht nicht zur Fällung des enthaltenen Chlorids.

Monographien-Kommentar

Die Menge Chlorid in 1 g Substanz

$$n_{Cl^-} = n_{KCl} + n_{NaCl} = \frac{w_{KCl} \cdot e}{M_{KCl}} + \frac{w_{NaCl} \cdot e}{M_{NaCl}}$$

$$= 1 \cdot g \cdot \left(\frac{0{,}054 \cdot mol}{74{,}6 \cdot g} + \frac{0{,}125 \cdot mol}{58{,}44 \cdot g} \right) = 2{,}8628 \; mmol$$

ist größer als die Menge Silberionen in 25 ml Silbernitratlösung 0,1 mol 1l^{-1}

$n_{Ag^+} = c_R \cdot V_R = 0{,}1 \cdot mol \cdot 1l^{-1} \cdot 25 \; ml = 2{,}5 \; mmol$:

$n_{Cl^-} > n_{Ag^+}$

Statt 1 Gramm Prüfsubstanz ist eine Einwaage von 0,500 Gramm zu wählen. Der Verbrauch an Silbernitratlösung liegt dann zwischen 28,6 · e ml und 30 · e ml.

P. Surmann

Glycerol-Zäpfchen für Säuglinge 0,25 bis 0,75 g

1 **Bezeichnung des Fertigarzneimittels**

Glycerol-Zäpfchen für Säuglinge[1])

2 **Darreichungsform**

Zäpfchen

3 **Eigenschaften und Prüfungen**

3.1 Aussehen, Eigenschaften

Farblose oder weiße bis schwach gelbliche, fast geruchlose Zäpfchen, die keine Lufteinschlüsse enthalten dürfen.

3.2 Gehalt

95,0 bis 105,0 Prozent der pro Zäpfchen deklarierten Menge Glycerol.

3.3 Haltbarkeit

Die Haltbarkeit in den Behältnissen nach 4 beträgt mindestens ein Jahr.

4 **Behältnisse**

Zäpfchen einzeln in Aluminiumfolie verpackt oder in Streifenpackungen eingesiegelt.

5 **Kennzeichnung**

Nach § 10 AMG, insbesondere:

5.1 Zulassungsnummer

3099.97.99

5.2 Art der Anwendung

Zum Einführen in den Darm.

5.3 Hinweise

Apothekenpflichtig.

Vor Feuchtigkeit geschützt und nicht über 25 °C lagern.

---

[1]) Die Bezeichnung der Zäpfchen setzt sich aus den Worten „Glycerol-Zäpfchen für Säuglinge", den arabischen Ziffern, die der jeweiligen Wirkstoffmenge zugeordnet sind, und der Masseneinheit „g" zusammen (z. B. „Glycerol-Zäpfchen für Säuglinge 0,25 g").

2 Glycerol-Zäpfchen für Säuglinge 0,25 bis 0,75 g

6 **Packungsbeilage**

Nach § 11 AMG, insbesondere:

6.1 Anwendungsgebiete

Verstopfung; zur Darmentleerung vor Untersuchungen des Enddarms (Rektoskopie); zur Darmentleerung bei Hämorrhoiden und Analfissuren.

6.2 Gegenanzeigen

Glycerol-Zäpfchen sind nicht anzuwenden bei Darmverschluß und Bauchschmerzen ungeklärter Ursache.

6.3 Nebenwirkungen

Keine bekannt.

6.4 Wechselwirkungen mit anderen Mitteln

Keine bekannt.

6.5 Dosierungsanleitung und Art der Anwendung

Soweit nicht anders verordnet, werden etwa 20 bis 30 Minuten vor der beabsichtigten Entleerung 1 bis 2 Zäpfchen in den After eingeführt.

Vor mehrfacher Anwendung sollte der Arzt befragt werden.

6.6 Hinweis

Vor Feuchtigkeit geschützt und nicht über 25 °C aufbewahren.

7 **Fachinformation**

Nach § 11 a AMG, insbesondere:

7.1 Verschreibungsstatus/Apothekenpflicht

Apothekenpflichtig.

7.2 Stoff- oder Indikationsgruppe

Laxans.

7.3 Anwendungsgebiete

Verstopfung; zur Darmentleerung vor Untersuchungen des Enddarms (Rektoskopie); zur Darmentleerung bei Hämorrhoiden und Analfissuren.

7.4 Gegenanzeigen

Glycerol-Zäpfchen sind nicht anzuwenden bei Ileus und Verdacht auf Appendizitis.

7.5 Nebenwirkungen

Keine bekannt.

7.6 Wechselwirkungen mit anderen Mitteln

Keine bekannt.

7.7 Warnhinweise

Keine.

7.8 Wichtigste Inkompatibilitäten

Keine.

7.9 Dosierung, Art und Dauer der Anwendung

Es werden 20 bis 30 Minuten vor der beabsichtigten Entleerung 1 bis 2 Zäpfchen in den After eingeführt.

Über die Dauer der Anwendung entscheidet der Arzt.

7.10 Notfallmaßnahmen, Symptome und Gegenmittel

Entfällt.

7.11 Pharmakologische und toxikologische Eigenschaften und Angaben über Pharmakokinetik und Bioverfügbarkeit, soweit diese Angaben für die therapeutische Verwendung erforderlich sind

7.11.1 Pharmakologische Eigenschaften

Glycerol wirkt dehydrierend und irritierend auf die Rektumschleimhaut. Der osmotische Effekt führt zu einer Erhöhung der Gleitfähigkeit und zur Erweichung des Stuhls. Die irritierende Wirkung des Glycerols stimuliert möglicherweise die rektale Kontraktion.

7.11.2 Toxikologische Eigenschaften

Akute Toxizität:

Die Prüfung der akuten Toxizität von Glycerol im Tierversuch ergab bei der Ratte eine LD 50 von 6,3 g/kg Körpermasse nach i.p.-Applikation. Die LD 50 bei der Ratte nach oraler Applikation betrug 24,5 g/kg Körpermasse.

Als klinische Zeichen der akuten Toxizitätsprüfung am Tiermodell traten Tremor, Krämpfe und Hämoglobinurien auf.

Chronische Toxizität:

Bei der chronischen Toxizitätsprüfung von Glycerol über 6 Monate bei der Ratte (i.p.-Applikation) und über 3 Monate beim Kaninchen (i.v.-Applikation) traten bei Dosierungen von 2 g/kg Körpermasse und höher Hämoglobinurien sowie Hämosiderinablagerungen in den Epithelzellen der renalen Tubuli auf.

Bei Ratten waren nach Dosierungen von 4 g/kg Körpermasse (i.p.-Applikation) zusätzlich leichte Atrophien der renalen Tubuli zu beobachten.

Mutagenität:

In-vivo-Mutagenitätstests zur Induktion von Gen- und Chromosomenmutationen durch Glycerol verliefen negativ.

Tumorerzeugendes Potential:

Langzeitstudien zum tumorerzeugenden Potential von Glycerol liegen nicht vor.

Reproduktionstoxikologie:

Humandaten zur Reproduktionstoxikologie von Glycerol liegen nicht vor. Bei Kaninchen wurde nach Dosierungen von 4 g/kg Körpermasse (i.v.-Applikation) eine gesteigerte Resorptionsrate sowie eine verstärkte fetale Mortalität festgestellt. Kongenitale Mißbildungen wurden dagegen nicht beobachtet.

7.11.3 Pharmakokinetik und Bioverfügbarkeit

Glycerol wird aus dem Rektum nicht resorbiert.

7.12 Sonstige Hinweise

Bei der Anwendung von Glycerol-Zäpfchen können Erosionen der Mukosa auftreten.

7.13 Besondere Lager- und Aufbewahrungshinweise

Vor Feuchtigkeit geschützt und nicht über 25 °C aufbewahren.

Monographien-Kommentar

Glycerol-Zäpfchen für Säuglinge 0,25–0,75 g

Glycerol-Zäpfchen 0,25–0,75 g werden in der Regel Säuglingen verabfolgt, enthalten als Wirkstoff ausschließlich Glycerol und sollten eine anwendungsgerechte Gesamtmasse/Zäpfchen aufweisen.

Für die Herstellung der Glycerol-Zäpfchen eignen sich sowohl lipophile als auch hydrophile Grundlagen.

In der Praxis häufig eingesetzt und vom Arzneibuch als Suppositoriengrundmasse empfohlen wird Hartfett (Adeps solidus, Adeps neutralis): Ein Gemisch von Mono-, Di- und Triglyceriden mit gesättigten Fettsäuren der Kettenlängen C_{10}–C_{18}. Wie andere Fette auch kann Hartfett in Abhängigkeit der thermischen Belastung in verschiedenen Kristallmodifikationen vorliegen. Schmelz- und Erstarrungspunkte der Modifikationen liegen aufgrund des breiten Fettsäurespektrums und des Partialglyceridanteils nur wenige Grade auseinander, so daß bei der Suppositorienherstellung normalerweise keine Schwierigkeiten zu erwarten sind. Hartfett DAB stellt ein weißes bis fast weißes, bruchfähiges, praktisch geruchloses Produkt dar, verfügt nur über eine sehr geringe Tendenz zum Ranzigwerden (Iodzahl höchstens 3), ist wasserlöslich und schmilzt in einem Temperaturintervall von 33,5–35,5 °C. Bedingt durch die Anwesenheit von Mono- und Diestern, die als nichtionogene Emulgatoren aufzufassen sind, kann im Schmelzzustand warmes Wasser eine dem Hartfettanteil entsprechende Masse eingearbeitet und dort als echte Emulsion gebunden werden [1]. Das Emulgatorgemisch verbessert zudem die Benetzung und Spreitung der geschmolzenen Masse im Rektum. Handelsprodukte, die den Anforderungen des DAB für Hartfett genügen, sind u.a. Massa Estarium®, Witepsol® (beide Hüls AG, Witten), Novata® (Henkel KG, Düsseldorf), Suppocire® (Gattefossé, Frankreich) [2].

Bei der Formulierung der Glycerol-Zäpfchen sind beträchtliche Glycerolmengen in die Fettmasse einzuemulgieren. Es empfiehlt sich daher, eine Grundlage mit einer höheren Hydroxylzahl (> 40) auszuwählen. Massen mit höherer Hydroxylzahl vertragen zudem eine stärkere Kühlung bei der Suppositorienherstellung, ohne brüchig zu werden, was wahrscheinlich auf den langsamer ablaufenden Kristallisationsprozeß zurückgeführt werden kann [3]. Zur Erleichterung der Einarbeitung wird vielfach leichtes basisches Magnesiumcarbonat zugesetzt. Glycerol bewirkt keine Schmelzpunktdepression. Ein Zusatz von schmelzpunkterhöhenden Hilfsstoffen wie Stearylalkohol, Cetylstearylalkohol, Glycerinmonostarat etc. ist daher unangebracht.

Als wasserlösliche Suppositorienmasse wird gelegentlich Gelatine herangezogen. Gelatine bildet in Konzentrationen ab 1,5% mit Wasser bei Raumtemperatur transparente, elastische Hydrogele. In Gegenwart von Glycerol nimmt die Konsistenz als Folge einer wachsenden Vernetzung des Gelgerüstes zu.

Zur Herstellung der Glycerol-Zäpfchen wird zunächst die Gelatine in Wasser gequollen, die festgelegte Masse an Glycerol hinzuzugeben und anschließend die Gelatine im Wasserbad unter Erwärmen gelöst. Beim Auflösen der Gelatine und beim Rühren können Luftblasen entstehen und eingearbeitet werden. Sie verringern die Festigkeit der Glycerol-Gelatine und sind zu entfernen, indem man sie durch etwas längeres Stehenlassen aus der warmen Lösung entweichen läßt. Die Zäpfchen dürfen nicht zu zeitig aus den Formen entnommen werden, da erst nach Stunden die volle Festigkeit erlangt wird [1].

Ein Vorteil der Glycerol-Gelatinezäpfchen besteht sicherlich in ihrer im Vergleich zu den fetthaltigen Suppositorien rascheren Auflösung im Rektum, die zu einem beschleunigten Wirkungseintritt führen kann. Als Nachteile erweisen sich ihre mikrobielle Anfälligkeit, insbesondere jedoch ihre ausgeprägten elastischen Eigenschaften, die Schwierigkeiten bei der Applikation bereiten können. Vor allem letztere dürften mit dafür den Ausschlag gegeben haben, daß Glycerol-Zäpfchen auf Gelatinebasis keine breite Anwendung finden im Gegensatz zu Vaginalpräparaten, bei denen Glycerol-Gelatinemassen die klassische Grundlage für Globuli bilden.

Hergestellt werden Glycerol-Zäpfchen im Gießverfahren. Die Bereitung ist unter ständigem Rühren durchzuführen und kann nach der Cremeschmelze- oder der Klarschmelzmethode erfolgen, wobei darauf zu achten ist, daß die Ausgußmasse eine möglichst hohe Viskosität aufweist, um eine homogene Verteilung des Wirkstoffes im Trägermedium zu gewährleisten. Da sich Masseverluste bei der Fertigung kaum ausschließen lassen, sollte ein Produktionszuschlag von 5–10% der wirkstoffhaltigen Grundlage bei der Formulierung bereits vorgenommen werden.

Die Glycerol-Zäpfchen werden zwar nach Masse rezeptiert, aber volumendosiert hergestellt. Die zur Bereitung einer bestimmten Anzahl von Zäpfchen benötigte Menge an arzneistofffreier Masse muß anhand von Dosiermethoden ermittelt werden.

Voraussetzung hierfür ist die Kenntnis des Fassungsvermögens der zur Verfügung stehenden Gießform. Dieser gelegentlich als Eichfaktor bezeichnete Wert wird zwar vom Hersteller der Form angegeben, hängt aber von der Art der verwendeten Grundsubstanz sowie deren Dichte ab und ist für den jeweiligen Träger gesondert zu bestimmen. Definitionsgemäß stellte der Eichfaktor die Menge in Gramm an reiner Grundlage dar, die für die Füllung sämtlicher Bohrungen der Form erforderlich ist. Die Durchschnittsmasse für ein Suppositorium errechnet sich aus dem Quotienten Gesamtmasse/Anzahl der Formlinge.

Die Dosierungsgenauigkeit bei der Fertigung läßt sich durch die Verwendung von Verdrängungsfaktoren verbessern. Der Verdrängungsfaktor (f) gibt dabei an, wieviel Gramm einer bestimmten Zäpfchengrundlage durch 1g Wirkstoff verdrängt werden. Er errechnet sich formal aus dem Quotient der Dichten Grundlage/Wirkstoff. Der Verdrängungsfaktor kann mit gewissen Einschränkungen aus Tabellen entnommen werden [1, 2, 4, 5] oder experimentell bestimmt werden [5]. Unter Zugrundelegen einer Dichte der Suppositorienmasse von 0,97 g/ml hat Glycerol einen Faktor von 0,78 [4].

Ist der Verdrängungsfaktor bekannt, läßt sich die benötigte Menge an arzneistofffreier Grundlage wie folgt ermitteln:

$$M = n(F - fA)$$

M = erforderliche Einwaage an arzneistofffreier Grundlage (g)
n = Anzahl der Suppositorien
F = Durchschnittsmasse eines arzneistofffreien Suppositoriums (g)
f = Verdrängungsfaktor
A = Arzneistoffmasse pro Suppositorium (g)

Glycerol-Zäpfchen für Säuglinge 0,25–0,75 g

Ein weiteres Dosierverfahren ist die Methode des zweifachen Gießens nach Münzel. Sie basiert auf dem Volumendosierprinzip: Die gesamte Arzneistoffmasse wird in einer für die vorgesehene Anzahl an Suppositorien unzureichende Grundlagenmenge eingearbeitet und so ausgegossen, daß die einzelnen Bohrungen der Gießform nicht vollständig gefüllt sind. Anschließend wird mit arzneistofffreier Grundlage ergänzt. Nach Ausformung und Entnahme wird das Gesamtgewicht der Zäpfchen bestimmt und durch deren Anzahl geteilt. Durch Subtraktion des inkorporierten Wirkstoffes und ggf. der Hilfsstoffe vom Suppositoriengewicht erhält man die pro Zäpfchen erforderliche Masse an Suppositoriengrundlage. Da die Zäpfchen keine Gehaltseinheitlichkeit aufweisen, werden die Zäpfchen erneut aufgeschmolzen und nach sorgfältigem Durchmischen nochmals ausgegossen. Wird im Rezepturmaßstab gearbeitet, reicht in der Regel ein Zäpfchen als Produktionszuschlag aus, um den Materialverlust bei der Herstellung zu kompensieren.

Die Methode liefert auf einfachem Wege genaue Resultate für die Fertigung von Glycerol-Zäpfchen vornehmlich im Kleinchargenbereich. Nachteilig, aber im vorliegenden Fall bei schonender Arbeitsweise hinzunehmen, ist die verlängerte thermische Belastung des Gutes. Mehr ins Gewicht fallen der erhöhte Arbeits- und Zeitaufwand für das nochmalige Gießen und Schmelzen der Glycerol-Zäpfchen. Beides fällt weg, wenn ausschließlich die erforderliche Zäpfchenmasse bestimmt werden soll, und die Suppositorien nicht weiter verwendet werden.

Weitere Dosiermethoden sind in [6] aufgeführt.

Glycerol-Zäpfchen verfügen über stark hygroskopische Eigenschaften, werden binnen kurzer Zeit von einem Flüssigkeitsfilm überzogen und müssen daher verpackt werden. Bei Kleinstmengen im einfachsten Fall durch Einwickeln in Aluminiumfolien, durch manuelles Einlegen in spezielle Kunststoffbehältnisse, besser aber durch Einsiegeln in Verbundfolie. Weitgehend durchgesetzt haben sich heutzutage vorgeformte Kunststoffhülsen, in welche die Gießmasse direkt abgefüllt wird. Nach Ausformung werden die Öffnungen der Hülsen durch Abdeckfolien oder mitgelieferte Kappen verschlossen. Zu beachten ist, daß handelsübliche Gießfolien aus PVC/PE-Verbund unter 200 µm Wandstärke sich bei Kontakt mit der heißen Schmelze verformen. Sie sind daher als Primärpackmittel für Glycerol-Zäpfchen ungeeignet [7].

Bei größeren Stückzahlen werden die Suppositorien maschinell in Tiefziehpackungen gefüllt oder in Kunststoff bzw. beschichtete Aluminiumfolie eingeschweißt. Bei Einsatz von Aluminiumfolien muß u. U. damit gerechnet werden, daß aufgrund der Wärmeleitfähigkeit des Metalls die Suppositorien während des Einsiegelungsprozesses angeschmolzen werden.

Das Arzneibuch schreibt unter Ziffer V.5.2.1 für Suppositorien die Prüfung auf Gleichförmigkeit der Masse vor, wobei, bezogen auf die Durchschnittsmasse, 2 von 20 geprüften Einheiten eine höhere Abweichung als 5%, jedoch keine eine um mehr als 10% aufweisen darf.

Die gegossenen Glycerol-Zäpfchen müssen ferner der Prüfung auf „Zerfallszeit von Suppositorien und Vaginalkugeln" (Ziffer V.5.1.2) entsprechen. Nichtwasserlösliche Grundlagen sollen binnen 30 min, wasserlösliche binnen 60 min erweichen oder zerfallen. Begründete Ausnahmen sind zulässig. Wurden bei der Herstellung Fettmassen mit höherer Hydroxylzahl verwendet, können Schwierigkeiten bei der Beurteilung des Aggregatzustandes auftreten, da die Zäpfchen u. U. beim Erweichen ihre Form beibehalten. Zur

Monographien-Kommentar

4

Feststellung des aktuellen Zustandes muß das Zäpfchen z. B. mit Hilfe eines Glasstabes auf Abwesenheit eines festen Kerns untersucht werden, was bei der vorgeschriebenen Apparatur gelegentlich Probleme bereiten kann.

Eine weitere Möglichkeit zur Qualitätssicherung ist die in der Pharm. Helvetica aufgeführte „Bestimmung der Erweichungszeit von lipophilen Suppositorien": Hierbei wird die Zeit gemessen, die verstreicht, bis ein Suppositorium in Wasser unter festgelegten Bedingungen soweit erweicht ist, daß es einer definierten Belastung keinen Widerstand mehr leistet [8].

[1] Voigt, R.: Suppositorien, Kap. 13.2, 319. In: Voigt, R.: Pharmazeutische Technologie, 7. Auflage, Ullstein Mosby GmbH u. Co. KG, Berlin, 1993.

[2] Bornschein, M.: Zäpfchen und Vaginalpräparate, Kap. 4.21, 1003. In: Nürnberg, E., Surmann, P.: Hagers Handbuch der pharmazeutischen Praxis, Bd. 3, Springer-Verlag, Frankfurt, Berlin, Heidelberg, New York, 1991.

[3] Fischer, F. X.: Suppositorien und Vaginalpräparate, Kap. 9, 391. In: Sucker, H., Fuchs, P., Speiser, P.: Pharmazeutische Technologie, Georg Thieme Verlag, Stuttgart, New York, 1991.

[4] Gold, M.: Suppository Development and Production, 533. In: Lieberman, H. A., Rieger, M. M., Banker, G. S.: Pharmaceutical Dosage Forms, Disperse Systems, Vol. 2, Marcel Dekker Inc., New York, Basel 1989.

[5] Hinweis zu Glycerol-Suppositorien für Kinder (NRF 6.16), NRF, 4. Ergänzung 87. In Deutscher Arzneimittel-Codex Neues Rezeptur-Formularium, Bd. 1, Govi-Verlag Pharmazeutischer Verlag, Frankfurt a. M., Deutscher Apotheker-Verlag mbH, Stuttgart, 1986.

[6] Fischer, F. X.: Formulierung und Herstellung von Suppositorien, Kap. 2.4, 120. In: Müller, B. W.: Suppositorien, Pharmakologie, Biopharmazie und Galenik rektal und vaginal anzuwendender Arzneiformen. Wissenschaftliche Verlagsgesellschaft mbH, Stuttgart, 1986.

[7] Angaben zur Dosierung von Suppositorien, 15, DAC Anlage F, 7. Ergänzung, 1995. In: Deutscher Arzneimittel-Codex Neues Rezeptur-Formularium, Bd. 1, Govi-Verlag Pharmazeutischer Verlag, Frankfurt a. M., Deutscher Apotheker-Verlag mbH, Stuttgart, 1986.

[8] Ziffer V.5.1.101: In: Pharmacopoea Helvetica VII, Bern, 1996.

J. Ziegenmeyer

Glycerol-Suppositorien 0,75 – 1,0 g

1 **Bezeichnung des Fertigarzneimittels**
Glycerol-Suppositorien 0,75 bis 1,0 g
für Kleinkinder und Kinder

2 **Darreichungsform**
Suppositorien

3 **Eigenschaften und Prüfungen**

3.1 Aussehen, Eigenschaften
Farblose oder weiße bis schwach gelbliche, fast geruchlose Suppositorien, die keine Lufteinschlüsse enthalten dürfen.

3.2 Gehalt
95,0 bis 105,0 Prozent der pro Suppositorium deklarierten Menge Glycerol.

3.3 Haltbarkeit
Die Haltbarkeit in den Behältnissen nach 4 beträgt mindestens ein Jahr.

4 **Behältnisse**
Suppositorien einzeln in Aluminiumfolie verpackt oder in Streifenpackungen eingesiegelt.

5 **Kennzeichnung**
Nach § 10 AMG, insbesondere:

5.1 Zulassungsnummer
3099.99.99

5.2 Art der Anwendung
Suppositorien zum Einführen in den Darm.

5.3 Hinweise
Apothekenpflichtig
Vor Feuchtigkeit geschützt und nicht über 25 °C lagern.

2   Glycerol-Suppositorien 0,75–1,0 g

6 **Packungsbeilage**

Nach § 11 AMG, insbesondere:

6.1 Anwendungsgebiete

Bei Verstopfung sowie zur Darmentleerung vor rektalen Untersuchungen (Rektoskopie); zur Erweichung des Stuhls bei Haemorrhoiden und Analfissuren.

6.2 Gegenanzeigen

Glycerol-Suppositorien sind nicht anzuwenden bei Vorliegen von Darmverschluß (Ileus) und unklaren Bauchschmerzen.

6.3 Dosierungsanleitung und Art der Anwendung

Soweit nicht anders verordnet, wird bei Bedarf 1- bis 2mal täglich etwa 20 bis 30 Minuten vor der beabsichtigten Entleerung 1 Suppositorium in den Darm eingeführt.

6.4 Hinweis

Vor Feuchtigkeit geschützt und nicht über 25 °C aufbewahren.

Monographien-Kommentar

Glycerol-Suppositorien 0,75 bis 1,0 g

3.2 Gehalt

Die Gehaltsbestimmung erfolgt am einfachsten und recht selektiv mittels der Malaprade-Spaltung mit Natriumperiodat. Je nach den verwendeten Hilfsstoffen erfolgt die Auswertung acidimetrisch oder iodometrisch. Die acidimetrische Bestimmung ist selektiver, da nur sekundäre oder tertiäre Alkohole mit zwei alkoholischen oder aldehydischen/ketonischen Substituenten (z. B. die mittlere von 3 vicinalen OH-Gruppen) erfaßt werden. Voraussetzung ist das Fehlen saurer oder basischer Hilfsstoffe wie Magnesiumcarbonat, Natriumcarbonat oder Natriumstearat oder deren Abtrennung. Das ist allerdings meist recht einfach wegen der unterschiedlichen Löslichkeiten der Hilfsstoffe und Glycerol. So läßt sich Glycerol selektiv mit Ethanol lösen. Gelatine und Glycerol-Fettsäureester stören die Malaprade-Spaltung mit acidimetrischer Auswertung nicht.

Acidimetrische Bestimmung

5 Suppositorien werden in 50 ml Wasser oder Ethanol gelöst und mit Wasser auf 100,0 ml aufgefüllt, 5,0 ml dieser Lösung werden mit 100 ml Wasser und 0,25 ml Bromkresolpurpurlösung (AB) versetzt und mit 0,1 M Natriumhydroxid bis zum Farbumschlag nach Blau titriert.

Nach Zugabe von 1,5 g Natriummetaperiodat wird 15 Minuten unter Lichtschutz stehengelassen. Dann werden 3 ml Propylenglykol (AB) hinzugegeben, und nach Umschütteln wird 5 Minuten unter Lichtschutz stehengelassen. Die Titration erfolgt mit 0,1 M Natriumhydroxid bis zum Umschlag nach Blau. Aus dem Verbrauch (V) ergibt sich die Glycerolmasse pro Suppositorium zu

m (Glycerol/Suppositorium) = 36,84 · V (ml) mg

Bei der iodometrischen Auswertung der Malaprade Reaktion stören Glycerol-1-Fettsäureester. Unter Ausnutzung der Löslichkeit läßt sich die Reaktion jedoch selektiv gestalten. USP 1995 gibt unter Glycerin Suppositories eine Methode an, bei der im Sauren aus Periodat und Iodat mit Iodid Iod gebildet wird, das dann mit Natriumthiosulfat-Lösung titriert wird. Da Periodat 8, Iodat 6 Equivalente Iod liefern, beträgt die Minderung des Verbrauchs Maßlösung im Hauptversuch weniger als 25% des Verbrauchs im Blindversuch. Da aus der (relativ kleinen) Differenz zweier großer Zahlen, der Verbräuche im Blind- und Hauptversuch, die Ermittlung der Glycerolmenge erfolgt, ist die Präzision oft nicht zufriedenstellend. In Natriumhydrogencarbonat-haltiger Lösung reagiert Periodat selektiv (Iodat reagiert nicht) mit Iodid zu Iod, das mit Arsenat(III) umgesetzt werden kann. Diese Möglichkeit nutzt USP 1995 bei Glycerin Oral Solution. Die Titration wird direkt mit Kaliumarsenat(III) durchgeführt, wobei dann im Blindversuch mehr verbraucht wird als im Hauptversuch. Dies wird bei der folgenden Vorschrift durch Rücktitration umgekehrt.

Monographien-Kommentar

Iodometrische Bestimmung

4 Suppositorien werden in 100,0 ml Wasser gelöst. 20,0 ml dieser Lösung werden mit 2 ml verdünnter Schwefelsäure angesäuert, filtriert, das Filter mit Wasser gewaschen und das Filtrat zu 100,0 ml aufgefüllt. 10,0 ml dieser Lösung werden mit 20,0 ml 2,14% (m/V) Natriumperiodat-Lösung versetzt und 15 Minuten auf dem Wasserbad erwärmt. Nach dem Abkühlen werden 3 g Natriumhydrogencarbonat, 50,0 ml 0,05 M Natriumarsenat(III) (c^{eq} = 0,1 mol/l) Lösung und nach Schütteln 5 ml einer 20%igen Kaliumiodidlösung zugesetzt. Die Titration erfolgt nach 15minütigem Warten mit 0,05 M Iodlösung (c^{eq} = 0,1 mol/l) bis zur beginnenden Gelbfärbung (V_1). In gleicher Weise wird ein Blindversuch durchgeführt (Verbrauch V_2 ml). Die Masse Glycerol pro Suppositorium ergibt sich zu

m (Glycerol)/Supp. = 28,78 · ($V_1 - V_2$) mg.

Zur Stöchiometrie:

$$C_3H_8O_3 + 2IO_4^- \rightarrow 2CH_2O + HCOOH + 2IO_3^- + H_2O$$

$$IO_4^- + 2I^- + 2H_3O^+ \rightarrow I_2 + IO_3^- + 3H_2O$$

$$I_2 + HAsO_3^{2-} + 3H_2O \rightarrow 2I^- + HAsO_4^{2-} + 2H_3O^+$$

$$n\{Glycerol\} = \frac{1}{2} \cdot n\{IO_4^- \text{ verbraucht}\} = \frac{1}{2} \cdot \left(n_0\{IO_4^-\} - n\{IO_4^- \text{ Überschuß}\}\right)$$

$$n\{IO_4^- \text{ Überschuß}\} = n\{I_2 \text{ entstanden}\} = n\{HAsO_3^{2-} \text{ verbraucht}\} =$$

$$n_0\{HAsO_4^{2-}\} - n\{HAsO_4^{2-} \text{ Überschuß}\} = n_0\{HAsO_4^{2-}\} - n\{I_2 \text{ Maßlösung}\}$$

$$n\{Glycerol\} = \frac{1}{2} \cdot \left(n_0\{IO_4^-\} - n_0\{HAsO_4^{2-}\} + n\{I_2 \text{ Maßlösung}\}\right)$$

$$\boxed{n\{Glycerol\} = \frac{1}{2} \cdot c_R \cdot \left(V_R\{Haupt\} - V_R\{Blind\}\right)}$$

Eine Alternative der Glycerolbestimmung könnte im Einsatz der Gaschromatographie liegen. An Polyethylenglykol-Säulen (Kapillarsäule Wax, 25 m, 0,25 mm ID, 0,25 µm Filmdicke) kann Glycerol von anderen Alkoholen getrennt werden; FID, Trägergasfluß 25 cm/s He, Temperatur 200 °C isotherm; Injektionstemperatur 230 °C; Detektortemperatur 260 °C.

P. Surmann

Glycerol-Suppositorien 1,5–2,0 g

1 **Bezeichnung des Fertigarzneimittels**
Glycerol-Suppositorien 1,5 bis 2,0 g
für Schulkinder und Erwachsene

2 **Darreichungsform**
Suppositorien

3 **Eigenschaften und Prüfungen**

3.1 Aussehen, Eigenschaften
Farblose oder weiße bis schwach gelbliche, fast geruchlose Suppositorien, die keine Lufteinschlüsse enthalten dürfen.

3.2 Gehalt
95,0 bis 105,0 Prozent der pro Suppositorium deklarierten Menge Glycerol.

3.3 Haltbarkeit
Die Haltbarkeit in den Behältnissen nach 4 beträgt mindestens ein Jahr.

4 **Behältnisse**
Suppositorien einzeln in Aluminiumfolie verpackt oder in Streifenpackungen eingesiegelt.

5 **Kennzeichnung**
Nach § 10 AMG, insbesondere:

5.1 Zulassungsnummer
3099.98.99

5.2 Art der Anwendung
Suppositorien zum Einführen in den Darm.

5.3 Hinweise
Apothekenpflichtig
Vor Feuchtigkeit geschützt und nicht über 25 °C lagern.

2 Glycerol-Suppositorien 1,5–2,0 g

6 **Packungsbeilage**

Nach § 11 AMG, insbesondere:

6.1 Anwendungsgebiete

Bei Verstopfung sowie zur Darmentleerung vor rektalen Untersuchungen (Rektoskopie); zur Erweichung des Stuhls bei Haemorrhoiden und Analfissuren.

6.2 Gegenanzeigen

Glycerol-Suppositorien sind nicht anzuwenden bei Vorliegen von Darmverschluß (Ileus) und unklaren Bauchschmerzen.

6.3 Dosierungsanleitung und Art der Anwendung

Soweit nicht anders verordnet, wird bei Bedarf 1- bis 2mal täglich etwa 20 bis 30 Minuten vor der beabsichtigten Entleerung 1 Suppositorium in den Darm eingeführt.

6.4 Hinweis

Vor Feuchtigkeit geschützt und nicht über 25 °C aufbewahren.

Monographien-Kommentar

Glycerol-Suppositorien 0,75–1,0 g und 1,5–2,0 g

Anmerkungen zur Rezeptur und Herstellung des Fertigarzneimittels.

Glycerol-Suppositorien sind in den verschiedenen Arzneibüchern, wie der USP XXI [1], BP 80 [2], ÖAB 81 [3], Ph. Helv. VI [4] und in dem Formularium der Niederländischen Apotheker [5] beschrieben. Es werden die Zusammensetzung und die Herstellung genau angegeben:

Zusammensetzung (in Gramm)	1 [1]	2 [2]	3 [3]	4 [4]	5 [5]
Stearinsäure			7		
Natriumstearat	Keine Mengenangabe			9	9
Natriumcarbonat			4		
Glycerol	75–90 Prozent	70	100		91
Glycerol 98 %				91	
Gelatine		14			
Gereinigtes Wasser		nach Bedarf			5

Herstellung:

zu 1) Die USP XXI macht lediglich allgemeine Angaben zur Zusammensetzung und Herstellung.

Natriumstearat kann durch Umsetzung von Stearinsäure mit Natriumhydrogencarbonat, Natriumcarbonat oder Natriumhydroxid in equivalenten Verhältnissen hergestellt werden.

zu 2) Für die Herstellung der Gelatine-Glycerol-Suppositorien nach der BP 80 wird die Gelatine in ca. 30 Teilen fast siedendem Wasser gelöst und das auf 100 °C erhitzte Glycerol dazugegeben. Die Mischung wird bis zur vollständigen Lösung auf dem Wasserbad erhitzt. Das Endgewicht von 100 g wird durch Zufügen von heißem Wasser oder durch Verdunsten des überschüssigen Wassers eingestellt. Die fertige Masse wird in Suppositorienformen gegossen.

zu 3) Das ÖAB 81 läßt Glycerol-Suppositorien durch Umsetzen von gepulverter Stearinsäure und Natriumcarbonat in Glycerol unter Erwärmen herstellen, wobei zu hohes Erhitzen zu vermeiden ist. Nach Beendigung der Kohlen-

Monographien-Kommentar

dioxidentwicklung wird die klare, flüssige Masse in Suppositorienformen gegossen.

zu 4) Die Ph. Helv. VI und das Formularium der Niederländischen Apotheker lassen
und 5) Natriumstearat in Glycerol bei 110°–120°C lösen und die Masse bei 85°C [4] bzw. bei 70°C [5] ausgießen.

Bei der Herstellung von Glycerolstearatsuppositorien darf die Suppositorien-Gießform vor dem Gießen nicht gekühlt werden. Anschließendes Kühlen ist jedoch zu empfehlen [10].

Glycerol-Suppositorien können auch mit Fettmassen wie Adeps solidus hergestellt werden. Hier empfiehlt sich eine Zäpfchenmasse mit einer höheren Hydroxylzahl (40) [6], z. B. Witepsol® W 35 (Hersteller: Dynamit Nobel AG, Troisdorf).

Im Formularium der Niederländischen Apotheker ist außer den vorstehend auf Stearatbasis beschriebenen Glycerol-Suppositorien [5] noch folgende Vorschrift für Glycerol-Fettsuppositorien [11] angegeben:

Glycerol	50 Teile
Basisches Magnesiumcarbonat, leicht	3 Teile
Rizinusöl	6 Teile
Adeps solidus	41 Teile

Glycerol wird mit dem basischen Magnesiumcarbonat und Rizinusöl verrieben und auf ca. 35°C erwärmt. Adeps solidus wird zugegeben und unter Rühren bis zum Schmelzen erwärmt. Die Masse wird bei ca. 35°C ausgegossen.

Sowohl in einem APV-Suppositorien-Lehrgang [7], wie auch im APV-Informationsdienst [9] sind noch folgende Rezepturen von Glycerol-Fettsuppositorien angeführt:

Zusammensetzung	1	2
Basisches Magnesiumcarbonat, leicht	0,6 Teile	0,3 Teile
Rizinusöl	1,2 Teile	
Witepsol® W 35 (Stadimol®, Estarin® BC)	11 Teile	
Witepsol® S 55		11 Teile
Glycerol	10 Teile	10 Teile

Basisches Magnesiumcarbonat, leicht wird mit der geschmolzenen Suppositorienmasse zu einer Suspension verarbeitet. Dann wird das auf die gleiche Temperatur wie die Suppositorienmasse erwärmte Glycerol eingearbeitet und das Gemisch im Cremeschmelzverfahren [8] in die Formen gegossen. Die Suppositorien sind anschließend zu kühlen [10].

Solche Suspensionssuppositorien müssen, wenn sie im großen Maßstab hergestellt werden, vor dem Ausgießen homogenisiert werden, wobei keine Luft eingearbeitet werden darf.

Monographien-Kommentar

Glycerol-Suppositorien 0,75 – 1,0 g und 1,5 – 2,0 g

Für die Herstellung von Glycerol-Fettsuppositorien sollte nur wasserfreies Glycerol verwendet werden. Dieses wird in die Fettmasse emulgiert.

Der Zusatz von leichtem Magnesiumcarbonat oder auch Aerosil® bis zu 3 Prozent dient als Strukturbildner und vermindert die Neigung zum Ausschwitzen des Glycerols [10].

[1] USP XXI, (1985).
[2] BP 80, Band II, (1980).
[3] ÖAB 81, (1981).
[4] Ph. Helv. VI, (1971).
[5] Formularium der Nederlandse Apothekers, H 13 (1976).
[6] B. W. Müller: Suppositorien, p. 134, Wissenschaftliche Verlagsgesellschaft, Stuttgart (1986).
[7] APV, Suppositorienlehrgang, Scriptum p. 44, (März 1964).
[8] APV, Suppositorien, Theoretische Arbeitsunterlage für den Fortbildungslehrgang über Suppositorien, p. 40 (Mainz 1968).
[9] APV – Informationsdienst, p. 175 (4/1963).
[10] F. X. Fischer, R. Engelsing: APV, Arbeitsunterlagen für Fortbildungslehrgang „Neuere Aspekte der Suppositorien-Herstellung", p. 97 (1978).
[11] Formularium der Nederlandse Apothekers, H 12 (1976).

E. Norden-Ehlert

Monographien-Kommentar

Glycerol-Suppositorien 1,5 bis 2,0 g

3.2 Gehalt

Die Gehaltsbestimmung kann in gleicher Weise erfolgen wie bei Glycerol-Suppositorien 0,75–1,0 g mit einer Verminderung der Einwaage:

Acidimetrische Bestimmung

5 Suppositorien werden in 50 ml Wasser oder Ethanol gelöst und mit Wasser auf 200,0 ml aufgefüllt, 5,0 ml dieser Lösung werden mit 100 ml Wasser und 0,25 ml Bromkresolpurpurlösung (AB) versetzt und mit 0,1 M Natriumhydroxid bis zum Farbumschlag nach Blau titriert.

Nach Zugabe von 1,5 g Natriummetaperiodat wird 15 Minuten unter Lichtschutz stehengelassen. Dann werden 3 ml Propylenglykol (AB) hinzugegeben, und nach Umschütteln wird 5 Minuten unter Lichtschutz stehengelassen. Die Titration erfolgt mit 0,1 M Natriumhydroxid bis zum Umschlag nach Blau. Aus dem Verbrauch (V) ergibt sich die Glycerolmasse pro Suppositorium zu

m (Glycerol/Suppositorium) = 73,68 · V (ml) mg

Iodometrische Bestimmung

4 Suppositorien werden in 100,0 ml Wasser gelöst. 10,0 ml dieser Lösung werden mit 2 ml verdünnter Schwefelsäure angesäuert, filtriert, das Filter mit Wasser gewaschen und das Filtrat zu 100,0 ml aufgefüllt. 10,0 ml dieser Lösung werden mit 20,0 ml 2,14% (m/V) Natriumperiodat-Lösung versetzt und 15 Minuten auf dem Wasserbad erwärmt. Nach dem Abkühlen werden 3 g Natriumhydrogencarbonat, 50,0 ml 0,05 M Natriumarsenat(III) (c^{eq} = 0,1 mol/l) Lösung und nach Schütteln 5 ml einer 20%igen Kaliumiodidlösung zugesetzt. Die Titration erfolgt nach 15minütigem Warten mit 0,05 M Iodlösung (c^{eq} = 0,1 mol/l) bis zur beginnenden Gelbfärbung (V_1). In gleicher Weise wird ein Blindversuch durchgeführt (Verbrauch V_2 ml). Die Masse Glycerol pro Suppositorium ergibt sich zu

m (Glycerol)/Supp. = 57,56 · ($V_1 - V_2$) mg

P. Surmann

Hamamelisblätter

1. **Bezeichnung des Fertigarzneimittels**
   Hamamelisblätter

2. **Darreichungsform**
   Tee

3. **Eigenschaften und Prüfungen**
   Haltbarkeit:
   Die Haltbarkeit in den Behältnissen nach 4 beträgt 3 Jahre.

4. **Behältnisse**
   Geklebte Blockbodenbeutel bzw. Seitenfaltenbeutel aus einseitig glattem, gebleichtem Natronkraftpapier 50 g/m^2, gefüttert mit gebleichtem Pergamyn 40 g/m^2.

5. **Kennzeichnung**
   Nach § 10 AMG, insbesondere:

   5.1 Zulassungsnummer
   9699.99.99

   5.2 Art der Anwendung
   Zum Spülen oder Gurgeln und für Umschläge nach Bereitung eines Aufgusses.

   5.3 Hinweis
   Vor Licht und Feuchtigkeit geschützt lagern

6. **Packungsbeilage**
   Nach § 11 AMG, insbesondere:

   6.1 Stoff- oder Indikationsgruppe
   Pflanzliches Arzneimittel zur Wundbehandlung.

   6.2 Anwendungsgebiete
   Zur unterstützenden Behandlung bei oberflächlichen Hautverletzungen, bei kleinflächigen Entzündungen der Haut und der Schleimhäute.
   Hinweise:
   Sollten die Beschwerden bei leichten Schleimhautentzündungen im Mund- und Rachenraum länger als 1 Woche andauern, wiederkehren oder unklare Beschwerden auftreten, ist ein Arzt aufzusuchen.

2 Hamamelisblätter

Bei starker Rötung der Wundränder, bei großflächigen, nässenden oder eitrig infizierten Wunden ist die Rücksprache mit einem Arzt erforderlich.

6.3 Gegenanzeigen

Zur Anwendung von Hamamelisblättern in Schwangerschaft und Stillzeit sowie bei Kindern unter 12 Jahren liegen keine ausreichenden Untersuchungen vor. Zubereitungen aus Hamamelisblättern dürfen daher von diesem Personenkreis nicht angewandt werden.

6.4 Wechselwirkungen mit anderen Mitteln

Keine bekannt.

6.5 Dosierungsanleitung und Art der Anwendung

Soweit nicht anders verordnet, wird 1- bis 3-mal täglich mit einem Aufguss gespült oder gegurgelt oder es werden Umschläge bereitet. Der Aufguss wird wie folgt hergestellt:

5 bis 10 g Hamamelisblätter werden mit siedendem Wasser (ca. 250 ml) übergossen und nach etwa 10 bis 15 Minuten durch ein Teesieb gegeben.

6.6 Nebenwirkungen

Keine bekannt.

6.7 Hinweis

Vor Licht und Feuchtigkeit geschützt aufbewahren.

Hamamelisrinde

1	**Bezeichnung des Fertigarzneimittels**

Hamamelisrinde

2 **Darreichungsform**

Tee

3 **Eigenschaften und Prüfungen**

3.1 Qualitätsvorschrift

Die Droge muss der Monographie „Hamamelisrinde" des Deutschen Arzneimittel-Codex (DAC) in der jeweiligen gültigen Fassung entsprechen.

3.1 Haltbarkeit

Die Haltbarkeit in den Behältnissen nach 4 beträgt 3 Jahre.

4 **Behältnisse**

Geklebte Blockbodenbeutel bzw. Seitenfaltenbeutel aus einseitig glattem, gebleichtem Natronkraftpapier 50 g/m^2, gefüttert mit gebleichtem Pergamyn 40 g/m^2.

5 **Kennzeichnung**

Nach § 10 AMG, insbesondere:

5.1 Zulassungsnummer

9799.99.99

5.2 Art der Anwendung

Zum Spülen oder Gurgeln und für Umschläge nach Bereitung eines Aufgusses.

5.3 Hinweis

Vor Licht und Feuchtigkeit geschützt lagern.

6 **Packungsbeilage**

Nach § 11 AMG, insbesondere:

6.1 Stoff- oder Indikationsgruppe

Pflanzliches Arzneimittel zur Wundbehandlung.

6.2 Anwendungsgebiete

Zur unterstützenden Behandlung bei oberflächlichen Hautverletzungen, bei kleinflächigen Entzündungen der Haut und der Schleimhäute.

Hinweise:

Sollten die Beschwerden bei leichten Schleimhautentzündungen im Mund- und Rachenraum länger als 1 Woche andauern, wiederkehren oder unklare Beschwerden auftreten, ist ein Arzt aufzusuchen.

Bei starker Rötung der Wundränder, bei großflächigen, nässenden oder eitrig infizierten Wunden ist die Rücksprache mit einem Arzt erforderlich.

6.3 Gegenanzeigen

Zur Anwendung von Hamamelisrinde in der Schwangerschaft und Stillzeit sowie bei Kindern unter 12 Jahren liegen keine ausreichenden Untersuchungen vor. Zubereitungen aus Hamamelisrinde dürfen daher von diesem Personenkreis nicht angewandt werden.

6.4 Wechselwirkungen mit anderen Mitteln

Keine bekannt.

6.5 Dosierungsanleitung und Art der Anwendung

Soweit nicht anders verordnet, wird 1- bis 3-mal täglich mit einem Aufguss gespült oder gegurgelt oder es werden Umschläge bereitet. Der Aufguss wird wie folgt hergestellt:

5 bis 10 g Hamamelisrinde werden mit siedendem Wasser (ca. 250 ml) übergossen und nach etwa 10 bis 15 Minuten durch ein Teesieb gegeben.

6.6 Nebenwirkungen

Keine bekannt.

6.7 Hinweis

Vor Licht und Feuchtigkeit geschützt aufbewahren.

Monographien-Kommentar

Hamamelisrinde

Stammpflanze
Siehe Hamamelisblätter.

Droge
Die Rinde von Stämmen und Zweigen wird gewöhnlich im Herbst geschält und rasch getrocknet.

Inhaltsstoffe
Hamamelisrinde enthält 8–12 % Gerbstoffe; Hauptkomponente ist Hamamelitannin (2,5-Di-O-galloyl-hamamelose), daneben kommen weitere Galloylhamamelosen und kleinere Anteile an oligomeren Proanthocyanidinen vor [1, 2]. Auch die Rindendroge enthält wie die Blätter ätherisches Öl, allerdings nur etwa 0,1 Prozent; die Zusammensetzung ist sehr komplex [3].

Prüfung auf Identität
Die Gerbstoffe werden mit einer Methanol-Wasser-Mischung aus der Droge extrahiert und nach DAC mittels DC, unter Verwendung von Hamamelitannin, Gallussäure und Catechin als Referenzsubstanzen, getrennt. Mit $FeCL_3$ geben die Galltotannine graublaue Farbreaktionen, während die Catechine mit Vanillin-Phosphorsäure eine Rotfärbung geben.

Gehaltsbestimmung
In Anlehnung an die photometrische Bestimmung von Gerbstoffen in Drogen des Arzneibuches (siehe z. B. Ratanhiawurzel) erfolgt auch hier die Umsetzung der Untersuchungslösung mit Folins Reagenz zu Wolframblau. Anstelle des Hautpulvers (Arzneibuch) wird hier zur Bindung der Gerbstoffe Casein verwendet, ein weiterer Unterschied zur Pharmakopoemethode besteht darin, daß im DAC als Vergleichssubstanz Gallussäure verwendet wird, während im Arzneibuch Pyrogallol vorgeschrieben ist. Eine Angleichung an das Arzneibuch wäre wünschenswert (siehe Ratanhiawurzel, Kommentar Ph. Eur.).

[1] C. Haberland und K. Kolodziej, Planta Med. **60,** 464 (1994).
[2] B. Vennat u. a., Planta Med. **54,** 454 (1988).
[3] C. A. J. Erdelmeier u. a., Planta Med. **62,** 241 (1996).

M. Wichtl

Hauhechelwurzel

1 **Bezeichnung des Fertigarzneimittels**

Hauhechelwurzel

2 **Darreichungsform**

Tee

3 **Eigenschaften und Prüfungen**

3.1 Qualitätsvorschrift

Die Droge muss der Monographie „Hauhechelwurzel" des Deutschen Arzneimittel-Codex (DAC) in der jeweiligen gültigen Fassung entsprechen.

3.2 Haltbarkeit

Die Haltbarkeit in den Behältnissen nach 4 beträgt 3 Jahre.

4 **Behältnisse**

Geklebte Blockbodenbeutel bzw. Seitenfaltenbeutel aus einseitig glattem, gebleichtem Natronkraftpapier 50 g/m^2, gefüttert mit gebleichtem Pergamyn 40 g/m^2.

5 **Kennzeichnung**

Nach § 10 AMG, insbesondere:

5.1 Zulassungsnummer

9899.99.99

5.2 Art der Anwendung

Zum Trinken nach Bereitung eines Teeaufgusses.

5.3 Hinweis

Vor Licht und Feuchtigkeit geschützt lagern.

6 **Packungsbeilage**

Nach § 11 AMG, insbesondere:

6.1 Stoff- und Indikationsgruppe

Pflanzliches Arzneimittel zur Durchspülung der Harnwege.

6.2 Anwendungsgebiete

Zur Durchspülung der ableitenden Harnwege und zur Vorbeugung und Behandlung von Nierengrieß.

2 Hauhechelwurzel

Hinweis:

Bei Blut im Urin, bei Fieber oder beim Anhalten der Beschwerden über 7 Tage hinaus ist ein Arzt aufzusuchen.

6.3 Gegenanzeigen

Keine bekannt.

6.4 Vorsichtsmaßnahmen für die Anwendung und Warnhinweise

Zur Anwendung von Hauhechelwurzel in Schwangerschaft und Stillzeit sowie bei Kindern unter 12 Jahren liegen keine ausreichenden Untersuchungen vor. Teeaufgüsse aus Hauhechelwurzel sollen daher von diesem Personenkreis nicht getrunken werden.

Hinweis:

Bei Wasseransammlungen (Ödemen) infolge eingeschränkter Herz- oder Nierentätigkeit ist eine Durchspülungstherapie nicht angezeigt.

6.5 Wechselwirkungen mit anderen Mitteln

Keine bekannt.

6.6 Dosierungsanleitung und Art der Anwendung

Soweit nicht anders verordnet, wird 3- bis 6-mal täglich eine Tasse des wie folgt bereiteten Teeaufgusses getrunken:

1 knapper Teelöffel voll (ca. 2 g) Hauhechelwurzel oder die entsprechende Menge in einem oder mehreren Aufgussbeutel(n) wird mit siedendem Wasser (ca. 150 ml) übergossen und nach etwa 20 bis 30 Minuten gegebenenfalls durch ein Teesieb gegeben.

Hinweis:

Auf zusätzliche reichliche Flüssigkeitszufuhr ist zu achten.

6.7 Nebenwirkungen

Keine bekannt.

6.8 Hinweis

Vor Licht und Feuchtigkeit geschützt aufbewahren.

Monographien-Kommentar

Hauhechelwurzel

Stammpflanze

Die dornige Hauhechel, Ononis spinosa L. (Fabaceae) ist eine in Europa, Nordafrika und Westasien auf Kalkböden, besonders an Weg- und Ackerrändern vorkommende Staude, die 20 bis 60 cm hoch wird. Die leicht verholzenden Stengel sterben im Winter zumeist ab. Die verdornenden Kurztriebe sind nicht bei allen Pflanzen vorhanden.

Droge

Die bis 50 cm langen Pfahlwurzeln werden im Herbst mitsamt dem kurzen Rhizom ausgegraben, gewaschen und getrocknet. Charakteristisch ist der meist zusammengedrückt erscheinende Querschnitt, der durch unterschiedlich breite Markstrahlen deutlich strahlig erscheint.

Inhaltsstoffe

Hauhechelwurzel enthält Isoflavone (Ononin u. a.) [1, 2], aber im Gegensatz zu den oberirdischen Teilen der Pflanze keine Flavonoide [3]. Spezifische Inhaltsstoffe sind die tetrazyklischen Triterpene Onocol (= α-Onocerin) und Ononid. Das in kleinen Mengen bis 0,1 Prozent vorhandene ätherische Öl besteht aus trans-Anethol, Carvon, Menthol und aromatischen Kohlenwasserstoffen [4, 5]. Auch Spuren an Sterolen und Pterocarpanderivaten sind nachgewiesen worden [6].

Prüfung auf Identität

Nach DAC wird ein methanol. Drogenauszug mittels DC getrennt, wobei ein „Fingerprint-DC" erhalten wird. Die unter UV 365 fluoreszierenden Zonen entsprechen den Isoflavonen, Sterolen und Triterpenen. Onocol wird mittels Anisaldehyd als rotviolette Zone detektiert.

Onocol läßt sich auch durch Mikrosublimation nachweisen (220 °C), man erhält leicht gebogene oder sternförmig verzweigte Nadeln.

Prüfung auf Reinheit, fremde Bestandteile

Verfälschungen kommen kaum vor und sind bei der mikroskopischen Prüfung sicher zu erkennen.

6.1 Anwendungsgebiete

Obwohl die (schwache) diuretische Wirkung der Droge experimentell belegt ist, z. B. [3, 7], kann bisher kein Inhaltsstoff genannt werden, der hierfür maßgebend wäre.

Monographien-Kommentar

2

[1] P. Pietta u. a., J. Chromatogr. **513,** 397 (1990).

[2] J. Köster, D. Strack und W. Barz, Planta Med. **48,** 131 (1983).

[3] Th. Kartnig, A. Gruber und M. Preuss; Pharm. Acta Helv. **60,** 253 (1985).

[4] K. Hilp, H. Kating und G. Schaden; Arch. Pharm. (Weinheim) **308,** 429 (1975).

[5] C. Hesse, K. Hilp, H. Kating und G. Schaden; Arch. Pharm. (Weinheim) **310,** 792 (1977).

[6] A. Haznagy, G. Toth und J. Tamas; Arch. Pharm. (Weinheim) **311,** 318 (1978).

[7] M. Rebuelta, S. Roman und M. H. Serra Nillos; Plantes Med. Phytother. **15,** 99 (1981).

M. Wichtl

Heidelbeeren

1	**Bezeichnung des Fertigarzneimittels**

Heidelbeeren

2 **Darreichungsform**

Tee

3 **Eigenschaften und Prüfungen**

3.1 Qualitätsvorschrift

Die Droge muss der Monographie „Heidelbeeren" des Deutschen Arzneimittel-Codex (DAC) in der jeweils gültigen Fassung entsprechen.

3.2 Haltbarkeit

Die Haltbarkeit in den Behältnissen nach 4 beträgt 3 Jahre.

4 **Behältnisse**

Geklebte Blockbodenbeutel bzw. Seitenfaltenbeutel aus glattem, gebleichtem Natronkraftpapier 50 g/m^2, gefüttert mit gebleichtem Pergamyn 40 g/m^2.

5 **Kennzeichnung**

Nach § 10 AMG, insbesondere:

5.1 Zulassungsnummer

1009.99.99

5.2 Art der Anwendung

Zum Trinken sowie zum Spülen oder Gurgeln nach Bereitung eines Teeaufgusses.

5.3 Hinweis

Vor Licht und Feuchtigkeit geschützt lagern.

6 **Packungsbeilage**

Nach § 11 AMG, insbesondere:

6.1 Stoff- oder Indikationsgruppe

Pflanzliches Arzneimittel bei Durchfall.

Pflanzliches Arzneimittel bei Entzündungen im Mund- und Rachenraum.

6.2 Anwendungsgebiete

Unspezifische, akute Durchfallerkrankungen; leichte Schleimhautentzündungen im Mund- und Rachenraum.

Hinweise:

Bei Durchfällen, die länger als 2 Tage andauern oder mit Blutbeimengungen oder Temperaturerhöhungen einhergehen, sollte ein Arzt aufgesucht werden. Durchfallerkrankungen bei Säuglingen und Kleinkindern erfordern grundsätzlich die Rücksprache mit einem Arzt.

Sollten die Beschwerden bei leichten Schleimhautentzündungen im Mund- und Rachenraum länger als 1 Woche andauern, wiederkehren oder unklare Beschwerden auftreten, ist ein Arzt aufzusuchen.

6.3 Gegenanzeigen

Keine bekannt.

6.4 Vorsichtsmaßnahmen für die Anwendung und Warnhinweise

Bei Durchfallerkrankungen muss auf Ersatz von Flüssigkeit und Salzen (Elektrolyten) als wichtigste therapeutische Maßnahme geachtet werden. Aus der verbreiteten Anwendung von Heidelbeeren als Arzneimittel oder in Lebensmitteln haben sich bisher keine Anhaltspunkte für Risiken ergeben. Zur Anwendung von Heidelbeeren in Schwangerschaft und Stillzeit sowie bei Kindern unter 12 Jahren liegen jedoch keine ausreichenden Untersuchungen vor. Die Anwendung von Zubereitungen aus Heidelbeeren wird diesem Personenkreis daher nicht empfohlen.

6.5 Wechselwirkungen mit anderen Mitteln

Keine bekannt.

6.6 Dosierungsanleitung und Art der Anwendung

Soweit nicht anders verordnet, wird bei Durchfallerkrankungen 2- bis 6-mal täglich eine Tasse des wie folgt bereiteten Teeaufgusses getrunken: 1 Esslöffel voll (ca. 10 g) kurz vor Gebrauch zerquetschter Heidelbeeren wird mit ca. 150 ml Wasser übergossen, für etwa 10 bis 15 Minuten zum Sieden erhitzt und anschließend noch heiß durch ein Teesieb gegeben.

Zum Spülen und Gurgeln wird ein Aufguss in der angegebenen Menge oder dem benötigten Vielfachen wie folgt hergestellt:

10 g Heidelbeeren werden mit 100 ml Wasser übergossen, für etwa 10 bis 15 Minuten zum Sieden erhitzt und anschließend noch heiß durch ein Teesieb gegeben.

6.7 Nebenwirkungen

Keine bekannt.

6.8 Hinweis

Vor Licht und Feuchtigkeit geschützt aufbewahren.

Monographien-Kommentar

Heidelbeeren

Stammpflanze

Vaccinium myrtillus L. (Ericaceae), die Heidelbeere, Blaubeere oder Schwarzbeere ist ein kleiner, bis 50 cm hoch werdender Strauch, der im Unterholz und auf Kahlschlägen über Mittel- und Nordeuropa, Nordasien und Nordamerika verbreitet vorkommt.

Droge

Die reifen, saftreichen Beeren werden meist mit Kämmen geerntet, so daß in der Handelsware gelegentlich unzulässige Mengen an Blättern und Stengelteilchen angetroffen werden, wenn man die Droge nicht durch Windsichtung gereinigt hat.

Inhaltsstoffe

Heidelbeeren enthalten 5–10 Prozent Catechingerbstoffe, über 1 Prozent Fruchtsäuren, ca. 30 Prozent Invertzucker, kleine Mengen an Flavonoiden und Anthocyane [1], besonders Glykoside des Malvidins, Cyanidins und Delphinidins.

Prüfung auf Identität

Nach der Vorschrift des DAC werden zunächst die Heidelbeeren mit Wasser extrahiert, wobei vorwiegend Invertzucker in Lösung geht, anschließend bringt man die Anthocyanglykoside mit angesäuertem Methanol in Lösung (Untersuchungslösung I), durch Hydrolyse mit Salzsäure gewinnt man die Anthocyanidine (Aglykone, Untersuchungslösung II). Die weitere Prüfung erfolgt mittels DC auf Celluloseschichten, wie sie für die Untersuchung von Anthocyanen üblich ist [2]; siehe auch Hibiscusblüten, Kommentar zum DAB 10.

Prüfung auf Reinheit

Die Früchte der Rauschbeere, Vaccinium uliginosum L. sind etwas größer als Heidelbeeren, ein wäßriger Extrakt ist nur schwach bräunlich gefärbt. Die mikroskopischen Merkmale, wie sie im DAC angegeben sind, ermöglichen ein sicheres Erkennen.

[1] U. Krawczyk und G. Petri, Arch. Pharm. (Weinheim) **325,** 147 (1992).
[2] K. Hermann, Z. Lebensm. Unters. Forsch. **148,** 290 (1972).

M. Wichtl

Hirtentäschelkraut

1 **Bezeichnung des Fertigarzneimittels**

Hirtentäschelkraut

2 **Darreichungsform**

Tee

3 **Eigenschaften und Prüfungen**

3.1 Qualitätsvorschrift

Die Droge muss der Monographie „Hirtentäschelkraut" des Deutschen Arzneimittel-Codex (DAC) in der jeweils gültigen Fassung entsprechen.

3.2 Haltbarkeit

Die Haltbarkeit in den Behältnissen nach 4 beträgt 3 Jahre.

4 **Behältnisse**

Geklebte Blockbodenbeutel bzw. Seitenfaltenbeutel aus einseitig glattem, gebleichtem Natronkraftpapier 50 g/m^2, gefüttert mit gebleichtem Pergamyn 40 g/m^2.

5 **Kennzeichnung**

Nach § 10 AMG, insbesondere:

5.1 Zulassungsnummer

1539.99.99

5.2 Art der Anwendung

Für Umschläge und zum Tränken von Nasentampons nach Bereitung eines Aufgusses.

5.3 Hinweis

Vor Licht und Feuchtigkeit geschützt lagern.

6 **Packungsbeilage**

Nach § 11 AMG, insbesondere:

6.1 Stoff- oder Indikationsgruppe

Pflanzliches Arzneimittel bei Blutungen.

6.2 Anwendungsgebiete

Innerliche Anwendung:

Zur lokalen Anwendung bei Nasenbluten.

Äußerliche Anwendung:

Oberflächliche, blutende Hautverletzungen.

6.3 Gegenanzeigen

Keine bekannt.

6.4 Vorsichtsmaßnahmen für die Anwendung und Warnhinweise

Zur Anwendung von Hirtentäschelkraut in Schwangerschaft und Stillzeit sowie bei Kindern unter 12 Jahren liegen keine ausreichenden Untersuchungen vor. Zubereitungen aus Hirtentäschelkraut sollen daher von diesem Personenkreis nicht angewendet werden.

6.5 Wechselwirkungen mit anderen Mitteln

Keine bekannt.

6.6 Dosierungsanleitung und Art der Anwendung

Soweit nicht anders verordnet, wird zur lokalen und äußerlichen Anwendung ein Aufguss aus 2 bis 5 g Hirtentäschelkraut auf 150 ml Wasser hergestellt.

6.7 Nebenwirkungen

Keine bekannt.

6.8 Hinweis

Vor Licht und Feuchtigkeit geschützt aufbewahren.

Monographien-Kommentar

Hirtentäschelkraut

Stammpflanze

Capsella bursa-pastoris (L.) MED. (Brassicaceae) ist ein auf Brachland, Äckern und Wegrändern weltweit verbreitetes Unkraut. Die bis 40 cm (meist 10 bis 20 cm) hoch werdende krautige Pflanze besitzt eine grundständige Blattrosette und einen beblätterten Stengel. Auffällig sind die verkehrt herzförmigen, flachen Schötchen, die meist auch bei blühenden Pflanzen schon zu finden sind.

Inhaltsstoffe

Hirtentäschelkraut enthält ca. 20 Prozent wasserlösliche Stoffe, über die nur wenig gesicherte Angaben bekannt sind. So ist das Vorkommen von biogenen Aminen und von Saponinen angezweifelt worden. Charakteristisch und mehrfach beschrieben ist das Vorkommen von Aminosäuren (vor allem Prolin) und Proteinen [1, 2, 3]. Nachgewiesen wurden kleine Mengen an Flavonoiden, an Vitamin C, Sitosterin, Glucosinolaten und Triterpenen [4]; bemerkenswert ist der relativ hohe Gehalt an Ca- und besonders an K-Salzen [5].

3.3 Prüfung auf Identität

In einer mit Methanol hergestellten Untersuchungslösung werden, unter Verwendung von Prolin als Referenzsubstanz, mittels DC einige Aminosäuren nachgewiesen, darunter vor allem Prolin. Ninhydrin reagiert mit Aminosäuren unter Bildung von violetten oder rosavioletten, in ihrer Struktur noch nicht endgültig geklärten Produkten.

3.4 Prüfung auf Reinheit

Verfälschungen kommen praktisch nicht vor.

3.5 Gehaltsbestimmung

In Ermangelung gesicherter Kenntnisse über spezifische Inhaltsstoffe begnügt man sich hier mit der Angabe eines Mindestwertes des Extraktgehaltes, was in diesem Fall sicher vertretbar ist.

[1] M. Sugii und Mitarb., Anal. Biochem. **92,** 265 (1979); C. A. **90,** 99539 (1979).
[2] T. Perseca und Z. Curta, Stud. Univ. Babes-Bolyai Ser. Biol. **28,** 24 (1983); C. A. **99,** 181335 (1983).
[3] I. Ullrich und W. Jahn-Deesbach, Angew. Bot. **58,** 255 (1984); C. A. **102,** 146176 (1985).
[4] N. N. Sabri, T. Sarg und A. A. Seif El-Din, Egypt J. Pharm. Sci. **16,** 521 (1975), C. A. **89,** 160097 (1978).
[5] R. Diensberg, Dissertation Bonn 1979.

M. Wichtl

Holunderblüten

1	**Bezeichnung des Fertigarzneimittels**
	Holunderblüten
2	**Darreichungsform**
	Tee
3	**Eigenschaften und Prüfungen**
	Haltbarkeit:
	Die Haltbarkeit in den Behältnissen nach 4 beträgt 3 Jahre.
4	**Behältnisse**
	Geklebte Blockbodenbeutel bzw. Seitenfaltenbeutel aus einseitig glattem, gebleichtem Natronkraftpapier 50 g/m^2, gefüttert mit gebleichtem Pergamyn 40 g/m^2.
5	**Kennzeichnung**
	Nach § 10 AMG, insbesondere:
5.1	Zulassungsnummer
	1019.99.99
5.2	Art der Anwendung
	Zum Trinken nach Bereitung eines Teeaufgusses.
5.3	Hinweis
	Vor Licht und Feuchtigkeit geschützt lagern.
6	**Packungsbeilage**
	Nach § 11 AMG, insbesondere:
6.1	Stoff- oder Indikationsgruppe
	Pflanzliches Arzneimittel bei katarrhalischen Erkrankungen der oberen Atemwege.
6.2	Anwendungsgebiete
	Erkältungskrankheiten.
	Hinweise:
	Bei Beschwerden, die länger als 3 Tage anhalten, bei Atemnot, Fieber oder eitrigem oder blutigem Auswurf sollte ein Arzt aufgesucht werden.

2 Holunderblüten

6.3 Gegenanzeigen

Keine bekannt.

6.4 Vorsichtsmaßnahmen für die Anwendung und Warnhinweise

Zur Anwendung von Holunderblüten in Schwangerschaft und Stillzeit sowie bei Kindern unter 12 Jahren liegen keine ausreichenden Untersuchungen vor. Teeaufgüsse aus Holunderblüten sollen daher von diesem Personenkreis nicht getrunken werden.

6.5 Wechselwirkungen mit anderen Mitteln

Keine bekannt.

6.6 Dosierungsanleitung und Art der Anwendung

Soweit nicht anders verordnet, wird 3- bis 5-mal täglich eine Tasse des wie folgt bereiteten Teeaufgusses möglichst heiß getrunken:

2 Teelöffel voll (ca. 3 g) Holunderblüten oder die entsprechende Menge in einem oder mehreren Aufgussbeutel(n) werden mit siedendem Wasser (ca. 150 ml) übergossen und nach etwa 10 bis 15 Minuten gegebenenfalls durch ein Teesieb gegeben.

6.7 Nebenwirkungen

Keine bekannt.

6.8 Hinweis

Vor Licht und Feuchtigkeit geschützt aufbewahren.

Monographien-Kommentar

Holunderblüten

Stammpflanze

Der schwarze Holunder, Sambucus nigra L. (Caprifoliaceae, bzw. Sambucaceae) ist ein 2 bis 7 m hoher Strauch, der an Waldrändern, im Unterholz von Auwäldern und in Gebüschen häufig vorkommt. Sein Verbreitungsgebiet erstreckt sich über Europa, Mittel- und Westindien sowie Nordafrika.

Droge

Die in Trugdolden stehenden Blüten werden getrocknet, von den Blütenstielen getrennt (gerebelt) und über Siebe abgetrennt. Die Droge stammt aus Wildvorkommen und wird aus der UdSSR, Ungarn und den Balkanländern importiert.

Inhaltsstoffe

Holunderblüten enthalten 0,7 bis 3,5 Prozent Flavonoide, mit Rutin als der Hauptkomponente, daneben Hyperosid und Isoquercitrin [1]. Das ätherische Öl (0,03 bis über 0,1 Prozent) besteht zu etwa $^2/_3$ aus freien Fettsäuren und n-Alkanen und zu ca. $^1/_3$ aus Monoterpenen [2, 3]. In Spuren sind auch Triterpensäuren und -alkohole sowie cyanogene Glykoside (Sambunigrin) vorhanden [4, 5].

Prüfung auf Reinheit, fremde Bestandteile

Die im DAC erwähnte Verfälschung mit Blüten von Sambus ebulus L. (Zwergholunder, Attich) kommt in der Praxis kaum vor.

Gehaltsbestimmung

Diese erfolgt mit einer bereits 1960 publizierten Vorschrift zur Bestimmung von Flavonoiden in Drogen [6]. Die Glykoside werden mit Aceton-Salzsäure hydrolysiert, zugesetztes Hexamethylentetramin maskiert störende Leukoanthocyanidine. Die Flavonolaglykone schüttelt man mit Ethylacetat aus. Nach Zugabe von $AlCl_3$-Reagenz erhält man die intensiv gelb gefärbten Aluminiumchelate, die photometrisch bestimmt werden. Der Gehalt wird auf Quercetin bezogen.

[1] C. Petitjean-Freytet, A. Carnat und J. L. Lamaison, J. Pharm. Belg. **46,** 241 (1991).
[2] D. Joulain, Flavour Fragrance J. **2,** 149 (1987).
[3] R. Eberhard und W. Pfannhauser, Z. Lebensm. Unters. Forsch. **181,** 97 (1985).
[4] G. Willuhn und W. Richter, Planta Med **31,** 328 (1977).
[5] R. Hänsel und M. Kussmaul, Arch. Pharm. (Weinheim) **308,** 790 (1975).
[6] B. Christ und K. H. Müller; Arch. Pharm. (Weinheim) **293,** 1033 (1960).

M. Wichtl

Hopfenzapfen

1 **Bezeichnung des Fertigarzneimittels**

Hopfenzapfen

2 **Darreichungsform**

Tee

3 **Eigenschaften und Prüfungen**

Haltbarkeit:

Die Haltbarkeit in den Behältnissen nach 4 beträgt 3 Jahre.

4 **Behältnisse**

Geklebte Blockbodenbeutel bzw. Seitenfaltenbeutel aus einseitig glattem, gebleichtem Natronkraftpapier 50 g/m^2, gefüttert mit gebleichtem Pergamyn 40 g/m^2.

5 **Kennzeichnung**

Nach § 10 AMG, insbesondere:

5.1 Zulassungsnummer

1029.99.99

5.2 Art der Anwendung

Zum Trinken nach Bereitung eines Teeaufgusses.

5.3 Hinweis

Vor Licht und Feuchtigkeit geschützt lagern.

6 **Packungsbeilage**

Nach § 11 AMG, insbesondere:

6.1 Stoff- oder Indikationsgruppe

Pflanzliches Arzneimittel zur Beruhigung.

6.2 Anwendungsgebiete

Befindensstörungen wie Unruhe und Angstzustände, Einschlafstörungen.

Hinweis:

Wenn die Einschlafstörungen und/oder Unruhe und Angstzustände länger andauern, sollte wie bei allen unklaren Beschwerden ein Arzt aufgesucht werden.

2   Hopfenzapfen

6.3   Gegenanzeigen

Keine bekannt.

6.4   Vorsichtsmaßnahmen für die Anwendung und Warnhinweise

Zur Anwendung von Hopfenzapfen in Schwangerschaft und Stillzeit sowie bei Kindern unter 12 Jahren liegen keine ausreichenden Untersuchungen vor. Teeaufgüsse aus Hopfenzapfen sollen daher von diesem Personenkreis nicht getrunken werden.

6.5   Wechselwirkungen mit anderen Mitteln

Keine bekannt.

6.6   Dosierungsanleitung und Art der Anwendung

Soweit nicht anders verordnet, wird bei Unruhe und Angstzuständen 2- bis 3-mal täglich sowie bei Einschlafstörungen vor dem Schlafengehen eine Tasse des wie folgt bereiteten Teeaufgusses getrunken:

1 gehäufter Teelöffel voll (ca. 0,5 g) Hopfenzapfen oder die entsprechende Menge in einem oder mehreren Aufgussbeutel(n) wird mit siedendem Wasser (ca. 150 ml) übergossen und nach etwa 10 bis 15 Minuten gegebenenfalls durch ein Teesieb gegeben.

6.7   Nebenwirkungen

Keine bekannt.

6.8   Hinweis

Vor Licht und Feuchtigkeit geschützt aufbewahren.

Hustentee

1	**Bezeichnung des Fertigarzneimittels**	
	Hustentee	

2 **Darreichungsform**

Tee

3 **Zusammensekung**

Eibischwurzel	25,0 g
Bitterer Fenchel	10,0 g
Isländisches Moos	10,0 g
Spitzwegerichkraut	15,0 g
Süßholzwurzel	10,0 g
Thymian	30,0 g

4 **Herstellungsvorschrift**

Die für die Herstellung einer Charge benötigten Mengen Eibischwurzel, Bitterer Fenchel, Isländisches Moos, Spitzwegerichkraut, Süßholzwurzel und Thymian werden gemischt und anschließend in die vorgesehenen Behältnisse abgefüllt.

5 **Eigenschaften und Prüfungen**

5.2 Fertigarzneimittel

5.2.1 Aussehen, Eigenschaften

Hustentee ist ein aromatisch riechendes Teegemisch aus getrockneten und geschnittenen, teilweise behaarten Blättern von grüner und braungrüner Farbe, aus braunen und bräunlichvioletten Blüten, aus weißlichen und graubraunen geschnittenen Wurzelstücken, aus olivgrünen bis braunen Thallusteilen sowie aus zylindrischen, unten breit abgerundeten, oben etwas verschmälerten gelblichgrünen bis gelbbraunen Früchten.

5.2.2 Prüfung auf Identität

Die nach 5.2.3 makroskopisch einzeln verlesenen Bestandteile werden auf Identität geprüft.

Eibischwurzel
entsprechend Prüfung auf Identität gemäß AB.

Bitterer Fenchel
entsprechend Prüfung auf Identität (AB.).

Isländisches Moos
entsprechend Prüfung auf Identität gemäß AB.

Spitzwegerichkraut
entsprechend Prüfung auf Identität gemäß AB.

Süßholzwurzel
entsprechend Prüfung auf Identität (AB.).

Thymian
entsprechend Prüfung auf Identität (AB.).

5.2.3 Gehalt

80,0 bis 120,0 Prozent der deklarierten Mengen an Eibischwurzel, Bitterer Fenchel, Isländischem Moos, Spitzwegerichkraut, Süßholzwurzel, Thymian.

Bestimmung

Eine geeignete Menge Hustentee wird makroskopisch in die einzelnen Bestandteile verlesen und diese gewogen.

5.2.4 Haltbarkeit

Die Haltbarkeit in den Behältnissen nach 6 beträgt ein Jahr.

6 Behältnisse

Geklebte Blockbodenbeutel bzw. Seitenfaltenbeutel aus einseitig glattem, gebleichtem Natronkraftpapier 50 g/m^2, gefüttert mit gebleichtem Pergamyn 40 g/m^2.

7 Kennzeichnung

Nach § 10 AMG, insbesondere:

7.1 Zulassungsnummer

2009.99.99

7.2 Art der Anwendung

Zum Trinken nach Bereitung eines Teeaufgusses.

7.3 Hinweis

Vor Licht und Feuchtigkeit geschützt lagern.

8 **Packungsbeilage**

Nach § 11 AMG, insbesondere:

8.1 Anwendungsgebiete

Bei Anzeichen von Bronchitis sowie bei Katarrhen der oberen Luftwege.

8.2 Dosierungsanleitung und Art der Anwendung

Etwa 1 Eßlöffel voll Tee wird mit siedendem Wasser (ca. 150 ml) übergossen, bedeckt etwa 10 Minuten ziehen gelassen und dann durch ein Teesieb gegeben.

Soweit nicht anders verordnet, wird mehrmals täglich eine Tasse frisch bereiteter Tee getrunken.

8.3 Hinweis

Vor Licht und Feuchtigkeit geschützt aufbewahren.

Monographien-Kommentar

Hustentee

Kommentare zu den einzelnen Bestandteilen von Hustentee befinden sich gemäß nachfolgender Übersicht in:

Bestandteil	Kommentar
Eibischwurzel	Kom. Ph. Eur
Fenchel	Kom. Ph. Eur
Isländisches Moos	Kom. Ph. Eur
Spitzwegerichkraut	Kom. DAB
Süßholzwurzel	Kom. Ph. Eur
Thymian	Kom. Ph. Eur

M. Wichtl

Husten- und Bronchialtee I und II

1 Bezeichnung des Fertigarzneimittels

Husten- und Bronchialtee[1])

2 Darreichungsform

Tee

3 Zusammensetzung

A. Wirksame Bestandteile (in Masseprozenten)

Bestandteile \ Teenummer	I	II
Anis		10,0 bis 40,0
Bitterer Fenchel	10,0 bis 25,0	
Lindenblüten		40,0 bis 60,0
Spitzwegerichkraut	25,0 bis 40,0	
Süßholzwurzel	25,0 bis 35,0	
Thymian	10,0 bis 40,0	10,0 bis 30,0

---

[1]) Die Bezeichnung des Tees setzt sich aus dem Wort „Husten- und Bronchialtee" und der römischen Ziffer zusammen, die der jeweiligen Zusammensetzung zugeordnet ist (z. B. „Husten- und Bronchialtee I").

2 Husten- und Bronchialtee I und II

B. Sonstige Bestandteile

Eibischblätter,	Malvenblätter
Hagebuttenschalen,	Malvenblüten,
Isländisches Moos,	Quendelkraut,
Kornblumenblüten,	Schlüsselblumenblüten,
Lungenkraut,	Stiefmütterchenkraut.

Die wirksamen Bestandteile nach A müssen insgesamt mindestens 70 Masseprozente der jeweiligen Teemischung ergeben. Die sonstigen Bestandteile müssen – sofern solche verwendet werden – aus der Gruppe B ausgewählt werden. Sie dürfen pro Bestandteil nicht mehr als 5 Masseprozente der jeweiligen Teemischung betragen.

4 Herstellungsvorschrift

Die für die Herstellung einer Charge benötigten Bestandteile werden gemischt und anschließend in die vorgesehenen Behältnisse abgefüllt.

5 Eigenschaften und Prüfungen

5.1 Ausgangsstoffe

5.1.1 Kornblumenblüten

Die Droge muss der Monographie „Kornblüten" des Deutschen Arzneimittel-Codex (DAC) in der jeweils gültigen Fassung entsprechen.

5.1.2 Malvenblätter

Die Droge muss der Monographie „Malvenblätter" des Deutschen Arzneimittel-Codex (DAC) in der jeweils gültigen Fassung entsprechen.

5.1.3 Schlüsselblumenblüten

Die Droge muss der Monographie „Schlüsselblumenblüten des Deutschen Arzneimittel-Codex (DAC) in der jeweils gültigen Fassung entsprechen.

5.1.4 Stiefmütterchenkraut

Die Droge muss der Monographie „Stiefmütterchenkraut" des Deutschen Arzneimittel-Codex in der jeweils gültigen Fassung entsprechen.

5.2 Fertigarzneimittel

5.2.1 Aussehen, Eigenschaften

Teemischung aus getrockneten und meist zerkleinerten Pflanzenteilen mit arteigenem Geruch.

5.2.2 Prüfung auf Identität

Die nach 5.2.3 makroskopisch einzeln verlesenen, wirksamen Bestandteile werden auf Identität geprüft.

Anis
entsprechend Prüfung auf Identität gemäß AB.

Bitterer Fenchel
entsprechend Prüfung auf Identität gemäß AB.

Huflattichblätter
entsprechend Prüfung auf Identität gemäß AB.

Lindenblüten
entsprechend Prüfung auf Identität gemäß AB.

Spitzwegerichkraut
entsprechend Prüfung auf Identität gemäß AB.

Süßholzwurzel
entsprechend Prüfung auf Identität gemäß AB.

Thymian
entsprechend Prüfung auf Identität gemäß AB.

5.2.3 Gehalt

80 bis 120 Prozent der deklarierten Bestandteile.

Bestimmung

Eine geeignete Menge der Teemischung wird makroskopisch in die einzelnen Bestandteile verlesen. Die deklarierten Bestandteile werden gewogen.

5.2.4 Haltbarkeit

Die Haltbarkeit in den Behältnissen nach 6 beträgt für Husten- und Bronchialtee I ein Jahr.

Für die Haltbarkeit von Husten- und Bronchialtee II ist der Gehalt an ätherischem Öl im Anis und Thymian entscheidend. Dieser nimmt in den Behältnissen nach 6 pro Jahr absolut um etwa 0,2 Prozent im Anis und um etwa 0,15 Prozent im Thymian ab. Die Dauer der Haltbarkeit errechnet sich somit aus der Differenz des jeweiligen Gehaltes an ätherischem Öl zum Zeitpunkt der Herstellung und dem vorgeschriebenen Mindestgehalt. Die Droge mit der kürzesten Haltbarkeit ist für die gesamte Teemischung bestimmend.

6 Behältnisse

Geklebte Blockbodenbeutel bzw. Seitenfaltenbeutel aus einseitig glattem, gebleichtem Natronkraftpapier 50 g/m², gefüttert mit gebleichtem Pergamyn 40 g/m².

7 Kennzeichnung

Nach § 10 AMG, insbesondere:

7.1 Zulassungsnummer

Husten- und Bronchialtee Nr.	Zulassungsnummer
I	2039.94.99
II	2039.93.99

7.2 Art der Anwendung

Zum Trinken nach Bereitung eines Teeaufgusses.

7.3 Hinweis

Vor Licht und Feuchtigkeit geschützt lagern.

8 Packungsbeilage

Nach § 11 AMG, insbesondere:

8.1 Anwendungsgebiete

Symptome der Bronchitis sowie zur Reizlinderung bei Katarrhen der oberen Luftwege mit trockenem Husten.

8.2 Gegenanzeige

Allergie gegen Anis und Anethol.

8.3 Nebenwirkungen

Gelegentlich allergische Reaktionen der Haut, der Atemwege und des Gastrointestinaltraktes.

8.4 Dosierungsanleitung und Art der Anwendung

Etwa 1 Eßlöffel voll Tee wird mit siedendem Wasser (ca. 150 ml) übergossen, bedeckt etwa 10 Minuten ziehengelassen und dann durch ein Teesieb gegeben.

Soweit nicht anders verordnet, wird mehrmals täglich eine Tasse frisch bereiteter Tee getrunken.

8.5 Hinweis

Vor Licht und Feuchtigkeit geschützt aufbewahren.

Monographien-Kommentar

Husten- und Bronchialtee I und II

Lungenkraut

Stammpflanze: Die in schattigen Laubwäldern, unter Gebüschen und an Bachufern verbreitete Pulmonaria officinalis L. (Boraginaceae) ist eine 10 bis 30 cm hohe, ausdauernde, krautige Pflanze mit gefleckten, meist rauh behaarten Blättern und hellrot bis blauviolett gefärbten Blüten.

Droge: Diese wird durch Wildsammlungen aufgebracht und vorwiegend aus Jugoslawien und Bulgarien importiert.

Inhaltsstoffe: Neben Hetero- und Homopolysacchariden (Schleime, Fructane) sind vor allem der hohe Gehalt an mineralischen Bestandteilen und hier der Anteil an Silikaten auffällig; die Droge enthält etwa 3% Gesamtkieselsäure. Weiterhin sind Flavonoide, Allantoin und verschiedene Kaffeesäurederivate wie Chlorogensäure und Rosmarinsäure nachgewiesen worden. Das bei Boraginaceen oft beobachtete Vorkommen von Pyrrolizidinalkaloiden, das auch bei dieser Droge zunächst vermutet wurde [1], konnte bei eingehenden Untersuchungen nicht bestätigt werden [2].

Prüfung auf Identität:

Eine mit Methanol hergestellte Extralösung wird, unter Verwendung der Referenzsubstanzen Chlorogensäure und Kaffeesäure, mittels DC auf das Vorkommen von Flavonoiden und Kaffeesäurederivaten hin geprüft. Die nach Besprühen mit Diphenylboryloxyethylamin auffälligste Zone im Chromatogramm der Untersuchungslösung ist die Rosmarinsäure. Sie liegt etwa auf gleicher Höhe wie die Referenzsubstanz Kaffeesäure. Auch Chlorogensäure läßt sich eindeutig zuordnen, während über die Identität der übrigen im Arzneibuch beschriebenen, gelbbraun, hellblau oder grünlich fluoreszierenden Zonen derzeit (noch) keine Angaben gemacht werden können.

Prüfung auf Reinheit:

Fremde Bestandteile: In Betracht kommen hier gelegentlich Beimengungen von Pulmonaria mollis WULF. ex HORNEM., dem Weichen Lungenkraut. Deren Blätter fühlen sich samtartig an; anders als bei der offiziellen Droge besteht die Behaarung jedoch nicht aus einzelligen, spitzkegelförmigen Borstenhaaren, sondern man findet zahlreiche 3- bis 4zellige Drüsenhaare mit kugeliger bis keulenförmiger Endzelle.

Für die Wirksamkeit sind bisher keine ausreichenden Belege vorhanden, so daß die Kommission E (Phytotherapeutische Therapierichtung und Stoffgruppe) beim Bundesgesundheitsamt, obwohl Risiken nicht bekannt sind, eine therapeutische Anwendung nicht befürwortet.

Monographien-Kommentar

Kommentare zu den übrigen Bestandteilen von Husten- und Bronchialtee I und II befinden sich gemäß nachfolgender Übersicht in:

Bestandteil	Kommentar
A. Anis	Kom. Ph. Eur.
Fenchel	Kom. Ph. Eur.
Lindenblüten	Kom. Ph. Eur.
Spitzwegerichkraut	Kom. DAB
Süßholzwurzel	Kom. Ph. Eur.
Thymian	Kom. Ph. Eur.
B. Eibischblätter	St. Zul.
Hagenbuttenschalen	Kom. DAB
Isländisches Moos	Kom. Ph. Eur.
Kornblumenblüten	St. Zul. Blasen- u. Nierentee II–VII
Malvenblätter	St. Zul.
Malvenblüten	St. Zul. Erkältungstee II–V
Quendelkraut	Komm. DAB u. St. Zul. Erkältungstee II–V
Schlüsselblumenblüten	St. Zul.
Stiefmütterchenkraut	St. Zul.

M. Wichtl

[1] T. Danninger und Mitarb., Pharm. Ztg. **128,** 289 (1983).
[2] J. Lüthi und Mitarb., Pharm. Acta Helv. **59,** 242 (1984).

(2-Hydroxyethyl)-salicylat − Benzylnicotinat-Salbe

1 **Bezeichnung des Fertigarzneimittels**

(2-Hydroxyethyl)-salicylat − Benzylnicotinat-Salbe

2 **Darreichungsform**

Salbe

3 **Zusammensetzung**

(2-Hydroxyethyl)-salicylat	5,0 g
Benzylnicotinat	2,0 g
Weißes Vaselin	75,0 g
Dickflüssiges Paraffin	6,0 g
Wollwachsalkohole	2,0 g
Gereinigtes Wasser	10,0 g

4 **Herstellungsvorschrift**

Die für die Herstellung einer Charge benötigten Mengen weißes Vaselin, dickflüssiges Paraffin und Wollwachsalkohole werden auf ca. 60 °C erhitzt. (2-Hydroxyethyl)-salicylat und Benzylnicotinat werden in frisch abgekochtem, gereinigtem Wasser bei ca. 60 °C gelöst. In die ca. 60 °C warme Fettschmelze wird die ca. 60 °C warme Lösung emulgiert. Die Salbe wird bis zum Erkalten gerührt und in die vorgesehenen Behältnisse abgefüllt.

5 **Inprozeß-Kontrollen**

Prüfung auf Homogenität und Verstreichbarkeit:

Eine Salbenprobe muß sich auf einem Objektträger homogen und glatt zu einem dünnen Film verstreichen lassen. Bei Betrachtung unter dem Mikroskop im Durchlicht und im Phasenkontrast muß eine feine homogene Emulsion erkennbar sein.

6 **Eigenschaften und Prüfungen**

6.1 Ausgangsstoffe

6.2 Fertigarzneimittel

6.2.1 Aussehen, Eigenschaften

Weiße bis gelblichweiße, weiche Salbe von charakteristischem Geruch.

6.2.2 Prüfung auf Identität

(2-Hydroxyethyl)-salicylat

0,5 g Salbe werden auf einer Tüpfelplatte mit 1 Tropfen 10,5prozentiger Eisen(III)-chlorid-Lösung versetzt. Es entsteht eine intensiv violette Färbung.

Zu 0,1 g Salbe werden 100 ml 0,1 N-Salzsäure von ca. 40 bis 50 °C gegeben. Es wird gemischt und filtriert. 5,0 ml des Filtrats werden mit 0,1 N-Salzsäure zu 20,0 ml verdünnt. Die Verdünnung hat im UV-Licht Absorptionsmaxima bei 239 nm (Absorption etwa 0,650) und bei 304 nm (Absorption etwa 0,260). Im Bereich zwischen 255 nm und 275 nm befinden sich 2 Schultern.

Benzylnicotinat

25 g Salbe werden auf dem Wasserbad geschmolzen und mit 3 ml Natriumhydroxid-Lösung 8,5 % versetzt. Die Mischung wird vorsichtig zum Sieden erhitzt. Es tritt der typische Geruch von Benzylalkohol auf. Nach dem Erkalten wird die Mischung mit 1 ml Kaliumpermanganat-Lösung versetzt. Es entwickelt sich unter Grün- und anschließender Braunfärbung der Geruch von Benzaldehyd.

6.2.3 Prüfung auf Reinheit

Mit Hilfe der Dünnschichtchromatographie (AB.) unter Verwendung einer Schicht von Kieselgel GF_{254} wird wie folgt geprüft:

Untersuchungslösungen

I. 5prozentige Lösung:
10,0 g Salbe werden mit 10 ml Methanol versetzt und unter Rühren erwärmt. Die Mischung wird in einen 10-ml-Meßkolben filtriert und dieser unter Nachspülen mit Methanol aufgefüllt.

II. 0,5prozentige Lösung:
1,0 ml der Untersuchungslösung I wird mit Ethanol 96 % zu 10,0 ml verdünnt.

Referenzlösungen

I. 50 mg (2-Hydroxyethyl)-salicylat einer als Standard geeigneten Substanz werden in Ethanol 96 % zu 10,0 ml gelöst.

II. 50 mg Benzylnicotinat einer als Standard geeigneten Substanz werden in Chloroform zu 25,0 ml gelöst.

III. 95 mg Salicylsäure werden in Ethanol 96 % zu 25,0 ml gelöst.

IV. 30 mg Nicotinsäure werden in Ethanol 96 % zu 25,0 ml gelöst.

Auf 2 Platten werden jeweils getrennt je 5 µl der Untersuchungslösungen und Referenzlösungen aufgetragen. Die Chromatographie erfolgt mit einer Mischung aus 90 Volumteilen Chloroform, 5 Volumteilen Methanol und 5 Volumteilen Essigsäure 98 % über eine Laufstrecke von 10 cm.

Nach Trocknen der Platten im Luftstrom bis zum Verschwinden des Fließmittelgeruchs werden die Platten im ultravioletten Licht bei 254 nm ausgewertet. Die im Chromatogramm der Untersuchungslösung II auftretenden Flecke sind nach Lage und Intensität gleich den Flecken der Referenzlösungen I bzw. II. Die im Chromatogramm der Untersuchungslösung I auftretenden Flecke mit den gleichen Rf-Werten wie in den Referenzlösungen III bzw. IV dürfen in ihrer Intensität nicht stärker sein als jene.

Anschließend wird die eine Platte mit 10,5prozentiger Eisen(III)-chlorid-Lösung besprüht, wodurch (2-Hydroxyethyl)-salicylat und Salicylsäure violett gefärbt werden, während die zweite Platte mit modifiziertem Dragendorffs-Reagenz (bestehend aus 10 ml Dragendorffs-Reagenz, 20 ml Essigsäure 30 % und 70 ml Wasser) besprüht wird und Benzylnicotinat orange gefärbt wird.

6.2.4 Gehalt

95 bis 105 Prozent der deklarierten Mengen (2-Hydroxyethyl)-salicylat und Benzylnicotinat.

Bestimmung von (2-Hydroxyethyl)-salicylat

Etwa 0,5 g Salbe werden unter Rühren und Erwärmen in 50 ml Wasser geschmolzen. Die Mischung wird filtriert, das Filter mit Wasser nachgespült und das Filtrat zu 100,0 ml aufgefüllt. 10,0 ml dieser Lösung werden zu 100,0 ml verdünnt. Von dieser Lösung wird die Absorption im UV-Licht bei 304 nm gemessen.

$$A_{1\,cm}^{1\,\%} = 210$$

$$\text{Gehalt [\%]} = \frac{\text{Absorption} \times 200\,000}{\text{Einwaage mg} \times 210} \times 100$$

Bestimmung von Benzylnicotinat

Etwa 2,0 g Salbe werden in 25 ml wasserfreier Essigsäure gelöst. Nach Zusatz von 1 ml Acetanhydrid, 25 ml Toluol und 0,75 ml Naphtholbenzein-Lösung wird mit 0,02 N-Perchlorsäure bis zum Farbumschlag nach Grün titriert.

1 ml 0,02 N-Perchlorsäure entspricht 4,264 mg Benzylnicotinat.

6.2.5 Haltbarkeit

Die Haltbarkeit in den Behältnissen nach 7 beträgt drei Jahre.

4 (2-Hydroxyethyl)-salicylat − Benzylnicotinat-Salbe

7 Behältnisse

Aluminiumtuben mit Innenschutzlack.

8 Kennzeichnung

Nach § 10 AMG, insbesondere:

8.1 Zulassungsnummer

1869.99.99

8.2 Art der Anwendung

Zum Einreiben in die Haut.

8.3 Hinweis

Apothekenpflichtig.

9 Packungsbeilage

Nach § 11 AMG, insbesondere:

9.1 Anwendungsgebiete

Zur Behandlung von schmerzhaften Muskel- und Gelenkbeschwerden, Prellungen, Zerrungen und Verstauchungen sowie von Durchblutungsstörungen der Haut.

9.2 Gegenanzeigen

(2-Hydroxyethyl)-salicylat − Benzylnicotinat-Salbe darf bei bekannter Überempfindlichkeit gegenüber den Abkömmlingen der Salicylsäure, der Nicotinsäure und des Benzylalkohols und Wollwachs sowie bei ausgedehnten Entzündungen der Haut, Ekzemen sowie Schuppenflechte nicht angewendet werden.

9.3 Nebenwirkungen

Bei der Anwendung von (2-Hydroxyethyl)-salicylat − Benzylnicotinat-Salbe können Überempfindlichkeitsreaktionen in Form von schmerzhaften, juckenden Hautentzündungen auftreten.

9.4 Dosierungsanleitung und Art der Anwendung

Soweit nicht anders verordnet, wird mit wenig Salbe die schmerzende Körperpartie 2- bis 3mal täglich eingerieben.

Hinweise:

Die Salbe darf nicht in die Augen, auf Schleimhäute oder offene Wunden gelangen.

Unmittelbar nach dem Auftragen der Salbe sind die Hände sehr gründlich mit warmem Wasser und Seife zu waschen.

Monographien-Kommentar

(2-Hydroxyethyl)-salicylat – Benzylnicotinat-Salbe

6 **Eigenschaften und Prüfungen**

6.2 Fertigarzneimittel

6.2.2 Prüfung auf Identität

(2-Hydroxyethyl)-salicylat:

Die Reaktion mit Eisen(III)ionen in dieser Ausführung ist charakteristisch für Salicylsäure und deren Derivate mit freier phenolischer Hydroxylgruppe. Das UV-Spektrum ist typisch für Salicylsäure und ihre Derivate. Die Absorption des Benzylnicotinats ist deutlich geringer als die des (2-Hydroxyethyl)-salicylats (geringere spezifische Absorption und Konzentration), weshalb es nur an den Schultern im Spektrum erkennbar ist (UV-Spektren siehe [1]). Durch die Angabe der spezifischen Absorptionen an den Absorptionsmaxima kann das Vorliegen anderer Salicylsäurederivate ausgeschlossen werden; hier werden allerdings die Absorptionswerte einer Lösung vorgegeben, die durch Auflösen von 0,1 g Salbe in 100 ml (und anschließender Verdünnung im Verhältnis 10:100) erhalten wird; durch die fehlende Präzision bei der Einwaage und dem Lösemittelvolumen (0,1 g bedeutet nach Ph. Eur. eine Masse zwischen 0,05 g und 0,15 g) sind die Absorptionswerte, deren Angabe sich auf genau 100 mg bezieht, nicht zuverlässig interpretierbar; lediglich das Verhältnis der Absorptionswerte bei den beiden angegebenen Wellenlängen ist eine für die Interpretation nutzbare Größe.

$A\frac{1\%}{1\,cm}$ (239 nm; Wasser) = 520 [2]; $A\frac{1\%}{1\,cm}$ (304 nm; Wasser) = 210 [2]

$A\frac{1\%}{1\,cm}$ (238 nm; 0,1 M HCl) = 494 [1]; $A\frac{1\%}{1\,cm}$ (303 nm; 0,1 M HCl) = 198 [1]

Benzylnicotinat:

Nach der hydrolytischen Spaltung, die zum Nicotinsäureanion und Benzylalkohol führt, wird dieser mit Kaliumpermanganat zu Benzaldehyd oxidiert, wobei das Permanganat über das grüne Manganat zu Braunstein reduziert wird.

6.2.3 Prüfung auf Reinheit

Dünnschichtchromatographie: Prüfung auf die Nebenprodukte bzw. Hydrolyseprodukte Salicylsäure und Nicotinsäure. Der Salicylsäuregehalt bezogen auf intaktes Hydroxyethylsalicylat muß hiernach unter 7,6 % liegen, der Gehalt an Nicotinsäure bezogen auf Benzylnicotinat darf 6 % nicht überschreiten. Auf die Begrenzung des Gehaltes an Ethylenglykol analog Ph. Eur. wird hier verzichtet; dies ist vertretbar, da Ethylenglykol und Salicylsäure primär im gleichen Umfang (Stoffmenge) entstehen und Salicylsäure relativ stabil ist. DAB führt die Reinheitsprüfung von Benzylnicotinat gaschromatographisch durch; da bei der hier beschriebenen Zubereitung ein höherer Gehalt an Zersetzungsprodukten zugelassen ist, reicht die Empfindlichkeit der vorgeschriebenen dünnschichtchromatographischen Bestimmung aus.

6.2.4 Gehalt

2-Hydroxyethylsalicylat:

Die Bestimmung erfolgt UV-photometrisch. Bei der angegebenen Wellenlänge von 304 nm absorbiert Benzylnicotinat nicht. Die Berechnungsformel gibt den Gehalt der Zubereitung an Arzneistoff an bezogen auf den deklarierten Gehalt. Zur Absicherung der Richtigkeit empfiehlt sich eine Vergleichsmessung mit Referenzsubstanz, die nach 6.2.3 bei der DC-Untersuchung Verwendung findet. Hierzu werden 25 mg (2-Hydroxyethyl)-salicylat genau gewogen (Masse m_s) in 100,0 ml Wasser gelöst; die Absorption einer Verdünnung von 10,0 ml dieser Lösung zu 100,0 ml mit Wasser wird gegen Wasser gemessen (A_s). Dann lautet die Berechnungsformel für den Gehalt G bei einer Einwaage der Zubereitung von m_u und einer gegen Wasser gemessenen Absorption der Untersuchungslösung A_u

$$G = 2000 \cdot \frac{m_s}{m_u} \cdot \frac{A_u}{A_s} \%$$

Benzylnicotinat:

Die Bestimmung erfolgt acidimetrisch; dabei wird der Pyridin-Stickstoff protoniert. Acetanhydrid hat die Aufgabe, die schwache Base Wasser zu binden. Hierfür sind ca. 1,1 g Acetanhydrid erforderlich. Insofern ist die eingesetzte Menge etwas zu niedrig. Eine Erhöhung der Acetanhydridmenge auf ca. 1,5 ml und das Einhalten einer 30minütigen Wartezeit erhöht die Schärfe des Indikatorumschlages. Anstelle des Lösemittelgemisches, das bei der Entsorgung Probleme bereiten kann, ist auch Acetanhydrid einsetzbar [Ph. Eur.].

6.2.4 Haltbarkeit

Eine nicht mehr tolerable Hydrolyse der Arzneistoffe kann durch die DC-Untersuchung erkannt werden. Die selektive quantitative Analyse der intakten Arzneistoffe ist mittels chromatographischer Verfahren möglich z. B. mit Gaschromatographie für Benzylnicotinat [DAB Reinheit] und (2-Hydroxyethyl)-salicylat [3].

[1] F. v. Bruchhausen, S. Ebel, A. W. Frahm, E. Hackenthal (Hrsg.), Hagers Handbuch der Pharmazeutischen Praxis Bd. 8, S. 495, 5. Aufl., Springer Verlag Heidelberg 1993.

[2] H.-W. Dibbern, E. Wirbitzki, UV- und IR-Spektren wichtiger pharmazeutischer Wirkstoffe, Editio Cantor Aulendorf (1978).

[3] M. Keller, P. Schnee, Dtsch. Apoth. Ztg. 1980, 120: 1703

P. Surmann